Vietnam

Mason Florence
Virginia Jealous

LONELY PLANET PUBLICATIONS
Melbourne • Oakland • London • Paris

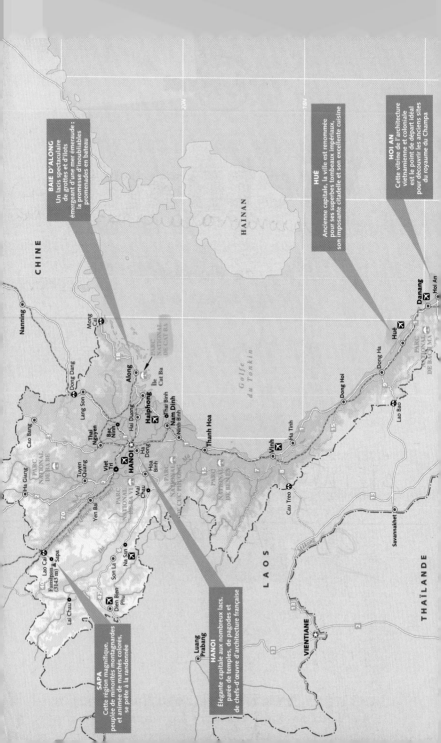

BAIE D'ALONG
Un lacis spectaculaire de grottes et d'îlots émergeant d'une mer émeraude : la promesse d'inoubliables promenades en bateau

HUÉ
Ancienne capitale, la ville est renommée pour ses superbes tombeaux impériaux, son imposante citadelle et son excellente cuisine

HOI AN
Cette vitrine de l'architecture vietnamienne et coloniale est le point de départ idéal pour découvrir les anciens sites du royaume du Champa

SAPA
Cette région magnifique, peuplée de minorités montagnardes et animée de marchés colorés, se prête à la randonnée

HANOI
Élégante capitale aux nombreux lacs, parée de temples, de pagodes et de chefs-d'œuvre d'architecture française

CHINE

HAINAN

Golfe du Tonkin

LAOS

THAÏLANDE

Nanning

Mong Cai

Along

Île Cat Ba

Haiphong

Hai Duong

Thai Binh

Nam Dinh

Ninh Binh

Thanh Hoa

Dong Dang

Lang Son

Cao Bang

Ha Giang

Thai Nguyen

Bac Ninh

Viet Tri

HANOI

Ha Dong

Hoa Binh

Tuyen Quang

Yen Bai

Mai Chau

Son La

Na San

Lao Cai

Sapa

Fansipan (3143 m)

Dien Bien Phu

Lai Chau

PARC NATIONAL DE BA BE

PARC NATIONAL DE CAT BA

PARC NATIONAL DE CUC PHUONG

PARC NATIONAL DE BEN EN

Vinh

Ha Tinh

Dong Hoi

Dong Ha

Hué

Danang

Hoi An

PARC NATIONAL DE BACH MA

Cau Treo

Lao Bao

Savannakhet

VIENTIANE

Luang Prabang

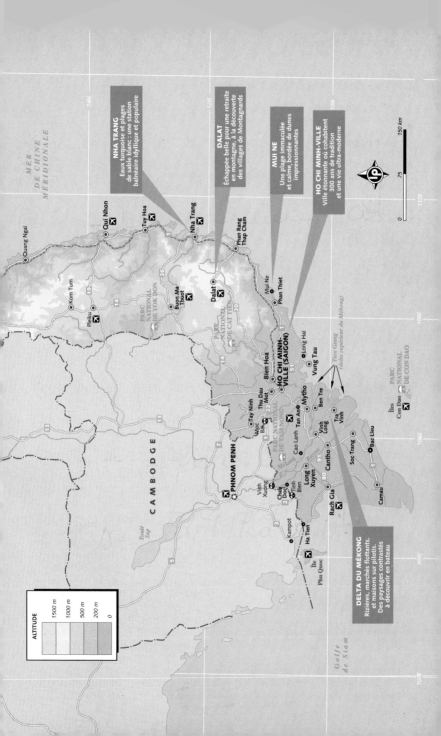

NHA TRANG
Eaux turquoise et plages de sable blanc : une station balnéaire idyllique et populaire

DALAT
Échappée belle pour une retraite en montagne, à la découverte des villages de Montagnards

MUI NE
Une plage immaculée et calme, bordée de dunes impressionnantes

HO CHI MINH-VILLE
Ville étonnante où cohabitent 300 ans de tradition et une vie ultra-moderne

DELTA DU MÉKONG
Rizières, marchés flottants, et maisons sur pilotis. Des paysages contrastés à découvrir en bateau

MER DE CHINE MÉRIDIONALE

Golfe de Siam

CAMBODGE

ALTITUDE
1500 m
1000 m
500 m
200 m
0

0   75   150 km

Quang Ngai
Qui Nhon
Tuy Hoa
Kom Tum
Pleiku
Nha Trang
Phan Rang Thap Cham
Buon Ma Thuot
Dalat
PARC NATIONAL DE YOK DON
PARC NATIONAL DE CAT TIEN
Mui Ne
Phan Thiet
Long Hai
Vung Tau
Bien Hoa
Thu Dau Mot
Tay Ninh
PHNOM PENH
HO CHI MINH-VILLE (SAIGON)
Moc Bai
PARC NATIONAL DE TRA MA NONG
Mytho
Ben Tre
Cao Lanh   Tan An
Vinh Long
Tra Vinh
Soc Trang
Bac Lieu
Vinh Xuong
Chau Doc
Tinh Bien
Long Xuyen
Cantho
Rach Gia
Camau
Kampot
Ha Tien
Phu Quoc
Îles Con Dao
PARC NATIONAL DE CON DAO

Tonlé Sap

Tien Giang (delta supérieur du Mékong)

Vietnam
6e édition française – Avril 2003
Traduit de l'ouvrage *Vietnam* (7th edition)

Publié par
Lonely Planet Publications 1, rue du Dahomey, 75011 Paris

Autres bureaux Lonely Planet
Australie Locked Bag 1, Footscray, Victoria 3011
États-Unis 150 Linden St, Oakland, CA 94607
Grande-Bretagne 10a Spring Place, London NW5 3BH

Photographies
La plupart des photos publiées dans ce guide sont disponibles
auprès de notre agence photographique Lonely Planet Images.
Web site : www.lonelyplanetimages.com

Photo de couverture
Récolte du sel, Doc Let (John Banagan)

Traduction de
Cécile Capilla, Évelyne Haumesser et Pascale Haas

Dépôt légal
Avril 2003

ISBN 2 84070-280-0
ISSN 1242-9244

Texte et cartes © Lonely Planet Publications Pty Ltd 2003
Photos © photographes comme indiqués 2003

Imprimé par Hérissey, France

Bien que les auteurs
et l'éditeur aient
essayé de donner
des informations
aussi exactes que
possible, ils ne sont
en aucun cas
responsables des
pertes, des problèmes
ou des accidents
que pourraient subir
les personnes utilisant
cet ouvrage.

Table des matières

LE NORD-EST — 206

LE NORD-OUEST — 235

LE CENTRE-NORD — 263

LE CENTRE — 277

LE LITTORAL DU CENTRE ET DU SUD — 345

LES HAUTS PLATEAUX DU CENTRE — 382

Table des cartes

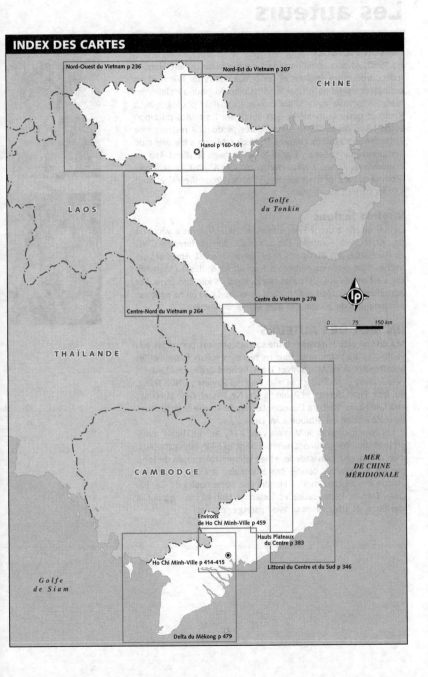

INDEX DES CARTES

Nord-Ouest du Vietnam p 236

Nord-Est du Vietnam p 207

CHINE

Hanoi p 160-161

LAOS

Golfe du Tonkin

Centre du Vietnam p 278

Centre-Nord du Vietnam p 264

THAÏLANDE

0   75   150 km

CAMBODGE

MER DE CHINE MÉRIDIONALE

Environs de Ho Chi Minh-Ville p 459

Hauts Plateaux du Centre p 383

Ho Chi Minh-Ville p 414-415

Littoral du Centre et du Sud p 346

Golfe de Siam

Delta du Mékong p 479

Les auteurs

Mason Florence

En 1990, Mason abandonne une prometteuse carrière dans le rodéo, troque ses éperons et ses bottes contre un Nikon et un ordinateur portable, et quitte son Colorado pour s'installer au Japon. Il travaille aujourd'hui comme journaliste photographe à Kyoto et passe la moitié de son temps sur les routes du Japon et de l'Asie du Sud-Est. À ses heures perdues, il restaure une vieille ferme au toit de chaume à Shikoku. Mason a travaillé à de nombreux guides Lonely Planet, parmi lesquels *Southest Asia on a shoestring*, *Japan*, *Kyoto*, *Hanoi*, *Ho Chi Minh City* et *Rocky Mountains*. Ses photographies (*Postcards from the Edge*) sont visibles partout au Vietnam.

Virginia Jealous

Depuis qu'elle a quitté l'Angleterre en 1983, Virginia a vécut un peu partout en Australie. Elle a travaillé dans différentes ONG en Papouasie, aux Phillipines et au Timor-Oriental. Après des semaines d'un périlleux périple en Jeep sur les routes du Vietnam, elle s'est retirée sur Christmas Island, dans les lointains territoires australiens de l'océan Indien, dans un endroit où l'on ne peut pas conduire plus de 30 minutes dans la même direction.

UN MOT DES AUTEURS

Mason souhaite témoigner toute sa gratitude aux personnes suivantes, au Vietnam, pour tous les renseignements fournis et les bons tuyaux. À HCMV, Sinh et Tram, Richard Craik, Paul Levieur, Pete Murray et M. Hung ; à Dalat, Michael Sterling ; à Nha Trang, Bu, Jack, Peter, Jeremy et Paolo ; à Mui Ne, Pascal, Gino et Hang ; et à Qui Nhon, Barbara Dawson. Le prix de "meilleur chauffeur" de cette édition est attribué à M. Liem.

Les remerciements de Virginia vont à My Anh et Thanh, interprète et chauffeur extraordinaires, durant les kilomètres cahoteux, mais de franche camaraderie, et les interminables repas de tofu, poisson et légumes bouillis pris ensemble ; à Fiona, pour "ma maison loin de chez moi" à Hanoi ; aux noctambules de Cat Ba, Gary, Darren, Peter, Jackie et Stefan ; à Linh et Hoang pour la logistique, et à Mason pour avoir partagé ce travail.

À propos de l'ouvrage

Le guide Lonely Planet *Vietnam, Laos & Cambodia*, écrit par Daniel Robinson (Vietnam et Cambodge) et Joe Cummings (Laos) fut le premier à traiter du Vietnam. La seconde édition (la première pour l'édition française) traitait déjà uniquement du Vietnam et fut mise à jour par Robert Storey à partir des recherches de Daniel Robinson. Robert est également l'auteur des troisième et quatrième éditions. Les cinquième et sixième éditions ont été mises à jour par Mason Florence.

Pour cette septième édition, Virginia Jealous a réactualisé le Centre, le Centre-Nord, le Nord-Ouest et Hanoi. Mason s'est chargé du reste de l'ouvrage.

À propos de l'éditeur

Cécile Bertolissio a assuré la coordination éditoriale de cet ouvrage. Jean-Noël Doan, en a réalisé la maquette.

Un grand merci à Rose-Hélène Lempereur, à notre belle Orchidée et à Maja Brion-Raphaël pour leur précieuse collaboration au texte, ainsi qu'à Régis Couturier pour son travail sur l'index.

Les cartes originales sont dues aux talents de Chris Thomas et de son équipe – Nicholas Stebbing, Corinne Waddell et Wayne Murphy. Elles ont été adaptées en français par Martine Marmoujet.

Margaret Jung et Simon Bracken ont conçu la couverture, signée Sophie Rivoire pour l'édition française. Quentin Frayne a supervisé la réactualisation du chapitre *Langue*. Nous devons les illustrations de ce guide à Pepi Bluck, Simon Borg, Trudi Canavan et Martin Harris.

Un grand merci également à Hélène Cody pour son travail de mise en forme du manuscrit, à Marie-Jo Aznar, Claude Albert et Rose-Hélène Lempereur pour la préparation de la traduction, et à Isabelle Lethiec, Bénédicte Houdré et Mme Spok pour leur aide précieuse. Mille mercis à nos deux voyageurs au long cours : Didier Buroc, pour la gestion du courrier des lecteurs, et "Magic Aaron", pour ses prouesses techniques, qui ont décidé, chacun de leur côté, de s'envoler vers d'autres horizons.

Enfin, tous nos remerciements vont à Fiona Siseman et à Graham Imeson, de Melbourne, pour leur constante collaboration avec le bureau français, ainsi qu'à toute l'équipe de la LPI.

Avant-propos

LES GUIDES LONELY PLANET

Tout commence par un long voyage : en 1972, Tony et Maureen Wheeler rallient l'Australie après avoir traversé l'Europe et l'Asie. À cette époque, on ne disposait d'aucune information pratique pour mener à bien ce type d'aventure. Pour répondre à une demande croissante, ils rédigent leur premier guide. Depuis, Lonely Planet est devenu le plus grand éditeur indépendant de guides de voyages dans le monde, et dispose de bureaux à Melbourne (Australie), Oakland (États-Unis), Londres (Royaume-Uni) et Paris (France).

La collection couvre désormais le monde entier, et ne cesse de s'étoffer. Si l'information est aujourd'hui présentée sur différents supports, notre objectif reste le même : donner des clés au voyageur pour qu'il comprenne mieux les pays qu'il visite.

L'équipe de Lonely Planet est convaincue que les voyageurs peuvent avoir un impact positif sur les pays qu'ils visitent, pour peu qu'ils fassent preuve d'une attitude responsable. Depuis 1986, nous reversons un pourcentage de nos bénéfices à des programmes d'actions humanitaires et de protection de l'environnement.

Nos auteurs s'engagent formellement à ne percevoir aucune gratification, en échange de leurs commentaires. Par ailleurs, aucun de nos ouvrages ne contient de publicité, pour préserver notre indépendance.

> Les adresses présentes dans les pages de nos guides sont en général celles que nous recommandons. Cependant, une absence ne signifie pas forcément une condamnation. Il peut s'agir, par exemple, d'un établissement qui ne supporterait pas un afflux trop important de voyageurs, ou d'un établissement fermé lors de notre passage.

MISES À JOUR ET COURRIER DES LECTEURS

Un guide de voyage ressemble un peu à un instantané. À peine a-t-on imprimé le livre que la situation a déjà évolué. Les prix augmentent, les horaires changent, les bonnes adresses se déprécient et les mauvaises font faillite. N'hésitez pas à prendre la plume pour nous faire part de vos expériences. Vos remarques nous permettront de préciser nos informations et d'améliorer la prochaine édition.

Lonely Planet met régulièrement à jour ses guides, dans leur totalité. Il s'écoule généralement deux ans entre deux éditions, parfois plus pour certaines destinations moins sujettes au changement. Notre e-zine *Comète*, une newsletter par e-mail en français, est également éditée à l'attention de notre communauté de voyageurs. L'inscription (gratuite) à cette lettre se fait depuis la page d'accueil de notre site www.lonelyplanet.fr. Sur ce site, la rubrique *Profil de destination* permet d'accéder à plus de 150 mini-guides de pays, villes ou régions. Vous trouverez aussi la section *Infos rapidos* qui vous tiendra au courant de l'actualité liée au voyage. Les *forums de discussion* et la rubrique *Air Mail* (courrier des lecteurs) permettent d'échanger des informations entre voyageurs. D'autres informations sont disponibles sur nos sites anglais www.lonelyplanet.com, et espagnol www.lonelyplanet.es.

Votre avis nous importe ! La réalisation d'un livre commence avec le courrier que nous recevons de nos lecteurs, aussi attachons nous beaucoup d'importance à vos réactions et vos impressions. Une équipe de voyageurs invétérés traite le courrier et les e-mails, et s'assure que la moindre information soit dirigée vers l'auteur, l'éditeur ou le cartographe concerné.

Toute personne nous écrivant verra son nom figurer à la fin de l'ouvrage dans la prochaine édition du guide en question. Les auteurs des meilleures contributions seront remerciés par l'offre d'un guide parmi nos collections. Des extraits de courriers seront éventuellement publiés dans nos guides, ou bien intégrés à notre site internet. Si vous ne souhaitez pas que votre courrier soit repris ou que votre nom apparaisse, merci de nous le préciser.

Envoyez vos courriers à Lonely Planet, 1 rue du Dahomey, Paris 75011 ou vos e-mails à : bip@lonelyplanet.fr, **www.lonelyplanet.fr** ou **www.lonelyplanet.com**.

Introduction

Le Vietnam possède une civilisation unique et riche, ainsi que des paysages spectaculaires. Son peuple est particulièrement hospitalier. Si la longue histoire des guerres continue indiscutablement à hanter les esprits, le pays vit aujourd'hui en paix.

Alors que le régime communiste a fermé la porte aux touristes et aux investisseurs étrangers pendant près de deux décennies, visiter le pays est maintenant bien plus aisé et les touristes arrivent par flots. La courte période de libéralisme économique et de politique d'ouverture a déjà permis des changements radicaux.

La plupart des visiteurs restent bouche bée devant la beauté des sites naturels du Vietnam. Le delta du fleuve Rouge au nord, le delta du Mékong au sud et presque toute la bande côtière forment un véritable patchwork de rizières d'un vert scintillant. Une grande partie des 3 451 km de côtes est constituée de plages et de lagunes de rêve, à l'ombre des palmiers ou des casuarinas. Ailleurs, ce sont des dunes de sable qui s'étendent à perte de vue ou encore les versants abrupts des contreforts des monts Truong Son.

Entre les deux deltas, les rizières bordant le littoral de la mer de Chine méridionale laissent place à de hautes montagnes couvertes d'une forêt tropicale exubérante. Il suffit de s'éloigner un peu des côtes pour se rafraîchir dans les chutes d'eau et les cascades des Hauts Plateaux. Là vivent des dizaines de communautés ethno-linguistiques différentes, les tribus montagnardes.

Les visiteurs s'émerveillent de la variété d'images, de sons, de goûts et de senteurs, parfaitement préservée par une société à la civilisation fort ancienne. Il n'y a rien de plus agréable que de s'installer à l'échoppe d'un marché pour goûter la cuisine locale au milieu de jeunes badauds et de vendeurs de fruits tropicaux. À moins de s'asseoir au pied d'une cascade dans les Hauts Plateaux, en sirotant une eau parfumée au citron et en regardant les couples de jeunes mariés dans leurs plus beaux habits. Ou bien de répondre à l'invitation d'un bonze en se rendant à sa pagode pour suivre les prières selon les anciens rites mahayana, accompagnées de chants et des rythmes des tambours et des gongs.

Protégeant farouchement leur indépendance et leur souveraineté, les Vietnamiens accueillent aimablement les étrangers se présentant en invités plutôt qu'en conquérants. Aujourd'hui, presque tous les Vietnamiens expriment une grande gentillesse envers les visiteurs occidentaux (y compris américains) et se montrent désireux d'élargir les contacts avec le monde extérieur. Les voyageurs jouent un rôle important, en soulignant la nécessité d'établir des relations internationales, tant sur un plan amical que commercial.

Bien sûr, en raison de leur remarquable croissance économique, la plupart des États d'Asie du Sud-Est ont vu leurs prix grimper. Avec la pollution croissante, l'environnement est devenu nettement moins enchanteur que par le passé. Les rizières ont fait place aux complexes industriels et à leurs noires fumées, les bicyclettes aux

bus touristiques, les toits de chaume aux hôtels de luxe ou aux centres d'affaires.

Bien que le Vietnam n'ait pas encore atteint le niveau de développement endémique de la région, le capitalisme n'est plus tabou, et le commerce privé, florissant, engendre un tourbillon d'activités, notamment à Ho Chi Minh-Ville et à Hanoi, dynamisant l'économie du pays. De grandes agglomérations et villes provinciales sont également devenues prospères, le développement des infrastructures ayant engendré l'expansion des zones urbaines, la création d'hôpitaux et, ainsi, la modification des mentalités.

Bien que fort récentes, la libéralisation de l'économie et l'ouverture sur l'extérieur ont déjà suscité des changements spectaculaires. Les voyageurs seront sans doute étonnés par la fusion tonique de la culture vietnamienne, du passé colonial français et de l'héritage communiste, ainsi que par la transformation actuelle du pays en une puissance asiatique moderne.

Présentation du Vietnam

HISTOIRE

Au grand étonnement des visiteurs, on ne trouve guère qu'une vingtaine de noms de rues principales dans les villes et les villages du Vietnam. Ce sont ceux des grands héros nationaux qui, pendant 2 000 ans, ont guidé le pays dans ses guerres de libération successives et dont les exploits ont servi d'exemple à des générations de patriotes.

Préhistoire et premiers royaumes

Les origines du peuple vietnamien sont enveloppées de mystère et de légendes. Des découvertes archéologiques récentes indiquent que le plus ancien peuplement du Vietnam du Nord remonte à environ 500 000 ans. Des cultures mésolithiques et néolithiques y apparurent il y a 10 000 ans. Ces populations auraient pratiqué une forme primitive d'agriculture dès 7000 av. J.-C. La culture très élaborée de Dong Son, à l'âge du bronze, s'étend du VIe au IIIe siècle av. J.-C.

Plusieurs royaumes se forment dans le Nord : celui de Van Lang, qui a vu régner les semi légendaires rois Hung et s'épanouir la culture Dong Son, tombe sous le contrôle de son voisin de la région de Cao Bang (au nord-est du Vietnam) au IIIe siècle. L'entité créée prend le nom de royaume de Au Lac. En 207 av. J.-C, un général fonde le Nam Viet, un empire qui, installé dans le delta du fleuve Rouge, étend son influence sur tout le nord de la péninsule avant de devoir accepter la tutelle de l'empire chinois des Han.

La férule chinoise (vers 200 av. J.-C. – 938)

Quand les Chinois conquièrent le delta du fleuve Rouge, ils trouvent une société féodale fondée sur la chasse, la pêche et la culture sur brûlis. Ces proto-Vietnamiens font aussi du commerce avec les autres peuples de la région. Au cours des quelques siècles suivants, un bon nombre de colons, de bureaucrates et d'intellectuels chinois s'installent dans le delta du fleuve Rouge, s'appropriant de grandes étendues de terre. Les Chinois tentent d'imposer aux

Vietnamiens un système d'État centralisé et de les siniser de force, mais certains seigneurs locaux s'opposeront fermement à ces efforts.

L'acte de résistance le plus célèbre est sans aucun doute la rébellion des sœurs Trung (Hai Ba Trung). En l'an 40 de notre ère, les Chinois exécutent un très puissant seigneur féodal. Sa veuve et la sœur de celle-ci rallient des chefs de tribu, lèvent une armée et conduisent une révolte qui oblige le gouverneur chinois à s'enfuir. Les sœurs se proclament alors reines de l'entité vietnamienne nouvellement indépendante. Cependant, trois ans plus tard, les Chinois contre-attaquent et écrasent les Vietnamiens. Plutôt que de se rendre, les sœurs Trung se jettent dans la rivière Hat Giang.

Les Vietnamiens vont alors emprunter aux Chinois nombre de techniques inconnues d'eux : l'araire en fer menée par des animaux de trait pour labourer, les digues et les systèmes d'irrigation. Désormais, l'agriculture vietnamienne se consacrera essentiellement au riz, l'aliment quotidien de base. Mieux nourrie, la population augmente. À cette époque, les ports du Vietnam sont d'importants jalons sur la route maritime entre la Chine et l'Inde. Les Vietnamiens sont convertis au confucianisme et au taoïsme par les lettrés chinois venus s'installer au Vietnam comme administrateurs ou réfugiés. Les Indiens qui font route vers l'est implantent le bouddhisme theravada (ou hinayana) dans le delta du fleuve Rouge, tandis que les Chinois introduisent le bouddhisme mahayana. Pour plus de précisions, voir la rubrique *Religion*.

Les bonzes apportent leurs connaissances scientifiques et médicales des civilisations indienne et chinoise. Les bouddhistes vietnamiens deviennent ainsi rapidement les meilleurs médecins, botanistes et érudits de leur pays.

Aux IIIe et VIe siècles, l'administration chinoise, tyrannique (elle a imposé les travaux forcés et ne cesse de réclamer des tributs), doit faire face à une série de rébellions. Toutes sont écrasées. Pour marquer leur domination, les Chinois rebaptisent en

679 le pays du nom d'Annam, ce qui signifie "le Sud pacifié". Toutefois, la mémoire collective se nourrira au fil des siècles de ces actes courageux contre la tutelle chinoise, un passé qui fait à jamais partie de l'identité vietnamienne.

Les royaumes du Funan et du Champa

Du Ier au VIe siècle de notre ère, le sud de l'actuel Vietnam faisait partie du royaume "hindouisé" du Funan, réputé pour le raffinement de ses arts. Les habitants du Funan possédaient un système de canaux très compliqué, à la fois pour la navigation et pour l'irrigation des rizières. Le port principal du royaume, Oc-Eo, se trouvait dans l'actuelle province de Kien Giang. Des fouilles archéologiques ont révélé que le Funan entretenait d'importants contacts avec la Chine, l'Indonésie, l'Inde, la Perse et les pays méditerranéens. L'une des pièces les plus extraordinaires trouvées à Oc-Eo est un médaillon romain en or, de l'an 152, sur lequel figure le portrait de l'empereur Antonin le Pieux. Au milieu du VIe siècle, le Funan est attaqué par le royaume pré-angkorien de Chen-la, qui progressivement annexera tout son territoire.

À la fin du IIe siècle, le royaume hindou du Champa s'installe sur le site de l'actuelle Danang (Centre du Vietnam). Tout comme le Funan, il "s'hindouise" grâce à des relations commerciales très intenses avec l'Inde et à l'arrivée de prêtres et de lettrés indiens. Les Cham adoptent l'hindouisme comme religion, le sanskrit comme langue sacrée, et empruntent beaucoup à l'art indien. Au VIIIe siècle, le royaume du Champa se tourne vers le sud et gagne les territoires de ce qui est aujourd'hui Nha Trang et Phan Rang. Le Champa est, dans une certaine mesure, un pays de pirates vivant en partie de pillages organisés le long de toute la côte indochinoise, d'où découle un état de guerre permanent avec les Vietnamiens au nord et les Khmers à l'ouest. Les splendides sculptures cham du musée de Danang témoignent de cette période.

Le Vietnam indépendant (Xe siècle)

Après l'effondrement de la dynastie des Tang en Chine au début du Xe siècle, les Vietnamiens se révoltent contre l'autorité chinoise. En 938, Ngo Quyen vainc les armées chinoises lors d'une bataille sur la rivière Bach Dang, mettant ainsi un point final à un millénaire de dictature chinoise. Il crée un État vietnamien indépendant.

Dinh Bo Linh, après avoir réussi à maîtriser l'anarchie qui suit la mort de Ngo Quyen, passe en 968 un accord avec la Chine : en échange de la reconnaissance par la Chine de leur indépendance de fait, les Vietnamiens acceptent la suzeraineté chinoise et paient pour cela un tribut triennal.

La dynastie fondée par Dinh Bo Linh est renversée en 980 par Le Dai Hanh, premier souverain de la lignée des Le antérieurs, qui vont régner jusqu'en 1009.

La dynastie des Ly (1010-1225)

Du XIe au XIIIe siècle, l'indépendance du royaume du Vietnam (Dai Viet) se consolide avec les empereurs de la dynastie des Ly, fondée par Ly Thai To. Ils réorganisent le système administratif, fondent la première université (le temple de la Littérature, à Hanoi), développent l'agriculture et construisent la première digue destinée à contrôler les crues du fleuve Rouge. Du fait de leurs liens culturels étroits avec la Chine, les lettrés confucéens se discréditent, tandis que les bouddhistes qui ont aidé les Ly à prendre le pouvoir sont soutenus par la dynastie.

Cependant, la philosophie confucéenne du gouvernement et de la société – prédominance de l'éducation, des célébrations rituelles et de l'autorité du pouvoir – réaffirme son influence en 1075, lorsque la première génération d'étudiants sort du temple de la Littérature. Après plusieurs années d'études essentiellement classiques, ces jeunes lettrés entrent au service public comme *Quan lai*, appelés mandarins en Occident. Les grandes lignes du mandarinat vietnamien, qui permet à une classe de lettrés recrutés sur concours de diriger l'État, datent de cette époque.

Les Chinois, les Khmers et les Cham ne cessent d'attaquer le Vietnam durant la dynastie des Ly. Ils sont à chaque fois repoussés, en grande partie grâce au stratège et tacticien Ly Thuong Kiet (1030-1105), mandarin de sang royal vénéré, aujourd'hui encore, comme un héros national.

La conquête du territoire cham permet aux Vietnamiens d'accroître leurs surfaces cultivées. Elle s'accompagne toutefois d'une politique de colonisation qui impose les structures sociales régissant le nord dans les territoires nouvellement occupés. Ce processus ne tient aucun compte du potentiel technologique et culturel du Cham (dont la civilisation est détruite). Il permet en revanche la création de villages homogènes, de la frontière chinoise au golfe de Siam.

La dynastie des Tran (1225-1400)

Après des années de querelles intestines, la dynastie des Tran renverse celle des Ly. Les Tran accroissent les surfaces cultivées pour nourrir une population toujours plus nombreuse et améliorent les digues du fleuve Rouge.

Au XIIIe siècle, le mongol Kubilai Khan réussit enfin à conquérir la Chine et réclame le droit de traverser le territoire vietnamien pour attaquer le Champa. Les Vietnamiens refusent, mais l'armée mongole, forte de quelque 500 000 hommes, passe outre. Les maigres troupes vietnamiennes du général Tran Hung Dao repoussent les envahisseurs, les forçant jusqu'à retourner en Chine. Têtus, les Mongols reviennent avec, cette fois, 300 000 soldats. Tran Hung Dao leur tend un piège : il attaque la flotte mongole sur la rivière Bach Dang à marée haute, puis ordonne un repli stratégique pour les inciter à rester pour combattre. La bataille dure de longues heures jusqu'à ce que la marée descende. Une contre-offensive vietnamienne oblige alors les navires ennemis à battre en retraite et à s'éventrer sur des piques de bambou plantées, la veille, dans le lit de la rivière. La flotte tout entière est capturée ou coulée.

Quand Ho Qui Ly renverse la dynastie des Tran en 1400, les Tran loyalistes et les Cham (qui ont pillé Hanoi en 1371) demandent aux Chinois d'intervenir. Ceux-ci acceptent volontiers et prennent le contrôle du Vietnam en 1407. Ils imposent leur culture et leur mode de vie à la population, ainsi que de lourdes taxes et le travail forcé. En emportant en Chine les archives nationales, ils causent en outre une perte irréparable à la civilisation vietnamienne. Le grand poète Nguyen Trai (1380-1442) traduit la domination chinoise en ces termes :

Toute l'eau de la Mer orientale ne saurait suffire à effacer la tache de leur ignominie. Tous les bambous des Montagnes méridionales ne sauraient donner assez de papier pour pouvoir dresser la longue liste de leurs crimes.

La dynastie des Le postérieurs (1428-1524)

Enfant d'une famille nombreuse et prospère du village de Lam Son, dans la province de Thanh Hoa, Le Loi devient une célébrité en mettant sa richesse au service des pauvres. Les autorités chinoises lui proposent de devenir mandarin, mais il refuse. Dès 1418, Le Loi voyage à travers le pays pour rallier les populations à la cause antichinoise, préparant l'insurrection de Lam Son. Malgré plusieurs défaites, il gagne le respect des paysans en interdisant à ses hommes de piller, même quand ils meurent de faim. Il finit par vaincre les Chinois en 1428 et se proclame empereur sous le nom de Ly Thai To, fondant ainsi la dynastie des Le postérieurs. Le Vietnam d'aujourd'hui voit en Le Loi l'un de ses plus grands héros.

Après la victoire de Le Loi sur les Chinois, Nguyen Trai, ancien compagnon d'armes de l'empereur, écrit sa fameuse "Grande Proclamation" (*Binh Ngo Dai Cao*), traduisant bien l'irrésistible esprit d'indépendance du Vietnam :

Notre peuple a forgé au Vietnam, il y a longtemps déjà, une nation indépendante dotée de sa propre civilisation. Nous avons nos montagnes et nos rivières, nos coutumes et nos traditions, toutes différentes de celles des pays étrangers du Nord... Nous avons parfois été faibles et parfois puissants, mais nous n'avons jamais manqué de héros.

Cette dynastie perd le pouvoir véritable en 1524, mais régnera officiellement jusqu'en 1788. Le Loi et ses successeurs se lancent dans un vaste programme de réformes agraires et de redistribution des terres. Ils partent également à la conquête des terres cham dans le sud. Au XVe siècle, le Laos doit reconnaître la suzeraineté du Vietnam.

Le Vietnam de la dynastie des Le tente de se libérer de la domination intellectuelle et culturelle des Chinois. La tradition locale prévaut dans les domaines juridique,

Dynasties du Vietnam indépendant

dynastie	époque
Dynastie des Ngo	939-965
Dynastie des Dinh	968-980
Dynastie des Le antérieurs	980-1009
Dynastie des Ly	1010-1225
Dynastie des Tran	1225-1400
Dynastie des Ho	1400-1407
Dynastie des Tran postérieurs	1407-1413
Dynastie chinoise	1414-1427
Dynastie des Le postérieurs (nominalement jusqu'en 1788)	1428-1524
Dynastie des Mac	1527-1592
Les seigneurs Trinh du Nord	1539-1787
Les seigneurs Nguyen du Sud	1558-1778
Dynastie des Tay Son	1788-1802
Dynastie des Nguyen	1802-1945

religieux et culturel. La langue vietnamienne gagne les faveurs des lettrés – qui lui ont toujours préféré le mandarin – et de nombreuses œuvres littéraires de grande qualité voient le jour. Des réformes juridiques accordent aux femmes la quasi-égalité des droits au sein de la famille, mais deux groupes restent privés de leurs droits civiques : les esclaves (la plupart prisonniers de guerre) et les acteurs. Soulignons que les élites continuent à s'exprimer en chinois et à suivre les modes de vie du géant voisin. Le néo-confucianisme reste la norme quand il s'agit de moralité sociale et politique.

Les seigneurs Trinh et Nguyen

Le Vietnam est divisé tout au long des XVIIe et XVIIIe siècles. Les seigneurs Trinh gouvernent le Nord, sous le règne officiel des Le postérieurs. Le Sud est tenu par leurs rivaux, les seigneurs Nguyen, qui reconnaissent aussi la dynastie des Le. Les Trinh ne parviendront pas à annexer le territoire des Nguyen. En revanche, ceux-ci, beaucoup mieux armés (ils se sont équipés auprès des Portugais), vont étendre leur contrôle sur les territoires khmers du delta du Mékong, en les peuplant de Vietnamiens. Au milieu du XVIIe siècle, le Cambodge se voit forcé d'accepter la suzeraineté vietnamienne.

Le bouddhisme bénéficie de la protection à la fois des Trinh et des Nguyen, qui font construire des pagodes dans tout le pays. Ce bouddhisme vietnamien a intégré petit à petit des pratiques animistes et taoïstes, ainsi que le culte des ancêtres.

Les premiers contacts avec l'Occident

Les sources chinoises font remonter les premiers contacts entre Vietnamiens et Européens à 166, quand des voyageurs en provenance de la Rome de Marc Aurèle arrivent dans le delta du fleuve Rouge.

Des marins portugais débarquent à Danang en 1516, suivis par des missionnaires dominicains onze ans plus tard. Pendant les décennies suivantes, les Portugais développent leur commerce avec le Vietnam et établissent à Faifo (aujourd'hui Hoi An, près de Danang) une colonie commerciale, proche de celles du Japon et de la Chine.

Des missionnaires franciscains venus des Philippines s'installent dans le Vietnam central en 1580, suivis en 1615 par les jésuites que le Japon vient d'expulser. En 1637, les Hollandais obtiennent le feu vert pour installer des postes commerciaux au nord. Un souverain Le choisit même une Hollandaise parmi ses six épouses. La première tentative anglaise de pénétration du marché vietnamien se solde par le meurtre d'un agent de la Compagnie des Indes orientales à Hanoi en 1613.

Parmi les premiers religieux venir au Vietnam figure le très brillant père jésuite français Alexandre de Rhodes (1591-1660). Il est l'inventeur du *quoc ngu*, l'alphabet phonétique fondé sur le latin avec lequel le vietnamien s'écrit toujours aujourd'hui. Tout au long de son ministère, le père de Rhodes ne cessa de faire la navette entre Hanoi, Macao, Rome et Paris, cherchant des appuis et des fonds pour ses activités, combattant à la fois l'opposition coloniale portugaise et l'intraitable bureaucratie du Vatican (voir l'encadré *Alexandre de Rhodes* dans le chapitre *Langue*).

La fin du XVIIe siècle voit le départ de la plupart des marchands européens, le commerce avec le Vietnam ne se révélant pas suffisamment lucratif. Toutefois, les missionnaires restent et l'Église catholique s'implante mieux au Vietnam que dans aucun autre pays d'Asie, à l'exception des Philippines, sous la férule espagnole depuis quatre siècles. Les Vietnamiens (surtout dans le Nord) s'avèrent très réceptifs mais l'interdiction par Rome du culte des ancêtres et de la polygamie limite l'ampleur des conversions. En outre, l'insistance des catholiques sur le salut individuel va à l'encontre de l'ordre établi confucéen. Il n'est donc pas rare que les mandarins restreignent les activités des prélats et persécutent leurs adeptes. Tout cela n'empêche pas la Cour impériale de s'entourer d'un groupe de lettrés, d'astronomes, de mathématiciens et de physiciens, tous... jésuites.

Les missionnaires européens n'hésitent pas à utiliser des moyens séculiers dans le but de convertir toute l'Asie au catholicisme. D'ailleurs, les missionnaires français, qui ont supplanté les Portugais au XVIIIe siècle, mènent campagne pour que leur pays joue un rôle croissant au Vietnam, tant sur le plan militaire que politique.

La rébellion des Tay Son (1771-1802)

En 1765, une révolte antigouvernementale éclate dans la ville de Tay Son, près de Qui Nhon. Trois frères d'une riche famille de marchands la mènent : Nguyen Nhac, Nguyen Hue et Nguyen Lu. En 1773, les "rebelles Tay Son" contrôlent le Centre du Vietnam et s'empareront, dix ans plus tard, de Saigon et du reste du Sud. Après avoir tué le prince régnant et sa famille (ainsi que 10 000 Chinois résidant à Cholon), Nguyen Lu devient roi du Sud, et Nguyen Nhac roi du Centre.

Le prince Nguyen Anh, seul survivant des Nguyen du Sud, s'enfuit au Siam demander une aide militaire et rencontre un missionnaire jésuite français, le père Pigneau de Béhaine (évêque d'Adran), qu'il mandate auprès du roi de France pour solliciter son aide. Afin de prouver sa bonne foi, il confie au jésuite son fils Canh, alors âgé de quatre ans. L'exotique délégation fait sensation à son arrivée à Versailles en 1787. Louis XVI autorise l'expédition militaire puis revient sur sa décision. Le père Pigneau a toutefois réussi à convaincre des marchands français des Indes de lui acheter deux navires, des armes et du ravitaillement. Avec une armée composée de quelque 400 déserteurs français recrutés par ses soins, le missionnaire appareille de Pondichéry en juin 1789.

Pendant ce temps, les rebelles Tay Son renversent les seigneurs Trinh du Nord et proclament leur allégeance à la dynastie des Le postérieurs. Mais, au lieu d'en appeler aux Tay Son, l'empereur Le, incapable de contrôler le pays, se tourne vers les Chinois. Ceux-ci, ravis de l'occasion qui leur est offerte, dépêchent une armée de 200 000 hommes.

En 1788, le troisième des frères, Nguyen Hue, s'est proclamé empereur sous le nom de Quang Trung. Soutenu par le peuple, il prend la tête de ses troupes pour chasser les Chinois. Il y réussit en 1789 à Dong Da, près de Hanoi. Cette victoire est l'une des plus célèbres de l'histoire vietnamienne. Nguyen Hue ne put cependant la savourer longtemps puisqu'il mourut en 1792.

Dans le royaume du Sud, Nguyen Anh (le survivant des seigneurs Nguyen), dont les troupes sont entraînées par les jeunes aventuriers français de Pigneau de Béhaine, repousse peu à peu les Tay Son et se proclame empereur en 1802 sous le nom de Gia Long, fondant ainsi la dynastie des Nguyen. Quand il s'empare de Hanoi, sa victoire est totale. Le Vietnam est enfin réunifié après deux siècles de divisions et Hué devient la nouvelle capitale du pays.

La dynastie des Nguyen (1802-1945)

Pour consolider les bases chancelantes de la dynastie, l'empereur Gia Long fait appel aux tendances conservatrices de l'élite qui s'est sentie menacée par la vague de réformes des Tay Son.

Il se lance également dans un vaste programme de travaux publics pour remettre sur pied le pays dévasté par près de trente ans de guerre. La route Mandarine reliant Hué à Hanoi et à Saigon date de cette époque, de même qu'une série de citadelles en forme d'étoile (inspirées de Vauban) dans les capitales de province. Tous ces projets pèsent lourd sur la population en termes d'impôts, de conscription et de corvées.

Le fils de Gia Long, l'empereur Minh Mang, consolide l'État et met en place un gouvernement fortement centralisé. Élevé lui-même dans la pensée confucéenne, il favorise l'éducation traditionnelle confucéenne qui consiste à mémoriser et à interpréter de manière orthodoxe les classiques de Confucius et les textes an-

Empereurs de la dynastie des Nguyen	
empereur	règne
Gia Long	1802-1819
Minh Mang	1820-1840
Thieu Tri	1841-1847
Tu Duc	1848-1883
Duc Duc	1883
Hiep Hoa	1883
Kien Phuc	1883-1884
Ham Nghi	1884-1885
Dong Khanh	1885-1889
Thanh Thai	1889-1907
Duy Tan	1907-1916
Khai Dinh	1916-1925
Bao Dai	1925-1945

ciens de l'histoire chinoise. Cette politique provoque une sclérose de l'enseignement et des sphères d'activité qui en dépendent.

Par ailleurs, Minh Mang s'affirme nettement hostile au catholicisme qu'il ressent comme une menace pour l'État confucéen, et s'oppose par extension à toute influence occidentale. Sept missionnaires et un nombre inconnu de catholiques vietnamiens sont exécutés dans les années 1830. L'affaire déclenche la colère des catholiques français qui réclament l'intervention de leur armée au Vietnam.

De violentes révoltes éclatent, surtout durant les années 1840-1850, tant au nord qu'au sud du pays. Comble de malchance, l'agitation sociale dans les deltas s'accompagne d'épidémies de variole, de périodes d'intense sécheresse, d'invasions de sauterelles et, plus grave encore, de ruptures répétées des digues du fleuve Rouge, par suite de la négligence du gouvernement.

Les premiers empereurs Nguyen poursuivent la politique expansionniste de leurs prédécesseurs en pénétrant au Cambodge et jusqu'au large front montagneux, à l'ouest. Ils s'emparent d'immenses territoires au Laos et disputent au Siam le contrôle d'un empire khmer affaibli.

L'empereur Thieu Tri succède en 1841 à Minh Mang et s'empresse d'expulser la plupart des missionnaires étrangers. L'empereur Tu Duc, au pouvoir de 1848 à 1883, continue à gouverner selon les préceptes conservateurs de Confucius, en prenant

pour modèle les empereurs de la dynastie Quing, alors au pouvoir en Chine. Tu Duc, comme Thieu Tri, fait réprimer les révoltes paysannes avec la plus grande brutalité.

La tutelle française (1859-1954)

Depuis que Pigneau de Béhaine a plaidé auprès de Louis XVI la cause de son protégé Nguyen Anh, l'*Indochine* (nom de la péninsule comprenant la Birmanie, la Thaïlande, le Laos, le Cambodge, le Vietnam et une partie de la Malaisie) commence à intéresser certains milieux en France. Il faut attendre l'avènement du Second Empire (1852) pour que cet intérêt se généralise au nom du catholicisme, du commerce, de la patrie, de la stratégie et des idéaux (la "mission salvatrice") et que s'ébauche un grand projet colonial à long terme. Une poignée d'aventuriers indisciplinés et téméraires vont le faire aboutir.

L'aventure militaire française commence au Vietnam dès 1847, avec le pilonnage du port de Danang, destiné à punir Thieu Tri pour ses mauvais traitements à l'égard des missionnaires catholiques. Onze ans plus tard, une flotte conjointe de quatorze navires de guerre venus de France et de la colonie espagnole des Philippines prend Danang d'assaut après le massacre de plusieurs missionnaires. Les maladies tropicales faisant des ravages parmi les soldats, et l'appui des catholiques vietnamiens tardant à se matérialiser, la force d'intervention laisse une petite garnison à Danang et lève le camp. Elle profite des vents de la mousson pour cingler vers le sud et s'emparer de Saigon début 1859.

En 1861, la bataille de Ky Hoa (Chi Hoa) marque le début de la fin des hostilités dans le Sud entre les Français victorieux et les Vietnamiens. Il s'ensuit une guérilla de résistance populaire dirigée par les lettrés locaux et qui s'oppose à l'envahisseur. Les rivières, truffées d'embuscades, piègent les petites embarcations françaises, les bases ne sont plus ravitaillées et les Vietnamiens qui coopèrent avec les Français sont exécutés.

En 1862, Tu Duc signe un traité cédant aux Français les trois provinces orientales de la *Cochinchine* (ou Nam Bô, partie méridionale du Vietnam). Il s'engage en outre à leur verser une grosse indemnité de guerre, à laisser les missionnaires prêcher où bon leur semble et à ouvrir plusieurs ports au commerce français et espagnol. Pour se procurer l'argent nécessaire, il doit autoriser la vente de l'opium du Nord et en vendre le monopole aux Chinois. En outre, Tu Duc déprécie le système mandarinal, fondé sur le mérite, en vendant des charges de second rang.

Une offensive française, en 1867, casse le moral de la résistance et oblige les rebelles lettrés encore en vie à fuir le delta. La Cochinchine devient une colonie française et les paysans se résignent à la non-violence. Parallèlement, les classes les plus élevées de la société vietnamienne se mettent à prôner une certaine coopération avec les Français, afin d'assurer l'avenir technologique et économique du pays.

Les Vietnamiens auraient pu probablement réduire l'impact de l'arrivée des forces maritimes européennes et préserver leur indépendance. En fait, la Cour impériale de Hué, raidie dans son conservatisme confucéen, se comporte jusque vers 1850 comme si l'Europe n'existait pas, ou presque. Des événements tels que la guerre de l'Opium en Chine à partir de 1839 auraient dû pourtant lui servir d'avertissement.

Les Français interviennent à nouveau entre 1872 et 1874. Jean Dupuis, un négociant qui remonte le fleuve Rouge pour ravitailler en sel et en armes un général du Yunnan, s'empare de la citadelle de Hanoi. Le capitaine Francis Garnier, officiellement dépêché pour arraisonner Dupuis, poursuit l'aventure en s'emparant à son tour de Hanoi. Il décide de se rendre dans le delta du fleuve Rouge avec sa flotte de guerre pour lever tribut auprès des forteresses provinciales. Ces exactions restent impunies jusqu'au jour où Garnier, tombé dans les mains des *Drapeaux noirs* (ou *Co Den*), armée semi-autonome, anti-occidentale et composée de Chinois, de Vietnamiens et de montagnards, trouve la mort.

Le Nord sombre alors dans le chaos : les Drapeaux noirs continuent leurs pillages ; des gangs locaux s'organisent pour punir les Vietnamiens francophiles (particulièrement les catholiques) ; des milices chinoises surgissent, payées à la fois par les Français et par les empereurs Nguyen ; certains "héritiers" de la dynastie des Le revendiquent le trône ; enfin, les tribus montagnardes se révoltent. Comme l'autorité du gouvernement central s'effondre, Tu Duc finit par solliciter l'aide des Chinois, ainsi que l'appui des Anglais et même des Américains.

En 1882, des troupes françaises menées par le capitaine Henri Rivière prennent Hanoi, mais se heurtent à la résistance de l'armée régulière chinoise et surtout à celle des Drapeaux noirs. L'année suivante, des unités de Drapeaux noirs montent une embuscade à Cau Giay et tuent Rivière, ainsi que trente-deux autres Français. La tête coupée du capitaine est exhibée triomphalement de hameau en hameau.

En 1883, les Français attaquent Hué quelques semaines seulement après la mort de Tu Duc et imposent un traité de protectorat à la Cour impériale. C'est alors que commence une lutte tragi-comique pour la succession, ponctuée par les disparitions mystérieuses des empereurs et les révolutions de palais. À Duc Duc et Hiep Hoa succèdent Kien Phuc pour à peine deux ans, puis un empereur âgé de quatorze ans, Ham Nghi, qui régnera de 1884 à 1885. Lorsqu'en 1884 Ham Nghi décide enfin, avec ses conseillers, de déménager la Cour dans les montagnes pour pouvoir y diriger la résistance, les Français ont avec eux suffisamment de mandarins pour légitimer leur poulain, l'empereur Dong Khanh. Ham Nghi résiste mais il est trahi en 1888. Les Français le capturent et l'exilent en Algérie.

L'Union indochinoise (composée de la Cochinchine, de l'Annam, du Tonkin, du Cambodge, du Laos et du port de Qin Zhou Wan en Chine), scellée en 1887, met fin effectivement à l'existence d'un État vietnamien indépendant. Une résistance au colonialisme persistera dans plusieurs parties du pays tout au long de la présence française. L'Union indochinoise stoppe l'expansionnisme des Vietnamiens, qui sont contraints de rendre les terres gagnées sur le Cambodge et le Laos.

Les autorités coloniales perpétuent la tradition séculaire des dynasties vietnamiennes en entreprenant d'ambitieux travaux publics. Elles construisent une ligne de chemin de fer reliant Hanoi à Saigon, des ports, des digues, un vaste système d'irrigation et de drainage, et créent des services publics et des instituts de recherche. Les paysans sont très lourdement imposés pour financer cette politique d'équipement, et l'économie rurale traditionnelle s'en trouve profondément bouleversée. Toujours dans un but lucratif, les Français s'octroient en outre les monopoles de l'alcool, du sel et de l'opium.

La France injecte en outre des capitaux là où ils peuvent être rentables : dans les mines de charbon, d'étain, de tungstène et de zinc, dans les plantations de thé, de café et de caoutchouc. Les entrepreneurs français se bâtissent la réputation de sous-payer et de maltraiter leurs employés vietnamiens.

La terre, comme le capital, se concentre dans les mains d'une infime partie de la population (en Cochinchine, 2,5% de la population possèdent 45% des terres). Se forme alors un sous-prolétariat de paysans sans terre et déracinés, au mieux condamnés au métayage, et redevables d'un loyer représentant jusqu'à 60% de leurs récoltes. Si les paysans vietnamiens possédaient pour la plupart leurs propres terres avant l'arrivée des Français, près de 70% d'entre eux doivent les louer dans les années 1930. La politique coloniale française appauvrit donc les Indochinois, et cette région affaiblie devient de moins en moins intéressante pour l'industrie française.

L'anticolonialisme des Vietnamiens

La grande majorité des Vietnamiens n'aspire qu'à l'indépendance et les élans nationalistes se traduisent souvent par une hostilité ouverte à l'égard des Français. Certains choisissent de publier journaux et livres patriotiques, d'autres tentent d'empoisonner la garnison française de Hanoi.

Bien que corrompue, et malgré la valse des empereurs, la Cour impériale de Hué veut rester le centre du nationalisme vietnamien. C'est ainsi qu'à sa mort, le servile Dong Khanh est remplacé par un empereur âgé de dix ans, Thanh Thai. Celui-ci règne de 1889 à 1907, date à laquelle les Français découvrent qu'il complote contre eux. Déporté à l'île de la Réunion, Thanh Thai y restera jusqu'en 1947.

Son fils et successeur, l'empereur Duy Tan, n'a pas encore vingt ans quand il prépare avec le poète Tran Cao Van une rébellion générale à Hué, en 1916. Les Français, avertis, font décapiter Tran Cao Van et expédient Duy Tan à la Réunion. Le docile empereur Khai Dinh lui succède et règne sans gloire jusqu'en 1925. À sa mort, le trône revient à son fils, Bao Dai, alors âgé de douze ans, qui apprend la nouvelle en France où il fait ses études. Bao Dai abdiquera en 1945.

Des nationalistes vietnamiens, comme le lettré et patriote Phan Boi Chau (qui rejette la domination française, mais non les idées et la technologie occidentales), se tournent vers le Japon et la Chine, espérant y trouver à la fois aide et inspiration politique. Leur espoir se renforce après la victoire du Japon sur les Russes en 1905, victoire prouvant à toute l'Asie que l'Occident n'est pas invincible. La révolution de Sun Yat-sen, en 1911 en Chine, intéresse tout autant les cercles nationalistes vietnamiens.

Le Viet Nam Quoc Dan Dang (VNQDD), parti nationaliste des classes moyennes, créé sur le modèle du Guomindang (Parti nationaliste) chinois, voit le jour en 1927. Parmi ses pères fondateurs se trouve Nguyen Thai Hoc, que les Français font guillotiner "pour l'exemple" avec douze de ses camarades en 1930, après la tentative de rébellion de Yen Bai.

Autres sources d'agitation nationaliste : l'opinion des Vietnamiens qui, par leurs séjours en France, ont découvert la liberté politique, ainsi que celle des 100 000 Vietnamiens envoyés en Europe défendre la France pendant la Première Guerre mondiale.

Néanmoins, les anticolonialistes les plus efficaces sont les communistes, les seuls à vraiment comprendre les frustrations et les aspirations de la population – tout spécialement celles des paysans – et à canaliser et organiser leurs revendications.

L'histoire institutionnelle du communisme vietnamien, très liée à la carrière politique de Ho Chi Minh (1890-1969), est assez compliquée. En résumé, le premier groupe marxiste en Indochine s'appelle la Ligue de la jeunesse révolutionnaire vietnamienne (Viet Nam Cach Manh Thanh Nien Dong Chi Hoi), fondée en 1925 à Canton par Ho Chi Minh. Cette ligue devient en février 1930 le Parti communiste vietnamien (Dang Cong San Viet Nam), puis en octobre le Parti communiste indochinois (Dang Cong San Dong Duong). En 1941 naît, toujours sous la houlette de Ho Chi Minh, la Ligue pour l'indépendance du Vietnam, plus connue sous le nom de *Viet Minh*. Sa résistance à l'occupation japonaise lui vaut l'aide des Chinois et des Américains. Elle organise un vaste mouvement politique pendant la Seconde Guerre mondiale. En dépit de son ample programme nationaliste et de ses dénégations, le Viet Minh est, depuis le premier jour, chapeauté par les communistes.

Les grandes grèves ouvrières de la fin des années 1920 montrent la réussite des communistes. Pendant la révolte du Nghe Tinh (1930-1931), les comités révolutionnaires prennent le contrôle d'une partie des provinces de Nghe An et Ha Tinh (c'est pourquoi tant de rues s'appellent *Xo Viet Nghe Tinh*), et ce n'est qu'après une vague de terreur sans précédent que les Français reprennent la situation en main. Une autre révolte éclate dans le Sud en 1940. Les Français répondent par une autre répression qui, cette fois, affaiblit gravement l'infrastructure des communistes. Toutefois, les prisons françaises, remplies de cadres du parti, se transforment vite en "universités" où l'on enseigne la théorie marxiste-léniniste.

La Seconde Guerre mondiale

Après la défaite de la France en 1940, l'amiral Jean Decoux, nommé gouverneur d'Indochine par le régime de Vichy, signe un accord autorisant la présence de troupes japonaises au Vietnam. Les Japonais pensent tirer profit des ressources naturelles et de la position stratégique de la zone mais, pour des raisons qui leur sont propres, laissent aux Français le soin d'assurer la gestion du pays.

Le Viet Minh est le seul groupe à s'opposer activement à l'occupation japonaise, ce qui explique pourquoi il reçoit, à partir de 1944, des fonds et des armes de l'US Office of Strategic Services (OSS), l'ancêtre de la CIA. La générosité américaine donne au Viet Minh l'espoir que les États-Unis appuieront un jour ses aspirations à l'indépendance. Elle est également utile à Ho Chi Minh, qui peut se targuer du soutien de Washington.

En mars 1945, alors que l'offensive vietminh s'intensifie et que le gouvernement Decoux complote pour résister aux Japonais, ces derniers renversent l'amiral mis en place par Vichy et envoient soldats et fonctionnaires en prison. Ils installent alors un régime fantoche – théoriquement indépendant au sein de la "grande sphère japonaise de prospérité d'Asie orientale" – sous l'autorité de l'empereur vietnamien Bao Dai. Le traité de 1883 faisant de l'Annam et du Tonkin des protectorats français est abrogé. Éclate alors une terrible famine, due en partie à des inondations et à des ruptures de digues mais, surtout, à la politique japonaise. Les Nippons ont en effet forcé les paysans à abandonner leurs cultures vivrières pour se lancer dans la culture industrielle, et ils réquisitionnent le riz à leur profit. Sur une population totale de 10 millions, 2 millions de Vietnamiens du Nord vont ainsi mourir de faim.

Au printemps 1945, le Viet Minh contrôle une grande partie du pays, essentiellement dans le Nord. À la mi-août, après l'explosion de la bombe atomique à Hiroshima et à Nagasaki, Ho Chi Minh crée le Comité de libération nationale. Profitant du vide politique, il lance un appel au soulèvement général qu'on appellera plus tard la Révolution d'août (Cach Mang Thang Tam). Immédiatement après, le Viet Minh prend le contrôle total du Nord. Au centre du Vietnam, l'empereur Bao Dai abdique en faveur du nouveau gouvernement, qui ne tarde pas à le nommer "Conseiller suprême". Dans le Sud enfin, le Viet Minh entre dans un gouvernement bien instable aux côtés de partis non communistes. Le 2 septembre 1945 à Hanoi, Ho Chi Minh, entouré d'agents américains de l'OSS, proclame l'indépendance de la République démocratique du Vietnam (dont bien des termes reprennent directement ceux de la Déclaration d'indépendance américaine), lors d'un grand rassemblement sur la place Ba Dinh à Hanoi. Il n'écrira pas moins de huit lettres au président Truman et au Département d'État pour réclamer une aide américaine. Sans obtenir la moindre réponse.

Le désarmement des forces d'occupation japonaises en Indochine n'est pas une

Ho Chi Minh

Parmi les quelque cinquante pseudonymes adoptés dans sa longue vie par Nguyen Tat Thanh (1890-1969), est resté celui de Ho Chi Minh, qui signifie "celui qui apporte la lumière". Fils d'un modeste lettré farouchement nationaliste, le fondateur du Parti communiste vietnamien, président de la République démocratique du Vietnam de 1946 jusqu'à sa mort en septembre 1969, a fait ses études au lycée Quoc Hoc de Hué. D'abord enseignant à Phan Thiet, il parcourt ensuite les mers comme apprenti cuisinier sur un navire français et découvre l'Amérique du Nord, l'Afrique et l'Europe. C'est là qu'il va s'établir, être tour à tour jardinier, balayeur, serveur, retoucheur de photos, chauffeur… et acquérir peu à peu ses convictions politiques.

Après Londres, Nguyen Ai Quoc ("Nguyen le Patriote") s'installe à Paris et s'attache à défendre l'idée d'une Indochine indépendante. Dès 1919, lors du traité de Versailles, il tente de proposer au président Wilson un projet d'indépendance du Vietnam. En 1920, il est membre fondateur du Parti communiste français. Fin 1923, il part pour Moscou rejoindre l'Internationale ouvrière socialiste qui, deux ans plus tard, l'envoie à Guangzhou (Canton) où il fonde la Ligue de la jeunesse révolutionnaire du Vietnam, ancêtre du Parti communiste indochinois et du Parti communiste vietnamien.

À la demande du gouvernement anglais de Hong Kong, il est incarcéré par les Français au début des années 1930 pour activités révolutionnaires en France, en Indochine, en Chine et à Hong Kong. À sa libération, il se rend en Union soviétique, puis en Chine, avant de regagner son pays en 1941, après trente ans d'absence. À 51 ans, il crée avec ses lieutenants le front Viet Minh, pour mettre fin à la colonisation française et à l'occupation japonaise. Arrêté par les nationalistes chinois en 1942, il reste leur prisonnier durant un an. En août 1945, le Japon prépare sa reddition et, suite à la révolution d'Août, Ho Chi Minh prend le contrôle d'une grande partie du pays. En septembre, il achève la Déclaration d'indépendance du Vietnam qu'il proclame tout près de l'endroit où se dresse aujourd'hui son mausolée.

Le retour des Français le contraint de constituer, avec le Viet Minh, une résistance armée qui va durer huit ans, jusqu'à la victoire de Dien Bien Phu en 1954. Dès lors, il conduira les affaires du Nord-Vietnam. À sa mort en 1969, malgré tout, le Nord n'a toujours pas triomphé du Sud.

Le Parti a veillé à entretenir l'image de celui que ses admirateurs appellent affectueusement "oncle Ho" (Bac Ho). Comme son ancien ennemi, le président sud-vietnamien Ngo Dinh Diem, il est toujours resté célibataire. Néanmoins, la presse à sensations du début des années 1990 lui a attribué plusieurs maîtresses, deux épouses – dont une Française –, ainsi qu'un fils né d'une liaison avec une femme thay, morte ensuite dans des circonstances mystérieuses.

question prioritaire lors de la conférence de Potsdam de 1945. Les Alliés décident alors que le Guomindang acceptera la reddition japonaise au nord du 16e parallèle et que les Britanniques feront de même au sud de cette ligne.

Le chaos le plus total règne à Saigon lorsque les Britanniques débarquent : les colons français, furieux, ont repris les choses en main et rivalisent avec des groupes vietnamiens au bord de la guerre civile. Ne disposant que de 1 800 soldats anglais, indiens et ghurkas, le général Gracey ordonne aux militaires japonais vaincus de l'aider à rétablir l'ordre ! Il fait aussi sortir de prison et armer 1 400 parachutistes français qui déferlent sur la ville, renversent le Comité de gouvernement du Sud, font irruption dans les maisons et les boutiques vietnamiennes, frappant indifféremment hommes, femmes et enfants. Le Viet Minh et ses alliés répliquent en appelant à la grève générale et en entamant une campagne de terrorisme à l'encontre des Français. Le 24 septembre, le général Leclerc, commandant suprême des forces françaises en Indochine, arrive à Saigon. Il proclame : "Nous sommes venus réclamer notre héritage."

Le chaos n'a pas épargné Hué. La bibliothèque impériale a été détruite – des documents d'une valeur inestimable servent à envelopper le poisson sur le marché. La situation ne vaut guère mieux dans le Nord, où 180 000 soldats du Guomindang, en fuite devant les communistes, pillent tout sur leur chemin vers Hanoi. Ho Chi Minh tente en vain de calmer le jeu et finit par accepter un retour temporaire des Français, afin de se débarrasser du Guomindang anticommuniste, qui soutient les partis nationalistes contre le Viet Minh. La plupart des soldats du Guomindang sont expédiés à Taiwan, et les Français, autorisés à rester cinq ans de plus. En échange, la France reconnaît au Vietnam un statut d'État libre à l'intérieur de l'Union française.

Les Anglais veulent s'en aller, les Français veulent rester. Ho Chi Minh, pour sa part, souhaite le départ des Chinois, et l'administration Truman n'est pas aussi anticolonialiste que celle de Roosevelt. Les Français réussissent à reprendre le contrôle du Vietnam, du moins formellement. Mais, quand ils bombardent Haiphong en novembre 1946 sous un obscur prétexte, provoquant la mort de centaines de civils, le Viet Minh perd patience. Quelques semaines plus tard, des combats éclatent à Hanoi, marquant le début de la guerre d'Indochine. Ho Chi Minh et ses troupes se retirent dans les montagnes. Ils y resteront environ huit ans.

La guerre d'Indochine (1946-1954)

La soif d'indépendance dans ce pays est si grande que la France n'arrive pas à réaffirmer son contrôle. En fait, malgré une aide américaine massive et le soutien d'Indochinois anticommunistes qui, en 1949, se sont joints à "l'État libre" de Bao Dai dans l'Union française, cette guerre est perdue pour la France.

Comme Ho Chi Minh le déclare alors aux Français : "Vous pouvez tuer dix de mes hommes pour un des vôtres mais, même avec cet avantage, vous perdrez et je gagnerai."

Il faudra cependant au Viet Minh huit ans de lutte pour contrôler la quasi-totalité du Vietnam et du Laos voisin. Le 7 mai 1954, à Dien Bien Phu, après un siège de 57 jours, plus de 10 000 soldats français à moitié morts de faim se rendent au Viet Minh. La conférence de Genève s'ouvre le lendemain. Chargée de négocier la fin du conflit, elle aboutit huit semaines plus tard. Les accords de Genève prévoient un échange de prisonniers, la division temporaire du Vietnam en deux zones séparées

par la rivière Ben Hai (près du 17e parallèle), la libre circulation des personnes à travers le 17e parallèle durant trois cents jours et la tenue d'élections nationales le 20 juillet 1956. Le bilan de cette guerre a été, côté français, de plus de 35 000 soldats tués et de 48 000 blessés. Il est plus lourd encore du côté vietnamien.

Le Sud-Vietnam

Après la signature des accords de Genève, le Sud-Vietnam est gouverné par Ngo Dinh Diem, un catholique farouchement anticommuniste dont le frère a été tué par le Viet Minh en 1945. L'assise de son pouvoir se trouve renforcée par la présence de quelque 900 000 réfugiés – la plupart d'entre eux catholiques – qui ont fui le communisme du Nord pendant les fameux trois cents jours de passage autorisé. Diem est convaincu en 1955 que si les élections ont lieu, Ho Chi Minh l'emportera. Il refuse donc d'appliquer les accords de Genève, avec l'assentiment des États-Unis. Il organise à la place un référendum sur le maintien ou non de son gouvernement. Il aurait été approuvé par 98,2% des voix mais le scrutin a été, en fait, complètement truqué (à Saigon, les "oui" dépassent d'un tiers le nombre des électeurs inscrits). Diem s'autoproclame alors président de la République du Sud-Vietnam. Il est reconnu comme tel par la France, les États-Unis, la Grande-Bretagne, l'Australie, la Nouvelle-Zélande, l'Italie, le Japon, la Thaïlande et la Corée du Sud.

Diem consolide assez bien son pouvoir les premières années. Il vient même à bout du syndicat du crime Binh Xuyen et des armées privées constituées par les sectes religieuses Hoa Hao et caodaïste. À l'occasion d'une visite officielle, le président américain Eisenhower cite Diem comme "l'homme providentiel" de l'Asie. Néanmoins, plus le temps passe, plus il se montre tyrannique avec la dissidence. Le gouvernement devient vite une affaire de famille (la belle-sœur de Diem, pourtant peu aimée des Vietnamiens, a le titre de Première Dame du pays ; le beau-père de Diem, lui, occupe le poste d'ambassadeur aux États-Unis). Le népotisme flagrant de Diem choque les esprits.

Sa réforme agraire annule complètement le programme de redistribution des terres mis en place par le Viet Minh dans les années 1940. Son favoritisme envers les catholiques exaspère en outre les bouddhistes. Au début des années 1960, le Sud entre dans une grande fièvre anti-Diem, dirigée par les étudiants et le clergé bouddhique. Plusieurs bonzes s'immolent par le feu.

Quand Diem utilise ses contacts français pour tenter des négociations avec Hanoi, les États-Unis sont prêts à appuyer un coup d'État. En novembre 1963, Diem est renversé et assassiné. Une série de gouverneurs militaires lui succèdent, tous fidèles à sa politique de répression.

Le Nord-Vietnam

Les accords de Genève stipulent que la République démocratique du Vietnam, composée de toute la partie située au nord du 17e parallèle, retourne sous l'autorité de Hanoi. Le nouveau gouvernement cherche à éliminer toute résistance susceptible de menacer son pouvoir. En outre, il met en place un programme radical de réforme agraire : 1,5 million de paysans reçoivent chacun environ un demi-hectare de terre. Des dizaines de milliers de petits et gros propriétaires terriens, parfois dénoncés aux comités de sécurité par des voisins jaloux, sont arrêtés. Des procès plus que sommaires condamnent à mort 10 000 à 15 000 personnes, et en envoient 50 000 à 100 000 autres en prison. En 1956, le Parti, confronté à de graves agitations paysannes, reconnaîtra que les tribunaux populaires de la réforme agraire sont allés trop loin et lancera une "Campagne pour la rectification des erreurs".

Le 12 décembre 1955, peu après la proclamation de la République du Sud-Vietnam par Diem, les États-Unis ferment leur consulat à Hanoi.

La guerre Nord-Sud

Dans le Sud, la guérilla communiste a déjà mené des actions ponctuelles pour déstabiliser Diem, mais la campagne de "libération" de cette partie du pays ne commence vraiment qu'en 1959. Hanoi change de stratégie et abandonne la lutte politique pour la lutte armée. La piste Ho Chi Minh, qui existe depuis plusieurs années, est prolongée peu après. En avril 1960, le Nord décrète la mobilisation générale et, huit mois plus tard, Hanoi annonce la formation du Front national de libération (FNL) pour un Vietnam neutre, le retrait de toutes les troupes étrangères et la réunification progressive du pays. Le Sud utilise alors le terme méprisant (à l'époque) de Viet-Cong pour se référer au FNL. C'est en fait l'abréviation de Viet Nam Cong San, c'est-à-dire "communiste vietnamien". Les soldats américains préféreront lui donner le surnom de "Charlie".

La situation militaire du gouvernement de Diem se détériore dès le début de l'offensive du FNL. En 1962, le programme des hameaux stratégiques (Ap Chien Luoc) est amorcé. Il s'inspire d'une tactique utilisée avec succès, dans les années 1950, par les Britanniques en Malaisie. Ce programme a pour but de regrouper les paysans dans des hameaux fortifiés, de manière à priver le Viet-Cong de tout soutien. L'incompétence et la brutalité avec lesquelles sont menées ces opérations font l'objet de nombreuses critiques. Ce programme s'avère surtout inefficace, car le Viet-Cong réussit à infiltrer bon nombre de ces hameaux et même à en prendre le contrôle. À la mort de Diem, le gouvernement sud-vietnamien finit par y renoncer. Après la guerre, le Viet-Cong reconnaîtra que cette tactique a largement entravé son action.

À partir de 1964, il ne s'agit plus seulement d'une bataille contre le Viet-Cong puisque des unités de l'Armée nord-vietnamienne (ANV) s'infiltrent au Sud.

Au début de 1965, le gouvernement de Saigon se trouve dans une situation désespérée. Dans l'ARVN (Armée de la République du Vietnam), dont l'état-major est connu pour sa corruption et son incompétence, les désertions atteignent le nombre de 2 000 par mois. Si elle perd 500 hommes environ et un chef-lieu de district par semaine, l'ARVN ne compte qu'un seul officier supérieur blessé en dix ans. L'armée se prépare à évacuer Hué et Danang, les Hauts Plateaux semblant sur le point de tomber. L'état-major sud-vietnamien concocte même un plan pour transporter son QG de Saigon à la péninsule de Vung Tau (cap Saint-Jacques), plus facile à défendre et à quelques minutes seulement des navires pouvant lui permettre de fuir en cas d'urgence. C'est dans ce contexte que les États-Unis envoient leurs premières troupes.

L'entrée en guerre des Américains

Dans les années 1870, l'empereur Tu Duc avait mandaté le respectable lettré Bui Vien à Washington pour obtenir un soutien international contre les Français. Bui Vien avait rencontré le président Grant, mais était reparti bredouille, car les accréditations qu'il avait présentées n'étaient pas conformes.

Après 1945, l'Occident croit de plus en plus à la théorie du grand complot international communiste, qui renverserait un gouvernement après l'autre en livrant des guerres de libération (la fameuse "théorie des dominos"). Le début de la guerre de Corée en 1950 conforte encore davantage les Occidentaux dans leur position. Les Américains voient alors la guerre coloniale française comme un rouage important de la vaste lutte contre l'expansion communiste. En 1954, l'aide militaire américaine à l'effort de guerre français représente 2 milliards de dollars. Quatre ans plus tôt, 35 soldats américains avaient été dépêchés au Vietnam comme membres du Groupe de conseil et d'assistance militaires (MAAG), chargés officiellement d'enseigner le maniement des armes américaines. Cette date marque le début de la présence militaire américaine au Vietnam, pour vingt-cinq ans.

En 1950, la République populaire de Chine établit des relations diplomatiques avec la République démocratique du Vietnam, suivie de peu par l'Union soviétique, bien que Ho Chi Minh soit au pouvoir depuis déjà cinq ans. En réaction, Washington reconnaît le gouvernement pro-français de Bao Dai. Le Département d'État américain, qui n'arrête pas de fustiger ceux qui ont "abandonné la Chine" au communisme, s'opposera désormais à toute initiative communiste, quelle qu'elle soit.

La situation militaire continuant de se détériorer au Sud-Vietnam après le départ des troupes françaises en 1956, l'administration Kennedy (1961-1963) expédie de plus en plus de conseillers militaires. À la fin de 1963, on compte 16 300 hommes de troupe américains dispersés dans le pays.

La guerre du Vietnam sera le thème clé des élections présidentielles américaines de 1964. Beaucoup d'Américains n'ont pas oublié que l'armée chinoise est venue au secours de la Corée du Nord. Ils craignent que l'histoire ne se répète et n'écartent pas la possibilité d'une guerre nucléaire avec l'URSS. Les scénarios-catastrophe amènent les électeurs à voter massivement pour Lyndon Johnson, "candidat de la paix".

Ironie du sort, ce dernier opte rapidement pour un engagement américain toujours plus important au Vietnam. Un "incident" dans le golfe du Tonkin va, en effet, modifier la stratégie américaine : deux destroyers américains, le *Maddox* et le *Turner Joy*, affirment avoir été attaqués sans raison, alors qu'ils se trouvaient loin des côtes nord-vietnamiennes. Une enquête révélera plus tard que la première attaque a eu lieu alors que le *Maddox* croisait dans les eaux territoriales du Nord-Vietnam pour appuyer un commando sud-vietnamien en mission secrète, et que la seconde attaque n'a tout simplement jamais eu lieu.

Le président Johnson ordonne à ses avions d'effectuer 64 incursions au Nord. Ces bombardements ne sont que les premiers d'une liste infiniment longue ; ils affecteront bientôt toutes les routes et tous les ponts, ainsi que 4 000 des 5 788 villages du Nord-Vietnam. Deux avions américains sont alors touchés et l'un des pilotes devient le premier prisonnier de guerre américain du conflit.

Indigné et abusé, le Congrès vote alors, à l'unanimité moins deux voix, la Résolution du golfe du Tonkin, qui donne au président le pouvoir de "prendre toutes les mesures nécessaires pour repousser toute attaque armée contre les forces américaines et pour éviter toute agression future". On saura bien plus tard que le gouvernement Johnson avait en fait rédigé la résolution avant même que les prétendues attaques n'aient eu lieu. Cette résolution dispensera les présidents américains d'en référer au Congrès pour toute décision concernant la guerre au Vietnam. Elle sera annulée en 1970.

Les premières troupes de combat américaines débarquent à Danang en mars 1965, afin d'assurer la défense de la base aérienne. Pour protéger et soutenir les "boys", il faut sans cesse en envoyer d'autres. C'est ainsi qu'en décembre 1965 on dénombre 184 300 militaires américains au Vietnam et déjà 636 morts. Ces chiffres passent à 385 300 hommes et 6 644 morts douze mois plus tard. En décembre 1967, les soldats sont au nombre de 485 600. On compte alors plus de 16 000 morts. En 1967, 1,3 million d'hommes, comprenant les Sud-Vietnamiens et les "forces militaires du monde libre", ont pris les armes pour défendre le gouvernement de Saigon, soit un habitant sur quinze.

À l'inefficace programme des hameaux stratégiques s'est substituée en 1966 une nouvelle politique de "pacification", de "ratissage et destruction" et de "zones de feu à volonté". La pacification consiste à installer des civils progouvernementaux à la tête des mairies, écoles et dispensaires de tous les villages, sous la protection de soldats pour empêcher le Viet-Cong de s'infiltrer. La protection des villages est renforcée, car des unités mobiles de ratissage fouillent le pays (souvent en hélicoptère), à la chasse aux maquisards vietcong. Il faut au besoin évacuer les villageois pour que les Américains puissent nettoyer leur région déclarée "zone de feu à volonté", à coups de bombes, napalm, artillerie et tanks. Pendant ce temps, la CIA lance une "opération Phoenix", qui consiste à éliminer les cadres vietcong en recourant à l'assassinat, à l'enlèvement ou à l'incitation à la désertion.

Cette politique porte plus ou moins ses fruits. Les forces américaines contrôlent les campagnes pendant la journée et doivent les abandonner au Viet-Cong la nuit. Celui-ci sait parfaitement infiltrer les villages "pacifiés". Sans armes lourdes telles que tanks ou avions, les maquisards infligent de lourdes pertes aux Américains et à l'ARVN, en tendant des embuscades, en posant des mines et des pièges. Les "zones de feu à volonté" sont censées éviter les victimes civiles, mais les bombardements de toutes sortes et les arrosages au napalm n'épargnent pas les villageois. Les survivants rejoignent bien souvent les rangs du Viet-Cong.

Le tournant de la guerre : l'offensive du Têt

En janvier 1968, les troupes nord-vietnamiennes attaquent Khe Sanh, dans la zone démilitarisée. Cette bataille, la plus grande de la guerre, est en partie une manœuvre de diversion pour mieux surprendre l'ennemi la semaine suivante avec l'offensive du Têt, qui marque un tournant décisif dans la guerre.

Au cours de la soirée du 31 janvier 1968, alors que le pays célèbre le Nouvel An lunaire, le Viet-Cong lance une formidable offensive dans plus de cent villes et villages, y compris à Saigon. Devant les caméras de télévision, un commando vietcong fait irruption dans la cour de l'ambassade américaine, au cœur de Saigon.

Voilà longtemps que les forces américaines veulent affronter le Viet-Cong dans une bataille ouverte plutôt que dans une guérilla où l'on ne voit jamais l'ennemi. L'offensive du Têt leur en donne l'occasion. Bien que pris de court (un cruel échec pour les renseignements militaires américains), les Sud-Vietnamiens et les Américains contre-attaquent très vite avec une énorme puissance de feu, bombardant et pilonnant les villes surpeuplées. Si un grand nombre de combattants vietcong périssent, que dire de la population civile… À Ben Tre, un officier américain dira : "Nous avons dû détruire la ville pour la sauver."

L'offensive du Têt a coûté la vie à près de 1 000 soldats américains et 2 000 soldats de l'ARVN, mais les pertes vietcong sont estimées à 32 000 personnes. Sans oublier les 500 Américains et les 10 000 Nord-Vietnamiens morts dans la bataille de Khe Sanh une semaine auparavant. Selon les estimations américaines, 165 000 civils auraient péri au cours des trois semaines qui ont suivi le début de l'offensive. En outre, on dénombre 2 millions de nouveaux réfugiés.

Le Viet-Cong ne réussit pas à tenir les villes plus de trois à quatre jours (à l'exception de Hué dont ils gardent le contrôle vingt-cinq jours). Les survivants se replient systématiquement dans la jungle. Destinée à soulever le peuple vietnamien contre les Américains et à faire déserter ou changer de camp les soldats de l'ARVN, cette offensive n'atteint pas son but. Le général Westmoreland, commandant des forces américaines au Vietnam, est persuadé que le soulèvement a été, sur le plan militaire, un grave échec pour les communistes, qui admettront plus tard ne s'être jamais remis de leurs pertes.

Si, à première vue, le Viet-Cong a perdu la bataille, il est loin d'avoir perdu la guerre.

Après avoir entendu crier victoire pendant des années, bon nombre d'Américains sont sous le choc. Ils ont vu les massacres et le chaos de Saigon dans leurs journaux télévisés. Le gouvernement perd très nettement son crédit auprès de ses administrés. L'opinion publique américaine trouve désormais disproportionné le prix à payer pour cette guerre, tant en dollars qu'en vies humaines. C'est en ce sens que le Viet-Cong sort victorieux de l'offensive du Têt.

Les manifestations contre la guerre au Vietnam envahissent les campus et se multiplient dans la rue. Voyant sa popularité dégringoler dans les sondages, le président Johnson renonce à se représenter aux élections.

Richard Nixon doit, en partie, son élection à un "plan secret" pour arrêter la guerre. Beaucoup pensent qu'il s'agit d'une invasion militaire du Nord-Vietnam. Dévoilée en juillet 1969, la "doctrine Nixon" incite en fait les nations d'Asie à compter davantage sur elles-mêmes en matière de défense et à ne plus espérer l'intervention des États-Unis lors de leurs éventuelles guerres civiles. La stratégie de Nixon prône la "vietnamisation", c'est-à-dire le désengagement des troupes américaines auprès des militaires sud-vietnamiens.

Le premier semestre de 1969 n'en est pas moins marqué par un renforcement de la présence américaine. Le nombre de soldats américains au Vietnam atteint son maximum en avril : 543 400. À la fin de l'année, ils ne sont déjà plus que 475 200. Les Américains ont perdu au combat 40 024 des leurs durant l'année 1969, et les Sud-Vietnamiens 110 176. Tandis que les combats font rage, le chef de la diplomatie de Nixon, Henry Kissinger, entame à Paris d'âpres négociations avec son homologue nord-vietnamien, Le Duc Tho.

En 1969, les États-Unis ont commencé à bombarder secrètement le Cambodge. L'année suivante, l'armée de terre américaine pénètre dans ce pays pour en extirper des unités de l'ARVN. Cette nouvelle escalade déclenche la colère des Américains jusque-là restés passifs, qui se joignent alors aux grandes manifestations pacifistes. La télévision américaine diffuse tous les jours des reportages de manifestations, de grèves d'étudiants et même d'immolations. Quatre manifestants sont abattus par la Garde nationale, lors d'un meeting pacifiste à l'université de Kent State, dans l'Ohio.

L'émergence d'organisations comme les Vétérans du Vietnam contre la guerre montre bien que ceux qui exigeaient le retrait des troupes américaines du Vietnam n'étaient pas tous des "étudiants dégonflés craignant la conscription". Pas de doute, cette guerre est en train de déchirer les États-Unis. Elle provoque aussi l'indignation en Europe, où se déroulent de gigantesques manifestations qui ébranlent l'OTAN. La campagne contre la guerre atteint même Saigon, où, au sein d'un mouvement pacifiste, de jeunes étudiants idéalistes prennent de terribles risques en protestant contre la présence américaine chez eux.

Le désengagement américain (1971-1973)

En 1971, le *New York Times* publie, après une bataille juridique remontée jusqu'à la Cour suprême, des extraits d'un rapport ultra secret sur l'engagement américain dans la péninsule indochinoise. Connu sous le nom de "Papiers du Pentagone", ce rapport, effectué à la demande du Département de la Défense, explique en détail comment les militaires et les anciens présidents ont systématiquement menti au Congrès et au public américain. Ces révélations exaspèrent les Américains et les renforcent dans leurs sentiments pacifistes. Le *New York Times* avait obtenu cette étude de l'un de ses auteurs, Daniel Ellsberg, converti au pacifisme. Ce dernier est, du coup, poursuivi pour espionnage, vol et complot. Éclate alors ce qui deviendra la fameuse affaire du Watergate, qui affirme que des hommes de la Maison Blanche ont notamment cambriolé, sur ordre de Nixon, le cabinet du psychiatre d'Ellsberg pour y trouver des preuves. Un juge accorde alors le non-lieu.

Au printemps 1972, les Nord-Vietnamiens lancent une offensive au-delà du 17e parallèle. Les États-Unis redoublent les pilonnages sur le Nord et minent sept ports. À la fin de l'année, les bombardements sur Hanoi et Haiphong doivent servir à arracher au Nord-Vietnam des concessions à la table des négociations. Henry Kissinger et Le Duc Tho parviennent finalement à s'entendre. Les accords de Paris, signés le 27 janvier 1973 par les États-Unis, le Nord-Vietnam, le Sud-Vietnam et le Viet-Cong, portent sur un cessez-le-feu, l'établissement d'un Conseil national pour la réconciliation et la concorde, le retrait total des forces de combat américaines, et la libération de 590 prisonniers de guerre américains. L'accord ne fait pas mention des 200 000 soldats nord-vietnamiens déployés dans le Sud.

Richard Nixon est réélu en novembre 1972, peu avant la signature des accords de paix à Paris. Néanmoins, le scandale du Watergate l'éclabousse dès l'année suivante : il a en effet couvert un certain nombre d'irrégularités durant sa campagne de réélection. Les Papiers du Pentagone et le Watergate contribuent à éveiller une telle méfiance à l'égard des généraux et du président que le Congrès adopte une résolution interdisant toute participation militaire américaine en Indochine après le 15 août 1973. Nixon est amené à démissionner en 1974. Gerald Ford lui succède.

Au total, 3,14 millions d'Américains (dont 7 200 femmes) ont servi dans les forces armées pendant la guerre du Vietnam. Le bilan officiel des pertes humaines fait état de 58 183 Américains (dont 8 femmes) morts dans les combats ou portés disparus. Presque le double de celles de la guerre de Corée. Selon le Pentagone, les États-Unis ont perdu, en 1972, 3 689 avions, 4 857 hélicoptères et utilisé 15 millions de tonnes de munitions. Le coût direct de la guerre a été officiellement évalué à 165 milliards de dollars, mais il faut au moins doubler ce chiffre pour coller à la réalité économique. En comparaison, les États-Unis avaient dépensé 18 milliards pour la guerre de Corée.

À la fin de 1973, le nombre de Sud-Vietnamiens tués au combat était de 223 748. Les pertes dans les rangs de l'armée nord-vietnamienne et du Viet-Cong s'élèvent à 1 million d'hommes. Environ 4 millions de civils – 10% de la population du Vietnam – ont été tués ou blessés pendant la guerre, dont une bonne partie au Nord, du fait des bombardements américains. Plus de 2 200 Américains et de 300 000 Vietnamiens sont toujours portés disparus. Selon toute vraisemblance (mais les informations manquent), l'URSS et la Chine – qui ont fourni toutes leurs armes aux Nord-Viet-

namiens et au Viet-Cong – n'ont pas eu à déplorer de victimes.

Les autres engagements étrangers

L'Australie, la Nouvelle-Zélande, la Corée du Sud, la Thaïlande et les Philippines envoient des troupes au Sud-Vietnam dans le cadre de ce que les Américains appellent les "Forces militaires du monde libre". Washington cherche à internationaliser l'effort de guerre pour légitimer le sien. Les Coréens (presque 50 000), les Thaïlandais et les Philippins reçoivent une aide substantielle des États-Unis.

La participation de l'Australie à la guerre du Vietnam constitue son engagement à l'étranger le plus important depuis 1940. Au total, 46 852 militaires australiens ont servi au Vietnam, dont 17 424 appelés. Le contingent néo-zélandais s'incorpore aux forces australiennes basées près de Baria (au nord de Vung Tau).

L'Armée royale thaïlandaise participe directement à la guerre entre 1967 et 1973. La Thaïlande sert en même temps de base aux B 52 et aux avions de chasse américains. Les Philippines se limitent à envoyer des unités non combattantes pour effectuer un travail d'"action civique". Quant aux soldats sud-coréens présents au Sud-Vietnam de 1965 à 1971, on se souvient de leur exceptionnelle capacité au combat, mais aussi de leur extrême brutalité.

La presse n'a pratiquement jamais parlé du (bref) rôle joué par Taiwan, pourtant bien embarrassant pour les États-Unis. À l'époque de la guerre, Washington ne reconnaît encore que le Guomindang comme gouvernement légitime de toute la Chine. Depuis 1949, date à laquelle les communistes lui ont infligé la défaite, le président taiwanais Tchang Kaï-chek jure ses grands dieux qu'il va "récupérer le continent". Quand le président Johnson demande à Taiwan de fournir environ 20 000 hommes, Tchang Kaï-chek envoie immédiatement des troupes à Saigon, avec l'objectif d'atteindre rapidement le chiffre de 200 000 hommes ! À l'évidence, le vieux nationaliste tente d'utiliser le Vietnam comme tremplin pour envahir la grande Chine et entraîner du même coup les États-Unis dans sa guerre personnelle contre les communistes chinois. Les Américains, loin d'être dupes, lui demandent de rappeler ses troupes, ce qu'il fait.

Enfin, l'Espagne a participé à l'effort de guerre. Le régime du général Franco est en effet considéré par les États-Unis comme un rempart contre le communisme. Il a envoyé en observateurs une cinquantaine de militaires.

La chute du Sud (1975)

En 1973, les États-Unis rapatrient l'ensemble de leur personnel militaire, à l'exception d'un petit contingent de techniciens et d'agents de la CIA. Les bombardements sur le Nord-Vietnam cessent et les prisonniers de guerre américains sont libérés. Cependant, la guérilla persiste. Seule différence : les combats se "vietnamisent" radicalement. Les puissances étrangères n'en continuent pas moins de financer le conflit. L'Amérique fournit des armes, des munitions et du carburant aux troupes sud-vietnamiennes. L'URSS et la Chine apportent un soutien identique aux Nord-Vietnamiens.

Bien que les États-Unis ne soient plus directement impliqués dans les hostilités, certaines organisations pacifistes, telles que le Centre des ressources d'Indochine, font toujours pression sur le gouvernement américain pour qu'il mette fin à son assistance financière et militaire au Sud-Vietnam. À deux voix près, ces requêtes manquent d'aboutir lors d'un vote au Sénat. Si les pacifistes ne parviennent pas à empêcher tout financement, ils réussissent en revanche à le réduire considérablement.

En 1975, l'Amérique accorde une aide de 700 millions de dollars aux Sud-Vietnamiens, dont les besoins étaient estimés à plus du double. Les stocks de munitions et de carburant sont alors au plus bas.

Cela n'a pas échappé aux Nord-Vietnamiens qui intensifient leur approvisionnement en matériel militaire. En janvier 1975, ils lancent une attaque terrestre massive sur le 17e parallèle, avec tanks et artillerie lourde. L'invasion – en violation des Accords de Paris – sème la panique dans l'armée et le gouvernement sud-vietnamiens qui, jusque-là, ont toujours pu compter sur les Américains. En mars, l'ANV occupe rapidement la région de Buon Ma Thuot, zone stratégique des Hauts Plateaux du

Centre. Privé de ses conseillers habituels, le président Thieu commet l'erreur d'ordonner un repli stratégique sur des positions plus défendables. Contre toute attente, les troupes sud-vietnamiennes ne reçoivent pas l'ordre de résister, mais celui d'abandonner leurs bases de Pleiku et de Kon Tum, sur les Hauts Plateaux du centre. Totalement improvisée, leur retraite est une véritable catastrophe. Les troupes nord-vietnamiennes, parfaitement disciplinées, interceptent ces soldats en déroute. Les soldats sud-vietnamiens désertent en masse pour sauver leurs familles.

Des brigades entières fuient vers le sud, rejoignant ainsi les centaines de milliers de civils qui bloquent déjà la RN 1. Les unes après les autres, les villes de Buon Ma Thuot, Quang Tri, Hué, Danang, Qui Nhon, Tuy Hoa, Nha Trang sont abandonnées par leurs défenseurs sans un seul coup de feu. Les troupes sud-vietnamiennes s'enfuient si rapidement que l'armée du Nord arrive à peine à les suivre. Le Congrès américain, exaspéré par cette guerre et son coût élevé, refuse de voter l'aide d'urgence que le président Nixon, en vacances forcées depuis un an, s'était pourtant engagé à octroyer dans une telle éventualité.

Au pouvoir depuis 1967, le président Nguyen Van Thieu démissionne le 21 avril 1975 et quitte le pays, emportant avec lui des millions de dollars mal acquis. Amer d'avoir été lâché par les États-Unis, il le fait savoir et choisit Londres pour retraite.

Le président Thieu est remplacé par le vice-président Tran Van Huong, qui cède la place au général Duong Van Minh une semaine plus tard. Le 30 avril 1975 au matin, après seulement 43 heures d'exercice, Duong Van Minh rend les armes dans le Palais de l'indépendance à Saigon, rebaptisé depuis Palais de la réunification. Minh est décédé en 2001, en Californie, à l'age de 86 ans.

Quelques heures avant la reddition du Sud-Vietnam, les derniers Américains sautent dans les hélicoptères qui les attendent sur le toit de leur ambassade et embarquent sur des navires mouillant non loin de là. Ainsi prend fin un conflit de plus de dix ans, que les États-Unis ont mené sans jamais déclarer la guerre au Nord-Vietnam.

Les Américains ne sont pas les seuls à partir. La désintégration du Sud a égale-

Un départ désorganisé : la difficile situation des réfugiés

Le sort de milliers d'Amérasiens constitue l'un des tragiques héritages de la guerre du Vietnam. À l'époque, les mariages et les unions plus ou moins formelles entre soldats américains et femmes vietnamiennes furent nombreux et la prostitution, importante. Mais au moment de rentrer au pays, les Américains abandonnèrent leurs "femmes" ou leurs petites amies, les laissant élever des enfants de père blanc ou noir dans une société peu ouverte au métissage.

Après la réunification, ces Amérasiens furent souvent maltraités par la société vietnamienne, voire abandonnés par leur mère ou leur famille. Beaucoup se retrouvèrent à la rue. Surnommés les "enfants de la poussière", ils se virent refuser les filières éducatives et les opportunités professionnelles.

Le Programme de départ organisé (en anglais *Orderly Departure Programme* ou ODP), mené sous les auspices du Haut-Commissariat des Nations unies pour les réfugiés (HCR), a été créé à la fin des années 1980 pour permettre l'installation en Occident (essentiellement aux États-Unis) de réfugiés amérasiens ou politiques qui auraient, sinon, essayé de fuir par terre ou par mer. Des milliers de Vietnamiens et leurs familles se sont envolés pour les Philippines, où ils ont pu suivre des cours d'anglais pendant six mois avant de se rendre aux États-Unis.

De nombreux enfants amérasiens connurent le malheur supplémentaire d'être adoptés par des Vietnamiens, candidats à l'émigration, qui les abandonnèrent dès leur arrivée aux États-Unis, les laissant se débrouiller seuls. L'organisme **Asian American LEAD** (☎ 202 518 6737, *www.aalead.org, 1323 Girard St NW, Washington DC 20009, USA*) a beaucoup contribué à former et soutenir ces enfants amérasiens et leurs parents pour qu'ils s'adaptent à la vie américaine.

L'ODP, qui prenait essentiellement en charge les Sud-Vietnamiens, n'a pas réussi à endiguer le raz-de-marée des réfugiés du Nord. En 1990, lorsque s'est ouverte la frontière sino-vietnamienne, beaucoup ont en effet pris le train pour la Chine, puis traversé la rivière de Perles avant de rejoindre Hong Kong avec les réfugiés que l'on appelait alors *boat people*.

Pour beaucoup, ce ne fut pas sans séquelles. Monter à bord d'un bateau de réfugiés présentait d'énormes risques, que ce soit pour Hong Kong, la Malaisie, les Philippines ou l'Australie. Outre l'état déplorable des embarcations, mal équipées pour affronter le mauvais temps en mer, les passagers enduraient des conditions de voyage épouvantables, sans nourriture ou si peu, et à la merci des pirates qui volaient, tuaient, violaient sans distinction…

À Hong Kong, les camps de réfugiés n'ont vite plus suffi à accueillir tous ceux qui fuyaient le Nord. Ce dont la population locale a fini par se plaindre, réclamant des mesures pour répondre à sa "lassitude des réfugiés". Comme presque tous les arrivants entraient dans la catégorie des immigrés économiques plutôt que celle de réfugiés politiques, le gouvernement de Hong Kong a tenté de les rapatrier de force en 1990, au grand dam des États-Unis et du HCR. Hong Kong, reculant provisoirement, a conclu un accord avec le Vietnam sur la base d'un programme associant rapatriement volontaire et forcé. Les personnes acceptant de rentrer au Vietnam ne devaient pas être pénalisées, retrouvaient leur citoyenneté et recevaient pendant plusieurs mois une indemnité mensuelle de réinstallation de 30 $US à la charge du HCR.

Le rapatriement volontaire n'a pas fonctionné comme prévu : certains volontaires sont revenus à Hong Kong quelques mois plus tard, demandant une nouvelle indemnité. Le rapatriement obligatoire a donc suivi sans tarder. Le programme a été efficace puisque, depuis fin 1992, pratiquement plus aucun réfugié vietnamien ne s'est présenté à Hong Kong.

Parmi les milliers de Vietnamiens cherchant refuge à Hong Kong se trouvait un petit noyau de délinquants pour lesquels aucun pays occidental n'était prêt à dérouler le tapis rouge. Ces réfugiés, confinés derrière leurs barbelés, organisèrent plusieurs manifestations pour attirer l'attention sur leur sort. De violentes émeutes ont éclaté en 1995 et 1996 ; certains réfugiés se sont alors échappés des camps.

---

ment poussé 135 000 Vietnamiens à quitter leur pays. Au cours des cinq années qui suivent, 545 000 de leurs compatriotes feront de même. Ceux qui ont fui par mer sont connus dans le monde entier sous le nom de *boat people*.

Après la réunification

Le jour de leur victoire, les communistes rebaptisèrent Saigon du nom de Ho Chi Minh-Ville (HCMV). Ce fut le premier d'une longue succession de changements.

Ni le Nord ni le Sud n'ont prévu une victoire si soudaine. Hanoi n'a pas de plan particulier pour intégrer les deux parties du pays, dont les systèmes économiques et sociaux divergent tant.

Les dirigeants du Nord doivent faire face aux conséquences d'un conflit long et cruel, qui a littéralement coupé le pays en deux. Chaque camp est animé d'une amertume (pour ne pas dire une haine) bien compréhensible. En outre, les problèmes sont aussi nombreux que difficiles à résoudre. Comment estimer le nombre de champs minés ? L'économie est exsangue. D'innombrables hectares de cultures sont imprégnés de poisons chimiques. Des millions de Vietnamiens sont blessés dans leur corps comme dans leur âme. Sur le plan diplomatique, le pays est isolé car ses anciens alliés ne souhaitent plus, ou ne peuvent plus, lui fournir une aide importante. Certes, la paix est de retour mais, à bien des égards, les effets de la guerre se font toujours sentir.

Jusqu'à la réunification officielle du Vietnam, en juillet 1976, le Sud reste sous la coupe d'un Gouvernement révolutionnaire provisoire. Toutefois, le Parti communiste ne fait pas vraiment confiance à l'intelligentsia urbaine du Sud, pas même à ceux qui ont soutenu le Viet-Cong. Le Nord dépêche donc une armada de cadres au Sud pour assurer la transition. Cette politique est peu appréciée de ceux qui ont milité contre le gouvernement de Thieu et sont pourtant privés de postes à responsabilités.

Après de longs mois de débat à Hanoi, les partisans d'un rapide passage vers le socialisme dans le Sud (y compris la collectivisation des terres) l'emportent haut la main. D'énormes efforts sont accomplis pour résoudre les problèmes sociaux du Sud, qui compte des millions d'analphabètes et de chômeurs, plusieurs centaines de milliers de prostituées et de drogués, et des dizaines de milliers de délinquants, petits et grands. On les encourage à partir à la campagne dans les nouvelles fermes collectives. Hormis certains effets bénéfiques, le passage au socialisme est en fait un désastre pour l'économie du Sud.

La réunification s'accompagne en outre d'une impressionnante répression politique. Les autorités avaient promis qu'il n'y aurait pas de règlements de compte, mais des centaines de milliers de personnes liées à l'ancien régime se voient confisquer leur maison et leurs biens. Ils sont arrêtés, emprisonnés et expédiés sans procès dans des "camps de rééducation".

Hommes d'affaires, intellectuels, artistes, journalistes, écrivains, syndicalistes, bonzes, prêtres, pasteurs... des dizaines de milliers de personnes sont arrêtées et détenues dans des conditions épouvantables. Pourtant, certains ont combattu Thieu et les bellicistes.

Parmi les riches, quelques-uns peuvent acheter leur remise en liberté. La plupart d'entre eux voient cependant leurs biens, meubles et immeubles, confisqués purement et simplement. La majorité de ces victimes seront libérées quelques années plus tard, les autres croupiront presque dix ans dans les camps sous le prétexte qu'ils sont d'"obstinés contre-révolutionnaires". Cette purge et les conditions économiques ont contraint des centaines de milliers de Sudistes à fuir leur pays par mer ou par route, en passant par le Cambodge (voir l'encadré *Un départ désorganisé*).

La purge n'affecte pas seulement les anticommunistes, mais aussi leurs familles. Aujourd'hui encore, les enfants de nombre d'anciens "contre-révolutionnaires" sont plus ou moins exclus de la société. Ils n'obtiennent pas en général leur *ho khau*, sorte de permis de résidence qu'il faut présenter pour s'inscrire à l'école, chercher du travail, posséder une ferme, un logement ou une entreprise.

Les relations avec la Chine au nord et ses alliés khmers rouges à l'ouest ne tardent pas à se détériorer. Affaibli par la guerre, le Vietnam semble assailli par ses ennemis.

Une campagne contre le capitalisme est lancée en mars 1978 : le gouvernement peut ainsi saisir les propriétés et commerces privés. La plupart des victimes étant d'origine chinoise, les relations avec la Chine ne peuvent guère s'améliorer. Parallèlement, les attaques répétées des Khmers rouges contre les villages frontaliers incitent le Vietnam à envahir le Cambodge à la fin de 1978. Les Vietnamiens chassent du pouvoir les Khmers rouges au début de l'année suivante et établissent à Phnom Penh un régime favorable à Hanoi.

La Chine considère l'attaque contre ses alliés khmers rouges comme la dernière des insultes. Ses troupes envahissent le Vietnam en février 1979 et livrent bataille durant 17 jours avant de se retirer.

Pendant dix ans, les Khmers rouges mènent au Cambodge une guérilla incessante contre les Vietnamiens, avec le soutien de

La réforme économique (*doi moi*) et l'après-réforme

Le Vietnam a bénéficié du boom économique qu'a connu la majeure partie de l'Asie du Sud-Est dans les années 1990. Il a aussi expérimenté sans intermédiaire les tensions et les avatars de la mondialisation. Comme la plupart des pays de la région, le Vietnam est passé de la croissance grisante du début des années 1990 à un ralentissement tout aussi spectaculaire. À l'aube du nouveau millénaire, on se demande encore si cette croissance n'a été qu'une illusion et si l'on peut encore, par un moyen ou un autre, relancer le processus.

C'est dans les années 1980 que se sont préparées les réformes qui ont permis la croissance amorcée réellement au début de la décennie suivante. Les investissements étrangers sont alors arrivés en masse. Les petites entreprises ont récolté les bénéfices de la libéralisation. Les villes, notamment, ont bourdonné d'activité. Une large partie de la population est passée d'un mode de vie agricole à un style de vie post-industriel grâce au développement rapide du secteur tertiaire, qui a créé des centaines de milliers d'emplois (notamment dans le domaine des services).

Réformes libérales et économie de marché

Les farouches adeptes de la nouvelle économie de marché ont été nombreux. Des gens issus de tous les milieux ont cru que leurs conditions d'existence allaient s'améliorer. L'économie a bel et bien décollé, et au-delà de toute attente. La Banque mondiale et le FMI ont applaudi les réformes libérales quand le Vietnam a imposé des taux de croissance élevés, qui caractérisent les jeunes économies des pays que l'on appelle "les petits tigres" par référence aux Quatre Tigres d'Asie (Corée du Sud, Taiwan, Hong kong et Singapour). Les résultats obtenus ont alors été perçus comme la revanche du Sud, la victoire du libéralisme sur Marx et Mao, invalidant la réunification de 1975. Dans ce flot d'optimisme, la transition nécessaire au Vietnam pour sortir du communisme prit l'allure d'un reniement.

En 1994, la levée de l'embargo américain sur les échanges commerciaux avec son ancien ennemi a été considérée comme un événement historique, confirmant le sentiment que le capitalisme avait triomphé. Le Vietnam regorgeait d'investisseurs, de commerçants et de voyageurs venus de Taiwan, de Corée du Sud, de Hong Kong, de Singapour, d'Indonésie et de Chine du Sud. Sans perdre de temps, on se mit à exploiter les ressources naturelles du pays à des prix défiants toute concurrence, à vendre des biens de consommation, à tirer profit d'une main-d'œuvre bon marché, à investir des capitaux dans des entreprises à rendement accéléré et à célébrer la belle vie qui s'annonçait.

Une culture nouvelle... bientôt décriée

L'engagement économique du Vietnam en Asie du Sud-Est n'a pas été sans retentissement au plan culturel. Par un processus de "ré-orientalisation" plus que d'occidentalisation, le pays est très vite passé du bloc de l'Est à celui de l'Asie de l'Est. Les publicités de Honda, de Daewoo et de Cheng Fong sont venues remplacer l'imagerie révolutionnaire sur les affiches. Que ce soit dans le domaine de la musique (Canto-pop, karaoké), des vêtements (façon coréenne), des arts martiaux ou du film (des vidéos de gangsters en provenance de Hong Kong aux dessins animés japonais), la culture populaire du Sud-Est asiatique a envahi le Vietnam. En 1995, l'adhésion du Vietnam à l'ASEAN (Association des nations de l'Asie du Sud-Est) est venue cimenter au plan diplomatique le processus d'intégration régionale enclenché dans les domaines culturel et économique.

Malgré une atmosphère d'optimisme débordant, des signes indiquaient pourtant clairement la vulnérabilité du Vietnam face aux problèmes créés par une croissance effrénée. Le triomphe des "capitalistes rouges", uniquement soucieux de leur enrichissement personnel, ne constituait que l'un des aspects d'un paysage social en pleine transformation. Le contraste entre l'activité économique des villes et celle des campagnes a creusé l'écart entre les niveaux de vie urbain et rural, donc renforcé l'exode rural. À l'exception notoire des Chinois de souche, les minorités ethniques vietnamiennes, qui vivent pour la plupart dans des régions reculées du pays, n'ont pas profité des avantages apportés par l'ouverture du marché.

Le Sud et, tout particulièrement, Ho Chi Minh-Ville se sont taillés la part du lion en matière d'investissement et sont demeurés la frontière capitaliste du Vietnam, monopolisant le meilleur et le pire de ce que la mondialisation avait à offrir. Comme dans le Nord, la prostitution est réapparue en posant un sérieux problème. L'industrie du sexe, dont le développement répondait en partie à une demande nationale croissante, a heurté la sensibilité culturelle de nombreux Vietnamiens. Des plaintes de plus en plus vigoureuses se sont élevées pour dénoncer la corruption, tandis que les efforts visant à l'éradiquer restaient purement symboliques. Les forêts, les plages, les rivières et les champs du pays ont été dévastés suite à l'extraction et l'exploitation forcenée des ressources naturelles, infligeant une nouvelle apocalypse, cette fois d'ordre biologique, à un paysage déjà ravagé par la guerre.

La réforme économique (*doi moi*) et l'après-réforme

Au milieu des années 1990, on a de plus en plus souvent évoqué les effets négatifs des réformes libérales. Le mauvais traitement infligé aux ouvriers d'usine par les patrons étrangers offusque. On s'interroge sur l'avenir des jeunes générations vietnamiennes, de plus en plus individualistes et coupées de leurs racines. Le déferlement culturel étranger choque et inquiète. Les pratiques religieuses rituelles, dénoncées dans certains milieux comme des "superstitions", reviennent en force. La privatisation, inévitable, des secteurs de l'éducation et de la santé est regrettable.

Cette ambiance de conservatisme culturel de plus en plus tangible a trouvé un écho en politique. En 1996 et 1997, les membres conservateurs du Parti ont lancé des campagnes contre "l'évolutionnisme pacifique" (la tentative qu'auraient entreprise les "ennemis" pour déstabiliser le socialisme) et les "fléaux sociaux", à savoir la prostitution, le crime et les slogans publicitaires en langues étrangères. Les réformateurs du Politburo ont été accusés d'avoir dévié de la voie communiste. Cette atmosphère de réaction a culminé en 1996 lors du Congrès du Parti qui a eu pour principal résultat de bloquer les réformes.

Les effets de la crise asiatique

Lorsque la crise financière a frappé l'Asie du Sud-Est, le Vietnam était déjà en perte de vitesse. Depuis un certain temps, on parlait même de fuite des capitaux, un certain nombre de grosses sociétés connaissaient une situation périlleuse et l'on ne considérait plus le Vietnam comme un pays où l'argent était facile. Moins intégré dans l'économie globale que la Thaïlande ou l'Indonésie, le Vietnam a néanmoins été indirectement frappé par le krach boursier asiatique, lorsque ses investisseurs voisins ont retiré leurs capitaux. Certains ont alors estimé que la crise était une raison supplémentaire pour approfondir les réformes, tandis que les conservateurs du Parti y ont vu la preuve de la supériorité du système communiste.

Outre l'impasse rencontrée au niveau des dirigeants, le pays dut affronter de graves problèmes intérieurs. Les provinces de Thai Binh et de Dong Nai se révoltèrent contre la corruption et les procédés antidémocratiques du gouvernement. La campagne anti-corruption n'apporta pas de véritable réponse et la poursuite de plusieurs entrepreneurs de haut vol eut pour seul effet de décourager le commerce local. L'abaissement des taux de croissance, la montée du chômage, les récriminations contre une imposition excessive, le secteur privé en difficulté et l'économie rurale en stagnation, tels étaient les autres symptômes du malaise intérieur

Vers la fin des années 1990, les reportages étrangers sur le Vietnam n'avaient rien d'élogieux... Par ailleurs sévèrement désavoué par la commission des Nations unies et son rapporteur, Abdelfattah Amor, pour la répression exercée sur les groupes religieux, le pays fut aussi l'objet de critiques d'Amnesty International, de l'Observatoire des droits de l'Homme et du département d'État américain pour le mauvais traitement réservé aux dissidents.

En dépit de cette mauvaise presse et de performances médiocres, le Vietnam continuait à changer à toute vitesse. Le départ des investisseurs ne l'empêcha pas de rester l'un des bénéficiaires favoris de l'aide au développement bilatéral et multilatéral. Les capitales de province prospérèrent à un rythme régulier, les bureaux du gouvernement furent rénovés, de nouveaux marchés s'ouvrirent, on construisit des ponts et on élargit les routes. Les régions à vocation industrielle, comme la province de Binh Duong dans le Sud, prospérèrent, bénéficiant toujours d'investissements étrangers. En ville, biens de consommation, modes de vie et services, y compris le secteur touristique, se sont diversifiés au grand bénéfice de la classe moyenne montante. Les fournisseurs de services Internet ont pris un essor rapide, non seulement dans le domaine du tourisme, mais aussi dans celui des services offerts à une population urbaine de plus en plus adepte de l'informatique.

En 2000, la signature d'un accord commercial avec les États-Unis a fait renaître l'optimisme. Le Vietnam va très probablement continuer à s'impliquer dans les échanges mondiaux ; cependant, le communisme ne bouge pas vite. Les puissances comme les États-Unis cherchant à se réimplanter au Vietnam devront s'accommoder du système politique et faire face aux diverses sensibilités culturelles ainsi qu'aux inégalités sociales nées de la sortie du monde socialiste.

Philip Taylor

Anthropologue, Philip Taylor a vécu plus de deux ans au Vietnam et a publié *Fragments of the present : searching for modernity in Vietnam's South* (Allen & Unwin, 2001)

la Chine et de la Thaïlande. Le Vietnam retire ses troupes du Cambodge en septembre 1989. La guerre civile cambodgienne se termine officiellement en 1992. Les forces de maintien de la paix des Nations unies sont chargées de surveiller l'application des accords de paix. Alors que les Khmers rouges ne cessent de violer ces accords, le Vietnam n'est plus engagé dans le conflit. Pour la première fois depuis le début de la Seconde Guerre mondiale, le pays vit en paix.

L'ouverture

La récente libéralisation des lois sur les investissements étrangers et l'assouplissement des règles de délivrance des visas de tourisme semblent indiquer que le pays s'ouvre sur le monde extérieur.

En 1969, la Suède a été le premier pays occidental à établir des relations diplomatiques avec Hanoi. Depuis lors, la plupart des pays occidentaux ont eux aussi renoué des liens.

Suivant l'exemple d'ouverture à l'Ouest de l'Union soviétique en 1984, date à laquelle Mikhail Gorbatchev prit les rênes du pays, le Vietnam choisit en 1986 le réformiste Nguyen Van Linh comme secrétaire général du Parti. Les changements radicaux que connaissaient l'Europe de l'Est et l'URSS ne plaisaient pas pour autant à Hanoi. On y fustigeait l'entrée de nouveaux ministres non communistes dans les gouvernements des pays de l'Est, et l'on voyait derrière les révolutions démocratiques l'influence en sous-main des pays impérialistes.

Le secrétaire général Linh déclara d'ailleurs à la fin de 1989 : "Nous rejetons résolument le pluralisme, le multipartisme et les partis d'opposition." Le gouvernement n'en réclama pas moins, en février 1990, plus d'ouverture et d'esprit critique. Aussitôt, ce fut une avalanche d'articles, d'éditoriaux et de lettres de lecteurs pour condamner la corruption, l'inaptitude et le niveau de vie des dirigeants, alors que le peuple continuait à vivre dans une extrême pauvreté.

Déconcerté par une critique aussi violente, le pouvoir resserra son contrôle sur la littérature, les arts et les médias, en lançant une campagne "contre les déviances idéologiques". La responsabilité du mécontentement public fut imputée aux impérialistes de l'étranger. Le ministre de l'Intérieur écrivit alors dans le journal de l'armée :

Par le biais de leurs moyens de communication modernes, de leurs journaux, de lettres et de cassettes vidéo, ils s'en sont pris violemment au marxisme-léninisme et à la direction du Parti, lui faisant porter le chapeau de toutes nos difficultés socio-économiques pour réclamer le pluralisme, le multipartisme et la démocratie bourgeoise.

En juin 1991, Nguyen Van Linh, âgé de 75 ans, est souffrant et usé. Il cède son poste de secrétaire général du Parti à son Premier ministre, Do Muoi. Réputé conservateur, celui-ci promet néanmoins de poursuivre les réformes économiques entreprises par Linh. Le changement de direction provoque alors de grands bouleversements au sein du bureau politique et du Comité central. Par vagues, nombre de membres sont poussés à démissionner pour être remplacés par des dirigeants plus jeunes et plus libéraux. L'effondrement brutal de l'URSS, deux mois plus tard, oblige le gouvernement à réitérer ses positions : non au pluralisme politique, oui à l'accélération des réformes économiques.

Do Muoi se rend alors à Pékin, en novembre 1991, en compagnie de son Premier ministre Vo Van Kiet, pour mettre un terme à douze ans de discorde entre les deux pays. Un an plus tard, le Premier ministre chinois Li Peng leur rend la politesse en venant à Hanoi. Aujourd'hui, les relations sino-vietnamiennes restent tendues, même si l'on se fait de grands sourires devant les caméras de télévision. Cela n'empêche pas le commerce de prospérer de part et d'autre de la frontière sino-vietnamienne, qu'il soit légal ou non.

De même, les tensions qui opposaient le Vietnam à son ancien redresseur de torts, les États-Unis, se sont considérablement relâchées. Début 1994, l'Amérique a levé l'embargo économique qui était en vigueur depuis 1960. Cette mesure a permis au pays d'obtenir des prêts du Fonds monétaire international (FMI), d'importer des produits de haute technologie et de conclure directement des marchés avec les sociétés américaines. Pour de plus amples informations sur l'histoire récente, consultez l'encadré *La réforme économique (doi moi) et l'après-réforme*.

En avril et mai 2000, des fêtes populaires ont été organisées dans l'ensemble du pays pour commémorer le 25ᵉ anniversaire de la "libération" et la fin de la guerre du Vietnam.

Au cours de son voyage de 4 jours en novembre 2002, Bill Clinton, qui n'a pas combattu au Vietnam, a également marqué l'événement en devenant le premier président des États-Unis à se rendre au Nord-Vietnam et le premier en 30 ans à visiter le sud du pays. Le cortège présidentiel comptait près de 1 500 hommes politiques, journalistes et hommes d'affaires, ces derniers dans l'espoir de voir s'ouvrir à eux de nouveaux domaines d'investissements lucratifs.

Tout au long de l'année 2001 et 2002, le Vietnam a poursuivi son programme d'action national en faveur du tourisme, dont le but est de rénover les principaux sites touristiques.

GÉOGRAPHIE

Le Vietnam s'étend sur 1 600 km le long de la côte est de la péninsule indochinoise (depuis le 8°34' N jusqu'au 23°22'N). Avec 326 797 km² (329 566 km², eaux territoriales comprises), sa superficie représente un peu plus que celle de l'Italie. Ses côtes s'étendent sur 3 451 km, et ses frontières terrestres sur 3 818 km : le Vietnam partage 1 555 km de frontière avec le Laos, 1 281 km avec la Chine et 982 km avec le Cambodge.

Les Vietnamiens décrivent souvent leur pays comme une tige de bambou portant un panier de riz à chaque extrémité. Sa forme fait penser à un S, avec deux grandes plaines au nord et au sud, séparées au centre par une bande de terre étroite (50 km au point le moins large).

Les deux grandes zones cultivées sont le delta du fleuve Rouge (15 000 km²) au nord et celui du Mékong (60 000 km²) au sud. Les alluvions du fleuve Rouge et de ses affluents (canalisés dans leurs lits par 3 000 km de digues) ont élevé le niveau de ces cours d'eau au-dessus de celui des plaines alentour. Des brèches dans les digues provoquent donc de terribles inondations.

Montagnes et collines couvrent les trois-quarts du pays. Le plus haut sommet est le Fansipan, ou Phan Si Pan (3 143 m), dans les monts Hoang Lien, à l'extrême nord-ouest du Vietnam. Les monts Truong Son (la Cordillère annamitique) forment les Hauts Plateaux et courent le long des frontières du Laos et du Cambodge.

La plus grande métropole est HCMV (Ho Chi Minh-Ville), encore souvent appelée Saigon, suivie de Hanoi, Haiphong et Danang.

GÉOLOGIE

Le Vietnam présente diverses particularités géologiques étonnantes, la plus frappante étant de loin les formations karstiques. Le karst est une roche calcaire irrégulière dans laquelle l'érosion a créé des fissures, des trous, des grottes et des rivières souterraines. Le Vietnam du Nord compte de spectaculaires formations karstiques, notamment dans les environs de la baie d'Along, de la baie de Bai Tu Long et de Tam Coc. Dans les deux baies, un immense plateau calcaire s'est progressivement enfoncé dans l'océan. Les anciens pics se dressent hors de la mer comme des doigts verticaux pointés vers le ciel. À Tam Coc, les formations sont similaires, mais encore au-dessus du niveau de la mer. Dans le Sud, on peut voir une série moins impressionnante de ces formations vers la région de Ha Tien, dans le delta du Mékong. Les montagnes de Marbre, près de Danang au centre du Vietnam, en sont un autre exemple.

Toutes les montagnes ne sont pas en pierre calcaire. Ainsi, les chaînes du littoral, près de Nha Trang et au col de Hai Van (Danang), sont parsemées d'impressionnants blocs de granit.

La partie occidentale des Hauts Plateaux du Centre (près de Buon Me Thuot et Pleiku) est connue pour son sol volcanique rouge, extrêmement fertile. Les Hauts Plateaux se résument cependant à des terres élevées plutôt plates et guère spectaculaires.

Le Mékong possède l'un des deltas les plus grands du monde, composé de limons fins qui gagnent du terrain sur la mer depuis des millions d'années. Très fertile, il abrite une luxuriante végétation tropicale. Le delta du Mékong continue à croître à raison de quelque 100 m par an.

Le réchauffement de la planète pourrait toutefois provoquer des cures entraînant la disparition du delta.

CLIMAT

Il n'y a pas de bonne ou de mauvaise saison pour visiter le Vietnam. Quand une région devient humide, froide ou encore brûlante, il en existe toujours une autre, ensoleillée et agréablement tempérée.

Le Vietnam jouit d'un climat remarquablement diversifié grâce à l'étendue de ses latitudes et à la multiplicité de ses altitudes. Bien que le pays tout entier se trouve placé dans la zone intertropicale, les conditions locales varient de l'hiver glacial, dans les montagnes les plus au nord, à la chaleur subéquatoriale permanente, dans le delta du Mékong. Comme environ un tiers du Vietnam se trouve à plus de 500 m au-dessus du niveau de la mer, la majeure partie du pays bénéficie d'un climat subtropical, et même tempéré au-dessus de 2 000 m.

Situé dans la zone des moussons de l'Est asiatique, le Vietnam en connaît deux par an, qui rythment la vie rurale. La mousson d'hiver arrive par le nord-est, entre octobre et mars, entraînant des hivers frais et humides sur toutes les régions situées au nord de Nha Trang et un temps doux et sec au sud. D'avril-mai à octobre, la mousson du sud-ouest pousse ses vents chargés d'humidité accumulée dans l'océan Indien et le golfe de Siam. Elle apporte un temps chaud et humide dans tout le pays, excepté dans les régions protégées par les montagnes (comme dans les basses régions côtières du centre ou le delta du fleuve Rouge).

Entre juillet et novembre, des typhons aussi violents qu'imprévisibles se forment au-dessus de l'océan, à l'est du pays. Ils frappent le centre ou le nord du Vietnam, causant de terribles dévastations.

La majeure partie du Vietnam reçoit quelque 2 000 mm de pluie par an, bien que certaines régions des Hauts Plateaux soient plus arrosées (jusqu'à 3 300 mm).

Le Sud

Le Sud bénéficie d'un climat subéquatorial, avec une saison humide et une saison sèche. La première dure de mai à novembre (juin, juillet et août sont les mois les plus humides), une période marquée par des

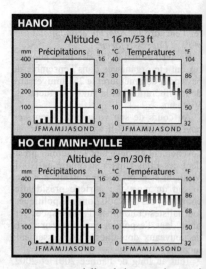

averses torrentielles brèves mais quasi quotidiennes, généralement l'après-midi. La saison sèche court d'ordinaire de décembre à avril. De la fin février à mai, le temps devient très chaud et très humide, mais la situation s'améliore à l'arrivée de la saison des pluies.

La température moyenne annuelle à HCMV est de 27°C. Elle dépasse légèrement 30°C en avril et descend à 21°C en janvier. En moyenne, le taux d'humidité atteint 80% et les précipitations dépassent 1 979 mm par an. La température la plus froide jamais relevée à HCMV a été 14°C.

Le Centre

La mousson du sud-ouest arrose peu les basses terres côtières (d'avril-mai à octobre), car la cordillère annamitique est très humide pendant cette période. La plupart des précipitations sur la bande côtière arrivent entre décembre et février avec la mousson du nord-est. À Nha Trang, la saison sèche, assez longue, dure de fin janvier à octobre, tandis qu'à Dalat elle court de décembre à mars. Comme le reste des Hauts Plateaux, Dalat bénéficie d'une température beaucoup plus fraîche que le delta du Mékong ou la bande côtière. Il y fait entre 20° et 25°C de novembre à mars.

L'hiver froid et humide des basses terres côtières du centre-nord s'accompagne de brouillard et de crachin.

Le Nord

Les zones situées au nord du 18e parallèle ont deux saisons : l'hiver et l'été. L'hiver, assez frais et humide, vient avec la mousson irrégulière du nord-est et dure normalement de novembre à avril. Février et mars se caractérisent par un éternel *crachin* (les Vietnamiens l'appellent également ainsi). Les étés, chauds, commencent en mai, durent jusqu'en octobre et apportent parfois des typhons.

ÉCOLOGIE ET ENVIRONNEMENT

Si l'environnement n'a rien de désastreux, certains indices se révèlent alarmants. Le Vietnam étant un pays agricole pauvre et à forte densité de population, les habitants disputent fréquemment les mêmes ressources aux plantes ou aux animaux sauvages. De nombreux écosystèmes sont représentés, des montagnes aux zones marécageuses, en passant par les récifs coralliens. Le déboisement constitue peut-être le problème le plus grave. À l'origine, presque tout le Vietnam était couvert de forêts profondes. Depuis l'arrivée des premiers hommes, ces forêts ont progressivement perdu du terrain. Il restait encore 44% de la couverture forestière d'origine en 1943, mais seulement 29% en 1976, 24% en 1983 et 20% en 1995. Fort heureusement, les récents projets de reboisement conduits par le ministère de la Forêt, ainsi que l'interdiction, en 1992, des exportations de bois brut, ont conduit à une nette augmentation de la couverture forestière, remontée au taux de 28% en 1998 et de 30% en l'an 2000.

De plus, le ministère de l'Éducation a intégré dans les programmes scolaires la plantation des arbres et leur entretien. Toutes ces mesures n'empêchent cependant pas la déforestation de progresser toujours plus vite que le reboisement.

Le défrichement favorise les inondations en aval des bassins de captage, l'érosion irréversible des sols, l'envasement des rivières, des ruisseaux, des lacs et des réservoirs, de même qu'il réduit l'habitat naturel des animaux sauvages. Sans compter les imprévisibles changements de climat.

Jusqu'à présent, le Vietnam n'a guère souffert de la pollution industrielle, pour la simple raison que les industries restaient rares. Cependant, l'essor économique et démographique laisse présager des problèmes écologiques. Depuis quelques années, la stupéfiante augmentation de motocyclettes bruyantes vomissant leurs gaz nocifs fait redouter le pire.

L'écotourisme est en plein essor, les voyageurs étant toujours plus nombreux à opter pour des séjours comprenant randonnées et autres activités de plein air. Le gouvernement a préservé des dizaines de milliers de kilomètres carrés de forêts afin de créer une centaine de parcs nationaux et de réserves naturelles. Puisque les écosystèmes tropicaux abritent une multitude d'espèces mais un nombre limité de représentants de chacune, les écologistes vietnamiens espèrent que ces zones protégées seront assez grandes pour accueillir une population significative de chaque espèce.

Cependant, certains intérêts ne favorisent pas l'extension des parcs nationaux et des réserves naturelles du pays. À l'image de l'Occident, même les meilleurs projets peuvent parfois ne pas aboutir.

Si la démographie et l'économie ont notoirement souffert des ravages causés par l'armée américaine, l'environnement a été l'enjeu, pendant la guerre, d'une stratégie parmi les plus destructrices jamais menées dans un pays. On peut parler d'un véritable écocide. L'armée américaine a répandu 72 millions de litres d'herbicides (baptisés agents orange, blanc et bleu selon la couleur des barils) sur 16% du Sud-Vietnam pour détruire les cachettes naturelles des Vietcongs.

Une autre méthode de défoliation à grande échelle consistait à éventrer la jungle à l'aide d'énormes bulldozers. Ainsi, de vastes étendues boisées, des terres agricoles, des villages et même des cimetières ont été rasés au bulldozer, arrachant à la fois la végétation et la couche arable. Des forêts de malaleuca, un bois particulièrement inflammable, ont été carbonisées par le napalm. Dans les régions montagneuses, des éboulements ont été délibérément provoqués par bombardement et arrosage à l'acide des flancs de collines calcaires. Même les éléphants, utilisés comme moyen de transport, n'ont pas été épargnés par les bombes et le napalm largués au cours de raids aériens. À la fin de la guerre, des mauvaises herbes

baptisées localement "chiendent américain" recouvraient de vastes étendues. Le
gouvernement estime que 20 000 km² de
forêts et terres cultivées ont été détruites
par les conséquences directes de la guerre
du Vietnam.

Au total, quelque 13 millions de tonnes
de bombes, soit l'équivalent de 450 fois
l'énergie de la bombe atomique d'Hiroshima, ont été largués sur la région.
Cela représente 265 kg pour chacun des
hommes, femmes et enfants d'Indochine.
Si les Américains leur avaient versé l'argent dépensé à la fabrication des bombes
(la guerre a coûté 2 000 $US par habitant
en Indochine), il va de soi que l'environnement et l'économie du Vietnam s'en porte-
raient beaucoup mieux aujourd'hui.

Les scientifiques doivent encore démontrer le rapport entre les produits
chimiques utilisés par les Américains et
les fausses couches, les enfants mort-nés,
les malformations et d'autres problèmes de
santé. Quoi qu'il en soit, les preuves indi-
rectes s'avèrent accablantes. En 2002, à la
suite de la conférence d'Hanoi sur l'agent
orange, les États-Unis et le Vietnam ont
conjointement engagé une enquête sur les
risques sanitaires dus à cet herbicide rava-
geur. Les représentants de l'Agence nationale vietnamienne pour l'environnement et
l'US National Institute of Environmental
Health Sciences ont cosigné une directive
afin que les scientifiques étudient les liens
probables entre l'agent orange et diverses
maladies. Des recherches ont également
été engagées pour trouver un moyen de
nettoyer les forêts contaminées par la
dioxine.

FLORE ET FAUNE

Malgré les ravages du déboisement, la
végétation du Vietnam est celle que l'on
attend d'un pays tropical : luxuriante et
diversifiée. Les scientifiques commencent
seulement la classification de la flore et
de la faune du pays et, aujourd'hui, les
autorités se mobilisent de façon forte pour
protéger l'environnement.

Flore

À l'origine, le Vietnam était presque entièrement recouvert de forêts, depuis les vastes mangroves bordant le littoral jusqu'aux
denses forêts tropicales des régions mon-

tagneuses. Au cours des millénaires, les
forêts ont été graduellement repoussées,
d'abord par un défrichement progressif
en faveur des cultures – celle du riz, entre
autres –, puis par la croissance démographique et les ravages de la guerre.

Bien que les cicatrices des combats
soient encore visibles et la plus grande
partie des dommages irréversibles, des
programmes de reboisement ont été mis
en place, et l'on note quelques signes
encourageants. Dans les forêts naturelles
d'altitude, comme celles du nord-ouest, on
retrouve des rhododendrons sauvages, des
bambous nains, ainsi que de nombreuses
variétés d'orchidées. Le littoral du centre,
plus sec, abrite des pinèdes. Quant aux
deltas, ils sont recouverts de forêts de palé-
tuviers, lesquelles constituent de précieux
viviers de poissons et de crustacés, ainsi
qu'un refuge pour de nombreuses espèces
d'oiseaux qui viennent s'y nourrir.

On estime que les forêts abritent encore
plus de 12 000 espèces de végétaux, dont
quelque 7 000 seulement ont été identifiées
et dont 2 300 servent à l'homme : nourriture, médicaments, fourrage pour les
animaux, produits à base de bois et autres.
Récemment, sept sortes de plantes jusqu'ici inconnues ont été découvertes dans
les îles et les grottes de la baie d'Along. La
plus grande et la plus extraordinaire a été
baptisée la "Palme éventail d'Along".

Parmi les projets de reforestation du
Vietnam, le plus controversé a été celui
de l'AusAID, un programme du gouvernement australien qui a financé la plantation
de jeunes arbres. Conséquence : de vastes
plantations d'eucalyptus sont désormais
visibles dans le pays.

Faune

Le Vietnam offre à ceux qui s'intéressent
à la faune sauvage un nombre d'espèces
tout à fait surprenant, dont certaines hélas,
s'éteignent à une vitesse inquiétante. Si la
cause essentielle en est la destruction de
l'habitat naturel, la chasse, le braconnage
et la pollution jouent également un rôle non
négligeable.

Avec des plaines équatoriales, des
plateaux tempérés et même des sommets
alpins, le Vietnam dispose d'habitats très
diversifiés, d'où une faune sauvage extrêmement riche. On y dénombre pas moins de

275 espèces de mammifères, plus de 800 espèces d'oiseaux, 180 de reptiles, 80 d'amphibiens, des centaines de types de poissons et des milliers d'espèces invertébrées.

De temps à autres, le Vietnam dévoile une forme de vie qui avait jusqu'ici échappé à la classification scientifique. Au cours de la dernière décennie, des zoologues ont ainsi repéré des gros mammifères d'espèces jusqu'ici inconnues. En 1998, par exemple, une nouvelle espèce de cerf muntjac a été découverte dans le pays. L'intérêt scientifique et écologique de ces récents épisodes n'a pas échappé aux autorités vietnamiennes : le gouvernement a augmenté la superficie des parcs nationaux et des réserves naturelles, tout en interdisant l'exploitation forestière dans leurs limites. Grâce aux efforts de recherche et de protection de la faune, il est vraisemblable que l'on découvre encore nombre d'espèces rares et en partie peu connues dans les prochaines années.

On rencontre également des oiseaux rarissimes que l'on croyait disparus et d'autres attendent d'être découverts, notamment dans les immenses forêts en bordure du Laos. Ainsi, le faisan d'Edwards, espèce que l'on croyait éteinte à l'état sauvage, a été récemment redécouvert. Parmi d'autres espèces rares ou en voie de disparition repérées par des expéditions scientifiques, on note le canard musqué à ailes blanches et l'ibis de Davison.

Même sans être un expert, on remarquera quelques oiseaux : hirondelles et martinets survolant les champs et les cours d'eau ; vols de fringillidés au bord des routes et dans les rizières ; rossignols et martins dans les jardins et les bosquets. Le Vietnam constitue une escale importante pour les échassiers migrateurs qui quittent leur zone de reproduction en Sibérie pour gagner leurs quartiers d'hiver en Australie. Une réserve côtière a été créée à l'embouchure du fleuve Rouge pour la protection de ces oiseaux, qui comptent des espèces rares, comme le bécasseau spatule, le chevalier tacheté et la petite spatule.

Espèces en danger

La vie sauvage est très gravement menacée au Vietnam : les forêts se réduisent comme une peau de chagrin, les voies d'eau s'avèrent de plus en plus polluées. De plus, le braconnage incontrôlé (dans les régions reculées, de nombreux habitants se sont emparés des armes abandonnées par les Américains) a décimé, et parfois exterminé, nombre d'espèces dans le pays. À cause de la destruction systématique de leur habitat et du braconnage, de nombreuses espèces ne vont pas tarder à s'ajouter à la liste des espèces en voie d'extinction. Les programmes de reproduction en captivité restent peut-être l'unique planche de salut pour certaines d'entre-elles.

Ainsi, le gouvernement a ajouté 54 types de mammifères et 60 types d'oiseaux sur la liste des espèces en danger. Le tapir et le rhinocéros de Sumatra sont deux espèces déjà éteintes au Vietnam, et il ne resterait plus, en tout et pour tout, que 20 koupreys et de 20 à 30 rhinocéros de Java. Au début des années 1990, un petit groupe d'une espèce de rhinocéros extrêmement rare, le rhinocéros de Java, a été découvert dans le parc national de Cat Tien, au sud-ouest de Dalat.

Parmi les animaux faisant partie des espèces protégées, citons l'éléphant, le rhinocéros, le tigre, le léopard, l'ours noir, l'ours à miel, le singe au nez retroussé, l'entelle douc (un singe remarquable pour la variété des couleurs de son pelage), le gibbon unicolore, le singe rhésus, le sérow (sorte de bouquetin), l'écureuil volant, le kouprey (un buffle des forêts), le banteng (sorte de buffle sauvage), le cerf, le paon, le faisan, le crocodile, le python, le cobra et la tortue.

Il semble cependant que certains animaux sauvages regagnent les zones reboisées. On a ainsi vu réapparaître des oiseaux, des poissons et des crustacés dans les nouvelles forêts de mangroves. Des régions où l'on croyait les grands animaux exterminés par la guerre et le braconnage s'avèrent aujourd'hui des havres de biodiversité et d'abondance. Les forêts, qui recouvraient jadis tout le territoire, abritent encore de spectaculaires spécimens, tels que le tigre, l'éléphant d'Asie, la panthère longibande et l'ours à miel, même si leur nombre diminue en raison de la chasse et de la destruction de leur habitat.

Parcs nationaux

Le Vietnam compte actuellement 13 parcs nationaux et un nombre de réserves na-

Les parcs nationaux à ne pas manquer

Parc (taille)	Chapitre	Caractéristiques	Accès	Meilleure période
Cuc Phuong (22 200 ha)	Centre-Nord	randonnées, grottes, Centre de protection des primates, oiseaux, rares entelles du Tonkin	voiture/moto	octobre à mars
Nam Cat Tien (73 878 ha)	Hauts Plateaux du Centre	primates, éléphants, oiseaux, rhinocéros, tigres	voiture/moto, puis bateau	novembre à février
Ba Be (7 610 ha)	Nord-Est	lacs, forêt primaire, cascades, pics, ours, singes, oiseaux	transports en commun jusqu'à Cho Ra, puis moto/4x4	avril à novembre
Bach Ma (22 031 ha)	Centre	randonnées, chutes d'eau, oiseaux, tigres, primates	voiture/moto	février à septembre
Cat Ba (15 200 ha)	Nord-Est	randonnées, grottes, villages de minorités, singes, sangliers, cerfs, gibier d'eau	minibus/moto	avril à août
Yok Don (115 545 ha)	Hauts Plateaux du Centre	groupes ethniques, promenades à dos d'éléphant, maisons sur pilotis	4x4/moto	novembre à février

turelles en constante augmentation. Neuf parcs nationaux (Ba Be, Ba Vi, Bach Ma, Ben En, Cat Ba, Cat Tien, Cuc Phuong, Tam Dao et Yok Don) sont gérés par le Ministère de l'agriculture et du développement rural (MARD) et le Département de conservation des forêts (FPD). Les quatre autres (Con Dao, Tram Chim, Phu Quoc et Bai Tu Long) sont gérés par les gouvernements régionaux. L'expansion et l'aménagement des parcs et des réserves existants sont en projet. Par ailleurs, de nouvelles réserves devraient être créées.

J'ai rencontré le directeur du parc national de Bach Ma. Il a exprimé son souhait d'accueillir davantage de visiteurs et a employé le terme d'écotourisme. Il m'a également expliqué que les investissements étrangers dans le programme de conservation des parcs nationaux étaient essentiels pour accroître l'engagement du gouvernement. Sans le soutien du gouvernement national et régional, les pressions exercées par les bûcherons, les braconniers et les agriculteurs

seront insurmontables. Pourtant, la protection du parc ne sera envisagée que si son potentiel touristique s'avère assez important.

Tim Weisselbergo

La plupart des parcs nationaux restent peu visités, car les voyageurs font rarement une entorse aux itinéraires touristiques consacrés, faute de temps ou de curiosité, et l'accès à certains parcs situés dans des régions reculées n'est pas toujours aisé. D'autres, pourtant, sont facilement accessibles. Les voyageurs qui se donnent la peine de se rendre dans les parcs nationaux découvriront une autre facette du Vietnam. Ces parcs ont en outre l'avantage d'offrir un rare havre de paix aux touristes sans cesse sollicités par des vendeurs à la sauvette.

Les plus beaux parcs (et les plus accessibles) sont ceux de Cat Ba, Ba Be et Cuc Phuong au nord, Bach Ma au centre et Cat Tien et Yok Don au sud (consultez l'encadré *Les parcs nationaux* pour plus de détails sur les moyens d'accès).

Le parc national de Cat Ba s'étend sur une île superbe, qu'un flot régulier de touristes rejoint par bateau pour la journée chaque été. En 2000, le gouvernement a créé le parc national de Bai Tu Long, une réserve protégée située à l'est de la baie d'Along qui inclut plus de 15 000 hectares de forêt tropicale. Le parc national de Ba Be, aux impressionnantes chutes d'eau, est accessible depuis Hanoi, où l'on peut louer une jeep ou une moto. Moins fréquenté mais plus facile d'accès depuis Hanoi, le parc national de Cuc Phuong offre de belles possibilités de randonnées. Aux environs de Hué, le parc national de Bach Ma est également peu visité, en dépit de son intérêt écotouristique. Dans la partie sud des Hauts Plateaux, le parc national de Cat Tien, très prisé des ornithologues, se révèle aisément accessible au départ de HCMV ou de Dalat. Dans la même région des Hauts Plateaux, le parc national de Yok Don abrite des tribus minoritaires locales et compte de nombreux éléphants.

INSTITUTIONS POLITIQUES

Le Vietnam compte un grand nombre d'institutions politiques.

La République socialiste du Vietnam (RSV, Cong Hoa Xa Hoi Chu Nghia Viet Nam) a vu le jour en juillet 1976 en tant qu'État unifié réunissant la République démocratique du Vietnam (Nord-Vietnam) et la République du Vietnam (Sud-Vietnam) vaincue. D'avril 1975 à juillet 1976, le Sud a été dirigé, tout du moins officiellement, par le Gouvernement révolutionnaire provisoire (GRP).

Officiellement, le gouvernement épouse la philosophie politique marxiste-léniniste. Ses institutions politiques s'inspirent largement des modèles soviétique et chinois et, en particulier, de leur faculté à engendrer des monceaux de paperasserie administrative. Quoi qu'il en soit, on pourrait dire que la politique du Parti communiste vietnamien s'est caractérisée par une approche souple et non doctrinaire.

La devise nationale figurant en haut de tous les documents officiels est "Doc Lap, Tu Do, Hanh Phuc", ce qui signifie "Indépendance – Liberté – Bonheur". Elle est tirée d'une des devises de Ho Chi Minh.

Le système politique vietnamien est dominé par le Parti communiste vietnamien (Dang Cong San Viet Nam), ou PCV, qui réunit 2 millions de membres. Son influence se ressent à chaque échelon de la vie politique et sociale du pays.

Depuis la fondation du Parti par Ho Chi Minh en 1930, la direction a toujours été collective. Sa structure décentralisée devint une nécessité, la direction ne pouvant pas toujours communiquer avec ses divers comités, d'où cette marge considérable d'initiative dévolue aux dirigeants locaux. Cette pratique a néanmoins encouragé la corruption à l'échelon local, fléau que Hanoi a eu beaucoup de mal à enrayer.

Les médias officiels en ont rapporté de nombreux exemples. Ha Trong Hoa, responsable du Parti dans la province de Thanh Hoa, a transformé ses policiers en gangsters mafieux et a exercé un pouvoir absolu pendant des années, jusqu'à ce que l'autorité centrale intervienne et l'empêche de nuire. En 1994, l'armée a arrêté Pham Chi Tin, le fils d'un responsable du Parti. Avec la police de Nha Trang, il faisait régner la terreur sur la population de la région. Il avait même été jusqu'à enlever un touriste de Hong Kong pour extorquer une rançon à sa famille. C'est ce qui a décidé Hanoi à intervenir.

Le Politburo (bureau politique), constitué d'une douzaine de membres, est l'instance suprême du PCV. Il surveille le fonctionnement du Parti au jour le jour et a le pouvoir de donner des directives au gouvernement. Le Politburo est officiellement élu par le Comité central, dont les 125 membres à part entière et la cinquantaine de suppléants ne se réunissent qu'une ou deux fois par an.

Les congrès du Parti, pendant lesquels les grands changements de politique ont été décidés après un long processus de discussions et de consultations en coulisses, se sont tenus en 1935, 1951, 1960, 1976, 1982, 1986, 1991, 1996 et 1997. Les derniers ont reflété de profonds désaccords au sein du Parti sur la voie que devrait suivre le communisme vietnamien. Des alliances se faisaient et se défaisaient entre conservateurs et dogmatiques pour s'opposer à la tendance pragmatique. Le poste de président du Parti reste vacant depuis la mort de Ho Chi Minh, en 1969.

Composée d'une seule Chambre, l'Assemblée nationale (Quoc Hoi) est la plus haute instance législative du Vietnam. Ses députés, dont le mandat dure cinq ans, représentent chacun 100 000 électeurs. On en compte environ 500. Ils ont pour rôle d'approuver – généralement à l'unanimité – les décisions du Politburo et la législation instaurée par le Parti, durant des sessions semestrielles qui durent environ une semaine.

Le Conseil d'État fait office de présidence collective du pays. Ses membres, au nombre de 15 à l'époque de la rédaction de ce guide, sont élus par l'Assemblée nationale. Le Conseil d'État s'acquitte des tâches de l'Assemblée lorsqu'elle n'est pas en session. Le Conseil des ministres est également élu par l'Assemblée nationale. Il fonctionne de la même façon qu'un cabinet occidental.

Des milliers de membres ont été exclus du PCV durant les années 1980 et le début des années 1990. Ce coup de balai avait pour but de réduire la corruption (chronique aux yeux d'un public exaspéré), mais aussi de faire place aux jeunes et aux ouvriers. Comme en Chine, une gérontocratie gouverne le Vietnam. Il est rare que les fonctionnaires de haut rang prennent leur retraite. Ils disparaissent tout simplement de la scène politique petit à petit.

Vingt-cinq ministères d'État sont placés sous la tutelle des responsables nommés ci-dessus. Malgré la théorie officielle de l'égalité des sexes, les femmes restent sous-représentées dans le Parti, particulièrement au plus haut niveau (il n'y a pas eu une seule femme au bureau politique depuis 1945).

Les membres de l'Assemblée nationale et des comités populaires sont élus au suffrage universel. La majorité électorale est fixée à 18 ans. Tout le monde doit voter, y compris par procuration (ce qui est très répandu). Ainsi, le taux de participation atteint 100% à chaque consultation, ce qui confère sa légitimité au processus. Seuls les candidats qui ont reçu l'aval du Parti sont autorisés à se présenter. Les partis d'opposition n'ont pas droit de cité. On a vu apparaître quelques partis indépendants sur la liste de candidature, mais ils doivent obtenir le feu vert du gouvernement pour rester en lice.

Théoriquement, l'armée n'est pas une force politique en soi, mais les hommes politiques influents et les hauts fonctionnaires vietnamiens sont presque tous issus de ses rangs.

Le gouvernement reste hésitant sur le découpage politique du pays. La structure des provinces du Sud a été complètement réorganisée après la réunification. Puis, le 1er juillet 1989, plusieurs provinces aux frontières définies en 1975 ont subi un nouveau découpage, et il y en a eu d'autres depuis. Le dernier a eu lieu en 1996 : 8 nouvelles provinces ont été créées, ce qui porte à 61 le nombre actuel des circonscriptions provinciales. Même les Vietnamiens ont du mal à s'y retrouver.

En juillet 1995, le Vietnam a adhéré à l'ASEAN (Association des nations de l'Asie du Sud-Est). En novembre de la même année, les relations entre les États-Unis et le Vietnam ont été officiellement "normalisées" par le président Clinton.

En mars 2000, l'Assemblée nationale s'est réunie pour la dernière séance de son mandat quinquennal. Les élections de mai 2002 ont renouvelé l'Assemblée et le Conseil.

ÉCONOMIE

Le Vietnam est l'un des pays les plus pauvres d'Asie. Le PNB par habitant est estimé à moins de 300 $US. La dette extérieure auprès de pays à devises fortes s'élève à quelque 1,4 milliard de $US (souscrite essentiellement auprès de la Russie, du Fonds monétaire international et du Japon). Incapable de rembourser ses dettes, le Vietnam est officieusement en situation de faillite depuis les années 1980.

Un compromis signé en 1996 a réduit de 50% la dette du Vietnam, le solde étant à rembourser progressivement. Du fait de l'assainissement de son économie, il est probable que le Vietnam puisse honorer sa dette et même qu'il émette de nouvelles obligations à l'étranger.

Alors qu'elle dispose d'une main-d'œuvre zélée et instruite, l'économie vietnamienne est rongée par l'insuffisance des salaires, une infrastructure médiocre, le déficit commercial, le chômage, le sous-emploi et, jusqu'au milieu des années 1990, une inflation galopante (de 700% en 1986, 30% en 1989, 50% en 1991, 3% en 1996 et 8% en 1998).

L'économie a également gravement souffert de la guerre (les raids américains sur le Nord n'ont pas laissé un seul pont debout, et le Viet-Cong en a fait sauter un bon nombre au Sud). Le gouvernement reconnaît que le fiasco actuel des conditions économiques est dû à la politique, avant tout idéologique, qui a été menée après la réunification, à la corruption et au poids des dépenses militaires.

Le Vietnamien moyen réussit malgré tout à survivre économiquement ; la façon dont il y parvient reste un mystère. À HCMV, les salaires ne dépassent pas 50 à 90 $US par mois, un luxe par rapport au reste du pays où ils n'atteignent souvent que la moitié de ces sommes. À la campagne, on peut s'en tirer en cultivant un potager et en construisant soi-même sa maison. Dans des villes comme HCMV ou Hanoi, on cumule les petits boulots et l'on vit totalement du Système D. Beaucoup de femmes se livrent à la prostitution occasionnelle, alors que chez les fonctionnaires et les policiers, la tentation de se laisser corrompre est forte.

Le Vietnam et la Russie restent officiellement les meilleurs amis du monde, ce qui n'empêche pas les Vietnamiens d'exprimer ouvertement leur hostilité envers les rares experts russes restés chez eux. Cette amertume vient du sentiment fort répandu que la ruine de l'économie vietnamienne a été provoquée par les diktats de Moscou.

Les portraits, autrefois omniprésents, de Marx et de Lénine ont pratiquement disparu du jour au lendemain, en 1991, avec l'écroulement de l'Union soviétique.

Réformes économiques

Sans l'aide soviétique et les récentes réformes de type capitaliste, l'économie du Vietnam se serait effondrée. Le pays a commencé à restructurer sérieusement son économie à partir du VIe congrès du Parti, en décembre 1986, au moment où le réformiste Nguyen Van Linh a repris les rênes.

Juste après l'apparition de la loi sur la propriété, les entreprises familiales ont poussé comme des champignons. Cependant, c'est le Sud, fort de son expérience capitaliste, qui fournit les talents, l'esprit d'entreprise et le dynamisme nécessaires à la réussite de cette réforme. Depuis que

Hanoi a "repensé" l'économie du pays en adoptant pour tout le Vietnam les principes en vigueur dans l'ex-Sud, on entend dire que la bataille finale a été remportée par le Sud.

Conséquence directe de ces réformes, le Vietnam est passé d'un statut de pays importateur de riz, au milieu des années 1980, à celui de deuxième exportateur du monde, derrière la Thaïlande, en 1997.

Après dix années de chute rapide et continue, l'économie du pays a amorcé son redressement, à la fin des années 1980. À cela, il faut ajouter que les chiffres officiels de la croissance ne tiennent pas compte de l'existence d'une économie souterraine, elle aussi en pleine croissance. C'est ainsi que les échanges dus à la contrebande à la frontière vietnamo-cambodgienne dépassent largement ceux du commerce officiel.

Autre fait difficile à reconnaître pour le gouvernement : l'économie urbaine se développe beaucoup plus vite que celle des campagnes, creusant encore l'écart déjà significatif des niveaux de vie. Conséquence : les autorités craignent de voir se produire au Vietnam un phénomène que la Chine connaît bien, à savoir l'exode massif des populations rurales vers des villes déjà surpeuplées.

Jusqu'en 1991, les principaux partenaires commerciaux du Vietnam étaient l'URSS et les autres membres du Comecon (Conseil pour une assistance économique mutuelle – l'équivalent de l'Union européenne pour le bloc de l'Est). Le Comecon fonctionnait surtout sur un système de troc, permettant ainsi au Vietnam d'échanger son pétrole brut, son bois et sa canne à sucre contre du pétrole raffiné, des machines et des armes. Comme la valeur des produits agricoles vietnamiens ne suffisait pas à compenser l'achat de matériel militaire coûteux, l'URSS subventionnait l'économie vietnamienne, d'où une énorme dette en roubles.

La disparition du Comecon et de l'URSS en 1991 aurait pu mettre le Vietnam dans une situation de faillite. Fort heureusement pour le pays, il n'en a rien été. En effet, Hanoi a tout de suite su réagir en établissant des relations commerciales en devises fortes avec la Chine, Hong Kong, le Japon, Singapour, la Corée du Sud, Taiwan, la

Thaïlande et les nations occidentales. Pour ne pas en avoir fait autant, certains pays de l'ancien bloc de l'Est ont vu leur économie s'écrouler avec celle de l'URSS.

Le passage difficile d'une économie socialiste fondée sur le troc à celle d'un marché libre en devises fortes n'est pas encore terminé. La mauvaise qualité des produits manufacturés vietnamiens (bicyclettes, chaussures, et même dentifrice) les rend pratiquement invendables face aux produits étrangers.

Le libre-échange avec les pays capitalistes a eu pour première conséquence la fermeture de nombreuses entreprises d'État, dont les employés ont dû rejoindre les rangs déjà serrés des chômeurs. Même les planteurs de canne à sucre ont été touchés : les raffineries étatisées, mal équipées, produisaient un sucre de si mauvaise qualité que le sucre importé a remplacé pendant quelque temps la production domestique.

Le gouvernement vietnamien a procédé à des "interdictions temporaires d'importation", afin de laisser une chance aux industries du pays. La contrebande s'est, parallèlement, intensifiée. Cependant, le Vietnam retrouve peu à peu une place sur les marchés étrangers. Les faibles coûts de la main-d'œuvre, le fort dynamisme et l'esprit d'entreprise de la population stimulent les industries vietnamiennes tournées vers l'export.

La libéralisation de l'économie a eu un effet spectaculaire sur les joint-ventures (ou coentreprises) et les investisseurs étrangers s'avèrent nombreux. Les coentreprises les plus rentables sont les hôtels, encore que certains de ces "investissements" relèvent de la spéculation immobilière : les étrangers n'ont, en effet, pas le droit d'acheter une maison ou un terrain mais une entreprise le peut, si l'un de ses partenaires est vietnamien. La Corée, Singapour et Taiwan arrivent en tête des investisseurs.

L'ingérence politique n'a malheureusement pas complètement disparu. Les ministères regorgent en effet encore de petits et moyens fonctionnaires, relativement improductifs et incompétents, qui se sentent menacés par le vent nouveau et qui devraient être remplacés. Cependant, malgré leurs succès récents, les réformateurs ne font pas encore autorité.

La bureaucratie, l'incompétence de ses cadres, la corruption et les changements permanents de législation continuent à irriter les investisseurs étrangers. L'État reconnaît officiellement le droit à la propriété intellectuelle mais fait preuve d'un grand laxisme dans la pratique. Brevets, droits d'auteur ou noms de marques sont ouvertement piratés. Le prix des taxes et les droits d'État augmentent constamment sans préavis. Certaines municipalités ont forcé des compagnies étrangères à embaucher des employés d'agences d'État, qui ne sont parfois que les "fils à papa" du Parti.

Entraves économiques

Bureaucrates récalcitrants ou non, les réformes ont déjà gagné assez de terrain pour qu'on imagine mal un retour en arrière. Ces réformes ont néanmoins suscité une brutale réaction conservatrice. Les joint-ventures tournent souvent mal et beaucoup d'investisseurs étrangers commencent à déchanter. En 1996, le nombre de projets d'investissements étrangers au Vietnam a baissé de 17% par rapport à l'année précédente.

L'un des symptômes les plus visibles de cette réaction anti-économique fut la campagne contre les "maux sociaux" de fin 1995. Empruntant des phrases à la vaine "campagne spirituelle" chinoise des années 1980, le gouvernement a décrété que les mauvaises idées occidentales "polluaient" la société vietnamienne, et qu'il fallait "éliminer" cette pollution.

Exception faite de la pollution étrangère évidente comme la prostitution, la drogue et le karaoké, l'un des principaux fléaux identifiés est l'usage de l'anglais dans les publicités. La police vietnamienne a ainsi reçu l'ordre de détruire les panneaux publicitaires anglais.

Des cassettes vidéo et audio et des magazines étrangers jugés socialement pernicieux ont été brûlés sur des bûchers publics.

Les investisseurs étrangers ayant menacé de se retirer du pays, les autorités vietnamiennes ont lâché du lest. Malgré cela, la presse vietnamienne continue à se répandre périodiquement sur les maux sociaux, et tous les commerces doivent posséder une enseigne en vietnamien plus grande que celle en anglais.

Les touristes furent également affectés par la campagne contre les maux sociaux. Pendant le premier semestre 1996, les autorités refusèrent toute prorogation de visa. Puis, en juin 1996 (pendant le VIIIe congrès du Parti), tous les visas touristiques furent refusés. Ces restrictions faillirent signifier l'effondrement de l'industrie du tourisme, et le gouvernement fut forcé de battre en retraite et de céder du terrain. L'industrie n'a commencé à s'en remettre que vers la fin de l'année 1996, au cours de laquelle les revenus liés au tourisme ont accusé une baisse approchant 30%. Depuis, le nombre de touristes a augmenté régulièrement. Pour 1999, le chiffre officiel (sujet à contestation) est de 1,7 million.

Dès 1995, le gouvernement vietnamien avait promis l'ouverture d'un marché des capitaux en fin d'année. Il a en fait fallu attendre juillet 2000 pour que s'ouvre à HCMV un marché des valeurs, préalable indispensable aux privatisations futures.

Les grandes industries nationalisées telles que Vietnam Airlines, les banques, les télécommunications, etc. doivent être privatisées, mais le mouvement n'est pas encore amorcé. La génération actuelle de dirigeants socialistes pourra-t-elle se résoudre à vendre aux enchères les principaux biens du pays ?

Sur un plan plus optimiste, le Vietnam enregistre des taux de croissance commerciale d'environ 8 à 9% par an depuis quelques années. En 1995, le Vietnam a intégré l'Asean. Selon les observateurs, cette décision bénéficiera à l'économie du pays et encouragera de nouvelles réformes.

Hanoi fait tout son possible pour limiter la restructuration économique (*doi moi*) du Vietnam, de peur que des idées telles que le pluralisme et la démocratie ne viennent saper la structure du pouvoir en place. Qu'il soit possible d'adopter une économie libérale sans changements notoires dans les sphères politiques reste encore à prouver.

Le Vietnam prend actuellement modèle sur la Chine, qui allie changement économique et sévère contrôle politique, et n'en semble pas moins capable de relancer l'économie. L'ex-Union soviétique, où le changement politique a précédé la restructuration économique, représente pour le Vietnam l'exemple à ne pas suivre.

Si l'Amérique et le Vietnam ne sont plus en guerre, une nouvelle bataille pour obtenir des parts de marché est engagée. Aujourd'hui, tout le monde veut une part du gâteau. Des capitaux en joint-venture en provenance du Japon, de Corée, de Taiwan, de France, d'Allemagne, du Royaume-Uni et d'Australie se sont abattus sur le marché vietnamien depuis le début des années 1990. Alors que tout commerce leur était interdit par l'embargo américain (levé en 1994), les sociétés américaines se fraient un chemin vers ce qu'elles espèrent être le nouveau géant économique de l'Asie.

La ratification, en octobre 2001, d'un accord commercial bilatéral par le Sénat américain va permettre de concrétiser l'alliance commerciale longtemps attendue entre le Vietnam et les États-Unis. Ce pacte commercial finalise la normalisation des relations américano-vietnamiennes, qui avaient débuté par la reprise des échanges diplomatiques en 1995. Le secteur de l'exportation de biens manufacturés vietnamiens devrait beaucoup en profiter (un marché estimé à 16 milliards $US en 2001). Selon les termes de l'accord, les taxes sur les exportations vietnamiennes seront réduites à l'extrême, passant de 40% à 4% en moyenne. De leur côté, les États-Unis auront accès à divers marchés auparavant contrôlés par le gouvernement. Si certains hommes d'affaires influents doutent encore du potentiel de cet accord commercial, d'autres experts estiment que les échanges entre les deux pays pourraient générer plus de 1 milliard de dollars US.

Des marques américaines sont déjà présentes dans le pays. Ainsi, des ordinateurs étiquetés "Intel Inside" sont disponibles dans des magasins d'électronique flambant neufs. Le constructeur automobile Chrysler a formé une joint-venture pour produire sur place ses Jeep Cherokee si goulues en essence. Les pagers Motorola bipent dans les poches et les sacs à main des Vietnamiens aisés.

Entre-temps, le Ministère vietnamien des affaires étrangères a désapprouvé de façon véhémente la relation entre le nouveau pacte commercial et une motion concernant les droits de l'homme au Vietnam, entérinée par la Chambre des représentants américaine, arguant que ce décret "déformerait imprudemment la réalité". Selon cette mesure, toutes les organisations humanitaires, éducatives et commerciales américaines présentes au Vietnam sont tenues d'informer le gouvernement américain de la situation des droits de l'homme dans le pays, sous peine de perdre son soutien. Il se peut que cette mesure ne favorise pas les relations diplomatiques entre les deux anciens ennemis.

Quoi qu'il en soit, la société de consommation est en plein essor au Vietnam. Toutefois, les investisseurs étrangers, de leur côté, se montrent mécontents du manque de protection des droits de propriété intellectuelle.

POPULATION ET ETHNIES

En 2001, le Vietnam a atteint 78,1 millions d'habitants, ce qui en fait le treizième pays du monde par la population. Avec 65% de sa population âgée de moins de 30 ans, c'est un pays jeune. On trouve 84% de Vietnamiens d'origine et 2% de Chinois, auxquels s'ajoutent des Khmers, des Cham et une cinquantaine de groupes ethno-linguistiques.

Pour un pays agricole, la densité démographique – 225 personnes au km^2 – est forte. Elle passe à 1 000, voire davantage, dans presque tout le delta du fleuve Rouge. L'espérance de vie est de 66 ans, et la mortalité infantile de 48 pour mille. La croissance se maintient à 2,1% par an et, jusqu'à récemment, l'idéologie ne permettait pas d'envisager une politique de planning familial.

Malheureusement, la quinzaine d'années où le gouvernement vietnamien a favorisé le taux de natalité et les familles nombreuses aura des conséquences sur l'avenir. La population devrait doubler au cours de ce siècle, mais les mesures pour maîtriser sa croissance restent timides. Comme dans la plupart des pays émergeants, le faible niveau d'éducation et de revenus favorise les familles nombreuses.

En matière de contrôle des naissances, le gouvernement vietnamien manie la carotte et le bâton. On promet aux couples qui limitent leur famille à deux enfants des avantages dans l'éducation, le logement, la santé et l'emploi (bien que faute de moyens, ces promesses restent souvent lettre morte). Le bâton est réservé à ceux qui ont plus de deux enfants : pour commencer, le gouvernement peut refuser la déclaration de naissance au troisième enfant (nécessaire pour obtenir une carte d'identité, s'inscrire à l'école et obtenir divers permis très importants). Si les parents ont un emploi dans l'administration, ils peuvent être renvoyés. Les gratifications ont été efficaces en milieu urbain : les familles de deux enfants sont désormais la norme à Hanoi et HCMV. Toutefois, les campagnes de planning familial n'ont eu que peu d'impact sur le taux de natalité dans les régions rurales.

Les Vietnamiens d'origine

Les Vietnamiens (autrefois appelés Annamites) ont commencé à former un groupe ethnique distinct entre 200 av. J.-C. et 200 de notre ère. Cette ethnie est le fruit de la fusion entre un peuple de souche indonésienne, des Viet et des Thaï immigrés du nord, et des Chinois venus s'installer au fur et à mesure de l'expansion de l'Empire céleste au IIe siècle. La civilisation vietnamienne a été influencée par la Chine, mais aussi par l'Inde, à travers les Cham et les Khmers. Néanmoins, la culture vietnamienne était déjà suffisamment forte au début du millénaire de domination chinoise pour que le pays conserve son indépendance.

Les Vietnamiens cultivent le riz depuis des milliers d'années, d'où leur préférence pour les régions de faible altitude, plus adaptées à la riziculture. Au début de notre ère, ils sont peu à peu descendus vers le sud, le long de l'étroite bande côtière, écrasant les Cham au XVe siècle et, trois siècles plus tard, prenant le delta du Mékong aux Khmers. Ils ont toujours eu tendance à se méfier des Hauts Plateaux (et de leurs habitants).

Les Vietnamiens émigrés sont appelés Vietnamiens d'outre-mer (ou Viet Kieu). Ils ne sont pas aimés de la population vietnamienne locale qui les trouvent arrogants, gâtés et privilégiés : un jugement peut-être teinté de jalousie. Dans les années 1990, la police surveillait de près les Viet Kieu de retour au pays. Tous ceux qui les approchaient, avaient droit à un interrogatoire en règle. Ce n'est heureusement plus vrai aujourd'hui. La politique officielle incite maintenant ces immigrés à revenir s'établir au Vietnam. Nombre de Viet Kieu sont sans illusion sur cette politique des bras ouverts et y voient davantage une volonté de faire venir leur argent, et de profiter de leur savoir-faire ainsi que de leurs relations professionnelles. Comme il arrive encore que la police leur soutire de l'argent, on peut comprendre cette réaction. La presse vietnamienne souligne d'ailleurs fréquemment le rôle que jouent dans l'économie locale les fonds envoyés par les émigrés à leur famille.

Les Chinois d'origine

Les Hoa, l'ethnie chinoise, constituent la principale minorité du Vietnam. De nos jours, la plupart d'entre eux sont installés dans le Sud, particulièrement dans le quartier de Cholon et ses environs, à HCMV. Bien que les familles de ces Chinois d'origine vivent depuis longtemps au Vietnam, ils ont toujours voulu garder leur identité, leur langue, leur système scolaire et même leur citoyenneté. Ils se sont organisés en communautés, selon la province et le dialecte de leurs ancêtres. Les communautés les plus importantes proviennent du Fujian (Phuc Kien), de Canton (Quang Dong, ou Guangdong en chinois), de Hainan (Hai Nam), de Chaozhou (Tieu Chau) et de Hakka (Nuoc Hue, ou Kejia en chinois mandarin).

Au cours des années 1950, le président Diem a vainement essayé d'intégrer les populations chinoises du Sud-Vietnam. Les Chinois ont également résisté à la vietnamisation dans le Nord.

Leur esprit d'entreprise est proverbial – avant la chute du Sud-Vietnam en 1975, ils contrôlaient la moitié de l'activité économique du pays. Nul doute que les Vietnamiens éprouvent une grande animosité à leur égard pour des raisons historiques, mais aussi en raison de leur réussite dans le domaine du commerce. En 1978, les Chinois ont d'ailleurs en partie fait les frais d'une campagne idéologique lancée officiellement à l'encontre des "éléments bourgeois", en réalité contre eux. C'est l'un des éléments qui ont motivé l'intervention militaire chinoise en 1979 et entraîné le départ d'un tiers de la communauté vers la Chine ou les pays d'Occident. Les dirigeants vietnamiens ont reconnu depuis que cette campagne anticapitaliste et anti-chinoise était une grave et coûteuse erreur pour le pays.

Les autres minorités

Le Vietnam possède l'un des mélanges ethno-linguistiques les plus complexes de toute l'Asie. Nombre de ces 54 minorités ethniques distinctes ont des relations assez proches réparties dans les pays voisins : le Laos, la Chine méridionale et le Cambodge, ainsi que la Thaïlande et le Myanmar (Birmanie). La plupart des minorités du Vietnam, qui totaliseraient de 6 à 8 millions d'individus, résident dans les Hauts Plateaux du centre et les régions montagneuses du nord-ouest, quelques-unes étant établies sur les plaines côtières du sud.

Consultez à leur sujet la section *Les minorités ethniques au Vietnam*, ainsi que l'encadré *Le royaume du Champa*, dans le chapitre *Le Centre*.

Originaires du Cambodge, les Khmers sont quelque 700 000, concentrés dans le sud-ouest du delta du Mékong. Ils pratiquent le bouddhisme theravada et de nombreux temples dans le delta du Mékong ressemblent aux lieux de culte du Cambodge.

La plupart des Indiens du Sud-Vietnam viennent du sud de l'Inde. Les rares à ne pas avoir fui le pays en 1975 demeurent à HCMV et pratiquent leur religion au temple hindou Mariamman ou à la mosquée centrale.

Actuellement, le Vietnam compte parmi ses citoyens une poignée d'"Occidentaux" qui, pour la plupart, sont des métis américano-vietnamiens, franco-vietnamiens ou franco-chinois.

SYSTÈME ÉDUCATIF

Comparé aux autres pays émergeants, le Vietnam offre un excellent niveau d'instruction. Le gouvernement affirme que 91% de la population sait lire. Avant la colonisation, le niveau d'instruction de la majorité de la population était assez rudimentaire, mais en 1939, seuls 15% des enfants en âge scolaire fréquentaient l'école, et 80% des Vietnamiens étaient analphabètes.

À la fin du XIXe siècle, l'un des rares sujets sur lesquels colonialistes français et nationalistes vietnamiens s'accordaient était le suivant : le système éducatif traditionnel confucéen – fondement même du service civil mandarinal – avait besoin de profondes réformes. Des concours mandarinaux eurent lieu au Tonkin jusqu'en 1914, et en Annam jusqu'en 1945.

De nombreux dirigeants de la lutte pour l'indépendance de l'Indochine ont fait leurs études dans des lycées français réservés à l'élite bourgeoise, comme le lycée Albert-Sarraut à Hanoi et le lycée Chasseloup-Laubat à HCMV.

Bien que les enfants de résidents étrangers soient théoriquement admis dans les écoles vietnamiennes, la majorité d'entre eux fréquente des établissements privés spéciaux très onéreux.

ARTS
Danse
Les danses folkloriques se pratiquent généralement pendant les cérémonies et les festivals mais le tourisme les a banalisées. Intéressante et spectaculaire, la danse des chapeaux coniques, met en scène des femmes vêtues d'un *ao dai* qui tournoient et s'entrelacent, utilisant le chapeau traditionnel de Huê comme accessoire.

Les minorités ethniques possèdent naturellement leurs propres traditions en matière de danse, qui diffèrent énormément de celles des Vietnamiens de souche. Dans la plupart des tribus montagnardes, la majorité des danseurs sont des femmes mais, dans quelques-unes, seuls les hommes sont autorisés à danser. Quantité d'études anthropologiques ont été réalisées ces dernières années dans le but de préserver et de faire revivre les traditions locales.

Musique
Musique traditionnelle. Bien que fortement influencée par la Chine, ainsi que par les traditions musicales khmères et cham dans le Sud, la musique vietnamienne possède un style et des instruments très originaux. Le système traditionnel de transcription musicale et l'échelle pentatonique (cinq notes) sont d'origine chinoise. La musique chorale vietnamienne est unique : la mélodie qui ne peut pas monter la gamme sur un mot au ton descendant, épouse l'accentuation des paroles.

Le folklore vietnamien englobe les chansons enfantines, les berceuses, les chants d'amour ou de travail, les lamentations et les chants funèbres. Ces chants sont en général *a capella*.

La musique classique ou "musique savante" est assez rigide et cérémonieuse. Elle était jouée à la Cour impériale, et aussi pour distraire les mandarins. Un orchestre traditionnel se compose de quarante musiciens. Il existe deux types de musique de chambre classique : *hat a dao*, originaire du Nord, et *ca Hue*, originaire du Centre.

La musique traditionnelle est jouée sur une pléthore d'instruments typiques, dont certains très anciens, à l'image des *do son*, des tambours qui ont aujourd'hui une grande valeur pour les collectionneurs. L'instrument traditionnel le plus surprenant est sans doute le *dan bau*, un luth monocorde qui génère une gamme de sons étonnante. Par ailleurs, l'usage du *dan tranh*, une cithare à 16 cordes, et du *to rung*, un grand xylophone en bambou, est fréquent dans les concerts de musique folklorique. Parmi les innombrables instruments à vent, on trouve des cornes de buffle d'eau et le *ken doi*, un instrument en bambou insolite formé à partir de deux flûtes à sept trous.

Chaque minorité ethnolinguistique du Vietnam possède ses propres traditions musicales, avec souvent des costumes colorés et des instruments tels que la flûte à anche, le lithophone (proche du xylophone), le sifflet de bambou, les gongs et des instruments à cordes fabriqués avec des calebasses.

Il existe des conservatoires de musique vietnamienne traditionnelle et de musique classique occidentale à Hanoi, Hué et HCMV.

Musique contemporaine et pop. Aussi étrange que cela puisse paraître, la musique populaire vietnamienne diffusée dans le monde entier est essentiellement produite en Californie, par des Viet Kieu. L'une des raisons du faible nombre d'artistes au Vietnam même, tient au fait que leurs cassettes sont aussitôt piratées, ce qui les prive des revenus auxquels ils pourraient prétendre. En revanche, les œuvres des Vietnamiens expatriés sont protégées par des droits d'auteur. Dernièrement, la situation a commencé à s'améliorer et les productions sur le territoire national sont en augmentation.

La chanteuse la plus célèbre, Khanh Ly, a quitté son pays en 1975 et réside actuellement aux États-Unis. Cette voix d'ange, aussi populaire au Vietnam qu'à l'étranger, met mal à l'aise le gouvernement vietnamien, car Khanh Ly évoque dans ses dernières compositions ses rudes souvenirs de réfugiée. On trouve néanmoins partout sa musique au Vietnam.

L'enfant chéri du pays, Quang Linh, né à Hué, travaillait dans le secteur bancaire à Hanoi avant de gagner sa popularité auprès des Saigonais et de se voir propulsé en tête du hit-parade. Tous âges confondus, les Vietnamiens adorent ses vibrantes chansons d'amour.

Autre chanteuse nationale célèbre, le sex-symbol Phuong Tanh, réplique vietnamienne de Madonna ou de Britney Spears (moins les évolutions suggestives). Son effigie apparaît sur toutes sortes d'objets, des cahiers d'écolier aux verres à bière. L'équivalent masculin de Phuong Tahn pourrait être la jeune idole Lam Truong.

Parmi les nombreux compositeurs vietnamiens connus, le plus apprécié est Trinh Cong Son, dont les paroles abordent des thèmes comme l'amour, la guerre ou la famille. Cet ancien étudiant en littérature de Hué est décédé en 2001 à HCMV. Au cours de sa longue carrière, Trinh Cong Son a écrit plus de 500 chansons. C'est probablement le compositeur le plus prolifique de toute l'histoire vietnamienne.

Parmi les autres compositeurs contemporains connus, citons Tran Tien et Thanh Tung, dont vous aurez certainement l'occasion d'entendre les chansons.

Littérature

On distingue traditionnellement trois genres littéraires. La littérature orale traditionnelle (*truyen khau*) se perpétue depuis des temps immémoriaux. Elle comprend les légendes, les chansons folkloriques et les proverbes.

La littérature sino-vietnamienne, qui s'écrivait en caractères chinois (*chu nho*), remonte à 939, lors de la fondation du premier royaume vietnamien indépendant. Cette littérature, influencée par les textes confucéens et bouddhiques, obéissait à de strictes règles métriques et de versification.

La littérature moderne (*quoc am*) recouvre la totalité des écrits en caractères *nom*. Le premier grand texte écrit en *nom*, *Van Te Ca Sau* ("Ode à un alligator"), date du

XIIIe siècle. La littérature écrite en *quoc ngu* a joué un grand rôle dans le nationalisme vietnamien.

L'un des chefs-d'œuvre de la littérature vietnamienne, *Kim Van Kieu* (La Légende de Kieu), fut écrit au début du XIXe siècle – période de grande activité littéraire – par Nguyen Du (1765-1820), poète, homme de lettres, mandarin et diplomate.

Architecture

En architecture, les Vietnamiens n'ont jamais eu les talents de leurs voisins les Khmers, bâtisseurs des temples d'Angkor au Cambodge, ni des Cham, dont on peut admirer, dans le Sud, les superbes tours de brique à la maçonnerie incroyablement sophistiquée.

Traditionnellement, la plupart des constructions vietnamiennes sont faites de bois et d'autres matériaux trop fragiles pour résister au climat tropical. Si l'on ajoute à cela le fait que presque tous les édifices de pierre érigés par les Vietnamiens ont été détruits au cours des innombrables guerres féodales et autres invasions, il subsiste très peu d'architecture pré-moderne au Vietnam.

Le pays regorge de pagodes et de temples vieux de plusieurs siècles mais, le plus souvent, rebâtis plusieurs fois sans respect de l'architecture originale. Des éléments modernes ont été intégrés : les auréoles en néon qui ornent les bouddhas n'en constituent qu'un des exemples les plus flagrants.

Les Vietnamiens pratiquent le culte des ancêtres, ce qui explique la multiplicité des tombes datant de plusieurs siècles, ainsi que des temples érigés à la mémoire de mandarins de haut rang, de membres de la famille royale et d'empereurs.

Les différents monuments aux morts vietnamiens tombés lors des guerres contre les Chinois, les Français et les Américains comportent souvent un obélisque en ciment où sont inscrits les mots *to quoc ghi cong* ("Le pays se souviendra de leurs exploits"). Un grand nombre de pierres tombales recouvrent en fait des sépultures vides : pour la plupart, les combattants ont été enterrés là où ils sont tombés.

Peinture

La peinture sur soie remonte au XIIIe siècle. Elle fut longtemps le domaine réservé de calligraphes lettrés qui aimaient également représenter la nature. Avant l'avènement de la photographie, on réalisait les portraits des défunts pour le culte des ancêtres. On peut encore en voir quelques-uns (généralement des bonzes) dans les pagodes.

Au cours du XXᵉ siècle, la peinture vietnamienne a subi une forte influence de l'Occident. Les œuvres récentes tirent davantage leur inspiration de thèmes politiques que de préoccupations esthétiques ou artistiques. Selon un document officiel, la guerre contre les Français et les Américains a fourni aux peintres un "riche matériel humain : les soldats de l'Armée populaire faisant face aux avions ennemis, les paysans et les ouvrières membres de la milice tenant le fusil d'une main et continuant à travailler de l'autre, les jeunes volontaires réparant les routes en un temps record…, de vieilles femmes offrant le thé à des canonniers antiaériens…".Vous pourrez voir quantité d'œuvres de ce style au musée des Beaux-Arts de Hanoi.

La récente libéralisation économique a convaincu beaucoup de jeunes artistes d'abandonner les thèmes révolutionnaires pour se concentrer sur des sujets plus commerciaux. Certains sont revenus à la peinture sur soie ou à la laque, d'autres se lancent dans de nouvelles expériences. Le nu a fait une apparition notable : on peut voir là le signe d'une volonté de se conformer aux goûts occidentaux ou peut-être une expression de l'individualisme plutôt que du collectivisme.

Pour vous tenir informé des nouveautés dans le monde des arts au Vietnam, abonnez-vous à la revue bimestrielle **Asian Art News** (☎ 852-2522 3443, fax 2521 5268, a *siantart@netvigator.com, G/F 28 Arbuthnot Rd, Central Hong Kong)*, un beau magazine en anglais, sur l'art contemporain en Asie. Il contient de précieuses informations et consacre une large place au Vietnam.

Sculpture

Traditionnellement d'inspiration religieuse, la sculpture vietnamienne était considérée comme un art annexe de l'architecture, particulièrement dans les pagodes, les temples et les tombeaux. On peut encore voir des stèles centenaires gravées (blocs de pierre sculptés ou colonnes) commémorant la construction d'une pagode ou un événement national important (c'est le cas de la pagode Thien Mu à Hué ou du temple de la Littérature à Hanoi).

Les Cham sculptaient d'étonnantes statues de grès pour orner leurs sanctuaires hindouistes ou bouddhiques. Profondément influencée par l'art indien, la sculpture cham a su incorporer, au fil des siècles, des éléments indonésiens et vietnamiens. Le musée de sculpture cham de Danang abrite la plus grande collection au monde d'œuvres sculptées cham.

L'art de la laque

Ce sont les Chinois qui ont initié les Vietnamiens à l'art de la laque au milieu du XVᵉ siècle. Auparavant, ces derniers utilisaient ce vernis uniquement à des fins pratiques, pour rendre les objets étanches. Au cours des années 1930, des professeurs japonais, appelés par l'école des Beaux-Arts de Hanoi, enseignèrent de nouveaux styles et de nouvelles méthodes de production d'objets laqués. Leur influence est encore visible dans certains laques vietnamiens, particulièrement ceux produits dans le Nord. En dépit d'une publication gouvernementale affirmant en 1985 que "les laques traitent maintenant des thèmes révolutionnaires et réalistes et ne cessent de progresser", la plupart des laques vendus dans le commerce sont incrustés de nacre, dans un style purement traditionnel.

La laque, ou *cay son*, est une résine extraite d'un arbre, le sumac (*Rhus Vernaciflua*). Ce latex blanc crémeux à l'état brut, devient noir ou brun une fois mélangé avec des pigments et laissé au repos une quarantaine d'heures dans un récipient en fer. L'objet à laquer (traditionnellement en teck) reçoit d'abord un fixatif, puis dix couches de laque au minimum. Il faut laisser sécher chaque couche une semaine, puis la poncer, d'abord avec une pierre ponce, puis avec un os de seiche, avant d'appliquer la couche suivante. Une laque spécialement raffinée est utilisée pour la onzième et dernière couche, que l'on polit avec une fine poussière de charbon et de la chaux avant de passer à la décoration. Les motifs peuvent être gravés en léger relief, peints ou incrustés de nacre, de coquille d'œuf, d'argent ou même d'or.

Céramique

La production de céramique (*gom*) est une tradition très ancienne au Vietnam. On modelait autrefois les objets sur un moule en osier et on les cuisait au four. La fabrication de la céramique est ensuite devenue très raffinée ; chaque dynastie imposant ses propres techniques et ses motifs particuliers.

Des céramiques anciennes sont exposées dans la plupart des musées du pays. Les fouilles dans des sites archéologiques et l'exploration d'épaves mettent encore au jour des pièces anciennes. La fabrique de céramiques de Ha Bang jouit d'une forte renommée. Pour de plus amples informations, consultez la rubrique *Villages d'artisans* du chapitre *Hanoi*.

Cinéma

La bande d'actualités réalisée à l'occasion de la proclamation d'indépendance par Ho Chi Minh, en 1945, a marqué les débuts du cinéma vietnamien. Par la suite, des reconstitutions de certains épisodes de la bataille de Dien Bien Phu ont été tournées.

Avant la réunification, l'industrie cinématographique sud-vietnamienne produisait principalement de spectaculaires séries B à petit budget. Jusqu'au début des années 1990, Hanoi fixait comme but à toute réalisation du 7e art de "mobiliser les masses pour la reconstruction économique, l'édification du socialisme et la lutte pour la réunification nationale". Les "ouvriers dévoués à l'industrialisation socialiste", les "vieilles mères risquant leur vie pour aider l'Armée populaire" et les "enfants prêts à braver tous les dangers" figuraient parmi les thèmes favoris.

Ces dernières années, le cinéma vietnamien a évolué, passant des films de propagande à des œuvres qui reflètent davantage la vie courante des Vietnamiens et les problèmes auxquels ils sont confrontés. Si le contrôle gouvernemental et la censure culturelle restent une réalité, les cinéastes travaillent désormais dans un environnement bien plus tolérant, ce qui contribue à augmenter le nombre de productions et d'œuvres réalisées.

L'assouplissement de la censure, qui pesait sur toutes les formes de création artistique, a connu de nombreux à-coups mais, ces dernières années, l'élargissement progressif de la liberté d'expression a bénéficié à l'art cinématographique comme aux autres. À la fin des années 1980 et au début des années 1990, les transformations radicales qui ont marqué l'Europe de l'Est ont entraîné un retour du contrôle gouvernemental sur les arts. Aujourd'hui, la production cinématographique vietnamienne a néanmoins retrouvé des conditions plus libérales. Les producteurs, les réalisateurs et les acteurs vietnamiens, vivant dans leur pays d'origine ou expatriés, commencent enfin à recevoir la reconnaissance qui leur est due, aussi bien au Vietnam qu'à l'étranger. La rubrique *Cinéma* du chapitre *Renseignements pratiques* donne une liste des films vietnamiens récents.

Théâtre et marionnettes

Actuellement, des dizaines de troupes et de compagnies subventionnées présentent les diverses formes de théâtre vietnamien dans tout le pays. Ce théâtre intègre harmonieusement la musique, le chant, la récitation, la déclamation, la danse et le mime.

Le **théâtre classique** s'appelle *hat tuong* dans le Nord et *hat boi* dans le Sud. Nettement influencé par l'opéra chinois, il a été introduit au Vietnam au XIIIe siècle par les envahisseurs mongols, jusqu'à ce qu'ils soient repoussés par Tran Hung Dao. Très cérémonieux, le théâtre classique, emprunte sa gestuelle et ses décors à l'opéra chinois. Un orchestre de six musiciens, dominé par le tambour, l'accompagne. Les spectateurs apportent souvent leur propre tambour pour manifester leurs réactions au cours du déroulement de l'intrigue.

Le théâtre classique comprend un nombre li mité de personnages, immédiatement identifiables par leur maquillage et leurs costumes symboliques. Ainsi, une face maquillée en rouge représente le courage, la loyauté et la fidélité. Les traîtres et les personnages cruels se blanchissent le visage. Les habitants des plaines ont la figure peinte en vert, les montagnards, en noir. Horizontaux, les sourcils signifient l'honnêteté et, en accent circonflexe, la cruauté et, tombants, la lâcheté. Selon la façon dont l'acteur tripote sa barbe, on peut reconnaître les émotions (réflexion, inquiétude, colère, etc.) qui animent un personnage.

Le théâtre populaire (*hat cheo*) a pour objet la satire sociale. On y chante et déclame avec des mots de tous les jours, en recourant à de nombreux proverbes et dictons. La plupart des mélodies sont d'origine paysanne.

Le théâtre moderne (*cai luong*), né au sud au début du siècle, est largement influencé par l'Occident.

Le théâtre parlé (*kich noi* ou *kich*), inspiré du théâtre occidental, est apparu dans les années 1920. Il trouve ses adeptes parmi les étudiants et les intellectuels.

Les marionnettes conventionnelles (*roi can*) et les marionnettes aquatiques (*roi nuoc*), art exclusivement vietnamien, tirent leurs intrigues des mêmes légendes et du même passé que les autres formes de théâtre traditionnel. L'art des marionnettes aquatiques trouverait son origine dans l'entêtement de marionnettistes du delta du fleuve Rouge, déterminés à continuer leur spectacle malgré une inondation (voir l'encadré *Théâtre de marionnettes aquatiques* dans le chapitre *Hanoi*). C'est en effet à Hanoi que cette discipline s'avère la mieux représentée, mais on peut également assister à des spectacles à HCMV (consultez la rubrique *Où sortir* de ces deux villes pour des informations sur les représentations).

COMPORTEMENTS ET USAGES
Mieux vaut vous informer sur la culture vietnamienne avant votre départ et respecter les différences culturelles, plutôt que d'essayer de les changer.

Culture traditionnelle
Prestige. Faire bonne figure est synonyme de prestige, et le prestige est important au Vietnam. Toutes les familles, même les plus pauvres, doivent dépenser une fortune pour un mariage. Que la cérémonie coûte cher et endette le jeune couple pour longtemps importe beaucoup moins que le risque de "perdre" la face.

Canons de beauté. Les Vietnamiens préfèrent les peaux claires. Voilà pourquoi vous pourrez voir, par beau temps, d'élégantes Vietnamiennes abriter leur visage sous un parapluie. Les femmes aux champs tentent de se préserver du soleil en portant des chemisiers à manches longues, des gants de soie qui montent jusqu'aux coudes, un chapeau conique, et en s'enveloppant la tête dans une serviette. Dire à une Vietnamienne qu'elle a la peau blanche est un grand compliment ; la féliciter pour son "joli bronzage" serait une insulte.

Situation des femmes. Au Vietnam comme dans la plupart des pays asiatiques, la femme doit assumer des tâches nombreuses et pénibles, mais elle n'a que peu de poids au niveau décisionnel. Les Vietnamiennes se sont révélées de redoutables combattantes dans la guérilla, comme peuvent en témoigner les soldats américains. À la fin de la guerre, les seuls remerciements qu'elles ont reçus ont été de belles paroles. Les hommes ont accaparé les postes importants au sein du gouvernement. Dans les campagnes, les femmes travaillent aux champs, cassent des pierres sur les chantiers et portent des paniers de 60 kilos.

Les femmes semblent tirer parti de la récente politique gouvernementale des "deux enfants par famille". Elles s'avèrent en effet de plus en plus nombreuses à repousser l'échéance du mariage, afin de poursuivre leurs études. Si 50% de la population étudiante est féminine, il semble néanmoins que leurs compétences ne soient guère mises à profit à leur sortie de l'université.

L'ouverture du Vietnam sur l'Occident a engendré un triste phénomène : l'arrivée de proxénètes déguisés en "prospecteurs de talents". Ils font miroiter des emplois lucratifs dans les pays industrialisés à des Vietnamiennes naïves, qui découvrent une fois sur place la supercherie. Sans argent pour retourner au pays, elles n'ont d'autre choix que de se livrer à la prostitution. Des gangs japonais se sont fait une spécialité de cette forme particulière de recrutement.

Géomancie. La géomancie est l'art (ou science) de comprendre et d'agir sur ce qui nous entoure. Les Vietnamiens appellent cet art *phong thuy*, ce qui signifie "eau du vent", mais beaucoup d'Occidentaux le désignent sous son nom chinois, *feng shui*.

Un Vietnamien s'adressera donc à un géomancien afin qu'il détermine l'orientation propice d'une maison, d'une tombe, d'une maison communale (*dinh*) ou d'une pagode pour concilier les esprits favorables à ses occupants. L'emplacement de la tombe d'un ancêtre pose particulièrement problème : le terrain et l'orientation choisis rendront les esprits plus ou moins favorables aux descendants du défunt... Il en est de même pour l'emplacement de l'autel de famille que possède chaque foyer vietnamien.

Les affaires marchent mal ? Un géomancien conseillera peut-être de changer la porte ou la fenêtre de place. Si c'est inefficace, il faudra essayer d'installer la tombe des ancêtres ailleurs. Un esprit angoissé peut fort bien retrouver la sérénité avec un peu d'argent liquide (une donation à un temple, par exemple), particulièrement s'il souhaite construire un bâtiment qui "bouche la vue" à l'esprit en question. La date à laquelle débute la construction est également cruciale.

On pense que le concept de la géomancie est né en Chine. Bien que les communistes (tant chinois que vietnamiens) la classent avec dédain dans les superstitions à jeter aux oubliettes, la géomancie garde une grande influence dans les habitudes de la vie quotidienne.

Curiosité. Dans les centres urbains, les touristes n'attirent guère l'attention. Ce qui n'est pas le cas dans l'arrière-pays, où quelqu'un qui fait quelque chose d'inhabituel – comme écrire des notes sur un carnet ou rester simplement debout dans son coin – attise forcément la curiosité, voire provoque autour de lui un attroupement, des enfants notamment.

Il ne faut pas s'en formaliser, même si la situation est stressante pour certains. Ceci n'est que de la curiosité et, en tant que touriste, il vous arrivera bien de rester assis à regarder les gens, parfois avec insistance, ou de prendre des photos. Tout le monde est curieux !

Entrer sans frapper. Les Vietnamiens ne partagent pas les concepts occidentaux de vie privée et d'espace personnel. Ne soyez donc pas surpris si les gens entrent chez vous sans frapper. Vous pouvez ainsi être nu comme un ver dans votre chambre d'hôtel et voir la femme de chambre faire irruption sans prévenir. Si la porte de votre chambre possède un verrou, regardez s'il peut être ouvert de l'extérieur avec une clé. Si c'est le cas, coincez une chaise contre la porte. Sinon, il ne vous reste plus qu'à sourire.

Ong tay et ba tay. Les enfants adorent apostropher les Occidentaux à la peau blanche d'un *ong tay* ! (Monsieur l'Occidental) ou d'un *ba tay* ! (Madame l'Occidentale). Ils le font seulement pour attirer votre attention.

Souvent, des enfants s'enhardiront à venir vous tirer les poils des bras ou des jambes (pour voir s'ils sont vrais !) ou se pousseront mutuellement pour vous toucher.

Encore récemment, on prenait tous les Occidentaux pour des Russes et on les interpellait fréquemment par un *lien xo* ! (Union soviétique), simplement pour souligner leur impopularité. Cette expression péjorative a perdu de sa faveur en raison de la raréfaction des conseillers techniques russes et de la diminution des touristes des pays de l'Est, qui n'ont plus les moyens de s'offrir un voyage au Vietnam.

Sur les marchés, les vendeuses chercheront sans doute à vous séduire par un *dong chi* ! (camarade) qui se veut une marque d'affection quasi maternelle. Selon votre âge et votre accoutrement, vous recevrez plus fréquemment le gentil sobriquet de *tay balo* ("Occidental sac au dos"), un terme relativement récent qui souligne votre allure de voyageur...

Si vous circulez à bicyclette, vous entendrez également des Vietnamiens vous dire *tay di xe dap*, ce qui signifie tout simplement "Occidental qui voyage à vélo". Voilà une périphrase bien singulière dans un pays où ce moyen de locomotion est roi ! Toutefois, n'oubliez pas qu'autrefois, la plupart des étrangers se montraient au volant de Citroën, de Jeeps ou de Volga noires, et qu'aujourd'hui on les voit surtout dans des Toyota blanches.

Calendrier lunaire. Le calendrier lunaire vietnamien ressemble beaucoup au calendrier chinois mais il existe quelques différences mineures. La première année correspond à l'an 2637 av. J.-C., et chaque mois lunaire compte 29 ou 30 jours, ce qui fait des années de 355 jours.

Une année bissextile revient approximativement tous les 3 ans : on ajoute alors un mois entre le 3e et le 4e mois pour faire coïncider l'année lunaire avec l'année solaire. Autrement, on finirait par avoir un décalage entre les saisons formelles et

Le zodiaque vietnamien

Pour connaître votre signe zodiacal vietnamien, il vous suffit de chercher votre année de naissance dans le tableau ci-dessous (nous avons indiqué les années à venir ; vous saurez ainsi ce qui vous attend). Mais attention ! L'astrologie vietnamienne épousant le calendrier lunaire, le Nouvel An tombe habituellement fin janvier ou début février. Si vous êtes né en janvier, il vous faut donc retenir l'année zodiacale précédant votre année de naissance.

Rat	1924	1936	1948	1960	1972	1984	1996
Buffle	1925	1937	1949	1961	1973	1985	1997
Tigre	1926	1938	1950	1962	1974	1986	1998
Lapin	1927	1939	1951	1963	1975	1987	1999
Dragon	1928	1940	1952	1964	1976	1988	2000
Serpent	1929	1941	1953	1965	1977	1989	2001
Cheval	1930	1942	1954	1966	1978	1990	2002
Chèvre	1931	1943	1955	1967	1979	1991	2003
Singe	1932	1944	1956	1968	1980	1992	2004
Coq	1933	1945	1957	1969	1981	1993	2005
Chien	1934	1946	1958	1970	1982	1994	2006
Cochon	1935	1947	1959	1971	1983	1995	2007

celles de la nature. Pour trouver à quelle date du calendrier grégorien (solaire) correspond une date lunaire, regardez un calendrier vietnamien ou chinois.

Au lieu de diviser le temps en siècles, le calendrier vietnamien utilise des unités de 60 années appelées *hoi*. Chaque *hoi* se compose de 6 cycles de 10 ans (*can*) et de 5 cycles de 12 ans (*ky*), qui ont lieu simultanément. Le nom de chaque année du cycle contient le nom *can* suivi du nom *ky* ; ce système ne produit jamais deux fois la même combinaison.

Les 10 branches célestes du *can* sont celles listées ci-dessous :

giap	l'eau dans la nature
at	l'eau dans la maison
binh	le feu allumé
dinh	le feu qui couve
mau	le bois
ky	le bois à brûler
canh	le métal
tan	le fer forgé
nham	la terre vierge
quy	la terre cultivée

Les 12 branches zodiacales du *ky* sont celles listées ci-dessous :

tý	le rat
suu	le buffle d'eau
dan	le tigre
mao	le chat
thin	le dragon
ty	le serpent
ngo	le cheval
mui	la chèvre
than	le singe
dau	le coq
tuat	le chien
hoi	le cochon

Ainsi, l'année 2003 est l'année de la chèvre *(quy miu)*, 2004 l'année du singe *(giap than)* et 2005 l'année du coq *(at dau)*.

En société

Habillement. Montrez-vous aussi respectueux que possible des codes vestimentaires, notamment dans les lieux de prière (évitez shorts et débardeurs, et retirez toujours vos chaussures avant de pénétrer dans un temple). En général, les Vietnamiens sont très conservateurs en matière d'habillement, surtout à la campagne.

Le nudisme et le monokini sont à proscrire *absolument*, y compris sur les plages et dans les stations thermales.

Salutations. On se salue traditionnellement en joignant les deux mains devant soi et en inclinant légèrement la tête. L'habitude occidentale de se serrer la main a maintenant pris le pas sur l'habitude ancienne. Toutefois, les bonzes et les bonzesses peuvent saluer à l'ancienne ;

mieux vaut alors leur répondre de la même façon.

Cartes de visite. Au Vietnam, il est de bon ton d'échanger ses cartes de visite, même pour la plus petite transaction. Faites-en imprimer avant votre départ et proposez-en à tout le monde. À Bangkok et Hong Kong, vous les obtiendrez en l'espace d'une vingtaine de minutes pour un prix très abordable. N'oubliez pas d'indiquer votre profession. Si vous n'en avez pas, pourquoi ne pas inscrire "voyageur" ?

Les baguettes funèbres. Laisser une paire de baguettes plantées verticalement dans un bol de riz ressemble beaucoup aux bâtons d'encens que l'on brûle pour les morts. C'est donc un puissant symbole de mort qui n'est apprécié nulle part en Asie.

Langage du pied. Comme les Chinois et les Japonais, les Vietnamiens se montrent obsédés par la propreté des sols, et il est d'usage de retirer ses chaussures en entrant chez quelqu'un. Dans ce cas, votre hôte vous fournira sans doute des chaussons. On se déchausse à l'intérieur de la plupart des temples bouddhiques, mais ce n'est pas une règle universelle. Faites comme les autres. Si vous voyez une pile de chaussures à la porte, c'est un signe !

Il est très mal élevé de diriger ses orteils vers autrui, sauf s'il s'agit d'un ami intime. Quand vous vous asseyez par terre, croisez les jambes dans la position du lotus pour éviter de montrer vos plantes de pieds à vos voisins. Ne tournez jamais la pointe des pieds vers des représentations du Bouddha ou vers les petits autels que l'on voit dans la plupart des foyers.

Si vous êtes assis sur une chaise lors d'une réunion formelle, ne croisez pas les jambes.

Chapeau bas ! La correction exige que l'on se découvre devant une personne âgée ou tout autre individu digne de respect, comme un moine, et que l'on incline la tête avant de s'adresser à eux. En Asie, la tête est le point symbolique le plus élevé ; en conséquence, ne touchez ni ne tapotez personne, en particulier les enfants, sur la tête.

Pauvres célibataires ! Si l'on annonce à un Vietnamien que l'on est célibataire ou divorcé et que l'on se passe parfaitement de la compagnie des bambins, on risque de le mettre fort mal à l'aise. Le fait de ne pas avoir fondé de famille est considéré comme une malchance, et ceux qui subissent ce triste sort sont plus à plaindre qu'à envier. Presque tout le monde vous demandera si vous êtes marié et si vous avez des enfants. Si vous êtes jeune et célibataire, dites simplement "pas encore" ; cette demi-vérité sera acceptée. En revanche, les célibataires de plus de 30 ans seraient bien inspirés de mentir.

Respecter les autres. Les voyageurs qui parcourent l'Asie, où les questions de forme sont capitales, doivent faire très attention aux signes de respect.

Voici dix bons conseils à l'intention des personnes censées rencontrer des hauts fonctionnaires ou des hommes d'affaires :

- Avoir toujours le sourire et être aimable.
- Ne pas se plaindre de tout.
- Jouer sur l'humour si l'on veut critiquer, afin d'éviter la confrontation.
- S'attendre à des retards et en tenir compte dans son emploi du temps.
- Ne jamais montrer sa colère – jamais ! Sortir de ses gonds est non seulement grossier, mais on y perd la face.
- Ne pas avoir l'esprit compétitif mais coopératif. On y gagne en efficacité.
- Si vous jouez au grand seigneur auquel tout est dû, vous serez certainement mis à l'écart.
- Éviter les questions trop personnelles.
- S'asseoir, siroter du thé et échanger des petits cadeaux (offrir des cigarettes, par exemple) est le prélude incontournable à toute relation d'affaires.
- S'attendre aux pires tracasseries de la bureaucratie, dont la mentalité reste très confucéenne.

RELIGION

Quatre grandes philosophies et religions ont façonné la vie spirituelle du peuple vietnamien : le confucianisme, le taoïsme, le bouddhisme et le christianisme. Au fil des siècles, le confucianisme, le taoïsme et le bouddhisme se sont mélangés aux croyances populaires chinoises et à l'ancien animisme vietnamien pour former la "Religion triple", ou *Tam Giao*. Le confu-

Pagode ou temple ?

En voyageant au Vietnam, vous rencontrerez en permanence les termes "pagode" et "temple". Les Vietnamiens les utilisent de façon différente des Chinois, ce qui peut donner lieu à quelques confusions (surtout si vous arrivez de Chine).

Pour les Chinois, une pagode désigne généralement une haute tour à huit côtés destinée à abriter les cendres des défunts, tandis qu'un temple indique le lieu où l'on vient prier.

À l'inverse, la pagode vietnamienne (*chua*) est un lieu de prière et absolument pas un monument érigé pour conserver les cendres de ses morts. Quant au *den* (temple vietnamien), ce n'est pas vraiment un lieu de prière, mais plutôt une structure érigée en l'honneur de quelque importante figure historique (Confucius, Tran Hung Dao, voire Ho Chi Minh).

Le temple caodai semble ne correspondre à aucune de ces définitions. Compte tenu du mélange d'idées sur lequel repose le caodaïsme, il est difficile de dire s'il s'agit d'un temple, d'une pagode, d'une église ou d'une mosquée.

cianisme, qui est davantage un système de morale sociale et politique qu'une religion, a pris divers aspects religieux. Le taoïsme, très populaire auprès des paysans, fut d'abord une philosophie ésotérique pour lettrés, avant de se mêler au bouddhisme. Nombre d'éléments taoïstes sont ainsi devenus les composantes de la religion populaire. Interrogés sur la religion qu'ils pratiquent, la plupart des Vietnamiens répondent généralement qu'ils sont bouddhistes, même s'ils suivent plutôt le confucianisme pour leurs devoirs familiaux ou civiques. Toutefois, leur compréhension de la nature et du cosmos relève du système taoïste.

Le bouddhisme mahayana

Le bouddhisme mahayana (Dai Thua ou Bac Tong, ce qui signifie "qui vient du nord" et donc de la Chine) est la religion dominante au Vietnam. La principale secte mahayana du pays est zen (Dhyana ou Thien) ; on l'appelle aussi école de la méditation. La deuxième grande secte du pays, Dao Trang (école du Pur pays), ne compte des adeptes que dans le Sud.

Le bouddhisme mahayana diffère du bouddhisme theravada sur plusieurs points importants. Alors que le bouddhiste theravada aspire à la sainteté qui le mènera au nirvana (*arhat*), l'idéal du mahayaniste est de devenir un bodhisattva, qui fait tout pour acquérir les vertus essentielles (générosité, moralité, patience, vigueur, concentration et sagesse) mais qui choisit, même après avoir atteint la perfection, de rester dans le monde pour sauver les autres.

Les mahayanistes voient en Bouddha Gautama l'une des infinies manifestations de l'ultime Bouddha. Ces bouddhas et ces bodhisattvas, aussi nombreux que les univers sur lesquels ils règnent, ont donné naissance dans la religion populaire vietnamienne – avec sa kyrielle de déités et d'esprits taoïstes – à un panthéon de divinités accompagnées de leurs assistants, dont on peut se gagner les grâces par des prières et des offrandes.

Les pagodes vietnamiennes du bouddhisme mahayana présentent certaines constantes. Devant la pagode se dresse généralement une statue blanche représentant Quan The Am Bo Tat en position debout, ou Avalokiteçvara Bodhisattva (en hindi) et Guanyin (en chinois). Une variante de cette déesse de la Miséricorde la montre avec de nombreux bras et parfois même des yeux et des oreilles multiples, qui lui permettent de tout toucher, de tout voir et de tout entendre. On l'appelle alors Chuan De (Qianshou Guanyin en chinois).

À l'intérieur du sanctuaire principal se trouvent des représentations des trois Bouddhas : A Di Da, le Bouddha du passé ; Thich Ca Mau Ni (Sakyamuni ou Siddhartha Gautama), le Bouddha historique ; enfin, Di Lac (Maitreya), le Bouddha du futur. À proximité apparaissent les représentations des huit Kim Cang (génies des Points cardinaux), des La Han (arhats) et de plusieurs Bo Tat (bodhisattvas) comme Van Thu (Manjusri), Quan The Am Bo Tat (Avalokiteçvara) et Dia Tang (Ksitigartha). Parfois, à côté, un autel est réservé aux divinités taoïstes telles que Ngoc Hoang (l'empereur de Jade) et Thien Hau (la déesse de la Mer ou reine du Ciel). Chaque pagode dispose d'un autel pour les tablettes funéraires à la mémoire des bonzes décédés (souvent enterrés dans des stupas près de la pagode), mais aussi de laïcs.

Le moine bouddhiste vietnamien (*bonze*) est chargé de répondre aux besoins spirituels des paysans. Il est libre de recourir aux traditions du taoïsme ou à la philosophie du bouddhisme. Un bonze peut vivre en ermite dans une montagne perdue ou s'occuper d'une pagode dans une rue animée. Ses fonctions peuvent l'amener à prédire l'avenir, fabriquer et vendre des talismans (*fu*), pratiquer la géomancie, réciter des incantations lors de funérailles, conseiller où construire une maison, ou même faire de l'acupuncture (*cham chu*).

Histoire. Le bouddhisme a pénétré le Vietnam au IIe siècle sous ses deux formes : le Theravada, grâce à des pèlerins de retour des Indes ; le Mahayana, par l'intermédiaire de moines chinois. Il a cependant fallu plusieurs siècles pour que cette religion devienne populaire.

Le bouddhisme a bénéficié de la protection royale entre les Xe et XIIIe siècles. La hiérarchie bouddhique était reconnue par l'État ; la construction de pagodes, financée par les dynasties, et le clergé participait à l'administration du pays. Dès le XIe siècle, chaque village avait sa pagode, au point que le bouddhisme était devenu la religion officielle au milieu du XIIe siècle.

Aux XIIIe et XIVe siècles, les lettrés confucéens ont peu à peu remplacé les bonzes vietnamiens aux postes de conseillers de la dynastie des Tran. Les confucéens accusaient les bouddhistes de fuir leurs responsabilités envers leurs familles et leur pays, puisque leur doctrine prônait le retrait des choses de ce monde. L'invasion chinoise de 1414 permit au confucianisme de s'imposer, provoquant la destruction de nombreuses pagodes et manuscrits bouddhiques. C'est seulement avec les seigneurs Nguyen (1558-1778), qui régnaient au sud du pays, que les bouddhistes ont pu inverser cette tendance.

La renaissance du bouddhisme en tant que grande religion nationale a commencé vers 1920. Elle a été ponctuée de plusieurs tentatives d'unification des différents courants dans les années 1950. Au début des années 1960, dans le Sud, des bonzes et des laïques bouddhistes ont joué un grand rôle dans l'opposition au régime de Ngo Dinh Diem.

Pendant des siècles, les croyances et les idéaux bouddhiques des élites éclairées ont très peu touché les masses rurales (90% de la population), dont les traditions orales étaient fortes d'une pratique quotidienne. Les gens ordinaires peu soucieux de la philosophie du pouvoir, s'appliquaient plutôt à résoudre leurs problèmes immédiats en recherchant l'aide d'êtres surnaturels.

Petit à petit, les différents bouddhas et bodhisattvas mahayana se sont trouvés mélangés au mysticisme, à l'animisme, au polythéisme et au tantrisme hindou, ainsi qu'aux multiples divinités du panthéon taoïste. La Religion triple s'est développée contre le gré des bonzes, qui souhaitaient maintenir un semblant d'orthodoxie et de pureté doctrinale dans le bouddhisme. Bien que la majeure partie de la population n'ait qu'une vague notion des doctrines bouddhiques, elle invite les bonzes à participer aux cérémonies fondamentales de la vie, comme les funérailles. Les pagodes sont devenues pour les Vietnamiens à la fois un abri temporel et un refuge spirituel dans un monde incertain.

Après 1975, de nombreux bonzes, dont ceux qui s'étaient activement opposés à la guerre et au gouvernement sud-vietnamien, ont été arrêtés et envoyés en camp de rééducation. Le régime communiste a alors fermé les temples et interdit la formation de nouveaux bonzes. La plupart de ces interdictions de culte sont à présent levées et le bouddhisme regagne timidement du terrain.

Le bouddhisme theravada

Le bouddhisme theravada (Tieu Thua, ou Nam Tong), originaire de l'Inde, se pratique essentiellement dans la région du delta du Mékong, au sein des communautés d'origine khmère. La secte theravada la plus importante, au Vietnam est l'école disciplinaire ou Luat Tong.

L'école theravada est au fond une forme de bouddhisme plus ancienne et, selon ses adeptes, moins corrompue que les écoles mahayana disséminées dans l'est de l'Asie et la région himalayenne. L'école theravada est appelée école du Sud car elle a emprunté depuis l'Inde la route du sud avant de traverser tout le Sud-Est asiatique ; alors que l'école du Nord (Mahayana) vient du nord par le Népal, le Tibet, la Chine, la Corée, la Mongolie et le Japon. L'école du Sud essayant de préserver ou de limiter les doctrines bouddhiques aux seuls canons codifiés lors de la première époque du bouddhisme, l'école du Nord lui a donné le nom de hinayana, ou Petit Véhicule, par opposition au Grand Véhicule qui la qualifie, car elle va au-delà des premiers enseignements, afin de mieux répondre aux besoins de ses adeptes.

Le confucianisme

Philosophie religieuse plutôt que religion organisée, le confucianisme (Nho Giao ou Khong Giao) a forgé le système social du Vietnam et grandement influencé la vie quotidienne, tout comme les croyances de sa population.

Confucius (Khong Tu) est né en Chine en 550 av. J.-C. Il voyait en l'homme un être formé par la société mais capable de la modifier. Il a donc élaboré un code éthique pour guider celui-ci dans ses relations sociales. Ce code spécifie les obligations de chacun envers sa famille, la société et l'État. L'essence du confucianisme repose sur le devoir et la hiérarchie.

Selon la philosophie confucéenne, introduite au Vietnam par les Chinois lorsqu'ils régnaient sur le pays (de 111 av. J.-C. à 938), seul l'empereur, mandaté par le Ciel pour gouverner, peut intercéder en faveur de sa nation auprès des puissances du Ciel et de la Terre. Seule la vertu acquise par l'éducation donne le droit (ou le mandat divin) d'exercer le pouvoir politique : un manque de vertu aurait pour conséquence le retrait de ce mandat, sanctionnant ainsi un souverain injuste. Les désastres naturels ou les défaites sur le champ de bataille signifiaient la perte du mandat divin.

En un sens, la philosophie confucéenne était assez démocratique, la vertu ne pouvant s'acquérir que par les études. L'éducation prenait donc le pas sur la naissance, d'où la nécessité d'étendre le système éducatif à une population plus large. Jusqu'au début de ce siècle, la philosophie et les textes confucéens formaient les bases du système d'éducation vietnamien. C'est pourquoi on a enseigné à d'innombrables générations de jeunes gens des villages et

des villes leurs devoirs envers la famille (notamment le culte des ancêtres) et la communauté. Il était essentiel de bien connaître sa place dans la hiérarchie sociale et de se comporter en conséquence.

Par un système de concours d'admission, l'État sélectionnait les meilleurs étudiants du pays et les invitait à rejoindre la classe des mandarins, dont le pouvoir n'avait rien d'héréditaire. L'éducation donnait alors non seulement accès à la vertu, mais permettait également d'obtenir un avancement social et politique. Ce système éducatif explique le grand respect des Vietnamiens pour le talent intellectuel et littéraire, d'où sa réputation aujourd'hui encore.

En devenant conservatrices et rétrogrades, les institutions politiques fondées sur le confucianisme ont fini par se discréditer, comme dans toutes les régions sous influence chinoise. Cette tendance réactionnaire a dominé au Vietnam au XVe siècle, avec des souverains despotiques qui mettaient plus l'accent sur leurs droits divins que sur leurs responsabilités.

Le taoïsme

Le taoïsme (Lao Giao ou Dao Giao) est né en Chine. On le doit à Lao Tseu (Laozi) ou Thai Thuong Lao Quan, surnom qui signifie, littéralement, le Vieux Sage. Ce philosophe aurait vécu au VIe siècle av. J.-C., mais son existence est mise en doute. L'Histoire veut pourtant que Confucius en personne ait aimé consulter ce gardien des archives impériales.

Il est peu probable que Lao Tseu ait tenté de faire de sa philosophie une religion. On attribue à Chang Ling la responsabilité de l'avoir officiellement déclarée religion en 143 av. J.-C. Plus tard, le taoïsme s'est divisé en deux, le culte des Immortels et la Voie du professeur divin.

Comprendre le taoïsme n'a rien de facile. Cette philosophie préconise la contemplation et la vie simple. Son idéal est de revenir au Tao (la Voie, le principe de l'univers). Seule une élite, tant en Chine qu'au Vietnam, a été capable de saisir une telle philosophie, fondée sur plusieurs correspondances (par exemple le corps humain, réplique microcosmique du macrocosme) et sur le *am* et le *duong*, équivalents vietnamiens du yin et du yang. Pour cette raison, le Vietnam compte peu de pagodes proprement taoïstes, l'essentiel de ce rituel étant absorbé par le bouddhisme chinois et vietnamien. L'influence taoïste que vous remarquerez sans doute en architecture, consiste à utiliser des dragons et des démons pour décorer les toits des temples.

Selon la cosmologie taoïste, Ngoc Hoang, l'empereur de Jade, dont la demeure est dans les cieux, dirige un monde de divinités, de génies, d'esprits et de démons dans lequel les forces de la nature sont incarnées par des êtres surnaturels et de grands personnages historiques divinisés. Cet aspect du taoïsme fait partie de la vie quotidienne des Vietnamiens sous la forme de superstitions et de croyances mystiques et animistes. Nombre des pratiques de sorcellerie et de magie, dont se nourrit aujourd'hui la religion populaire, tirent leur origine du taoïsme.

Le culte des ancêtres

Chez les Vietnamiens, le culte des ancêtres est l'expression rituelle de la piété filiale (*hieu*). Il existait bien avant le confucianisme ou le bouddhisme. Certains le considèrent comme une religion en soi.

Le culte des ancêtres est fondé sur la croyance que l'âme du défunt survit après sa mort et protège ses descendants. Étant donné l'influence que les esprits des ancêtres exercent sur la vie de chacun, il n'est pas seulement honteux de les contrarier ou de ne pas leur accorder le repos, mais carrément dangereux. Une âme sans descendant est vouée à une errance éternelle, puisqu'elle ne recevra jamais aucun hommage.

Les Vietnamiens ont coutume de vénérer et d'honorer régulièrement les esprits de leurs ancêtres, particulièrement à l'anniversaire de leur mort. Ils offrent ce jour-là des sacrifices au dieu de la maison et à l'âme des ancêtres. Prières et offrandes sont alors censées apporter la prospérité ou permettre de recouvrer la santé. Les ancêtres sont également informés des joies et des peines de la famille, mariages, succès aux examens ou décès. Trois choses sont nécessaires à ce culte : la possession d'un autel familial, la propriété d'un morceau de terrain pour assurer financièrement l'"entretien" des ancêtres, et la désignation d'un descendant direct masculin, qui sera chargé de perpétuer le culte.

Dans beaucoup de pagodes se dressent des autels arborant des plaques commémoratives et des photos de défunts. En voyant ces photos de visages si jeunes, on se demande pourquoi la mort les a fauchés si tôt. S'agit-il de victimes de la guerre ? L'explication est moins triste : les images choisies ont été sélectionnées parmi les photos de jeunesse des défunts, afin d'en présenter une vision plus flatteuse.

Le caodaïsme

Le caodaïsme est une religion vietnamienne qui tente de créer la religion idéale en associant les philosophies religieuses de l'Est et de l'Ouest. Elle a été fondée au début des années 1920 par Ngo Minh Chieu, qui aurait reçu des "révélations" de l'au-delà. Aujourd'hui, cette religion compte près de deux millions de fidèles au Vietnam. Le pittoresque quartier général du père fondateur se trouve à Tay Ninh, à 96 km au nord-ouest d'HCMV (voir la rubrique *Tay Ninh* dans le chapitre *Les environs de Ho Chi Minh-Ville*).

Le bouddhisme Hoa Hao

La secte bouddhiste Hoa Hao (*Phat Giao Hoa Hao*) est apparue dans le delta du Mékong en 1939. Elle a été fondée par le jeune Huynh Phu So, après qu'il eut étudié les sciences occultes avec les plus éminents spécialistes. Guéri miraculeusement d'une maladie chronique, So a commencé à prêcher un bouddhisme réformé auprès du petit peuple, en s'appuyant sur la foi personnelle plutôt que sur des rites. Sa philosophie préconise la simplicité du culte et nie le besoin d'un intermédiaire entre les êtres humains et l'Être suprême.

En 1940, les Français ont essayé de réduire au silence Huynh Phu, qu'ils appelaient le "bonze fou". Faute de pouvoir l'arrêter, ils l'ont envoyé dans un asile où il s'est empressé de convertir le psychiatre vietnamien chargé de son cas. Pendant la Seconde Guerre mondiale, la dynamique secte Hoa Hao a formé sa propre milice grâce à des armes fournies par les Japonais. En 1947, le Viet Minh a fini par assassiner Huynh Phu, s'aliénant ainsi tous les membres de ce qui était devenu une véritable force politique et militaire dans le delta du Mékong, particulièrement autour de Chau Doc. L'aventure militaire des Hoa Hao a pris fin en 1956 avec la décapitation publique d'un des chefs de la guérilla, capturé par le gouvernement de Diem. Une bonne partie de l'armée Hoa Hao a alors rejoint le Viet-Cong.

Le bouddhisme Hoa Hao compterait actuellement 1,5 million d'adeptes.

Le catholicisme

Le catholicisme a été introduit au XVIe siècle par des missionnaires venus du Portugal, d'Espagne et de France. Les jésuites français et les dominicains portugais étaient à cette époque particulièrement actifs. Dès 1659 ont été nommés les premiers évêques du Vietnam, et les premiers prêtres autochtones neuf ans plus tard. Selon certaines estimations, on comptait, en 1685, quelque 800 000 catholiques au Vietnam. Le catholicisme a dû reculer et parfois entrer dans la clandestinité pendant les trois siècles suivants, alors que le premier édit promulgué pour interdire toute activité missionnaire remonte à 1533. Les plus dures persécutions envers les missionnaires et leurs fidèles ont eu lieu au cours des XVIIe et XVIIIe siècles.

Les exactions contre les catholiques ont, dans une grande mesure, servi de prétexte aux Français pour coloniser le Vietnam. Sous la domination française, l'Église catholique a bénéficié d'un statut spécial et renforcé son influence. Bien qu'elle ait assimilé quelques aspects, limités, de la culture vietnamienne, elle a réussi, contrairement au bouddhisme, à conserver sa pureté doctrinale.

Aujourd'hui, le Vietnam est le second pays catholique d'Asie, après les Philippines. Les catholiques représentent en effet 8 à 10% de la population. Le président Ngo Dinh Diem et nombre des 900 000 réfugiés qui ont fui en 1954 le Nord-Vietnam pour gagner le Sud étaient catholiques. Dès cette date dans le Nord, et à partir de 1975 dans le Sud, les catholiques ont perdu énormément de liberté religieuse, notamment en matière d'ordination des prêtres et d'éducation religieuse. À l'instar de l'Union soviétique, les Églises sont officiellement assimilées à des institutions capitalistes et considérées comme une forme de contre-pouvoir dangereuse pour le gouvernement.

Depuis 1990, l'État conduit une politique plus libérale. Malgré l'absence de prêtres, la religion catholique effectue un retour en force. Le délabrement des édifices religieux suppose des restaurations difficiles à financer, mais les dons des Vietnamiens et des Viet Kieu y contribuent peu à peu.

Le protestantisme

Les premiers protestants sont arrivés au Vietnam en 1911. Les 200 000 pratiquants vietnamiens sont en majorité des montagnards des Hauts Plateaux. Les protestants ont été doublement malchanceux, car ils ont d'abord été persécutés par Diem, l'ancien président du Sud-Vietnam, puis par les communistes.

Jusqu'en 1975, l'Alliance chrétienne et missionnaire a été le groupe protestant le plus actif au Sud-Vietnam. Après l'assassinat de Diem en 1963, elle a pu se développer beaucoup plus facilement. Toutefois, la réunification a apporté à nouveau son lot de persécutions. Souvent formés par les missionnaires américains, de nombreux pasteurs ont connu la prison. En revanche, depuis 1990, les autorités semblent les laisser en paix.

L'islam

Les musulmans, essentiellement des Khmers et des Cham, constituent quelque 0,5% de la population. Saigon a compté quelques petites communautés de Malais, d'Indonésiens et de musulmans du sud de l'Inde, qui se sont presque toutes enfuies en 1975. Aujourd'hui, les quelque 5 000 musulmans de HCMV (dont une poignée d'Indiens du Sud) pratiquent leur culte dans une douzaine de mosquées, y compris la mosquée centrale.

Les commerçants arabes sont arrivés en Chine au VIIe siècle et se sont probablement arrêtés au Vietnam sur leur chemin. La preuve la plus ancienne d'une présence islamique au Vietnam est un pilier couvert d'inscriptions arabes remontant au Xe siècle, trouvé près de la ville côtière de Phan Rang. Il semble que l'islam se soit répandu parmi les réfugiés cham fuyant au Cambodge après la destruction de leur royaume en 1471. Ceux-ci ont peu à peu réussi à convertir leurs cousins restés au Vietnam.

Les Cham se considèrent musulmans tout en suivant la théologie et les lois islamiques dans une version qui leur est propre. Leur communauté possède très peu de copies du Coran et leurs imams ont du mal à lire l'arabe. Alors que les musulmans des autres latitudes prient d'ordinaire cinq fois par jour, les Cham ne prient que le vendredi et ne respectent le ramadan que trois jours et non un mois. Leurs prières consistent à réciter quelques versets du Coran dans une version locale. Le rite des ablutions est remplacé par une série de gestes qui rappellent la façon dont on tire l'eau d'un puits. La circoncision se pratique symboliquement sur les garçons de 15 ans ; à cette occasion, le chef religieux mime la délicate opération avec un couteau de bois. Les Cham ne se rendent pas en pèlerinage à La Mecque et, s'ils ne mangent pas de porc, ils consomment de l'alcool. Ils incorporent en outre à leurs rites des éléments animistes et le culte des dieux hindous. Ils ont même emprunté des expressions arabes usuelles du Coran pour les transformer en noms de divinités.

Les chefs religieux cham portent une robe blanche et un turban très sophistiqué avec des pompons de couleur or, rouge ou marron. La taille des pompons indique leur rang hiérarchique.

L'hindouisme

Le royaume du Champa a été profondément influencé par l'hindouisme, et beaucoup de tours cham, qui servaient de sanctuaires hindous, contiennent un lingam que Vietnamiens et Chinois vénèrent encore. Après la chute du Champa au XVᵉ siècle, la plupart des Cham restés au Vietnam se sont convertis à l'islam tout en continuant de pratiquer différents rites et coutumes brahmaniques (de la caste supérieure hindoue).

Renseignements pratiques

À NE PAS MANQUER

Le Vietnam offre une telle gamme d'expériences possibles, aptes à satisfaire les goûts les plus divers, qu'il est difficile d'imaginer vers quels sites et hauts-lieux irons vos préférences.

Les amateurs de plages s'attarderont sur la paisible plage de Mui Ne ou se dirigeront plus au nord jusqu'à celle de Nha Trang, réputée pour son animation. Les plus aventureux apprécieront l'île de Phu Quoc.

La baie d'Along, aux superbes formations rocheuses, grottes et falaises, mériterait de figurer parmi les merveilles du monde. Non loin, malgré son développement fulgurant, l'île de Cat Ba recueille également les suffrages de tous ceux qui ont fait l'effort de s'y rendre. La pagode des Parfums et Tam Coc offrent des paysages tout aussi exceptionnels (sans la mer…).

Sapa et Bac Ha, voisines, donnent un aperçu des modes de vie traditionnels dans les montagnes bordant la frontière chinoise. Les randonnées autour de Mai Chau et des nombreux autres lieux moins courus des montagnes du Nord permettent de découvrir les villages des minorités. Accidenté, le "circuit du Nord-Ouest" traverse l'un des plus beaux paysages de montagne du Vietnam ; les voyageurs qui parcourent cette route en moto en conservent un souvenir impérissable.

Les mordus d'histoire et d'architecture seront séduits par Hué et Hoi An, cette dernière étant l'une des villes les plus séduisantes du pays. Et, pour ceux que passionne la guerre du Vietnam, l'ancienne zone démilitarisée (DMZ), dans le Centre du Vietnam, se prête à l'exploration.

Installée au cœur de la verdure, agrémentée de cascades et jouissant de la fraîcheur coutumière en altitude, Dalat, peuplée de minorités ethniques, est considéré comme le joyau kitsch des Hauts Plateaux du Centre.

La région du delta du Mékong, extrêmement variée, est de plus en plus fréquentée depuis que les trois frontières limitrophes sont ouvertes aux voyageurs. Au nombre des sites de toute beauté, citons Cantho, Soc Trang et Chau Doc. Lorsque vous aurez admiré tout à loisir les paysages vietnamiens,

peut-être souhaiterez-vous savoir ce qu'ils recouvrent : la grotte de Phong Nha constitue l'endroit idéal pour cette découverte.

N'oublions pas les grandes villes : Ho Chi Minh-Ville (HCMV) l'indépendante, dont l'élégance coloniale désuète, la merveilleuse cuisine et la vie nocturne trépidante ne font pas oublier qu'elle est le laboratoire expérimental des réformes économiques du pays. Hanoi, avec ses monuments, ses parcs, ses lacs et ses boulevards bordés d'arbres, est le siège d'un pouvoir qui cherche encore sa voie.

SUGGESTIONS D'ITINÉRAIRES
Une semaine

Le Nord. De Hanoi, passez deux jours dans la baie d'Along et/ou à Mai Chau, puis visitez en une journée la pagode des Parfums et/ou Tam Coc. Il vous restera un peu de temps pour profiter de la capitale et de ses délices.

Le Sud. De HCMV, on peut passer une journée aux tunnels de Cu Chi et deux ou trois jours dans le delta du Mékong, le reste du temps pouvant être consacré à visiter HCMV, se restaurer ou faire la fête.

Deux semaines

La visite des sites proposés dans les deux itinéraires suivants peut aussi se combiner : le circuit type consiste à se rendre en avion à Hanoi, à explorer la région (notamment la baie d'Along et/ou Sapa) puis à rejoindre directement Hué avant de partir au sud à HCMV (ou l'inverse). Les billets excursion couvrant ce parcours vous évitent de revenir sur vos pas et font partie des propositions courantes des compagnies aériennes.

Le Nord. Suivez l'itinéraire suggéré d'une semaine dans le Nord, puis rejoignez les montagnes du Nord-Est (notamment Sapa et Bac Ha) et/ou faites une excursion dans les parcs nationaux de Cuc Phuong, de Ba Be ou de Cat Ba.

Le Sud. Après l'itinéraire d'une semaine indiqué plus haut, allez à Dalat et revenez vers les plages de Nha Trang et/ou de Mui

Ne. Si vous avez le temps, visitez Hoi An, puis revenez à HCMV en avion de Danang ou de Hué.

Un mois

Un mois suffit pour découvrir les principaux sites. Depuis le sud (vous pouvez entreprendre cet itinéraire à l'envers, depuis Hanoi), suivez l'itinéraire de deux semaines jusqu'à Hoi An ou Danang, puis allez à Hué, d'où de nombreux voyageurs font une excursion dans la zone démilitarisée (DMZ), puis à Hanoi. De là, prenez l'avion ou poursuivez par voie terrestre jusqu'en Chine.

Deux mois

Deux mois vous permettront de tout voir plus en détail. Outre les suggestions d'itinéraires déjà citées, consacrez davantage de temps à l'exploration du delta du Mékong et faites un saut jusqu'à la ravissante île de Phu Quoc. Ou bien, passez quelques jours sur les dunes de sable géantes de Mui Ne (près de Phan Thiet), au sud de Nha Trang. Si vous vous rendez dans la partie occidentale des Hauts Plateaux du Centre, ne ratez pas Dalat. N'oubliez pas la grotte de Phong Nha, au nord de la zone démilitarisée. A l'extrême nord, vous pouvez explorer des lieux reculés comme Dien Bien Phu, Cao Bang et la baie de Bai Tu Long.

PRÉPARATION AU VOYAGE
Quand partir

Il n'y a pas de bonne ou de mauvaise saison pour voyager au Vietnam. Quand une région est humide, froide ou suffocante, une autre présente un climat ensoleillé et agréablement tempéré.

Il faut se souvenir que le Têt (le Nouvel An vietnamien, qui tombe fin janvier ou début février) est une période où tous les vols et tous les hôtels affichent complet longtemps à l'avance. Sa célébration dure une bonne semaine, et le désordre règne plus d'une semaine avant et deux semaines après. Vous aurez alors des difficultés à vous déplacer et à vous loger. Cette fête a des répercussions dans toute l'Asie orientale (pour plus de renseignements à ce sujet, voir la section *La fête du Têt*).

Cartes

Vous trouverez une carte du pays dans la plupart des librairies vietnamiennes. De bons plans touristiques de HCMV, Hanoi, Danang, Hué et de quelques autres villes sont réédités tous les 2 ou 3 ans. Malheureusement, les plans des localités de moindre importance sont quasi inexistants et la plupart des Vietnamiens n'ont jamais vu un plan de la ville où ils vivent.

Notez l'une des singularités du Vietnam consistant à nommer les rues d'après des dates historiques capitales. Par exemple, ĐL 3 Thang 2 (qui s'écrit généralement ĐL 3/2) fait référence au 3 février, jour anniversaire de la fondation du Parti communiste vietnamien.

Les noms des rues sont précédés des termes *Pho, Duong* et *Dai Lo* – respectivement P, Đ et ĐL sur les cartes du présent ouvrage.

Difficiles à trouver, des cartes topographiques extrêmement détaillées sont éditées dans le pays. Les autorités les considèrent comme de véritables secrets militaires, ce qui paraît assez dérisoire à l'ère de la photo satellite.

En France, l'IGN publie la carte *Viêt Nam/Laos* (n°85 045) au 1/2 000 000. Vous pourrez également vous procurer les cartes ITM *Vietnam* au 1/1 000 000, et *Delta du Mékong* au 1/550 000.

Que prendre avec soi

Chargez-vous le moins possible ; n'oubliez pas que vous allez faire des achats sur place (des vêtements en particulier). Si vous oubliez quelque chose d'"essentiel", vous pourrez le trouver au Vietnam, du moins dans les grandes villes.

Les sacs à dos sont les plus commodes à porter. On case mieux, dans les bus et les trains, les sacs sans armature ou avec une armature intérieure. Une fermeture à glissière doit vous permettre de fermer le sac avec un cadenas. Certes, le risque de se le faire ouvrir à la lame de rasoir existe, mais un cadenas évite au moins le chapardage dans les hôtels et les aéroports. Dans les bus et les trains, où les voleurs aiment opérer, attacher votre bien avec un câble anti-vol vous évitera bien des déconvenues.

En outre, prévoyez un petit sac à dos léger et pliable. Il vous permettra de laisser votre gros bagage à l'hôtel ou dans les consignes des gares.

Les "bananes" sont idéales pour mettre le plan de la ville, une pellicule photo et de menus objets. Évitez toutefois d'y ranger vos chèques de voyage ou votre passeport, histoire de ne pas faire le bonheur des pickpockets. Les réfractaires au sac à dos peuvent opter pour un sac de voyage, plus facile à porter qu'une valise. Certains se transforment d'ailleurs en sac à dos. Pensez léger et compact au moment de faire vos bagages, chaque gramme compte. N'oubliez pas que les vêtements de couleurs foncées sont moins salissants. De toute façon, vous vous laisserez tenter sur place par de nouvelles tenues à prix doux.

Les chaussures de sport ou de jogging sont confortables, lavables et légères. Vous apprécierez aussi les sandales, bien adaptées à la chaleur tropicale – Ho Chi Minh lui-même en portait lors de ses apparitions publiques. Les tongs en caoutchouc, si elles ne sont guères appropriées avec une tenue habillée, se portent fréquemment dans tout le pays.

Un couteau suisse ou similaire est indispensable. Inutile de prendre le plus sophistiqué : une lame bien aiguisée, un ouvre-boîtes et un décapsuleur suffisent amplement.

Pour lutter contre l'humidité ambiante, enveloppez vos affaires séparément dans des sacs en plastique.

Voici une liste d'articles à emporter : cartes de visite, lampe électrique, boussole, appareil photo et accessoires, boules Quiès, réveil, lunettes de soleil, chapeau, écran total, gourde, tasse, assiette, fourchette, cuillère, vêtement de pluie ou poncho, protège-pluie pour le sac, pull (pour l'hiver et les trajets en bus climatisé), nécessaire à couture, papier hygiénique, préservatifs, tampons, coupe-ongles, pince à épiler, lotion antimoustiques. Voir également, plus loin dans ce chapitre, la rubrique *Santé*.

Si vous comptez faire du vélo, emportez tout l'équipement nécessaire (casque, réflecteurs, rétroviseurs, etc.), ainsi qu'un kit de réparation de chambre à air. Tout ce que vous devez savoir pour circuler en vélo au Vietnam figure dans le guide *Cycling Vietnam, Laos & Cambodia* édité par Lonely Planet.

Des chaussures de montagne alignant 25 œillets peuvent être épatantes pour grimper mais, le reste du temps, vous regretterez d'en porter. L'usage veut qu'on retire ses chaussures avant d'entrer dans une maison, un temple et même de nombreux mini-hôtels. Compte tenu de cette coutume

À consulter avant de partir

Des journaux et des sites Internet vous aideront à préparer votre voyage, à commencer par notre site www.lonelyplanet.fr (rubrique *Ressources*).

www.dfae.diplomatie.fr
Site informatif, régulièrement mis à jour, du ministère des Affaires étrangères français

www.expatries.org
Site de la Maison des Français de l'étranger, dépendant du ministère des Affaires étrangères : conseils aux voyageurs et informations par pays

Globe-Trotters / www.abm.fr
Magazine et site Internet de l'association Aventure du bout du monde (ABM, ☎ 01 45 45 29 29 ; 11 rue de Coulmiers, 75014 Paris)

www.courrier-international.com
Site du magazine *Courrier International*, donnant accès, entre autres, à un annuaire de la presse internationale

En Belgique :
Farang
Lettre d'information sur le voyage (☎ 019 69 98 23, La Rue 12, 4261 Braives)

Reiskrand
Magazine en flamand de l'association Wegwyzer (☎ 50-332 178, Beenhouwersstraat 9, B-8000 Bruges)

En Suisse :
Globetrotter Magazin
(☎ 213 80 80 ; Rennweg 35, PO Box, CH-8023 Zurich)

Newland magazine
(☎ 324 50 42, fax 324 50 41, www.newland.ch ; CB communication, CP 223, CH-1000 Lausanne 17)

Des librairies et des sites Web concernant le Vietnam figurent aux rubriques *Librairies de voyage* et *Internet*, plus loin dans ce chapitre.

et du climat, souvent chaud, optez plutôt pour des tongs ou des sandales. Veillez à les choisir confortables, et suffisamment couvrantes si vous faites de la moto.

Si vous avez le pied particulièrement grand, vous risquez d'avoir des difficultés à trouver votre pointure.

TOURISME RESPONSABLE

L'arrivée au Vietnam du tourisme de masse exerce à la fois des effets positifs et négatifs. Il injecte des devises dans l'économie, crée des emplois et accentue l'impact de la mondialisation, mais les voyageurs doivent garder à l'esprit les éventuelles retombées de leur visite sur l'ensemble du pays. On peut limiter considérablement les effets néfastes du tourisme, tant national qu'international, si l'on se comporte en voyageur responsable, respectueux des cultures et des coutumes. Sensibilisez-vous et pliez-vous aux coutumes locales (voir *Comportements et usages* dans le chapitre *Présentation du Vietnam*).

Reportez-vous à la liste des organisations non gouvernementales présentée dans la rubrique *Organismes à connaître* de ce chapitre : ces ONG s'efforcent de réduire l'impact du tourisme sur la population, la culture et l'environnement du pays.

Prostitution et pédophilie

En Asie, l'ampleur de l'industrie liée au tourisme sexuel est désolante mais réelle, l'offre ne faisant en général que répondre à la demande. La récente libéralisation de la politique gouvernementale a entraîné une augmentation de la prostitution dans des proportions jamais vues depuis la guerre du Vietnam. Dans une récente campagne visant à combattre les "fléaux sociaux", le gouvernement a fortement sanctionné l'industrie du sexe, sans parvenir toutefois à éradiquer le problème. Évitez les bars proposant des massages ou ce genre de services, tels que les *bar oms*, et ne recourez jamais à ce genre de prestation.

Le Vietnam est aussi l'un des pays où se développe la prostitution infantile (avec le Cambodge, le Laos, la Chine et la République dominicaine). Malgré le manque de statistiques fiables, une étude récente estime que les moins de 16 ans représentent 30% de l'ensemble des travailleurs sexuels, tandis que les chiffres communiqués par la police montrent que le nombre de crimes sexuels ne cesse d'augmenter.

Le Vietnam inflige de lourdes sanctions aux pédophiles. Pour lutter plus efficacement contre ce type d'abus, certains pays poursuivent en justice leurs ressortissants accusés d'actes pédophiles à l'étranger. La peur de contracter le VIH/sida par l'intermédiaire de prostitués adultes a conduit à l'exploitation sexuelle croissante des enfants, censés ne pas être encore contaminés. C'est sans doute l'aspect le plus

Contre le tourisme sexuel et la prostitution enfantine

Le tourisme sexuel, considéré comme une atteinte à la dignité humaine, est condamné par les lois internationales et celle du Vietnam. Quand ce "tourisme" concerne des enfants, il est d'autant plus intolérable.

La charte éthique de Lonely Planet (à consulter sur notre site www.lonelyplanet.fr) prend fermement position contre le tourisme sexuel et la prostitution enfantine.

La Convention des Nations Unies sur les droits de l'enfant (1989), la Convention de Stockholm (1996) et les corpus législatifs de nombreux pays condamnent fermement l'exploitation sexuelle des enfants et ont établi des peines réprimant le tourisme sexuel. C'est à l'initiative de l'UNICEF et d'ONG partenaires de la campagne internationale pour mettre fin à la prostitution enfantine liée au tourisme en Asie (rassemblées sous le sigle ECPAT, End Child Prostitution in Asian Tourism) que le Congrès mondial contre l'exploitation sexuelle des enfants s'est tenu à Stockholm en 1996. Sa déclaration finale a défini un programme d'action signé par plus de 120 pays. Aujourd'hui, la lutte contre la pédophilie s'organise donc par la mobilisation de la communauté internationale et l'adoption de lois extraterritoriales dans chaque État. Ces lois permettent de poursuivre des personnes dans leur pays d'origine pour des violences sur enfants accomplies à l'étranger.

La France a adopté dès 1994 le principe de lois pénales extraterritoriales : la loi du 1er février s'applique en effet pour l'ensemble des crimes ou délits sexuels commis contre des mineurs à l'étranger. Elle va au-delà de la rémunération donnée ou non à l'enfant ou à son souteneur et s'applique aux ressortissants français comme aux personnes résidant habituellement en France. Par ailleurs, le code pénal français punit de 5 ans de prison des relations sexuelles rémunérées avec un enfant de moins de 15 ans et de 20 ans de réclusion "toute atteinte sexuelle" sur un mineur de moins de 15 ans "commise avec violence, contrainte ou surprise".

Parmi les États signataires de la convention de Stockholm figurent la France, la Belgique, la Suisse, le Canada.

dérangeant du développement mondial de l'industrie du sexe.

L'exploitation sexuelle des enfants est devenue un problème majeur dans toute l'Asie ; ne la laissez pas s'implanter solidement au Vietnam. Si vous voyez ou soupçonnez quoi que ce soit impliquant un mineur, ne vous contentez pas de l'ignorer ; si vous avez des informations, comme le nom et la nationalité des coupables, adressez-vous à leur ambassade. Toute information peut être également transmise à **End Child Prostitution in Asian Tourism** (ECPAT, www.ecpat.net, info@ecpat.net), un réseau d'organisations qui œuvre à éradiquer la prostitution et la pornographie infantiles ainsi que le trafic d'enfants dans un but sexuel. Consultez l'encadré *Contre le tourisme sexuel et la prostitution enfantine*.

Environnement

Les Vietnamiens sont peu conscients des enjeux liés à l'environnement et de leur responsabilité en la matière. Beaucoup d'entre eux ignorent que le fait de jeter leurs déchets n'importe où peut s'avérer néfaste. Essayez de les sensibiliser subtilement en montrant l'exemple et débarrassez-vous de vos déchets de façon responsable.

La faune vietnamienne est très menacée par la consommation nationale d'animaux et par le commerce illégal de produits dérivés au niveau mondial (voir la rubrique *Faune et flore* dans le chapitre *Présentation du Vietnam*). Bien qu'il puisse paraître "exotique" de goûter du muntjac, de la chauve-souris, de la grenouille, du cerf, de l'hippocampe, de l'aileron de requin et du serpent – ou d'acheter des produits fabriqués à partir d'espèces animales ou végétales en voie de disparition –, cela signifiera que vous acceptez et soutenez de telles pratiques et renchérira la demande.

Les produits forestiers tels que le rotin, les orchidées et les herbes médicinales sont menacés mais continuent d'être exploités dans les forêts vietnamiennes, qui se réduisent de plus en plus. Cependant, certains de ces produits peuvent être cultivés et assurer ainsi à la population locale une source de revenus supplémentaires, tout en protégeant les espaces naturels de l'exploitation et de la dégradation.

Lorsque vous admirez des barrières de corail, que vous pratiquez la plongée ou la navigation, ne touchez pas le corail vivant et n'y ancrez pas votre embarcation ; cela entrave le développement du corail. Si l'organisateur de l'excursion le fait, alors qu'il peut jeter l'ancre dans une zone sableuse proche, tentez de le dissuader et dites que vous êtes prêt à nager jusqu'au corail. N'achetez pas de souvenir en corail.

Le Vietnam abrite de nombreuses formations calcaires ou karstiques. Lorsque vous visitez des grottes calcaires, sachez que le fait de toucher les formations gêne leur croissance et les noircit. Ne brisez pas les stalactites ou les stalagmites, car elles mettent des centaines d'années à se reconstituer. Ne faites pas de graffitis sur les formations, ni sur les parois des grottes ou sur les autres roches.

Enfin, n'emportez ni n'achetez de "souvenirs" provenant de sites historiques ou de zones naturelles.

OFFICES DU TOURISME

Les offices du tourisme vietnamiens ne ressemblent pas à ceux des autres pays.

Au Vietnam, la situation est en effet très différente. Les offices du tourisme sont des organismes d'État à but totalement lucratif, dont le premier souci est de vendre des excursions. En fait, ce sont plutôt des agences de voyages, qui représentent pour l'État vietnamien l'une des premières sources de devises fortes. Cartes et brochures – quand elles existent – sont donc à vendre.

Vietnam Tourism et Saigon Tourist sont les plus anciennement établis. Toutefois, chaque province possède aujourd'hui au moins un organisme de ce type, tandis que les grandes villes comptent des douzaines d'"offices du tourisme" concurrentiels appartenant à l'État. De nombreuses sociétés privées se sont associées avec les organismes d'État, ce qui rend encore plus nébuleuse la distinction entre ces "offices du tourisme" et les agences de voyages privées.

En France, contactez le **Bureau d'Information Vietnam** (☎ *0892 707 710, fax 01 45 88 59 84, www.cap-vietnam.com, 69 rue Glacière, 75013 Paris)* qui fournit de nombreuses informations sur le Vietnam. Ce bureau, qui travaille en collaboration avec l'Administration Nationale du Tourisme du Vietnam, s'applique à développer les échanges entre la France et le Vietnam. Vous pourrez vous y procurer des dépliants, des livres, des cartes de régions ou de villes, etc. Le service **Vietnam Action Visas** (*www.action-visas.com*) vous donnera tous les renseignements nécessaires sur l'obtention d'un visa.

Le nombre de passagers débarquant au Vietnam est passé de 300 000 en 1991 à 1,5 million en 1998 et 2,2 millions en 2001. Dans l'industrie du tourisme, nombreux sont ceux qui restent toutefois sceptiques quant à la capacité du Vietnam, qui ne s'est ouvert au tourisme qu'à la fin des années 1980, de faire face à une telle augmentation. Certains estiment que le pays manque encore de certains services indispensables à une infrastructure touristique de base, notamment une police spécialisée et de "vrais" offices du tourisme. Pour plus d'informations sur les offices du tourisme au Vietnam, reportez-vous aux sections *Renseignements* des différents chapitres.

VISAS ET FORMALITÉS
Passeport
Un passeport est indispensable. Si le vôtre approche de sa date d'expiration, faites-le renouveler. De nombreux pays ne vous délivreront pas de visa si votre passeport expire dans moins de 6 mois. Vérifiez qu'il vous reste quelques pages vierges pour les visas d'entrée et les tampons de sortie : se retrouver à court de pages vierges quand on est trop loin d'une ambassade pour obtenir un nouveau passeport ou faire ajouter des pages peut causer de réels problèmes.

Si vous perdez votre passeport, en faire établir un autre vous coûtera du temps et de l'argent. Il est préférable d'avoir avec soi un permis de conduire, une carte d'étudiant, d'identité ou un autre document comportant votre photo, car certaines ambassades exigeront cette identification avant de vous délivrer un nouveau passeport. Il peut ainsi se révéler judicieux de garder un passeport périmé.

Pensez à noter et emporter séparément le numéro et la date de délivrance de votre passeport, ainsi qu'une photocopie de celui-ci ou de votre extrait de naissance. Ajoutez également les numéros de vos chèques de voyage, les détails de votre assurance de voyage et quelque 300 $US en cas de besoin (les hôtels d'un certain standing disposent d'un coffre-fort pour les objets précieux où vous pourrez placer vos documents).

Au Vietnam, tout le monde semble avoir besoin de votre passeport. On vous le réclamera presque toujours à la réception de l'hôtel et dans les agences de voyages (pour obtenir un permis de voyage ou une prorogation de visa).

Visas
Les visas de tourisme sont désormais estampillés de la phrase *cau cac cua khau quoc te*, qui signifie "toute frontière internationale". Cela permet d'entrer et de sortir du pays par les aéroports de Hanoi, HCMV, Danang et Dalat, ainsi que par ses huit postes-frontière terrestres (trois avec le Cambodge, deux avec le Laos et trois avec la Chine).

Réunir les documents nécessaires pour l'obtention d'un visa vietnamien est devenu assez simple, les seuls problèmes étant le coût relativement élevé et le délai. Mieux vaut généralement laisser une agence de voyages se charger des formalités que de s'adresser directement à l'ambassade et affronter les files d'attente. L'agence de voyages vous demandera la photocopie de votre passeport et de une à trois photos (selon votre pays d'origine).

En 2001, le gouvernement vietnamien a annoncé son intention d'accorder gratuitement des visas de tourisme de 14 jours aux voyageurs français et japonais au moment de leur arrivée dans le pays. Toutefois, malgré l'insistance de la Vietnam National Administration of Tourism (VNAT), le ministère de l'Intérieur refuse d'appliquer cette mesure, invoquant l'absence de réciprocité en matière de délivrance des visas.

À l'heure où nous mettions sous presse, le gouvernement vietnamien prévoyait de délivrer un visa de 5 jours à tous les voyageurs étrangers. Renseignez-vous avant de partir ou contactez www.lonelyplanet.com pour connaître les dernières informations dans ce domaine.

En Asie, Bangkok a toujours été considéré comme l'endroit le plus commode pour obtenir un visa pour le Vietnam. La plupart des agences de voyages thaïes proposent des formules billet d'avion aller-retour avec visa inclus.

Visas de tourisme. Un visa est obligatoire avant l'arrivée au Vietnam pour les ressortissants français, belges, suisses et canadiens. Un visa de tourisme coûte de 60 € à 100 € (70 € à 110 € par correspondance) en France, 62 € en Belgique et 70 FS en Suisse. Pour l'obtenir, vous devrez présenter un passeport valable encore 3 mois après votre date de retour, remplir 2 formulaires et fournir 2 photos d'identité. Comptez de 2 à 7 jours de délai en France, 4 jours en Belgique et 8 à 10 jours en Suisse, selon l'urgence. Les visas de tourisme autorisent un séjour de 30 jours (avec possibilité de prolonger sur place) à 3 mois, avec une seule entrée dans le pays. Attention ! Le visa précise la date exacte d'arrivée et de départ ; il faut donc organiser son plan de route longtemps à l'avance. On ne peut arriver au Vietnam ne serait-ce que la veille de la date stipulée sur le visa.

Si vous repoussez votre voyage de 2 semaines alors que vous aviez prévu un visa de 30 jours, il ne vous restera plus que 16 jours pour visiter le pays.

Si vous prévoyez de séjourner plus longtemps au Vietnam, ou de quitter le pays et de revenir (par exemple, du Cambodge ou du Laos), essayez d'obtenir un visa à entrées multiples de 3 mois. Il vous en coûtera 90 $US au Cambodge (ces visas ne sont pas délivrés dans toutes les ambassades vietnamiennes).

Croyez-en notre expérience : les services de l'immigration de l'aéroport tiendront compte de votre apparence physique. Évitez les tenues négligées et même le short ; veillez à être rasé de près.

Alors que la plupart des visas de tourisme sont tamponnés sur le passeport, les ressortissants de certains pays se verront remettre un document séparé.

Visas d'affaires. Le visa d'affaires présente plusieurs avantages : il est valable de 3 à 6 mois, peut être délivré pour des entrées multiples et permet de travailler.

Son obtention ne présente plus grande difficulté et vous pouvez confier cette mission aux voyagistes, mais il coûte environ quatre fois plus cher qu'un visa ordinaire.

Il est en général beaucoup plus facile de demander un visa d'affaires une fois au Vietnam. S'il est accordé, il faut faire un bref saut à l'étranger, à Phnom Penh, Vientiane ou Bangkok, pour le retirer dans une ambassade vietnamienne. Si l'obtenir au Vietnam est possible, cela revient beaucoup plus cher.

Visas d'études. Un visa d'études s'obtient d'ordinaire après l'arrivée. Vous pouvez très bien entrer au Vietnam avec un visa de tourisme, vous inscrire à des cours de vietnamien puis déposer une demande de changement de statut auprès de la police de l'immigration. Bien entendu, vous êtes censé régler votre scolarité et fréquenter des cours à raison de 10 heures par semaine, au minimum, pour prétendre au statut étudiant. Officiellement, le détenteur d'un visa d'études ne peut pas travailler plus de 10 heures par semaine.

Prorogation de visas. Une prorogation coûte environ 30 $US, mais vous devrez sans doute confier cette mission à une agence de voyages et non aller vous-même à la police de l'immigration. La procédure prend 1 ou 2 jours. Officiellement, vous avez droit à une seule prorogation de 30 jours au maximum.

Méfiez-vous cependant, car ces règles peuvent être modifiées sans préavis d'un jour à l'autre.

N'importe quelle capitale provinciale est censée proroger un visa, mais les formalités s'accomplissent plus facilement dans les grandes villes, telles HCMV, Hanoi, Danang et Hué, toutes hautement touristiques.

Visas à entrées multiples. Il est en théorie possible de se rendre au Cambodge, au Laos ou dans n'importe quel autre pays depuis le Vietnam, puis d'y revenir sans avoir à demander un autre visa. Il faut cependant faire une demande de visa de retour *avant* de quitter le Vietnam. On vous remettra un reçu et un numéro de confirmation qui vous permettront de récupérer ce visa dans le pays où vous vous rendez. Sinon, vous devrez recommencer la procédure, longue et chère, pour l'obtention d'un nouveau visa.

Un voyageur nous a expliqué avoir demandé à HCMV un visa de retour au Vietnam avant de prendre un avion pour le Cambodge et s'être entendu répondre par le service de l'immigration qu'il pourrait se procurer un visa de retour à l'ambassade du Vietnam à Phnom Penh. Une fois sur place, il a découvert qu'il n'existait aucun visa de retour et qu'il devrait demander (et payer !) un nouveau visa.

Les visas de retour s'obtiennent le plus facilement à Hanoi ou HCMV, mais vous devrez presque certainement demander à une agence de voyages de se charger des démarches, lesquelles prendront 1 ou 2 jours – et 25 $US. Si vous possédez déjà un visa d'affaires à entrées multiples, inutile de demander un visa de retour.

Laissez-passer

Auparavant, les étrangers devaient être munis d'un laissez-passer intérieur pour quitter la ville par laquelle ils étaient arrivés. Entre 1975 et 1988, cette mesure s'appliqua également aux Vietnamiens pour éviter qu'ils ne s'enfuient. Hanoi ayant aboli cette obligation en 1993, plus personne n'en a besoin, mais tout Vietnamien se doit de conserver sur lui, en permanence, ses papiers d'identité.

Qui dit abolition d'une règle ne dit pas forcément sa disparition, en tout cas dans certains bourgs et villages reculés où la police fait encore la loi, sans tenir compte des décisions du ministère de l'Intérieur. Dans certaines provinces, comme celle de Ha Giang, la police locale vous demandera peut-être de "payer un laissez-passer", mais cette pratique devient de plus en plus exceptionnelle.

Assurance de voyage

Il est conseillé de souscrire une police d'assurance couvrant votre voyage, afin d'éviter les pénalités d'annulation sur les billets d'avion ou le paiement d'un billet supplémentaire si vous devez écourter votre séjour pour cause de maladie ; les frais médicaux en cas de maladie ou de blessure ; ou afin de vous prémunir contre le vol ou la perte de vos biens. Pour plus de renseignements, reportez-vous à la rubrique *Santé*, plus loin dans ce chapitre.

Permis de conduire

En théorie, le permis de conduire français est reconnu. Il est toutefois prudent de se procurer un permis de conduire international, généralement valable un an, juste avant le départ. Certains pays délivrent un permis de conduire international valable plusieurs années. Vérifiez que votre permis s'applique également aux motos, si vous prévoyez d'en conduire une.

Carte d'étudiant internationale

Grâce à la carte d'étudiant internationale (ISIC, réservée aux étudiants de moins de 26 ans), les étudiants européens obtiennent souvent des remises intéressantes sur les vols internationaux, mais pas sur les lignes intérieures. Pour l'obtenir, renseignez-vous auprès de votre université. Elle n'est pas délivrée au Vietnam et n'est d'aucune utilité sur place.

Carnet de vaccinations

Utile, quoique non indispensable, ce carnet international mentionne tous vos vaccins. Le Vietnam le délivre également.

Autres formalités

Si vous voyagez avec votre conjoint, emportez une photocopie de votre livret de famille, cela vous servira en cas de problèmes avec les autorités judiciaires, médicales ou bureaucratiques.

Les personnes souhaitant travailler au Vietnam ont tout intérêt à se munir de photocopies de leurs diplômes universitaires et de lettres de recommandation.

Une dizaine de photos d'identité devraient vous suffire pour les visas si vous projetez de visiter plusieurs pays, mais également pour une demande de prorogation ou tout autre document. Les photos doivent avoir un fond neutre.

Une fois au Vietnam, veillez à conserver soigneusement le formulaire jaune de déclaration de douane qui vous sera remis à votre arrivée. Ne le perdez surtout pas, auquel cas vous risqueriez de rencontrer quelques problèmes, notamment aux frontières terrestres où les autorités sont plus facilement corrompues ; attachez-le dans votre passeport avec un trombone ou un élastique.

Photocopies

Avant de partir, pensez à photocopier tous vos documents importants (passeport, visa, cartes de crédit, police d'assurance de voyage, billets d'avion/bus/train, permis de conduire, etc.). Confiez-en un jeu à quelqu'un et emportez l'autre avec vous, que vous rangerez séparément des originaux.

Pendant votre voyage, nombre de personnes vous demanderont de leur laisser vos papiers, notamment les réceptionnistes d'hôtel. Certains hôtels acceptent les photocopies, mais la plupart préfèrent les originaux. Indispensables en cas de perte de vos papiers, les photocopies vous éviteront de vous retrouver sans document face

Protection des documents

Avant de partir, nous vous conseillons de photocopier tous vos documents importants (pages d'introduction de votre passeport, cartes de crédit, numéros de chèques de voyage, police d'assurance, billets de train/ d'avion/de bus, permis de conduire, etc.). Emportez un jeu de ces copies, que vous conserverez à part des originaux. Vous remplacerez ainsi plus aisément ces documents en cas de perte ou de vol.

Si l'anglais n'est pas un obstacle, vous pouvez également utiliser le service en ligne gratuit de Lonely Planet, Travel Vault (la "chambre forte des voyageurs"), qui vous permet de mettre en mémoire les références de vos documents. Si vous ne voulez pas vous encombrer de photocopies ou si vous les égarez, vous pouvez ainsi accéder à tout moment à cette précieuse banque de données, protégée par un mot de passe. Pour plus d'informations, visitez www.ekno.lonelyplanet.com.

aux autorités (police, bureau des chemins de fer, compagnies aériennes, etc.).

Si la police vous arrête dans la rue et vous demande votre passeport, présentez une photocopie plutôt que l'original, en expliquant que ce dernier se trouve à l'hôtel.

AMBASSADES ET CONSULATS
Ambassades et consulats du Vietnam

Vous trouverez ci-dessous les adresses des représentations diplomatiques vietnamiennes dans quelques pays :

Belgique
(☎ 2-379 2737, fax 2-374 9376)
1 bd Général Jacques, 1050 Bruxelles
Cambodge
(☎ 05-1881 1804, fax 236 2314)
436 bd Preach, Monivong, Phnom Penh
Canada
(☎ 613-232 1957, fax 236 2704)
470 Wilbrod St, Ottawa, Ontario, K2P OL9
Chine
(☎ 010-532 1125, fax 532 5720)
32 Guanghua Lu, Jianguomen Wai, Beijing
Consulat (☎ 020-652 7908, fax 652 7808)
Jin Yanf Hotel, 92 Huanshi Western Rd, Guangzhou
Consulat (☎ 22-591 4510, fax 591 4524)
15ᵉ étage, Great Smart Tower Bldg, 230 Wanchai Rd, Hong Kong

France
Ambassade (☎ 01 44 14 64 00, fax 01 45 24 39 48)
62-66 rue Boileau, 75016 Paris
Laos (☎ 214-13409)
1 Thap Luang Rd, Vientiane
Consulat (☎ 412-12239, fax 12182)
418 Sisavang Vong, Savannakhet
Philippines
(☎ 2-500 364/508 101)
54 Victor Cruz, Malate, Metro Manila
Suisse
Ambassade (☎ 031 388 78 78, fax 031 388 78 79)
Schlosslistrasse 26, 3008 Berne
Thaïlande
(☎ 2-251 7201251 5836)
83/1 Wireless Rd, Bangkok

Ambassades et consulats étrangers au Vietnam

À l'exception du Laos et du Cambodge, les ambassades étrangères à Hanoi et leurs consulats à HCMV délivrent très peu de visas aux non-Vietnamiens.

Il est important de savoir ce que votre ambassade peut et ne peut pas faire pour vous si vous avez des ennuis. En règle générale, elle ne vous sera pas d'un grand secours si vous êtes responsable des problèmes rencontrés. N'oubliez pas que vous devez respecter les lois du pays dans lequel vous séjournez.

Votre ambassade ne fera pas preuve d'indulgence si vous vous retrouvez en prison pour avoir enfreint la loi, même si ce qu'on vous reproche ne constitue pas un délit dans votre pays. Néanmoins, elle pourra s'assurer que vous êtes traité correctement.

En cas de véritable urgence, elle vous fournira sans doute une assistance, mais seulement une fois que tout autre recours aura été épuisé. Par exemple, si vous devez rentrer chez vous au plus vite, ne comptez pas qu'elle vous fournisse un billet d'avion gratuit – vous êtes censé avoir contracté une assurance. Si vous vous faites voler argent et papiers, elle vous aidera sûrement à obtenir un nouveau passeport, mais ne vous aidera pas financièrement pour le billet de retour.

Par le passé, certaines ambassades réceptionnaient le courrier des voyageurs et disposaient d'une salle de lecture où l'on pouvait consulter la presse nationale. Aujourd'hui, la plupart d'entre elles n'of-

Ce que peut faire votre consulat

En règle générale, votre consulat pourra vous venir en aide dans les cas suivants :

Perte ou vol de documents. Sur présentation d'une déclaration de la police, il vous procurera des attestations, vous délivrera un laissez-passer pour sortir du territoire ou, éventuellement, un nouveau passeport.

Problèmes financiers. Il pourra vous indiquer les moyens les plus efficaces pour recevoir rapidement de l'argent de vos proches.

Maladie. Il pourra vous indiquer des médecins, les frais restant à votre charge.

Accident. Il peut prévenir votre famille, faciliter votre hospitalisation ou votre rapatriement. Une assurance rapatriement reste le plus efficace.

Problèmes divers. Il pourra vous conseiller sur la marche à suivre.

Sauf cas de force majeure, le consulat ne vous rapatriera pas à ses frais, ne vous avancera pas d'argent sans garantie, n'interviendra pas dans le cours de la justice du pays d'accueil si vous êtes impliqué dans une affaire judiciaire ou accusé d'un délit.

Belgique
(☎ 934 61 79, fax 934 61 83)
49 Pho Hai Ba Trung, Hanoi
Consulat (☎ 821 93 54, fax 821 93 04)
115 Nguyen Hue, district n°1, HCMV

Cambodge
(☎ 825 3788, fax 826 5225)
71 Pho Tran Hung Dao, Hanoi
Consulat (☎ 829 2751, fax 829 2744)
41 Đ Phung Khac Khoan, district n°1, HCMV

Canada
(☎ 824 5025, fax 823 5333)
31 Pho Hung Vuong, Hanoi
Consulat (☎ 824 5025, fax 829 4528)
10ᵉ étage, Metropolitan Bldg, 235 Đ Dong Khoi, district n°1, HCMV

Chine
(☎ 845 3736, fax 823 2826)
46 Pho Hoang Dieu, Hanoi
Consulat (☎ 829 2457, fax 829 5009)
39 Đ Nguyen Thi Minh Khai, district n° 1, HCMV

France
(☎ 825 2719, fax 826 4236)
57 Pho Tran Hung Dao, Hanoi
Consulat (☎ 829 7231, fax 829 1675)
27 Đ Nguyen Thi Minh Khai, district n°1, HCMV

Laos
(☎ 825 4576, fax 822 8414)
40 Pho Quang Trung, Hanoi
Consulat (☎ 829 9272)
93 Đ Pasteur, district n°1, HCMV

Philippines(☎ 825 7948, fax 826 5760)
27B Pho Tran Hung Dao, Hanoi

Suisse
Ambassade (☎ 934 65 89, 934 67 17, fax 934 65 91)
Hanoi Central Building Office,
15ᵉ étage, 44 Pho Ly Thuong Kiet, Hanoi

Thaïlande
(☎ 823 5092, fax 823 5088)
63-65 Pho Hoang Dieu, Hanoi
Consulat (☎ 822 2637, fax 829 1002)
77 Đ Tran Quoc Thao, district n°3, HCMV

frent plus de service courrier et, généralement, les journaux datent quelque peu.

Si vous résidez longtemps au Vietnam, vous devriez faire enregistrer votre passeport à votre ambassade (cela facilite la délivrance d'un nouveau passeport en cas de perte ou de vol). Faites-vous également enregistrer auprès de votre ambassade si vous souhaitez voyager dans des régions éloignées.

Les ambassades peuvent aussi vous aider à obtenir une procuration pour un vote ou vous fournir des formulaires de déclaration de revenus. Elles conseillent les hommes d'affaires et interviennent parfois en cas de litiges commerciaux.

N'oubliez pas que les gens *travaillent* dans les ambassades. Ne les dérangez pas pour des questions sans importance.

La liste suivante indique les adresses de quelques ambassades étrangères à Hanoi et de consulats à HCMV.

DOUANE

Si vous entrez au Vietnam par voie aérienne, les formalités de douane sont généralement rapides et superficielles. À moins que la machine à rayons X ne détecte dans votre sac à dos des armes ou de l'héroïne, c'est l'affaire de quelques minutes. En revanche, si vous arrivez par voie terrestre, attendez-vous à une fouille relativement sérieuse.

Vous avez le droit d'importer, hors taxes, 200 cigarettes, 50 cigares ou 250 g de tabac, 2 litres d'alcool, un maximum de 50 $US en cadeaux, plus une quantité raisonnable de bagages et d'effets personnels. Il est en revanche interdit de faire entrer de l'opium, des armes, des explosifs, et du "matériel culturel impropre à la société vietnamienne" (tel que publications, films ou photographies pornographiques ou séditieuses).

Les touristes peuvent apporter une quantité illimitée de devises étrangères, mais doivent les déclarer à l'arrivée sur le formulaire de douane. Théoriquement, en quittant le pays, vous devez avoir avec vous les reçus de change des devises dépensées mais, dans la pratique, les autorités s'en moquent éperdument.

Il faut également déclarer les métaux précieux (particulièrement l'or), les bijoux, les appareils photo, vidéo et électroniques. Déclarer ces biens présente l'avantage de simplifier les formalités au retour, mais n'oubliez pas que l'on peut vous demander de les montrer au moment de votre départ pour prouver que vous ne les avez pas vendus au marché noir. En pratique, vous ne risquez pas d'ennuis, sauf si vous transportez une énorme quantité de produits ou un objet de grande valeur.

L'importation et l'exportation de devises vietnamiennes et d'animaux vivants sont interdites.

QUESTIONS D'ARGENT
Monnaie nationale

La monnaie nationale est le dong, abrégé sous la forme "d". On trouve actuellement des billets de 200 d, 500 d, 1 000 d, 2 000 d, 5 000 d, 10 000 d, 20 000 d, 50 000 d et 100 000 d. Il peut s'avérer difficile d'obtenir la monnaie sur les grosses coupures dans les petites villes.

Maintenant que, contrairement à son vœu, Ho Chi Minh a été canonisé, on peut voir son portrait sur *tous* les billets de banque. Les pièces de monnaie n'ont aujourd'hui plus cours, mais le dong se partageait auparavant en 10 *hao* et 100 *xu*.

Le dong a subi de fortes fluctuations. Les tentatives du gouvernement pour résoudre les problèmes d'endettement en faisant fonctionner la planche à billets ont entraîné une inflation dévastatrice et de fréquentes dévaluations. Le dong, qui avait perdu près de la moitié de sa valeur en 1991, a regagné 35% par rapport au dollar en 1992, devenant ainsi l'un des meilleurs investissements en devises de l'année ! L'arrêt de la politique de la planche à billets et le redressement d'un déficit commercial chronique ont abouti à cette hausse ; en 1992, le Vietnam a connu son premier excédent commercial depuis la réunification. La crise économique asiatique de la fin des années 1990, qui a fortement ébranlé les monnaies thaïlandaise, coréenne et indonésienne, a fait chuter le dong d'environ 15% par rapport au dollar. Depuis, le dong a lentement perdu de sa valeur. Au moment où nous mettions sous presse, 1 $US équivalait à 15 424 d.

Les Américains avaient introduit les pratiques bancaires occidentales au Sud-Vietnam. Après la réunification, les chèques, les cartes de crédit, les billets de banque et les comptes en banque du Sud-Vietnam ont perdu toute leur valeur. Ce démantèlement du système bancaire a rendu quasiment impossible l'envoi de mandats au Vietnam. Pour pallier cette lacune, Hanoi a créé plus tard la société Cosevina, qui permet aux Vietnamiens d'outre-mer d'envoyer de l'argent à leurs familles.

Le gouvernement cherche actuellement à s'adapter au système bancaire mondial ; les instruments monétaires de type capitaliste refont donc leur apparition, comme les chèques de voyage, les cartes de crédit, les mandats télégraphiques et même les lettres de change. Seuls le compte courant et son chéquier sont encore inexistants.

L'or s'utilise beaucoup pour les grosses transactions, vente de maison ou de voiture. Si vous demandez à quelqu'un le prix de sa maison, il vous donnera probablement le montant en *taels* d'or.

Il n'y a pas si longtemps, de nombreux hôtels et restaurants de catégorie supérieure exigeaient des dollars US et refusaient les devises vietnamiennes, même si le gouvernement a interdit cette pratique en 1994. Officiellement, toute transaction doit être calculée et réglée en dong uniquement. Nombre d'endroits ne continuent pas moins d'indiquer leurs prix en dollars et effectuent le "change" sur place.

Quand les prix sont affichés en dong, nous les indiquons en dong également.

De même, nous donnons en dollars ceux donnés en dollars. Aussi étrange que cela puisse paraître, c'est ainsi que se présentent les prix au Vietnam — autant vous habituer au plus vite à penser en dong et en dollars.

Prévoir une petite calculatrice de poche est une bonne idée. Au lieu de consulter un journal, utilisez le convertisseur de devises www.oanda.com, qui vous donnera le dernier cours du dong.

Taux de change

pays	unité		dong
Canada	1 $CAN	=	10 184 d
Chine	1 Y	=	1 864 d
États-Unis	1 $US	=	15 424 d
euro	1 €	=	16 766 d
Hong Kong	1 $HK	=	1 978 d
Singapour	1 $S	=	8 847 d
Suisse	1 FS	=	11 437 d
Taiwan	1 $NT	=	444 d
Thaïlande	1 B	=	360 d

Change

Bien que l'on puisse en théorie changer les principales devises étrangères, le dollar américain demeure la devise préférée. Veillez à emporter suffisamment de dollars US en liquide ou de chèques de voyage pour tout votre séjour et conservez-les dans un endroit sûr. Ne les rangez pas tous au même endroit. Si vous perdez votre argent, vous vous retrouverez dans une situation critique, à moins de pouvoir en emprunter à un autre voyageur ou que l'on vous en envoie.

Sur place, prenez garde aux faux billets, en particulier ceux de 20 000 d et 50 000 d, qui sont importés de Chine. Le problème ne se pose pas si vous changez votre argent dans une banque, mais la situation diffère sur le marché libre.

Assurez-vous que les chèques de voyage et les espèces que vous emportez ne sont pas abîmés et ne comportent aucun graffiti. Le cas échéant, des employés tatillons vous les refuseront purement et simplement.

La Vietcombank, qui n'est autre que la Banque du commerce extérieur du Vietnam (Ngan Hang Ngoai Thuong Viet Nam), est celle qui offre le plus de facilités pour changer les devises étrangères et les chèques de voyage, bien que d'autres établissements bancaires proposent les mêmes prestations. Ils ouvrent générale-

Une monnaie instable

L'histoire du dong est marquée du sceau de l'instabilité. À l'époque de l'Indochine française, il s'appelait piastre. En 1954, la partition du Vietnam a impliqué la création de deux dong distincts, mais de même valeur : celui du Nord, celui du Sud.

En 1975, 1 $US valait 450 dong du Sud-Vietnam. En 1976, le Gouvernement révolutionnaire provisoire (GRP) supprima le dong sud-vietnamien et imposa une nouvelle monnaie, le dong GRP. La parité entre les deux monnaies s'établit non pas sur la base de 1/1, mais de 500/1, en faveur du dong GRP. En outre, les Sud-Vietnamiens n'eurent pas le droit de changer plus de 200 dong par famille. Cette démonétisation subite du Sud-Vietnam eut pour effet immédiat de réduire à la pauvreté une population plutôt aisée et de provoquer rapidement l'effondrement de l'économie. Seuls les plus prévoyants, qui avaient conservé leur richesse en or ou en bijoux, furent un tant soit peu épargnés par la crise.

En 1977, les deux dong (nord-vietnamien et GRP) furent dévalués et "réunifiés". La parité était de 1/1 dans le Nord et de 1/1,2 dans le Sud. Les Sud-Vietnamiens jouirent donc cette fois d'un léger avantage, maigre compensation de la perte de 500 % qu'avait subie leur monnaie l'année précédente.

L'année 1985 connut la dernière tentative de parité monétaire. Comme l'inflation dévaluait rapidement le dong, le gouvernement décida d'émettre une nouvelle monnaie à un taux dix fois supérieur à l'ancienne. Chaque famille ne put cette fois obtenir que l'équivalent de 2 000 dong anciens en nouveaux billets, avec certaines dérogations. Plutôt que de mettre un frein à la hausse des prix, comme le gouvernement l'avait espéré, l'émission de la nouvelle monnaie provoqua à nouveau une terrible inflation. Aujourd'hui, les vieux billets de 20 dong ne valent même pas le prix du papier sur lequel ils sont imprimés.

ment de 8h à 15h en semaine, jusqu'à 12h le samedi et ferment le dimanche et les jours fériés, ainsi que 1 heure 30 à l'heure du déjeuner.

Les chèques de voyage se changent uniquement dans les banques de change habilitées pour ces transactions. Malheureusement, elles ne sont pas présentes dans chaque ville (ni même dans chaque province). Étonnamment, aucune banque n'est installée aux postes-frontières avec le Cambodge et le Laos, ni à Lao Cai et Dong Dang (deux points de passage très fréquentés à la frontière chinoise). Dans ces endroits, seul le marché noir peut vous dépanner. De plus, les succursales de la Vietcombank aux aéroports de HCMV et de Hanoi ne fonctionnent qu'aux heures d'ouverture des banques ; elles sont donc fermées aux heures de départ et d'arrivée de la moitié des vols ! Il est impératif de ne pas compter uniquement sur les chèques de voyage. Gardez une provision raisonnable de dollars US en coupures de valeur différente. Il est possible de se faire remplacer les chèques de voyage à Hanoi et à HCMV.

Si vous possédez uniquement des chèques de voyage, vous pourrez obtenir des dollars US en liquide dans les banques de change habilitées, moyennant une commission allant de 1,25 à 3%. La Vietcombank ne prend pas de commission sur le change de chèques de voyage en dong.

Si vos chèques de voyage sont libellés dans une autre monnaie que le dollar US, vous risquez d'avoir du mal à les changer. En insistant, certaines banques vous les changeront peut-être en dong, mais prélèveront au passage une commission substantielle (peut-être 10%) pour compenser d'éventuelles fluctuations du marché ; souvent, elles ne connaissent pas les derniers taux de change des monnaies autres que le dollar US.

À votre départ du pays, vous n'avez pas le droit de sortir des dong mais pouvez en reconvertir une quantité raisonnable en dollars, sans reçu officiel ; reste à définir ce que chacun entend par "raisonnable". Si une somme correspondant à quelques centaines de dollars peut passer, l'équivalent de plusieurs milliers de dollars attirera immanquablement l'attention des douaniers, qui voudront savoir pourquoi il vous reste autant de dong. La plupart des visiteurs n'ont rencontré aucune difficulté, mais un reçu officiel permet d'éviter toute contestation.

Les petites valeurs que représentent les billets vietnamiens impliquent des centaines de billets à compter à chaque opération de change : contre 100 \$US, on vous remettra environ 1,5 million de dong !

Les cartes Visa, MasterCard et JCB sont désormais largement acceptées dans toutes les grandes villes et dans de nombreux centres touristiques. Néanmoins, on vous ajoutera une commission de 3% sur chaque opération ; posez la question avant de payer, car certains commerçants perçoivent une commission plus élevée que d'autres. Certains commerçants acceptent également la carte AmEx, pour laquelle ils prennent une commission de 4%. En général, les hôtels et restaurants de catégorie supérieure ne prennent pas de commission.

Dans la plupart des villes, la Vietcombank, de même que certaines banques étrangères à HCMV et Hanoi, délivrent des avances en espèces sur les cartes Visa, MasterCard et JCB. Ces établissements prennent le plus souvent une commission de 3%.

À HCMV, plusieurs banques sont équipées de distributeurs automatiques (DAB) qui acceptent les cartes étrangères, notamment l'ANZ et la Hongkong Bank (HSBC). Vous ne pourrez obtenir que des dong, dans la limite de 2 000 000 d (133 \$US) par jour. Pour retirer des sommes plus importantes en dong ou en dollars US, adressez-vous aux guichets bancaires pendant les heures ouvrables.

Les étrangers ayant l'intention de séjourner longtemps au Vietnam, que ce soit pour leurs affaires, le travail ou les loisirs, peuvent ouvrir un compte à la Vietcombank, en dong ou en dollars US. Il existe des comptes de dépôt à vue et à terme rapportant tous deux des intérêts. La Vietcombank peut délivrer des lettres de crédit à ceux qui se consacrent à l'import-export, voire octroyer des prêts.

N'oubliez pas que, hors des grandes villes, il peut être très difficile de trouver une banque qui accepte les chèques de voyage – pensez à changer suffisamment d'argent avant de partir en province. Changer des dollars en espèces s'avère bien plus facile, mais plus on s'éloigne de la ville, plus le taux baisse.

Marché noir. Le marché noir est le système bancaire vietnamien officiel. Il se pratique presque partout et quasiment au grand jour. Les personnes privées (tels que les chauffeurs de taxi) ainsi que certains commerces (bijouteries, agences de voyages) échangeront vos dollars US contre des dong et vice versa. Même si cette pratique est illégale, personne ne cherche réellement à faire respecter la loi. N'oubliez pas pour autant que les taux de change au marché noir sont généralement *moins intéressants* que ceux du marché officiel. Habituellement, vous perdrez de 1 à 5% sur vos transactions. Dans certains endroits loin de tout (comme Sapa), vous pourrez changer vos chèques de voyage au marché noir moyennant une commission exorbitante de 10%.

L'un des moyens les plus répandus, les plus pratiques et en général les plus sûrs de changer des dollars US en dong est de s'adresser aux bijouteries. La plupart d'entre elles offrent un taux similaire à celui des banques (et légèrement supérieur pour les grosses coupures, de 50 ou 100 \$US). Vérifiez la somme au comptoir avant de sortir du magasin.

Si l'on vous aborde dans la rue en vous proposant un taux plus avantageux que l'officiel, vous pouvez être sûr que c'est un coup monté. Une offre trop alléchante masque le plus souvent une escroquerie.

Sécurité

Le Vietnam compte sa part de pickpockets, en particulier à HCMV, Nha Trang et Hanoi. Plutôt que de perdre votre argent liquide ou vos chèques de voyage (voire votre passeport), autant mettre à l'abri les sommes importantes et autres objets précieux.

Parmi les diverses astuces aptes à contrecarrer les projets des pickpockets, citons les poches cousues à l'intérieur des pantalons, les bandes velcro pour fermer les poches, une ceinture à billets à mettre sous ses vêtements ou une pochette sous sa chemise. Un gilet porté sous le blouson sera idéal dans les rares endroits frais du Vietnam – option irréalisable en été et dans le Sud, où il fait trop chaud pour porter une épaisseur supplémentaire. Une réserve secrète sera précieuse en cas de vol.

Coût de la vie

Le Vietnam demeure l'une des destinations les plus avantageuses d'Asie du Sud-Est. Le coût de votre voyage dépendra de vos goûts et de vos penchants pour le luxe. Les ascètes peuvent ne dépenser que 10 \$US par jour et le budget classique d'un voyageur sac au dos s'élève à 20 ou 25 \$US. En revanche, si vous louez une voiture, ce que beaucoup de voyageurs finissent par faire, votre budget s'en ressentira lourdement. Emprunter le bus ou le train permet de considérables économies.

Les factures sont souvent gonflées pour les étrangers, notamment dans les boutiques de souvenirs et certains restaurants. De même, des chauffeurs de taxi et de bus multiplient fréquemment le prix vietnamien. Ne croyez pas pour autant que tout le monde cherche à vous rouler : malgré leur extrême pauvreté, beaucoup de Vietnamiens ne demandent que le prix local pour de nombreux biens et services.

Pourboire et marchandage

Les Vietnamiens ne s'attendent pas à un pourboire, mais seront heureux si vous en laissez un. Pour quelqu'un gagnant 50 \$US par mois, un pourboire de 1 \$US représente une demi-journée de travail ! Les hôtels de luxe et certains restaurants ont tendance à facturer un service de 5% outre la taxe gouvernementale (TVA) de 10%. Ce service peut être considéré comme obligatoire, même s'il est probable que seule une infime proportion reviendra aux employés. Nous vous suggérons de donner un pourboire au personnel de ménage si vous restez quelques jours dans le même hôtel (1 \$US suffit).

Si vous avez loué les services d'un guide ou d'un chauffeur qui aura passé du temps avec vous, un pourboire semble également de rigueur. Même chose si vous faites une excursion d'une journée en groupe : les guides et les chauffeurs sont payés une poignée de cerises.

Les voyageurs en excursion à bord d'un minibus se cotisent généralement pour réunir une somme d'argent à répartir entre le guide et le chauffeur. Un dollar par jour et par personne semble raisonnable. Rien ne vous empêche bien sûr de donner plus ou de ne pas donner du tout s'il y a une bonne raison à cela.

Il est de coutume de laisser une petite obole lors de la visite d'une pagode, surtout si le bonze vous a servi de guide. Vous trouverez un tronc prévu à cet effet.

Beaucoup de visiteurs s'imaginent que les Vietnamiens n'ont qu'une idée en tête, les rouler. C'est faux : il est inutile de discuter pour tout. Parfois, en revanche, le marchandage est de mise.

Dans les régions touristiques, les vendeurs de cartes postales ont la réputation de demander cinq fois le tarif ordinaire.

La plupart des chauffeurs de cyclomoteurs et de motocyclettes tentent également de gonfler les prix réservés aux étrangers ; renseignez-vous à l'avance sur le montant normal, puis négociez en conséquence.

N'oubliez jamais qu'il ne faut pas "perdre la face" en Asie (voir la rubrique *Comportements et usages* dans le chapitre *Présentation*). Marchander ne veut pas dire s'affronter, bien au contraire. Il faut garder le sourire et ne jamais crier. Les Occidentaux ont tendance à prendre le marchandage trop au sérieux et se vexent s'ils n'arrivent pas à faire baisser les prix de moitié. Que vous obteniez un rabais de 10 ou 50%, menez toujours vos transactions avec le sourire.

L'affaire se conclut quand vous remettez l'argent – et si quelqu'un s'en est mieux tiré que vous, inutile de ruminer, vous gâcheriez votre plaisir de voyager !

Taxes

Sur la plupart des marchandises et des services, le prix indiqué comprend les taxes. Une TVA ayant été instaurée en 1999, ne soyez pas surpris de voir figurer un supplément de 10% sur votre note. Certains hôtels et restaurants ajoutent 5% pour le service, mais cela doit figurer sur le tableau des tarifs ou le menu (si vous avez un doute, demandez).

Le gouvernement chercherait des moyens de freiner l'évasion fiscale. Si les percepteurs se mettaient à appliquer la loi, toutefois, ce serait un désastre pour l'économie du pays.

POSTE ET COMMUNICATIONS
Tarifs postaux

Les tarifs intérieurs sont bon marché : l'affranchissement d'une lettre revient à 800 d.

Les tarifs postaux internationaux sont similaires à ceux des pays européens : envoyer une carte postale coûte 8 000 d pour l'Europe, 9 000 d pour l'Amérique et 7 000 d pour l'Asie. Ces tarifs, qui peuvent

paraître raisonnables, sont trop élevés pour la plupart des salariés, qui n'ont pas les moyens d'envoyer des lettres à leur famille ou à leurs amis résidant à l'étranger.

Si vous avez l'intention d'entretenir une correspondance avec des Vietnamiens, laissez-leur des timbres pour plusieurs lettres. Ou bien achetez des carnets de timbres sur place que vous remporterez avec vous afin d'en faire parvenir quelques-uns à vos correspondants pour la réponse.

Envoyer du courrier

Dans tout le pays, les bureaux de poste sont généralement ouverts de 6h à 20h environ, week-end et jours fériés compris (même pendant le Têt).

Le courrier international envoyé d'un endroit autre que les grandes villes peut mettre plus d'un mois pour arriver. En revanche, le courrier qui part de HCMV et de Hanoi par avion pour l'Ouest ne met pas plus de 5 à 10 jours, à condition de franchir sans encombre les services de sécurité.

L'EMS, accessible dans les grandes villes, peut être deux fois plus rapide que le courrier aérien normal, son autre grand avantage étant que l'envoi est enregistré. L'EMS fonctionne également entre HCMV et Hanoi (de même que certaines villes de moindre importance comme Danang et Nha Trang), assurant la distribution le lendemain.

Les étrangers qui souhaitent expédier des colis doivent s'attendre à une inspection en règle du contenu, bien que cette pratique tende à disparaître. Sachez qu'il est préférable d'envoyer des petits colis. S'il s'agit de documents, vous ne rencontrerez en principe aucun problème. Envoyer des cassettes vidéo est en revanche plus compliqué.

Les transporteurs privés comme FedEx, DHL, Airborne Express et UPS expédient des documents ou de petits paquets, dans le pays ou à l'étranger. Pour les adresses, reportez-vous aux chapitres *Hanoi* et *Ho Chi Minh-Ville*.

Si vous comptez expédier chez vous des meubles vietnamiens, vous devrez passer par un transitaire international.

Recevoir du courrier

Chaque ville, village ou communauté rurale est équipé d'une poste (*Buu Dien*).

L'acheminement du courrier est en général fiable et rapide. Vous n'avez pas de souci à vous faire si votre enveloppe ou votre colis n'offre aucune tentation.

En général, les lettres et cartes postales normales arrivent à bon port. Toutefois, l'un de nos lecteurs à HCMV affirme que son courrier a été ouvert et des coupures de journaux concernant l'économie vietnamienne, censurées.

Dans les postes de HCMV et de Hanoi, le service de poste restante fonctionne bien. Ailleurs, rien n'est moins sûr : plus la ville est petite, moins il est probable qu'elle puisse offrir cette prestation. Les étrangers doivent acquitter 500 d pour chaque lettre qu'ils retirent.

Recevoir un petit paquet de l'étranger, *a fortiori* un gros, n'est pas toujours de la plus grande facilité. Avec un peu de chance, la douane le laissera passer et les employés de la poste vous le remettront sans autre formalité. Sinon, les douaniers exigeront d'en inspecter le contenu (parfois longuement) en votre présence.

Si votre colis contient des livres, des documents, des cassettes vidéo, des disquettes d'ordinateur ou tout autre produit "dangereux", il est fort possible qu'une seconde inspection soit nécessaire. Cela peut prendre alors entre quelques jours et… quelques semaines. Vous n'êtes alors pas obligé de patienter tout ce temps dans la salle d'attente. Si vous jouez de malchance, les douaniers vous demanderont de payer taxe d'importation.

Téléphone
Numéros utiles. Lorsque vous composez les numéros de téléphone mentionnés ci-dessous, ne vous étonnez pas si votre interlocuteur ne parle que le vietnamien.

Ambulance	☎ 115
Horloge parlante	☎ 117
Opérateur international	☎ 110
Police	☎ 113
Pompiers	☎ 114
Renseignements téléphoniques	☎ 116

Toutes les grandes villes possèdent un **service de renseignements** (*☎ 1080*), qui vous donnera aussi bien un numéro de téléphone ou des horaires de train et d'avion que les taux de change et les derniers résultats de football. Il délivre même des conseils matrimoniaux ou vous recommande des berceuses pour votre bébé ! On peut généralement obtenir un opérateur parlant français.

Appels internationaux. L'indicatif téléphonique du Vietnam est le 84. Pour téléphoner au Vietnam depuis l'étranger, vous devrez ainsi composer le ☎ 00 84, suivi de l'indicatif de la ville ou de la région sans le 0 initial, puis du numéro de votre correspondant (voir l'encadré *Indicatifs téléphoniques*).

Les tarifs des communications internationales depuis le Vietnam ont diminué considérablement ces dernières années. Depuis l'introduction du *Voice Over Internet Protocol* en 2001, il est possible de joindre une cinquantaine de pays au tarif forfaitaire de 1,30 $US la minute, soit un peu plus de la moitié de l'ancien tarif le moins cher. Ce service est accessible à partir de n'importe quel appareil téléphonique ; il suffit de composer ☎ 17100, suivi du code du pays et du numéro du correspondant.

On peut appeler la province ou l'étranger depuis de nombreux hôtels, mais à quel prix ! Cela revient moins cher de passer ses appels de la poste.

Les appels internationaux vous reviendront moins cher si vous passez un appel IDD (International Direct Dial) au moyen de l'UniphoneKad, une carte en vente dans les grands bureaux de poste. On ne peut l'utiliser que dans des publiphones spéciaux installés dans les plus grandes villes et dans les halls des grands hôtels.

Il existe quatre sortes de cartes : à 30 000 d, 60 000 d, 150 000 d et 300 000 d. Ces deux dernières s'utilisent pour appeler partout, alors que les deux premières ne fonctionnent que pour les appels locaux.

À l'inverse des Vietnamiens, les étrangers ne sont pas autorisés à appeler l'international en PCV. En effet, la Direction générale des postes et communications (DGPT) gagne moins d'argent sur un appel en PCV que sur un appel facturé au Vietnam. Sachez donc qu'en cas de perte de votre carte de crédit ou de vos chèques de voyage, vous ne pourrez pas prévenir par PCV les organismes concernés. C'est particulièrement désastreux si l'on vous a

Indicatifs téléphoniques

n°	province	capitale	indicatif
1	Lai Chau	Dien Bien Phu	☎ 023
2	Lao Cai	Lao Cai	☎ 020
3	Ha Giang	Ha Giang	☎ 019
4	Cao Bang	Cao Bang	☎ 026
5	Lang Son	Lang Son	☎ 025
6	Quang Ninh	Along	☎ 033
7	Bac Giang	Bac Giang	☎ 0240
8	Thai Nguyen	Thai Nguyen	☎ 0280
9	Bac Can	Bac Can	☎ 0281
10	Tuyen Quang	Tuyen Quang	☎ 027
11	Yen Bai	Yen Bai	☎ 029
12	Son La	Son Lo	☎ 022
13	Phu Tho	Viet Tri	☎ 0210
14	Vinh Phuc	Vinh Yen	☎ 0211
16	Bac Ninh	Bac Ninh	☎ 0241
17	Hai Duong	Hai Duong	☎ 0320
19	Thai Binh	Thai Binh	☎ 036
20	Hung Yen	Hung Yen	☎ 0321
21	Ha Tay	Ha Dong	☎ 034
22	Hoa Binh	Hoa Binh	☎ 018
23	Ha Nam	Ha Nam	☎ 0351
24	Nam Dinh	Nam Dinh	☎ 0350
25	Ninh Binh	Ninh Binh	☎ 030
26	Thanh Hoa	Thanh Hoa	☎ 037
27	Nghe An	Vinh	☎ 038
28	Ha Tinh	Ha Tinh	☎ 039
29	Quang Binh (39/40)	Dong Hoi	☎ 052
30	Quang Tri	Dong Ha	☎ 053
31	Thua Thien-Hué (39/40)	Hué	☎ 054
33	Quang Nam	Tam Ky	☎ 510
34	Quang Ngai	Quang Ngai	☎ 055
35	Kon Tum	Kon Tum	☎ 060
36	Binh Dinh	Qui Nhon	☎ 056
37	Gia Lai	Pleiku	☎ 059
38	Phu Yen	Tuy Hoa	☎ 057
39	Dac Lac	Buon Ma Thuot	☎ 050
40	Khanh Hoa	Nha Trang	☎ 058
41	Ninh Thuan	Phan Rang	☎ 068
42	Lam Dong	Dalat	☎ 063
43	Binh Phuoc	Dong Xoai	☎ 0651
44	Tay Ninh	Tay Ninh	☎ 066
45	Binh Duong	Thu Dau Mot	☎ 0650
46	Dong Nai	Bien Hoa	☎ 061
47	Binh Thuan	Phan Thiet	☎ 062
48	Ba Ria	Vung Tau	☎ 064
50	Long An	Tan An	☎ 072

n°	province	capitale	indicatif
51	Tien Giang	Mytho	☎ 073
52	Ben Tre	Ben Tre	☎ 075
53	Tra Vinh	Tra Vinh	☎ 074
54	Vinh Long	Vinh Long	☎ 070
55	Dong Thap	Cao Lanh	☎ 067
56	An Giang	Long Xuyen	☎ 076
57	Kien Giang	Rach Gia	☎ 077
58	Cantho	Cantho	☎ 071
59	Soc Trang	Soc Trang	☎ 079
60	Bac Lieu	Bac Lieu	☎ 0781
61	Camau	Camau	☎ 0780

n°	municipalité		indicatif
15	Hanoi		☎ 04
18	Haiphong		☎ 031
32	Danang		☎ 0511
49	HCMV		☎ 08

dérobé tout votre argent liquide et si vous devez demander de l'aide à l'étranger.

Appels locaux. À l'exception de certains numéros (comme les pompiers ou les renseignements), les numéros de téléphone de Hanoi et de HCMV comportent 7 chiffres. En dehors de ces deux villes, les numéros sont à 6 chiffres.

Au Vietnam, chaque province a son indicatif (reportez-vous au tableau *Indicatifs téléphoniques*).

On peut en général téléphoner localement de tous les hôtels et restaurants, le plus souvent gratuitement (vérifiez avant d'appeler).

Le prix des appels nationaux longue distance est raisonnable, surtout en automatique. Une communication entre Hanoi et HCMV en pleine journée, donc à plein tarif, revient à quelque 4 000 d la minute. Vous pouvez économiser jusqu'à 20% en téléphonant entre 22h et 5h.

Téléphones portables. Comme de nombreux pays en développement, le Vietnam investit beaucoup d'argent dans le réseau cellulaire. Il utilise le réseau GSM 900/1800, compatible avec la plupart des pays d'Asie et d'Europe mais pas avec le GSM 1900 d'Amérique du Nord ni avec le système japonais. Si vous possédez un téléphone GSM, vérifiez auprès de votre opérateur que le Vietnam est bien couvert par le réseau et méfiez-vous des appels qui passent par un réseau international (et sont très chers pour un appel "local").

Les résidents étrangers peuvent faire une demande de téléphone cellulaire dans la plupart des grandes villes. Les touristes étrangers peuvent utiliser un téléphone portable personnel à condition d'être reliés au réseau GSM et d'acquérir une carte SIM avec un numéro utilisable au Vietnam. Les cartes SIM coûtent 150 000 d, et l'on trouve des cartes prépayées sous diverses appellations. Il est par ailleurs possible de louer un téléphone portable avec un forfait prépayé.

Rivales, les compagnies Vina Phone et Mobi Phone se sont affrontées sur le marché de la téléphonie mobile en cassant les prix et en proposant des promotions alléchantes pour attirer de nouveaux clients. Toutes deux disposent de bureaux et de succursales dans tout le pays.

Appeler un numéro de portable au Vietnam (repérable au préfixe ☎ 0903 ou ☎ 0913) revient naturellement plus cher qu'un numéro local.

Fax

La plupart des grandes postes et des hôtels offrent un service (international et local) de fax, télégramme et télex. Les prix pratiqués dans les hôtels sont plus élevés que ceux des bureaux de poste.

E-mail et accès Internet

Aujourd'hui, l'accès aux services en ligne est désormais largement répandu dans les principaux centres touristiques tels que Hanoi, HCMV, Hoi An, Hué, Danang, Nha Trang et Dalat. Vous trouverez de tout, des cybercafés branchés jusqu'aux terminaux installés dans les halls des hôtels et des pensions. De nombreux bureaux de poste offrent également un accès public à Internet.

La connexion coûte généralement de 100 d à 500 d la minute, selon l'endroit où vous vous trouvez. L'impression revient à 1 000 d la page et scanner à environ 2 000 d la page.

Avant votre départ, vous pouvez créer une adresse gratuite auprès d'un portail. Il vous suffira de vous connecter sur ce site, depuis un cybercafé par exemple, pour envoyer ou recevoir vos e-mails.

La plupart des voyageurs font appel aux cybercafés et autres lieux d'accès public pour consulter leurs e-mails. Au Vietnam, Hotmail se charge bien plus lentement que Yahoo! Mail. Néanmoins, l'un comme l'autre vous laisseront le temps de lire un journal pendant que vous naviguez d'une page à l'autre.

Si vous choisissez cette solution, notez bien les trois informations nécessaires pour accéder à votre compte : le nom de votre serveur entrant (POP ou IMAP), votre nom d'utilisateur et votre mot de passe. Votre prestataire Internet vous les fournira. Muni de ces renseignements, vous pourrez consulter votre messagerie à partir de n'importe quel ordinateur connecté du monde, à condition qu'il dispose d'un logiciel de courrier électronique (Nescape et Internet Explorer possèdent des interfaces à cet usage). Avant de partir, mieux vaut vous familiariser avec la procédure à suivre.

Une autre solution est d'ouvrir un compte e-mail gratuit sur **ekno** *(www.ekno. lonelyplanet.com)*, un service de messagerie Internet et de téléphone que propose Lonely Planet aux voyageurs. Vous pourrez alors accéder à vos e-mails depuis n'importe quel ordinateur connecté à Internet.

Voyager avec un ordinateur peut également être un excellent moyen de rester en contact avec les siens ; toutefois, à moins de savoir ce que vous faites, cela risque de vous poser quelques problèmes. Si vous décidez d'emporter votre agenda électronique ou votre ordinateur portable, n'oubliez pas que le voltage peut être différent de celui de votre pays d'origine et risque d'endommager votre matériel. Mieux vaut investir dans un adaptateur universel, qui vous permettra de vous brancher partout sans craindre de griller les circuits. Il vous faudra en outre un adaptateur de prise, plus facile à trouver dans votre pays.

Les voyageurs équipés d'un ordinateur portable se réjouiront d'apprendre que les cartes prépayées d'accès à Internet viennent de faire leur apparition, permettant ainsi de se brancher sur le Net partout dans le pays. La carte Internet de **FPT** *(☎ 08-821 4160, www.hcm.fpt.com)*, l'un des plus grands ISP du Vietnam, est en vente dans la majorité des villes (repérez le panonceau "FPT"). Les cartes comportent un mot de passe à gratter et sont en général proposées par tranches de 100 000 d.

Les utilisateurs de cartes Internet doivent cependant savoir qu'il existe un risque éventuel. Bien qu'il s'agisse techniquement d'appels locaux, quand vous appellerez les numéros d'accès local ☎ 1260 et ☎ 1280 depuis l'hôtel, vous serez facturé à la minute. Par conséquent, demandez à la réception — en montrant le numéro d'accès que vous pensez utiliser — combien sera facturé l'appel et si le montant est forfaitaire ou calculé à la minute. Dans ce dernier cas, il vous reviendra moins cher de relever vos mails dans un café Internet.

INTERNET
Le Web est une véritable mine pour les voyageurs. On peut se documenter sur son voyage, chercher des prix imbattables pour son billet d'avion, réserver des hôtels, consulter les prévisions météo et discuter avec des habitants du pays ou d'autres voyageurs sur les sites à voir (ou à éviter).

Si vous souhaitez obtenir des informations de dernière minute, connectez-vous au site de Lonely Planet : www.lonelyplanet.fr. Des rubriques complètent utilement votre information : catalogue des guides, courrier des voyageurs, actualités en bref et fiches pays. Profitez aussi des forums pour poser des questions ou partager vos expériences avec d'autres voyageurs. Vous pouvez consulter également le site de Lonely Planet en anglais (www.lonelyplanet.com).

Un site en français (http://www.cap-vietnam.com/) recense de nombreuses informations tant pratiques que culturelles, utiles à ceux qui s'apprêtent à visiter le Vietnam. Cependant, comble de l'ironie, les meilleurs renseignements en ligne sur le Vietnam sont dispensés par son vieil ennemi, les États-Unis. Les auteurs sont pour la plupart des Vietnamiens vivant aux États-Unis ou ailleurs. Internet évoluant chaque jour, nos commentaires sur les sites risquent d'être vite dépassés. Toutefois, nous avons visité quelques adresses intéressantes.

Everything Vietnam (www.everythingvietnam.com) est un site assez récent, installé par un Américain expatrié à Hanoi et qui donne des adresses où se nourrir, boire et dormir dans les grandes villes vietnamiennes.

Jewels of the Mekong Delta (www.travelindia.com/mekong/) propose des informations et des nouvelles sur les pays traversés par le Mékong (Vietnam, Cambodge, Laos, Myanmar et Thaïlande).

Motorbiking Vietnam (www.motorbikingvietnam.com), un site abondamment illustré de photos, s'adresse aux amateurs de deux-roues voulant visiter le pays.

Things Asian (www.thingsasian.com) abonde en informations sur la culture du Vietnam, de l'architecture à la littérature en passant par la mode.

Autre excellente adresse, fort populaire, Vietnam Adventures Online (www.vietnamadventures.com) regorge d'informations pratiques pour les voyageurs. Elle présente chaque mois de nouvelles aventures et des voyages en promotion.

Vietnam Online (www.vietnamonline.com) est sur le Web depuis 1995 et reçoit de très nombreux visiteurs. Le site donne des conseils de voyage très utiles et couvre de façon complète les opportunités d'emploi et d'affaires au Vietnam.

Vietnam Travel (www.vietnam-travel.com), également consacré aux voyages au Vietnam, offre un choix de liens intéressants.

LIVRES

Il existe en français de nombreux ouvrages sur le Vietnam. Notre liste n'est certes pas exhaustive mais elle contribuera à vous donner une idée assez complète du pays, de son histoire et de sa culture.

Lonely Planet

En anglais uniquement, le *Vietnamese Phrasebook* vise à vous enseigner quelques rudiments de la langue – il peut également vous distraire durant les longs trajets en bus !

Si vous cherchez à tout savoir sur HCMV et Hanoi, vous pouvez vous procurer les guides *Ho Chi Minh City (Saigon)* et *Hanoi*.

Enfin, *World Food Vietnam*, concis et illustré, vous aidera à choisir mets et boissons et comporte un glossaire fort utile pour commander votre repas ou faire vos achats.

Guides

Dans les librairies vietnamiennes, vous trouverez quelques guides en français, édités sur place. Reportez-vous à la rubrique *Librairies* des chapitres *Hanoi* et *Ho Chi Minh-Ville*.

Histoire et politique

Le Vietnam d'avant 1975 a inspiré de nombreux auteurs français mais la quasi-totalité de ces ouvrages est malheureusement épuisée, comme ce superbe livre de photos accompagnées de textes de Jean Lacouture, *Vietnam : voyage à travers une victoire* (Seuil, 1976). Pour un panorama général, on lira le Que sais-je ? *Le Viêt-Nam*, de Pierre-Richard Feray (n°398, 2001), qui permettra au lecteur pressé d'avoir un aperçu des données politiques et économiques.

Pour ceux qui souhaitent approfondir la question, mentionnons deux livres de référence. *Histoire du Viet Nam des origines à 1858* (éd. Sudestasie, 1982) est une vaste étude réalisée par un historien universitaire renommé, Lê Thanh Khôi ; cet ouvrage a

obtenu le prix de l'Académie des sciences d'outre-mer. Quant à *La Société vietnamienne, 1882-1902*, du sociologue Nguyen Van Phong (PUF, 1972), elle analyse les premiers mouvements indépendantistes.

Mentionnons également l'*Histoire de l'Indochine : la perle de l'Empire (1624-1954)* (Albin Michel, 1998) de Philippe Héduy, un ouvrage complet et accessible.

Véritable somme historique, *Viêt-nam, 1920-1945*, de Ngo Van (éd. L'insomniaque, 1995), est une chronique de la révolution et de la contre-révolution sous la domination coloniale. Cet ouvrage présente par ailleurs l'intérêt d'être un témoignage de première main : l'auteur a en effet vécu les drames de la lutte anticolonialiste.

Les plus déterminés peuvent consulter en bibliothèque les ouvrages fondamentaux (mais épuisés) de Paul Mus, professeur au Collège de France. L'auteur y démontre pourquoi l'arrivée de Ho Chi Minh ne fut pas, selon lui, une rupture dans l'histoire du Vietnam mais bien une continuité.

Le Vietnam de l'après-guerre a suscité beaucoup moins d'intérêt chez les écrivains français que le Vietnam d'avant 1975. On recommandera néanmoins un ouvrage collectif, *Vietnam : l'histoire, la terre, les hommes*, sous la direction d'Alain Ruscio (L'Harmattan, 1993), qui, bien qu'assez orienté par la vision marxiste des événements, se révèle une étude complète et claire du Vietnam au XXe siècle. L'essai de Trinh Van Thao, professeur de sociologie à l'université d'Aix-en-Provence, *Du confucianisme au communisme* (L'Harmattan, 1990), est également à conseiller.

La littérature en langue anglaise (ou plutôt américaine) est en revanche très abondante, notamment sur les années de guerre et leurs conséquences. Ces ouvrages n'ont généralement pas été traduits, à l'exception notable de *L'Innocence perdue : un Américain au Vietnam*, de Neil Sheehan (Seuil, coll. "Points actuels", 1990). L'auteur, ancien reporter au Vietnam, a mis seize ans à rédiger ce récit, lauréat du prix Pulitzer et considéré comme l'un des ouvrages fondamentaux sur la guerre.

Sur la vie au Vietnam pendant la guerre contre les Américains, vue par un Vietnamien, on pourra lire en français *Vie souterraine sous l'occupation américaine*, de Nguyen Sang. Autre ouvrage sur la présence américaine au Vietnam, mais vue cette fois de l'autre côté, *Les Américains et la guerre du Vietnam*, de Jacques Portes (Complexe, coll. "Questions du XXᵉ siècle" n°56, 1993), analyse les conséquences de cette guerre sur la société américaine.

Dernier point de vue pour compléter ce panorama : *Mémoires d'un Vietcong*, de Truong Nhu Tang (Flammarion, 1985), ancien ministre de la Justice, réfugié en France depuis 1978.

Sur la guerre d'Indochine, les ouvrages ne manquent pas, mais on peut conseiller *la Guerre d'Indochine : 1945-1954*, de Jacques Dalloz (Seuil, coll. "Points histoire", 1987) et *La Guerre française d'Indochine : 1945-1954, La mémoire du siècle*, d'Alain Ruscio (Complexe, 1992). D'Alain Ruscio toujours, un ouvrage sur la bataille de Dien Bien Phu : *Dien Bien Phu, la fin d'une illusion* (L'Harmattan, 1987).

Autre ouvrage intéressant pour les mordus de cette période, les archives sur la guerre d'Indochine sont rassemblées dans un même ouvrage et présentées par Philippe Devillers : *Paris, Saigon, Hanoi, les archives de la guerre, 1944-1947* (Gallimard, coll. "Archives", 1988).

Sur l'histoire plus immédiate, on se procurera un témoignage sur le départ des boat people : *Les Enfants de Thai Binh*, volumes 1 et 2, *Nostalgies provinciales* et *Dans le tourmente*, de Duyên Anh (Fayard, coll. "Les Enfants du fleuve", 1993 et 1994).

Peuple, culture et société

Pour mémoire, mais surtout pour les passionnés de l'histoire des Cham et du royaume du Champa qui auraient le temps de consulter en bibliothèque, citons quelques ouvrages fondamentaux sur la question, rédigés par des chercheurs français pendant la période coloniale et introuvables en librairie : *Les États hindouisés d'Indochine et d'Indonésie*, de Georges Coedes (Paris, 1928) ; *L'Art du Champa et son évolution*, de Philippe Stern (Toulouse, 1942) ; *Le royaume du Champa*, de Georges Maspero (Paris et Bruxelles, 1928).

Vous trouverez à Hanoi des exemplaires bon marché de *Vietnam, Civilisation et Culture*, de Pierre Huard et Maurice Durand (École française d'Extrême-Orient), et de *Ethnic Minorities in Vietnam*, de

Dang Nghiem Van, Chu Thai Son et Luu Hung (Foreign Language Publishing House, 1984). Ces deux ouvrages présentent les divers groupes ethniques qui habitent au Vietnam, encore que le second mêle l'ethnologie avec quelque propagande critiquable. Pour une étude plus approfondie, procurez-vous *Hill Tribes of Vietnam* de John Schliesinger. Le premier volume propose une introduction et une vue d'ensemble, le second étudie en détail les différentes tribus montagnardes.

Également disponible à Hanoi et à HCMV, l'excellent ouvrage de référence *Vietnam's Famous Ancient Pagodas*, de Vo Van Tuong (Social Sciences Publishing House, 1992), livre de belles photos en couleurs, avec un texte en anglais, français, chinois et vietnamien.

Pour mieux comprendre l'évolution récente que connaît le Vietnam, on se plongera dans la lecture de *Viêt-Nam : nouveau dragon ou vieux tigre de papier ?* et de *L'Esprit du Viêt-Nam : croyances, culture, société*, de Nhung Agustoni-Phan (Olizane, 1995 et 1997). S'appuyant sur l'analyse de thèmes clés (la diaspora, la femme vietnamienne, l'intelligentsia, l'identité nationale, l'État et le peuple), l'auteur dresse un bilan de la société actuelle. Dans la même veine, on lira avec intérêt *La Colline des anges : retour au Viêt-Nam* (Seuil, 1993), de Jean-Claude Guillebaud et Raymond Depardon : le regard, avec 20 ans de recul, d'un ancien correspondant de guerre et d'un photographe sur le Vietnam contemporain.

Ceux qui souhaitent retrouver l'ambiance du train HCMV-Hanoi se délecteront à la lecture de l'ouvrage divertissant de Philippe de Baleine, *Le Petit Train du Vietnam* (Rocher, 1995). Le voyage en train sert en réalité de prétexte à l'auteur pour brosser des portraits sur le vif et dépeindre de savoureuses tranches de vie.

La revue trimestrielle *Études vietnamiennes*, publiée à Hanoi en français et en anglais, est riche en informations. Chaque numéro est consacré à un thème particulier, abordé de façon très sérieuse par des universitaires, quoique les questions politiques et historiques tendent à être toujours un peu trop partiales.

Cher mais néanmoins unique en son genre, le *Manuel d'archéologie d'Ex-*

trême-Orient : le Vietnam, de Louis Be-
zacier (Picard, 1972), a l'avantage d'être
disponible.

Richement documenté et illustré, Hué,
cité impériale du Vietnam, d'Ann Helen et
Walter Unger (Abbeville, 1998), réjouira
les amoureux de cette ville impériale.
Dans un tout autre registre, mais fort
agréable à consulter, la Cuisine vietnamienne, de Zha Zhan-Mei (librairie You
Feng, 1990), est un petit livre de recettes
superbement illustré. Vous pourrez opter
également pour La Cuisine vietnamienne
(Orphie, 1997) qui, en une quarantaine de
recettes simples, vous initiera aux délices
de cette gastronomie.

Littérature

Il existe peu de romans vietnamiens traduits en français, mais les rares exceptions
méritent largement d'être lues.

Ce sont les éditions Des femmes qui ont
fait connaître au public français Duong
Thu Huong. Ancienne communiste engagée dans la lutte anti-américaine, Duong
Thu Huong connut la prison après-guerre
pour ses écrits. Au-delà des illusions (Philippe Picquier, 2000) est un magnifique
roman d'amour qui, lors de sa parution en
1985, s'est vendu à plus de 100 000 exemplaires, en dépit de la censure. En opposant
la pureté de l'amour d'une femme au cy-
nisme et au mépris de ses amants, il donne
à voir la dégradation des valeurs morales et
la corruption des relations humaines sous
le régime totalitariste. Paradis aveugle
(éd. Des femmes, 1991), qui a reçu le prix
Fémina du livre étranger, raconte le désenchantement d'une société dont l'idéal ne
s'est pas réalisé. Roman sans titre (éd. Des
femmes, 1992) est un livre critique sur la
société vietnamienne actuelle. Histoire
d'amour racontée avant l'aube (éd. de
l'Aube, 2001) aborde le drame d'une vie
privée brisée par le système politique.

Né en 1936, Nguyên Quang Thân s'est
engagé dès 1950 dans la résistance anti-
coloniale. L'excellent Au large de la terre
promise (Philippe Picquier, 1997) met en
lumière les ambitions, les défis et les nouveaux appétits de personnages partagés
entre le vieux système totalitaire agonisant
et le monde nouveau qui se dessine.

Pham Thi Hoai appartient, quant à
elle, à une génération de jeunes écrivains

marquée par les auteurs vietnamiens des
années 1930, eux-mêmes inspirés par le
romantisme français. L'écriture de La
Messagère de cristal (éd. Des femmes,
1991) est cependant plus moderne que celle
de Duong Thu Huong. Menu de dimanche
(Actes Sud, 1997) est un recueil de nouvelles reflétant le Vietnam communiste.
Autre écrivain à découvrir : Nguyen Huy
Thiep. Né en 1950 à Hanoi, il raconte dans
Un général à la retraite (L'Aube Poche,
2000) le désenchantement et la difficile
reconversion d'une société combattante en
une société civile. Du même auteur et chez
le même éditeur, les nouvelles publiées dans
Le Cœur du tigre (éd. de l'Aube, 1995) nous
immergent dans le Vietnam d'aujourd'hui.

Classique parmi les classiques au Vietnam, mentionnons le poème épique de
Nguyen Du, poète du XVIIIe siècle : Kim
Vân Kiêu (La légende de Kieu, Gallimard,
coll. "Connaissance de l'Orient", 2002).

Feuilles odorantes de palmier : journal
1962-1966 (La Table Ronde, coll. "Les
Chemins de la sagesse", 1998) est un merveilleux recueil poétique qui rassemble des
passages du journal du moine zen, militant
pour la paix, Thich Nhat Hahn, écrit de
1962 à 1966 au Vietnam et aux États-Unis.

La thématique de la guerre n'a pas fini
d'être une source d'inspiration. Bao Ninh,
dans Le Chagrin de la guerre (Philippe
Picquier, 1997), nous conte par le menu
les affres d'un homme de 30 ans qui
revient après dix années de guerre. À travers l'écriture, il essaie de surmonter ses
tourments intérieurs mais le passé resurgit
douloureusement. Cet ouvrage, qui a remporté un prix de littérature au Vietnam en
1993, reste néanmoins interdit sur place
dans son édition originale.

Le livre de Dao (La Table Ronde, 2002),
de Nguyen Hong Giao, est le témoignage
d'un membre de la famille impériale de
Bao-Daï sur l'Indochine d'hier et le Vietnam d'aujourd'hui.

La fille du fleuve (éd. De l'Aube, 2001),
de Phan The Hong, regroupe 7 nouvelles
décrivant la vie de tous les jours dans le
nord du Vietnam moderne.

À noter aussi une Anthologie de la littérature populaire du Viet-Nam, de Huu'
Ngoc et Françoise Corrèze (L'Harmattan,
1982), préfacée par Yves Lacoste, directeur
de la revue de géopolitique Hérodote.

Jacques Dournes a rassemblé certains chants et poèmes de la littérature orale de deux minorités vietnamiennes dans deux recueils : *Florilège jörai* (Sudestasie, 1988) et *Florilège sré* (Sudestasie, 1990). Dans un tout autre genre, on peut citer la trilogie *Sud lointain*, d'Erwan Bergot, ancien légionnaire nostalgique du Vietnam français : *Le Courrier de Saïgon, La Rivière des Parfums, Le Maître de Bao Tan* (LGF, 1992 et 1993).

Littérature étrangère
D'Anne Daurbrun, on lira le premier roman, *Depuis Saigon* (Philippe Picquier, 1997), qui dessine la vie quotidienne vietnamienne par petites touches, à travers le regard d'une jeune femme retournant au Vietnam à la mort de son père.

Autres ouvrages d'écrivains occidentaux qui n'ont plus à prouver leur talent : *Un Américain bien tranquille*, de Graham Greene (10-18, 1996), probablement l'un des romans sur le Vietnam les plus lus, et *Un gentleman en Asie* (10-18, 2000), de Somerset Maugham, ou le regard d'un esthète sur la Birmanie, le Siam, la Cochinchine et l'Annam jusqu'à Haiphong en 1922/1923.

Et enfin, plusieurs livres de Marguerite Duras : *L'Amant*, bien sûr (Minuit, 1984), une histoire d'amour entre la narratrice et un riche Chinois, située dans le Saigon des années 1930. Ce livre valut à l'auteur le prix Goncourt, a été traduit dans plus de vingt langues et est devenu un best-seller mondial ; *L'Amant de la Chine du Nord* (Gallimard, coll. "Folio", 1993), remake du précédent ; et surtout *Un barrage contre le Pacifique* (Gallimard, 1997), l'un de ses premiers ouvrages. À lire ou à relire avant de partir.

Beaux-Livres
L'art du Vietnam : la fleur du pêcher et l'oiseau d'azur, de Catherine Noppe et Jean-François Hubert (La Renaissance du livre, 2002) offre, à l'occasion d'une exposition du Musée Royal, de Mariemont en Belgique, ce livre offre un panorama qui aborde les aspects connus et méconnus des arts vietnamiens.

Voyage dans les cultures du Vietnam (Horizons du monde, 2001), de Thanh Khôi Lê, présente les principales carac-téristiques de l'identité culturelle du Vietnam et de ses expressions.

Guides de la faune
Peu de bons ouvrages sont consacrés à la vie sauvage du Vietnam, et les références qui suivent ne se trouvent qu'en langue anglaise. *A Guide to the Birds of Thailand* (Philip Round et Boonsong Lakagul, Saha Kam Bhaet Company, 1991) couvre la majorité, voire l'intégralité des espèces d'oiseaux du Vietnam et se révèle particu-lièrement précis sur les espèces du Centre et du Sud du pays.

Un peu dépassé et difficile à utiliser, l'ouvrage *A Field Guide to the Birds of South-East Asia* (Ben King, Martin Woodcock et Edward Dickinson, 1975) couvre la totalité du territoire vietnamien.

Ces deux livres ne sont pas en vente au Vietnam, mais vous devriez les trouver à Bangkok auprès de **Asia Books** (☎ 02-252 7277, Soi 15, 221 Thanon Sukhumvit).

LIBRAIRIES DE VOYAGE
Librairies spécialisées sur l'Asie
Les Éditions du Centenaire (☎ 01 42 02 87 05), 12 résidence Belleville ou 5 rue de Belleville, 75019 Paris
 Large choix de dictionnaires et de méthodes concernant les langues asiatiques. Spéciali-sées surtout sur l'Asie du Sud-Est.
Fenêtre sur l'Asie (☎ 01 43 29 11 00), 49 rue Gay-Lussac, 75005 Paris
Kaobang (☎/fax 03 88 32 94 17, asf.kakemono @wanadoo.fr), 24 rue Thomann, 67000 Strasbourg
Librairie du Musée Guimet (☎ 01 56 52 54 21), 19 avenue d'Iéna, 75016 Paris
 Ouverte tous les jours sauf mardi, de 10h à 18h. Bonne source d'information, riche en documentation artistique et archéologique. Aucune carte.
Sudestasie (☎ 01 43 25 18 04), 17 rue du Cardinal-Lemoine, 75005 Paris
Le Phénix (☎ 01 42 72 70 31), 72 boulevard de Sébastopol, 75003 Paris
 Ouvrages sur l'Asie Centrale, l'Asie du Sud-Est, le Vietnam et le Tibet
You Feng (☎ 01 43 25 89 98), 45 rue Monsieur-le-Prince, 75006 Paris

Librairies de voyage
Vous trouverez également un vaste de choix de cartes et de documentation dans les librairies suivantes :

À Paris

Andaska (☎ 01 40 02 95 95, www.andaska.com), 17 cour Saint-Émilion, 75012 Paris

Au Vieux Campeur (☎ 01 53 10 48 27, www.au-vieux-campeur.fr), 2 rue de Latran, 75005 Paris

Espace IGN (☎ 01 43 98 80 00, www.ign.fr), 107 rue La Boétie, 75008 Paris

Itinéraires (☎ 01 42 36 12 63, www.itineraires.com), 60 rue Saint-Honoré, 75001 Paris

L'Astrolabe (☎ 01 42 85 42 95), 46 rue de Provence, 75009 Paris

Ulysse (☎ 01 43 25 17 35, www.ulysse.fr), 26 rue Saint-Louis-en-l'île, 75004 Paris

Voyageurs du monde (☎ 01 42 86 17 38, www.vdm.com), 55 rue Sainte-Anne, 75002 Paris

En province

Ariane (☎ 02 99 79 68 47), 20 rue du Capitaine Dreyfus, 35000 Rennes

Géorama (☎ 03 88 75 01 95), 22 rue du Fossé-des-Tanneurs, 67000 Strasbourg

Géothèque (☎ 02 40 47 40 68), 10 place du Pilori, 44000 Nantes

Géothèque (☎ 02 47 05 23 56), 6 rue Michelet, 37000 Tours

Hémisphères (☎ 02 31 86 67 26), 15 rue des Croisiers, BP 99, 14000 Caen cedex

L'Atlantide (☎ 03 83 37 52 36), 56 rue Saint-Dizier, 54000 Nancy

Les Cinq Continents (☎ 04 67 66 46 70), 20 rue Jacques-Cœur, 34000 Montpellier

Librairie du voyage (☎ 05 61 99 82 10), 60 rue Bayard, 31000 Toulouse

Magellan (☎ 04 93 82 31 81), 3 rue d'Italie, 06000 Nice

Ombres Blanches (☎ 05 34 45 53 38), 48 rue Gambetta, 31000 Toulouse

Planète Bleue (☎ 05 46 34 23 23), 41 rue des Merciers, 17000 La Rochelle

Raconte-moi la Terre (☎ 04 78 92 60 20), 38 rue Thomassin BP 2021, 69226 Lyon cedex 2

Rose des Vents (☎ 05 56 79 73 27), 40 rue Sainte-Colombe, 33000 Bordeaux

Sauramps (☎ 04 67 06 78 78, www.sauramps.com), rue Le Triangle, 34967 Montpellier

Le Pavé du Grand Plaisir (☎ 01 30 79 17 00, www.pave.fr), Centre Commercial Les Sablons, 78 370 Plaisir

En Belgique

Anticyclone des Açores (☎ 2-217 52 46), rue des Fossés-aux-Loups 34 B, 1000 Bruxelles

Le Monde à Livre Ouvert (☎ 081 413490), 24, rue Bas de la Place 24 2 A, 5000 Namur

Le 7e Continent (☎ 2-353 02 30), Chaussée de Bruxelles 407 bis, B 1410 Waterloo

Peuples et Continents (☎ 2-511 27 75), rue Ravenstein 11, 1000 Bruxelles

En Suisse

Librairie du Voyageur (☎ 22 810 23 23), 8 rue de Rive, 1204 Genève

Librairie du Voyageur (☎ 21 323 65 56), 18 rue de la Madeleine, 1003 Lausanne

Vent des Routes (☎ 22 800 33 81), 50-52 rue des Bains, CH-1205 Genève

Au Canada

Ulysse (☎ 514-843 9882), 4176 rue Saint-Denis, Montréal

Ulysse (☎ 418-418 654 9779), 4 bd René-Lévesque Est, Québec G1R2B1

Tourisme Jeunesse (☎ 514-884 0287), 4008 rue Saint-Denis, Montréal

Librairie Pantoute (☎ 418-694 9748, www.librairiepantoute.com), 1100 rue Saint-Jean Est, Québec

CINÉMA
Films vietnamiens sur l'histoire récente

Ces films, réalisés par des réalisateurs vietnamiens, recouvrent un large éventail de thèmes, allant de la guerre aux histoires d'amour modernes.

Dans *The Retired General* (1998), de Nguyen Khac, le personnage central s'efforce de passer de sa condition de soldat pendant la guerre du Vietnam à la vie civile d'un père de famille, symbolisant la difficile transition qu'a connue le Vietnam pour passer de l'époque de la guerre à celle de l'après-guerre et des réformes économiques.

Returning to Ngo Thuy, récente réalisation de Le Manh Thich et Do Khanh Toan, rend hommage aux femmes du village de Ngo Thuy. En 1971, en pleine guerre du Vietnam, ces femmes ont été les héroïnes d'un film de propagande, largement diffusé, qui avait pour but d'encourager la population à soutenir l'effort de guerre.

La période des réformes du *doi moi*, dans les années 1980-90, a fortement influencé le cinéma vietnamien. Un thème assez répandu, l'impact de l'économie de marché sur les femmes, aborde la façon dont celles-ci parviennent à concilier devoir traditionnel et désirs modernes. Ainsi, *Misfortunes End* (1996), de Vu Xuan Hung, raconte l'histoire poignante d'une tisseuse de soie confrontée à la réalité lorsque son mari l'abandonne pour une femme d'affaires en pleine ascension sociale.

Dang Nhat Minh est propablement le réalisateur vietnamien le plus prolifique. Dans *The Return* (1993), il s'interroge sur la complexité des relations modernes, alors que *The Girl on the River* (1987) raconte l'histoire émouvante d'une journaliste qui aide une ex-prostituée à retrouver un ancien amant, un soldat vietcong à qui elle a sauvé la vie et auquel elle était promise. Ses œuvres dramatiques comme *When The Tenth Morning Comes* (1984) et *Nostalgia For Countryland* (1995) rappellent les épreuves et les souffrances endurées par le peuple vietnamien dans un passé récent. Son dernier film, *Hanoi – Winter 1946* (1997), retrace la campagne d'Ho Chi Minh contre les colons français.

Films occidentaux

Peu de productions vietnamiennes sont diffusées en dehors du pays, mais de plus en plus de jeunes réalisateurs vietnamiens expatriés se font une place dans l'industrie du cinéma international et obtiennent des récompenses dans les festivals du monde entier. Rares sont ces œuvres projetées au Vietnam.

L'Américano-Vietnamien Tony Bui a remporté un immense succès avec son premier et superbe film *Three Seasons* (1999). Situé dans l'actuelle HCMV, ce film, magnifiquement réalisé, entrelace les vies de quatre personnages inattendus et leurs rapports avec un vétéran américain (joué par Harvey Keitel), venu au Vietnam pour retrouver sa fille désormais adulte, qu'il n'a pas revue depuis la guerre.

Parmi les réalisateurs expatriés moins connus, citons Van Phan Sylvian, dont le documentaire sur l'après-guerre, *Goodbye Vietnam*, traite des difficultés des enfants métis que les soldats ont laissés derrière eux et de la discrimination dont ils font l'objet, aussi bien au Vietnam qu'à l'étranger.

Le très beau film que Tran Anh Hung a tourné en France, *L'Odeur de la papaye verte* (1993), raconte le passage à l'âge adulte d'une jeune paysanne qui travaille comme servante dans une riche famille de Saigon dans les années 1950. Étonnant sur le plan visuel, *Cyclo* explore les bas-fonds de HCMV. Le dernier film de Tran Anh Hung, *À la Verticale de l'été* (2000), relate

l'histoire de trois sœurs vivant à Hanoi et qu'unissent des liens indéfectibles.

Les Américains ont beau avoir perdu la guerre du Vietnam, Hollywood a passé ces trente dernières années à revendiquer une victoire morale sur les écrans. Les meilleures réalisations reflètent la futilité de la guerre mais offrent rarement un juste portrait du peuple vietnamien. Les scénarios se concentrent de préférence sur les soldats américains présentés comme des victimes – des vietcong, du gouvernement américain qui les a envoyé faire la guerre en leur volant leur jeunesse et de leur propre société qui les a odieusement rejetés à leur retour –, souffrant souvent de graves séquelles physiques et psychiques.

Presque tous les films réalisés par les Américains sur le Vietnam portent sur la guerre, mais la plupart ont été tournés aux Philippines. Parmi les films de guerre les plus connus, citons *Apocalypse Now* de Francis Ford Coppola (1976) ; *Voyage au bout de l'enfer* de Michael Cimino (1978) ; *Rambo* de Ted Kotcheff (1982) ; *Platoon* et *Né un 4 Juillet* d'Oliver Stone (1986 et 1989) ; *Full Metal Jacket* de Stanley Kubrick (1987) et *Good Morning Vietnam* de Barry Levinson (1988). La scène du film *Voyage au bout de l'enfer* où les prisonniers américains sont contraints de jouer à la roulette russe sous l'œil de leurs geôliers conserve une puissance visuelle et dramatique inoubliable. En 2001, Francis Ford Coppola, le réalisateur du *Parrain*, a sorti une nouvelle version de son film *Apocalypse Now* tourné en 1979. Intitulé *Apocalypse Now Redux*, il comporte près d'une heure de plus que le montage initial de 153 minutes.

Depuis le début des années 1990, on peut dire que le cinéma français a commencé à s'intéresser au Vietnam. *L'Amant* (1991), dont l'intrigue se déroule à la fin des années 1920, souleva une vive polémique : Jean-Jacques Annaud a-t-il compris, oui ou non, les sentiments de Marguerite, a-t-il trahi sa pensée, a-t-il fait un film démagogique ? À la dernière question, on peut répondre oui sans sourciller. *Indochine* (1991), de Régis Wargnier, avec Catherine Deneuve, obtint l'Oscar du meilleur film étranger et scella les relations diplomatiques franco-vietnamiennes. Il évoque l'époque coloniale avec nostalgie. *Dien Bien Phu*, de Pierre Schoendoerffer (1991), est davantage un témoignage personnel de la célèbre bataille du même nom. Il s'intéresse à l'aspect humain de la guerre d'Indochine et aux derniers jours de la domination française. Curieusement, ce film a été tourné au Vietnam avec la pleine et entière coopération du gouvernement vietnamien.

VIDÉO
L'Odeur de la papaye verte est disponible en vidéo à la Médiathèque des Trois mondes, 63 *bis*, rue du Cardinal-Lemoine, 75005 Paris (☎ 01 42 34 99 00).

JOURNAUX ET MAGAZINES
Vietnam News (5 000 d) est un quotidien en langue anglaise. Malgré son nom, il contient essentiellement des informations étrangères (y compris la page sportive).

Autre quotidien anglophone, le *Saigon Times Daily* coûte 3 000 d. Publié par la même société, l'hebdomadaire *Saigon Times* se consacre essentiellement aux informations économiques, mais traite également quelques rubriques moins sérieuses.

Le mensuel *Vietnam Economic Times* (VET), l'un des meilleurs magazines du Vietnam, publie des analyses sérieuses et offre un résumé très bien rédigé des informations du mois. Son supplément gratuit, *le Guide*, est une excellente source de renseignements sur les loisirs ; on le trouve dans les hôtels, les bars et les restaurants des grandes villes.

L'hebdomadaire en langue anglaise *Vietnam Investment Review (VIR)* est un magazine sérieux. Son supplément gratuit, *Time Out*, peut s'avérer utile pour s'informer sur les spectacles de HCMV et de Hanoi, mais il consacre de nombreuses pages aux expatriés et reste d'un intérêt limité pour les voyageurs.

En 2002, la Vietnam National Administration of Tourism (VNAT), bien qu'il lui reste encore à ouvrir des offices de tourisme, a lancé un magazine mensuel en anglais sur les voyages, *Vietnam Discovery*. Celui-ci coûte 15 000 d, mais des exemplaires gratuits sont en général mis à disposition dans les bars, restaurants et hôtels de Hanoi et de HCMV les plus fréquentés.

Journaux et magazines étrangers importés se trouvent très facilement à HCMV, à Hanoi et dans d'autres grandes villes ; ailleurs, ils sont rares.

RADIO
La Voix du Vietnam émet sur ondes courtes, ondes moyennes et sur la bande FM environ 18 heures par jour. Les programmes sont surtout musicaux, avec néanmoins des journaux en vietnamien, en anglais, en français et en russe.

La Voix du Vietnam a commencé à émettre en 1945. Pendant la guerre, elle a fait beaucoup de propagande en direction du Sud, notamment par le biais d'émissions spéciales à l'intention des soldats américains. Cette station a également utilisé, de 1968 à 1976, les transmetteurs de Radio Havana-Cuba pour délivrer son message aux Américains.

La station de radio nationale diffuse des programmes d'information et de musique de 7h à 23h. Les mordus de l'actualité feront bien d'emporter une petite radio à ondes courtes. On peut facilement capter, surtout la nuit, des infos, de la musique et des émissions dans plusieurs langues, et notamment en français.

Radio France International (116 av. du Président-Kennedy, BP 9516 *Paris*, ☎ 01 44 30 89 69), Radio Canada International *(17 av. Matignon, 75008 Paris, ☎ 01 44 21 15 15 ; PO Box 6000, Montréal HCC 3A8, http://www.rcinet.ca)* et Radio Suisse Internationale *(106 route de Ferney, 1202 Genève, ☎ 22-910 33 88)* diffusent de nombreux programmes. Renseignez-vous, avant votre départ, auprès du service des auditeurs, sur la grille des fréquences sujettes à modifications.

TÉLÉVISION
Télévision locale
Le premier programme a vu le jour en 1970 ; depuis lors, le contenu s'est amélioré. Il existe actuellement cinq chaînes à Hanoi et à HCMV et deux chaînes dans le reste du Vietnam. Les journaux d'informations en anglais, français et chinois sont diffusés le soir, un peu après 22h. Parfois, les matchs de football et d'autres sports sont retransmis à des horaires inattendus : 3h30 du matin, par exemple. Chaque province possède également sa chaîne locale.

Télévision par satellite

La télévision par satellite est désormais largement répandue dans un nombre grandissant d'hôtels, de bars et de cafés. Star TV, une chaîne de Hong Kong, est l'une des plus suivies – citons également CNN, Sports Channel, CNBC Asia et MTV. La chaîne câblée en langue française TV5 Asie est généralement captée par les télévisions satellite.

SYSTÈMES VIDÉO

Il est difficile de savoir quelle est la norme vidéo officielle au Vietnam. La plupart des télévisions et magnétoscopes récents vendus aujourd'hui dans le pays sont multistandard : PAL, NTSC et SECAM.

Étant donné le nombre de DVD et de VCD (pirates pour la plupart) qui inondent le marché, de nombreux Vietnamiens abandonnent le magnétoscope pour passer au lecteur de DVD et VCD. Vous trouverez sur place des lecteurs de DVD corrects (ceux importés de Chine coûtent moins de deux millions de dong).

PHOTOGRAPHIE ET VIDÉO
Films et matériel

Vous trouverez presque partout des pellicules papier couleur (35 mm et APS), mais vérifiez leur date de validité. Évitez d'acheter vos pellicules dans les boutiques de souvenirs : elles ont peut-être rôti au soleil depuis trois mois. Les prix sont raisonnables – inutile donc d'en emporter de l'étranger.

On peut se procurer des diapositives couleur à Hanoi et HCMV mais ailleurs, n'y comptez pas trop. Les stocks de pellicules noir et blanc étant en voie de disparition, mieux vaut apporter son propre stock.

Beaucoup de touristes sillonnent le Vietnam en camping-car ou en minibus ; or, le plancher métallique est souvent brûlant, détail auquel on ne songe pas quand le véhicule est climatisé. Nombre de voyageurs ont "grillé" les pellicules (ainsi que leur nourriture !) laissées dans leurs sacs à dos posés à leurs pieds.

Tous les lieux touristiques disposent de boutiques de développement de photos. La plupart sont équipées de machines perfectionnées qui effectuent des tirages couleur en une heure. Les tarifs s'élèvent à environ 5 \$US la pellicule, en fonction du format choisi. La qualité est plutôt bonne. Précisez si vous voulez du brillant ou du mat.

Les diapos couleur sont développées rapidement (3 heures) à Hanoi et HCMV ; ailleurs, c'est impossible. Comptez 5 \$US par pellicule, et sachez que la plupart des boutiques ne montent le film sous cache que sur demande (et moyennant un supplément). Toutefois, nos expériences quant au développement des diapos et des pellicules noir et blanc se sont révélées désastreuses – mauvais développement, films rayés – ; mieux vaut attendre d'être dans un autre pays.

Les appareils photo sont assez chers et le choix limité : il est préférable d'apporter le sien. Les piles au lithium (nécessaires pour beaucoup d'appareils photo à préréglage automatique) et les cartes mémoire pour caméras numériques sont disponibles dans la plupart des grandes villes.

Photographie

Il est conseillé de mémoriser le message suivant, *cam chup hinh va quay video*, visible en divers endroits et qui signifie "interdiction de photographier ou de filmer".

Certains sites touristiques imposent une "taxe photo" ou une "taxe vidéo". Si le personnel ne vous donne pas de reçu, cela signifie que l'argent a toutes les chances de finir dans leur poche et vous devriez refuser de payer.

Photographier les personnes

Pour photographier quelqu'un, particulièrement un membre d'une tribu montagnarde, il faut vous armer de patience et vous montrer très respectueux des coutumes locales. La beauté et les couleurs des apparats vietnamiens et celles des paysages offrent de multiples occasions. Souvenez-vous, cependant, que vous êtes un visiteur et que vos actes peuvent être perçus comme impolis ou blessants. Il est important de faire bonne impression, car d'autres voyageurs suivront. Notre propos n'est pas de condamner la prise de photos, mais simplement de faire comprendre l'effet que peut provoquer un appareil photo.

Tout d'abord, faites preuve de politesse et de discrétion et demandez la permission avant de prendre une photo ; si la personne refuse, n'insistez pas. Il suffit souvent d'un geste, d'un sourire ou d'un signe de tête pour obtenir satisfaction. N'oubliez pas, où que vous soyez, que les gens ne sont pas des oiseaux exotiques.

Le marché du week-end de Sapa, très fréquenté, en sont un exemple parfait : il est souvent envahi d'une foule de touristes dotés d'appareils photo, ce qui peut paraître oppressant pour la population locale. Si les Hmong et les Dzao rouges, hardis, se prêtent volontiers à une séance de pose (l'achat d'un de leurs produits artisanaux facilitera l'opération), d'autres sont beaucoup plus réservés : ils n'ont que trop entendu la phrase "il me faut cette photo !", lancée par des touristes sans scrupule qui les poursuivent à travers le marché.

À l'instar des Chinois et des Japonais, les Vietnamiens adorent se faire tirer le portrait. Cela est quasiment obsessionnel et la pose est immuable : raide, de face, les bras le long du corps. Les centaines, voire les milliers de photos qu'ils collectionnent d'eux-mêmes se ressemblent toutes. Ces clichés semblent avoir pour but de prouver qu'ils sont allés à tel endroit. Comme la plupart d'entre eux n'ont pas les moyens de s'acheter un appareil, les grands sites touristiques possèdent des légions de photographes prêts à les mitrailler. Certains développent les photos et les envoient à leurs clients, d'autres se contentent de vendre la pellicule non développée.

Les Vietnamiens ont souvent du mal à comprendre que les Occidentaux puissent prendre autant de photos sans poser eux-mêmes au premier plan. Lorsqu'un Occidental montre ses plus belles photos à un Vietnamien, celui-ci les trouve "ennuyeuses", car il n'y a presque aucun personnage dessus.

Sécurité à l'aéroport

Les redoutables appareils à rayons X ne posent plus de problème : ces antiques "fours à micro-ondes" soviétiques qui pouvaient abîmer vos pellicules ont été remplacés par du matériel moderne importé d'Allemagne, sans danger pour les films. Le seul risque que court votre pellicule est d'être arrachée de l'appareil si vous essayez de filmer les formalités de sécurité de l'aéroport.

Plus inquiétants sont les nouveaux appareils à rayon X ultra-puissants qui sont peu à peu installés dans les aéroports d'autres pays d'Asie, d'Europe et d'Amérique. Pour éviter toute détorioration éventuelle de vos pellicules, le mieux est de les garder avec vous et, autant que possible (même si un panneau stipule qu'il n'y a aucun risque) de demander – poliment – qu'elles soient contrôlées manuellement.

Les autorités semblent bien plus se préoccuper des cassettes vidéo que des pellicules. Étonnamment, le problème se pose davantage à la sortie du pays qu'à l'entrée (on s'attendrait à la situation inverse). Heureusement, ces contrôles se limitent aux cassettes commerciales, et le film de vos vacances ne sera probablement pas concerné.

HEURE LOCALE

Le Vietnam, comme la Thaïlande, est en avance de sept heures sur l'heure du méridien de Greenwich (temps universel). Sa proximité de l'Équateur ne rend pas nécessaire un horaire d'été, et l'heure reste donc invariable. Quand il est 12h à Hanoi ou à HCMV, il est 6h du matin à Paris en hiver, 7h en été.

ÉLECTRICITÉ

Le courant est en général de 220 V (50 hertz), mais on trouve encore parfois du 110 V, toujours en 50 Hz. Le Sud est essentiellement équipé de prises plates, de style américain, en 220 V. La plupart des prises du nord sont rondes, comme souvent en Europe, avec du 220 V. Si le voltage ne figure pas sur ou près de la prise, cherchez-le sur une ampoule ou un appareil électrique. Les prises n'ont que deux fiches – il n'y a jamais de prise de terre.

POIDS ET MESURES

Le Vietnam utilise le système métrique international. Deux mesures de poids ont en outre été empruntées aux Chinois, le tael et le catty. Un catty équivaut à 0,6 kg ; il y a 16 taels dans un catty, donc un tael équivaut à 37,5 g. L'or est toujours pesé en taels.

LAVERIES

On trouve généralement dans les hôtels du personnel disposé à laver les vêtements pour l'équivalent d'un dollar ou deux. On nous a toutefois rapporté des exemples de prix très exagérés ; mieux vaut donc les vérifier au préalable.

Les hôtels petits budgets n'ont pas de sèche-linge, c'est le soleil qui s'en charge. Prévoyez donc au moins une journée et demie pour la lessive et le séchage, surtout pendant la saison humide.

TOILETTES

Les lieux d'aisance sont souvent des toilettes à la turque, simple trou pratiqué dans le sol. En guise de chasse d'eau, vous devez remplir d'eau le seau mis à la disposition des usagers et le vider dans le trou. Certains experts affirment que la position accroupie est meilleure pour le système digestif.

Les hôtels haut de gamme sont équipés de toilettes occidentales, mais on ne trouve que des latrines à la turque dans les hôtels bon marché et les lieux publics comme les restaurants ou les gares.

L'absence de toilettes publiques semble gêner davantage les femmes que les hommes. On voit souvent des Vietnamiens se soulager en public, mais c'est inadmissible socialement de la part des femmes. Celles-ci trouveront les arrêts toilettes en bordure de route plus simples si elles portent un sarong.

En général, si vous voyez une poubelle à côté de la cuvette, c'est là que devrait atterrir votre papier hygiénique. Le problème est le suivant : dans de nombreux hôtels, le système d'évacuation des eaux n'est pas prévu pour le papier. C'est le cas en particulier dans les vieux établissements où l'antique plomberie a été conçue avant l'ère du papier toilette. De même, dans les régions rurales où il n'existe pas d'usine de traitement des eaux usées, elles sont évacuées dans une fosse septique souterraine où l'intrusion de papier hygiénique provoquerait un beau gâchis. Par égard pour les relations internationales, soyez attentionné et jetez le papier dans la poubelle.

Le papier hygiénique est généralement fourni dans les hôtels mais rarement dans les toilettes des gares et autres établissements publics. Prévoyez d'en avoir sur vous en permanence.

SANTÉ

Les grandes avancées économiques réalisées récemment se sont accompagnées de progrès sur le plan médical. Le problème de la malnutrition, qui sévissait auparavant

Avertissement

La santé en voyage dépend du soin avec lequel on prépare le départ et, sur place, de l'observance d'un minimum de règles quotidiennes. Les risques sanitaires sont généralement faibles si une prévention minimale et les précautions élémentaires d'usage ont été envisagées avant le départ.

et rendait les populations plus sensibles aux maladies, semble se résorber. En outre, les campagnes de vaccination permettent d'enrayer la propagation des affections.

Ceci dit, de sérieuses difficultés persistent, notamment dans les campagnes. Certes, les étrangers qui règlent les soins en devises fortes auront plus de chances d'être bien soignés, mais les dollars ne peuvent pas faire apparaître, comme par magie, ce qui n'existe pas. Vous pourrez toujours attendre une analyse de sang ou une radiographie si le dispensaire local ne dispose même pas d'un thermomètre ou d'une aspirine. Si vous tombez malade en pleine campagne, rejoignez vite HCMV ou Hanoi. Si votre état nécessite une intervention chirurgicale ou n'importe quel autre traitement intensif, n'hésitez pas à vous envoler pour Bangkok, Hong Kong ou d'autres pays disposant d'infrastructures adéquates.

Vous trouverez les coordonnées des meilleurs centres médicaux dans la rubrique *Renseignements* des chapitres *Ho Chi Minh-Ville* et *Hanoi*, villes où les normes sanitaires peuvent être comparées à celles des pays occidentaux.

Guides de la santé en voyage

Un guide sur la santé peut s'avérer utile. *Les Maladies en voyage*, du Dr Éric Caumes (Points Planète), *Voyages internationaux et santé*, de l'Organisation mondiale de la santé (OMS), et *Saisons et climats*, de Jean-Noël Darde (Balland) sont d'excellentes références.

Ceux qui lisent l'anglais pourront se procurer *Healthy Travel Asia & India*, de Lonely Planet Publications. Mine d'informations pratiques, cet ouvrage renseigne sur la conduite à tenir en matière de santé en voyage.

Trousse médicale de voyage

Veillez à emporter avec vous une petite trousse à pharmacie (nous vous conseillons de la transporter en soute) contenant quelques produits indispensables. Certains ne sont délivrés que sur ordonnance médicale.

- des **antibiotiques**, à utiliser uniquement aux doses et périodes prescrites, même si vous avez l'impression d'être guéri avant. Chaque antibiotique soigne une affection précise : ne les utilisez pas au hasard. Cessez immédiatement le traitement en cas de réactions graves
- un **antidiarrhéique** et un **réhydratant**, en cas de forte diarrhée, surtout si vous voyagez avec des enfants
- un **antihistaminique** en cas de rhumes, allergies, piqûres d'insectes, mal des transports – évitez de boire de l'alcool
- un **antiseptique** ou un désinfectant pour les coupures, les égratignures superficielles et les brûlures, ainsi que des pansements gras pour les brûlures
- de l'**aspirine** ou du **paracétamol** (douleurs, fièvre)
- une **bande Velpeau** et des **pansements** pour les petites blessures
- une **paire de lunettes de secours** (si vous portez des lunettes ou des lentilles de contact) et la copie de votre ordonnance
- un **produit contre les moustiques**, un écran total, une pommade pour soigner les piqûres et les coupures et des comprimés pour stériliser l'eau
- une **paire de ciseaux** à bouts ronds, une **pince à épiler** et un **thermomètre à alcool**
- une petite trousse de **matériel stérile** comprenant une seringue, des aiguilles, du fil à suture, une lame de scalpel et des compresses

Le guide Lonely Planet *Travel with Children* fourmille de conseils sur la santé des jeunes enfants en voyage. Il existe aussi d'excellents sites de santé en voyage sur Internet. **Lonely Planet** (*www.lonelyplanet.com*) propose des liens avec l'OMS et les Centres américains de contrôle et de prévention des maladies.

Vous pouvez également consulter le site Santé-Voyage (www.astrium.com).

Avant le départ

Assurances. Il est conseillé de souscrire à une police d'assurance qui vous couvrira en cas d'annulation de votre voyage, de vol, de perte de vos affaires, de maladie ou encore d'accident. Les assurances internationales pour étudiants sont en général d'un bon rapport qualité/prix. Lisez avec la plus grande attention les clauses en petits caractères : c'est là que se cachent les restrictions.

Vérifiez notamment que les "sports à risques", comme la plongée, la moto ou même la randonnée ne sont pas exclus de votre contrat, ou encore que le rapatriement médical d'urgence, en ambulance ou en avion, est couvert. De même, le fait d'acquérir un véhicule dans un autre pays ne signifie pas nécessairement que vous serez protégé par votre propre assurance.

Vous pouvez contracter une assurance qui réglera directement les hôpitaux et les médecins, vous évitant ainsi d'avancer des sommes qui ne vous seront remboursées qu'à votre retour. Dans ce cas, conservez avec vous tous les documents nécessaires.

Attention ! avant de souscrire une police d'assurance, vérifiez bien que vous ne bénéficiez pas déjà d'une assistance par votre carte de crédit, votre mutuelle ou votre assurance automobile. C'est bien souvent le cas.

Quelques conseils. Assurez-vous que vous êtes en bonne santé avant de partir. Si vous partez pour un long voyage, faites contrôler l'état de vos dents. Nombreux sont les endroits où l'on ne souhaiterait pas une visite chez le dentiste à son pire ennemi.

Si vous suivez un traitement de façon régulière, n'oubliez pas votre ordonnance (avec le nom du principe actif plutôt que la marque du médicament, afin de pouvoir trouver un équivalent local, le cas échéant). De plus, l'ordonnance vous permettra de prouver que vos médicaments vous sont légalement prescrits, des médicaments en vente libre dans certains pays ne l'étant pas dans d'autres.

Attention aux dates limites d'utilisation et aux conditions de stockage, parfois mauvaises (les faux médicaments sont fréquents en Afrique). Il arrive également que l'on trouve, dans des pays en développement, des produits interdits en Occident.

N'hésitez pas, avant de quitter le Vietnam, à donner tous les médicaments et seringues qui vous restent (avec les notices) à un centre de soins, un dispensaire ou un hôpital.

Vaccins. Plus vous vous éloignez des circuits classiques, plus il faut prendre vos précautions. Il est important de faire la différence entre les vaccins recommandés lorsque l'on voyage dans certains pays et ceux obligatoires. Au cours des dix dernières années, le nombre de vaccins inscrits au registre du Règlement sanitaire international a beaucoup diminué. Seul le vaccin contre la fièvre jaune peut encore être exigé pour passer une frontière, parfois seulement pour les voyageurs qui viennent de régions contaminées. Faites inscrire vos vaccinations dans un carnet international de vaccination que vous pourrez vous procurer auprès de votre médecin ou d'un centre.

Il n'existe pas de vaccins obligatoires actuellement pour se rendre au Vietnam. Pour obtenir des renseignements sur les vaccinations recommandées, vous pouvez contacter, par e-mail, l'équipe internationale de médecins du **Family Medical Practice** (hfmedprac.kot@ fmail.vnn.vn, www.doctorkot.com) présents à Hanoi et HCMV. Ils vous fourniront les toutes dernières informations sur les vaccinations, l'évolution (en temps réel) du paludisme et de la dengue, ainsi que des conseils médicaux d'ordre général concernant le Vietnam. Dans la plupart des cas, on ne vous demandera rien. Il est néanmoins prudent de se faire faire les vaccins nécessaires, obligatoires ou non.

Planifiez vos vaccinations à l'avance (au moins six semaines avant le départ), car certaines demandent des rappels ou sont incompatibles entre elles. Même si vous avez été vacciné contre plusieurs maladies dans votre enfance, votre médecin vous recommandera peut-être des rappels contre le tétanos ou la poliomyélite, maladies qui existent toujours dans de nombreux pays en développement. Les vaccins ont des durées d'efficacité très variables ; certains sont contre-indiqués pour les femmes enceintes.

Voici les coordonnées de quelques centres de vaccination à Paris :

Hôtel-Dieu, centre de l'Assistance publique (☎ 01 42 34 84 84), 1 parvis Notre-Dame, 75004 Paris.
Assistance publique voyages, service payant de l'hôpital de la Pitié-Salpêtrière (☎ 01 45 85 90 21), 47 bd de l'Hôpital, 75013 Paris.
Institut Pasteur (☎ 01 45 68 81 98, 3615 Pasteur), 209 rue de Vaugirard, 75015 Paris.
Air France, centre de vaccination (☎ 01 43 17 22 00), aérogare des Invalides, 2 rue Robert Esnault Pelterie, 75007 Paris.

Il existe de nombreux centres en province, en général liés à un hôpital ou un service de santé municipal. Vous pouvez obtenir la liste de ces centres de vaccination en France en vous connectant sur le site Internet www.dfae.diplomatie.fr, émanant du ministère des Affaires étrangères.

Vous pouvez également vous connecter au site Internet Lonely Planet (www.lonelyplanet.fr), qui est relié à l'Institut Pasteur.

Précautions élémentaires

Faire attention à ce que l'on mange et à ce que l'on boit est la première des précautions à prendre. Les troubles gastriques et intestinaux sont fréquents, même si la plupart du temps ils restent sans gravité. Ne soyez cependant pas paranoïaque et ne vous privez pas de goûter la cuisine locale, cela fait partie du voyage. N'hésitez pas également à vous laver les mains fréquemment.

Eau. Règle d'or : ne buvez jamais l'eau du robinet (même sous forme de glaçons). Préférez les eaux minérales et les boissons gazeuses, tout en vous assurant que les bouteilles sont décapsulées devant vous. Évitez les jus de fruits, souvent allongés à l'eau. Attention au lait, rarement pasteurisé. Pas de problème pour le lait bouilli et les yaourts. Thé et café, en principe, sont sûrs, puisque l'eau doit bouillir.

Pour stériliser l'eau, la meilleure solution est de la faire bouillir durant quinze minutes. N'oubliez pas qu'à haute altitude elle bout à une température plus basse et que les germes ont plus de chance de survivre.

Un simple filtrage peut être très efficace mais n'éliminera pas tous les microorganismes dangereux. Aussi, si vous

Vaccins

Maladie	Durée du vaccin	Précautions
Choléra	Ce vaccin n'est plus recommandé	
Diphtérie	10 ans	Recommandé, en particulier pour l'ex-URSS.
Fièvre jaune	10 ans	Obligatoire dans les régions où la maladie est endémique (Afrique et Amérique du Sud) et dans certains pays lorsque l'on vient d'une région infectée. À éviter en début de grossesse.
Hépatite virale A	5 ans (environ)	Il existe un vaccin combiné hépatite A et B qui s'administre en 3 injections. La durée effective de ce vaccin ne sera pas connue avant quelques années.
Hépatite virale B	10 ans (environ)	
Tétanos et poliomyélite	10 ans	Fortement recommandé.
Typhoïde	3 ans	Recommandé si vous voyagez dans des conditions d'hygiène médiocres.

ne pouvez faire bouillir l'eau, traitez-la chimiquement. Le Micropur (vendu en pharmacie) tuera la plupart des germes pathogènes.

Alimentation. Fruits et légumes doivent être lavés à l'eau traitée ou épluchés. Ne mangez pas de glaces des marchands de rue. D'une façon générale, le plus sûr est de vous en tenir aux aliments bien cuits. Attention aux plats refroidis ou réchauffés. Méfiez-vous des poissons, des crustacés et des viandes peu cuites. Si un restaurant semble bien tenu et qu'il est fréquenté par des touristes comme par des gens du pays, la nourriture ne posera probablement pas de problèmes. Attention aux restaurants vides !

Nutrition. Si votre alimentation est pauvre, en quantité ou en qualité, si vous voyagez à la dure et sautez des repas ou s'il vous arrive de perdre l'appétit, votre santé risque très vite de s'en ressentir, en même temps que vous perdrez du poids.

Assurez-vous que votre régime est équilibré. Œufs, tofu, légumes secs, lentilles (dahl en Inde) et noix variées vous fourniront des protéines. Les fruits que l'on peut éplucher (bananes, oranges et mandarines par exemple) sont sans danger et vous apportent des vitamines. Essayez de manger des céréales et du pain en abondance. Si la nourriture présente moins de risques quand elle est bien cuite, n'oubliez pas que les plats trop cuits perdent leur valeur nutritionnelle. Si votre alimentation est mal équilibrée ou insuffisante, prenez des vitamines et des comprimés à base de fer. Dans les pays à climat chaud, n'attendez pas le signal de la soif pour boire. Une urine très foncée ou l'absence d'envie d'uriner indiquent un problème. Pour de longues randonnées, munissez-vous toujours d'une gourde d'eau et éventuellement de boissons énergisantes. Une transpiration excessive fait perdre des sels minéraux et peut provoquer des crampes musculaires. Il est toutefois déconseillé de prendre des pastilles de sel de façon préventive.

Problèmes de santé et traitement

Les éventuels ennuis de santé peuvent être répartis en plusieurs catégories. Tout d'abord, les problèmes liés au climat, à la géographie, aux températures extrêmes, à l'altitude ou aux transports ; puis les

Santé au jour le jour

La température normale du corps est de 37°C ; deux degrés de plus représentent une forte fièvre. Le pouls normal d'un adulte est de 60 à 80 pulsations par minute (celui d'un enfant est de 80 à 100 pulsations ; celui d'un bébé de 100 à 140 pulsations). En général, le pouls augmente d'environ 20 pulsations à la minute avec chaque degré de fièvre.

La respiration est aussi un bon indicateur en cas de maladie. Comptez le nombre d'inspirations par minute : entre 12 et 20 chez un adulte, jusqu'à 30 pour un jeune enfant et jusqu'à 40 pour un bébé, elle est normale. Les personnes qui ont une forte fièvre ou qui sont atteintes d'une maladie respiratoire grave (pneumonie par exemple) respirent plus rapidement. Plus de 40 inspirations faibles par minute indiquent en général une pneumonie.

maladies dues au manque d'hygiène ; celles transmises par les animaux ou les hommes ; enfin, les maladies transmises par les insectes. De simples coupures, morsures ou égratignures peuvent aussi être source de problèmes.

L'autodiagnostic et l'autotraitement sont risqués ; aussi, chaque fois que cela est possible, adressez-vous à un médecin. Ambassades et consulats pourront en général vous en recommander un. Les hôtels cinq-étoiles également, mais les honoraires risquent aussi d'être cinq-étoiles (utilisez votre assurance).

Vous éviterez bien des problèmes de santé en vous lavant souvent les mains, afin de ne pas contaminer vos aliments. Brossez-vous les dents avec de l'eau traitée. On peut attraper des vers en marchant pieds nus ou se couper dangereusement sur du corail. Demandez conseil aux habitants du pays où vous vous trouvez : si l'on vous dit qu'il ne faut pas vous baigner à cause des méduses, des crocodiles ou de la bilharziose, suivez leur avis.

Affections liées à l'environnement

Coup de chaleur. Cet état grave, parfois mortel, survient quand le mécanisme de régulation thermique du corps ne fonctionne plus : la température s'élève alors de façon dangereuse. De longues périodes d'exposition à des températures élevées peuvent vous rendre vulnérable au coup de chaleur. Évitez l'alcool et les activités fatigantes lorsque vous arrivez dans un pays à climat chaud.

Symptômes : malaise général, transpiration faible ou inexistante et forte fièvre (39 à 41°C). Là où la transpiration a cessé, la peau devient rouge. La personne qui souffre d'un coup de chaleur est atteinte d'une céphalée lancinante et éprouve des difficultés à coordonner ses mouvements ; elle peut aussi donner des signes de confusion mentale ou d'agressivité. Enfin, elle délire et est en proie à des convulsions. Il faut absolument hospitaliser le malade. En attendant les secours, installez-le à l'ombre, ôtez-lui ses vêtements, couvrez-le d'un drap ou d'une serviette mouillés et éventez-le continuellement.

Coup de soleil. Sous les tropiques, dans le désert ou en altitude, les coups de soleil sont plus fréquents, même par temps couvert. Utilisez un écran solaire et pensez à couvrir les endroits qui sont habituellement protégés, les pieds par exemple. Si les chapeaux fournissent une bonne protection, n'hésitez pas à appliquer également un écran total sur le nez et les lèvres. Les lunettes de soleil s'avèrent souvent indispensables.

Insolation. Une exposition prolongée au soleil peut provoquer une insolation. Symptômes : nausées, peau chaude, maux de tête. Dans ce cas, il faut rester dans le noir, appliquer une compresse d'eau froide sur les yeux et prendre de l'aspirine.

Mal des transports. Pour réduire les risques d'avoir le mal des transports, mangez légèrement avant et pendant le voyage. Si vous êtes sujet à ces malaises, essayez de trouver un siège dans une partie du véhicule où les oscillations sont moindres : près de l'aile dans un avion, au centre sur un bateau et dans un bus. Évitez de lire et de fumer. Tout médicament doit être pris avant le départ ; une fois que vous vous sentez mal, il est trop tard.

Miliaire et bourbouille. C'est une éruption cutanée (appelée bourbouille en cas de surinfection) due à la sueur qui s'évacue

La médecine traditionnelle

Les Vietnamiens se soignent beaucoup par les plantes. Cette médecine d'origine chinoise s'est en effet révélée très efficace. Pas question, là encore, de pratiquer l'automédication. Si vous voulez recourir aux plantes médicinales, consultez un spécialiste. Il y en a plusieurs dans chaque communauté chinoise, notamment à HCMV, Hanoi et Hoi An.

Vous apprendrez alors beaucoup de choses sur votre corps. Un médecin traditionnel prendra votre pouls et dira s'il est fuyant ou filant, par exemple. Les médecins traditionnels ont identifié plus de trente différentes sortes de pouls : vide, lent, tendu, irrégulier, régulièrement irrégulier, etc. Il examinera alors votre langue pour voir si elle est glissante, sèche, pâle, grasse, si elle a un revêtement épais ou pas de revêtement du tout. S'il découvre que vous avez une chaleur humide, comme le montrent un pouls fuyant et une langue rouge et grasse, il vous prescrira les plantes correspondant à votre état.

Un traitement traditionnel consiste à faire brûler à fleur de peau des moxas, petites boules de plantes semblables à du coton. On peut également placer la boule sur une tranche de gingembre, puis l'allumer. L'idée est de créer le maximum de chaleur sans brûler le patient. La méthode est censée soulager grandement certaines affections telles que l'arthrite.

On voit fréquemment des Vietnamiens couverts de longues marques rouges sur le cou, le front ou le dos. Loin d'être une affreuse maladie de peau, ce sont les traces d'un traitement appelé *cao gio*, littéralement «gratter le vent». Dans la médecine traditionnelle vietnamienne, de nombreuses maladies sont attribuées à un "vent pernicieux" (*trung gio*). On peut se débarrasser de ce mauvais vent «froid» en appliquant de l'huile d'eucalyptus ou du baume du tigre, puis en grattant la peau avec une cuillère, une pièce de monnaie, etc. Si les marques laissées ne sont pas très esthétiques, ce traitement semble efficace contre le rhume, la fatigue, la migraine et d'autres affections. Quant à savoir si le remède n'est pas pire que le mal, l'expérience seule permet d'en juger.

Une autre technique destinée à combattre les mauvaises brises, le *giac hoi*, correspond à la pose de ventouses, généralement en bambou ou en verre. Auparavant, on fait flamber un morceau de coton trempé dans de l'alcool et on l'introduit brièvement dans la ventouse pour en chasser l'air. Au fur et à mesure que la ventouse refroidit, un vide partiel se crée, laissant de vilains, mais inoffensifs, ronds rouges sur la peau. Ces marques disparaissent au bout de quelques jours.

Peut-on soigner les gens avec de petites aiguilles ? L'acupuncture a en tout cas ses adeptes, et son efficacité est prouvée. Des interventions chirurgicales importantes ont ainsi été pratiquées (notamment au niveau de la tête) avec l'acupuncture pour seule anesthésie, en faisant passer un courant de faible intensité à travers les aiguilles.

Bien que l'idée de devenir un plantoir d'aiguilles puisse ne pas séduire, l'opération est indolore si elle est pratiquée correctement. Il est crucial de savoir exactement où planter l'aiguille. Les acupuncteurs ont relevé plus de 2 000 points d'application, dont seuls 150 sont couramment utilisés. On ne connaît pas le mécanisme exact de l'acupuncture. Chaque point d'insertion est relié à un organe, une glande ou une articulation par un canal d'énergie, ou méridien, parfois très éloigné de l'endroit à soigner.

Les aiguilles non stérilisées exposent aux risques de contagion du sida ; mieux vaut donc apporter vos propres aiguilles si vous envisagez de suivre un traitement au Vietnam.

mal : elle frappe en général les personnes qui viennent d'arriver dans un climat à pays chaud et dont les pores ne sont pas encore suffisamment dilatés pour permettre une transpiration plus abondante que d'habitude. En attendant de vous acclimater, prenez des bains fréquents suivis d'un léger talcage, ou réfugiez-vous dans des locaux à air conditionné lorsque cela est possible. Attention ! il est recommandé de ne pas prendre plus de deux douches savonneuses par jour.

Mycoses. Les infections fongiques dues à la chaleur apparaissent généralement sur le cuir chevelu, entre les doigts ou les orteils (pied d'athlète), sur l'aine ou sur tout le corps (teigne). On attrape la teigne (qui est un champignon et non un parasite animal) par le contact avec des animaux infectés ou en marchant dans des endroits humides, comme le sol des douches.

Pour éviter les mycoses, portez des vêtements amples et confortables, en fibres naturelles, lavez-les fréquemment et séchez-les bien. Conservez vos tongs dans les pièces d'eau. Si vous attrapez des champignons, nettoyez quotidiennement la partie infectée avec un désinfectant ou un savon traitant et séchez bien. Appliquez ensuite un fongicide et laissez autant que possible à l'air libre. Changez fréquemment de serviettes et de sous-vêtements et lavez-les soigneusement à l'eau chaude. Bannissez absolument les sous-vêtements qui ne sont pas en coton.

Maladies infectieuses et parasitaires

Bilharzioses. Les bilharzioses sont des maladies dues à des vers qui vivent dans les vaisseaux sanguins et dont les femelles viennent pondre leurs œufs à travers la paroi des intestins ou de la vessie.

On se contamine en se baignant dans les eaux douces (rivières, ruisseaux, lacs et retenues de barrage) où vivent les mollusques qui hébergent la forme larvaire des bilharzies. Juste après le bain infestant, on peut noter des picotements ou une légère éruption cutanée à l'endroit où le parasite est passé à travers la peau. Quatre à douze semaines plus tard, apparaissent une fièvre et des manifestations allergiques. En phase chronique, les symptômes principaux sont des douleurs abdominales et une diarrhée, ou la présence de sang dans les urines.

Si par mégarde ou par accident, vous vous baignez dans une eau infectée (même les eaux douces profondes peuvent être infestées), séchez-vous vite et séchez aussi vos vêtements. Consultez un médecin si vous êtes inquiet. Les premiers symptômes de la bilharziose peuvent être confondus avec ceux du paludisme ou de la typhoïde.

Diarrhée. Le changement de nourriture, d'eau ou de climat suffit à la provoquer ; si elle est causée par des aliments ou de l'eau contaminés, le problème est plus grave. En dépit de toutes vos précautions, vous aurez peut-être la "turista", mais quelques visites aux toilettes sans aucun autre symptôme n'ont rien d'alarmant.

La déshydratation est le danger principal lié à toute diarrhée, particulièrement chez les enfants. Ainsi le premier traitement consiste à boire beaucoup : idéalement, il faut mélanger huit cuillerées à café de sucre et une de sel dans un litre d'eau. Sinon du thé noir léger, avec peu de sucre, des boissons gazeuses qu'on laisse se dégazéifier et qu'on dilue à 50% avec de l'eau purifiée, sont à recommander. En cas de forte diarrhée, il faut prendre une solution réhydratante pour remplacer les sels minéraux. Quand vous irez mieux, continuez à manger légèrement.

Les antibiotiques peuvent être utiles dans le traitement de diarrhées très fortes, en particulier si elles sont accompagnées de nausées, de vomissements, de crampes d'estomac ou d'une fièvre légère. Trois jours de traitement sont généralement suffisants, et on constate normalement une amélioration dans les 24 heures. Toutefois, lorsque la diarrhée persiste au-delà de 48 heures ou s'il y a présence de sang dans les selles, il est préférable de consulter un médecin.

Dysenterie. Affection grave, due à des aliments ou de l'eau contaminés, la dysenterie se manifeste par une violente diarrhée, souvent accompagnée de sang ou de mucus dans les selles. On distingue deux types de dysenterie : la dysenterie bacillaire se caractérise par une forte fièvre et une évolution rapide ; maux de tête et d'estomac, vomissements en sont les symptômes. Elle dure rarement plus d'une semaine mais elle est très contagieuse. La dysenterie amibienne, quant à elle, évolue plus graduellement, sans fièvre ni vomissements, mais elle est plus grave. Elle dure tant qu'elle n'est pas traitée, peut réapparaître et causer des problèmes de santé à long terme. Une analyse des selles est indispensable pour diagnos-

Décalage horaire

Les malaises liés aux voyages en avion apparaissent généralement après la traversée de trois fuseaux horaires (chaque zone correspond à un décalage d'une heure). Plusieurs fonctions de notre organisme – dont la régulation thermique, les pulsations cardiaques, le travail de la vessie et des intestins – obéissent en effet à des cycles internes de 24 heures, qu'on appelle rythmes circadiens. Lorsque nous effectuons de longs parcours en avion, le corps met un certain temps à s'adapter à la "nouvelle" heure de notre lieu de destination – ce qui se traduit souvent par des sensations d'épuisement, de confusion, d'anxiété, accompagnées d'insomnie et de perte d'appétit. Ces symptômes disparaissent généralement au bout de quelques jours, mais on peut en atténuer les effets moyennant quelques précautions :

- Efforcez-vous de partir reposé. Autrement dit, organisez-vous : pas d'affolement de dernière minute, pas de courses échevelées pour récupérer passeport ou chèques de voyage. Évitez aussi les soirées prolongées avant d'entreprendre un long voyage aérien.
- À bord, évitez les repas trop copieux (ils gonflent l'estomac !) et l'alcool (qui déshydrate). Mais veillez à boire beaucoup – des boissons non gazeuses, non alcoolisées, comme de l'eau et des jus de fruits.
- Abstenez-vous de fumer pour ne pas appauvrir les réserves d'oxygène ; ce serait un facteur de fatigue supplémentaire.
- Portez des vêtements amples, dans lesquels vous vous sentez à l'aise ; un masque oculaire et des bouchons d'oreille vous aideront peut-être à dormir.

tiquer le type de dysenterie. Il faut donc consulter rapidement.

Giardiase. Ce parasite intestinal est présent dans l'eau souillée ou dans les aliments souillés par l'eau. Symptômes : crampes d'estomac, nausées, estomac ballonné, selles très liquides et nauséabondes, et gaz fréquents. La giardiase peut n'apparaître que plusieurs semaines après la contamination. Les symptômes peuvent disparaître pendant quelques jours puis réapparaître, et ceci pendant plusieurs semaines.

Gastro-entérite virale. Provoquée par un virus et non par une bactérie, elle se traduit par des crampes d'estomac, une diarrhée et parfois des vomissements et/ou une légère fièvre. Un seul traitement : repos et boissons en quantité.

Giardiase. Ce parasite intestinal est présent dans l'eau souillée ou dans les aliments souillés par l'eau. Symptômes : crampes d'estomac, nausées, estomac ballonné, selles très liquides et nauséabondes, et gaz fréquents. La giardiase peut n'apparaître que plusieurs semaines après la contamination. Les symptômes peuvent disparaître pendant quelques jours puis réapparaître, et ceci pendant plusieurs semaines.

Hépatites. L'hépatite est un terme général qui désigne une inflammation du foie. Elle est le plus souvent due à un virus. Dans les formes les plus discrètes, le patient n'a aucun symptôme. Les formes les plus habituelles se manifestent par une fièvre, une fatigue qui peut être intense, des douleurs abdominales, des nausées, des vomissements, associés à la présence d'urines très foncées et de selles décolorées presque blanches. La peau et le blanc des yeux prennent une teinte jaune (ictère). L'hépatite peut parfois se résumer à un simple épisode de fatigue sur quelques jours ou semaines.

Hépatite A. C'est la plus répandue et la contamination est alimentaire. Il n'y a pas de traitement médical ; il faut simplement se reposer, boire beaucoup, manger légèrement en évitant les graisses et s'abstenir totalement de toute boisson alcoolisée pendant au moins six mois. L'hépatite A se transmet par l'eau, les coquillages et, d'une manière générale, tous les produits manipulés à mains nues. En faisant attention à la nourriture et à la boisson, vous préviendrez le virus. Malgré tout, s'il existe un fort risque d'exposition, il vaut mieux se faire vacciner.

Hépatite B. Elle est très répandue, puisqu'il existe environ 300 millions de porteurs chroniques dans le monde. Elle se transmet par voie sexuelle ou sanguine (piqûre, transfusion). Évitez de vous faire percer les oreilles, tatouer, raser ou de vous faire soigner par piqûres si vous avez des doutes quant à l'hygiène des lieux. Les symptômes de l'hépatite B sont les mêmes que ceux de l'hépatite A mais, dans un faible pourcentage de cas, elle peut évoluer vers des formes chroniques dont, dans des cas extrêmes, le cancer du foie. La vaccination est très efficace.

Hépatite C. Ce virus se transmet par voie sanguine (transfusion ou utilisation de seringues usagées) et semble donner assez souvent des hépatites chroniques. La seule prévention est d'éviter tout contact sanguin, car il n'existe pour le moment aucun vaccin contre cette hépatite.

Hépatite D. On sait encore peu de choses sur ce virus, sinon qu'il apparaît chez des sujets atteints de l'hépatite B et qu'il se transmet par voie sanguine. Il n'existe pas de vaccin mais le risque de contamination est, pour l'instant, limité.

Hépatite E. Il semblerait que cette souche soit assez fréquente dans certains pays en développement, bien que l'on ne dispose pas de beaucoup d'éléments actuellement. Similaire à l'hépatite A, elle se contracte de la même manière, généralement par l'eau. De forme bénigne, elle peut néanmoins être dangereuse pour les femmes enceintes. À l'heure actuelle, il n'existe pas de vaccin.

Maladies sexuellement transmissibles. La blennorragie, l'herpès et la syphilis sont les plus connues. Plaies, cloques ou éruptions autour des parties génitales, suppurations ou douleurs lors de la miction en sont les symptômes habituels ; ils peuvent être moins aigus ou inexistants chez les femmes. Les symptômes de la syphilis finissent par disparaître complètement, mais la maladie continue à se développer et provoque de graves problèmes par la suite. On traite la blennorragie et la syphilis par les antibiotiques.

Les maladies sexuellement transmissibles (MST) sont nombreuses, mais on dispose d'un traitement efficace pour la plupart d'entre elles.

La seule prévention des MST est l'usage systématique du préservatif lors des rapports sexuels.

Typhoïde. La fièvre typhoïde est une infection du tube digestif. La vaccination n'est pas entièrement efficace et l'infection est particulièrement dangereuse.

Premiers symptômes : les mêmes que ceux d'un mauvais rhume ou d'une grippe, mal de tête et de gorge, fièvre qui augmente régulièrement pour atteindre 40°C ou plus. Le pouls est souvent lent par rapport à la température élevée et ralentit à mesure que la fièvre augmente. Ces symptômes peuvent être accompagnés de vomissements, de diarrhée ou de constipation.

La deuxième semaine, quelques petites taches roses peuvent apparaître sur le corps. Autres symptômes : tremblements, délire, faiblesse, perte de poids et déshydratation. S'il n'y a pas d'autres complications, la fièvre et les autres symptômes disparaissent peu à peu la troisième semaine. Cependant, un suivi médical est indispensable, car les complications sont fréquentes, en particulier la pneumonie (infection aiguë des poumons) et la péritonite (éclatement de l'appendice). De plus, la typhoïde est très contagieuse.

Mieux vaut garder le malade dans une pièce fraîche et veiller à ce qu'il ne se déshydrate pas.

Vers. Fréquents en zones rurales tropicales, on les trouve dans les légumes non lavés ou la viande trop peu cuite. Ils se logent également sous la peau quand on marche pieds nus (ankylostome). Souvent, l'infection ne se déclare qu'au bout de plusieurs semaines. Bien que bénigne en général, elle doit être traitée sous peine de complications sérieuses. Une analyse des selles est nécessaire.

VIH/sida. L'infection à VIH (virus de l'immunodéficience humaine), agent causal du sida (syndrome d'immunodéficience acquise) est présente dans pratiquement tous les pays et épidémique dans nombre d'entre eux. La transmission de cette infection se fait : par rapport sexuel (hétérosexuel ou homosexuel – anal, vaginal ou oral), d'où l'impérieuse nécessité d'utiliser des préservatifs à titre préventif ; par le sang, les produits sanguins et les aiguilles contaminées. Il est impossible de détecter la présence du VIH chez un individu apparemment en parfaite santé sans procéder à un examen sanguin.

La prévention antipaludique

Le soir, dès le coucher du soleil, quand les moustiques sont en pleine activité, couvrez vos bras et surtout vos chevilles, mettez de la crème antimoustiques. Les moustiques sont parfois attirés par le parfum ou l'après-rasage.

En dehors du port de vêtements longs, l'utilisation d'insecticides (diffuseurs électriques, bombes insecticides, tortillons fumigènes) ou de répulsifs sur les parties découvertes du corps est à recommander. La durée d'action de ces répulsifs est généralement de 3 à 6 heures. Les moustiquaires constituent en outre une protection efficace, à condition qu'elles soient imprégnées d'insecticide (non nocif pour l'homme). L'Organisation mondiale de la santé (OMS) préconise fortement ce mode de prévention. De plus, ces moustiquaires sont radicales contre tout insecte à sang froid (puces, punaises, etc.) et permettent d'éloigner serpents et scorpions.

Il existe désormais des moustiquaires imprégnées synthétiques très légères (environ 350 g) que l'on peut trouver en pharmacie. À titre indicatif, vous pouvez vous en procurer par correspondance auprès du **Service médical international** (SMI ; ☎ 01 30 05 05 40, fax 01 30 05 05 41), 29 avenue de la Gare, Coignières, BP 125, 78312 Maurepas Cedex.

Notez enfin que, d'une manière générale, le risque de contamination est plus élevé en zone rurale et pendant la saison des pluies.

Il faut éviter tout échange d'aiguilles. S'ils ne sont pas stérilisés, tous les instruments de chirurgie, les aiguilles d'acupuncture et de tatouage, les instruments utilisés pour percer les oreilles ou le nez peuvent transmettre l'infection. Il est fortement conseillé d'acheter seringues et aiguilles avant de partir.

Les chiffres officiels portant sur le nombre de personnes infectées par le VIH ou atteintes du sida au Vietnam sont vagues. Bien que les campagnes de sensibilisation au problème du VIH et du sida soient partout présentes, la ligne officielle est d'affirmer que seuls les prostituées et les toxicomanes sont menacés par l'infection. Les préservatifs sont en vente dans tout le pays.

Toute demande de certificat attestant la séronégativité pour le VIH (certificat d'absence de sida) est contraire au Règlement sanitaire international (article 81).

Affections transmises par les insectes

Voir également plus loin le paragraphe *Affections moins fréquentes*.

Paludisme. Le paludisme est présent au Vietnam. Si vous voyagez dans des régions où la maladie est endémique, comme les provinces de Camau et de Bac Lieu, il faut absolument suivre un traitement préventif et emporter un traitement curatif à utiliser en cas d'apparition des symptômes du paludisme.

Le paludisme, ou malaria, est transmis par un moustique, l'anophèle, dont la femelle pique surtout la nuit, entre le coucher et le lever du soleil.

La transmission du paludisme a disparu en zone tempérée, régressé en zone subtropicale mais reste incontrôlée en zone tropicale. D'après le dernier rapport de l'Organisation mondiale de la Santé (OMS), 90% du paludisme mondial sévit en Afrique.

Le paludisme survient généralement dans le mois suivant le retour de la zone d'endémie. Symptômes : maux de tête, fièvre et troubles digestifs. Non traité, il peut avoir des suites graves, parfois mortelles. Il existe différentes espèces de paludisme, dont celui à Plasmodium falciparum pour lequel le traitement devient de plus en plus difficile à mesure que la résistance du parasite aux médicaments gagne en intensité.

Les médicaments antipaludéens n'empêchent pas la contamination mais ils suppriment les symptômes de la maladie. Si vous voyagez dans des régions où la maladie est endémique, il faut absolument suivre un traitement préventif. La chimioprophylaxie fait appel à la chloroquine (seule ou associée au proguanil), ou à la méfloquine en fonction de la zone géographique du séjour. Renseignez-vous impérativement auprès d'un médecin spécialisé, car le traitement n'est pas toujours le même à l'intérieur d'un même pays.

Tout voyageur atteint de fièvre ou montrant les symptômes de la grippe doit se faire examiner. Il suffit d'une analyse de sang pour établir le diagnostic. Contrairement à certaines croyances, une crise de paludisme ne signifie pas que l'on est touché à vie.

Coupures, piqûres et morsures

Coupures et égratignures. Les blessures s'infectent très facilement dans les climats chauds et cicatrisent difficilement. Coupures et égratignures doivent être traitées avec un antiseptique et du désinfectant cutané. Évitez si possible bandages et pansements, qui empêchent la plaie de sécher.

Les coupures de corail sont particulièrement longues à cicatriser, car le corail injecte un venin léger dans la plaie. Portez des chaussures pour marcher sur des récifs, et nettoyez chaque blessure à fond.

Méduses. Les conseils des habitants vous éviteront de faire la rencontre des méduses et de leurs tentacules urticants. Certaines espèces peuvent être mortelles mais, en général, la piqûre est seulement douloureuse. Des antihistaminiques et des analgésiques limiteront la réaction et la douleur.

Piqûres. Les piqûres de guêpe ou d'abeille sont généralement plus douloureuses que dangereuses. Une lotion apaisante ou des glaçons soulageront la douleur et empêcheront la piqûre de trop gonfler. Certaines araignées sont dangereuses mais il existe en général des antivenins. Les piqûres de scorpions sont très douloureuses et parfois mortelles dans certains pays d'Asie. Inspectez vos vêtements ou chaussures avant de les enfiler.

Punaises et poux. Les punaises affectionnent la literie douteuse. Si vous repérez de petites taches de sang sur les draps ou les murs autour du lit, cherchez un autre hôtel. Les piqûres de punaises forment des alignements réguliers. Une pommade calmante apaisera la démangeaison.

Les poux provoquent des démangeaisons. Ils élisent domicile dans les cheveux, les vêtements ou les poils pubiens. On en attrape par contact direct avec des personnes infestées ou en utilisant leur peigne, leurs vêtements, etc. Poudres et shampooings détruisent poux et lentes ; il faut également laver les vêtements à l'eau très chaude.

Sangsues et tiques. Les sangsues, présentes dans les régions de forêts humides, se collent à la peau et sucent le sang. Les randonneurs en retrouvent souvent sur leurs jambes ou dans leurs bottes. Du sel ou le contact d'une cigarette allumée les feront tomber. Ne les arrachez pas, car la morsure s'infecterait plus facilement. Une crème répulsive peut les maintenir éloignées. Utilisez de l'alcool, de l'éther, de la vaseline ou de l'huile pour vous en débarrasser. Vérifiez toujours que vous n'avez pas attrapé de tiques dans une région infestée : elles peuvent transmettre le typhus.

Serpents. Portez toujours bottes, chaussettes et pantalons longs pour marcher dans la végétation à risque. Ne hasardez pas la main dans les trous et les anfractuosités, et faites attention lorsque vous ramassez du bois pour faire du feu. Les morsures de serpent ne provoquent pas instantanément la mort, et il existe généralement des antivenins. Il faut calmer la victime, lui interdire de bouger, bander étroitement le membre comme pour une foulure et l'immobiliser avec une attelle. Trouvez ensuite un médecin, et essayez de lui apporter le serpent mort.

N'essayez en aucun cas d'attraper le serpent s'il y a le moindre risque qu'il pique à nouveau. On sait désormais qu'il ne faut absolument pas sucer le venin ou poser un garrot.

Affections moins fréquentes

Choléra. Les cas de choléra sont généralement signalés à grande échelle dans les médias, ce qui permet d'éviter les régions concernées. La protection conférée par le vaccin n'étant pas fiable, celui-ci n'est pas recommandé. Prenez donc toutes les précautions alimentaires nécessaires. Symptômes : diarrhée soudaine, selles très liquides et claires, vomissements, crampes musculaires et extrême faiblesse. Il faut consulter un médecin ou aller à l'hôpital au plus vite, mais on peut commencer à lutter immédiatement contre la déshydratation qui peut être très forte. Une boisson à base de cola salée, dégazéifiée et diluée au 1/5 ou encore du bouillon bien salé seront utiles en cas d'urgence.

Dengue. Il n'existe pas de traitement prophylactique contre cette maladie propagée par les moustiques. Poussée de fièvre, maux de tête, douleurs articulaires et musculaires précèdent une éruption cutanée sur le tronc qui s'étend ensuite aux membres puis au visage. Au bout de quelques jours, la fièvre régresse, et la convalescence commence. Les complications graves sont rares.

Encéphalite japonaise. Si vous comptez effectuer un long séjour dans les zones rurales du Vietnam, la vaccination contre l'encéphalite japonaise est parfaitement justifiée (voir plus bas).

Il y a quelques années, cette maladie virale était pratiquement inconnue. Longtemps endémique en Asie tropicale (ainsi qu'en Chine, en Corée et au Japon), de récentes épidémies ont éclaté pendant la saison des pluies en Thaïlande du Nord et au Vietnam. Un moustique nocturne (le culex) est responsable de sa transmission, surtout dans les zones rurales près des élevages de cochons ou des rizières, car les porcs et certains oiseaux nichant dans les rizières servent de réservoirs au virus.

Symptômes : fièvre soudaine, frissons et maux de tête, suivis de vomissements et de délire, aversion marquée pour la lumière vive et douleurs aux articulations et aux muscles. Les cas les plus graves provoquent des convulsions et un coma. Chez la plupart des individus qui contractent le virus, aucun symptôme n'apparaît.

Les personnes les plus en danger sont celles qui doivent passer de longues périodes en zone rurale pendant la saison des pluies (de juillet à octobre). Si c'est votre cas, il faudra peut-être vous faire vacciner.

Filarioses. Ce sont des maladies parasitaires transmises par des piqûres d'insectes. Les symptômes varient en fonction de la filaire concernée : fièvre, ganglions et inflammation des zones de drainage lymphatique ; œdème (gonflement) au niveau d'un membre ou du visage ; démangeaisons et troubles visuels. Un traitement permet de se débarrasser des parasites, mais certains dommages causés sont parfois irréversibles. Si vous soupçonnez une possible infection, il vous faut rapidement consulter un médecin.

Rage. La vaccination antirabique est vivement conseillée si l'on prévoit un séjour au Vietnam en zone isolée. Très répandue, cette maladie est transmise par un animal contaminé : chien, singe et chat principalement. Morsures, griffures ou même simples coups de langue d'un mammifère doivent être nettoyés immédiatement et à fond. Frottez avec du savon et de l'eau courante, puis nettoyez avec de l'alcool. S'il y a le moindre risque que l'animal soit contaminé, allez immédiatement voir un médecin. Même si l'animal n'est pas enragé, toutes les morsures doivent être surveillées de près pour éviter les risques d'infection et de tétanos. Un vaccin antirabique est désormais disponible. Il faut y songer si vous pensez explorer des grottes (les morsures de chauves-souris peuvent être dangereuses) ou travailler avec des animaux. Cependant, la vaccination préventive ne dispense pas de la nécessité d'un traitement antirabique immédiatement après un contact avec un animal enragé ou dont le comportement peut paraître suspect.

Rickettsioses. Les rickettsioses sont des maladies transmises soit par des acariens (dont les tiques), soit des poux. La plus connue est le typhus. Elle commence comme un mauvais rhume, suivi de fièvre, de frissons, de migraines, de douleurs musculaires et d'une éruption cutanée. Une plaie douloureuse se forme autour de la piqûre et les ganglions lymphatiques voisins sont enflés et douloureux.

Le typhus transmis par les tiques menace les randonneurs en Afrique australe qui risquent d'attraper les tiques du bétail et des animaux sauvages.

Le typhus des broussailles est transmis par des acariens. On le rencontre principalement en Asie et dans les îles du Pacifique. Soyez prudent si vous faites de la randonnée dans des zones rurales d'Asie du Sud-Est.

Tétanos. Cette maladie parfois mortelle se rencontre partout, et surtout dans les pays tropicaux en voie de développement. Difficile à soigner, elle se prévient par vaccination. Le bacille du tétanos se développe dans les plaies. Il est donc indispensable de bien nettoyer coupures et morsures. Premiers symptômes : difficulté à avaler ou raideur de la mâchoire ou du cou. Puis suivent des convulsions douloureuses de la mâchoire et du corps tout entier.

Tuberculose. Bien que très répandue dans de nombreux pays en développement, cette maladie ne présente pas de grand danger pour le voyageur. Les enfants de moins de 12 ans sont plus exposés que les adultes. Il est donc conseillé de les faire vacciner s'ils voyagent dans des régions où la maladie est endémique. La tuberculose se propage par la toux ou par des produits laitiers non pasteurisés faits avec du lait de vaches tuberculeuses. On peut boire du lait bouilli et manger yaourts ou fromages (l'acidification du lait dans le processus de fabrication élimine les bacilles) sans courir de risques. Néanmoins, renseignez-vous auprès de votre médecin avant de partir.

Typhus. Voir plus haut *Rickettsioses*.

Santé au féminin
Grossesse. La plupart des fausses couches ont lieu pendant les trois premiers mois de la grossesse. C'est donc la période la plus risquée pour voyager. Pendant les trois derniers mois, il vaut mieux rester à distance raisonnable de bonnes infrastructures médicales, en cas de problèmes. Les femmes enceintes doivent éviter de prendre inutilement des médicaments. Cependant, certains vaccins et traitements préventifs contre le paludisme restent nécessaires. Mieux vaut consulter un médecin avant de prendre quoi que ce soit.

Pensez à consommer des produits locaux, comme les fruits secs, les agrumes, les lentilles et les viandes accompagnées de légumes.

Problèmes gynécologiques. Une nourriture pauvre, une résistance amoindrie par l'utilisation d'antibiotiques contre des problèmes intestinaux peuvent favoriser les infections vaginales lorsqu'on voyage dans des pays à climat chaud. Respectez une hygiène intime scrupuleuse, et portez jupes ou pantalons amples et sous-vêtements en coton.

Les champignons, caractérisés par une éruption cutanée, des démangeaisons et des pertes, peuvent se soigner facilement. En revanche, les trichomonas sont

plus graves ; pertes blanches et sensation de brûlure lors de la miction en sont les symptômes. Le partenaire masculin doit également être soigné.

Il n'est pas rare que le cycle menstruel soit perturbé lors d'un voyage.

Il est facile de trouver des serviettes hygiéniques dans les grandes villes, ce qui n'est pas le cas des tampons.

SEULE EN VOYAGE
Tout comme la Thaïlande et d'autres pays à prédominance bouddhique, le Vietnam, en général, ne présente pas de véritable danger pour les Occidentales qui voyagent non accompagnées. Il n'en est pas de même pour les Asiatiques, en particulier si elles sont jeunes. Une femme asiatique accompagnée d'un Occidental sera facilement cataloguée comme "prostituée vietnamienne". Il ne vient pas à l'idée de tous qu'ils peuvent être mariés ou simples amis. Des femmes asiatiques voyageant au Vietnam avec un compagnon occidental ont raconté avoir été parfois insultées.

Inutile de sombrer pour autant dans la paranoïa : les Vietnamiens ont de plus en plus l'habitude de croiser des étrangers et réalisent que toutes les femmes asiatiques ne sont pas forcément vietnamiennes.

COMMUNAUTÉ HOMOSEXUELLE
En général, les homosexuels ne rencontreront pas trop de désagréments au Vietnam. Aucune loi n'interdit les relations avec une personne du même sexe, du moins pas dans le sens du harcèlement officiel.

Le gouvernement continue cependant de faire fermer les endroits où se retrouvent les homosexuels. Mystérieusement, les lieux cités dans les médias sont souvent la cible de descentes peu de temps après. La plupart des lieux de rencontre pour homosexuels se font donc assez discrets. Il existe, néanmoins, une communauté dynamique, notamment à Hanoi et HCMV, qui n'est nullement intimidée et se retrouve autour de certains lacs à Hanoi ou dans des cafés, de plus en plus nombreux, à HCMV.

Les comportements de la population locale indiquent qu'il s'agit encore d'un interdit, même si l'absence de lois ne fait planer aucun danger (et même si les autorités n'hésitent pas à intervenir dans une petite fête). En 1997, le premier mariage homosexuel masculin au Vietnam a fait grand bruit, à l'instar de la première union entre deux femmes, dans le delta du Mékong, en 1998. Toutefois, quinze jours plus tard, appliquant deux poids deux mesures, les autorités ont annulé le mariage de ces femmes et leur ont fait signer une promesse de renoncer à vivre ensemble.

Étant donné le nombre croissant de personnes du même sexe, homosexuelles ou non, séjournant ensemble dans des hôtels, les Vietnamiens ne cherchent pas à connaître le lien qui unit deux voyageurs. Il est toutefois préférable de rester discret quant à ses habitudes. Comme pour les couples hétérosexuels, les démonstrations d'affection en public sont à proscrire, c'est une règle de base. Les Vietnamiens du même sexe, amis ou autre, se promènent souvent main dans la main, il n'y a donc aucune raison que les étrangers ne puissent les imiter.

Utopia *(www.utopia-asia.com)* offre des informations et des adresses aux voyageurs homosexuels, notamment des rubriques détaillées sur l'homosexualité et la loi au Vietnam, ainsi que quelques termes gays locaux.

VOYAGEURS HANDICAPÉS
Le Vietnam n'est pas une destination facile pour les voyageurs handicapés, bien que de nombreux Vietnamiens le soient eux-mêmes, suite à des blessures de guerre. La circulation effrénée, la pénurie de trottoirs, l'absence d'ascenseurs et les toilettes à la turque sont en effet sources de difficultés.

Avant d'envisager ou non de partir, il est préférable de demander quelques conseils et suggestions auprès des associations d'handicapés de sa ville de résidence.

En France, vous pouvez contacter l'**APF** (Association des paralysés de France, 17, bd Blanqui, 75013 Paris, ☎ 01 40 78 69 00, fax 01 45 89 40 56, www.apf-asso.com), qui pourra vous fournir d'utiles informations sur les voyages accessibles.

VOYAGEURS SENIORS
Tout comme dans la plupart des pays asiatiques, les Vietnamiens ont un profond respect pour les personnes âgées. Pourtant, celles-ci risquent de rencontrer des difficultés pour se déplacer. Cela dit, les voyageurs d'un certain âge auront intérêt à éviter les transports publics (la plupart des trains sont équipés uniquement de toilettes à la turque).

Aucune réduction n'est prévue pour les retraités et aucune carte internationale n'est acceptée. N'hésitez pas néanmoins à sortir votre carte pour tenter d'obtenir un prix.

VOYAGER AVEC DES ENFANTS
En règle générale, les enfants sont très bien accueillis. Ils suscitent un grand intérêt auprès des Vietnamiens, qui adorent les enfants et voudront jouer avec eux.

Si dans les grandes villes les distractions ne manquent pas, dans les bourgades et les campagnes, les enfants risquent de s'ennuyer. Nous recommandons les zoos, les parcs et les boutiques de crèmes glacées, parmi les meilleures d'Asie du Sud-Est ! À HCMV, emmenez-les au parc aquatique, à Hanoi au cirque et au spectacle de marionnettes aquatiques.

Les amoureux de la nature choisiront peut-être de faire une randonnée avec leurs enfants dans un des immenses parcs ou réserves naturels du pays. Le parc national de Cuc Phuong (voir le chapitre *Le Centre-Nord*), notamment, abrite le Centre d'aide aux primates en danger. Vous pourrez découvrir les efforts réalisés pour protéger et élever en captivité des espèces menacées de singes. C'est un bon endroit pour découvrir les menaces sur l'environnement et la condition réservée à nos amis à fourrure.

Ceux qui pratiquent l'anglais pourront se procurer *Travel with Children* de Cathy Lanigan (Lonely Planet Publications), qui donne des conseils judicieux pour voyager à l'étranger avec des enfants en bas âge et durant la grossesse.

Dans les grandes villes, les petits pots, les couches et les vêtements pour enfants se trouvent facilement, ce qui n'est pas le cas dans les campagnes. Les enfants trop jeunes pour tenir des baguettes se verront remettre des fourchettes et des couteaux dans la plupart des restaurants.

ORGANISMES UTILES
À Hanoi et HCMV, vous trouverez des associations internationales comme l'Alliance française, le Goethe Institut, le

Les ONG au Vietnam

Depuis son ouverture au monde à la fin des années 1980, le Vietnam a accueilli des centaines d'organisations non gouvernementales (ONG), nationales et internationales œuvrant pour la population, la faune et l'environnement. Beaucoup d'entre elles recherchent des bénévoles et/ou des donations, mais il est préférable de les appeler avant de leur rendre visite. Celles que nous mentionnons ci-dessous ont la réputation de faire du bon travail, notamment en faveur des enfants défavorisés.

Commencez par le **NGO Resource Center** (☎ 04-832 8570, fax 04-832 8611, ngocentr@netnam.org.vn, Hotel La Thanh, 218 Pho Doi Can, Hanoi), qui possède des dossiers complets sur toutes les ONG présentes au Vietnam.

Christina Noble Children's Foundation (CNCF ; ☎ 08-822 2276, cncfsponsorvn@hcm.vnn.vn , www.cncf.org, 38 Đ Tu Xuong, district n°3, HCMV) s'occupe des enfants confrontés à l'exploitation sexuelle et économique qui ont besoin de soins médicaux d'urgence et à long terme, de rééducation nutritionnelle, de soutien éducatif, de stages professionnels et d'emplois.

East Meets West (☎ 0511-829 110, fax 821 850, emwfvn@dng.vnn.vn, www.eastmeetswest.org, 56 Đ Pasteur, Danang) s'occupe de l'éducation et de la santé des enfants en construisant et en rénovant des institutions essentielles comme les écoles, les hôpitaux ou les cliniques médicales et dentaires, et en fournissant des réseaux d'eau propre et potable. L'association a été fondée en 1988 par Le Ly Hayslip, qui a raconté sa vie dans deux autobiographies et a inspiré le film *Entre ciel et terre* d'Oliver Stone.

Education For Development (EFD, ☎/fax 08-837 6799, efd-vn@hcm.vnn.vn, 245 Đ Nguyen Trai, district n°1, HCMV) s'occupe des enfants des rues et des enfants au travail.

Green Bamboo Shelter (☎ 08-821 0199, gbwarmshelter@hcm.fpt.vn, 40/34 Đ Calmette, district n°1, HCMV) fournit abri, nourriture, vêtements et protection aux garçons des rues et leur facilite l'accès à des programmes éducatifs.

Koto (☎ 04-747 0337, fax 747 0339, www.streetvoices.com.au, 61 Van Mieu, Hanoi) est un restaurant qui assure aux enfants des rues des formations professionnelles et un soutien. Les voyageurs soutiendront l'organisation en allant y manger.

Saigon Children's Charity (SCC, scc@hcmc.netnam.vn, www.saigonchildren.com) fournit éducation et appui aux enfants défavorisés.

Carry for Kids (☎ 618-8238 4525, fax 8211 7393, carryforkids@telstra.com, www.carryforkids .org, 101 Currie St, Adelaide, SA 5000, Australie) est une association australienne qui demande aux voyageurs au Vietnam de faire des dons à des bonnes causes, comme les orphelinats.

World Wildlife Fund (www.wwf.org) et **Birdlife International** (www.birdlife.net), deux ONG écologistes, possèdent des bureaux à Hanoi. L'**Unicef** (☎ 04-826 1170, fax 826 2641, 72 Ly Thuong Kiet, Hanoi) dispose également d'un bureau dans la capitale.

British Council et l'American Club. Pour plus de détails, reportez vous aux chapitres *Hanoi* et *Ho Chi Minh-Ville*.

Chambre de commerce

La Vietcochamber (*Chambre de commerce et d'industrie, www.vcci.com.vn*) est censée faciliter les contacts entre les entreprises étrangères et vietnamiennes. Elle peut également apporter son concours dans l'obtention ou la prorogation des visas d'affaires. Vietcochamber publie la liste des entreprises gouvernementales et de leurs points de contact.

Organisations non gouvernementales

Au Vietnam, les organisations non gouvernementales (ONG) comprennent les églises et les organisations humanitaires. Reportez-vous à l'encadré *Les ONG au Vietnam*, plus loin dans ce chapitre.

DÉSAGRÉMENTS ET DANGERS
Choc culturel

Le choc culturel est inévitable en voyage lorsque l'on passe d'une civilisation à une autre. Une voyageuse nous fait part de ses impressions :

À HCMV, des scènes ou des bruits déplaisants m'ont choquée, mais la gentillesse des gens a vite effacé ces impressions désagréables. Les enfants dans les rues étaient adorables. Les Vietnamiens sont souriants, travailleurs et font face aux difficultés de leur vie quotidienne avec humour, espoir et amitié. C'était super.

Audrey Snoddon

Vols

Les Vietnamiens sont convaincus que leurs villes sont très dangereuses et remplies de criminels. Le Sud d'avant la réunification, Saigon en tête, comptait nombre de délinquants en tout genre. Les plus audacieux n'hésitèrent pas, après la chute de Saigon, à détrousser les troupes nord-vietnamiennes. L'exécution expéditive de quelques-uns calma les autres, et la délinquance disparut presque complètement d'un jour à l'autre.

Elle semble néanmoins réapparaître, prête à prendre sa revanche. Nous avons eu d'innombrables récits de vols à la tire, notamment à HCMV et Nha Trang. Même si vous avez l'impression d'être en sécurité, soyez constamment sur vos gardes et faites preuve de bon sens. Ne laissez pas pendre négligemment votre sac et évitez de porter des bijoux, même fantaisie.

Prenez garde aux voleurs à moto ; ils ont pour spécialité d'arracher sacs à main et appareils photo aux touristes qui se promènent à pied ou en cyclo-pousse. Certains pratiquent même du "grand art" et sont capables de se saisir à l'arraché de vos objets de valeur par la vitre baissée de votre voiture. Des étrangers racontent qu'on leur a arraché leurs lunettes et volé leur stylo dans la poche.

Les pickpockets (souvent des enfants, des femmes avec un bébé ou des vendeurs de journaux) constituent également un sérieux problème, surtout dans les quartiers touristiques de HCMV, tels que les rues Dong Khoi et Pham Ngu Lao. Les enfants, aussi adorables puissent-ils paraître, sont très doués pour détrousser les passants de leur portefeuille ou du contenu d'un sac à main ou d'une poche. Restez très vigilant (particulièrement envers les groupes d'enfants), quitte parfois à empêcher les gamins de s'approcher de vous. Tous ne sont pas des voleurs, bien sûr, et beaucoup tentent de survivre en vendant des cartes postales et des souvenirs. Cependant, beaucoup savent très bien exploiter la faiblesse des adultes pour les enfants.

Les lettres de voyageurs en témoignent fréquemment :

À HCMV, un de nos compagnons de voyage s'est fait délester de son appareil photo par deux jeunes garçons à moto, alors qu'il tentait de prendre une photo. La manœuvre consiste à passer suffisamment près du touriste pour que le passager puisse s'emparer de tout ce qui n'est pas solidement attaché – sac à main, appareil photo, lunettes de soleil ou même chapeau !

Faites également attention si vous vous retrouvez au milieu d'une foule de charmants bambins qui tentent de vous vendre des cartes postales, etc. Ils travaillent en bande et, pendant que les plus âgés détournent votre attention, les plus jeunes parviennent à ouvrir les fermetures éclair des sacs et à en vider le contenu. Ces enfants sont si affectueux qu'on ne s'étonne pas quand ils vous touchent les bras ou se blottissent contre vous. Cependant, restez sur vos gardes, car ils sont capables de vous voler votre montre avec une facilité sidérante.

Aussi inquiétant que cela paraisse, faire preuve de vigilance atténuera les risques. Mon voyage au Vietnam reste l'un des plus beaux de ma vie.

Matthew Ford

Évitez de poser vos affaires par terre lorsque vous vous restaurez, ou prenez la précaution de les attacher à votre siège. Tout objet que vous laisserez sans surveillance un court instant peut disparaître comme par enchantement.

On a vu aussi des "taxi-girls" (parfois des travestis) approcher des Occidentaux, les serrer dans leurs bras et leur demander s'ils ont envie de "s'amuser un peu". Puis elles se ravisent subitement et tournent les talons… non sans avoir au passage dérobé une montre ou un portefeuille.

Des voyageurs nous ont raconté que, dans des bus longue distance, ils avaient été drogués puis dépouillés de leurs biens. La chose est vite faite : un voyageur sympathique vous propose un "Coca", qui n'est autre qu'un cocktail à base d'hydrate de chloral, un puissant hypnotique. Quelques heures plus tard, vous vous réveillez… et tous vos effets ont disparu avec votre "nouvel ami".

Malgré tout, évitez là encore la paranoïa : la criminalité existe au Vietnam, et vous devez en être conscient, mais les vols n'y sont pas plus nombreux qu'ailleurs.

Reste le problème de vos compagnons de voyage. On constate amèrement que certains voyageurs à petit budget financent leur séjour en dépouillant n'importe qui, y compris les touristes aussi peu fortunés ou, pis encore, les Vietnamiens eux-mêmes – en quittant un restaurant sans payer la note, en ne donnant pas à un guide la somme prévue au départ, etc. Nous connaissons même quelqu'un qui a volontairement roulé son chauffeur de 40 $US, sous prétexte que la clim. était tombée en panne le dernier jour. Assez ignoble !

Mendicité des jeunes

Juste au moment où vous allez planter vos baguettes dans un succulent repas vietnamien, vous sentez quelqu'un qui tire votre manche. Vous vous retournez et découvrez un squelettique petit garçon de 8 ans, tenant dans les bras sa petite sœur de 3 ans. Elle a le ventre tout gonflé, tend sa main vers vous et ses yeux affamés sont fixés sur votre plat fumant.

C'est la dure réalité de la pauvreté. Vendeurs de rue ou mendiants, adultes ou enfants, ne se retrouvent dans cette situation que poussés par les circonstances. Ce n'est pas un choix. Ces personnes méritent le respect, et prendre conscience de ce qu'est leur vie ne peut qu'aider à mieux les comprendre. Que faire pour aider cette population des rues, pour la plupart sous-alimentée, illettrée et sans avenir ? Une question aussi difficile ne saurait avoir de réponse facile. Si vous décidez de faire quelque chose, réfléchissez bien avant d'agir.

Beaucoup se laissent gagner par la culpabilité face à une pauvreté aussi flagrante, et le désespoir manifeste réveille des sentiments charitables.

Distribuer de l'argent ou des cadeaux aux mendiants peut faire plus de mal que de bien. Une avalanche d'aumônes les dissuadera de quitter la rue. Si l'argent devient trop difficile à gagner, cela finira peut-être par décourager les parents et les "chefs" qui forcent les enfants et les mendiants à vivre ainsi, et par réduire progressivement ce problème croissant.

Vous contribuerez plus efficacement à améliorer la situation en soutenant une des organisations locales qui travaillent avec les personnes défavorisées (reportez-vous à l'encadré *Les ONG au Vietnam*).

Si vous voulez agir immédiatement, évitez de donner de l'argent ou toute chose susceptible d'être vendue. Offrez plutôt de la nourriture, un plat substantiel ou un fruit qui se consomme tout de suite.

Je n'oublierai jamais la lueur de plaisir qui est apparue sur le visage d'un petit mendiant aux airs de gros dur quand je lui ai offert un gâteau semblable à celui que j'étais en train de manger.

Gordon Balderston

Violence

La violence contre les étrangers est extrêmement rare au Vietnam et vous n'avez pas à vous inquiéter à ce sujet. En règle générale, le vol n'implique aucune atteinte à la vie ; comme ailleurs, on s'en prendra plutôt à vos objets de valeur.

Les Vietnamiens se disputent souvent dans la rue, histoire de sauver la face ou de savoir qui va payer. Deux jeunes gens un peu machos peuvent ainsi se houspiller devant leurs petites amies. En cas d'accrochage mineur, on tente d'intimider l'autre pour le pousser à régler le phare brisé ou le poulet écrasé, mais il y a rarement effusion de sang. C'est généralement l'argent qui est la cause de ces différends ; les étrangers ne sont pas impliqués dans ces disputes.

En règle générale, même si vous êtes de taille à vous défendre ou que vous maîtrisez parfaitement un art martial, ne vous battez pas avec un Vietnamien – d'une part par courtoisie, d'autre part car ces affrontements débouchent souvent sur un combat à plusieurs. Combien de fois un étranger macho s'est-il retrouvé à l'hôpital parce que le Vietnamien chétif avec lequel il se querellait a fait appel à ses copains ? Si vous vous retrouvez dans ce type de situation, ravalez votre fierté et cherchez un autre moyen d'évacuer votre frustration.

Abus de confiance

Les escrocs et les voleurs sont, bien sûr, toujours à l'affût de nouvelles astuces pour soutirer de l'argent à des touristes quelque peu naïfs. Impossible de dresser la liste de tous les tours dont vous pourriez être victime, le meilleur conseil étant peut-être de faire preuve de scepticisme et d'être prêt à discuter dès lors qu'on s'en prend sans raison valable à votre argent.

N'acceptez *jamais* de suivre une prostituée qui vous aborde dans un bar ou dans la rue. En dehors des objections élémentaires et des risques sanitaires évidents, vous pourriez être confronté à d'autres dangers (vous faire dévaliser, par exemple). La probabilité qu'un homme ait "ses chances" avec une femme vietnamienne, autre qu'une prostituée, est quasiment nulle s'il ne l'a pas longuement courtisée au préalable. Les Vietnamiennes qui acceptent une aventure avec un homme qu'elles connaissent à peine le font pour de l'argent ; mettez votre ego dans votre poche !

Méfiez-vous des entourloupes sur les locations de moto dont certains voyageurs ont fait les frais à HCMV : lors de la transaction, le propriétaire vous fournit un cadenas de qualité et vous conseille de l'utiliser. Ce qu'il ne précise pas, c'est qu'il a un double de la clef et que quelqu'un va vous suivre pour "voler" la moto à la première occasion. Il vous faudra alors la rembourser, ou renoncer à votre passeport, visa, caution ou tout autre garantie que vous aurez laissé.

Plus couramment, votre moto refuse de démarrer alors que vous l'aviez garée dans un parking surveillé. Quelle chance, le gardien connaît quelqu'un qui peut la réparer ! Le mécanicien arrive, remet rapidement en place les pièces qu'il avait ôtées et la moto redémarre. S'il vous plaît, 10 $US.

Malgré un bel éventail d'escroqueries, sachez que tous les Vietnamiens ne sont pas là pour vous tromper. Nous avons fait un constat inquiétant au Vietnam, par rapport aux pays voisins, tels que la Thaïlande ou le Laos : les étrangers ne font pas confiance à la population locale. Certains accuseront les guides de voyage de trop mettre les touristes en garde contre les dangers et désagréments potentiels ; il faut faire preuve de discernement et ne surtout pas se fermer systématiquement aux personnes que l'on rencontre.

Cela n'est pas toujours facile. Il est même arrivé à l'un des premiers auteurs de ce guide, pourtant voyageur expérimenté et spécialiste du Vietnam, d'être dupé par un vieil ami vietnamien : celui-ci avait tenté, à l'insu de l'auteur, d'extorquer des commissions aux établissements qui souhaitaient figurer dans ce guide !

Un dernier conseil, qui paraîtra peut-être étrange de notre part : nous voyons beaucoup de voyageurs qui passent leur temps le nez dans le guide. La crainte de "se faire avoir" les conduit à ne croire personne si "ce n'est pas dans le livre" ! Pour le meilleur et pour le pire, souvent ce n'est pas dans le guide. Gardez l'esprit ouvert, sachez à peu près le prix des choses et fiez-vous à votre jugement.

Engins de guerre non explosés

Quatre armées différentes se sont employées durant trois décennies à mitrailler, pilonner, miner, piéger et bombarder le territoire vietnamien. À la fin des combats, presque tout ce matériel mortel est resté exactement là où on l'avait déposé. Les Américains estiment qu'au moins 150 000 tonnes d'engins non explosés jonchent le sol du pays.

Depuis 1975, environ 40 000 Vietnamiens ont été tués ou mutilés en défrichant paisiblement leurs champs, où ces bombes avaient été "oubliées". Vous ne risquez rien dans les villes, les régions cultivées, les petites routes et chemins fréquentés. Toutefois, ne sortez pas des sentiers battus, au sens strict du terme. Les champs de mines sont connus des gens du coin, mais pas signalés !

En 1997, l'explosion d'une bombe dans la cour d'une école de la province du Nghe An a entraîné la mort de plusieurs enfants. En août 2000, six enfants ont été tués à Binh Dinh, dans le centre du pays, par l'explosion d'un obus datant de la guerre. De la même façon, en 2002, deux jeunes écoliers ont péri suite à l'explosion d'une bombe à fragmentation américaine qu'ils avaient repêchée dans un canal près de Hanoi.

Ne touchez *jamais* ces "reliques" de guerre. Certaines demeurent actives pendant des décennies. Les obus contenant du phosphore blanc présentent le plus gros danger, car cet élément ne se détériore pas aussi vite que les explosifs. Le phosphore s'enflamme au contact de l'air et dévore tout, littéralement. Seul moyen de le désamorcer : l'extirper avec une lame de rasoir. Le phosphore terrifie même les ferrailleurs les plus téméraires.

Ne marchez pas dans les cratères de bombes ; on ne sait jamais ce qui peut rester au fond.

Vous en saurez plus sur les mines en contactant **International Campaign to Ban Landmines** *(ICBL ; www.icbl.org)*, lauréat du prix Nobel de la paix.

Animaux marins

Si vous adorez nager et faire de la plongée sous-marine, sachez que toutes sortes de créatures plus ou moins dangereuses peuplent les fonds marins. La liste de ces animaux est longue et englobe les requins, les méduses, les poissons-pierres, les poissons-scorpions, les serpents de mer et les vives (pastenagues), pour ne citer qu'eux. Ne vous privez pas de baignade pour autant, la plupart d'entre eux évitent les humains (ou l'inverse), et le nombre d'accidents, mortels ou non, reste faible. Nous vous recommandons seulement, mais avec la plus grande énergie, de faire preuve de prudence.

Les méduses se déplacent en groupe ; il est donc assez facile de les éviter avant de plonger dans l'eau. Les gens de la région vous indiqueront si c'est la "saison des méduses" (habituellement l'été). Dans la plupart des cas, les piqûres sont simplement douloureuses (voir la rubrique *Coupures, piqûres et morsures* dans la section *Santé*, plus haut dans ce chapitre).

Les poissons-pierres, les poissons-scorpions et les vives séjournent plutôt en eaux peu profondes. Ils sont difficiles à voir et le meilleur moyen de vous protéger consiste à porter des chaussures spéciales. Pour en soigner les piqûres, plongez la plaie dans l'eau la plus chaude possible et consultez un médecin.

Tous les serpents de mer sont venimeux, mais normalement ils n'attaquent pas. En outre, leurs petits crochets se situant en arrière de la gueule, il leur est difficile de mordre une proie aussi volumineuse qu'un humain.

Bruit

Le bruit peut facilement porter sur les nerfs au Vietnam. Surtout la nuit, quand la pétarade des motos se joint à la cacophonie provenant des salles de danse, des cafés, des salles de jeux vidéo, des bars à karaoké, des restaurants, etc. Si votre chambre d'hôtel se trouve à proximité d'un de ces endroits, vous aurez du mal à trouver le sommeil. Dans certaines villes, les vendeurs de glaces et de soupes sont particulièrement exaspérants avec leurs petites voitures à bras équipées d'un lecteur de cassettes au son tonitruant.

Les Vietnamiens semblent être immunisés contre le bruit. De fait, un café qui ne disposerait pas d'un haut-parleur diffusant une musique assourdissante ne parviendrait pas à attirer la clientèle locale ; les étrangers déguerpissent dès que la musique démarre. Ceux qui "tiennent le choc" le temps d'un repas ou d'une tasse de café retrouveront difficilement leurs esprits.

Le bruit diminue fort heureusement à partir de 22h ou 23h, rares étant les établissements ouverts au-delà. Le calme règne jusqu'aux alentours de 5h, heure à laquelle la plupart des Vietnamiens sortent du lit. C'est alors à nouveau le tintamarre de la circulation et des radios. Essayez d'obtenir une chambre sur cour ou… optez pour des boules Quiès !

QUESTIONS JURIDIQUES
Droit civil

Les Français ont donné aux Vietnamiens le code Napoléon. Beaucoup de ces lois n'ont pas été abrogées, alors qu'elles sont parfois contraires à la législation ultérieure. Entre 1960 et 1975, le Sud-Vietnam modifia largement son droit commercial, pour se rapprocher du droit américain. Après la réunification, des lois inspirées du modèle soviétique furent appliquées à tout le pays, ruinant les propriétaires privés. Parmi les réformes économiques récentes, figure une foule de nouvelles lois sur la propriété. Beaucoup reflètent les conseils des Nations unies, du Fonds monétaire international et autres organisations internationales. La rapidité avec laquelle les lois sont promulguées est un véritable défi pour ceux qui doivent les appliquer et les faire respecter.

Sur le papier, tout paraît simple. Dans la pratique, les lois ne font jamais autorité. Les dignitaires locaux les interprètent à leur goût, souvent contre les désirs de Hanoi. Cela pose de graves problèmes aux sociétés mixtes : les étrangers convoqués au tribunal suite à des litiges sont généralement soumis à rude épreuve. Il est particulièrement difficile d'intenter une action en justice contre une entreprise d'État, même en cas d'escroquerie flagrante. Le gouvernement a la réputation d'annuler subitement des permis, de retirer des licences, voire de déchirer des contrats écrits. L'indépendance judiciaire n'existe pas.

Il n'est donc pas surprenant que la plupart des litiges se règlent en dehors des tribunaux. En général, on obtient de meilleurs résultats avec une cartouche de cigarettes qu'avec un avocat.

Drogue

On se souvient que les combattants américains usaient de drogues puissantes, douces et dures. Le départ de cette clientèle après 1975, l'appareil policier sophistiqué et l'extrême pauvreté ont eu alors raison de ce marché. Toutefois, le retour du tourisme fait renaître ce commerce.

Le problème de l'héroïne, actuellement très inquiétant, pousse les autorités à prendre des mesures radicales. Rien qu'en 2001, 55 personnes ont été exécutées pour des affaires de drogue ; en 2002, un Vietnamo-Américain s'est vu condamner à vingt ans de prison pour avoir dealé des cachets d'amphétamines dans des boîtes de nuit.

On vous proposera peut-être de la marijuana et, occasionnellement, de l'opium. Céder à la tentation est, au mieux, très risqué. Quantité de policiers en civil patrouillent dans les rues. En cas d'arrestation, vous risquez une longue peine de prison et/ou une amende conséquente.

Vu la proximité du Vietnam avec le trafic de drogue du Triangle d'Or, attendez-vous à ce que les douaniers fouillent vos bagages de fond en comble quand vous arriverez à votre prochaine destination ou en partirez. Consommer de la drogue au Vietnam est extrêmement risqué et tenter d'en exporter confine à la folie pure. La Thaïlande, la Malaisie et l'Indonésie voisines condamnent les consommateurs et les trafiquants de drogue à la prison à vie ou à la peine de mort.

Police

Les journaux officiels reconnaissent eux-mêmes que la police est corrompue. Comme dans bon nombre de pays en développement, les bas salaires et le faible niveau d'études et de formation en sont la cause. En cas de problème ou de vol, la police ne fera souvent rien d'autre que d'établir un rapport pour votre compagnie d'assurance.

Hanoi a averti les gouvernements provinciaux que tout policier surpris en train d'extorquer des fonds aux touristes serait renvoyé et incarcéré. Ces avertissements ont effrité l'enthousiasme avec lequel les policiers réclamaient des pots-de-vin aux étrangers. Le problème n'est toutefois pas éradiqué. En particulier en moto (ou même en tant que passager dans une voiture), vous pouvez vous faire arrêter sans raison apparente et vous voir réclamer une "amende".

Cela dit, ne versez pas dans une paranoïa excessive. Certes, la police vietnamienne est un fléau et vous (ou plutôt votre chauffeur ou votre guide) devrez parfois payer, mais ce ne sera jamais ruineux. Pour garder le sourire, faites comme les Vietnamiens et considérez ces "amendes" comme des "taxes". Sachez également que vous n'êtes pas spécialement visé en tant qu'étranger. Les policiers préfèrent en effet s'en prendre aux Vietnamiens, plus démunis devant ces extorsions.

Les étrangers qui séjournent longuement au Vietnam et tentent de monter une entreprise peuvent s'attendre à des visites régulières de policiers venant percevoir "taxes" et "contributions". Ils s'adresseront plutôt à des employés vietnamiens qu'à un dirigeant étranger. L'affaire se corse du fait que la plupart des policiers (environ 75%) sont en civil. Comment savoir si l'on a vraiment un policier en face de soi ? Il ne vous reste plus que l'intuition.

HEURES D'OUVERTURE

Les Vietnamiens se lèvent dès potron-minet. Les bureaux, les musées et la plupart des boutiques commencent leur journée à 7h ou 8h (un peu plus tôt en été) et la finissent vers 16h ou 17h. La pause-déjeuner est sacrée, et tout est pratiquement fermé entre 12h et 13h30, voire de 11h30 à 14h dans les administrations.

La plupart des administrations ouvrent le samedi jusqu'à 12h et ferment le dimanche. Les musées, quant à eux, sont souvent fermés le lundi. Les temples ouvrent tous les jours.

Les Vietnamiens ont tendance à prendre leur repas à heures fixes, qu'ils aient faim ou non. Les interrompre dans cette tranche horaire passe pour tout à fait inconvenant. De même, si vous engagez un guide ou un chauffeur pour la journée, respectez scrupuleusement ses pauses-repas. Retarder l'heure du déjeuner jusqu'à 13h, vous vaudra la réputation d'être un mauvais patron !

Beaucoup de petites boutiques privées, de restaurants et d'échoppes travaillent 7j/7, et même tard dans la nuit.

JOURS FÉRIÉS ET MANIFESTATIONS CULTURELLES

La politique influence tout, même les jours fériés. Après quinze ans de déshérence, des fêtes comme Noël, le 1er janvier, le Têt (la nouvelle année lunaire) et l'anniversaire de Bouddha sont redevenus jours chômés en 1990.

Voici la liste des jours fériés :

Nouvel An (Tet Duong Lich)
1er janvier
Anniversaire de la fondation du Parti communiste vietnamien (Thanh Lap Dang CSVN)
3 février – le Parti communiste vietnamien fut fondé le 3 février 1930.
Anniversaire de la Libération (Saigon Giai Phong)
30 avril – la date de la reddition de Saigon est commémorée dans tout le pays ; de nombreuses villes et provinces célèbrent également l'anniversaire de leur propre "libération" (en mars ou avril 1975) par l'armée nord-vietnamienne.
Journée internationale du travail (Quoc Te Lao Dong)
1er mai – ce jour tombe le lendemain de l'anniversaire de la Libération (d'où deux jours de congé).
Anniversaire de Ho Chi Minh (Sinh Nhat Bac Ho)
19 mai
Anniversaire de Bouddha (Phat Dan)
8e jour de la 4e lune (généralement en juin)
Fête nationale (Quoc Khanh)
2 septembre – elle commémore la proclamation à Hanoi, par Ho Chi Minh, de la Déclaration d'indépendance de la République démocratique du Vietnam, en 1945.
Noël (Giang Sinh)
25 décembre

On récite des prières spéciales dans les pagodes vietnamiennes et chinoises les jours de pleine et de nouvelle lunes. Beaucoup de bouddhistes suivent un régime végétarien ces jours-là qui, selon le calendrier lunaire chinois, tombent les 14e et 15e jours du mois ainsi que le dernier (29e ou 30e) jour du mois finissant et le premier du nouveau mois.

Les principales fêtes religieuses ci-après tiennent compte de la date lunaire ; vérifiez sur un calendrier vietnamien leur équivalent grégorien :

Têt (Tet Nguyen Dan)
Du 1er au 7e jours de la 1re lune – le Nouvel An lunaire vietnamien est la fête la plus importante de l'année. Elle tombe fin janvier ou début février. La population a droit à 3 jours fériés mais beaucoup prennent toute la semaine. Peu de boutiques restent ouvertes.
Fête des morts (Thanh Minh)
5e jour de la 3e lune – les familles vont se recueillir sur les tombes de leurs morts (bien nettoyées quelques jours auparavant) et font des offrandes de fleurs, de nourriture, de bâtons d'encens et de messages votifs.
Naissance, illumination et mort de Bouddha
8e jour de la 4e lune – des lanternes décorent les pagodes, les temples et les maisons. Le soir se déroulent des processions. Ce jour est redevenu officiellement férié.
Solstice d'été (Tiet Doan Ngo)
5e jour de la 5e lune – on fait des offrandes aux esprits, aux fantômes et au dieu de la Mort pour éloigner les épidémies. Des effigies humaines sont brûlées afin de fournir au dieu de la Mort les âmes dont il a besoin pour son armée.
Jour des âmes errantes (Trung Nguyen)
15e jour de la 7e lune – c'est la deuxième plus grande fête de l'année. On fait des offrandes de nourriture et de cadeaux, dans les maisons et les pagodes, pour les âmes errantes des morts oubliés.
Fête de la mi-automne (Trung Thu)
15e jour de la 8e lune – cette fête se célèbre avec des gâteaux en forme de lune, faits de riz gluant et fourrés de graines de lotus, de pastèque, de cacahuètes, de jaunes d'œuf de cane, de raisin et de sucre. Les enfants promènent le soir des lanternes de toutes les couleurs en forme de barque, licorne, dragon, langouste, carpe, lièvre, crapaud, etc. La procession se déroule au son de tambours et de cymbales.
Anniversaire de Confucius
28e jour de la 9e lune

(Suite du texte en page 112)

Fête du Têt

Le Têt Nguyen Dan (fête du Premier Jour), qui annonce le Nouvel An lunaire, est la fête la plus importante du calendrier vietnamien. Connue sous le nom de Têt, elle représente bien plus que le Nouvel An de notre calendrier grégorien. Les familles se rassemblent et espèrent obtenir la chance pour l'année à venir ; les esprits des ancêtres sont accueillis dans la maison familiale et les liens familiaux se resserrent. Le Têt constitue également l'anniversaire de tous les Vietnamiens : le jour du Têt, tout le monde vieillit d'un an.

La fête tombe entre le 19 janvier et le 20 février du calendrier occidental ; sa date précise change chaque année du fait des différences entre les calendriers solaire et lunaire. Les trois premiers jours suivant le Nouvel An sont fériés, mais de nombreux Vietnamiens chôment toute la semaine, notamment dans le Sud.

Les festivités débutent sept jours avant le Nouvel An, lorsque les Tao Quan – les trois esprits du foyer de chaque maison – montent aux cieux et rapportent à l'empereur de Jade les événements de l'année passée. Ces dieux du foyer sont parfois décrits sous la forme d'une seule personne, appelée Ong Tao, Ong Lo ou Ong Vua Bep. Le jour où les Tao Quan montent aux cieux, chevauchant des poissons, on peut observer dans tout le pays les Vietnamiens lâchant des carpes vivantes dans les rivières et les lacs. Des autels sont dressés et chargés d'offrandes de nourriture, d'eau fraîche, de fleurs, de noix de bétel et de carpes vivantes pour le transport céleste. Par cette préparation du départ des dieux, les Vietnamiens espèrent faire l'objet d'un rapport favorable et attirer la chance pour l'année à venir.

Au cours de la semaine précédant la fête, on se rend dans les cimetières pour inviter les esprits des parents morts à participer aux célébrations. Les absents regagnent leur foyer afin que toute la famille soit réunie pour le Têt. Les liens se resserrent pour permettre à la nouvelle année de partir sur de nouvelles bases, les dettes sont payées et tout est nettoyé, même les tombes des ancêtres.

Les Tao Quan, des esprits qui ont du cœur

Parmi les légendes qui courent à propos des Tao Quan, racontons celle où un bûcheron et sa femme vécurent heureux jusqu'au jour où le mari, terrifié à l'idée de ne plus pouvoir assurer la subsistance du ménage, se mit à boire et à battre sa femme ; celle-ci ne put le supporter et partit. Quelque temps après, oubliant les malheurs de sa première union, elle épousa un chasseur.

Un jour, peu de temps avant le Nouvel An vietnamien, un mendiant se présenta à sa porte alors qu'elle se trouvait seule. Elle lui offrit à manger et reconnut son premier mari. Prise de panique au moment où son second mari revint de la chasse, elle cacha le mendiant sous une botte de paille. Affamé, et ignorant la présence du mendiant, le chasseur mit le feu à la paille pour faire rôtir le gibier qu'il venait de tuer. De crainte que le chasseur ne tue sa femme s'il découvrait sa présence, le mendiant brûla vif sans émettre un son. La pauvre femme, bouleversée, comprit alors que son premier mari mourait en silence pour la sauver et, sans hésiter, se jeta dans le feu pour l'accompagner dans la mort. Le pauvre chasseur crut qu'elle se tuait par sa faute ; incapable de vivre sans elle, il se jeta à son tour dans le feu.

Tous trois périrent, dans un acte de générosité qui toucha si profondément l'empereur de Jade qu'il fit d'eux des dieux ; il leur donna pour mission de veiller au bien-être des Vietnamiens.

Crédit photo :
Florence Mason

À l'instar de la tradition occidentale de l'arbre de Noël, les maisons vietnamiennes sont décorées d'arbres. On dresse un arbre du Nouvel An (*cay neu*) pour repousser les mauvais esprits. Le kumquat a la préférence, mais on trouve également des branches de pêcher (*dao*) dans le Nord, alors que, dans le Sud et le Centre, on orne plutôt les maisons de branches d'abricotier (*mai*).

Le marché aux fleurs qui occupe la quasi-totalité de ĐL Nguyen Hue, à HCMV, offre un superbe spectacle. À Hanoi, le quartier des rues Hang Dau et Hang Ma se transforme en un véritable marché de kumquats et de branches de pêcher. On peut également s'émerveiller des décorations rouge et or qui attendent preneur dans les rues adjacentes au marché Dong Xuan, alors interdites à la circulation. Au cours des quelques jours précédant le Nouvel An, l'excitation est presque palpable sur les marchés. Les gens se précipitent pour acheter décorations ou nourriture, et les motos chargées de branches et de kumquats encombrent les rues.

Pour la plupart des familles, cette époque de l'année revient très cher : le kumquat à lui seul se vend 20 \$US. En outre, on offre aux enfants des enveloppes rouges contenant des grosses sommes de *li xi*, l'argent de la chance. Les Vietnamiens considèrent ces dépenses comme nécessaires pour s'attirer les faveurs des dieux pendant l'année à venir.

À l'image des fêtes du monde entier, une grande partie des célébrations tourne autour de la nourriture. Le plat de base du Têt est le *banh chung* (voir l'encadré), étrange carré de viande de porc gras et de pâte de haricot disposés entre deux couches de riz gluant (*nep*). La préparation est emballée dans des feuilles de *dong* vert (une feuille ressemblant à celle du bananier) et ficelée avec des brindilles de bambou, ce qui lui donne l'apparence d'un cadeau. On en voit partout des piles entières et on vous invitera certainement à en goûter. Dans le Sud, on sert un plat similaire, rond, le *banh day*.

Le banh chung est souvent accompagné de *mang*, un plat de pousses de bambou bouillies et de porc frit, mariné dans de la sauce de poisson (*nuoc mam*). Les ingrédients simples de ces plats symbolisent les temps difficiles que les Vietnamiens ont pu connaître dans le passé. En guise de desserts, le *mut*, des fruits confits (pommes, prunes, voire tomates), est fort apprécié. Les fruits frais, tels que les fruits rouges du dragon et les pastèques, sont d'autres composants essentiels de la fête du Têt.

La veille du Nouvel An, les Tao Quan reviennent sur terre. Aux douze coups de minuit, tous les problèmes de l'année passée s'envolent et font place à de joyeuses festivités dont le but, semble-t-il, est de faire le plus de bruit possible, à l'aide de tambours et autres instruments à percussion. On utilisait également des pétards, mais ceux-ci ont été interdits en 1995. Vous pourrez toutefois entendre des enregistrements de pétards sur des magnétophones. Tout ce qui est bruyant est accepté, tant que cela permet d'accueillir les dieux de retour et d'éloigner les mauvais esprits en maraude.

Les festivités du Nouvel An revêtent une grande importance, car les Vietnamiens pensent qu'elles influent sur l'année à venir. Ainsi, ils essaient de ne pas se montrer impolis ou coléreux. Parmi les autres activités à éviter : coudre, faire le ménage, jurer ou briser des objets, ce qui pourrait attirer les mauvais esprits.

De même, il est crucial que le premier visiteur de la journée soit une personne "convenable" : le visiteur idéal est un homme, de préférence riche, marié et père de plusieurs enfants. Si on accueille parfois volontiers des étrangers comme premiers visiteurs, ce n'est pas toujours le cas ;

Le *banh chung*, recette divine

La légende du *banh chung* est née du roi Huong Vuong VI et de ses 22 fils, tous dignes de lui succéder. Afin de choisir son dauphin, le roi ordonna à ses fils de parcourir le monde à la recherche de mets délicats inconnus de lui : lui succéderait celui qui lui rapporterait le meilleur plat. Tous les fils partirent sauf un. Lang Lieu resta en effet au palais, car il ne savait pas comment entreprendre ses recherches. Dans sa détresse, un génie féminin lui apparut. "L'homme ne peut vivre sans riz", lui dit-elle ; elle lui révéla alors la recette du *banh chung*. Lorsque le moment fut venu pour le roi de goûter les 22 mets, il fut amèrement déçu par ce que ses 21 fils avaient rapporté de leurs voyages. Goûtant pour finir le plat concocté Lang Lieu, il le trouva délicieux. Apprenant le rôle du génie, il fut impressionné par cette aide divine et choisit Lang Lieu comme successeur.

mieux vaut éviter de se présenter spontanément chez un Vietnamien le premier jour du Têt (si vous êtes invité, faites-vous confirmer l'heure exacte à laquelle vous êtes attendu). Parmi les premiers visiteurs à bannir se trouvent les femmes célibataires d'un certain âge, de même que les personnes ayant perdu leur emploi ou un membre de leur famille, ou eu un accident au cours de l'année précédente, signes de malchance. Ces infortunés et leurs familles, parfois mis au ban de leur communauté, doivent alors passer les fêtes du Têt enfermés chez eux.

La danse de la Licorne, propre au sud du pays, est une procession menée par des hommes arborant des drapeaux aux couleurs claires, suivis de la licorne elle-même (constituée de plusieurs hommes en uniforme ajusté) puis d'une autre créature mythique, le Ong Dia (un homme portant un masque qui représente la lune). Des tambours et des cymbales ferment la procession. Celle-ci commence tôt le premier jour du Têt, s'arrêtant à chaque maison et boutique du quartier pour obtenir une obole. Les Vietnamiens se montrent généreux, car ils considèrent la licorne comme un symbole de richesse, de paix et de prospérité. La licorne doit cependant mériter ses présents, que l'on suspend, en général, au balcon ou à la fenêtre du premier étage. La licorne est soulevée par une pyramide humaine, de façon à pouvoir attraper et saisir les présents dans sa bouche.

À Hanoi, le *co nguoi*, ou échecs humains, est une activité très pratiquée au cours des semaines suivant le Têt. Toutes les pièces humaines du jeu d'échecs proviennent du même village, Lien Xa, dans la province septentrionale de Ha Tay. Ce sont de beaux jeunes gens, célibataires, n'ayant connu aucun décès dans leur famille l'année précédente ni aucun autre signe de malchance. On joue alors aux échecs chinois. Bien que les coups et les pièces soient différents du jeu occidental, le but est identique : capturer le chef de l'équipe opposée, en l'occurrence le "général".

Hormis la veille du Nouvel An, le Têt ne donne pas lieu à des célébrations particulièrement tumultueuses : il ressemble plutôt à un jour de Noël occidental, paisible et familial. Mis à part les difficultés de transport et de logement, la fête du Têt constitue une excellente occasion pour visiter le pays. Vous ferez l'expérience du contraste entre la frénésie des jours précédant la fête et le calme qui lui succède. Où que vous résidiez, il est fort probable que l'on vous invitera aux festivités.

Ces prochaines années, le Têt se déroulera aux dates suivantes : 22 janvier 2004 et 9 février 2005.

Si vous êtes au Vietnam à cette époque, apprenez cette phrase : *Chúc mùng nam mới !* – Bonne année !.

(Suite du texte de la page 108)

ACTIVITÉS
Bicyclette

Se déplacer à bicyclette, que ce soit sur de brèves ou de longues distances, est une excellente façon de découvrir le Vietnam. Dans la plupart des centres touristiques, il est possible de louer un vélo pour environ 1 $US par jour. Pour de plus amples détails, voir la rubrique *Bicyclette* dans le chapitre *Comment circuler.*

Randonnée

Le Vietnam réserve des possibilités de randonnée extraordinaires, notamment dans les parcs nationaux et les réserves naturelles dont le nombre ne cesse d'augmenter. Vous aurez du mal à parcourir de longues distances à pied dans les plaines tropicales étouffantes, où prédomine une végétation luxuriante. En revanche, il est facile de se rendre dans les villages des minorités des plateaux du nord-ouest, du nord-est et du centre. À Hanoi et HCMV, des voyagistes proposent divers circuits comprenant des randonnées.

N'oubliez pas que vous devrez peut-être vous procurer une autorisation spéciale, surtout si vous voulez passer la nuit dans des villages de montagne reculés, dépourvus d'hôtels.

Dans le Sud, près des régions équatoriales, la nuit tombe brusquement sans être précédée d'un long crépuscule. Pour savoir combien de temps il fera encore jour, vous devez donc vous fier à votre montre. Calculez bien le temps qui vous sera nécessaire pour revenir à la civilisation ; sinon, vous risquez de devoir dormir à la belle étoile.

Baignade

Avec ses 3 451 km de côtes au climat essentiellement tropical, le Vietnam peut s'enorgueillir de plages de rêve – moins nombreuses toutefois qu'on ne le croit. Tout le sud du pays, qui possède le climat tropical le plus favorable et la plus forte densité de population, est en effet dominé par le delta du Mékong : aussi luxuriante, verdoyante et attirante soit-elle, cette région n'en est pas moins fort boueuse et ses plages ne sont souvent que des marais de mangroves. Hon Chong, en face du golfe de Siam, dispose néanmoins d'agréables plages. Très belles également, celles de l'île voisine de Phu Quoc, également sur le golfe de Siam.

Vung Tau, près de HCMV, la plage de sable la plus au sud de la côte orientale, est très fréquentée, mais ses eaux sont polluées. Fort heureusement, les environs recèlent d'autres plages bien plus attirantes, telles Long Hai et Ho Coc. Plus au nord, la plage de Mui Ne est encore plus belle, et le trajet de HCMV ne prend que trois heures. Si vous allez de plage en plage le long de la côte, arrêtez-vous à Ca Na, à mi-chemin entre Phan Thiet et Nha Trang. Cette dernière est incontestablement devenue la première station balnéaire du pays grâce à ses petites îles, ses sites de plongée et son large choix d'hébergements, de restaurants et de boîtes de nuit.

En remontant au nord, vers Danang, vous trouverez d'autres belles plages, notamment Doc Let et Cua Dai, au sable fin, près de Hoi An. Bien d'autres, pour la plupart non exploitées, restent à explorer le long de cette côte dont le climat est cependant plus capricieux. La meilleure saison s'étend de mai à juillet, alors que les fortes marées rendent la baignade dangereuse en hiver.

La région de Danang arbore une bande de 30 kilomètres de sable blanc. Les plages, qui portent différents noms vietnamiens, sont plus connues sous le nom collectif de "China Beach".

À Hué, l'hiver est carrément pénible, et la situation empire à mesure qu'on remonte vers le nord. L'été en revanche, les plages sont extrêmement fréquentées, essentiellement par des vacanciers vietnamiens. Cua Lo (près de Vinh), Sam Son (près de Thanh Hoa) et Do Son (près de Haiphong) sont les plages du Nord les plus connues, mais sont loin de valoir celles situées plus au sud.

Les Vietnamiens aiment la plage, tout en vouant à la mer un respect craintif. Ils préfèrent nettement patauger avec de l'eau jusqu'aux genoux que plonger ou nager. Ils sont plus à l'aise dans les rivières ou les piscines publiques. Bon nombre d'hôtels de catégories moyenne et supérieure disposent d'une piscine. Vous trouverez en outre de nombreux parcs aquatiques, notamment à HCMV, Nha Trang et Hanoi.

Jeux d'argent

Après la levée de l'interdiction communiste qui frappait les jeux d'argent depuis quatorze ans, ceux-ci ont refait leur apparition. Les courses de chevaux font à nouveau un tabac à HCMV. En 1994 s'est ouvert à Do Son Beach, près de Haiphong, le premier casino depuis la réunification. En toute légalité, les machines à sous ont commencé à envahir les clubs à karaoké installés dans les petites rues des grandes villes.

La loterie nationale (*xo so*) est omniprésente. Les vendeurs de billets (essentiellement des enfants et des personnes âgées) ne se laissent pas facilement décourager.

Le billet le moins cher coûte 2 000 d, le gros lot s'élevant à environ 50 millions de dong.

La loterie nationale a un concurrent clandestin, le *danh de*, un jeu basé sur les nombres et censé rapporter de meilleurs gains. Les dominos (*tu sat*) et les combats de coqs (*choi ga*), fort populaires, suscitent également des paris clandestins.

Quelques Chinois de Cholon (HCMV) se sont bâti une grande réputation au mah-jong.

Surf et planche à voile

Le surf et la planche à voile sont deux activités qui se pratiquent depuis peu au Vietnam mais se développent rapidement. Le meilleur endroit pour s'y adonner est la plage de Mui Ne sur la côte du Centre-Sud, suivie de Nha Trang (plus au nord) et de l'île de Phu Quoc, dans le delta du Mékong.

Plongée sous-marine et snorkeling

Le meilleur coin pour plonger est Nha Trang et ses environs. Sont installés là plusieurs excellents spécialistes de plongée dont l'équipement et la formation sont conformes aux normes internationales. Vous pourrez aussi louer des masques, des tubas et du matériel de plongée sous-marine dans certaines stations balnéaires, notamment à Vietnam Scuba, près de Ca Na, et à Furama, près de Danang. L'île de Phu Quoc, qui offre un bon potentiel pour l'exploration sous-marine, ne comptait encore aucun opérateur de plongée à l'heure où nous mettions sous presse. Pour plus de renseignements, reportez-vous aux chapitres régionaux.

Arts martiaux

Le Vietnam entretient une longue tradition de pratique des arts martiaux, qui s'explique notamment par sa proximité avec la Chine. Malheureusement, il est difficile de pratiquer un art martial le temps d'un voyage. Si vous faites un plus long séjour au Vietnam et que cela vous intéresse, renseignez-vous sur les dojos à Hanoi et HCMV.

Il existe cependant un art martial facile auquel vous pourrez vous initier facilement : le *thai cuc quyen*, sorte de boxe au ralenti et sans adversaire. Ces dernières années, cette ancienne pratique est devenue très à la mode dans les pays occidentaux. Il s'agit, à la base, d'un enchaînement d'exercices, considéré également comme un art et une forme d'art martial liée au kung-fu – ce dernier se pratiquant toutefois beaucoup plus vite, avec l'intention de neutraliser l'adversaire, et employant souvent des armes. Le *thai cuc quyen* n'est pas un sport d'autodéfense. Si certains mouvements sont similaires à ceux du kung-fu, il emprunte également différents styles. Il est très populaire auprès des personnes âgées et des jeunes femmes, qui y voient une façon de conserver un corps harmonieux. Les mouvements développent les muscles respiratoires, favorisent la digestion et améliorent la tonicité musculaire. L'une des dernières innovations consiste à exécuter les mouvements en rythme sur fond de musique disco !

Traditionnellement, le *thai cuc quyen* et les exercices de ce genre se font au lever du soleil. Si vous voulez assister à une séance ou y participer, vous devrez vous lever tôt. On le pratique un peu partout au Vietnam, notamment près des lacs, des parcs et sur les plages.

Golf

Lorsque les Français quittèrent le Vietnam, les conseillers de Ho Chi Minh dénoncèrent le golf comme une pratique bourgeoise. Après la chute du Sud-Vietnam, tous les terrains de golf furent fermés et transformés en coopératives agricoles. La pratique de ce sport fut interdite jusqu'en 1992. Sa réhabilitation permet désormais aux membres du gouvernement de poursuivre à leur tour la petite balle blanche, en se déplaçant dans une voiture électrique.

Le comble du snobisme est de s'inscrire dans un country-club, ce qui coûte un minimum de 20 000 $US.

Vous pourrez jouer en invité dans la plupart des clubs, moyennant un droit d'entrée assez élevé. Les deux meilleurs parcours sont ceux de Dalat (dans les hauts plateaux) et de Phan Thiet (littoral du Centre-Sud). Pour plus de détails sur les clubs et les cours, reportez-vous aux chapitres régionaux.

Le site Internet www.vietnamgolfreso rts.com vous renseignera sur les voyages organisés centrés autour du golf.

Clubs de remise en forme

Le gouvernement vietnamien met fortement l'accent sur la gymnastique, discipline obligatoire à l'école, du primaire à l'université (un reflet des influences soviétique et chinoise).

Les clubs de remise en forme des grands hôtels sont accessibles moyennant une cotisation à la journée ou au mois. Certains acceptent les non-résidents.

Dans certains hôtels, il est possible de louer les courts de tennis à l'heure. Si vous êtes amateur de badminton, vous trouverez facilement des partenaires dans la rue, notamment des enfants.

COURS
Cours de langue

Si vous souhaitez apprendre le vietnamien, vous trouverez des cours à HCMV, à Hanoi et dans d'autres villes. Pour obtenir un visa d'étudiant, vous devez être inscrit dans une université officielle (et non un cours privé ou particulier) et suivre un minimum de 10 heures de cours par semaine. Les cours de langue sont quotidiens, durent généralement 2 heures et coûtent de 2,80 à 4 $US l'heure.

L'accent varie beaucoup entre le Nord et le Sud. Les étudiants étrangers qui apprennent le vietnamien à Hanoi, puis s'installent à HCMV pour trouver du travail (ou l'inverse) constatent souvent avec regret qu'ils ne peuvent pas communiquer. La majorité des professeurs des universités du Sud viennent du Nord et vous affirmeront que le vietnamien parlé dans le Nord est "le seul correct" ! Alors, même si vous étudiez à l'université d'HCMV, il vous faudra peut-être prendre des cours particuliers (très bon marché) avec un professeur local qui vous aidera à vous débarrasser de votre accent du Nord.

Pour plus de renseignements, reportez-vous à la section *Cours de langue* dans les chapitres *Ho Chi Minh-Ville* et *Hanoi*.

Cours de cuisine

À Hanoi et HCMV sont proposés des cours de cuisine vietnamienne intéressants, à suivre pendant quelques heures ou sur plusieurs jours. Pour plus de détails, reportez-vous à ces chapitres.

TRAVAILLER AU VIETNAM

De 1975 à 1990 environ, les travailleurs étrangers au Vietnam étaient essentiellement des conseillers et des spécialistes de l'ex-bloc de l'Est. La plupart ont quitté le pays avec la fin de l'ère communiste.

L'ouverture du Vietnam aux pays capitalistes a soudainement créé toutes sortes de possibilités de travail pour les Occidentaux. Ne vous imaginez pas y faire fortune pour autant. Les Occidentaux les mieux payés sont ceux qui travaillent au sein d'organismes internationaux tels que l'ONU et dans les ambassades, et ceux qui ont été engagés par des sociétés étrangères. Très recherchées, les personnes possédant des compétences en technologie spécialisée peuvent se voir offrir des rémunérations substantielles et des avantages confortables.

Néanmoins, ces emplois sont rares sur le marché. Pour la grande majorité des voyageurs, les cours de langues étrangères sont la meilleure source d'emplois.

L'anglais demeure de loin la langue étrangère la plus populaire auprès des étudiants vietnamiens, mais 10% d'entre eux souhaitent apprendre le français. Le chinois est généralement enseigné par des professeurs locaux. On recherche aussi parfois des professeurs de japonais, d'allemand, d'espagnol et de coréen.

Les universités d'État recrutent certains enseignants étrangers, rémunérés en moyenne 5 $US de l'heure. Ils jouissent en outre d'un logement de fonction et du renouvellement illimité de leur visa. Ceci mplique souvent de signer un contrat d'un an.

Les cours de langue privés, ainsi que les cours particuliers, essaiment un peu partout. C'est ce genre d'emploi qu'obtiennent la plupart des étrangers qui viennent d'arriver au Vietnam. Le secteur privé offre une rémunération un peu plus élevée : 6 à 10 $US de l'heure selon l'endroit où vous enseignez. Néanmoins, les écoles privées ne procurent pas les mêmes avantages que les établissements publics. Un visa d'affaires est indispensable et l'école n'est pas toujours en mesure de vous aider. Pour contourner la difficulté, vous pouvez vous inscrire à des cours de vietnamien à l'université et obtenir ainsi un visa d'étudiant, mais sachez que l'on peut très bien exiger votre assiduité aux cours.

Généralement plus rentables, les cours particuliers rapportent de 10 à 15 $US de l'heure. Vous travaillerez alors à votre compte et les autorités peuvent décider de fermer les yeux ou non sur vos activités.

Trouver un travail d'enseignant s'avère relativement facile dans des villes comme HCMV et Hanoi et parfois possible dans des villes universitaires moins importantes ; dans les petites villes, les salaires proposés sont moins élevés et les possibilités de travail plus rares.

Trouver un emploi relève en général du bouche-à-oreille – les petites annonces sont rares. Plus votre séjour est long, plus votre démarche sera aisée. À l'inverse, les voyageurs qui s'attendent à dénicher un job pour repartir deux mois plus tard, risquent d'être déçus.

Travail bénévole

Pour tout renseignement sur le travail bénévole, adressez-vous au Centre d'information sur les ONG (pour ses coordonnées, consultez l'encadré *Les ONG au Vietnam*.

En France, quelques organismes offrent des opportunités de travail bénévole sur des projets de développement ou d'environnement. Vous pouvez vous adresser au :

Comité de coordination pour le service volontaire international, Unesco, 1, rue Miollis, 75015 Paris (☎ 01 45 68 49 36, fax 01 42 73 05 21, ccivs@unesco.org, www.unesco.org/ccivs)

HÉBERGEMENT

Le boom touristique a tout d'abord conduit à une pénurie d'hôtels ; aujourd'hui, la frénésie de construction a rendu les possibilités d'hébergement excédentaires.

Dans les grandes villes, on trouve quantité de chambres d'hôtel de standing international, et les prix sont compétitifs. Cette baisse des prix touche les établissements de toutes catégories, au grand bénéfice des voyageurs. Lors de notre séjour, on trouvait des chambres dans des hôtels quatre-étoiles (dont la plupart affichaient un taux d'occupation de 20%) à 80 $US ! En haute saison, toutefois, il faut peut-être chercher un peu, notamment dans les lieux fréquentés comme Hoi An, qui souffre toujours d'une pénurie de chambres.

Dans la plupart des établissements hôteliers d'État, les étrangers paient plus cher que les Vietnamiens (généralement le double). Le gouvernement soutient qu'étant plus riches, les étrangers peuvent se permettre de payer plus.

Rappelez-vous que certains hôtels imposent une taxe de 10% par chambre. Avant de vous décider, demandez si le tarif indiqué inclut ou non la taxe. Les hôtels de catégorie supérieure appliquent souvent le concept "plus plus" (++), qui consiste à ajouter 10% de TVA et 5% de service. Ainsi, dans un hôtel cinq-étoiles, un déjeuner formule buffet indiqué à 10 $US++ vous reviendra en fait à 11,50 $US.

Des lois obligent les hôtels et les pensions à réviser leurs normes afin d'être habilités à recevoir des clients étrangers. Cela explique qu'un hôtel apparemment convenable vous refuse une chambre alors qu'il est vide. Inutile dans ce cas de discuter. Les propriétaires ne vont pas risquer d'ennuis avec la police pour vous louer une chambre mais peuvent vous indiquer les établissements qui acceptent les étrangers.

En théorie, cette réglementation devrait éviter aux touristes étrangers de loger dans des endroits dangereux et insalubres. Si les hôtels agréés sont complets – un scénario hautement improbable –, vous serez forcé de dormir "à l'hôtel aux mille étoiles", c'est-à-dire dans la rue.

Réservations

Une réservation ne vous garantit quasiment rien, à moins que vous n'ayez réglé le montant de la chambre à l'avance. Cela peut se faire par l'intermédiaire de certaines agences de voyages, mais ne comptez pas trop sur des hôtels bon marché. De toute façon, vous trouverez presque toujours à vous loger sans réservation dans les grandes villes – sauf pendant les fêtes du Têt et les dix jours suivants, période à laquelle il est conseillé de réserver.

Camping

Le camping ne jouit pas d'une grande popularité auprès des Vietnamiens, probablement parce que des millions d'entre eux ont passé les années de guerre sous la tente, le plus souvent comme soldats ou réfugiés. Même à Dalat, où des groupes de jeunes viennent souvent passer des vacances au vert, on ne trouve pratiquement pas d'équipement à louer.

La jeune génération semble cependant avoir pris goût au camping (tant qu'on trouve un bar à karaoké à proximité). Dans les stations balnéaires telles que la plage de Mui Ne, près de Phan Thiet, camper en bord de mer est devenu la dernière mode (et bien plus abordable que la location d'un bungalow).

À HCMV et à Hanoi, des agences de voyages privées innovantes proposent des circuits organisés avec nuit sous la tente, notamment dans les parcs nationaux. Reportez-vous aux rubriques *Agences de voyages* des chapitres correspondants.

Dortoirs

Les dortoirs (*nha tro*) installés dans tout le pays (notamment autour des gares) sont pour la plupart officiellement interdits aux étrangers. En l'occurrence, l'État ne cherche pas à vous faire payer plus cher votre hébergement, mais à vous protéger des risques de vol pendant votre sommeil ! Selon les normes occidentales, ces endroits sont totalement inconfortables, les lits n'étant le plus souvent qu'un socle en bois recouvert d'une natte.

L'idée de dortoirs plus agréables réservés aux étrangers (et équipés de vrais matelas) continue de faire son chemin. Certains sont en fait des chambres à deux lits que vous partagerez avec un autre voyageur et pour lesquelles vous ne paierez que de 2 à 4 $US par personne. Vous les trouverez le plus souvent dans des mini-hôtels privés,

dans les régions les plus fréquentées par les voyageurs à petit budget. Le quartier de Pham Ngu Lao à HCMV est un pionnier en la matière, et l'on trouve désormais des chambres de style dortoir dans les pensions et les mini-hôtels de Hanoi, Nha Trang et autres centres fréquentés par les voyageurs à petit budget. On peut encore s'attendre à voir se développer ce type d'hébergement.

Hôtels

La plupart des grands hôtels (*khach san*) et des pensions (*nha khach* ou *nha nghi*) appartiennent à l'État ou à des sociétés mixtes, bien que le nombre d'hôtels privés (ou mini-hôtels) augmente rapidement.

On assiste à une certaine confusion parmi les termes "single", "double", "double occupancy" et "twin". Une "single" est une chambre à un lit, même si deux personnes y dorment. Si la chambre contient deux lits, il s'agit alors d'une "twin", même si une seule personne l'occupe. Si deux personnes occupent la même chambre, il s'agit d'une "double occupancy" (double occupation), mais le prix ne change pas. La confusion surgit lorsqu'à certains endroits "double" fait référence à des lits jumeaux, alors qu'ailleurs cela signifie double occupation. Nombre de touristes ont dû payer un supplément pour lits jumeaux, alors qu'ils désiraient simplement un lit double. Mieux vaut visiter la chambre, pour être sûr d'obtenir ce que vous souhaitez et ne pas payer inutilement un supplément.

La plupart des hôtels disposent maintenant de chambres avec salle de bains attenante ; mais, souvent encore, les toilettes sont à l'extérieur.

Quelques hôtels n'hésitent pas à pratiquer le prix "étranger" pour votre guide et/ou votre chauffeur, dès qu'ils savent que c'est vous qui payez. Refusez, c'est totalement illégal.

Demandez la note (et conservez-la) au moment de régler, surtout si vous avez séjourné plusieurs jours au même endroit. Il se produit en effet des confusions sur le nombre de jours réglés et dus, principalement dans les petits hôtels mal gérés où l'équipe de jour ne sait pas forcément ce qu'a encaissé l'équipe de nuit, et vice-versa.

Sachez que de nombreux hôtels possèdent une aile récente luxueuse et un âtiment ancien sordide, et les prix différent fortement d'un bâtiment à l'autre. Ainsi, dans un hôtel que nous avons visité à Hanoi, le prix des chambres allait de 6 à 60 \$US ! Les chambres bon marché se situent souvent au dernier étage, peu d'hôtels disposant d'ascenseurs.

Même les hôtels les plus grands et les plus élégants peuvent consentir des réductions pour un long séjour ("long" signifie trois jours ou davantage). Réserver par l'intermédiaire d'agences de voyages étrangères ou domestiques peut aussi donner droit à des rabais.

N'oubliez pas que la majorité des petits hôtels ferment de bonne heure, en général vers 23h, ce qui ne signifie pas pour autant que vous soyez condamné à vous coucher tôt ou à dormir dehors. Si vous rentrez tard, sonnez, et l'on viendra vous ouvrir. Vous risquez de devoir sonner plusieurs fois, le temps de sortir le gardien de son sommeil.

Voici la liste des noms d'hôtels les plus courants et leur traduction :

nom de l'hôtel	traduction
Binh Minh	le Soleil levant
Bong Sen	le Lotus
Cuu Long	les Neuf Dragons
Doc Lap	le Dragon descendant
Hoa Binh	la Paix
Huong Sen	le Parfum du lotus
Huu Nghi	l'Amitié
Thang Long	le Dragon montant
Thong Nhat	la Réunification
Tu Do	la Liberté

Sécurité dans les hôtels. Dans bon nombre d'hôtels, un avertissement vous engage à ne pas laisser d'appareil photo, de passeport ou d'objet de valeur dans votre chambre. La plupart d'entre eux disposent d'un coffre ou d'un système de sécurité ; si vous laissez de l'argent liquide (ce qui n'est pas recommandé) ou des chèques de voyage, placez-les dans une enveloppe fermée, que vous ferez signer par le responsable de l'établissement.

Si vous disposez d'un placard fermant à clé, utilisez-le et gardez la clé sur vous. Au besoin, placez-y une chaîne et un cadenas. S'il en possède un, utilisez le coffre de l'hôtel. Quelques établissements remettent à leurs clients un cadenas pour fermer leur porte de chambre, mais mieux vaut disposer du vôtre ou vous procurer un cadenas à combinaison de bonne qualité.

Méfiez-vous des chambres dotées d'une fenêtre ou d'un balcon par lequel un voleur pourrait s'introduire en votre absence. On nous a signalé plusieurs vols commis de cette manière ; quand vous sortez, pensez à fermer soigneusement portes-fenêtres et fenêtres.

Désormais, l'enregistrement auprès des services de police n'est plus officiellement obligatoire, mais les autorités provinciales font parfois leur propre loi. Bien que vous n'ayez plus à laisser votre passeport à la réception, la plupart des hôtels vous le demanderont par souci de "sécurité" (en fait, pour éviter que vous partiez sans payer).

Les réglementations manquent de clarté. Chaque ville applique ses propres règles, arbitraires et susceptibles de changer d'une minute à l'autre. Tant pis si la plupart des étrangers n'aiment pas voir leurs précieux documents circuler de main en main, au risque qu'ils se perdent !

Avant de quitter l'hôtel, vérifiez bien qu'il ne vous manque aucun document et que la déclaration de douane (papier jaune) se trouve toujours dans votre passeport.

Loger chez l'habitant

On peut louer des chambres chez l'habitant, mais ce dernier doit en avertir la police (si les autorités locales l'exigent), même s'il s'agit de parents. La police peut très bien – et elle ne s'en prive pas – vous refuser arbitrairement ce droit et vous contraindre à loger dans un hôtel agréé pour étrangers.

Loger chez l'habitant est assez courant sur les îles recouvertes de vergers proches de Vinh Long ; pour plus de détails, voir le chapitre *Le delta du Mékong*.

Locations

Pour louer une maison de taille moyenne à HCMV ou Hanoi, il faut compter de 200 à 500 \$US par mois. Les villas haut de gamme et les appartements luxueux reviennent de 500 à 3 000 \$US.

Beaucoup d'expatriés finissent par résider dans de petits hôtels. Pour les séjours de longue durée, on peut négocier de gros rabais. Mieux vaut passer d'abord une nuit dans l'hôtel, pour s'assurer qu'il est vraiment propre et calme et que la plomberie fonctionne, avant de débourser un mois de loyer.

ALIMENTATION

Très appréciée en Occident, la cuisine vietnamienne que vous découvrirez en arrivant sur place vous paraîtra probablement un peu différente. Pour tout savoir sur son histoire, reportez-vous à la section *Saveurs du Vietnam*.

OÙ SORTIR
Pubs

Les pubs à la vietnamienne sont le plus souvent des karaokés. Toutefois, le nombre croissant de touristes et d'expatriés (notamment à Hanoi et HCMV) a provoqué une éclosion de bars de style occidental. Beaucoup sont tenus par des couples mixtes (en général un Occidental marié à une Vietnamienne). Ne serait-ce la bière Tiger, rien ne les distingue de leurs homologues à Paris, Berlin ou New York. Fléchettes, cuisine mexicaine, musique rock, mobilier en chêne et CNN vous feront oublier que vous êtes au Vietnam.

Discothèques

Les salles de bal et les discothèques, bannies lors de la réunification, ont rouvert depuis 1990, bien que certaines danses (comme l'érotique lambada) restent en principe interdites. Hanoi et HCMV pullulent de night-clubs et les endroits "branchés" changent d'une semaine sur l'autre.

Karaoké

Le karaoké a envahi l'Asie et vous aurez du mal à l'éviter. Pour les non-initiés, sachez qu'il s'agit d'un système qui vous permet de chanter sur fond d'orchestre pré-enregistré, le texte de la chanson défilant dans la langue de votre choix, sur un écran vidéo. Il ne vous reste plus qu'à prendre le micro et remplacer le chanteur. Certains bars possèdent des équipements très perfectionnés, mais la technique ne fait jamais mieux que l'interprète. À quelques exceptions près, le résultat est abominable. Les Vietnamiens n'apprécient le karaoké qu'à plus de 150 décibels.

Attention ! Beaucoup de bars à karaoké pratiquent des coûts cachés, notamment les *karaoke om* où des jeunes femmes

vous "soutiennent" pendant que vous chantez – évitez ce genre d'endroits. Dans les karaokés classiques, la bière ne vaudra peut-être que 1 $US, mais on vous réclamera une contribution substantielle pour l'usage du micro et des cassettes vidéo. Renseignez-vous avant de vous lancer.

Cinéma

Nombreux dans la plupart des grandes villes, les cinémas (*rap*) sont souvent indiqués sur les plans.

Les films occidentaux, doublés ou sous-titrés, ont remplacé les productions d'Europe de l'Est. Les films doublés sont étonnants : une seule personne assure en effet la totalité du doublage. On a déjà du mal à s'habituer à Arnold Schwartzenegger parlant vietnamien, alors imaginez le résultat lorsqu'il est doublé par une voix féminine flûtée !

Les films des autres pays d'Asie du Sud-Est sont appréciés mais le Vietnam tourne désormais ses propres films de kung-fu qui supplantent progressivement ceux de Chine, de Hong Kong ou de Taiwan. Les films d'amour rencontrent un franc succès mais la censure vietnamienne apprécie peu la nudité et le sexe, alors que la violence ne la fait pas broncher.

MANIFESTATIONS SPORTIVES

Le football, sport favori, passionne tout le pays. Pendant la Coupe du Monde ou les grands matchs du Championnat européen, la moitié de la population veille toute la nuit pour suivre en direct les rencontres qui se déroulent sur d'autres fuseaux horaires. L'un des plaisirs de la troisième mi-temps consiste à foncer à moto dans les rues de Hanoi et de HCMV.

Le tennis, plus snob, a également beaucoup de succès. Les Vietnamiens sont extrêmement doués pour le badminton et aiment aussi le volley-ball et le tennis de table.

ACHATS

En règle générale, dans les endroits touristiques, n'hésitez pas à marchander les articles dépourvus d'étiquette, sachant que le vendeur annoncera un premier prix de deux à cinq fois supérieur au prix réel. Les articles étiquetés peuvent se négocier, mais le plus souvent les prix sont fixes.

Abstenez-vous d'acheter des souvenirs en provenance de sites historiques, ou dont la fabrication requiert des espèces menacées, comme les carapaces de tortue.

Objets d'art et antiquités

On trouve plusieurs bons marchands d'art et antiquaires à Hanoi et HCMV, mais le Vietnam est extrêmement strict pour l'exportation de véritables antiquités ; assurez-vous que vous pourrez sortir votre achat du pays en toute légalité.

Les peintures traditionnelles et modernes sont très recherchées. Les œuvres produites en série et bon marché (de 5 à 10 $US) sont vendues dans les boutiques de souvenirs ou dans la rue. Les œuvres d'art de plus grande qualité sont exposées dans les galeries, où les prix s'échelonnent de 50 à 500 $US, certains artistes vietnamiens parmi les plus en vogue pouvant atteindre dix fois cette somme. Toutefois, les arnaques sont légion : si vous repérez un tableau d'un "artiste vietnamien connu", aussi séduisant soit-il, sachez qu'il ne s'agit pas forcément d'un original.

L'"antiquité instantanée", avec une étiquette à 2 $US pour une théière ou une assiette en céramique, est une grande spécialité vietnamienne. Rien ne vous empêche d'acheter une fausse antiquité tant que vous ne payez pas le prix d'une vraie. En revanche, acheter un objet ancien ou qui le paraît, sans certificat d'exportation officiel, peut poser problème :

À l'aéroport de Hanoi, un fonctionnaire des douanes a repéré les deux vases en porcelaine que j'avais achetés et m'a demandé d'aller les faire estimer au ministère de la Culture de Hanoi, ou de payer une amende de 20 $US. Naturellement, aucun délégué du ministère de la Culture n'était présent à l'aéroport pour effectuer cette évaluation... j'en étais quitte pour payer l'amende ou rater mon avion.

Anna Crawford Pinnerup

Les boutiques les plus réputées vous fourniront les documents nécessaires ou vous indiqueront où les procurer. Qu'advient-il des "antiquités confisquées" ? Certains prétendent que les autorités les revendent aux boutiques de souvenirs. Une sorte de recyclage !

Vêtements

L'*ao dai* (prononcé aho-zaï dans le Nord, aho-yaï dans le Sud), le costume vietnamien traditionnel des hommes et des femmes, coûte de 10 à 20 $US en prêt-à-porter et nettement plus cher sur mesure. Les prix varient selon les magasins et les tissus choisis. Il existe des tailleurs d'*ao dai* sur mesure dans tout le pays, mais ceux de HCMV, Hoi An et Hanoi sont plus habitués à traiter avec les étrangers.

Les Vietnamiennes portent des chapeaux coniques pour se protéger du soleil ou de la pluie. Les meilleurs sont fabriqués dans la région de Hué.

Hanoi et HCMV sont de bons endroits où dénicher des articles à la mode, des chaussons brodés de perles jusqu'aux sacs en passant par les vêtements en soie.

Les voyageurs adorent les T-shirts. Comptez 20 000 d pour un modèle imprimé et environ 50 000 d pour un motif brodé. Attention aux tailles : "large" en Asie correspond à un "medium" occidental. Si vous êtes plutôt corpulent, vous devrez faire tailler vos chemises sur mesure.

On trouve de plus en plus les vêtements que portent et fabriquent les tribus montagnardes dans les boutiques de Hanoi et de HCMV. Les couleurs sont superbes, mais vous devrez les fixer pour éviter qu'elles ne déteignent.

Matériel électronique

Vous ferez sans doute de meilleures affaires en achetant vos appareils électroniques dans les ports en duty-free tels que Hong Kong ou Singapour. Toutefois, du fait du marché noir (contrebande), qui a aussi pour effet des articles "détaxés", les prix, au Vietnam, sont intéressants.

Pierres précieuses

Le Vietnam produit de fort belles pierres précieuses. Des fausses pierres de piètre qualité sont également en circulation. Ne vous privez pas d'en acheter une si elle vous plaît, mais n'imaginez pas dénicher un diamant ou un rubis de grande valeur pour une bouchée de pain. Certains voyageurs pensent pourtant pouvoir acheter des pierres au Vietnam et les revendre chez eux avec un bénéfice. Ce genre de commerce est incontestablement l'affaire de spécialistes bien introduits dans ce milieu.

Artisanat

Vous pourrez rapporter des laques, des objets incrustés de nacre, de belles porcelaines (y compris d'énormes éléphants), des vêtements, des coussins, des draps, des nappes richement brodées, des cartes de vœux peintes sur soie, des sceaux en bois, des peintures à l'huile, des aquarelles, des stores en perles de bambou, des nattes en roseau, des tapis de style chinois, des bijoux et de la maroquinerie.

Musique

Partout au Vietnam, et surtout dans les grandes villes, vous trouverez un choix étonnant de CD, VCD, DVD et cassettes audio, piratés à 99%. Officiellement, les autorités sont censées faire obstacle à ces pratiques illégales, mais la réalité est tout autre.

Il est possible d'acheter des instruments de musique vietnamiens dans tout le pays. Vous trouverez les instruments traditionnels des tribus montagnardes sur les marchés locaux.

Philatélie

Des albums de timbres de collection sont en vente dans les bureaux de poste des principales villes ou à proximité, ainsi que dans certains hôtels ou librairies. Il existe encore des timbres de l'ancien régime sud-vietnamien.

Souvenirs de guerre

Dans les lieux touristiques, vous pourrez facilement acheter ce qui ressemble peu ou prou à des vestiges de la guerre du Vietnam. Toutefois, la plupart de ces objets sont des reproductions et vous avez peu de chance de tomber sur un original. Au fond de petites ruelles, d'ingénieux tailleurs savent très bien couper des uniformes de l'armée américaine et les ateliers de ferronnerie ont appris à fabriquer des casques, des baïonnettes et autres plaques militaires.

Les faux briquets Zippo gravés d'un "poème de soldat" semblent toujours très recherchés. Soit vous payez un supplément pour un briquet cabossé qui ressemble à une relique, soit vous en achetez un flambant neuf à moindre prix.

Réfléchissez bien avant d'acquérir de vieilles balles ou des éclats d'obus, notamment près de l'ancienne zone démilitarisée (DMZ), même si ce sont des faux. Il est illégal de transporter des munitions ou des armes sur les compagnies aériennes, et vous serez arrêté dans la plupart des pays si l'on découvre ce genre d'objets dans vos bagages.

Saveurs du Vietnam

Les repas comptent parmi les temps forts d'un voyage au Vietnam où, dit-on, sont répertoriés près de 500 plats traditionnels. La nourriture arrive sur votre table joliment présentée, pour des prix très raisonnables. Manger fait partie intégrante de la culture et un antique proverbe vietnamien, *hoc an, hoc noi*, affirme que les gens devraient "apprendre à manger avant d'apprendre à parler".

Le pays regorge d'ingrédients savoureux ; même si sa cuisine a subi les influences coloniales des Chinois et des Français, elle demeure unique. Ce caractère original est dû, en grande partie, à la sauce de poisson fermenté (*nuoc mam*), à l'abondance des herbes et légumes frais et à la prédominance du riz. La proximité de la mer et la présence de deux grands deltas sur le territoire vietnamien favorisent également l'utilisation de poissons et de fruits de mer dans de nombreux plats.

Pour un panorama complet de la cuisine vietnamienne, procurez-vous un exemplaire du *World Food Vietnam*, édité par Lonely Planet, un guide concis mais exhaustif des délices culinaires du pays.

Les ustensiles

La cuisine vietnamienne était, par tradition, préparée dans l'âtre, considéré comme la partie la plus importante de la maison. En l'absence de fours, les aliments étaient bouillis, cuits à la vapeur, grillés ou sautés. Les ustensiles culinaires se composaient de plats de cuisson en terre, de baguettes et d'instruments en bambou, de woks et du récipient pour cuire le riz. Les herbes et les épices étaient écrasées à l'aide d'un pilon et d'un mortier.

La plupart de ces ustensiles trouvent encore leur place dans les cuisines actuelles, même si les gazinières ont remplacé les foyers. Certains restaurants perpétuent la tradition en servant la nourriture dans des plats en terre semblables à des samovars tronqués, et dont le centre contient des braises qui entretiennent la chaleur.

Les habitudes de table

Les repas occupent une grande place dans la vie sociale, et il est de mise de respecter une certaine étiquette. Même si, par politesse, vos hôtes ne vous feront aucune réflexion, il est préférable de se plier à certaines règles. Lorsque vous êtes invité, il est de bon ton d'apporter un petit cadeau, des fleurs par exemple (qui ne doivent jamais être blanches, couleur du deuil).

Contrairement aux habitudes occidentales, selon lesquelles chacun mange dans sa propre assiette, le repas, dans la plupart des pays asiatiques, est affaire de partage : différents plats trônent sur la table, où chacun pourra se servir. Dîner en compagnie de trois ou quatre autres personnes vous permet donc de goûter plusieurs plats différents, et de nombreux étrangers finissent par préférer cette forme de convivialité à l'individualisme occidental. Si vous vous restaurez à la même table que des Vietnamiens, il se peut que vos commensaux déposent avec leurs baguettes les meilleurs morceaux dans votre bol de riz, une façon de vous traiter en invité de marque.

Personne ne s'offusquera si vous réclamez des couverts. Certains endroits n'en disposent pas, mais des cuillères sont en général présentées avec les baguettes.

Pour manger à la vietnamienne, prenez d'abord du riz, puis, à l'aide de la cuillère en porcelaine, servez-vous de viande, poisson ou légumes

Crédit photo :
Noboru Komine

(ne versez jamais les sauces directement dans votre bol). Placez toute la nourriture dans votre bol avant de commencer à manger, et ne picorez pas dans les plats communautaires avec vos baguettes. Puis approchez le bol de vos lèvres et enfournez la nourriture dans la bouche avec les baguettes. Les Vietnamiens s'amusent toujours de voir des étrangers garder le bol sur la table, laissant aux baguettes le soin de faire un voyage long et précaire. Lorsque vous faites passer un plat ou que vous vous saisissez de quelque chose, utilisez vos deux mains et remerciez avec un petit signe de tête.

Chaque hôte qui se respecte doit proposer de la nourriture à ses invités, même s'ils n'ont plus faim, et il est de bon ton pour l'invité de ne pas dévorer tout ce qui lui est présenté !

Si vous souhaitez complimenter le chef, dites-lui *long num ou ngoc hoa*.

Les repas à l'extérieur

Vous n'aurez jamais très loin à aller pour découvrir des restaurants (*nha hang*) de toutes sortes. À moins de prendre vos repas dans les hôtels ou restaurants de luxe, les prix sont très bas. Les endroits les moins onéreux sont les échoppes de rue, limitées pour la plupart par le nombre d'ingrédients disponibles et donc le plus souvent spécialisées dans quelques plats. Un bol de nouilles coûte environ 8 000 d.

Des restaurants sans prétention, aux murs en bambou et carton, proposent des plats à base de riz, de viande et de légumes pour environ 15 000 d. La plupart des cafés et des restaurants corrects vous nourriront moyennant 30 000 d à 70 000 d. Grâce à l'assouplissement des lois régissant la co-entreprise, on a vu apparaître récemment, dans les villes, des restaurants d'un standing un peu plus élevé. Les spécialités vietnamiennes sont encore plus savoureuses lorsqu'on les déguste à une terrasse de style français ou au bord de l'eau. Attention cependant : dans les établissements haut de gamme, la note grimpe vite ; sachez que les amuse-gueule qui surgissent sur la table sont payants !

Si la plupart des restaurants servent exclusivement de la cuisine vietnamienne, de nombreux cafés préparent des plats occidentaux. Naturellement, les Vietnamiens ont beaucoup plus de talent pour concocter leur propre cuisine – notamment la célèbre pizza vietnamienne. Cependant, le nombre des restaurants occidentaux augmente et les cuisiniers vietnamiens apprennent peu à peu à satisfaire les palais occidentaux.

Il n'existe pas de créneau horaire précis pour se restaurer. Sachez que les cafés (en particulier ceux fréquentés par les voyageurs) sont en général ouverts la plus grande partie de la journée et tard dans la nuit. Les échoppes de rue ouvrent tôt le matin et ferment tard le soir. Les restaurants ouvrent pour le déjeuner entre 11h et 14h et pour le dîner entre 17h et 22h.

Les viandes exotiques

Les amis des chiens seront chagrinés d'apprendre que leurs chers compagnons figurent parfois au menu ! La plupart des Vietnamiens, néanmoins, ne mangent pas de viande de chien ; il s'agit d'un plat très spécial, populaire surtout dans le Nord, où il est censé porter bonheur tant qu'on le consomme pendant la seconde moitié du mois lunaire. Pour trouver (ou éviter) les endroits qui servent de la viande de chien, cherchez l'enseigne indiquant *thit cho* dans le Nord, ou *thit cay* dans le Sud.

Bien qu'il puisse paraître "exotique" de goûter des viandes inhabituelles telles que le muntjac, la chauve-souris, la grenouille, le cerf, l'hippocampe, les ailerons de requin et le serpent, sachez que la plupart de ces espèces sont menacées. La consommation de ces animaux indiquent que vous approuvez et soutenez de telles pratiques, et renchérit la demande.

Du fait des nouvelles lois sur la capture et la vente des serpents, il est devenu très rare de se procurer cette viande. Néanmoins, vous continuerez à en voir sur les étals, car on attribue au serpent des vertus médicinales et aphrodisiaques : plus l'animal est venimeux, plus il est prisé (donc cher). Les cobras tiennent le haut du pavé, quoique les pythons soient beaucoup plus charnus. De telles ripailles ne sont pas à la portée de toutes les bourses. En outre, sachez que, mal cuite, la viande de serpent peut être porteuse d'un parasite appelé pentastomide.

En province, on mange un animal non menacé, le *chuot dong*, un rongeur qui vit dans les rizières et qui a "le même goût que le poulet". Ne le confondez pas avec le *chuot cong*, le rat des villes, plus gros et plus méchant, que l'on trouve partout dans le monde.

L'addition

Les étrangers sont souvent surpris de constater que beaucoup de restaurants vietnamiens n'affichent pas les prix sur le menu. Ceci est compréhensible lorsqu'on sait que les Vietnamiens ont l'habitude de manger en groupe. La note reflète alors le prix total du repas. Dans ce cas, faites-vous préciser le tarif après avoir passé commande. Pour obtenir l'addition, attirez poliment l'attention d'un serveur et faites mine d'écrire en l'air sur une feuille imaginaire. Une fois la note obtenue, vérifiez bien le total : l'erreur ou la surévaluation ne sont pas inhabituelles lorsqu'il y a plusieurs convives ou que de nombreux plats ont été servis.

La serviette humide enveloppée dans du plastique que l'on vous apporte souvent en fin de repas est parfois gratuite, mais il arrive parfois qu'on vous la fasse payer entre 500 d et 3 000 d. Mieux vaut ne pas se la passer sur le visage : on nous a déjà signalé que cela provoquait des irritations oculaires. Il est toutefois difficile de savoir si l'irritation est due à une bactérie ou aux produits utilisés pour laver les serviettes.

Plats vietnamiens typiques

Sur les menus, les plats sont en général regroupés en fonction de leur ingrédient principal. Ainsi, tous les plats à base de poulet sont réunis, de même que les différentes déclinaisons autour du bœuf, etc. Parmi les termes culinaires de base, retenez les suivants :

com	–	riz
pho	–	soupe de nouilles
sup	–	soupe
ga	–	poulet
bo	–	bœuf
heo	–	porc
tom	–	crevette
ca	–	poisson

L'un des plats les plus appréciés, le rouleau de printemps, est appelé *cha gio* (prononcez tcha yo) dans le Sud et *nem Sai Gon* ou *nem ran* dans le Nord. Il se compose d'une feuille de riz farcie de porc émincé, de crabe, de vermicelles, d'un champignon comestible (*moc nhi*), d'oignons, de champignons et d'œufs, puis frite jusqu'à ce qu'elle brunisse et devienne croustillante. Le *nem rau* est un rouleau de printemps aux légumes.

Autre variation sur ce thème, le plus gros et délicieux rouleau de printemps "frais" a pour nom *banh trang* dans le Sud et *banh da* dans le Nord. Vous roulez vous-même les ingrédients dans une crêpe de riz translucide. Excellent, il se mange habituellement avec une sorte de sauce aux crevettes appelée *mam tep* ou *mam tom* – cette dernière a une odeur beaucoup plus forte.

Citons quelques-uns des plats les plus courants :

banh cuon – pâte de riz cuite à la vapeur, farcie de porc émincé et de moc nhi et servie avec du ca cuong, un dérivé du nuoc mam contenant de l'extrait filtré de sperme d'insecte qui donne à la sauce un arôme fleuri et un goût de poire

bo bay mon – plat de bœuf caramélisé

bun cha – vermicelles de riz avec du porc rôti et des légumes, servis avec un mélange de vinaigre, de poivre et de sucre

cha – pâte de porc frite dans la graisse ou grillée sur des braises

cha ca – filet de poisson grillé sur des braises, souvent servi avec des nouilles, de la salade verte, des cacahuètes grillées et une sauce à base de nuoc mam, de citron et d'huile spécialement volatile

cha que – cha assaisonné de cannelle

chao tom – canne à sucre grillée, roulée dans de la mousse de crevette épicée

com tay cam – riz accompagné de champignons, de poulet et de fines lamelles de porc au gingembre

dua chua – salade de germes de soja, rappelant vaguement le kimchi coréen

ech tam bot ran – beignets de cuisses de grenouilles, souvent servis avec du nuoc mam cham et du piment

gio – porc maigre assaisonné, réduit en pâte avant d'être enveloppé dans une feuille de bananier et bouilli

lau – fondue vietnamienne, souvent servie avec du poisson (*lau ca*), de la chèvre (*lau de*) ou seulement des légumes (*lau rau*)

oc nhoi – mélange de chair d'escargot et de porc, accompagné d'oignon vert haché, de nuoc mam et de piment, roulé dans des feuilles de gingembre et cuits dans des coquilles d'escargots

Vous trouverez également un large choix de plats occidentaux et, partout, de l'excellent pain français ; achetez-le de préférence le matin, tout chaud et tout frais (environ 1 000 d la baguette).

Les échoppes de rue vendent du fromage à tartiner importé de France (autour de 20 000 d la boîte), ainsi qu'une sorte de saucisson et de pâté.

Riz

La base de la cuisine vietnamienne est le riz blanc nature (*com*), accompagné de légumes de toutes sortes, de viande, de poisson et d'épices. Le riz sert également à l'élaboration de l'alcool de riz et des nouilles.

Les restaurants vietnamiens les plus répandus sont les *com-pho*, ce qui signifie "riz et nouilles". Vous verrez des enseignes *com-pho* partout dans le pays.

La cuisine de Hué

La cité historique de Hué, située sur les rives de la rivière des Parfums dans le Centre du Vietnam, s'enorgueillit d'une tradition de grande cuisine vietnamienne. Ancienne capitale des empereurs Nguyen, c'est là que furent inventés et élaborés des plats raffinés et savoureux. L'empereur Tu Duc, qui régna de 1848 à 1883, exigeait que son thé soit préparé avec la rosée qui s'était déposée sur les feuilles pendant la nuit. Il ordonnait que lui soient servis, par 50 domestiques, 50 plats, mitonnés par 50 cuisiniers. Étonnamment, la taille du plat était inversement proportionnelle au temps de préparation.

Ses cuisiniers apprirent des techniques sophistiquées et firent des merveilles dans la présentation pour satisfaire leur souverain. Transmises de génération en génération, leurs recettes sont à l'origine de quelques-uns des mets aux saveurs délicates que l'on déguste aujourd'hui.

Voici quelques plats typiques de Hué :

banh bo — pâté de farine de riz à la vapeur fourré de crevette
banh khoai — omelette aux germes de soja, passant pour être aphrodisiaque
banh nan — mélange de crevette et porc, cuit à la vapeur avec de la farine de riz et enveloppé dans une feuille de bananier
nem lui — rouleaux de printemps aux kebabs à rouler soi-même avec de la sauce aux cacahuètes
banh bot let — crevette, porc et farine de féculent tropical, le tout enveloppé dans une feuille de bananier
bun bo hue — vermicelles de riz et légumes servis seuls ou, plus souvent, avec une soupe au bœuf
bun cha cua — soupe aux nouilles à la pâte de crabe
banh canh cua — crevette, crabe, porc émincé avec une soupe aux nouilles de riz spéciale
com ben — palourdes et riz
bun ben — palourdes et nouilles de riz

Si vous souhaitez goûter la haute cuisine de Hué, inspirée par ces traditions créatives, allez au **Tinh Gia Vien** (☎ 522243, 20/3 Ð Le Thanh Ton), sur la rive nord. Voir *Hué* dans le chapitre *Le Centre*. À HCMV, le restaurant **Nam Giao**, près du marché Ben Thanh, prépare des spécialités de Hué.

Autres restaurants de riz rencontrés fréquemment, les *com binh dan*, sont bon marché et proposent un assortiment de viandes et de légumes frais accompagnés de riz à la vapeur ; ne cherchez pas le menu mais montrez simplement ce que vous souhaitez manger. La plupart des plats valent moins de 20 000 d.

Nouilles

Les plats de nouilles vietnamiennes se mangent à toute heure du jour, mais plus particulièrement au petit déjeuner. Quant aux Occidentaux qui les préféreraient au déjeuner, qu'ils se rassurent : ils trouveront le matin du pain, du fromage et des œufs. La plupart des nouilles se consomment

Le *nuoc mam*

Le *nuoc mam* est une sauce de poisson fermentée – repérable à son odeur – sans laquelle aucun repas vietnamien ne saurait être complet. Quoique le *nuoc mam* soit à la cuisine vietnamienne ce que la sauce de soja est à la cuisine japonaise, beaucoup de restaurants d'hôtels n'en mettent pas systématiquement sur la table des Occidentaux, sachant que l'odeur pourrait les faire fuir.

Cette sauce s'obtient en laissant fermenter pendant 4 à 12 mois des poissons très salés dans d'énormes cuves en céramique. L'île de Phu Quoc, dans le delta du Mékong, et Phan Thiet, sur le littoral du Centre-Sud, sont réputés pour produire un excellent *nuoc mam*. Son prix varie considérablement selon sa qualité ; les vrais amateurs soutiennent que le kérosène possède un arôme beaucoup plus doux que les variétés bon marché. La différence reste subtile pour les étrangers.

Une variante plus agréable aux palais occidentaux, le *nuoc mam cham*, est servie dans tous les restaurants – c'est en fait du *nuoc mam* agrémenté de citron vert, de vinaigre, de sucre, d'eau, de piment et d'ail.

Le *nuoc mam* n'est pourtant pas mauvais quand on s'y habitue, et il arrivait même que des voyageurs en rapportent quelques bouteilles dans leurs bagages. Cependant, selon les réglementations aériennes internationales interdisant d'embarquer des substances à odeur forte ou corrosives, le *nuoc mam* a récemment rejoint le durian parmi les denrées alimentaires proscrites sur Vietnam Airlines : cette interdiction serait la conséquence d'un incident au cours duquel une bouteille de sauce se cassa lors d'un vol, provoquant les protestations furieuses de passagers étrangers incommodés par l'odeur.

Si le *nuoc mam* vous semble manquer de vigueur, essayez le *mam tom*, une pâte de crevette extrêmement relevée que les soldats américains appelaient parfois «gaz lacrymogène vietcong". Elle accompagne souvent la viande de chien et tend à révolter bien davantage le palais des étrangers que la viande elle-même.

---

habituellement en soupe, et non "sèches", comme les spaghettis.

Elles se présentent sous trois formes : les blanches (*banh pho*), faites avec de la farine de riz ; les transparentes, confectionnées avec de la farine de riz mélangée à de la poudre de manioc (*mien*) ; et les jaunes, à base de farine de blé (*mi*). Les nouilles se servent en général avec du bouillon (*nuoc leo*) ou sans (*kho*, qui signifie "sec"). Voici les plats les plus courants :

bun thang – nouilles de riz et morceaux de poulet surmontés d'un œuf au plat et de crevettes, servis avec un bouillon de poule, de crevettes séchées et d'os de porc
canh kho hoa – bouillon aigre (supposé bénéfique pour ceux qui sont restés trop longtemps au soleil)
mi ga – bouillon de poule aux nouilles sèches
mien luon – soupe aux vermicelles et à l'anguille, accompagnée de champignons, d'échalotes, d'œufs frits et de poulet
pho bo – soupe de nouilles au bœuf
pho ga – bouillon de poule avec des nouilles de riz

Les échoppes de nouilles commencent à servir le *pho* ("petit déjeuner des champions", au Vietnam) dès 5h ou 6h et ferment boutique avant midi, ou un peu plus tard pour certains. Un bol de pho revient entre 7 000 et 15 000 d.

Cuisine végétarienne

Comme les bonzes bouddhistes mahayana sont de stricts végétariens (du moins en principe), la cuisine végétarienne (*an chay*), ancestrale, fait partie intégrante des traditions culinaires du Vietnam. Utilisant peu d'ingrédients onéreux, c'est une cuisine incroyablement bon marché, surtout dans les étals de rue affichant *com chay*. Dans certains restaurants spécialisés, le chef prépare des plats végétariens (essentiellement à base de tofu) qui ressemblent parfaitement aux plats de viande les plus courants.

Les jours de pleine lune (le 15ᵉ jour du mois lunaire) ou de nouvelle lune (le dernier jour), beaucoup de Vietnamiens et de Chinois ne consomment ni viande ni même *nuoc mam*. Les échoppes des marchés servent à cette occasion des plats végétariens. Pour connaître les jours de pleine ou nouvelle lune, consultez un calendrier vietnamien.

Voici quelques plats végétariens courants :

rau xao hon hop – légumes sautés
com xao thap cam – riz sauté aux légumes
hu tieu xao – nouilles de riz sautées
xup rau – soupe de légumes
tau hu kho – gâteau de soja braisé

Desserts et pâtisseries

Unanimement appréciés, les douceurs (*do ngot*) et desserts (*do trang mieng*) vietnamiens abondent, notamment pendant les fêtes. Apparaissent alors les gâteaux traditionnels (*danh*), élaborés dans un grand choix de formes et de saveurs.

Outre les délicieuses pâtisseries et glaces à l'européenne, goûtez une ou plusieurs des spécialités traditionnelles mentionnées à la page suivante.

Les crèmes glacées

Les *kem* (crèmes glacées) firent leur apparition industrielle au Vietnam lors de la présence des Américains : pendant la guerre, l'approvisionnement en crèmes glacées fut même une priorité. L'armée américaine loua les services de deux entreprises d'outre-Atlantique, Foremost Dairies et Meadowgold Dairies, pour construire des dizaines d'usines de crèmes glacées dans tout le pays. La population locale a fini par y prendre goût. Quinze ans après la disparition des produits Foremost dans la République socialiste, le logo orange et blanc de la société figurait encore bien en évidence sur les présentoirs des glaciers. De fait, Foremost a rouvert une usine au Vietnam en 1994, bientôt suivie par les deux géants américains Baskin Robbins et Carvel.

Plus populaires encore que les glaces américaines, les délicieuses spécialités du glacier français Fanny (qui possède des succursales à Hanoi et HCMV) se déclinent dans plusieurs parfums et utilisent des fruits frais locaux et même du riz gluant !

banh bao – pâtisserie chinoise fourrée, composée de viande, d'oignons et de légumes et surmontée d'une tache rouge, trempée dans de la sauce de soja

banh chung – gâteau carré de riz gluant, farci de haricots, d'oignon et de porc, puis enveloppé dans des feuilles et bouilli pendant une dizaine d'heures ; un grand classique du Têt.

ban dau xanh – gâteau de haricots mungo, qui "fond sur la langue", habituellement servi avec du thé chaud.

banh deo – gâteau de farine de riz gluant séché, mélangée à un sirop de sucre et fourrée de fruits confits, de graines de sésame et de graisse, dégusté pendant la fête de la Mi-Automne.

banh it nhan dau – pâtisserie traditionnelle composée de riz gluant, de haricots et de sucre. Cuite à la vapeur, elle est présentée dans une feuille de bananier pliée en pyramide. On la vend souvent sur les ferries traversant le delta du Mékong.

banh it nhan dua – variante de la précédente, la noix de coco remplaçant les haricots

che – très populaire à Hanoi, le che est servi dans une grande coupe à glace et contient des haricots, des fruits, de la noix de coco et du sucre ; la fleur de pomélo entre dans la composition d'une variante intéressante, le *che buoi*

kem dua ou **kem trai dua** – délicieux mélange de glace, de fruits confits et de chair tendre et gélatineuse de noix de coco, servi dans une petite coquille de noix de coco

mut – fruits ou légumes confits, carottes, noix de coco, kumquats, calebasses, gingembre, graines de lotus et tomates

yaourt – yaourt glacé et sucré, vendu dans les échoppes de crèmes glacées

Fruits

On trouve des fruits (*qua* ou *trai*) toute l'année, mais les meilleurs ne mûrissent que pendant de courtes saisons.

Le "fruit du dragon"

Le Vietnam est réputé pour offrir un assortiment de fruits tropicaux extraordinaire, dont l'un des plus exotiques est le fruit du dragon vert (*thanh long*). De la taille et de la forme d'un petit ananas, avec une peau rouge-orangé presque lisse, ce fruit pousse dans le delta du Mékong et la région côtière au sud de Nha Trang.

Un gros fruit du dragon peut peser jusqu'à 800 g. Sa chair blanche parfumée, parsemée de pépins noirs, rappelle un peu le goût du kiwi. Le fruit du dragon vert pousse sur une sorte de cactus rampant – qui ressemble, dit-on, à un dragon vert – et grimpe sur les troncs et les branches d'arbres sur les collines arides. Pendant la saison, qui s'étend de mai à octobre, des *thanh long* sont en vente sur tous les marchés dans les régions où il est cultivé. Ce fruit est vendu partout au Vietnam et même exporté (on se l'arrache à prix d'or à Taiwan), mais il est préférable de le déguster là où il a été cueilli – où il est à la fois plus frais et moins cher.

Les Vietnamiens en font aussi de la confiture, ainsi qu'une boisson rafraîchissante qu'ils obtiennent en mélangeant du fruit du dragon vert écrasé avec de la glace, du sucre et du lait concentré.

anone – également appelé pomme-cannelle ou corossol, ce fruit, lorsqu'il est mûr, possède une chair molle et noire autour de la tige

avocat – souvent consommé dans un verre avec de la glace, édulcoré avec du sucre ou du lait concentré

banane verte – vendue sur les marchés, elle est généralement bien mûre et meilleure que la jaune

durian – énorme fruit (presque de la taille d'un ballon de football) hérissé de piquants et à chair pâle. Surnommé "roi des fruits", c'est le fruit tropical le plus coûteux. On dit souvent que le durian a "le goût du paradis, mais l'odeur de l'enfer".

jaque – ce gros fruit allongé possède des quartiers de couleur jaune vif et une texture légèrement caoutchouteuse

longan – petite boule juteuse à la peau brune, cultivée dans toute la région du delta du Mékong

lychee – un peu plus gros et plus sucré que le longan

noix de coco – mûre, elle n'est consommée que par les enfants, ou en confiture. Les adultes la préfèrent jeune, quand sa chair est encore gélatineuse et son lait plus frais. Dans la région de Ha Tien, dans le delta du Mékong, il existe une variété de noix de coco à la chair délicieuse, mais sans lait

papaye – sa chair orange a le goût du melon. Les graines noires possèdent, dit-on, des vertus contraceptives pour les femmes

pomelo – hybride de l'orange et du pamplemousse à la peau verte, dont la chair tire sur le pourpre

Boissons
Café

Le café vietnamien est excellent et celui provenant des Hauts Plateaux du Centre, autour de Buon Ma Thuot, est particulièrement réputé. Vous devrez certainement le diluer avec de l'eau chaude, car les Vietnamiens le préparent très fort et très sucré. Si vous commandez un café au lait *(ca phe sua da)*, on vous servira un café additionné de 30 à 40% de lait concentré sucré. Les restaurants fréquentés par des étrangers ont toujours une carafe d'eau chaude, destinée à allonger votre café. Demandez un grand verre, car ce café sucré est immanquablement servi dans un "dé à coudre", ce qui vous laisse peu de place pour ajouter de l'eau.

Le café instantané *(ca phe tan* ou *ca phe bot)* a fait son entrée au Vietnam en 1996… un désastre ! Beaucoup présument que les Occidentaux préfèrent ce type de café. Précisez bien que vous souhaitez du café vietnamien fraîchement passé *(ca phe phin)*.

Les Vietnamiens préfèrent le passer à table, à la française. Pour le café glacé, on utilise la même méthode, avec un verre de glace placé sous le filtre. Dans les cafés, du thé vietnamien, servi dans de minuscules tasses, est souvent offert après le café.

Le café vietnamien le plus renommé est le *chon* ; on nourrit une espèce particulière de belette avec les grains, que l'on récupère ensuite dans les excréments de l'animal. Vous pourrez déguster une tasse de ce breuvage (environ 10 000 d) chez Trung Nguyen, une célèbre chaîne de cafés présente à Hanoi et HCMV.

Thé

Dans le Sud, le thé est bon marché mais assez décevant : il sent le parfum et son goût fait parfois penser à la colle des enveloppes. On sert toujours du thé (thé vert local ou thé en sachet) aux invités dans les maisons ou les entreprises vietnamiennes. Dans les restaurants, le thé glacé local (*tra da*) est à la fois délicieux et bon marché (il coûte en général 1 000 d).

Le thé cultivé dans le Nord, bien meilleur, est nettement plus corsé : préparez-vous au choc de la théine. Le thé du Nord, similaire au thé vert chinois, se vend presque toujours en vrac. Les Vietnamiens ne mettent jamais de lait ni de sucre dans du thé vert et vous prendront pour un fou si vous le faites.

On trouve du thé importé (en sachets) dans les grandes villes, rarement dans l'arrière-pays, et son prix est tout à fait raisonnable. La plupart des restaurants dénicheront du citron et du sucre, mais ne comptez pas trop sur le lait.

Eaux minérales

Il existe un grand choix d'eaux minérales (*nuoc suoi*) depuis que les Vietnamiens ont réalisé que les étrangers étaient prêts à payer un bon prix pour des eaux conditionnées dans des bouteilles en plastique (voir l'encadré *C'est La Vie*). Si vous préférez l'eau gazeuse, cherchez la marque Vinh Hao (disponible dans le Sud uniquement). Généralement servie avec de la glace, du citron et du sucre, c'est un régal ! Sous cette forme, on l'appelle *so-da chanh*.

Lait de coco

Rien de plus rafraîchissant quand il fait chaud qu'un lait de noix de coco (*nuoc dua*). Les Vietnamiens lui prêtent des vertus calmantes. Les sportifs n'en boivent jamais avant une compétition.

Les noix de coco de Ha Tien (dans le delta du Mékong) sont connues pour la délicatesse de leur chair.

Boissons sucrées

La plupart des sodas vietnamiens ont été supplantés par les produits américains.

Le *nuoc khoang kim boi* (5 000 d la bouteille) est une excellente boisson nationale à l'agréable goût fruité.

Vous trouverez partout différentes variétés des habituels jus de fruits (*sinh to*), dont le délicieux jus de canne à sucre.

Bière

La Saigon Export (qui s'exporte effectivement) et la Saigon Lager sont deux marques de bière locales. Parmi les bières vietnamiennes, citons la 333 (prononcez ba-ba-ba), la Castel, la Huda (produite à Hué), la Halida et la Bia Hanoi, que côtoient des douzaines de marques locales provinciales, moins chères mais plus diluées et plates, vendues en bouteilles – un visiteur de passage les a définies comme une "boisson intermédiaire entre la bière de régime et le thé glacé". De nombreuses bières étrangères sont brassées sous licence au Vietnam, parmi lesquelles BGI, Carlsberg, Heineken et Tiger.

Tâchez de retenir les mots *bia hoi* (bière pression), que vous trouverez dans la plupart des cafés. La qualité varie d'un établissement à l'autre, mais cette bière est en général tout à fait buvable et très bon marché (environ 3 000 d le litre). Les établissements qui servent de la bia hoi disposent aussi, le plus souvent, de plats savoureux et bon marché. La "bière fraîche" (*bia tuoi*) est similaire à la bia hoi.

Vin

L'appellation *ruou* est attribuée à une cinquantaine de variétés de "vins". Attention ! il s'agit pour la plupart de vins de riz (*ruou de*), dont les moins chers ne s'utilisent que pour cuisiner.

Autre spécialité vietnamienne, le vin de serpent (*ruou ran*) n'est autre qu'un vin de riz dans lequel macère un serpent. Cet élixir, considéré comme un tonique, est censé tout guérir, de l'héméralopie (diminution de la vision dès que le jour baisse) à l'impuissance.

On peut aussi tuer le serpent sous vos yeux et verser immédiatement son sang dans votre tasse. Pour profiter de toutes les vertus curatives du serpent, les Vietnamiens recommandent de boire ce sang avec de l'alcool de riz et de manger sa vésicule biliaire crue. Les "connaisseurs" conseillent également de placer le cœur encore battant dans un verre d'alcool de riz et de boire le tout cul sec. Ce cocktail est censé posséder des effets aphrodisiaques.

Si vous voulez goûter un grand choix de vins de riz vietnamiens, Highway 4, dans la vieille ville de Hanoi, est une adresse extraordinaire (voir la rubrique *Où sortir* dans le chapitre *Hanoi*).

Les moins aventureux se contenteront des bons vins importés d'Italie, de France, d'Australie et des États-Unis.

Liqueurs

Les alcools (*ruou manh*) chinois sont très bon marché ; ils ont un goût de diluant et une odeur d'essence diesel. La vodka est l'un des rares produits que l'ex-Union soviétique continue d'exporter. On trouve aussi de la vodka locale fabriquée à Hanoi. La *nep moi* est une vodka douce, faite à base de riz gluant.

Comme partout ailleurs en Asie, les "nouveaux riches" vietnamiens préfèrent les alcools étrangers, tel que le whisky Johnny Walker Black, par exemple. Dans les restaurants haut de gamme, vous verrez des hommes d'affaires ou des hauts fonctionnaires aux joues empourprées vider une bouteille en un rien de temps.

En affaires, il est notoire que les Vietnamiens préfèrent copier les idées de leurs voisins plutôt que de créer leur propre créneau. Si les restaurants, les hôtels, les noms de rues et les programmes d'excursions illustrent cette tendance, le meilleur exemple en est peut-être celui du marché de l'eau minérale.

En 1989, La Vie, marque française d'eau minérale, fut le premier fabricant étranger à s'installer au Vietnam. Des variantes étonnamment ressemblantes au logo rouge, blanc et bleu, et portant le même nom, ont entre-temps surgi dans tout le pays. Au dernier recensement, il existait plus d'une vingtaine d'imitations, portant parfois des noms sans signification tels que La Viei, La Vu, La Vi et La Ve – sans compter celles qui en ont une : La Vif, La Vide, La Viole... À Hanoi, si vous passez au bar à vins de riz Highway 4 (voir *Où sortir* dans le chapitre *Hanoi*), ne manquez pas d'admirer la collection d'étiquettes inspirées de la marque *La Vie* qui orne le mur des toilettes.

Comment s'y rendre

VOIE AÉRIENNE
Aéroports

L'aéroport Tan Son Nhat de Ho Chi Minh-Ville (HCMV) est le pivot aérien international le plus actif du Vietnam, devant l'aéroport Noi Bai de Hanoi. Quelques rares vols internationaux desservent également Danang.

Compagnies aériennes

La compagnie **Vietnam Airlines** *(Hang Khong Viet Nam ; www.vietnamairlines.com .vn)* est une entreprise d'État. La majorité des lignes internationales desservant le Vietnam sont exploitées par Vietnam Airlines en association avec des compagnies étrangères. Ainsi, avec un billet "Vietnam Airlines", vous pouvez fort bien être transporté par Cathay Pacific ou Thai (Thai Airways International).

La plupart des vieux appareils de Vietnam Airlines ont été remplacés par des Airbus français et des Boeing américains plus modernes, mais la compagnie a encore de sérieux progrès à faire. Les retards sont fréquents et les vols souvent annulés (en raison de leur faible remplissage !).

Le gouvernement modifie peu à peu les tarifs aériens, afin qu'ils deviennent rapidement les mêmes pour les étrangers et les Vietnamiens. Le système de tarification à deux vitesses pourrait ainsi disparaître dès la fin 2003.

S'il existe des billets à prix réduit pour aller au Vietnam, ceux-ci doivent impérativement être achetés en dehors du pays. Vietnam Airlines n'autorise aucune compagnie étrangère à proposer des tarifs inférieurs aux siens à l'intérieur du pays. Par exemple, un vol de Bangkok à Hanoi ou à HCMV vous coûtera presque la moitié du prix d'un billet Vietnam Airlines, si vous l'achetez à Bangkok.

Un grand nombre de vols internationaux au départ de Hanoi relient HCMV, mais au lieu de permettre aux passagers d'embarquer sur leur vol international à Hanoi, Vietnam Airlines les contraint à payer une taxe aérienne intérieure pour rejoindre HCMV, puis à récupérer leurs bagages, à faire (une nouvelle fois) la queue pour les enregistrer et à payer une taxe aérienne internationale avant d'embarquer cette fois sur leur vol international !

Sachez que la plupart des vols internationaux en Asie limitent les bagages enregistrés à 20 kg, et que cette règle s'applique également sur tous les vols intérieurs au Vietnam. Pensez à cadenasser vos bagages. Des voyageurs nous ont signalé des vols dans leurs bagages enregistrés.

Les bicyclettes peuvent être transportées par avion. Vous pouvez les démonter et mettre le tout dans un sac ou une boîte prévus à cet effet, mais il est beaucoup plus simple de vous présenter avec votre engin au comptoir d'enregistrement, où il sera traité comme tout autre bagage. Vous devrez peut-être retirer les pédales et bloquer le guidon sur le côté pour qu'il prenne moins de place dans la soute de l'appareil : informez-vous auprès de la compagnie avant votre départ, de préférence avant d'avoir payé votre billet.

Pour mettre Vietnam Airlines face à une concurrence plus que nécessaire, **Pacific Airlines** *(www.pacificairlines.com .vn)* a commencé à affréter des vols en 1992, mais son réseau reste restreint tant sur les lignes intérieures qu'à l'international : la compagnie relie uniquement Hanoi, HCMV, Danang, Taipei, Kahsiung, Hong Kong et Singapour.

Acheter vos billets

En cherchant un peu – auprès des voyagistes, sur Internet, dans les petites annonces des journaux – vous devriez pouvoir trouver un billet à prix intéressant. N'oubliez pas que les vols à prix réduit doivent s'acheter longtemps à l'avance et que les meilleures offres partent vite.

Les étudiants et les moins de 26 ans (moins de 30 ans dans certains pays) bénéficient de réductions plus intéressantes que les autres voyageurs. Au moment de l'achat du billet et de l'embarquement, vous devrez présenter un document prouvant votre date de naissance ou une carte d'étudiant international (ISIC).

Acheter un billet directement auprès d'une compagnie aérienne ne présente en général guère d'intérêt. Des tarifs réduits sont en revanche consentis à certains agents de voyages qui proposent souvent les meilleurs prix.

En revanche, sur Internet, de nombreuses compagnies offrent d'excellents tarifs. Elles vendent des sièges aux enchères ou cassent tout simplement les prix du fait du coût réduit de la vente en ligne.

De multiples agences de voyages à travers le monde disposent d'un site Internet, ce qui permet de comparer rapidement et facilement les prix. De plus, un grand nombre de voyagistes n'opèrent que sur Internet.

Acheter un billet en ligne est une excellente solution si vous effectuez un aller simple ou un aller-retour à date fixe. Cependant, les fournisseurs d'informations ultra-rapides sur les tarifs ne remplacent en rien un agent de voyages, qui sait tout des offres spéciales, connaît les stratégies pour éviter l'attente aux escales et peut vous donner des tas de conseils utiles, aussi bien sur la compagnie qui sert les meilleurs plateaux végétariens que sur l'assurance de voyage la plus intéressante à prendre avec votre billet.

Les billets les moins chers sont parfois proposés par des agences inconnues. Si la plupart d'entre elles sont honnêtes et solvables, il existe néanmoins quelques escrocs dans le lot. Payer par carte de crédit offre généralement une protection, dans la mesure où la plupart des banques acceptent de rembourser les fonds engagés si vous pouvez prouver que vous n'avez pas obtenu ce que pour quoi vous

---

Agences en lignes

Voici une sélection des sites les plus visités :
www.anyway.com
www.ebookers.fr
www.lastminute.com (dont font désormais partie Dégriftour et Réductour).
www.travelprice.fr
www.c-mesvacances.fr/vol
www.karavel.com
www.onparou.com

---

aviez payé. Une protection similaire peut être garantie en achetant un billet auprès d'une agence agréée. Celles qui n'acceptent que le paiement en liquide se doivent de vous remettre le billet immédiatement, sans vous demander de "repasser le lendemain". Après avoir fait une réservation ou versé des arrhes, appelez la compagnie pour vérifier que la réservation a bien été enregistrée. Envoyer de l'argent (y compris des chèques) par la poste est déconseillé, sauf si l'agence est connue pour son sérieux – certains voyageurs ont déjà été floués par des agences de vente par correspondance douteuses.

Si vous achetez un billet et voulez ensuite changer d'itinéraire ou vous faire rembourser, vous devez vous adresser à l'agent de voyages qui a émis le billet. Les compagnies aériennes ne remboursent que l'acheteur du billet – à savoir l'agent de voyages qui l'a acheté pour vous. Nombre de voyageurs décidant de modifier leur itinéraire en cours de voyage, réfléchissez soigneusement avant d'acheter un billet qui sera difficilement remboursable.

Il est difficile d'obtenir des réservations pour des vols depuis/vers le Vietnam au moment des vacances, notamment aux alentours de la fête du Têt, qui tombe entre fin janvier et mi-février. Si vous prévoyez de vous trouver au Vietnam durant cette période (au moment où la diaspora vietnamienne vient visiter la famille), faites vos réservations largement à l'avance pour ne pas rester bloqué à Bangkok à l'aller ou à HCMV au retour.

En dehors de ces périodes de grande affluence, il est relativement aisé de se procurer un billet pour quitter le pays mais, par mesure de précaution, réservez votre départ au moins quelques jours à l'avance.

N'oubliez pas que le Vietnam n'est pas le seul pays à célébrer le Nouvel An lunaire : c'est aussi la fête principale à Singapour, à Macao, en Chine, à Taiwan et en Corée, de même qu'au sein des importantes minorités chinoises de Thaïlande et de Malaisie. Comme tout le monde part au même moment, avions, trains et hôtels affichent complet dans toute l'Asie. La pagaille commence environ une semaine avant le Nouvel An lunaire et peut se prolonger jusqu'à 2 semaines après l'événement.

Primes-fréquence. La plupart des compagnies (y compris Vietnam Airlines) pratiquent le système des "primes-fréquence" qui peut vous faire gagner un billet gratuit ou d'autres avantages. Il faut pour cela accumuler un certain kilométrage sur le réseau d'une même compagnie. Pendant certaines "périodes rouges" (par exemple, au moment de Noël et du Nouvel An lunaire), il est impossible de voyager gratuitement en utilisant les points accumulés. L'inconvénient majeur de ces primes-fréquence reste néanmoins d'être lié à la même compagnie, dont les tarifs ne sont pas forcément les plus bas, ni les horaires les plus commodes.

Vols par l'intermédiaire d'une messagerie. Faire des économies en voyageant sur une compagnie de fret aérien est possible mais nécessite quelques efforts.

Des petites annonces paraissent parfois dans les journaux, mais vous pouvez aussi contacter les compagnies de fret aérien répertoriées dans l'annuaire. Il vous faudra peut-être vous déplacer, ces compagnies préférant souvent ne pas donner de renseignements par téléphone. Pour de plus amples informations, contactez l'International **Association of Air Travel Couriers** (*IAATC*, *www.courier.org*). Joindre cette association ne garantit en rien que vous trouverez un vol de messagerie, mais elle vous aidera peut-être à dénicher un vol pour Hong Kong, Taipei ou Bangkok.

Billets d'occasion. De temps à autre, vous verrez sur les panneaux d'affichage des auberges de jeunesse ou dans les journaux des annonces pour des "billets d'occasion" – à savoir un billet aller-retour ou comportant de multiples arrêts acheté par quelqu'un qui veut revendre la partie inutilisée.

Les tarifs indiqués sont souvent alléchants. Malheureusement, ces billets, s'ils sont utilisés sur des lignes internationales, n'ont en général aucune valeur, dans la mesure où le nom inscrit sur le billet doit correspondre à celui du passeport de la personne qui s'enregistre. Certains arguments, soulignant que le vendeur du billet peut enregistrer lui-même vos bagages en montrant son passeport et vous remettre ensuite la carte d'embarquement sont également erronés. Les agents de l'immigration demandent en général à voir la carte d'embarquement, et si le nom inscrit diffère de celui du passeport, vous ne serez pas autorisé à embarquer.

Voyage sans billet. Bien qu'il soit moins fréquent en Asie qu'en Occident, le voyage sans billet, ou le billet électronique, dont les détails de réservation figurent sur l'ordinateur de la compagnie, devient de plus en plus courant. Dans le cas d'un simple aller-retour, ne pas avoir de billet peut être un avantage – cela fait un souci en moins. Cependant, si vous prévoyez un itinéraire compliqué, que vous risquez de vouloir modifier en cours de voyage, rien ne remplace les bons vieux billets.

Passagers aux besoins particuliers

La plupart des compagnies internationales sont équipées pour accueillir les voyageurs handicapés, les personnes accompagnées d'enfants en bas âge et même les enfants voyageant seuls. Si vous voyagez en fauteuil roulant, sachez que la plupart des aéroports internationaux peuvent vous fournir un accompagnateur entre le comptoir d'enregistrement et l'avion, et que des rampes, des ascenseurs, des toilettes et des téléphones sont en général accessibles aux handicapés.

Les compagnies peuvent aussi servir des menus spécifiques (végétariens, casher, etc.) si vous les prévenez à l'avance.

En principe, les enfants de moins de deux ans voyagent à 10% du tarif adulte correspondant – voire gratuitement sur quelques compagnies. Les grandes compagnies internationales fournissent généralement couches, lingettes, talc et tout l'attirail nécessaire à l'hygiène des bébés. Pour les enfants entre deux et douze ans, le prix des vols internationaux s'élève généralement à 50% du prix ordinaire d'un vol ou à 67% du prix d'un vol à tarif réduit.

Taxe d'aéroport

La taxe à acquitter pour les vols internationaux est de 12 $US, payables en dong ou en dollars US. Les enfants âgés de moins de deux ans en sont exonérés.

Europe francophone

Le Vietnam est devenu une destination touristique en vogue. Les compagnies ont suivi le mouvement et, la concurrence aidant, les tarifs marquent une légère tendance à la baisse. La possibilité d'obtenir un bon prix dépendra donc des dates de votre voyage et du temps dont vous disposerez pour examiner les offres des agences de voyages et des compagnies.

Vietnam Airlines (à l'instar d'Aeroflot) ne vend pas directement au public ; il faut donc passer par une agence de voyage qui pourra vous proposer des vols à tarifs négociés. C'est d'ailleurs généralement par ce biais que l'on trouve les prix les plus intéressants. La majorité des voyagistes offrent des vols pour HCMV et Hanoi, sur différentes compagnies et à différents tarifs.

Au départ de la France ou de la Belgique, comptez entre 800 et 1240 € en basse saison et entre 920 et 1240 € en haute saison pour un vol régulier aller-retour à destination de Hanoi. Depuis la Suisse, les vols à destination de Hanoi au départ de Genève, Zurich ou Bâle, reviennent de 1350 à 1950 FS.

En France, comme en Belgique et en Suisse, plusieurs organismes proposent des billets à tarif réduit. À titre indicatif, vous trouverez ci-dessous quelques compagnies ou tours-opérateurs offrant des prestations intéressantes sur le Vietnam. Consultez également les agences de voyages figurant dans la rubrique *Voyages organisés*.

En France :

Air France (☎ 0 820 820 820), 119 av. des Champs-Élysées, 75008 Paris, www.airfrance.fr, 3615/16 AF

Vietnam Airlines (☎ 01 44 55 39 90, fax 01 44 55 39 99), 9 rue de la Paix, 75002 Paris

Cathay Pacific (☎ 01 41 43 75 00 fax 01 41 43 75 72), 8 rue de l'Hôtel de ville, 92522 Neuilly Cedex, www.cathaypacific.com

Havas Voyages (☎ 01 53 29 40 00, fax 01 47 03 32 13), 26 av. de l'Opéra, 75001 Paris, www.havasvoyages.fr, 3615 Havas Voyages

Nouvelles Frontières (réservations et informations ☎ 0825 000 825). Nombreuses agences en France et dans les pays francophones (☎ 01 45 68 70 00), 87 bd de Grenelle, 75738 Paris cedex 15, www.nouvelles-frontieres.fr, 3615 NF

Voyageurs Associés (☎ 04 91 47 49 40, fax 04 91 47 27 68), 39 rue des Trois-Frères-Barthélemy, 13006 Marseille (☎ 03 88 24 97 00, fax 03 88 24 97 01), 1 rue de Zurich, 67000 Strasbourg

Voyageurs du Monde-Voyageurs en Asie du Sud-Est (☎ 01 42 86 16 00, fax 01 42 86 17 88 par fax, indiquer votre destination), 55 rue Sainte-Anne, 75002 Paris, www.vdm.com, 3615 Voyageurs.

Errances (☎ 01 42 09 70 00, fax 01 42 09 53 39), 55 rue Louis Blanc, 75010 Paris

OTU (☎ 0 820 817 817 ou 01 44 41 38 50), 39 avenue Georges Bernanos, 75005 Paris, www.otu.fr

Usit Connections (☎ 01 42 44 14 00, n° Indigo : 0 825 08 25 25, fax 01 44 55 32 60), 14 rue Vivienne, 75002 Paris, www.usitconnections.fr, www.usitworld.com, 3615 Usit (☎ 01 42 34 56 90, 01 42 44 14 00, fax 01 42 34 56 91), 6 rue de Vaugirard, 75006 Paris

Wasteels (☎ 0825 88 70 04, fax 01 43 25 46 25), 11 rue Dupuytren, 75006 Paris, www.voyages-wasteels.fr, 3615 Wasteels

En Belgique :

Airstop (☎ 70 23 31 88), 28 Wolvengracht, 1000 Bruxelles, www.airstop.be

Connections (☎ 2 550 01 00, fax 2 512 94 47), rue du Midi 19-21, 1000 Bruxelles (☎ 2 647 06 05, fax 02 647 05 64), av. Adolphe-Buyl 78, 1050 Bruxelles (☎ 9 223 90 20, fax 09 233 29 13), Nederkouter 120, 9000 Gand (☎ 4 223 03 75, fax 04 223 08 82), rue Sœurs-de-Hasque 7, 4000 Liège, www.connections.be, Le spécialiste belge du voyage pour les jeunes et les étudiants.

Éole (☎ 2 227 57 80, fax 2 219 90 73), chaussée de Haecht 39-41, 1210 Bruxelles

En Suisse :

Jerrycan (☎ 22 346 92 82, fax 22 789 43 63), 11 rue Sauter, 1205 Genève.

Nouvelles Frontières (☎ 22 906 8080), 10 rue Chantepoulet, 1205 Genève

STA Travel (☎ 21 617 56 27 fax 021 616 50 77), 20 bd de Grancy, 1006 Lausanne (☎ 22 329 97 33 fax 022 329 50 62), 3 rue Vigner, 1205 Genève (☎ 22 818 02 00 fax 22 818 02 10) 8 rue de Rive 1204 Genève. Coopérative de voyages suisse. Propose des vols à prix négociés pour les étudiants jusqu'à 26 ans et des vols charters pour tous (tarifs un peu moins chers au départ de Zurich).

Canada

Au Canada, les vendeurs de billets à tarif réduit fusionnent avec d'autres compagnies, si bien que leurs tarifs sont souvent 10% plus chers que ceux vendus aux États-Unis.

Travel Cuts (☎ 800-667 2887, www. travelcuts.com), l'organisation nationale des étudiants canadiens, est implantée dans toutes les grandes agglomérations.

Funtastique Tours (☎ 514 270-3186 fax 54 270 8187), 8060 rue Saint-Hubert, Montréal, Québec H2 R 2P3

Travel Cuts – Voyages Campus (☎ 514-281 66 62, fax 514-281 80 90, www.travelcuts .com), 225 Président Kennedy PK-R206, Montréal, Québec H2X3Y8

(☎ 514-284 1368 boîte vocale), 2085 av. Union, suite L-8, Montréal, Québec H3 A 2C3 ; (☎ 416 979-2406), 187 College St, Toronto M5T 1P7

Un billet aller-retour pour le Vietnam coûte environ 3 000/3 000 \$CAN de Toronto en basse/haute saison, et 1 500/2 500 \$CAN de Vancouver.

Asie

Si la majorité des pays d'Asie proposent désormais des billets d'avion à prix assez compétitif, c'est à Bangkok, à Singapour et à Hong Kong que l'on trouve les tarifs les plus intéressants. À Hong Kong, le marché du voyage est assez imprévisible mais, avec un peu de chance, vous y dénicherez d'excellentes affaires.

Cambodge. Siem Reap Air et Vietnam Airlines assurent des vols quotidiens entre Phnom Penh et HCMV (115/215 \$US l'aller simple/aller-retour). Les voyageurs désireux de visiter les temples d'Angkor bénéficient désormais de vols directs quotidiens entre HCMV et Siem Reap, au Cambodge.

Au départ du Cambodge, il faut acquitter une taxe d'aéroport de 5 \$US. Si votre séjour au Cambodge ne dépasse pas un mois, vous pouvez, pour 20 \$US, obtenir un visa à votre arrivée à l'aéroport de Phnom Penh.

Chine. China Southern Airlines et Vietnam Airlines se partagent les liaisons entre la Chine et le Vietnam. Le seul vol direct au départ de HCMV à destination de la Chine se pose à Guangzhou (Canton). Tous les autres vols, pour Beijing et Shanghai par exemple, transitent par Hanoi.

Corée du Sud. Asiana Airlines, Korean Air et Vietnam Airlines assurent les liaisons entre Séoul et HCMV à raison d'au moins un vol quotidien. Il existe aussi au minimum 3 vols hebdomadaires directs Séoul-Hanoi. La durée du vol entre HCMV et Séoul est de 4 heures 45.

Vous obtiendrez des billets à Séoul en contactant **Joy Travel Service** (☎ 02-776 9871, fax 756 53 42, 10ᵉ étage, 24-2 Mukyodong, Chung-gu, Séoul) juste derrière l'hôtel de ville.

Hong Kong. Hong Kong est, après Bangkok, le principal point de départ vers le Vietnam. Les vols quotidiens entre Hong Kong et HCMV durent 2 heures 30. Les liaisons, également quotidiennes, entre Hanoi et Hong Kong ne prennent que 1 heure 45.

Cathay Pacific Airways, la compagnie aérienne de Hong Kong, et Vietnam Airlines se partagent la liaison quotidienne entre Hong Kong et HCMV (300/550 \$US l'aller simple/aller-retour). Il existe également des vols directs entre Hong Kong et Hanoi (275/500 \$US l'aller simple/aller-retour). L'option la plus vendue, l'open jaw à 525 \$US, permet de faire à l'aller Hong Kong-HCMV et au retour Hanoi-Hong Kong (ou vice versa).

Hong Kong compte un grand nombre d'excellentes agences de voyages parfaitement fiables et d'autres qui le sont moins. Le meilleur moyen pour trouver un agent de voyages consiste à consulter l'annuaire : les opérateurs douteux ne restent pas assez longtemps en activité pour y figurer. **Phoenix Services** (☎ 2722 7378, fax 2369 8884, Room B, 6th floor, Milton Mansion, 96 Nathan Rd, Tsimshatsui) est recommandée. D'autres agences comme **Shoestring Travel** (☎ 2723 2306, Flat A, 4th floor, Alpha House, 27-33 Nathan Rd, Tsimshatsui) et **Traveller Services** (☎ 2375 2222, Room 1012, Silvercord Tower 1, 30 Canton Rd, Tsimshatsui) sont conseillées également.

Japon. Les billets aller-retour les moins élevés au départ de Tokyo ou d'Osaka sont proposés par Korean Air (*via* Séoul) ou la Thai (*via* Bangkok) : à partir de 40 000 ¥ pour un billet aller-retour à dates fixes, valable 60 jours.

Vietnam Airlines et Japan Airlines assurent une liaison directe quotidienne entre Osaka et HCMV ou Hanoi, vol d'une durée d'environ 5 heures 30. Le tarif est de 55 000 ¥ l'aller-retour (vols à dates fixes, valables 10 jours). L'Air Nippon Airways (ANA) propose également des vols directs.

Demandez un visa au Japon revient très cher et prend un temps fou ; en outre, les agences de voyages japonaises facturent des frais élevés pour effectuer les démarches. Il paraît plus judicieux d'effectuer cette démarche ailleurs, à Bangkok par exemple.

Laos. Les compagnies Lao Aviation et Vietnam Airlines sont associées sur le trajet entre Vientiane et Hanoi ou HCMV.

Malaisie. Malaysia Airlines et Vietnam Airlines se partagent la ligne Kuala Lumpur-HCMV. Il existe également des vols Kuala Lumpur-Hanoi.

Philippines. Philippines Airlines et Vietnam Airlines assurent toutes deux la liaison Manille-HCMV. La durée du vol est de 2 heures 30.

Singapour. Singapore Airlines et Vietnam Airlines offrent un service commun quotidien entre HCMV et Singapour. Le temps de vol est de 2 heures. La plupart des vols au départ de Singapour desservent ensuite Hanoi.

À Singapour, **STA Travel** (☎ 65-737 7188, www.statravel.com.sg, 35a Cuppage Rd, Cuppage Terrace), propose des tarifs compétitifs sur l'Asie et au-delà. Singapour, comme Bangkok, regroupe des centaines d'agences où vous pourrez comparer les prix des billets. Le centre commercial Chinatown Point de New Bridge Rd abrite une bonne sélection d'agents de voyages.

Taiwan. Comme un grand nombre de Taiwanais se rendent au Vietnam, Taiwan est devenu un lieu d'embarquement idéal pour le Vietnam, avec quantité de vols proposés par 4 compagnies concurrentes. Le trajet prend environ 3 heures.

L'agence de voyages **Jenny Su Travel** (☎ 02-2594 7733 ou ☎ 2596 2263, fax 2592 0068, 10e étage, 27 Chungshan N Rd, Section 3, Taipei) possède une longue expérience et une bonne réputation.

Thaïlande. Bangkok ne se trouve qu'à 1 heure 20 d'avion de HCMV. C'est actuellement le principal aéroport en ce qui concerne les vols pour le Vietnam. La Thai, Air France et Vietnam Airlines assurent des vols quotidiens entre Bangkok et HCMV, dont le tarif s'élève à environ 4 200 B l'aller simple. Comptez près du double pour l'aller-retour. Il existe aussi des vols directs entre Bangkok et Hanoi, au même prix.

De nombreux voyageurs choisissent le billet *open jaw*, qui permet d'arriver soit à HCMV, soit à Hanoi, puis de repartir pour Bangkok depuis l'autre ville. Ces billets valent environ 9 500 B.

Khao San Rd, à Bangkok, est le quartier des voyageurs à petit budget. Dans la ville, d'excellentes agences comme **STA Travel** (☎ 02-236 0262, 33 Surawong Rd, Bangkok), côtoient des enseignes moins recommandables, voire douteuses. Renseignez-vous auprès d'autres voyageurs avant d'arrêter définitivement votre choix.

VOIE TERRESTRE
Passage de frontières

Les visas de tourisme permettent d'entrer et de sortir par toutes les frontières internationales officielles. Les frontières terrestres, actuellement au nombre de huit, sont voisines du Cambodge (3), du Laos (2) et de la Chine (3).

Six postes-frontières permettent actuellement aux étrangers de franchir la frontière vietnamienne.

Comme il n'existe aucune possibilité de changer de l'argent du côté vietnamien, prenez sur vous des dollars US en espèces (en petites coupures de préférence). Autre solution : le marché noir, qui vous permettra de changer les monnaies locales (dong vietnamien, renminbi chinois, kip laotien et riel cambodgien). Essayez tout de même de trouver une banque ou un bureau de change officiel, car les taux du marché noir sont à juste titre réputés pour être peu intéressants, voire carrément malhonnêtes.

La police vietnamienne aux postes-frontières est particulièrement chicaneuse, en particulier à la frontière avec le Laos. La plupart des voyageurs trouvent plus simple de quitter le Vietnam par voie terrestre plutôt que d'y entrer. Au passage des frontières, il arrive que les voyageurs doivent acquitter une "taxe d'immigration" et/ou un "droit de douane". Même s'ils savent parfaitement que cette pratique est illégale, les douaniers vietnamiens ont pris l'habitude de soutirer ainsi de l'argent aux touristes.

Cambodge. Le poste-frontière le plus fréquenté entre le Cambodge et le Vietnam se trouve à Moc Bai, qui relie la province de Tay Ninh (Vietnam) à celle de Svay Rieng (Cambodge).

Des bus relient tous les jours Phnom Penh à HCMV (via Moc Bai). Les billets les moins chers sont vendus dans les cafés pour voyageurs dans le quartier de Pham Ngu Lao, à HCMV. Dans une direction comme dans l'autre, il existe un départ quotidien à environ 8h30, au tarif imbattable de 6 $US par personne. En partant d'HCMV, on arrive à la frontière vers 11h30 et, après avoir passé la douane, on monte à bord d'un autre bus pour parcourir les 6 à 7 heures de route qui reste avant d'atteindre Phnom Penh.

On peut aussi partager un taxi collectif direct entre HCMV et le poste-frontière de Moc Bai, pour la somme forfaitaire de 20 $US pour 4 personnes au plus. Renseignez-vous sur les tarifs en vigueur dans les agences de voyages/cafés du quartier Pham Ngu Lao à HCMV.

Méthode plus compliquée et plus longue, le voyage peu coûteux à bord d'un des nombreux bus qui se rendent au Grand Temple caodaï de Tay Ninh vous permettra de descendre en route à Go Dau, à l'endroit où la route se divise, pour enfourcher une moto-taxi, qui vous conduira au poste-frontière de Moc Bai (5 000 d la course). Vous passerez à pied du côté cambodgien, où des taxis collectifs climatisés vous conduiront à Phnom Penh (comptez environ 5 $US par personne).

Très empruntée, la frontière de Vinh Xuong, près de Chau Doc, dans le delta du Mékong, offre une alternative à celle de Moc Dai. Entrer ou sortir via Vinh Xuong offre l'avantage de découvrir le delta du Mékong ou de faire une promenade en bateau spectaculaire en remontant le fleuve du côté cambodgien. Delta Adventures Tours à HCMV vous renseignera utilement (voir la rubrique *Renseignements* dans le chapitre *Ho Chi Minh-Ville*).

Au moment où nous mettions sous presse, une troisième frontière internationale entre le Cambodge et le Vietnam venait d'ouvrir à Tinh Bien, environ 25 km à l'ouest de Chau Doc, sur la route de Ha Tien.

Pour entrer au Vietnam ou au Cambodge par la route, vous *devrez* être muni d'un visa pour chacun des deux pays ; obtenir un visa en arrivant n'est *pas* possible. Si vous prévoyez de sortir du Vietnam pour y revenir ensuite, essayez de demander un visa de tourisme à entrées multiples.

Laos. Franchir la frontière entre le Laos et le Vietnam peut se faire à deux endroits – Lao Bao et le col de Keo Nua. Nous avons reçu d'innombrables lettres de voyageurs qui se plaignaient des tracasseries dont ils avaient fait l'objet de la part des services de l'immigration et dans les transports publics du côté vietnamien de ces deux postes-frontières, mais il semblerait que la situation s'améliore.

Renseignez-vous sur l'ouverture aux étrangers du poste-frontière de Tay Trang, près de Dien Bien Phu (au nord-ouest du Vietnam).

Les visas doivent être obtenus avant d'arriver au Laos et ne sont délivrés qu'à HCMV, Hanoi ou Danang.

Lao Bao. Le petit village vietnamien de Lao Bao se trouve sur la RN 9, à 80 km à l'ouest de Dong Ha et à 3 km à l'est du Laos. Juste de l'autre côté de la frontière s'étend la province de Savannakhet, au sud du Laos, mais il n'y a pas de ville frontière. Un bus international assure la liaison entre Danang (Vietnam) et Savannakhet, via Dong Ha et Lao Bao. Au Laos, vous ne pourrez le prendre qu'à Savannakhet. Les bus locaux qui partent de Lao Bao ne vont pas plus loin que Dong Ha — et ne desservent pas Hué, contrairement aux dires du chauffeur.

Des bus locaux se rendent des deux côtés de la frontière. Il est certes plus économique de voyager dans ces bus que dans l'express qui franchit la frontière, mais c'est bien plus fatigant. D'une part, il faut marcher 1 km entre les postes-frontières vietnamien et laotien. D'autre part, le terminus du bus de Dong Ha est à Lao Bao, distant de 3 km du poste-frontière (on peut effectuer ce trajet à moto). En principe, deux départs sont assurés par jour (tôt le matin et vers 12h) mais les horaires sont approximatifs, car le bus ne part que lorsqu'il est plein.

Col de Keo Nua. La RN 8 vietnamienne traverse la frontière au col de Keo Nua à une altitude de 734 m. Le poste-frontière s'appelle Cau Treo en vietnamien.

Du côté vietnamien, en continuant sur la RN 8, on arrive à Vinh, la première grande agglomération aux abords de la frontière. Côté laotien, la ville de Tha Khaek, juste en face de Kakhon Phanom en Thaïlande, se trouve à environ 200 km de la frontière. Des bus locaux, ainsi qu'un bus international, desservent Cau Treo depuis le Laos et le Vietnam, sans franchir la frontière.

Chine. On ne peut traverser la frontière sino-vietnamienne que de 7h à 16h (heure vietnamienne). Réglez vos montres en traversant la frontière. Il est une heure de plus en Chine qu'au Vietnam. Aucun des deux pays n'applique l'heure d'été.

Actuellement, les voyageurs étrangers peuvent traverser la frontière sino-vietamienne en trois endroits : le col de l'Amitié, Lao Cai et Mong Cai.

Col de l'Amitié. Le poste-frontière le plus fréquenté est la ville vietnamienne de Dong Dang, à 164 km au nord-est de Hanoi. La ville chinoise la plus proche de la frontière est Pinxiang (à environ 10 km au nord du poste). Le point de passage (col de l'Amitié) s'appelle Huu Nghi Quan en vietnamien et Youyi Guan en chinois.

Dong Dang est une localité sans intérêt. La ville la plus proche est Lang Son, à 18 km au sud (reportez-vous au chapitre *Le Nord-Est*). Bus et minibus sont fréquents entre Hanoi et Lang Son. Pour parcourir les 18 km séparant Dong Dang de Lang Son, la solution la moins chère consiste à louer une moto pour environ 20 000 d. Des minibus sillonnent également les rues à la recherche de passagers. Assurez-vous qu'ils vous emmènent bien à Huu Nghi Quan. Il existe un autre poste-frontière mais Huu Nghi Quan est le seul autorisé aux étrangers. Il faut s'attendre à un contrôle de douane entre Lang Son et Dong Dang, et parfois patienter longtemps pendant que les douaniers fouillent de fond en comble les bagages des voyageurs vietnamiens et chinois. La moto peut alors se révéler plus rapide que le bus, car vous n'aurez pas à attendre que l'on ait fini de fouiller vos compagnons de voyage. Ce n'est toutefois un problème que lorsqu'on va vers le sud, vers Lang Son, et pas dans l'autre sens.

Du côté chinois, de la frontière jusqu'à Pinxiang, le trajet dure 20 minutes en bus ou en se partageant un taxi collectif (le prix de la course revient alors à 3 $US). Pinxiang est reliée par chemin de fer et par bus à Nanning, la capitale de la province chinoise du Guangxi.

Il faut parcourir 600 m à pied entre les postes-frontières vietnamien et chinois.

Un train bihebdomadaire relie Beijing à Hanoi *via* le col de l'Amitié. Il dessert de nombreuses villes chinoises où on peut le prendre ou le quitter. La totalité du trajet, 2 951 km, et dure environ 55 heures, dont 3 (dans le meilleur des cas) sont consacrées aux contrôles douaniers. Attention ! Les horaires changent.

Un conseil : comme les billets de train pour la Chine sont chers à Hanoi, certains voyageurs préfèrent acheter un billet pour Dong Dang, traverser la frontière à pied, puis racheter un billet de train chinois de l'autre côté. Sachez que le col de l'Amitié est à plusieurs kilomètres de Dong Dang et que vous devrez payer pour vous y faire conduire à moto. Mieux vaut acheter un billet Hanoi-Pinxiang, puis, une fois à Pinxiang, en racheter un pour Nanning ou au-delà.

Lao Cai-Hekou. Une voie ferrée longue de 762 km, inaugurée en 1910, relie Hanoi à Kunming, dans la province chinoise du Yunnan. La ville frontière du côté vietnamien est Lao Cai, à 294 km de Hanoi. Côté chinois, la ville frontalière s'appelle Hekou et se trouve à 468 km de Kunming.

Les autorités chinoises et vietnamiennes ont mis en service une liaison ferroviaire directe entre Hanoi et Kunming, dont il vous faudra consulter les horaires en cours lors de votre visite. Les lignes intérieures circulent également tous les jours de chaque côté de la frontière. Côté chinois, le trajet Kunming-Hekou dure environ 17 heures.

Mong Cai-Dongxing. Le troisième poste-frontière vietnamien, moins connu, est à Mong Cai, dans l'extrême nord-est du pays, juste en face de la ville chinoise de Dongxing. Pour plus de détails sur ce poste-frontière, consultez la rubrique *Mong Cai* dans le chapitre *Le Nord-Est*.

Voiture et moto

Les voyageurs motorisés (voiture ou moto) doivent être munis de la carte grise de leur véhicule, d'une assurance fiable et d'un permis de conduire international en plus de leur permis national. Vous aurez aussi besoin d'un carnet de passage en douane, qui est en fait le passeport du véhicule et sert d'exemption temporaire de taxe d'importation. Sur ce carnet peut aussi être mentionnée toute pièce de rechange onéreuse que vous prévoyez d'emporter, comme une boîte de vitesse. Cette mesure a pour but d'éviter les trafics d'importation de voitures.

Pour certains pays d'Asie, prendre une assurance fiable avant le départ n'est pas possible, mais doit se faire au moment de passer la frontière. Le coût et la couverture de ce type d'assurance varient fortement : vous découvrirez dans certains pays que vous circulez en fait sans être assuré.

Toute personne prévoyant d'emporter son propre véhicule doit vérifier quel type de pièces de rechange et de carburant sont disponibles sur place.

Bicyclette

Circuler à bicyclette est un moyen bon marché, pratique, sain, écologique et surtout très agréable pour voyager. Depuis l'ouverture des frontières en Asie du Sud-Est, de plus en plus de voyageurs optent pour ce moyen de locomotion. Tout ce qu'il faut savoir pour voyager à vélo au Vietnam et dans les environs est expliqué dans le guide *Cycling Vietnam, Laos & Cambodia* édité par Lonely Planet.

Il faut toutefois prendre quelques précautions : avant votre départ, procédez à une révision rigoureuse de votre vélo et prévoyez d'emporter un maximum de pièces de rechange. Comme pour les voitures et les motos, vous ne trouverez pas forcément la pièce indispensable à la réparation de votre engin lorsqu'il vous lâchera au milieu de nulle part, au coucher du soleil.

Certaines agences de voyages organisent des circuits à bicyclette (voir la rubrique *Voyages organisés* plus loin).

VOIE MARITIME

Les voyageurs ne disposent que de quelques options pour arriver ou repartir légalement par la mer. Néanmoins, un nombre croissant de luxueux bateaux de croisière acostent dans les ports vietnamiens, notamment à HCMV, Danang et Haiphong.

Star Cruises (www.starcruises.com) circule entre Bangkok et l'île de Phu Quoc dans le delta du Mékong, ainsi qu'entre Hong Kong et la baie d'Along. Basée à Seattle, la compagnie **Zegram Expeditions** (www.zeco.com) organise de fabuleuses croisières haut de gamme à destination du Vietnam.

VOYAGES ORGANISÉS

Il est très facile de mettre sur pied un circuit une fois arrivé au Vietnam (reportez-vous à la rubrique *Circuits organisés* dans le chapitre *Comment circuler*). En fait, la seule chose que vous gagnerez en réservant avant le départ, c'est un peu de temps. Si votre temps est plus compté que votre argent, optez alors pour un circuit organisé à l'avance.

Presque toutes les agences assurent des circuits standard en minibus à travers le Vietnam, réglés comme des métronomes. Plus intéressants, des voyagistes proposent des itinéraires spéciaux pour cyclistes, randonneurs, ornithologues amateurs, anciens combattants, fanatiques de 4x4 ou mordus de cuisine vietnamienne.

Si vous avez un centre d'intérêt particulier et souhaitez réunir un groupe, essayez le réseau Internet. Vous pouvez également vous adresser aux agences spécialisées suivantes :

France

Outre les grands classiques qui disposent de points de vente un peu partout en France (Akiou, Kuoni, Nouvelles Frontières), citons d'autres agences spécialisées :

Allibert
(☎ 04 76 45 22 26, fax 04 76 45 50 75), route de Grenoble, 38530 Chapareillan ; (☎ 01 44 59 35 35, fax 01 44 59 35 36), 37 bd Beaumarchais, 75003 Paris, www.allibert-voyages.com
Asia
(☎ 01 44 41 50 10, fax 01 44 41 50 19, 3615 Asia, www.asia.fr), 1 rue Dante, 75005 Paris
Association française des amis de l'Orient
(☎ 01 47 23 64 85, 01 47 20 33 09, fax 01 49 52 01 29), 19 avenue d'Iéna, 75116 Paris, dans l'annexe du musée Guimet

Atalante
(☎ 01 55 42 81 00, fax 01 55 42 81 01), 10 rue des Carmes, 75005 Paris, www.atalante.fr
(☎ 04 72 53 24 80, fax 04 72 53 24 81), 36-37 quai Arloing, 69256 Lyon Cedex 09

Chinaco
(☎ 01 45 85 98 64, fax 01 45 85 87 57), 158 bd Masséna, 75013 Paris

Espace Mandarin
(☎ 01 42 97 51 53, fax 01 42 97 43 58), 16 rue d'Argenteuil, 75001 Paris

Esprit d'Aventure et Terres d'Aventure
(☎ 0 825 84 78 00 ou 01 53 73 77 73, fax 01 43 25 69 37), 6 rue Saint-Victor, 75005 Paris, www.terdav.com, 3615 Terdav ; (☎ 04 78 42 99 94, 04 78 37 15 01), 9 rue des Remparts-d'Ainay, 69002 Lyon

Fleuves du Monde
(☎ 01 44 32 12 85, fax 01 44 32 12 89), 17 rue de la Bûcherie, 75005 Paris, www.fleuves-du-monde.com, Tourisme fluvial, charme et aventure !

Fuaj
(Fédération unie des auberges de jeunesse, ☎ 01 48 04 70 40, fax 01 42 77 03 29), 9 rue Brantôme, 75003 Paris, www.fuaj.org, 3615 Fuaj.

Maison de la Chine et de l'Indochine
(☎ 01 40 51 95 00, fax 01 46 33 73 03, www.maisondelindochine.com), 76 rue Bonaparte, 75006 Paris

Monde de l'Inde et de l'Asie
(☎ 01 53 10 31 00, 01 46 34 03 20 fax 01 43 26 87 77, contact@mondeasie.com), 15 rue des Écoles, 75005 Paris, www.mondeasie.com

Orients
(☎ 01 40 51 10 40, fax 01 40 51 10 41), 25 rue des Boulangers, 75005 Paris, www.orients.com. Vols secs également.

Tamera
(☎ 04 78 37 88 88, fax 04 78 92 99 70, tamera@tamera.fr), 26 rue du Bœuf, 69005 Lyon, www.tamera.fr, voyages d'aventures

Voyage d'Oc – Asie Passion
(☎ 05 62 73 70 20, fax 05 62 73 70 19) 2 bis bd d'Arcole, 31000 Toulouse

Voyageurs en Asie du Sud-Est
Voir les coordonnées à la rubrique *Voie aérienne*, plus haut

Belgique et Suisse
Vous pouvez examiner les offres des agences citées dans la rubrique *Voie aérienne*, plus haut.

Canada
Global Adventures
(☎ 640-947 2263, www.globaladventures.bc.ca/) propose des formules de 12 jours en kayak de mer dans la baie d'Along.

Thaïlande
Asian Trails
(☎ 02-658 6080, fax 02-658 6099, asiantrails@asiantrails.org, www.asiantrails.net, 15e étage, Mercury Tower, 540 Ploenchit Rd, Bangkok 10330)

Vietnam
Les agences de voyages suivantes, basées au Vietnam et gérées par des étrangers, offrent tout un choix de circuits haut de gamme au Vietnam et en Indonésie.

Destination Asia
(☎ 08-844 8071, fax 844 7885, destination@hcm.fpt.vn, www.destination-asia.com, 143 D Nguyen Van Troi, Phu Nhan district, HCMV

Elephant Guide
(www.elephantguide.com)

Exotissimo
Hanoi (☎ 04-828 2150, fax 828 2146, vietnam@exotissimo.com, www.exotissimo.com, 26 Tran Nhat Duat)
HCMV (☎ 08-825 1723, fax 829 5800, 37 Đ Ton Duc Thang)

Phoenix Vietnam
Hanoi (☎ 04-716 1956, fax 716 1958, phoenix.vn@fpt.vn, www.phoenixvietnam.com), 52 Pho Nguyen Khac Hieu, Truc Bach, Ba Dinh District
HCMV (☎ 08-824 4282, fax 824 4286, phoenixvietnam@hcm.fpt.vn, www.phoenixvietnam.com, 4 Đ Chu Manh Trinh

Sinhbalo Adventures
(☎ 08-837 6766, ☎/fax 836 7682, sinhbalo@hcm.vnn.vn, www.sinhbalo.com, 283/20 Đ Pham Ngu Lao, District 1

Vidotour
(☎ 08-933 0457, fax 933 0407, info@vidotourtravel.com, 145 Đ Nam Ky Khoi Nghia, HCMV

Visit Mekong
(www.visit-mekong.com)

Comment circuler

AVION

Vietnam Airlines *(www.vietnamairlines .com.vn)* détient le quasi-monopole des vols intérieurs, mais **Pacific Airlines** *(www. pacificairlines.com.vn)* assure également une liaison quotidienne Hanoi/Ho Chi Minh-Ville (HCMV) et Danang/HCMV.

La plupart des agences de voyages vendent des billets sans frais supplémentaires ; ils sont directement commissionnés par la compagnie. Il est impératif de se munir de son passeport pour réserver une place sur un vol intérieur. On vous demandera également ces documents au comptoir d'enregistrement de l'aéroport, puis au contrôle de sécurité.

La plupart des succursales de Vietnam Airlines acceptent dorénavant les paiements par chèques de voyage et cartes de crédit. La compagnie a retiré de la circulation ses appareils soviétiques, pour les remplacer par des avions occidentaux neufs. Lorsque vous atterrissez à l'aéroport de Noi Bai à Hanoi, vous pouvez apercevoir quelques vieux Tupolev 72 en train de rouiller sur le tarmac.

La plupart des avions font l'aller-retour dans la journée (voir la carte *Lignes aériennes* ainsi que l'encadré *Services des lignes intérieures*, qui couvrent toutes les liaisons possibles à l'intérieur du Vietnam).

La compagnie retient 30 $US en cas de remboursement d'un billet intérieur non utilisé. Il existe un service d'hélicoptères entre Hanoi et la baie d'Along (voir la rubrique *Baie d'Along* dans le chapitre *Le Nord-Est*).

Taxe d'aéroport

La taxe intérieure (actuellement 50 000 d) ne peut être réglée qu'en monnaie nationale. Les enfants de moins de deux ans en sont dispensés.

BUS

Un important réseau de bus et autres véhicules de transports publics vétustes permet de desservir chaque recoin du pays. Toutefois, pour des raisons de sécurité, rares sont les voyageurs qui les utilisent.

La sécurité routière n'est en aucun cas le point fort du Vietnam. Avec la multiplica-

tion des véhicules à moteur qui désormais les empruntent, il devient de plus en plus dangereux de rouler sur les routes nationales à deux voies pour se rendre d'une ville à l'autre. De terribles collisions entre bus, camions et autres véhicules (y compris des motos et des vélos) sont hélas devenues un spectacle familier sur la route nationale 1 (RN 1). Le Vietnam ne dispose d'aucun service de secours d'urgence efficace en cas d'accident, vous risquez donc de rester plusieurs heures sans recevoir le moindre soin.

Dans la mesure du possible, voyagez uniquement de jour. En fait, beaucoup de conducteurs refusent de s'aventurer de nuit dans la campagne ; les routes ne sont pas éclairées, sont souvent semées d'énormes ornières et quantité de bicyclettes et de piétons (sans parler des chiens et des poulets) s'y déplacent totalement indifférents à la circulation automobile. Si vous aimez néanmoins vivre dangereusement, il existe des bus de nuit…

LIGNES AÉRIENNES

CHINE

Dien Bien Phu
Na San
HANOI
Haiphong

LAOS

VIENTIANE

Vinh

THAÏLANDE

Hué
Danang

Pleiku
Qui Nhon
Tuy Hoa

CAMBODGE

Buon Ma Thuot
Dalat
Nha Trang

PHNOM PENH

Île Phu Quoc
Rach Gia

HO CHI MINH-VILLE (SAIGON)

Île Con Son

Service des lignes intérieures

Vietnam Airlines

depuis	vers	fréquence	tarif éco (d)	1re classe (d)
Danang	Buon Ma Thuot	5/semaine	530 000	-
	Haiphong	3/semaine	950 000	1 200 000
	Nha Trang	1/jour	550 000	-
	Pleiku	5/semaine	520 000	-
	Vinh	2/semaine	670 000	-
Hanoi	Danang	2-3/jour	950 000	1 200 000
	Dien Bien Phu	5/semaine	620 000	-
	HCMV	7/jour	1 800 000	2 400 000
	Hué	2/jour	950 000	1 200 000
	Nha Trang	1-2/jour	1 400 000	-
	Son La	4/semaine	520 000	-
HCMV	Buon Ma Thuot	1/jour	620 000	-
	Dalat	1-2/jour	430 000	-
	Danang	5-6/jour	950 000	1 200 000
	Haiphong	1/jour	1 800 000	2 400 000
	Hanoi	7/jour	1 800 000	2 400 000
	Hué	1-2/jour	950 000	1 200 000
	Nha Trang	2-3/jour	630 000	-
	Phu Quoc	1-2/jour	670 000	-
	Pleiku	5/semaine	670 000	-
	Qui Nhon	1/jour	670 000	-
	Rach Gia	5/semaine	670 000	-
	Vinh	5/semaine	1 200 000	-
Phu Quoc	Rach Gia		1 200 000	-

Pacific Airlines

depuis	vers	fréquence	tarif éco (d)	1re classe
HCMV	Danang	1/jour	950 000	
HCMV	Hanoi	3/jour	1 800 000	

Les groupes organisés voyagent généralement dans des bus japonais ou coréens, climatisés et confortables. Ces types de véhicules sont le plus souvent trop onéreux pour les compagnies publiques.

Celles-ci possèdent quatre sortes de véhicules : des bus de fabrication coréenne (relativement neufs), russe (datant des années 1970), américaine (datant de 1965 environ) et française (de véritables antiquités). Les véhicules coréens (généralement des Hyundai), le plus souvent climatisés, sont les plus confortables. Vous les rencontrerez quasi exclusivement sur les longs trajets comme HCMV/Hanoi (2 jours sans escale !). Malheureusement, ils sont généralement équipés de magnétoscopes et de redoutables machines à

karaoké. Il suffit de fermer les yeux (ou de mettre un bandeau) pour ignorer les sanglantes vidéos kung-fu, mais réussir à dormir pendant les séances de karaoké relève de l'exploit (pensez à emporter des bouchons d'oreille).

Les bus publics sont en majorité russes ou américains. S'ils ont été repeints avec une charmante fantaisie, l'ajout de nombreux sièges supplémentaires ôte cependant tout espace pour les jambes. De nombreux bus n'ont pas de places assises. Les bagages sont entassés là où c'est possible, ce qui signifie bien souvent sur le toit. Plus ennuyeux, les pannes mécaniques sont très fréquentes.

Les bus français deviennent rares, ce qui n'est guère surprenant après 50 années de service ! On se demande comment les Vietnamiens peuvent encore faire rouler ces vieilles guimbardes. Ces musées ambulants hoquettent, grincent et se traînent sur les routes à 30 km/h ; où que vous alliez, ce sera lentement.

Néanmoins, les voyages en bus présentent le grand intérêt d'offrir des "contacts personnels" avec le peuple vietnamien. Voyager sur les genoux les uns des autres, faute de place, crée des liens.

Comprendre l'organisation des transports en bus est tout sauf aisé. De nombreuses villes disposent de différentes gares routières en fonction des destinations (au nord ou au sud de la ville) ou du type de service proposé (interurbain, longue distance, express ou ordinaire).

La plupart des bus longue distance partent à l'aube. Il arrive qu'une demi-douzaine de véhicules partent à la même heure et pour la même destination, généralement vers 5h30. À peine partis, ils semblent toujours à l'affût d'une station-service. Pourquoi ne font-ils pas le plein la veille du départ ? Mystère.

Quelques bus circulent de nuit depuis l'abandon du couvre-feu, en 1989, mais ni les passagers ni les conducteurs ne raffolent de ces voyages nocturnes. Pour les petits trajets, certains minibus ou taxis ne partent qu'une fois pleins, mais rarement après 16h.

Surveillez sérieusement vos bagages, notamment aux "arrêts toilettes" (confiez-les alors à un compagnon sûr ou bien emportez-les avec vous). Théoriquement, attachés sur le toit, ils ne craignent rien, mais nous avons aussi entendu le contraire. De plus, ils seront exposés à la poussière et aux averses – mieux vaut donc les conserver à l'intérieur, de façon à pouvoir les surveiller.

N'acceptez *jamais* de boisson de vos compagnons de route ; on risque de vous droguer pour vous voler.

Réservations et tarifs

Les bus partent tôt le matin. Si vous n'envisagez pas de discuter le prix avec le chauffeur, il est préférable d'acheter votre ticket la veille.

Les tarifs restent très bon marché, même si les étrangers paient souvent 2 à 10 fois le prix normal. Excepté dans le delta du Mékong et dans les grandes villes, les gui-

Un système ingénieux

Sur les bus et les camions les plus vétustes, les moteurs sont souvent équipés d'un ingénieux système de refroidissement fonctionnant par gravité. Il complète le radiateur, qui ne suffit plus quand ces archaïques véhicules sont, comme c'est la règle, lourdement surchargés, et prévient la surchauffe.

Un bidon est fixé au toit de la cabine et relié au moteur au moyen d'un tuyau qui passe par la vitre du conducteur. Un robinet d'arrêt lui permet de contrôler le flux. Depuis le toit, le bidon d'eau froide s'écoule lentement dans le moteur et l'eau chaude gicle du trop-plein du radiateur. Quand le bidon est vide, le bus s'arrête à l'une des nombreuses pompes à eau présentes sur les principales routes et le remplit à nouveau.

chets refusent en majorité de vendre aux étrangers un tarif ordinaire ; plus exactement, on vous laissera vous débrouiller avec le chauffeur. Par conséquent, renseignez-vous sur le tarif réservé aux Vietnamiens avant de négocier.

Trajets open

Dans tous les lieux fréquentés par les voyageurs à petit budget, on peut voir de nombreuses publicités vantant l'"Open Tour", l'"Open Date Ticket" ou l'"Open Ticket" : il s'agit en fait d'un service de bus s'adressant spécifiquement aux voyageurs étrangers à petit budget. Ces bus circulent entre HCMV et Hanoi offrent à leurs passagers la possibilité de monter ou descendre dans n'importe quelle grande ville traversée, sans les contraindre à respecter une date fixe.

La concurrence y est si féroce qu'il n'y a que le trajet à pied qui revienne moins cher ! À l'heure où nous rédigeons ce guide, tels étaient les parcours proposés à HCMV :

Trajet	Prix ($US)
Ho Chi Minh-Ville – Dalat	5
Ho Chi Minh-Ville – Mui Ne	6
Ho Chi Minh-Ville – Nha Trang	7
Ho Chi Minh-Ville – Hoi An	13
Ho Chi Minh-Ville – Hué	14
Ho Chi Minh-Ville – Hanoi	21

On se demande chaque année si les tarifs vont cesser de diminuer, mais ne soyez pas étonné s'ils ont encore baissé. Nous souhaiterions pour notre part que les tarifs *augmentent* jusqu'à devenir rentables et que, en retour, les passagers puissent descendre là où ils le désirent. Malheureusement, le système est fondé sur les commissions que reverse un réseau très bien organisé d'hôtels, de restaurants et autres établissements installés tout le long de la côte.

Sans ces arrêts obligatoires, les billets ne seraient pas aussi bon marché ; si vous choisissez ce moyen de transport, sachez donc à quoi vous attendre. Parlementer avec le chauffeur pour éviter la tournée rituelle ne servira à rien, sinon à perdre le temps gagné à utiliser ce service relativement rapide.

Aussi avantageux et populaire soit-il, ce système présente aussi de même des inconvénients : une fois votre billet acheté, vous ne pouvez plus changer de type de transport si vous n'êtes pas satisfait du service rendu par la compagnie. Autre inconvénient : cela isole réellement de la population. Il est bon d'avoir des contacts autres qu'avec le chauffeur du bus. Acheter des tickets de minibus pour de courts trajets au fur et à mesure de son voyage, dans le cadre de ce système d'"open tour", revient un peu plus cher mais offre plus de souplesse.

Ces billets sont néanmoins tentants et remportent un franc succès. Nous vous conseillons d'utiliser ce moyen de transport pour des trajets courts comme HCMV/ Dalat ou la plage de Mui Ne, deux localités non desservies par le train. Si vous désirez vous rendre à Phnom Penh (Cambodge) en passant par la frontière de Moc Bai, il ne vous en coûtera que 6 $US. Cependant, si vous en avez le temps, prenez le bateau : le trajet entre Phnom Penh et Chau Doc, dans le delta du Mékong, est bien plus intéressant et spectaculaire par voie fluviale.

Si voyager en troupeau vous déplaît, prenez le train, le bus ou le minibus – le fin du fin consistant à louer une voiture avec chauffeur pour suivre votre propre itinéraire ou de louer votre propre bicyclette ou moto.

Nous vous recommandons de vous procurer ces tickets dans les cafés de HCMV et de Hanoi.

MINIBUS

Les minibus publics (détenus par des sociétés privées) fonctionnent de la même manière que les services de bus. Ils partent lorsqu'ils sont pleins. Les minibus (huit à quinze sièges) se concentrent autour des gares routières, mais vous pouvez vous arranger pour qu'ils passent vous prendre à votre hôtel. Évitez les omnibus, qui déposent et prennent autant de passagers que possible tout au long de la route. Ils ont tendance à finir en surcharge et leur confort laisse beaucoup à désirer. Les fréquents arrêts pour se lester ou se délester de passagers, de bagages et de poulets, peuvent rendre le trajet interminable.

En revanche, les minibus express se rendent généralement directement à destination. Ces véhicules sont véritablement luxueux : l'air conditionné est de rigueur et les sièges, confortables. Ce luxe a néanmoins un prix, lequel reste plus que raisonnable.

Les petits hôtels et les cafés sont les meilleurs endroits pour obtenir des renseignements. Néanmoins, certains cafés sans scrupule tenteront à tout prix de vous vendre un de leurs circuits, ou encore un billet au tarif touristique avant de vous faire voyager dans un bus local branlant.

Nous vous conseillons de trouver des compagnons de voyage avec lesquels réserver votre minibus. Reportez-vous à la rubrique *Voiture et moto*, plus loin dans ce chapitre.

TRAIN

Les 2 600 kilomètres du réseau ferroviaire vietnamien, géré par **Vietnam Railways** (*Duong Sat Viet Nam* ; ☎ 04-747 0308, *www.vr.com.vn*), se déploient le long de la côte entre HCMV et Hanoi et relient la capitale à Haiphong. Parfois plus lents que les bus kamikazes, les trains offrent plus de confort et bien plus de sécurité.

De plus, la Société des chemins de fer du Vietnam a fait des efforts pour rénover les gares et les trains (les express disposent désormais de voitures couchettes climatisées et d'un wagon-restaurant), et baisser les tarifs pour les étrangers. En février 2002, on a remarqué une baisse significative des prix sur tous les trajets, laquelle visait à harmoniser les tarifs pour les touristes et les Vietnamiens. Fin 2003, à la suite de nouvelles baisses de prix, tous les passagers devraient payer les mêmes montants.

Avant d'opter pour le bus ou le train, vérifiez les heures d'arrivée : trouver un hôtel à 3h du matin n'a rien d'amusant. Les express vietnamiens restent lents, comparés à leurs équivalents occidentaux. Cet inconvénient s'atténue toutefois avec l'amélioration des voies et du matériel. L'express le plus rapide entre Hanoi et HCMV met 30 heures, le plus lent parcourt ce trajet en 41 heures.

Des trains régionaux effectuent seulement une partie du trajet, comme HCMV/ Nha Trang par exemple. Leur locomotive s'essouffle souvent à 15 km/h. Une des raisons de cette excessive lenteur est le fait qu'il n'existe qu'une seule voie entre HCMV et Hanoi : les trains ne peuvent se croiser qu'en certains points équipés d'une voie d'attente, le retard de l'un provoquant donc le retard de l'autre.

Les vols à bord des trains sont fréquents. Les Vietnamiens vous diront que les gamins traînant dans les gares et sur les quais sont des voyous en puissance. Des voleurs sont devenus experts dans l'arrachage des sacs par la fenêtre au moment où le train s'ébranle. Mieux vaut rester à proximité de vos bagages et les attacher, surtout la nuit. En voiture-couchettes, il est conseillé de se faire attribuer celle du bas, sous laquelle on peut ranger son bagage, à l'abri des voleurs, à moins que l'un d'eux n'entreprenne de vous soulever ! Avisez une personne responsable pour veiller sur votre sac si vous devez l'abandonner, même un instant.

Les enfants qui lancent des pierres au passage du train constituent un autre impondérable. Certains passagers ayant été gravement blessés, nombre de conducteurs insistent pour qu'on baisse le volet métallique, lequel, malheureusement, occulte aussi le paysage.

Vous ne pouvez normalement pas voyager avec plus de 20 kg de bagages, encore que le contrôle ne soit pas bien strict. Si vous dépassez largement cette limite, vous pouvez, sans trop bourse délier, les enregistrer en bagages non accompagnés. Ce procédé est très pratique pour les bicyclettes et les motos. Assurez-vous que le train dans lequel vous voyagez est bel et bien équipé d'un wagon de fret (la plupart en comportent), faute de quoi, vos bagages risquent d'arriver après vous.

Vous restaurer pendant le voyage n'est pas un problème. Des vendeurs envahissent les wagons lors des arrêts en gare pour vous proposer de quoi manger, boire et fumer. Toutefois, le prix des billets longue distance incluent les repas, servis par la compagnie. Vous pouvez aussi faire provision de vos mets favoris avant un long trajet.

Horaires

Les trains à numéro impair se dirigent vers le Sud, ceux à numéro pair, vers le Nord. Le train le plus rapide, l'*Express de la Réunification*, circule entre HCMV et Hanoi en ne faisant que quelques haltes. Si vous voulez vous arrêter dans une petite bourgade entre ces deux grandes villes, vous devrez emprunter un train local, plus lent.

En dehors de ce parcours HCMV/Hanoi, trois lignes secondaires relient Hanoi à d'autres régions du Nord. La première rejoint le port d'Haiphong à l'est. La deuxième dessert le nord-est jusqu'à Lang Son, traverse la frontière chinoise pour aboutir à Nanning. La troisième relie le nord-ouest jusqu'à Lao Cai, avant de rejoindre Kunming en Chine ; de nouveaux compartiments-couchettes ont été récemment installés sur la ligne Hanoi-Lao Cai.

Quatre *Express de la Réunification* quittent quotidiennement la gare de Saigon, à HCMV, entre 9h et 22h30. Le même nombre de trains quittent Hanoi entre 5h et 18h40. Il existe en outre un service régional, notamment entre HCMV et Nha Trang ou Hué.

Les horaires sont sujets à des changements fréquents – environ tous les six mois. Vous pouvez les consulter sur le site Internet de la Société des chemins de fer du Vietnam ainsi que dans les gares. La plupart des hôtels et des agences de voyages possèdent une photocopie des horaires les plus récents. On peut se renseigner par téléphone, ou encore sur place à HCMV au **Saigon Railways Tourist Service** (☎ *08-836 7640, fax 836 9031, 275C Đ Pham Ngu Lao, District 1*).

Il faut savoir que les horaires des trains ne vous serviront pas à grand-chose lors de la fête du Têt : ainsi, l'*Express de la Réunification* arrête de fonctionner pendant 9 jours (cette période commençant généralement 4 jours avant la fête proprement dite).

Lors de la préparation de cet ouvrage, il était question de mettre fin à la pratique consistant à vérifier les billets à l'arrivée.

L'*Express de la Réunification*

La construction de ces 1 726 km de ligne ferroviaire entre Hanoi et Saigon – le Transindochinois – fut entamée en 1899, sous le gouverneur général Paul Doumer, pour s'achever en 1936. À la fin des années 1930, le trajet Hanoi-Saigon durait 40 heures et 20 minutes, pour une vitesse moyenne de 43 km/h. Pendant la Seconde Guerre mondiale, les Japonais employèrent massivement ce réseau : il fut donc saboté par le Viet-Minh et bombardé par l'aviation américaine. Après guerre, on entreprit de restaurer le Transindochinois.

Durant la guerre d'Indochine, les soldats vietminh se livrèrent à des opérations massives de sabotage, démontant parfois plusieurs kilomètres de voie en une nuit. En représailles, les Français introduisirent en 1948 deux trains blindés équipés de canons à tourelles, de mitrailleuses antiaériennes, de lance-grenades et de mortiers (des trains similaires sont utilisés de nos jours au Cambodge sur la ligne Phnom Penh-Battambang). Pendant cette période, le Vietminh réussit à mettre en service 300 km de voie ferrée dans une région entièrement sous son contrôle (entre Ninh Hoa et Danang), que les Français sabotèrent à leur tour.

À la fin des années 1950, l'aide financière américaine permit au Sud-Vietnam de reconstruire les 1 041 km de voie entre Saigon et Hué. Entre 1961 et 1964, on dénombra cependant 795 attaques vietcong sur le réseau, ce qui conduisit à l'abandon forcé de larges portions, dont l'embranchement de Dalat. Un énorme effort de reconstruction fut déployé de 1967 à 1969 et trois tronçons remis en service : l'un dans le voisinage immédiat de Saigon, un autre entre Nha Trang et Qui Nhon et un troisième entre Danang et Hué.

En 1960, le Nord avait réparé 1 000 km de voie ferrée, principalement entre Hanoi et la Chine. Pendant la guerre aérienne que livrèrent les États-Unis au Nord-Vietnam, le réseau ferroviaire du Nord fut bombardé à maintes reprises. Aujourd'hui, on voit encore des cratères de bombes autour de presque tous les ponts de chemin de fer et les gares.

Après la réunification, le gouvernement décida aussitôt de rétablir la liaison ferroviaire entre Hanoi et HCMV, en symbole de l'unité vietnamienne. Lorsque les *Express de la Réunification* furent inaugurés, le 31 décembre 1976, 1 334 ponts, 27 tunnels, 158 gares et 1 370 aiguillages avaient été réparés.

De nos jours, l'*Express de la Réunification* roule péniblement à 48km/h de moyenne, à peine plus vite que dans les années 1930. Il vous faudra ainsi prévoir de 32 à 41 heures, selon le train choisi, pour vous rendre de Hanoi à HCMV.

Il ne sera donc plus nécessaire de brandir votre billet pour sortir de la gare.

Classes

Les chemins de fer vietnamiens comportent cinq classes distinctes : le siège en bois (dur), le siège rembourré (mou), la couchette en bois (dure), la couchette rembourrée ordinaire, et la couchette rembourrée en voiture climatisée. Il est difficile de trouver de la place sur les sièges en bois, les seuls que de nombreux Vietnamiens ont les moyens de s'offrir. Les sièges en bois sont tolérables pendant la journée, mais moins confortables qu'un bus la nuit. Les sièges rembourrés sont recouverts de vinyle.

Les couchettes en dur, les plus économiques, occupent par six des compartiments sans porte, sur deux fois trois niveaux. Les Vietnamiens paraissent peu apprécier l'altitude, les couchettes du haut sont les moins chères. Nous vous conseillons celles du milieu, les couchettes du bas étant facilement envahies le jour par des voyageurs sans siège.

Les couchettes rembourrées se répartissent sur deux niveaux (soit 4 lits par compartiment fermé), toutes au même prix. Les meilleurs trains ont deux catégories de couchettes rembourrées, l'une sans la clim., l'autre avec. Désormais, les express les plus rapides n'offrent plus que des voitures climatisées.

Réservations

La demande dépasse fréquemment l'offre. Les réservations doivent être faites au moins la veille pour une couchette. La présentation du passeport peut être exigée pour acheter un billet.

L'*Express de la Réunification* au départ de Ho Chi Minh-Ville (d)

Ho Chi Minh-Ville-Hanoi ; trains S4/S6/S8 (41 heures)

gare	siège dur	siège rembourré	siège avec clim.	couchette inférieure	couchette médiane	couchette supérieure	compartiment (4 couchettes rembourrées)
Muong Man	38 000	42 000	45 000	45 000	53 000	60 000	73 000
Thap Cham	69 000	76 000	82 000	82 000	97 000	109 000	133 000
Nha Trang	88 000	98 000	105 000	105 000	124 000	141 000	171 000
Tuy Hoa	118 000	131 000	140 000	140 000	166 000	188 000	228 000
Dieu Tri	143 000	159 000	170 000	170 000	201 000	227 000	276 000
Quang Ngai	179 000	199 000	213 000	213 000	251 000	285 000	346 000
Tam Ky	192 000	214 000	229 000	229 000	270 000	306 000	372 000
Danang	208 000	231 000	248 000	248 000	292 000	331 000	403 000
Hué	230 000	256 000	274 000	274 000	323 000	366 000	446 000
Dong Da	245 000	273 000	292 000	292 000	345 000	391 000	475 000
Dong Hoi	267 000	297 000	318 000	318 000	375 000	425 000	517 000
Vinh	339 000	377 000	403 000	403 000	476 000	539 000	656 000
Thanh Hoa	350 000	389 000	416 000	416 000	491 000	557 000	677 000
Ninh Binh	357 000	397 000	426 000	426 000	502 000	569 000	692 000
Nam Dinh	363 000	404 000	433 000	433 000	511 000	578 000	704 000
Hanoi	370 000	411 000	441 000	441 000	520 000	589 000	717 000

Ho Chi Minh-Ville-Hanoi ; train express S2 (33 heures) ; voitures climatisées

gare	siège rembourré	couchette dure supérieure	couchette dure médiane	couchette dure inférieure	compartiment (4 couchettes rembourrées)
Thap Cham	94 000	107 000	126 000	138 000	143 000
Nha Trang	121 000	138 000	162 000	178 000	185 000
Tuy Hoa	161 000	184 000	217 000	238 000	246 000
Dieu Tri	195 000	223 000	263 000	288 000	298 000
Quang Ngai	244 000	280 000	329 000	360 000	374 000
Tam Ky	262 000	301 000	354 000	388 000	402 000
Danang	284 000	325 000	383 000	420 000	435 000
Hué	314 000	360 000	423 000	464 000	481 000
Dong Da	335 000	384 000	451 000	495 000	513 000
Dong Hoi	364 000	417 000	491 000	538 000	558 000
Vinh	462 000	530 000	623 000	683 000	708 000
Thanh Hoa	477 000	547 000	643 000	705 000	736 000
Nam Dinh	495 000	568 000	668 000	733 000	760 000
Hanoi	504 000	579 000	681 000	746 000	774 000

L'*Express de la Réunification* au départ de Ho Chi Minh-Ville (d)

Ho Chi Minh-Ville-Hanoi (train express E2 ; 30 heures : voitures climatisées

gare	siège rembourré	couchette dure supérieure	couchette dure médiane	couchette dure inférieure	compartiment (4 couchettes rembourrées)
Nha Trang	124 000	142 000	167 000	183 000	190 000
Dieu Tri	200 000	229 000	270 000	296 000	307 000
Danang	292 000	334 000	393 000	432 000	448 000
Hué	322 000	370 000	435 000	478 000	495 000
Dong Hoi	374 000	428 000	504 000	554 000	574 000
Vinh	475 000	544 000	640 000	704 000	729 000
Hanoi	518 000	594 000	700 000	769 000	796 000

Les tarifs, les heures de départ et les durées des trajets sont identiques à ceux indiqués ci-dessus entre Hanoi et HCMV sur les trains E1 (30 heures), S1 (33 heures) et S3/S5S7 (41 heures).

Il n'est pas obligatoire de prendre son billet à la gare. Beaucoup de voyagistes, d'hôtels et de cafés s'en chargent, moyennant une petite commission (une bonne solution qui vous épargne de la peine et du temps). Nous vous conseillons de réserver le billet correspondant à la suite de votre voyage dès votre arrivée dans une ville.

Si vous voyagez en train avec une bicyclette ou une moto (pour laquelle vous payez d'ordinaire un petit supplément), sachez qu'il n'est possible de la sortir du wagon des bagages accompagnés qu'à certaines gares.

Tarifs

Jusque très récemment, les étrangers payaient un supplément atteignant près de 400% du tarif appliqué aux citoyens vietnamiens, ce qui rendait l'avion d'autant plus attrayant. Cette pratique a heureusement changé, et les tarifs ferroviaires ont considérablement baissé au cours des dernières années.

Certains voyageurs réussissent à payer le prix pratiqué pour les locaux, un exploit à peu près impossible si l'on n'a pas le type asiatique. Même dans ce cas, vous devez demander à un ami d'acheter votre billet, puisqu'on exige une pièce d'identité au guichet. Le prix "étranger" ou "citoyen vietnamien" et le nom de l'acheteur figurent de toute façon sur le billet, aussi n'espérez pas berner un contrôleur, même en vous cachant.

Les tarifs en vigueur dépendent du train emprunté, les plus rapides étant naturellement les plus chers : ainsi, celui qui se rend de HCMV à Hanoi peut mettre 32, 37, 39 ou 41 heures. À ce sujet, consultez l'encadré *Tarifs de l'Express de la Réunification au départ de Ho Chi Minh-Ville.*

VOITURE ET MOTO

Du fait de l'inconfort et du manque de fiabilité des transports publics vietnamiens, la location d'un véhicule, dont les prix sont en outre assez abordables, est une option fréquemment adoptée. Disposer d'un véhicule personnel offre une grande souplesse pour s'arrêter quand on le désire. Nous vous recommandons de ne pas prendre le volant : conduire une moto est déjà suffisamment dangereux. En outre, sachez que les services d'un chauffeur expérimenté ne vous coûteront qu'environ 5 $US la journée.

En général, les artères principales sont bitumées et raisonnablement entretenues, mais les inondations peuvent causer des problèmes saisonniers. Un gros typhon creusera d'énormes nids de poule et, dans les contrées reculées, les routes en terre se transformeront en un océan de boue. Mieux vaut les affronter avec une voiture ou une moto tout-terrain. Les routes montagneuses sont particulièrement dangereuses : chutes de pierres, glissements de terrain et conducteurs perdant le contrôle

Tout est sur la plaque

Examiner la plaque d'immatriculation d'un véhicule peut vous fournir quantité de renseignements. Si vous êtes à la recherche du bon bus dans une immense gare routière ou si vous faites de l'auto-stop et préférez éviter d'arrêter un camion militaire, les informations suivantes vous seront utiles.

Tout d'abord, il existe plusieurs sortes de plaques d'immatriculation. Les véhicules appartenant à des propriétaires privés ont des chiffres noirs sur fond blanc. Une immatriculation blanche sur une plaque verte désigne un véhicule du gouvernement, les chiffres blancs sur fond bleu étant réservés à la police. Les voitures diplomatiques portent les lettres NG inscrites en rouge et une immatriculation verte sur fond blanc. Les plaques minéralogiques des ressortissants étrangers commencent par le sigle vert NN sur fond blanc. Les plaques des militaires sont blanches sur fond rouge.

Les deux premiers chiffres d'une plaque d'immatriculation correspondent au code assigné à la province d'origine de chaque véhicule. La majorité des véhicules que compte le pays sont contrôlés au niveau provincial et relient en général une province donnée à d'autres régions du pays : il y a donc une chance sur deux pour que le véhicule regagne son port d'attache.

Les codes à deux chiffres de la plupart des provinces sont indiqués dans l'encadré *Indicatifs téléphoniques* figurant dans le chapitre *Renseignements pratiques*.

Codes des plaques d'immatriculation

code	province	capitale	code	province	capitale
21	Lao Cai	Lao Cai	47	Quang Ngai	Quang Ngai
20	Thai Nguyen	Thai Nguyen	47	Dac Lac	Buon Ma Thuot
13	Bac Ninh	Bac Ninh	48	Binh Thuan	Phan Thiet
15	Haiphong City*		49	Lam Dong	Dalat
17	Thai Binh	Thai Binh	50	HCMC*	
18	Ninh Binh	Ninh Binh		(diplomatique)	
29-32	Hanoi*		51 et 55	HCMC*	
36	Thanh Hoa	Thanh Hoa	63	Tien Giang	Mytho
37	Nghe An	Vinh	64	Vinh Long	Vinh Long
39 & 40	Thua Thien	Hué	65	Cantho	Cantho
43	Danang City*		66	Dong Thap	Cao Lanh
44	Binh Dinh	Qui Nhon	67	An Giang	Long Xuyen
45	Khanh Hoa	Nha Trang	69	Camau	Camau
46	Kon Tum	Kon Tum	70	Tay Ninh	Tay Ninh

*indique une municipalité

de leur véhicule peuvent pimenter votre voyage au-delà du nécessaire.

Si les pompes des stations-service affichent "Regular" (normal), "Super-Unleaded" (super sans plomb) ou autre, cela ne signifie rien sinon que la pompe a été achetée à l'étranger. L'essence possède toutefois un indice d'octane : 86 est le plus bas et 95 le plus élevé, mais on voit parfois plusieurs graduations intermédiaires.

De petits stands postés le long des grands axes routiers vendent dans des bouteilles de limonade de l'essence (*xang*) et de l'huile (*dau*) au marché noir. Dans les campagnes, vous verrez ces bouteilles empilées au bord de la route à proximité des stands.

À HCMV, où cette pratique est interdite, les vendeurs coincent entre deux briques un journal enroulé sur lui-même et placé à la verticale. Ce signe est connu en milieu urbain pour indiquer l'emplacement d'un stand d'essence. Attention ! Ce carburant de marché noir contient souvent du kérosène (moins cher), ce qui risque fort d'endommager votre moteur – ne l'utilisez qu'en cas d'urgence.

Si vous voyagez à moto, vous pourrez en principe la rentrer dans l'hôtel. En voiture, essayez de trouver un hôtel équipé d'un garage ou d'une enceinte clôturée, ou un garage couvert indépendant que votre chauffeur pourra vous aider à trouver. La nuit, il n'est pas prudent de laisser sa voiture dans la rue.

À moto, prenez garde aux coups de soleil, voire aux brûlures. Couvrez les zones exposées ou protégez-les avec un écran total. Pensez également aux violentes averses qui s'abattent par intermittence.

Munissez-vous de combinaisons ou de ponchos imperméables, surtout pendant la mousson. Les crèmes solaires sont rares au Vietnam, mais vous trouverez partout des équipements de pluie.

Code de la route

Il est tout bonnement inexistant. Le plus gros véhicule gagne la partie par défaut. Sur la route, faites particulièrement attention aux enfants, qui parfois jouent à la marelle au beau milieu des grands axes routiers ! Quantité de petits garçons raffolent du jeu qui consiste à projeter bras et jambes devant un véhicule en pleine course et à les rétracter à la dernière seconde. D'autres s'amusent à jeter des cailloux sur les véhicules – n'oubliez donc pas de mettre votre casque si vous voyagez à moto. Le bétail qui traverse la route est également dangereux.

Contrairement à la plupart des pays où la circulation est à droite, il est interdit, dans les villes vietnamiennes, de tourner à droite à un feu rouge. Il est facile d'oublier cette particularité, et la police vous infligera une amende.

Quand des Vietnamiens ont un accident, ils polémiquent généralement pendant une demi-heure pour savoir qui est en tort. Le premier qui est à bout d'arguments dédommage l'autre, et l'affaire est close. Votre qualité d'étranger vous place en position d'infériorité lors de ces tractations. Peut-être est-il plus prudent de proposer à l'autre partie une indemnisation des dommages mineurs. Si la manœuvre échoue et qu'on vous réclame une compensation financière excessive, vous pourrez toujours suggérer l'arbitrage de la police.

Voiture. Si les policiers font fréquemment payer aux conducteurs toutes sortes d'infractions réelles ou imaginaires, on n'a encore jamais vu quelqu'un se faire arrêter pour excès de vitesse. Au Vietnam, on conduit systématiquement à la vitesse d'un Grand Prix.

Les coups de klaxon à tous les piétons et bicyclettes sont la règle de base d'une conduite prudente. Les gros véhicules et les bus pourraient tout aussi bien posséder une sirène permanente !

Le port de la ceinture de sécurité n'est pas obligatoire ; les Vietnamiens se moquent même des étrangers qui insistent pour l'attacher.

D'après la loi, on est censé rouler en codes la nuit. Cela semble assez élémentaire, pourtant de nombreux chauffeurs roulent tous feux éteints, croyant économiser du carburant.

Moto. Aux termes de la loi, un vélomoteur est un engin motorisé à deux roues d'une capacité de 50 cc ou moins. Les motos, quant à elles, sont des véhicules supérieurs à 50 cc. Au Vietnam, vous n'avez pas besoin de permis pour circuler sur un vélomoteur ; en revanche, pour vous déplacer à moto, vous devrez produire un permis de conduire international précisant que la conduite à moto vous est autorisée. En principe, les étrangers qui résident au Vietnam depuis six mois doivent se procurer un permis de conduire vietnamien, qui restera valable le temps de leur visa. S'ils font prolonger ce dernier, ils devront faire prolonger d'autant leur permis de conduire.

Sur le plan technique, la plus grosse cylindrée autorisée par la loi est, pour les motos, de 125 cc. Bien entendu, vous verrez circuler de plus grosses cylindrées, classées motocycle.

Les grandes villes possèdent des *giu xe* (parkings) réservés aux bicyclettes et aux motos (en général une partie du trottoir délimitée par une simple corde), que nous vous recommandons vivement d'utiliser à moins que vous ne souhaitiez voir disparaître votre engin – le vol de moto est un problème majeur. La garde de votre véhicule vous coûtera 2 000 d. Lorsque vous le déposez, un numéro est inscrit à la craie sur le siège ou agrafé au guidon, et l'on vous remet un reçu. Si vous l'égarez, le retrait de votre véhicule ne sera pas une mince affaire, surtout si les équipes de gardiens ont changé dans l'intervalle. En dehors de ces parkings signalés, certains étrangers demandent tout bonnement à un inconnu de surveiller leur machine – une idée pas toujours judicieuse, ainsi que l'explique un voyageur :

Nous avons demandé à des Vietnamiens de garder un œil sur notre moto pendant que nous partions explorer une plage dans une crique voisine. À notre retour, nos nouveaux "amis" avaient démonté certains éléments essentiels du moteur, qu'il nous a fallu leur racheter.

Les Vietnamiens doivent posséder une assurance-responsabilité pour leur moto, mais les étrangers ne sont pas couverts et il n'existe actuellement aucun moyen de régler ce problème. Si vous souhaitez vous assurer en cas de dommages corporels ou de décès, vous devez souscrire un contrat auprès d'une compagnie étrangère (vérifiez que les accidents de deux-roues sont inclus dans votre police). Prenez cette précaution avant votre départ.

Aujourd'hui, plus de huit millions de motos circulent sur les routes du Vietnam, soit 15 fois plus qu'au cours de la décennie précédente ! Vous ne serez donc pas surpris d'apprendre que plus de la moitié des victimes de la route sont des motards. Ces statistiques effrayantes ont incité le gouvernement à prendre certaines mesures : une loi impose sur les routes nationales le port du casque (baptisé "rice-cooker" par la population), pour le conducteur comme pour ses passagers ; un simple coup d'œil suffit pour constater que la loi est largement ignorée.

Vous trouverez des casques de qualité à HCMV et à Hanoi pour 40 $US environ, ou une "coquille d'œuf" bas de gamme à 20 $US. Les motards peuvent se munir de leur propre casque, s'ils sont sûrs de pouvoir le supporter sous la chaleur étouffante.

Légalement, une moto ne peut transporter que deux personnes, mais nous avons vu jusqu'à sept passagers sur un deux-roues (plus des bagages). Cette règle est à l'occasion respectée en ville, largement ignorée ailleurs.

Location

Voiture et minibus. Le Vietnam n'admet pas encore la location de voiture sans chauffeur, mais vous trouverez des véhicules avec chauffeur un peu partout. Compte tenu du prix de la main-d'œuvre, louer un véhicule avec chauffeur et guide est une option sensée, même pour les budgets serrés. Partagé à plusieurs, le prix par personne et par jour peut être très raisonnable.

Hanoi et HCMV regorgent d'agences de voyages louant des voitures avec chauffeur. De nombreux autres organismes, notamment les autorités touristiques provinciales et les compagnies privées, offrent les mêmes prestations. Il est tout à fait possible de marchander. Quand vous serez parvenu à un accord, faites établir un contrat afin d'éviter toute contestation ultérieure.

Pour de simples excursions dans les environs de HCMV ou de Hanoi, une voiture avec chauffeur louée à la journée coûte moins cher qu'à l'heure. Sachez qu'une journée compte 8 heures ou moins, avec une distance totale parcourue inférieure à 100 km. Sur cette base, la location d'une voiture de fabrication russe coûte 25 $US par jour (4 $US l'heure), un petit modèle japonais 35 $US par jour (5 $US l'heure), un grand modèle récent à 40 $US (6 $US l'heure).

Il peut s'avérer avantageux de louer un minibus (van) de 8 à 15 places si vous formez un groupe. Le coût par personne y est moins élevé que dans une voiture. Ce type de véhicule offre en outre l'avantage d'une garde au sol élevée permettant de passer aisément sur des routes accidentées.

Sur les mauvaises routes du Nord-Ouest du Vietnam, seuls les véhicules tout-terrain offrent un niveau de sécurité raisonnable. Faute de quatre roues motrices, les routes montagneuses bourbeuses peuvent être meurtrières. Les 4X4 les moins chers (et les moins confortables) sont les russes ; la location de tout-terrain coréens ou japonais, plus adaptés, coûte deux fois plus cher.

À l'exception des véhicules russes et de ceux qui n'ont plus d'âge, la plupart bénéficient de l'air conditionné. Un confort qui a son prix. Spécifiez donc votre choix quand vous négociez le prix.

Beaucoup de voyageurs ont loué des voitures à des particuliers ; certains n'ont pas eu à s'en plaindre, contrairement à d'autres. Ces soi-disant guides avec voiture offrent des tarifs défiant toute concurrence, mais ils ne sont pas assurés, et la loi leur interdit de transporter des touristes. Les conducteurs sont parfois suicidaires, et les véhicules, dans un état mécanique déplorable. De plus, vous risquez des ennuis avec la police. En général, mieux vaut trouver des compagnons et louer voiture et chauffeur auprès d'un organisme digne de confiance.

Presque tous les véhicules possèdent un ecteur de cassettes. Apportez donc les vô-res ou achetez-en sur les marchés locaux.

Moto. On peut aujourd'hui louer une moto dans de nombreux endroits : cafés, agences de voyages, magasins spécialisés, hôtels, etc. Si vous ne voulez pas conduire, de très nombreux conducteurs seront tout à fait disposés à vous servir de guide/chauffeur pour 6 à 10 \$US par jour. Toutefois, veillez à trouver quelqu'un qui vous semble compétent et d'un commerce agréable.

Le prix de location d'une moto dépend de sa taille. Pour une 50 cc (le modèle le plus populaire), vous paierez environ 6 \$US par jour, avec un kilométrage illimité.

Le **Saigon Scooter Centre** (☎ 0903-345819, fax 511 3491, ssc@hcm.vnn.vn, www.saigonscootercentre.com, 174 Ð Bui Thi Xuan, District de Tan Binh), à HCMV, propose des locations intéressantes permettant de laisser la moto dans une autre ville.

Faut-il ou non laisser un dépôt de garantie sous forme d'argent ou autre ? La plupart des motos récentes valent dans les 2 000 \$US, et laisser une caution pour couvrir leur valeur réelle représente une somme considérable. Certains loueurs préfèrent donc conserver votre passeport ou votre visa jusqu'au retour de l'engin. Vous remettez alors votre sort entre leurs mains ; sachez qu'aucun d'eux n'a jamais perdu ces documents ni refusé de les restituer, mais sachez que vous aurez besoin de votre passeport sur la route pour descendre à l'hôtel.

Il est néanmoins plus sage de signer une convention (rédigée de préférence en français ou dans toute autre langue que vous comprenez) qui indiquera clairement la nature de l'engin loué, le coût de la location, le montant de l'indemnité due en cas de vol, etc. Les loueurs professionnels disposent généralement de conventions-type.

Sur la plupart des motos, les rétroviseurs ont été démontés ou tournés de telle façon qu'ils ne puissent pas se casser. Cette pratique s'impose, surtout à HCMV et Hanoi où l'on circule "au coude à coude". En revanche, si vous roulez sur les grands axes, nous vous conseillons de positionner vos rétroviseurs correctement. Il est toujours

bon de savoir qu'un énorme camion fonce derrière vous.

Achat

Voiture. Les étrangers qui bénéficient du statut de résident peuvent acheter une voiture, mais cela n'a vraiment de sens que dans le cas d'un séjour prolongé. Les sociétés étrangères peuvent également acquérir une voiture. Elles engagent alors généralement un chauffeur vietnamien plutôt que de laisser leurs salariés étrangers au volant. Les véhicules appartenant à des non-Vietnamiens portent une plaque d'immatriculation spéciale.

Moto. Hormis pour les résidents officiels, il est quasiment illégal d'acheter une moto pour visiter le Vietnam. Il est toutefois possible de contourner la loi, les autorités acceptant jusqu'à présent de fermer les yeux. Au moment de l'achat, vous déclarez le nom d'un ami vietnamien fiable. Certains vendeurs peuvent également vous permettre de laisser la moto achetée au nom de leur magasin. Vous devez alors faire confiance au propriétaire, ce qui, dans la plupart du temps, n'entraîne aucune mésaventure.

Que faire de la moto quand vous aurez bouclé votre itinéraire ? Si vous revenez dans la ville où vous l'avez acquise, vous pourrez la revendre au magasin qui vous l'a fournie (à un prix inférieur, s'entend). L'autre solution consiste à la céder à un voyageur ; mieux vaut donc acheter un véhicule bon marché. Les panneaux d'affichage des cafés de HCMV et de Hanoi sont fort utiles à cet égard. Rappelez-vous toutefois qu'il est illégal d'acheter une moto et que vous risquez à tout instant de sévères pénalités.

Les motos japonaises sont les meilleures, mais aussi les plus chères. La Honda Dream recueille tous les suffrages sur terrain plat… et a toutes les chances de se faire voler. Une Dream neuve coûte environ 2 000 \$US.

Pour la montagne, le mieux est de dénicher une Minsk 125 cc d'occasion, de fabrication russe, qui se vend 400 à 450 \$US ou environ 600 \$US pour une neuve. C'est une moto puissante et l'on trouve facilement des pièces détachées et des mécaniciens compétents pour la réparer. La Minsk présente l'énorme avantage de particulièrement bien tenir la route sur terrain boueux.

La Bonus, fabriquée à Taiwan, constitue un compromis raisonnable entre la Minsk et la Honda Dream. Neuve, cette 125 cc vaut environ 1 800 $US. Elle a une bonne tenue de route sur le bitume, mais pas dans la boue.

D'autre motos, fabriquées en Europe de l'Est, se vendent à bas prix mais sont de mauvaise qualité.

BICYCLETTE

Au Vietnam, la bicyclette représente indubitablement le meilleur et le plus populaire moyen de transport pour circuler dans les villes et les bourgades. Aux heures de pointe, les rues sont bondées de cyclistes tâchant de négocier les carrefours sans feux de signalisation. Les gens n'arrêtent pas de se télescoper mais qu'importe, les chutes ne présentent aucune gravité ; la densité de la circulation interdit la vitesse. À la campagne, les étrangers à bicyclette sont souvent salués avec enthousiasme par les Vietnamiens, étonnés de les voir pédaler...

Dans les campagnes, la bicyclette est le véhicule utilitaire par excellence. Vous verrez fréquemment des paysans transporter ainsi trois cochons ou 300 kg de légumes. On ne peut que s'émerveiller de la bonne tenue de ces charges.

Le pays offre la possibilité de parcourir de longues distances à bicyclette : le relief est plat ou modérément montagneux et les routes principales praticables ; la sécurité, en revanche, pose un sérieux problème. Vous pouvez toujours charger votre vélo sur un bus ou dans le wagon à bagages d'un train. Le guide *Cycling Vietnam, Laos & Cambodia*, édité par Lonely Planet (en anglais), fournit tous les renseignements nécessaires.

Les terres plates de la région du delta du Mékong sont l'un des lieux privilégiés pour les longues excursions. La route côtière de la nationale 1 serait tout à fait faisable si la circulation insensée ne la rendait dangereuse.

Il est préférable d'éviter le vélo pendant les mois d'hiver au nord de la zone démilitarisée, à plus forte raison si vous allez du sud au nord. En effet, le vent de la mousson souffle du nord, et il n'y a rien de plus déprimant que de pédaler constamment avec un vent froid dans le nez. Si vous faites le parcours du nord au sud, vous aurez le vent dans le dos (ce qui ne vous empêchera pas d'avoir froid).

Vous pourrez acheter un VTT ou un vélo à 10 vitesses dans une des quelques boutiques spécialisées de Hanoi et de HCMV. Mieux vaut apporter le vôtre si vous projetez de faire de longues distances. Les VTT sont les bicyclettes les plus appropriées pour circuler au Vietnam, les montures légères risquant de ne pas résister aux nids-de-poule occasionnels et aux routes défoncées. Apportez également tout le matériel nécessaire (casque, feux de nuit, rétroviseur et nécessaire de réparation), car vous ne trouverez rien de ce genre sur le marché local. Pour les longues randonnées, prévoyez des pièces de rechange comme des rayons, des chambres à air, une pompe, des câbles de frein et une gourde. Prenez aussi quelques outils : une clef multi-usages et une petite bouteille de lubrifiant pour la chaîne. Une sonnette, la plus stridente possible, fait partie du matériel indispensable. Des gants rembourrés amortissent les chocs sur les routes défoncées. Il vous faut aussi une petite trousse pour réparer les chambres à air. N'oubliez pas de dégonfler vos pneus avant de charger dans l'avion, car votre bicyclette voyagera probablement dans une cabine non pressurisée, ce qui peut faire éclater les chambres à air.

Les hôtels et certaines agences de voyages commencent à louer des bicyclettes. Les prix varient, mais comptez environ 1 $US par jour. Même si vous voyez de nombreux Vietnamiens rouler à deux sur une bicyclette, nous vous déconseillons d'en faire autant : les vélos fabriqués dans le pays ne sont pas conçus pour supporter le poids des Occidentaux !

Il existe des réparateurs de bicyclettes dans toutes les villes et les villages du pays. Généralement, ces boutiques se signalent par une pompe, un casque militaire renversé et une vieille boîte à munitions pleine de boulons et de clés.

Faire gonfler les pneus coûte 500 d ; réparer une crevaison ne doit revenir qu'à 5 000 d, selon la taille de la rustine. On emploie généralement des rustines que l'on applique en les chauffant. C'est plus long que d'utiliser de la colle, mais la réparation est efficace.

Beaucoup de voyageurs achètent une bicyclette bon marché en arrivant et la revendent ou en font cadeau à un ami vietnamien à la fin de leur séjour. Le premier prix d'une bicyclette fabriquée localement est d'environ 30 $US, mais elle sera de piètre qualité. Un vélo chinois à peu près digne de ce nom, sans changement de vitesse, coûte 60/80 $US ; un VTT taiwanais s'élève généralement à 200 $US environ, un vélo japonais aux alentours de 300 $US.

Des groupes de cyclotouristes commencent à sillonner le Vietnam : certaines agences de voyages vont même jusqu'à se spécialiser dans ce genre de circuits. Reportez-vous à la rubrique *Voyages organisés* du chapitre *Comment s'y rendre*.

EN STOP

Nous ne recommandons pas ce type de transport, qui n'est sûr dans aucun pays. Les voyageurs qui décident de se déplacer en auto-stop prennent un risque certain, même s'il est limité. Mieux vaut pratiquer le stop à plusieurs et toujours prévenir quelqu'un de la destination prévue.

Certains Vietnamiens hèlent un véhicule privé ou public pour parcourir une courte distance, tout en déboursant une petite contrepartie. Tout Occidental devra s'acquitter d'un prix évidemment plus élevé.

BATEAU

Le Vietnam compte un très grand nombre de voies d'eau partiellement navigables, les plus importantes étant sans conteste les multiples bras du Mékong. Des croisières panoramiques d'une journée sont organisées sur les rivières à Hoi An, Danang, Hué, Tam Coc et même HCMV. Les bateaux sont utilisés comme mode de transport uniquement dans le delta du Mékong.

Des hydroglisseurs opèrent vers l'île de Cat Ba (près de la baie d'Along), de même qu'entre HCMV et la station balnéaire de Vung Tau.

Parmi les croisières en mer, celle qui dessert les îles au large de Nha Trang attire de nombreux touristes. Il est très pratique de se rendre en ferry du delta du Mékong à l'île Phu Quoc, ainsi que de Vung Tau aux îles Con Dao. Si vous visitez la baie d'Along, la croisière autour des îles est quasiment obligatoire.

Méfiez-vous de l'état du bateau : les petites embarcations à moteur (ou sans) ne sont pas rapides. Si l'eau est agitée, ces coquilles de noix vous ballotteront désagréablement et gêneront ceux qui sont prédisposés au mal de mer. Certains des petits bateaux de rivière ne peuvent accueillir que 3 à 4 personnes. Si vous embarquez, mettez votre appareil photo à l'abri dans un sac en plastique.

Dans certaines parties du Vietnam (notamment le delta du Mékong), vous devrez effectuer des traversées en bac et prendre alors quelques précautions. Les passagers sont parfois invités à quitter les voitures à l'embarquement – vérifiez que vos bagages ne craignent rien. Ne restez pas debout entre deux véhicules garés sur le ferry : ils peuvent rouler et vous seriez pris en sandwich. Prenez votre billet avant d'embarquer : il faut parfois l'acheter d'un côté de la rivière et le présenter à la sortie de l'autre côté. En revanche, sur certains petits bacs (qui ne transportent pas de voitures), le billet s'achète à bord.

TRANSPORTS LOCAUX
Bus

Au Vietnam, les transports urbains par bus comptent parmi les pires de toute l'Asie. Les réseaux de bus de Hanoi et de HCMV se sont améliorés ces dernières années, mais ils sont à des années-lumière de ceux de Hong Kong ou de Bangkok ; d'une façon générale, le bus ne constitue pas un moyen idéal de transport urbain. Fort heureusement, vous avez beaucoup d'autres solutions rapides et économiques, tels que les taxis avec compteur, les cyclos et les motos-taxis.

Taxi

Les taxis à l'occidentale avec compteur ont fait leur apparition à HCMV en 1994 et se sont rapidement développés dans la plupart des grandes villes.

Pour plus de renseignements, voir les rubriques *Comment s'y rendre* et *Comment circuler* dans chaque chapitre.

Cyclo-pousse

Le cyclo-pousse (*xich lo*) est un moyen de transport remarquablement pratique. Bon marché, non polluant, il vous permettra de circuler sans encombre dans les villes vietnamiennes, où il n'est pas toujours facile de s'orienter. Qui plus est, ce moyen de déplacement vous donnera bonne conscience en matière de respect de l'environnement. On ne peut en dire autant des motocyclettes qui crachotent des gaz nocifs.

Des groupes de conducteurs de cyclopousse stationnent en permanence à proximité des hôtels et des marchés. Bon nombre d'entre eux parlent quelques mots d'anglais. Pour être sûr d'être compris, mieux vaut montrer au conducteur votre destination sur un plan.

Les conducteurs de cyclo-pousse sont tous des hommes, dont l'âge varie entre 15 et 60 ans environ. Parmi les jeunes, beaucoup ont quitté le monde rural pour venir chercher fortune à Hanoi ou à HCMV. Sans endroit où dormir, il leur arrive de passer la nuit dans leur cyclo. Depuis 1995, les autorités exigent des conducteurs de cyclo-pousse qu'ils obtiennent leur permis, ce qui les oblige à passer un examen de sécurité routière.

La plupart des conducteurs louent leur véhicule environ 15 000 d la journée. Les plus fortunés achètent leur propre cyclopousse moyennant 200 $US, ce qui requiert un permis de résidence dans la ville où ils exercent leur activité. Les habitants émigrés des campagnes ne peuvent donc pas acquérir leur outil de travail. Plusieurs membres d'une même famille exercent souvent cette profession et se partagent le véhicule, de manière à ce que le cyclo serve 18 heures par jour.

Il faut presque toujours marchander. Si vous ne parvenez pas à vous entendre avec le chauffeur de cyclo qui attend devant votre hôtel, n'hésitez pas à héler un de ses confrères. L'important est de se mettre d'accord sur le prix *avant* la course, sous peine de devoir débourser une somme excessive à l'arrivée.

J'avais fait toute une séance de marchandage gestuel avec un chauffeur de cyclo-pousse, pour découvrir à la fin de la course qu'il négociait en dollars et moi en dong ! À sa grande déception, il a obtenu 10 000 d et non 10 $US, mais j'ai eu un mal fou à m'en sortir.

Mike Conrad

Il faut préciser que ces quiproquos sont parfois sincères et ne constituent pas systématiquement une tentative d'escroquerie. En fait, personne, pas même un Vietnamien, ne peut louer un cyclo-pousse pour 1 000 d. Le prix de la course aurait dû être 1 $US.

Marchander en faisant des gestes n'est pas forcément une bonne idée – puisqu'on ne peut pas montrer 10 000 doigts, le meilleure solution est sans doute d'écrire le montant noir sur blanc ou, mieux, d'apprendre à compter en vietnamien (ce qui aide beaucoup à maintenir des prix raisonnables).

En règle générale, une course brève en ville devrait revenir à 5 000 d environ. Pour un trajet plus long – disons de plus de 2 km –, il faut prévoir une somme légèrement supérieure, mais rarement au-dessus de 10 000 d. Les conducteurs de cyclos essaieront presque certainement de vous prendre davantage, mais il suffit de refuser poliment et de faire mine de s'en aller pour les faire changer d'avis. Il est judicieux de préparer la somme que vous pensez devoir débourser avant de prendre un cyclo. Avoir le montant exact peut aider – les conducteurs prétendent parfois ne pas pouvoir rendre la monnaie sur un billet de 10 000 d.

Un cyclo-pousse revient moins cher à l'heure qu'au kilomètre. Il faut compter en général 1 $US de l'heure. Si tout se passe bien, ne soyez pas surpris de voir le conducteur arriver le lendemain matin à votre hôtel pour vous demander si vous voulez de nouveau louer ses services.

Les meilleurs amis que nous nous sommes faits étaient les conducteurs de cyclo-pousse à Nha Trang et à Hanoi. D'une fidélité incroyable, ils attendaient devant l'hôtel toute la journée pour nous emmener où l'on voulait à titre de client "habituel". Ils étaient tous charmants, et nous avons été tristes de leur dire au-revoir.

Meriel Rule

À HCMV, on a entendu parler de voyageurs agressés par leur conducteur ; la leçon à retenir, peut-être, est donc de ne recourir au cyclo-pousse que dans la journée. Si vous rentrez d'un bar tard le soir, prenez un taxi au compteur ; cela ne vous coûtera guère plus cher qu'un cyclo – parfois même moins cher – et sera beaucoup plus sûr.

Moto-taxi

Le *xe om* (sè-om) est une moto ordinaire sur laquelle le client s'installe à l'arrière

Xe signifie moto et *om* enlacer : vous avez compris ce qui vous attend ! En d'autres termes, il s'agit d'une moto-taxi. Bien qu'un peu dangereux, ce moyen de transport est tout à fait respectable à condition de ne pas transporter trop de bagages.

N'espérez pas la voir équipée d'un compteur : négociez le tarif à l'avance. En règle générale, le prix de la course équivaut à celle d'un cyclo, mais tout dépend de votre habileté à marchander. Si vous n'arrivez pas à vous mettre d'accord avec le chauffeur, refusez poliment et partez à pied. À l'instar des conducteurs de cyclo-pousse, il y a de fortes chances qu'il revienne à votre hauteur et accepte votre prix, si toutefois celui-ci n'est pas ridiculement bas.

Vous rencontrerez quantité de chauffeurs de *xe om* autour des marchés, hôtels, gares routières et à tous les coins de rue, tout à fait reconnaissables à leur comportement. En revanche, vous risquez d'avoir du mal à en trouver si vous marchez simplement dans la rue ; essayez d'en héler un, ou demandez à un Vietnamien de vous en trouver un.

Xe lam

Les *xe lam* sont des mini-camionnettes à trois roues utilisées pour le transport des passagers et des marchandises. Ils sont généralement équipés d'un moteur de scooter qui pétarade et crache d'épaisses volutes de fumée bleue.

Xe Dap Loi et Xe Loi

Les deux types de transport les plus fréquents dans le delta du Mékong sont le *xe dap loi*, remorque tirée par une bicyclette, et le *xe loi*, sa version motorisée.

À PIED

La connaissance de certaines règles locales de survie pour les piétons vous évitera de finir écrasé, tout spécialement à HCMV et à Hanoi. La méthode occidentale consiste à prendre son élan et à courir de l'autre côté de l'artère. Quelle erreur ! En majorité, les Vietnamiens traversent très lentement, pour donner aux motocyclistes le temps d'apprécier sa position et de choisir de quel côté le contourner.

Sachez qu'un Vietnamien à moto ne s'arrête jamais, ne ralentit même pas, mais qu'il ne cherche pas non plus à vous écraser. Surtout ne faites pas de mouvement brusque. Bonne chance !

Traverser une rue à Saigon est tout un art. Il faut se déplacer lentement mais être sûr de soi et ne pas hésiter, sauf si un bus arrive. Dans ce cas, les conseils ci-dessus ne s'appliquent pas, il faut… COURIR !

Ron Settle

CIRCUITS ORGANISÉS

Nous recevons une grande quantité de plaintes concernant les circuits organisés très bon marché proposés à HCMV ou à Hanoi. Certains sont meilleurs que d'autres, mais sachez que vous recevez généralement des prestations à hauteur de ce que vous avez déboursé. Les tour-opérateurs qui tentent de vous attirer avec "une bière gratuite", "un petit déjeuner offert", "10 minutes d'Internet" ou "un CD en cadeau" n'augurent habituellement rien de bon.

Si vous décidez de louer une voiture avec chauffeur et guide, vous aurez la possibilité de choisir votre itinéraire et de voyager en toute liberté.

La fourchette des prix est large. Pour obtenir un très bon circuit haut de gamme, réservez auprès d'un organisme gouvernemental, tel Saigon Tourist, ou d'une agence de voyages haut de gamme, mais certaines sociétés pour moyens ou petits budgets pourront aussi vous proposer des circuits sympathiques bien meilleur marché.

Ce tarif comprend le plus souvent l'hébergement dans un hôtel de classe touriste, un guide qui vous accompagnera partout, un chauffeur et une voiture. Insistez pour avoir un guide parlant couramment une langue que vous connaissez. Le prix de la voiture est calculé sur une base kilométrique, mais il dépend largement du type de véhicule choisi. N'oubliez pas de demander une copie de votre itinéraire à l'agence de voyages. Si vous constatez ultérieurement des modifications, ce document vous servira de référence. Si votre guide demande à voir l'itinéraire, conservez l'original et remettez-lui une photocopie : il arrive en effet que certains guides empochent le document et vous emmènent là où leur semble.

Les services d'un bon guide s'avèrent précieux, car il vous sert d'interprète et de compagnon de voyage. Il vous aide également à économiser, en marchandant les prix à votre place et en vous évitant des problèmes avec la police. Un mauvais guide peut en revanche vous gâcher le plaisir. Avant de partir, essayez de vous assurer que vous vous entendrez bien et mettez-vous d'accord sur le prix.

La rémunération moyenne d'un bon guide privé expérimenté varie de 10 à 30 $US par jour. Les guides moins expérimentés (notamment les étudiants travaillant à mi-temps) demandent environ 5 à 10 $US la journée. Il est d'usage de laisser un pourboire si son aide s'est avérée particulièrement précieuse.

Si vous louez les services d'un guide privé, vous devez aussi prendre en charge ses frais personnels – mais cette règle varie d'un opérateur à l'autre, renseignez-vous. Cela coûtera forcément moins cher si vous partagez les frais avec d'autres voyageurs. Les voyageurs en solo peuvent recruter un guide possesseur d'une moto. Dans ce cas, il faut régler l'essence et les parkings.

À Hanoi et à HCMV, ce sont souvent des femmes qui vous serviront de guides pour faire le tour de la ville et des environs ; il est toutefois assez rare d'en trouver une qui accepte de partir pour un long circuit.

Hanoi

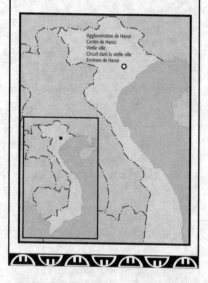

☎ 04 • 3,5 millions d'habitants

Bienvenue dans cette cité de lacs, d'avenues ombragées et de jardins publics verdoyants où flânent de jeunes amoureux en jeans, tandis que leurs vénérables aînés s'appliquent aux mouvements lents de la gymnastique chinoise. Les commerçants prospères de Hanoi sont le reflet vivant des réformes économiques récentes du pays, tandis que le négoce traditionnel se perpétue dans la vieille ville pleine de charme, témoin du riche héritage culturel de la cité.

Chacun perçoit la capitale de la République socialiste du Vietnam (RSV) d'un œil différent. La plupart des étrangers de passage la trouvent relativement reposante et pleine de charme. Hanoi paraît en tout cas infiniment plus séduisante que Ho Chi Minh-Ville (HCMV) : moins de circulation, moins de bruit et de pollution, davantage d'arbres et d'espace. Le centre de Hanoi constitue un véritable musée d'architecture, avec ses bâtiments ocre empreints de l'inimitable charme d'une ville française des années 1930. Les habitants de Hanoi ont la réputation d'être à la fois plus réservés et plus hospitaliers que leurs compatriotes du Sud. De plus, on s'y sent en sécurité. Les touristes doivent naturellement faire preuve d'un minimum de vigilance, mais courent peu de risque de se faire voler et encore moins agresser. Les marchands ambulants peuvent parfois se montrer insistants, mais vous ne serez jamais harcelé.

Dans le passé, la mauvaise réputation de la ville, due au harcèlement des touristes et à sa résistance aux réformes économiques, amena les investisseurs à lui préférer HCMV et d'autres villes du Sud. Les réticences se manifestent le plus fortement chez les vieux fonctionnaires, tandis que la nouvelle génération, vierge de nostalgie passéiste ou politique, sait pertinemment où se situe son intérêt. Les comportements évoluant très vite, Hanoi a radicalement évolué en quelques années. Touristes, hommes d'affaires, étudiants ou expatriés, les étrangers sont revenus. Quant aux investisseurs, ils regardent à présent la ville avec l'enthousiasme réservé auparavant à HCMV.

À ne pas manquer

- Flâner dans les rues animées de la vieille ville
- Découvrir les musées, les pagodes et l'impressionnant temple de la Littérature
- Applaudir un spectacle de marionnettes aquatiques
- Rendre une visite à l'"Oncle Ho" dans son mausolée
- Savourer les délices culinaires, apprécier les cafés et la vie nocturne du Hanoi d'aujourd'hui
- Se cultiver au superbe musée d'Ethnologie, où sont mises en valeur les minorités du Vietnam

Les commerçants et les restaurateurs ont bénéficié les premiers de la récente libéralisation économique de Hanoi. On rénove les bâtiments et des entreprises étrangères proposent leur concours en joint-venture pour développer le secteur hôtelier. Hanoi et le reste du Nord possèdent un grand potentiel d'industries manufacturières orientées vers l'exportation.

HISTOIRE

Le site de Hanoi fut habité dès la période néolithique. L'empereur Ly Thai To y transféra sa capitale en 1010 et rebaptisa

AGGLOMÉRATION DE HANOI

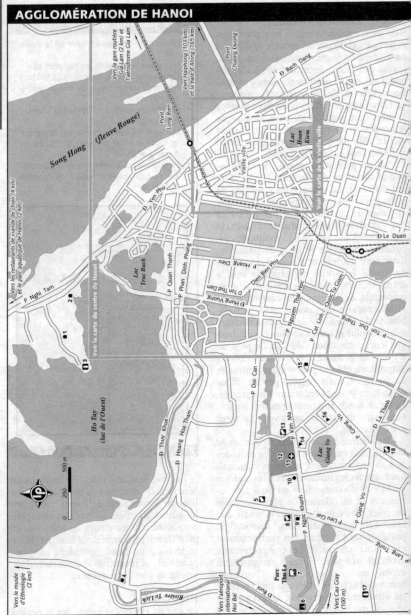

Song Hong (Fleuve Rouge)

Vers la gare routière Gia Lam (2 km) et l'aérodrome Gia Lam

Vers Haiphong (103 km) et la baie d'Along (165 km)

Pont Chuong Duong

Đ Bach Dang

Pont Long Bien

Vieille ville

Lac Hoan Kiem

Voir la carte de la vieille ville

Đ Le Duan

Đ Yen Phu

Vers les restaurants de viande de chien (4 km) et le parc aquatique de Hanoi (2 km)

P Nghi Tam

Lac Truc Bach

Voir la carte du centre de Hanoi

LP Phan Dinh Phung

P Phan Dinh Phung

Đ Hung Vuong

Đ Ton That Dam

Dien Bien Phu

P Hoang Dieu

P Nguyen Thai Hoc

P Cat Linh

Quoc Tu Giam

P Ton Duc Thang

Ho Tay (lac de l'Ouest)

Đ Thuy Khue

Đ Hoang Hoa Tham

P Doi Can

P Kim Ma

Lac Giang Vo

Đ Giang Vo

Đ La Thanh

P Giang Vo

P Ngoc Khanh

P Lieu Giai

Vers le musée d'Ethnologie (2 km)

Rivière To Lich

Đ Buoi

Vers l'aéroport international Noi Bai

Parc Thu Le

Vers Cau Giay (100 m)

P Lang Trung

N 0 250 500 m

1
2
3
4
5
6
7
8
9
10
11
12
13
14
15
16
17
18

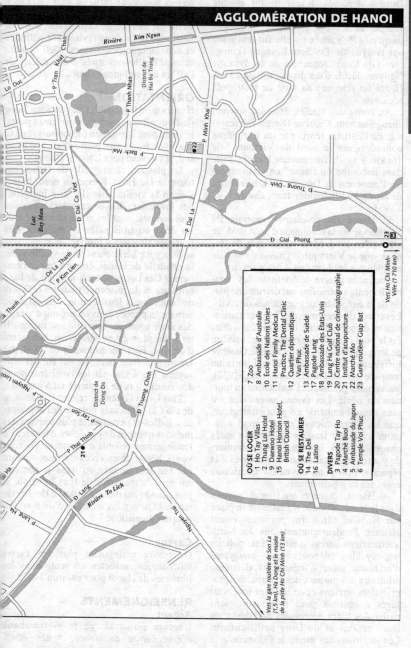

AGGLOMÉRATION DE HANOI

OÙ SE LOGER
1   Ho Tay Villas
2   Thang Loi Hotel
9   Daewoo Hotel
15 Hanoi Horison Hotel,
    British Council

OÙ SE RESTAURER
14 The Deli
16 Latino

DIVERS
3   Pagode Tay Ho
4   Marché Buoi
6   Ambassade du Japon
6   Temple Voi Phuc
7   Zoo
8   Ambassade d'Australie
10 Ecole des Nations Unies
11 Hanoi Family Medical
    Practice, The Dental Clinic
12 Quartier diplomatique
    Van Phuc
13 Ambassade de Suède
17 Ambassade des États-Unis
19 Lang Ha Golf Club
20 Centre national de cinématographie
21 Institut d'acupuncture
22 Marché Mo
23 Gare routière Giap Bat

Vers Ho Chi Minh-
Ville (1 710 km)

Vers la gare routière de Son La
(1,5 km), Ha Dong et le musée
de la piste Ho Chi Minh (13 km)

la ville du nom de Thang Long (cité du Dragon déployé). Hanoi devint ensuite la capitale de la dynastie Le (établie par l'empereur Le Loi en 1428), qui régna jusqu'en 1788, année où elle fut renversée par la dynastie Tay Son. Lorsque l'empereur Gia Long, fondateur de la dynastie Nguyen, décida d'établir sa capitale à Hué, Hanoi fut reléguée au rang de métropole régionale.

Au cours des siècles, Hanoi a souvent changé de nom. Celui de Dong Kinh (capitale de l'Est) fut repris par les Européens pour désigner le nord du Vietnam : le Tonkin. La ville fut nommée Hanoi ("ville dans la courbe du fleuve" en vietnamien) par l'empereur Tu Duc, en 1831. Elle servit de capitale à l'Indochine française de 1902 à 1953.

Si Hanoi fut proclamée capitale du Vietnam après la révolution d'août 1945, ce n'est qu'en 1954, après les accords de Genève, que le Vietminh – chassé de la ville en 1946 par les Français – put y revenir.

Durant la guerre du Vietnam, les bombardements américains ont détruit une partie de la cité, tuant des centaines de civils. Les traces de ces temps difficiles ont maintenant disparu. L'une des grandes cibles fut le pont Long Bien, ouvrage de 1 682 m de long édifié sous la direction de Gustave Eiffel entre 1888 et 1902, et qui porta un temps le nom de Paul Doumer (1857-1932), gouverneur général de l'Indochine au tournant du siècle. Les avions américains ont sans cesse bombardé ce pont stratégique, que les Vietnamiens s'employèrent à réparer avec des travées de fortune après chaque attaque. Lorsque des prisonniers de guerre américains furent employés à la réparation du pont, l'aviation américaine cessa ses bombardements.

À Hanoi, comme quasiment partout dans le Nord, la police d'État mise en place par Ho Chi Minh fut particulièrement efficace. Pendant quarante ans, les Nord-Vietnamiens durent subir un État policier impitoyable : dénonciations anonymes d'un réseau secret d'indicateurs, détention arbitraire des moines, des prêtres, des propriétaires terriens et de tous les individus jugés dangereux pour le pouvoir, sans parler des listes noires des dissidents, de leurs enfants et de leurs petits-enfants. Les violations des droits de l'Homme et le désordre économique entraînèrent la fuite de très nombreux réfugiés vers l'étranger, y compris vers la Chine, pourtant loin d'être un modèle de démocratie. Paradoxalement, le brusque revirement politique et économique des années 1990 conduit aujourd'hui les autorités à s'inquiéter de l'afflux des réfugiés chinois.

ORIENTATION

Hanoi s'étire le long des rives du Song Hong (le fleuve Rouge), enjambé par deux ponts, le vieux pont Long Bien (désormais réservé aux cyclistes et aux piétons) et, 600 m au sud, le nouveau pont Chuong Duong.

Le plaisant centre-ville de Hanoi entoure le lac Hoan Kiem, au nord duquel s'étend la vieille ville (la "cité indigène" des Français). Elle se caractérise par ses rues étroites, dont les noms changent tous les deux ou trois pâtés de maisons. Les touristes aiment à y résider.

À la périphérie ouest de la vieille ville, la citadelle de Hanoi, construite par l'empereur Gia Long, sert aujourd'hui de base militaire et de résidence pour les officiers de haut rang et leur famille. Elle est donc fermée au public, mais on prévoit d'y faire des aménagements touristiques, même s'il ne reste plus grand-chose des bâtiments d'origine. Fort endommagés en 1894 par les troupes françaises, ils ont été définitivement mis à mal par les bombardements américains lors de la guerre du Vietnam.

Plus loin à l'ouest on rejoint le mausolée de Ho Chi Minh et la plupart des ambassades. Celles-ci occupent le plus souvent des maisons qui sont de purs chef-d'œuvres de l'architecture coloniale française. De nouveaux hôtels chics créés en joint-venture ont fait leur apparition dans le secteur. Au nord du mausolée de Ho Chi Minh, le plus grand plan d'eau de Hanoi, Ho Tay (le lac de l'Ouest), est au cœur d'un nouveau quartier touristique.

Cartes

On trouve maintenant plusieurs cartes touristiques correctes en vente dans les librairies de Hanoi pour environ 1 $US.

RENSEIGNEMENTS
Argent

L'agence principale de la **Vietcombank** (*Carte Centre de Hanoi* ; ☎ 826 8045,

198 Pho Tran Quang Khai ; lun-ven 7h30-11h30 et 13h-15h30, sam 7h30-11h30) se situe à quelques rues à l'est du lac Hoan Kiem. Plusieurs autres succursales, plus modestes, sont réparties en ville, notamment une , bien pratique, au 2 Pho Hang Bai *(Carte Vieille Ville ;* ☎ *826 8031),* près de l'extrémité sud-est du lac Hoan Kiem, à côté du Ciao Cafe.

Particulièrement pratique pour changer de l'argent dans la vieille ville, **l'Industrial & Commercial Bank** *(*☎ *825 4276, 37 Pho Hang Bo),* prélève une commission de 0,5% sur les chèques de voyage en dong, de 1,25% sur ceux libellés en dollars et de 3% pour les avances sur carte de crédit.

La plupart des bijouteries possèdent une licence d'agent de change et pratiquent généralement des taux plus avantageux que ceux des banques.

Vous trouverez à Hanoi des filiales de banques étrangères ou en joint-venture, mais la majorité d'entre elles n'offrent que des services aux entreprises. À l'heure actuelle, la seule banque étrangère effectuant toutes les opérations bancaires est l'**ANZ Bank**, sur la rive ouest du lac Hoan Kiem *(Carte Vieille ville ;* ☎ *825 8190, fax 825 8188, 14 Pho Le Thai To ; lun-ven 8h30-16h),* où vous pourrez obtenir des dong ou des dollars au guichet, ou encore utiliser le distributeur automatique, qui fonctionne 24h/24, si vous détenez une carte Visa, MasterCard ou Cirrus.

Poste
La **poste principale** *(Carte Vieille ville ; Buu Dien Trung Vong,* ☎ *825 7036, fax 825 3525 ; 75 Pho Dinh Tien Hoang, entre Pho Dinh Le et Pho Le Thach ; tlj 7h-20h30)* occupe tout un pâté de maisons face au lac Hoan Kiem. L'entrée mène au comptoir des services postaux (envoi de courrier, réception de colis en provenance du Vietnam et service philatélique).

La **poste internationale** *(*☎ *852 2030, angle Pho Dinh Tien Hoang et Pho Dinh Le ; tlj 7h-20h30)* possède sa propre entrée, à droite du bâtiment. C'est de là que sont expédiés les colis pour l'étranger, mais uniquement du lundi au vendredi de 7h30 à 11h30 et de 13h à 16h30.

Vous pouvez aussi acheter des timbres et déposer vos lettres et cartes postales dans les kiosques postaux en ville, mais pour toute autre opération plus complexe vous devrez vous rendre à la poste centrale.

Parmi les courriers internationaux implantés à Hanoi, citons les suivants :

DHL
(☎ 733 2086, fax 775 4672)
49 Pho Nguyen Thai Hoc
Federal Express
(☎ 824 9054, fax 825 2479)
6C Pho Dinh Le
UPS
(☎ 824 6483, fax 824 6464)
4C Pho Dinh Le

Téléphone et fax
En entrant dans la poste principale, vous trouverez, à gauche, les services de **télex, télégramme et téléphone national** *(*☎ *825 5918).* Il est possible de téléphoner et faxer à l'étranger depuis la **poste internationale**.

E-mail et accès Internet
Vous ne ferez pas cent mètres à Hanoi sans tomber sur un point Internet. Dans la vieille ville, de nombreux cafés pour touristes et des agences de voyages offrent également un accès.

Les tarifs de connexion courants tournent autour de 100 à 200 d la minute – "Dix minutes de connexion gratuites" est le dernier slogan publicitaire destiné à attirer les clients ; il bat haut la main le précédent : "Une bière chinoise gratuite" !

Agences de voyages
Privées ou non, les agences de voyages ne manquent pas à Hanoi. Elles se chargent de l'organisation de circuits, de la location de voiture, des réservations aériennes ou de la prorogation des visas.

Nombreuses sont les agences pour petits budgets faisant également office de cafés-restaurants où se nourrir à moindre frais, louer une chambre et surfer sur le Net. La puissante alliance entre le Sinh Cafe de HCMV et l'agence d'État Hanoi Toserco draine une part importante du marché touristique de base, avec la vente des très avantageux billets "open tours" sur les bus circulant le long de la RN 1 entre Hanoi et HCMV. Attention aux prétendus "Sinh Cafe" qui prolifèrent à Hanoi, déroutant plus d'un voyageur.

HANOI

CENTRE DE HANOI

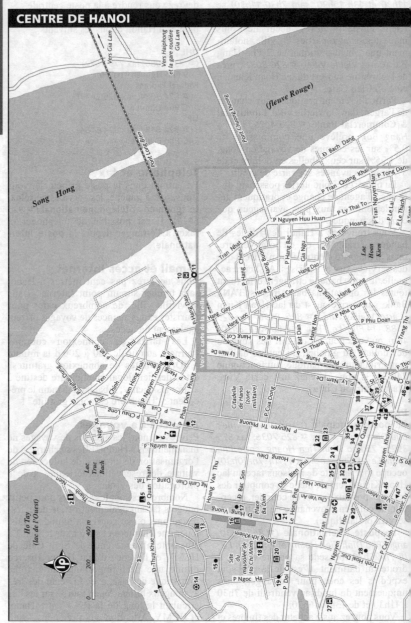

(fleuve Rouge)

Vers Gia Lam

Vers Haiphong
et la gare routière
Gia Lam

Pont Chuong Duong

Song Hong

Pont Long Bien

Lac
Hoan
Kiem

P Tran Quang Khai
P Tong Dan

P Nguyen Huu Huan
P Ly Thai To
P Tran Nguyen Han
P Le Lai
P Le Thach
P Tong

Đ Bach Dang
P Dinh Tien Hoang

P Hang Bac
P Hang Chieu
Tran Nhat Duat
Gia Ngu
P Hang Buom
P Hang Giay
Hang Dao
Hang Can
P Hang Be
Hang Ngang
Hang Trong
P Nha Chung
Hang Bo
P Phu Doan
Hang Luoc
Hang Non
P Trang Thi
Hang Ga
Hang Cot
Bat Dan
P Quan Su
P D Thanh
Cam Chi Dong
P Hang Bong
P Tho

Hang Than
Phu
Hang Dau
Hang Giay

Voir la carte de la vieille ville

Hang Than
P Tan Ap
P Nguyen Truong To
Bun
Hang
Yen
P Nguyen Tri Phuong
P Ngu Khai Dong
Phan Hong Thai
Chinh
P Cua Bac
P Dang Dung
P Chau Long
P Phan Dinh Phung
P Cua Dong
Ly Nam De

Citadelle
de Hanoi
(zone
militaire)

P Cua Dong
10
11
Hang Dau

P P Duc
P Quan Thanh
Ngu Xa
Lac Truc Bach

P Nguyen Bieu
P Hoang Dieu
P Nguyen Tri Phuong

P Ly Nam De

P Nguyen Thai Hoc
Hoang Van Thu
Đ Bac Son
Dien Bien Phu
Khuc Hao
P Le Hong Png
Chu Van An
Cao Ba Quat

Ho Tay
(lac de l'Ouest)

P Quan Thanh
Thanh Nien
Đ Thanh Nien
P Le Canh Chan
Đ Hung Vuong
Place
Ba Dinh

Đ Thuy Khue
Site
du mausolée de
Ho Chi Minh

P Ong Ich Khiem
P Ngoc Ha
P Doi Can

P Tran Phu
P Nguyen Thai Hoc
P Ton That Thiep
P Nguyen Khuyen
P Quoc Tu Gi
P Cat Linh
Đ Trinh Hoai Duc

0   200   400 m

CENTRE DE HANOI

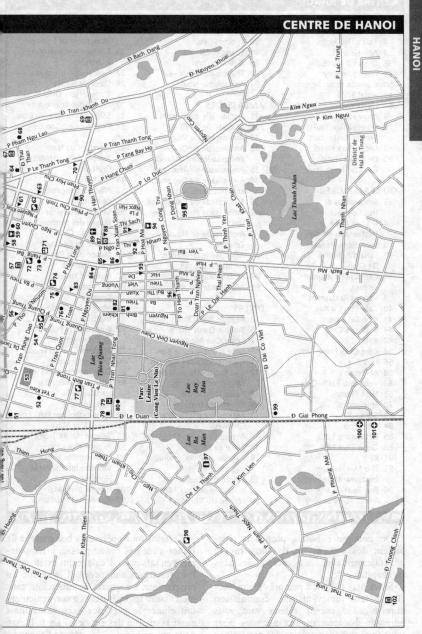

HANOI

CENTRE DE HANOI

OÙ SE LOGER
1 Sofitel Plaza
8 Thien Thai Hotel
9 Anh Hotel II
38 Dream 2 Hotel
43 Hotel Memory
50 Guoman Hotel
51 Hotel 30/4
64 Hanoi Opera Hilton
68 Army Hotel
78 Hotel Nikko, Tao-Li,
   Benkay Restaurant
82 Green Park Hotel
90 De Syloia Hotel,
   Cay Cau Restaurant

OÙ SE RESTAURER
3 Restaurants de
   fruits de mer
4 Ð Thuy Khue
   (restaurants de rue)
6 Seasons of Hanoi
37 Luna d'Autunno,
   Da Gino
39 Cam Chi (restaurants
   de rue),
   Van An Restaurant
40 Café Pho Cu Xua
41 Kinh Do Cafe
44 Brother's Cafe
47 Koto
54 Com Chay Nang Tam
56 Hoa Sua
58 Al Fresco's
61 Verandah Bar & Café
63 Nam Phuong
70 Emperor
83 Soho
84 Tiem Pho
85 Restaurant 1,2,3
88 Quan Com Pho
91 Ky Y
93 Pho Mai Hac De
   (restaurants de rue)
96 Pho To Hien Thanh
   (restaurants de rue)

OÙ SORTIR
49 Fanslands Cinema
59 Spotted Cow
71 Thang 8 Cinema
80 Cirque central
87 Théâtre de la jeunesse
94 Apocalypse Now

AMBASSADES
21 Ambassade du Canada
25 Ambassade de Chine
32 Ambassade de Singapour
33 Ambassade de Corée,
   ambassade de Thaïlande
35 Ambassade d'Allemagne
36 Ambassade du Danemark,
   ambassade de Suisse
55 Ambassade du Cambodge
62 Ambassade du Royaume-
   Uni
72 Ambassade de Nouvelle-
   Zélande
74 Ambassade de France,
   clinique française
77 Ambassade du Laos
98 Ambassade des Philippines

DIVERS
2 Pagode Tran Quoc
5 Temple Quan Thanh
7 Église Cua Bac
10 Gare routière Long Bien
11 Gare ferroviaire Long Bien
12 Cua Bac (porte nord de
   l'ancienne citadelle)
13 Palais présidentiel
14 Jardins botaniques
15 Maison sur pilotis de Ho
   Chi Minh
16 Mausolée de Ho Chi Minh
17 Place Ba Dinh
18 Pagode au Pilier unique,
   pagode Dien Huu
19 Entrée du site du
   mausolée de Ho Chi Minh
20 Musée Ho Chi Minh

22 Tour du Drapeau
23 Musée de l'Armée
24 Monument de Lénine
26 Clinique Vietnam-Korea
   Friendship
27 Gare routière Kim Ma
28 Stade de Hanoi
29 Transporteur DHL
30 Musée des Beaux-Arts
31 Salon de coiffure Vu Doo
34 Centre de gestion du
trafic
42 Marché Cua Nam
45 Temple de la Littérature
46 Craft Link
48 Ipa-Nima
52 Alliance française
   de Hanoi
53 Centre culturel de l'Amitié
57 Musée des Femmes
60 American Club
65 Musée de Géologie
66 Musée de la Révolution
   vietnamienne
67 Musée d'Histoire,
   Vietnamese Language
   Centre
69 Musée des Gardes-
   frontière
73 Bureau de la Police
   de l'immigration
75 Western Canned Foods
76 The Bookworm
79 Gare routière Kim Lien
81 Institut de médecine
   traditionnelle
86 Marché Hom
89 Église catholique Ham Long
92 Hanoi Star Mart
95 Temple Hai Ba Trung
97 Pagode Kim Lien
99 Université de Hanoi
100 Vietnam International
   Hospital
101 Hôpital Bach Mai
102 Musée de l'Aviation

De nombreux hôtels proposent également des circuits, qu'ils sous-traitent généralement avec les agences citées dans ce chapitre.

Si les prix restent à peu près les mêmes (les hôtels prélèvent une commission auprès des agences), mieux vaut vous adresser directement aux agences pour vous faire une idée précise des prestations et du nombre de participants.

Certains tour-opérateurs bon marché de Hanoi n'ont pas bonne presse, principalement en raison du décalage qui existe entre les prestations annoncées et la réalité du programme. La guerre commerciale sans merci entre les opérateurs a non seulement fait chuter le prix des excursions mais aussi la qualité des services. La faiblesse de la marge bénéficiaire pousse l'agence à accroître le nombre de clients, donc à déprécier les prestations, pour réaliser un bénéfice minimum. Généralement, les clients ont tous réservé le même circuit auprès de différentes agences à des prix similaires, à quelques dollars près.

Il est tout à fait possible de trouver une excursion dans la baie d'Along de deux jours et une nuit pour seulement 16 $US tout compris … Avez-vous vraiment envie de partager un bus avec des dizaines d'autres passagers et d'être trimbalé dans les baie et les grottes comme un troupeau de moutons ? Il peut s'avérer judicieux de faire le sacrifice de quelques dollars pour un service supérieur et surtout garder, au final, un excellent souvenir…

Nous vous conseillons de rechercher les agences privilégiant les circuits en petit groupe et possédant leurs propres guides et véhicules. Au moment de la rédaction de ce guide, les sociétés suivantes étaient appréciées selon les critères suivants : le petit nombre de participants dans les groupes et un bon rapport qualité/prix. Installé dans la vieille ville, le tour-opérateur **Handspan Adventure Travel** (*☎ 926 0444, fax 926 0445, operator@handspan.com, www. handspan.com, 80 Pho Ma May*) jouit d'une bonne presse, tout comme le **Kangaroo Café** (*☎ 828 9931, kangaroo@hn.vnn.vn, 18 Pho Bao Khanh*). Plus récente, l'agence **Fansipan Tours** (*☎/fax 926 0910 ; 24a Pho Hang Bac*) nous a également été recommandée. Plus haut de gamme, **Buffalo Tours** (*☎ 828 0702, fax 826 9370, www.buffalotours.com, 11 Pho Hang Muoi*) propose des circuits inédits dans l'ensemble du pays, axés sur l'écotourisme.

De nouvelles agences font sans cesse leur apparition, prenant la place des plus anciennes. La liste qui suit n'a donc rien de définitif. N'hésitez pas à faire le tour des agences pour comparer les prix. Vous trouverez toutes les adresses ci-dessous sur la carte *Vieille ville*.

A to Z Queen Cafe (☎ 826 0860, fax 826 0300, queenaz@fpt.vn), 13 Pho Hang Bac ; (☎ 826 7356, 934 3728) et 50 Pho Hang Be
ET Pumpkin (☎ 926 0739) 85 Pho Ma May
Explorer Tours (☎ 923 0713, fax 923 0835) 75 Pho Hang Bo
Footprint Travel (☎/fax 826 0879, footprinttrav el@yahoo.com) 16 Pho Hang Bac
Kim's Cafe(☎ 8249049, kimscafe@hotmail.com), 79 Pho Hang Bac
Lotus Guesthouse & Cafe (☎ 826 8642), 42V Pho Ly Thuong Kiet
Love Planet Café (☎ 828 4864, fax 828 0913, loveplanet@hn.vnn.vn), 25 Pho Hang Bac
Old Darling Café (☎ 824 3024, fax 828 8729, odctravel@hn.vnn.vn)) 43 Pho Hang Bo et 142 Pho Hang Bac
Red River Tours (☎ 826 8427, fax 828 7159, r edrivertours.hn.vn@fpt.vn, www.redrivertours .com.vn) 73 Pho Hang Bo
Sinh Cafe (☎ 926 0646, sinhcafe@hn.vnn.vn, www.1000traveltips.org) 52 Pho Hang Bac, 18 Pho Luong Van Can et 98 Pho Hang Trong

Circuits à moto. Parcourir le "Grand Nord" vietnamien à moto laisse des souvenirs inoubliables et comblera les voyageurs en quête du grand frisson. Si vous ne vous sentez pas capable de manœuvrer un tel engin, il est aisé et peu onéreux de faire appel à un conducteur. Un véhicule 4x4 vous permettra aussi de faire ce circuit mais sans la liberté que procure un deux-roues.

Si rien ne vous empêche d'organiser vous-même votre voyage, un guide, en revanche, peut vous faciliter grandement les choses – trouver un itinéraire hors des sentiers battus et vous faire découvrir des sites que les cartes ne mentionnent pas, par exemple. Louer une moto à Hanoi est un jeu d'enfant et si vous optez pour une formule avec guide, votre tour-opérateur vous aidera à trouver le bon véhicule au bon prix. Le *nec plus ultra* en matière de deux-roues reste la Minsk de fabrication russe. Pour louer une moto, reportez-vous à la rubrique *Comment circuler*, plus loin dans ce chapitre.

Une poignée de sociétés de Hanoi organise des randonnées à moto, tandis qu'un nombre croissant de guides indépendants, qui connaissent comme leur poche les routes et les coutumes du Nord et peuvent vous ouvrir des portes insoupçonnées, proposent leurs services. Les guides étrangers pratiquent des tarifs beaucoup plus élevés que leurs collègues vietnamiens mais, d'après nos lecteurs, largement justifiés. En groupe de quatre, comptez environ 50 $US par jour et par personne pour une excursion tout compris (location de moto, guide, repas, boissons et hébergement).

Nous vous recommandons en particulier **Free Wheelin Tours** (*☎ 747 0545, fax 747 0557, info@freewheelin-tours.com,* *www.freewheeling-tours.com)*, dont le patron, Fredo (Binh en vietnamien), est un expatrié franco-vietnamien. Il pourra vous fournir un guide vietnamien sur demande.

Autres guides étrangers à recommander : **Digby et Dan** (☎ 0913-524658, *www .motorbikingvietnam.com)*, un Australien et un Anglais passionnés d'aventure que vous pourrez contacter au Highway 4, un bar sur Pho Hang Tre.

Librairies

Si vous n'avez plus rien à lire, Hanoi est un bon point de ravitaillement. **The Bookworm** (☎ 943 7226 *bookworm@fpt.vn, 15a Ngo Van So ; mar-sam 10h-19h)* propose de loin la meilleure sélection de livres en anglais, essentiellement des romans, neufs ou d'occasion. Si vous rendez des livres que vous y avez achetés, la librairie vous offrira une ristourne d'un tiers du prix sur votre prochain achat. Le gérant projette d'ouvrir une salle de lecture au fond de la boutique, où consulter les journaux en buvant un café.

Dans la vieille ville, non loin du lac Hoan Kiem, **Thang Long Bookshop** (☎ 825 7043, *53-55 Pho Trang Tien)* offre une vaste sélection d'ouvrages en français et en anglais sur le Vietnam, ainsi que des journaux et des magazines étrangers.

Vous trouverez le même genre d'ouvrages à la **Foreign Language Bookshop** (☎ 825 7376, *64 Pho Trang Tien)*, ainsi que des guides en allemand, des classiques de la littérature anglophone et quelques cartes détaillées de la région.

À quelques rues de là, la librairie **Hanoi Bookstore** (*Hieu Sach Hanoi*; ☎ 824 1616, *34 Pho Trang Tien)*, propose une sélection similaire, ainsi que des beaux-livres sur le pays.

Le troc de livres se pratique également dans de nombreux hôtels bon marché et cafés pour touristes de la vieille ville. Ainsi, le **Love Planet Café** (☎ 828 4864, *25 Pho Hang Bac)* présente au second étage un choix de livres de poche d'occasion, majoritairement en anglais, mais également en français.

Bibliothèques

La **Bibliothèque et les Archives nationales** (☎ 825 3357, *31 Pho Trang Thi)* se trouve dans la vieille ville.

Centres culturels

Les centres culturels de Hanoi proposent des programmes très divers allant des activités sportives aux cours de cuisine.

Alliance française de Hanoi (Carte Centre de Hanoi ; ☎ 942 2970) Pho Yet Kieu (sur le point de déménager Pho Trang Tien, face au Dan Chu Hotel)

The American Club (Carte Centre de Hanoi ; ☎ 824 1850, amclub@fpt.vn) 19-21 Pho Hai Ba Trung

British Council (Carte Agglomération de Hanoi ; ☎ 843 6780, www.britishcouncil .org.vietnam), 40 Pho Cat Linh (à côté du Hanoi Horison Hotel)

Goethe Institute (Carte Vieille ville ; ☎ 923 0035, goethe@fpt.vn) 54-56 Pho Hang Dong

Services médicaux

Une équipe internationale de médecins renommés gère la clinique **Hanoi Family Medical Practice** (*Carte Agglomération de Hanoi ; ☎ 843 0748, urgences 24h/24 ☎ 0903-401919 ou 0913-234911, fax 846 1750, hfmedprac.kot @fmail.vnn.vn, www.doctorkot.com, quartier diplomatique de Van Phuc, bât. A1, suite 109-112, Pho Kim Ma)*. Au vu des tarifs élevés qui y sont pratiqués, mieux vaut être couvert par une bonne assurance.

Pour des problèmes dentaires, contactez la **Dental Clinic** (☎ 846 2864 *ou 0903-401919, fax 823 0281)*, située dans le bâtiment à côté de la Hanoi Family Medical Practice et gérée par la même équipe.

Dans le centre de Hanoi, le **Vietnam International Hospital** (*Carte Centre de Hanoi ; ☎ 574 0740, urgences 24h/24 ☎ 547 1111, Ð Giai Phong)* dispose d'un personnel composé de médecins français. Juste à côté, l'**hôpital Bach Mai** (*Benh Vien Bach Mai ; Carte Centre de Hanoi ; ☎ 869 3731)* dispose d'un service international.

À l'**International SOS Clinic** (*Carte Vieille ville ; ☎ 934 0555, fax 934 0556, 31 Pho Hai Ba Trung)*, les résidents étrangers obtiendront toute information pour un traitement de longue durée ou une évacuation d'urgence. De nombreuses assurances de voyage fonctionnent en partenariat avec cette clinique.

La clinique de l'**ambassade de France** (*Carte Centre de Hanoi ; ☎ 825 2719, 49 Pho Ba Trieu)* fonctionne 24h/24, pour les ressortissants français uniquement.

Dans la vieille ville, l'hôpital Viet Duc (*Benh Vien Viet Duc ;* ☎ *825 3531, 40 Pho Tranh Thi ; 24h/24*) pratique les opérations d'urgence. Ses médecins parlent français, anglais et allemand.

Si vous n'avez pas contracté une assurance, tentez la clinique Vietnam-Korea Friendship (☎ *843 7231, 12 Chu Van An ; lun-ven 9h-12h et 14h-17h*), à l'angle de Đ Tran Phu, établissement à but non lucratif aux normes internationales, réputé pour pratiquer les tarifs les moins chers de Hanoi. La première consultation vous sera facturée 5 \$US.

Pour la médecine vietnamienne traditionnelle, consultez la rubrique *Massage*.

VIEILLE VILLE

Plus que millénaire, la vieille ville est l'un des centres d'intérêt les plus animés et les plus fascinants du Vietnam. Ce quartier commerçant s'est développé le long du fleuve Rouge et de la plus modeste rivière To Lich, tissant au centre de la ville un réseau complexe de canaux et de cours d'eau grouillant d'embarcations. Le niveau des eaux pouvait monter de 8 m pendant la mousson. On construisit donc des digues, encore visibles le long de Tran Quang Khai.

Partir à la découverte de ce dédale de rues est une expérience mémorable. Certaines voies s'élargissent, alors que d'autres se rétrécissent en un labyrinthe de ruelles minuscules. Les célèbres "maisons-tunnels" de la vieille ville ont une façade étroite derrière laquelle se dissimulent de très longues pièces. Leurs propriétaires réduisaient ainsi les taxes foncières, calculées sur la largeur de la façade. La loi féodale exigeait également que les maisons se limitent à deux étages et, par respect pour le souverain, ne dépassent pas, en hauteur, le Palais royal. On trouve aujourd'hui des bâtisses plus hautes (de six à huit étages) mais aucun "immeuble" à proprement parler ne dépare l'ensemble.

Au XIIIe siècle, les 36 corporations de la ville s'établirent chacune dans une rue différente – d'où le nom de "36 rues", bien qu'on en dénombre environ 50 de nos jours. En vietnamien, *hang* signifie marchandise, et ce mot est habituellement suivi du nom du produit traditionnellement vendu dans cette rue. Ainsi, Pho Hang Gai signifie

"rue de la Soie" (pour les autres, reportez-vous à l'encadré *Les noms des 36 rues de la vieille ville*). Aujourd'hui, cependant, le nom de la rue ne correspond plus toujours à ce qui y est vendu.

Les occasions de dépenser vos dong sont presque infinies : vêtements de laine, cosmétiques, aliments de luxe, tee-shirts imprimés, instruments de musique, matériel de plomberie, herbes médicinales, bijoux en or ou en argent, offrandes religieuses, épices, nattes et bien d'autres choses encore (voir la rubrique *Achats* dans ce chapitre).

Parmi les rues spécialisées, citons Pho Hang Quat, où l'on vend des cierges rouges, des urnes funéraires, des drapeaux et autres articles religieux, et Pho Hang Gai, plus élégante, avec ses soieries, broderies, laques, peintures et marionnettes aquatiques. Les sacs de couchage en soie et les élégants *ao dai* sont très recherchés. Enfin, aucune visite de la vieille ville ne serait complète sans un petit tour au marché de Dong Xuan, installé à l'angle de Pho Hong Khoai et de Pho Dong Xuan et reconstruit après l'incendie de 1994.

La découverte de la vieille ville peut durer un court moment ou une journée entière, selon la vitesse à laquelle vous marchez et votre capacité à vous mouvoir au cœur d'une circulation automobile de plus en plus intense. Le circuit que nous vous proposons dans l'encadré *Circuit dans la vieille ville* vous donnera un bon aperçu de la longue histoire et de la culture vietnamiennes, quels que soient votre rythme et vos détours.

LACS, TEMPLES ET PAGODES
Lac Hoan Kiem

Le lac Hoan Kiem (lac à l'Épée restituée), scintille dans un écrin d'arbres centenaires, au cœur de Hanoi. Selon la légende, le Ciel aurait donné à l'empereur Ly Thai To (Le Loi) une épée magique pour chasser les Chinois du Vietnam. Alors qu'il se promenait sur le lac, une fois la paix revenue, une tortue d'or géante émergea de l'eau, s'empara de l'épée et disparut dans les profondeurs. D'où le nom du lac, puisque la tortue rendit l'épée à ses propriétaires divins.

Dressée sur un îlot au milieu du lac, Thap Rua, la tour de la Tortue surmontée

HANOI

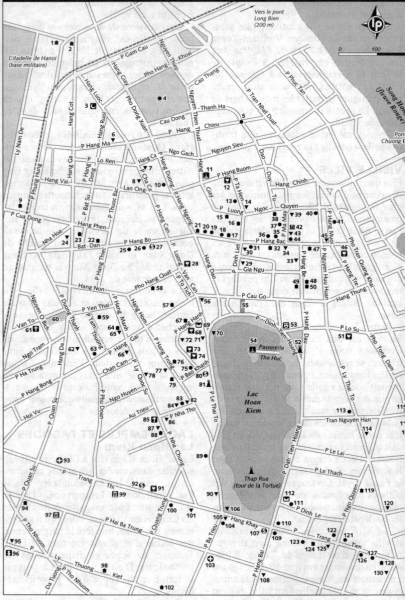

VIEILLE VILLE

Vers le pont
Long Bien
(200 m)

Citadelle de Hanoi
(base militaire)

Song Hong
(fleuve Rouge)

P Gam Cau
Pho Hang Khoai
P Phuc Tan
P Tran Nhat Duat

Hang Giay
Nguyen Thiep
Cao Thang

Hang Luoc
Pho Dong Xuan
Thanh Ha
Cau Dong
P Hang Chieu

Hang Ruoi
P Hang Ma
Lo Ren
Ngo Gach
Nguyen Sieu
P Hang Buom
Hang Chinh

Hang Ca
Cha Ca
Lan Ong
P Hang Ngang
P Ta Hien
P Hang Giay

P Cua Dong
P Bat Su
P Thuoc Bac
P Luong Ngoc Quyen
P Ma May

Nha Hoa
Hang Phen
P Hang Can
P Hang Bo
P Hang Bac

Bat-Dan
P Hang Thiec
P Luong Van Can
P Hang Be
P Nguyen Huu Huan

Hang Non
Pho Hang Quat
Dinh Liet
Gia Ngu

Nguyen O Bich
P Duong Thanh
Hang Hom
P Cau Go
P Hang Dau

Van To
P Yen Thai
P Hang Hanh
P Dinh Tien Hoang
P Lo Su

Ngo Tram
P Tam Thuong
P Hang Trong
Passerelle
The Huc

Ha Trung
Hang Da
Hang Bong
Chan Cam
Ly Quoc Su
P Bao Khanh

P Ha Trung
P Hang Bong
Ngo Huyen
Au Trieu
P Nha Tho
Lac
Hoan
Kiem

Hoi Vu
P Quan Su
P Nha Chung

Tran Nguyen Han

P Le Lai
P Le Thach

P Quan Su
P Trang Thi
Thap Rua
(tour de la Tortue)

Quang Trung
P Hai Ba Trung
P Hang Khay
P Dinh Le
P Ngo Quyen

P Tho Nhuom
P Ba Trieu
P Trang Tien

Ly Thuong Kiet
P Tho Nhuom
Da Tuong
Hang Bai

HANOI

VIEILLE VILLE

OÙ SE LOGER
1 Chains First Eden Hotel
2 Galaxy Hotel
9 Viet Anh Hotel
15 Prince Hotel (1)
16 Thuy Nga Guesthouse, Prince Cafe
17 Thuy Minh Hotel
21 Old Darling Café
22 Quoc Hoa Hotel
23 Stars Hotel
32 A to Z Queen Cafe 1
38 Camellia Hotel
47 Binh Minh II Hotel
48 Classic Street Hotel
49 A to Z Queen Cafe 2
50 Anh Sinh Hotel
57 Trang An Hotel
58 Real Darling Cafe
59 Thu Giang Guesthouse, Manh Dung Guesthouse
64 Hong Ngoc Hotel 1
67 Win Hotel
76 Tu Do (Freedom) Hotel
79 Ho Guom Hotel
88 Spring Hotel, Tien Trang Hotel, Nam Phuong Hotel (1)
94 Hanoi Towers, Somerset Grand Hanoi, Jacc's, Citimart, Cathay Pacific
98 Melia Hotel, Thai Airways
102 Lotus Guesthouse & Café
116 New Tong Dan Hotel
119 Sofitel Metropole, Le Beaulieu Restaurant, Met Pub, Malaysia Airlines
124 Trang Tien Hotel
128 Dan Chu Hotel

OÙ SE RESTAURER
6 Thang Long
7 Baan Thai Restaurant
8 Cha Ca La Vong
14 Little Hanoi (1)
24 Cha Ca 66
29 Restaurant-Café Linh Phung
30 The Whole Earth Restaurant
33 Tandoor
34 Love Planet
39 69 Bar Restaurant
43 Ily Café
45 Trung Nguyen
56 Little Hanoi (2)

62 Cyclo Bar & Restaurant
65 Hanoi Garden
66 Pho Bo Dac Biet
70 Thuy Ta Café
71 Mama Rosa
72 Café des Arts
77 Puku
78 Pepperonis Pizza & Cafe
82 Café Le Malraux
84 La Brique
86 Mediterraneo Restaurant, La Salsa
87 No Noodles
90 Fanny Ice Cream
95 San Ho Restaurant
101 Saigon Sakura
105 Restaurant Bobby Chinn
106 Dak Linh Cafe
108 Al Fresco's
114 Revival
117 Le Restaurant d'Arthur
120 Diva, Au Lac, The Deli & The Restaurant (Press Club), Club Opera
125 Kem Trang Tien
130 Paris Deli

OÙ SORTIR
12 Bar Le Maquis
28 Jazz Club Quyen Van Minh
46 Highway 4
51 R&R Tavern
53 Théâtre des marionnettes aquatiques
68 Funky Monkey
73 Polite Pub
74 GC
91 New Century Nightclub
129 Opéra

DIVERS
3 Mosquée
4 Marché Dong Xuan
5 Cua O Quan Chuong (ancienne porte Est)
10 Goethe Institute
11 Temple Bac Ma
13 Furniture Gallery
18 Vietnamese House
19 Footprint Travel
20 Hanoi Gallery
25 Red River Tours
26 Explorer Tours
27 Industrial & Commercial Bank
31 Kim's Cafe, Prince 79 Hotel

35 Fansipan Tours
36 Sinh Café
37 Handspan Adventure Travel, Tamarind Cafe & Fruit Juice Bar
40 Handspan Adventure Travel (réservations)
41 Buffalo Tours
42 Maison commémorative
44 ET Pumpkin
52 Monument aux martyrs, marché aux chaussures
54 Temple Ngoc Son
55 Supermarché Trung Tam Thuong Mai
60 Marché Hang Da
61 Église protestante
63 Khai Silk
69 Poste
75 Kangaroo Café, Nam Phuong Hotel (2)
80 ANZ Bank
81 Statue de Le Thai To
83 La Boutique and the Silk
85 Cathédrale Saint-Joseph
89 Intimex
92 Crédit Lyonnais
93 Hôpital Viet Duc
96 Pagode des Ambassadeurs
97 Musée de la prison de Hoa Lo
99 Bibliothèque et archives nationales
100 Vietnam Airlines et minibus pour l'aéroport
103 International SOS Clinic
104 Air France
107 Vietcombank
109 Thang Long Bookshop
110 Foreign Language Bookshop
111 Transporteurs Fed Ex et UPS
112 Poste principale
113 Hanoi Star Mart
115 Vietcombank
118 Fivimart
121 Hanoi Bookstore, Singapore Airlines
122 A Gallery, Gallery Huong Xuyen, Hanoi Contemporary Art Gallery
123 Nam Song Gallery
126 Van Gallery
127 Hanoi Studio

Kiem : légende ou réalité ?

Il existe bel et bien des tortues dans les eaux troubles du lac Hoan Kiem.

Faisant surface à de rares occasions et portant chance à quiconque la voit, la tortue *Rafetus leloii* du lac de l'Épée ne ressemble pas à une tortue d'eau commune : elle est énorme. Le spécimen mort en 1968 pesait 250 kg et mesurait 2,10 m de long ! Ses restes sont exposés dans l'enceinte du temple Ngoc Son, où vous verrez également la photo d'une tortue apparue en 2000. Personne ne sait combien de tortues peuplent encore le lac, ni comment elles ont survécu dans cet environnement urbanisé.

Les rumeurs vont bon train : sont-elles réellement les descendantes de la tortue d'or de Le Loi ? Sont-elles élevées dans un site protégé et transportées de temps à autres dans les eaux du lac, pour que leurs apparitions occasionnelles mais savamment orchestrées continuent d'alimenter la légende ? Vous risquez désormais de prêter plus d'attention aux remous à la surface du lac...

d'une étoile rouge, sert souvent d'emblème à Hanoi. Les bords du lac connaissent une grande activité vers 6h, lorsque les habitants du quartier viennent y pratiquer la gymnastique, le jogging ou le badminton.

Temple Ngoc Son

Datant du XVIIIᵉ siècle, le temple de la Montagne de jade *(Carte Vieille ville ; entrée 2 000 d ; tlj 8h-17h)* s'élève sur une île au nord du lac Hoan Kiem. Ce délicieux endroit ombragé et entouré d'eau est idéal pour une halte. Le temple est dédié à l'érudit Van Xuong, au général Tran Hung Dao (vainqueur des Mongols au XIIIᵉ siècle) et à La To, saint patron des physiciens.

Son accès se fait par le pont de bois laqué rouge The Huc (Soleil levant), construit en 1885. À gauche du portique du temple se dresse un obélisque dont le sommet ressemble à un pinceau.

Temple de la Littérature

Véritable havre de paix à environ 2 km à l'ouest du lac Hoam Kiem, le temple de la Littérature ou Van Mieu *(Carte Centre de Hanoi ; Pho Quoc Tu Giam ; 20 000 d ; tlj*

8h-17h) est un rare exemple d'architecture traditionnelle bien préservée ; il vaut largement le détour.

Édifié en 1070 par l'empereur Ly Thanh Tong, il fut dédié à Confucius (Khong Tu), afin d'honorer les lettrés et les grands écrivains. Ici fut inaugurée en 1076 la première université du Vietnam, destinée à l'instruction des princes et des fils de mandarins. En 1484, l'empereur Le Thanh Tong ordonna l'édification de stèles portant les noms, lieux de naissance et hauts faits des lauréats au concours du doctorat, qui se déroulait tous les trois ans depuis 1442. Des 116 stèles figurant les 116 sessions tenues de 1442 à 1778 (date à laquelle cette pratique prit fin), il n'en reste aujourd'hui que 82. En 1802, l'empereur Gia Long transféra l'université nationale à Hué, sa nouvelle capitale. Les derniers travaux effectués ici remontent à 1920 et 1956.

L'ensemble du temple se divise en cinq cours intérieures. L'allée et la porte centrale étaient réservées à l'empereur, les allées latérales aux mandarins lettrés d'une part, aux mandarins militaires d'autre part.

Un portique, surmonté d'une inscription priant les visiteurs de descendre de cheval, précède l'entrée principale. Le pavillon Khue Van (datant de 1802), à l'extrémité de la deuxième cour, constitue l'un des plus beaux exemples d'architecture vietnamienne. Les 82 stèles, véritables joyaux du temple, sont alignées de part et d'autre de la troisième cour. Chacune d'elles repose sur une tortue de pierre.

Lac Ho Tay

Deux légendes expliquent les origines du lac Ho Tay (lac de l'Ouest, lac de la Brume ou Grand Lac). Selon la première, le roi Dragon étouffa un méchant renard à neuf queues dans sa tanière, au cœur d'une forêt se trouvant à cet emplacement. La seconde raconte qu'un bonze vietnamien nommé Khong Lo rendit un grand service à l'empereur de Chine au XIᵉ siècle. Il reçut en retour une grande quantité de bronze, qu'il utilisa pour fondre une énorme cloche. On entendait tinter cette cloche jusqu'en Chine, au point qu'un jour le Bufflon d'or crut entendre l'appel de sa mère. Il courut alors vers le sud et, s'apercevant de sa mé-

Les noms des 36 rues de la vieille ville

Nom de la rue	Signification	Nom de la rue	Signification
Bat Dan	bol en bois	Hang Gai	soie/lin
Bat Su	bol chinois	Hang Giay	papier
Cha Ca	poisson grillé	Hang Giay	chaussure
Chan Cam	instrument à cordes	Hang Hanh	oignon
Cho Gao	marché au riz	Hang Hom	panier
Gia Ngu	pêcheur	Hang Huong	encens
Hai Tuong	sandales	Hang Khay	plateau
Hang Bac	orfèvre	Hang Khoai	patate douce
Hang Be	bateau	Hang Luoc	peigne
Hang Bo	grand panier	Hang Ma	papiers votifs
Hang Bong	coton	Hang Mam	poisson macéré
Hang Buom	voile	Hang Manh	store de bambou
Hang But	pinceau	Hang Muoi	sel
Hang Ca	poisson	Hang Ngang	rue transversale
Hang Can	balance	Hang Non	chapeau conique
Hang Chai	bouteille	Hang Phen	aluminium
Hang Chi	vêtement	Hang Quat	éventail
Hang Chieu	tapis	Hang Ruoi	ver
Hang Chinh	pot	Hang Than	charbon de bois
Hang Cot	treillage de bambou	Hang Thiec	étain
Hang Da	cuir	Hang Thung	tonneau
Hang Dao	teinture	Hang Tre	bambou
	de la soie	Hang Trong	tambour
Hang Dau	haricots	Hang Vai	tissu
Hang Dau	huiles	Lo Ren	forgeron
Hang Dieu	tuyau	Lo Su	cercueil
Hang Dong	cuivre	Ma May	rotin
Hang Duong	sucre	Ngo Gach	brique
Hang Ga	poulet	Thuoc Bac	herbes

prise, piétina le site de Ho Tay jusqu'à le transformer en lac.

En termes scientifiques, le lac se forma lorsque le Song Hong (fleuve Rouge) déborda de son lit. Le tracé de ce cours d'eau changea plusieurs fois, inondant tour à tour différentes régions et créant des bandes de terre par accumulation de limons. Les inondations ont été en partie maîtrisées grâce à la construction de digues, comme celle sur laquelle passe la nationale qui longe la rive est de Ho Tay.

La circonférence du lac de l'Ouest est de 13 km. Il fut autrefois ceinturé de palais et de pavillons, détruits au cours des multiples guerres féodales.

La rive sud du lac est bordée de nombreux **restaurants de poissons en plein air** (voir la rubrique *Où se restaurer* dans ce chapitre), tandis que sur la rive nord

ont été construits de luxueux hôtels et villas.

Pagode Tran Quoc

Cette pagode (Chua Tran Quoc), l'une des plus anciennes du pays, se dresse sur la rive est du lac, au bout de Ð Thanh Nien, l'artère qui sépare le lac de l'Ouest du lac Truc Bach. Une stèle datant de 1639 relate l'histoire du site. Elle fut restaurée au XVᵉ siècle, puis à nouveau en 1842. Le jardin abrite de nombreuses tombes de moines.

Pagode Tay Ho

Cette pagode *(Carte Agglomération de Hanoi ; Chua Tay Ho ; Pho Tay Ho, tlj 6h-19h)* est le lieu de culte le plus fréquenté de Hanoi ; elle reçoit en effet, les 1ᵉʳ et 15ᵉ jours du mois lunaire, de très

HANOI

CIRCUIT DANS LA VIEILLE VILLE

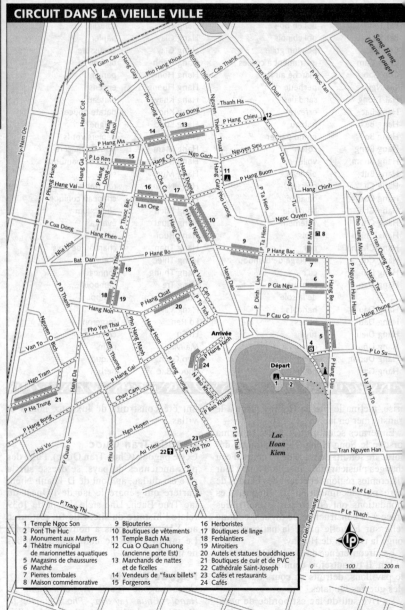

1 Temple Ngoc Son
2 Pont The Huc
3 Monument aux Martyrs
4 Théâtre municipal
   de marionnettes aquatiques
5 Magasins de chaussures
6 Marché
7 Pierres tombales
8 Maison commémorative

9 Bijouteries
10 Boutiques de vêtements
11 Temple Bach Ma
12 Cua O Quan Chuong
   (ancienne porte Est)
13 Marchands de nattes
   et de ficelles
14 Vendeurs de "faux billets"
15 Forgerons

16 Herboristes
17 Boutiques de linge
18 Ferblantiers
19 Miroitiers
20 Autels et statues bouddhiques
21 Boutiques de cuir et de PVC
22 Cathédrale Saint-Joseph
23 Cafés et restaurants
24 Cafés

0   100   200 m

Circuit dans la vieille ville

Prenez comme point de départ le **temple Ngoc Son** (1), à l'extrémité nord du **lac Hoan Kiem**. Après avoir emprunté le **pont The Huc** (2), tout de bois laqué rouge, faites une pause devant le **monument des Martyrs** (3), érigé en mémoire des combattants qui périrent pour l'indépendance du Vietnam. Continuez vers le nord en prenant Pho Hang Dau, après avoir dépassé le **Théâtre de marionnettes aquatiques** (4) (voir l'encadré qui lui est consacré dans ce chapitre); sur So Lau, puis vous vous trouvez bientôt entouré de **magasins de chaussures** (5) de tous styles, formes et tailles. Après avoir traversé Pho Cau Go pour atteindre Pho Hang Be, pénétrez dans le **marché coloré** (6) installé à l'extrémité est de Pho Gia Ngu.

De retour dans Pho Hang Be, continuez vers le nord jusqu'au croisement en forme de T avec Pho Hang Bac. Dans plusieurs boutiques des alentours, on sculpte à la main des **pierres tombales** (7) dont la plupart portent une image du défunt. En faisant un petit détour par Pho Ma May, au nord, vous découvrirez, au n° 87, la **Maison commémorative** (8), ravissante demeure d'un marchand chinois récemment restaurée et transformée en musée (voir cette rubrique dans la section *Musées* de ce chapitre).

Retournez dans Pho Hang Bac et dirigez-vous vers l'ouest en passant devant une rangée de pimpantes **bijouteries** (9). Tournez à droite dans Pho Hang Ngang, où se succèdent des **magasins de vêtements** (10), puis à nouveau à droite dans Pho Hang Buom.; vous arrivez alors au petit **temple Bach Ma** (11), pagode ornée d'un palanquin funéraire rouge, dont les gardes à barbiche blanche passent la journée à siroter du thé. Selon la légende, le roi Ly, désespéré par l'effondrement répété des remparts, serait venu y implorer l'aide divine. Sa prière fut exaucée : un cheval blanc apparut devant le temple et le guida jusqu'à l'endroit où il pourrait bâtir son enceinte en toute sécurité. Il en reste un vestige à **Cua O Quan Chuong** (12), la joliment préservée ancienne porte Est, à l'extrémité est de Pho Hang Chieu, non loin de son intersection avec Pho Tran Nhat Duat.

Repartez vers l'ouest dans Pho Hang Chieu, où plusieurs boutiques vendent des **nattes en paille** et de la **corde** (13). Vous débouchez ensuite dans l'une des rues les plus intéressantes, Pho Hang Ma ("rue de la Contrebande"), où l'on vend des **"faux billets"** (14) destinés à être brûlés lors des cérémonies bouddhistes (on y trouve même des billets de 5 000 $US !). À l'oreille, dirigez-vous vers les ateliers des **forgerons** (15), à l'angle de Pho Lo Ren et de Pho Thuoc Bac. Repartez vers le sud dans Pho Hang Duong, tournez à droite devant les **boutiques de linge de maison** (16) et continuez jusqu'à Pho Lan Ong, où les **herboristeries** (17) exhalent des parfums entêtants.

Reprenez vers le sud en passant devant les **ferblantiers** (18) et les **miroitiers** (19) des deux côtés de Pho Hang Thiec, puis tournez à gauche vers Pho Hang Quat dont les échoppes exposent des **autels** et des **statues bouddhiques** (20). Si vous en avez le temps, flânez vers l'ouest jusqu'aux **boutiques de cuir et de PVC** (21) de Pho Ha Trung, avant de reprendre vers l'est pour clore votre promenade à la magnifique **cathédrale Saint-Joseph** (22), de style néogothique (voir également la rubrique *Lacs, temples et pagodes*). Si vous ressentez un peu de fatigue, Pho Nha Tho regroupe un bon nombre de **cafés et restaurants** élégants (23), à quelques pas de la cathédrale. Si vous recherchez un lieu plus typique, tournez à gauche au bout de Pho Nha Tho ; sur Pho Hang Trong, tournez à droite pour rejoindre Pho Bao Khanh et Pho Hang Hanh. Cette rue regorge de **petits cafés** (24) où passer un moment agréable à flâner ou se reposer.

nombreux fidèles qui espèrent séduire la chance et détourner le malheur. Pour y parvenir, empruntez le chemin bordé d'échoppes animées et colorées qui vendent des offrandes et de la nourriture. Des restaurants de fruits de mer se sont également installés en bordure du lac. L'endroit se prête à la flânerie.

Lac Truc Bach

Ce lac (Ho Truc Bach) est séparé de son voisin, Ho Tay, par Đ **Thanh Nien**, une route bordée de flamboyants. Au XVIIIe siècle, les seigneurs Trinh édifièrent un palais au bord du lac. Plus tard, le palais devint une "maison de correction" pour les concubines impériales ayant trahi

HANOI

leur maître ; elles étaient condamnées à tisser une soie blanche très fine.

Temple Quan Thanh

Ce temple (Den Quan Thanh), ombragé par des arbres immenses *(Carte Centre de Hanoi)*, se dresse au bord du lac Truc Bach, près de l'intersection de Đ Thanh Nien et de Pho Quan Thanh.

Sa construction remonte à la dynastie Ly (1010-1225), qui le dédia à Tran Vo (le dieu du Nord) dont les symboles de pouvoir sont la tortue et le serpent. La statue et la cloche de bronze datent de 1677.

Pagode des Ambassadeurs

Cette pagode *(Carte Vieille ville ; Chua Quan Su ; ☎ 825 2427, 73 Pho Quan Su, entre Pho Ly Thuong Kiet et Pho Tran Hung Dao ; tlj 7h30-11h30 et 13h30-17h30)*, siège officiel du bouddhisme de Hanoi, attire une foule nombreuse – surtout des femmes âgées – durant les fêtes religieuses. Au XVIIe siècle, un bâtiment adjacent accueillait les ambassadeurs des pays bouddhiques. La pagode abrite aujourd'hui une douzaine de bonzes et de religieuses. Jouxtant l'édifice, une petite boutique vend des objets rituels.

Temple Hai Ba Trung

Situé à environ 2 km au sud du lac Hoan Kiem, ce temple *(Carte Centre de Hanoi ; Den Hai Ba Trung ; Pho Tho Lao)*, fondé en 1142, honore la mémoire des sœurs Trung, héroïnes nationales du Ier siècle. Une statue représente les deux sœurs à genoux, les bras levés, comme si elles s'adressaient à une foule. Certains disent que la statue figure en fait les deux sœurs (qui avaient été proclamées reines du Vietnam) après leur défaite, prêtes à se jeter dans la rivière. Elles auraient, dit-on, préféré se suicider par noyade que se rendre aux Chinois.

Parc Thu Le et zoo

Le parc Thu Le (Bach Thu Le) et le zoo *(Carte Agglomération de Hanoi ; entrée 2 000 d, tlj 4h-22h)*, aux étangs et pelouses ombragés, se situent à 4 km à l'ouest du lac Hoan Kiem.

Cathédrale Saint-Joseph

Visiter, au cœur de la vieille ville, cette cathédrale néogothique consacrée en 1886 *(Pho Nha Tho ; portail principal tlj 5h-7h et 17h-19h)* revient à voyager dans l'Europe du Moyen Âge. À noter, ses tours carrées, son autel très travaillé et ses vitraux. La création de la première mission catholique à Hanoi remonte à 1679. La cathédrale se dresse à l'extrémité ouest de Pho Nha Tho, une artère aujourd'hui branchée où se côtoient cafés, restaurants et boutiques.

L'entrée principale de la cathédrale Saint-Joseph ouvre pendant les offices religieux. En dehors des horaires de la messe, les visiteurs doivent passer par les bâtiments de l'évêché de Hanoi, une rue plus loin, au 40 Pho Nha Chung. Une fois passé le portail principal, dirigez-vous tout droit puis tournez à droite. Arrivé à la porte latérale de la cathédrale, appuyez sur la sonnette, placée très haut sur votre droite, pour que le prêtre vous ouvre.

SITE DU MAUSOLÉE DE HO CHI MINH

À l'ouest de la vieille ville, le site du mausolée de Ho Chi Minh *(Carte Centre de Hanoi)*, interdit aux véhicules, regroupe parcs, bâtiments historiques, monuments et pagodes. Ce lieu de pèlerinage, qui revêt une grande importance pour de nombreux Vietnamiens, semble harmoniser le profane et le spirituel. Des groupes de personnes de tous âges viennent s'y recueillir.

L'entrée du site se trouve à l'angle de Pho Ngoc Ha et Pho Doi Can. Vous pouvez prendre des photos de l'extérieur mais pas de l'intérieur et devez laisser vos sacs à une consigne gratuite installée dans le hall d'entrée. Une vidéo de 20 minutes, dont les commentaires ont été traduits en français, anglais, khmer, laotien, russe et espagnol, vous sera présentée.

Mausolée de Ho Chi Minh

Tout comme Lénine et Staline avant lui, et plus tard Mao, Ho Chi Minh *(entrée libre ; déc-sept mar-jeu et sam-dim 8h-11h)* repose dans un cercueil de verre, devant lequel défilent en permanence écoliers et touristes. Contrairement aux vœux de "l'oncle Ho", qui souhaitait être incinéré, ce mausolée de marbre gris fut construit entre 1973 et 1975, avec des matériaux provenant de différentes régions du Vietnam. Son architecture évoque une maison commune traditionnelle ou encore une fleur de lotus. Le monument est fermé au public trois mois par an, pendant lesquels le corps momifié de Ho Chi Minh est envoyé en Russie pour des soins de conservation.

Ne soyez pas rebuté par la file d'attente, qui s'étend généralement sur plusieurs centaines de mètres avant l'entrée du mausolée : elle avance assez rapidement. À l'intérieur, des gardes en uniforme blanc, postés tous les cinq pas, ajoutent un aspect solennel au spectacle macabre du vieillard embaumé.

Les règles suivantes ne souffrent pas d'exception :

- Défense de porter un short, un débardeur, etc.
- Défense d'entrer dans le mausolée avec quel-qu'objet que ce soit (y compris un sac ou un appareil photo)
- Une attitude respectueuse est exigée à tout moment.
- Pour des raisons de bienséance évidentes, il est formellement interdit de prendre des photographies à l'intérieur du mausolée.
- Défense d'avoir les mains dans les poches.
- Défense de garder son chapeau à l'intérieur du mausolée.

La plupart des visiteurs sont vietnamiens, et il est intéressant d'observer leurs réactions ; ils montrent généralement un profond respect et une grande admiration pour Ho Chi Minh, honoré tant pour avoir libéré le pays du colonialisme que pour son idéologie communiste. Ce point de vue est renforcé par le système éducatif, qui vante les hauts faits et les talents du libérateur. Avec un peu de chance, vous assisterez à la relève de la garde devant le mausolée.

Maison sur pilotis de Ho Chi Minh et palais présidentiel

Derrière le mausolée, dans un jardin parfaitement entretenu et à proximité d'un bassin à carpes, s'élève la maison (Nha San Bac Ho) où Ho Chi Minh vécut par intermittences entre 1958 et 1969. Construite sur pilotis à la façon des habitations des minorités ethniques vietnamiennes, elle a été conservée en l'état. On ne sait si Ho Chi Minh y séjourna longtemps ; la maison aurait été une cible trop tentante pour les Américains.

Le palais présidentiel (entrée 5 000 d ; 8h-11h et 14h-16h) jouxte la maison. Magnifiquement restaurée, cette demeure coloniale de 1906 était la résidence du gouverneur général d'Indochine. Le palais est aujourd'hui utilisé pour des réceptions officielles et n'est pas ouvert au public. Pour parvenir à la maison sur pilotis et au palais présidentiel, franchissez le portail qui se trouve sur Pho Ong Ich Kiem, à l'intérieur du site. Si l'entrée principale du mausolée est fermée, passez par Đ Hung Vuong, près du palais.

Musée Ho Chi Minh

Ce musée (Bao Tang Ho Chi Minh ; entrée 5 000 d ; mar-jeu et sam-dim 8h-11h et 13h30-16h30) se divise en deux sections, "le passé" et "l'avenir". La visite commence par le passé et se dirige vers l'avenir, dans le sens des aiguilles d'une montre. La présentation des collections est de facture très moderne et conceptuelle, chaque salle délivrant un message : paix, bonheur, liberté, etc.

Les services d'un guide parlant français ou anglais s'avèrent nécessaires, les symboles n'étant pas faciles à décrypter. Ne manquez pas la Ford Edsel 1958 qui crève le mur (publicité américaine symbolisant l'échec militaire américain au Vietnam).

Le musée est une gigantesque structure de ciment adjacent au mausolée de Ho Chi Minh. Les photos sont interdites et il faut laisser sacs et appareils photo au vestiaire.

Pagode au Pilier unique

Cette très célèbre pagode (Chua Mot Cot ; Pho Ong Ich Kiem) fut édifiée par l'empereur Ly Thai Tong (1028-1054). Selon les annales, l'empereur, affligé de ne pas avoir de descendance, rêva que Quan The Am Bo Tat, déesse de la Miséricorde, assise sur une fleur de lotus, lui tendait un enfant mâle. Peu après, Ly Thai Thong épousa une jeune paysanne qui lui donna un fils. En témoignage de sa gratitude, il fit édifier en 1049 la pagode au Pilier unique.

Tout en bois, elle repose sur un pilier de pierre de 1,25 m de diamètre et figure une fleur de lotus, symbole de pureté, surplombant une mer de chagrin. Détruite en 1954 par les Français avant qu'ils n'abandonnent la ville, elle fut reconstruite par le nouveau gouvernement. Elle se dresse entre le mausolée et le musée.

Pagode Dien Huu

Son entrée se situe à quelques mètres de l'escalier menant à la pagode au Pilier unique. Entourée d'un jardin, cette petite pagode est l'une des plus ravissantes de Hanoi. Les vieilles statues de bois et de céramique que l'on peut y admirer sont typiques du Nord. Avec un peu de chance, vous verrez un vieux bonze pratiquer l'acupuncture sous le porche d'entrée.

MUSÉES

Pratiquement tous les musées de Hanoi ferment le lundi et durant les deux heures du déjeuner.

Musée d'Ethnologie du Vietnam

Ce merveilleux musée (Carte Agglomération de Hanoi ; ☎ 756 2193, Đ Nguyen Van Huyen ; entrée 10 000 d ; mar-dim 8h30-17h30) a été créé en collaboration avec le musée de l'Homme de Paris. Il rassemble une impressionnante collection d'œuvres d'art et d'objets de la vie quotidienne, provenant de toutes les régions du pays et de ses différentes ethnies.

Les cartes sont excellentes et les explications, très bien rédigées en vietnamien, français et anglais. D'intéressants dioramas dépeignent un marché de village typique, la fabrication des chapeaux coniques et une cérémonie chamanique thay. Des bandes vidéo présentent des scènes de la vie quotidienne, et on y découvre également des spécimens extraordinaires de motifs textiles et de tissages. On peut aussi voir une maison traditionnelle "thaï noir", reconstituée, de même que des présentations d'objets mis en scène dans le parc paysager. Le musée abrite un centre de recherche et de conservation, et son personnel collabore régulièrement avec des ethnographes et des chercheurs de différents pays. Dans la boutique d'artisanat (affiliée à Craft Link, un organisme de commerce équitable), vous trouverez des livres, de magnifiques cartes postales ainsi que des objets d'art et d'artisanat fabriqués par les communautés ethniques.

Ce musée, quoiqu'un peu excentré, est à voir absolument.

Comment s'y rendre. Il se trouve dans le district de Cau Giay, à 7 km environ du centre-ville. À bicyclette, le trajet prend 30 minutes – c'est le plus pratique. Une moto-taxi vous coûtera 20 000 d aller ou 50 000 d aller-retour, temps d'attente compris. Enfin, la course en taxi, climatisé et équipé d'un compteur, vous reviendra à 40 000 d l'aller simple.

Maison commémorative

Cette ravissante bâtisse (87 Pho Ma May ; entrée 5 000 d ; tlj 9h-11h30 et 14h-17h) située au nord du lac Hoan Kiem, dans la vieille ville, mérite largement le détour. Décorée sobrement et avec goût, cette maison chinoise traditionnelle donne une excellent aperçu du mode de vie que menaient autrefois les marchands de la vieille ville. Les travaux de restauration, conduits en association avec la ville de Toulouse, ont été entrepris en 1999. S'il existe à Hoi An de nombreuses demeures de ce type, c'est pratiquement la seule du genre à Hanoi.

Musée d'Histoire

Ce musée (Bao Tang Lich Su ; carte Centre de Hanoi ; 1 Pho Pham Ngu Lao ; entrée 15 000 d ; mar-dim 8h-11h30 et 13h30-16h30) hébergeait autrefois le musée de l'École française d'Extrême-Orient. Cet élégant bâtiment de couleur ocre fut élevé entre 1925 et 1932 par l'architecte français Ernest Hébrard, l'un des premiers à avoir introduit au Vietnam un style de construction alliant éléments chinois et français. Ce musée reste l'un des chefs-d'œuvre architecturaux les plus éblouissants de la ville.

Ses collections illustrent l'histoire turbulente du pays : préhistoire (paléolithique et néolithique), civilisations protovietnamiennes (IIe et Ier millénaires av. J.-C.), culture Dong Son (du IIIe siècle av. J.-C. au IIIe siècle), culture Oc-Eo (Funan) du delta du Mékong (du Ier au VIe siècles), civilisation du royaume du Champa (du IIe au XVe siècles), royaumes khmers, plusieurs dynasties vietnamiennes et leur résistance contre les Chinois, lutte contre les Français et histoire du Parti communiste vietnamien.

Musée de la Révolution vietnamienne

Ce musée (Bao Tang Cach Mang ; carte Centre de Hanoi ; 25 Pho Tong Dan ; 10 000 d ;

mar-dim 8h-11h45 et 13h30-16h15), qui se trouve à la diagonale du musée de l'Histoire, présente de façon originale l'histoire de la révolution vietnamienne.

Musée de Géologie

Ce musée *(Bao Tang Dia Chat ; carte Centre de Hanoi ; 6 Pho Pham Ngu Lao ; entrée libre ; lun-ven 8h30-11h30 et 13h30-16h30)* décrit l'histoire des phénomènes géologiques ayant conduit à la formation de paysages magnifiques tels que celui de la baie d'Along. La plupart des explications sont en vietnamien. Proche du musée d'Histoire, il souffre d'heures d'ouverture quelque peu erratiques.

Musée des Beaux-Arts

Sous l'occupation française, ce bâtiment *(Bao Tang My Thuat ; Carte Centre de Hanoi ; 66 Pho Nguyen Thai Hoc ; entrée 10 000 d ; mar-dim 9h15-17h)* abritait le ministère de l'Information. Vous y découvrirez des sculptures très enchevêtrées, des peintures, des laques, des céramiques, ainsi que d'autres œuvres dans la plus pure tradition vietnamienne. Si vous achetez des reproductions d'antiquités, demandez un certificat, à produire à la douane lorsque vous quitterez le pays.

Le musée des Beaux-Arts se trouve au coin de Pho Cao Ba Quat, derrière le temple de la Littérature.

Musée des Femmes

L'excellent musée des Femmes *(Bao Tang Phu Nu ; Carte Centre de Hanoi ; 36 Pho Ly Thuong Kiet ; 10 000 d ; tlj 8h-16h)* rend évidemment hommage aux femmes soldats, mais expose également des pièces surprenantes illustrant les mouvements féministes internationaux s'étant élevés contre la guerre du Vietnam. Vous approfondirez vos connaissances de la culture et de la politique du pays. Au 4e étage, vous découvrirez les costumes traditionnels des différentes minorités ethniques ainsi que des motifs de tissage et de vannerie. Les pièces s'accompagnent généralement d'explications traduites en français et en anglais.

Musée de l'Armée

À l'extérieur de ce musée *(Bao Tang Quan Doi ; carte Centre de Hanoi ; Pho Dien Bien Phu ; 10 000 d ; mar-dim 8h-11h30 et 13h30-16h30)* est exposé du matériel militaire russe et chinois fourni aux forces du Nord, aux côtés d'armes françaises et américaines saisies pendant les guerres d'Indochine et du Vietnam. Le Mig-21 soviétique, pièce maîtresse, semble triompher au milieu des carcasses d'avions français abattus à Dien Bien Phu et d'un F-111 américain. Les maquettes reproduisent des grandes batailles de l'histoire du Vietnam, parmi lesquelles Dien Bien Phu et la prise de Saigon.

Non loin du musée se dresse la tour hexagonale du Drapeau, l'un des monuments symboles de la ville.

Musée de la prison de Hoa Lo

Ce musée d'un genre très particulier *(Carte Vieille ville ; 1 Pho Hoa Lo, angle de Pho Hai Ba Trung ; entrée 10 000 d ; mar-dim 8h-11h30 et 13h30-16h30)* est tout ce qui subsiste de l'ancienne prison de Hoa Lo, surnommée "le Hanoi Hilton" par les prisonniers de guerre américains pendant la guerre du Vietnam. Parmi ceux-ci figure Pete Peterson, devenu en 1995 le premier ambassadeur des États-Unis après le rétablissement des relations diplomatiques entre les États-Unis et le Vietnam.

Cette vaste maison centrale (on lit encore cette inscription au-dessus de l'entrée) fut construite par les Français en 1896. Prévue à l'origine pour accueillir 450 prisonniers, elle en contenait, selon les registres, près de 2 000 dans les années 1930 ! La prison a été récemment rasée pour laisser place à un gratte-ciel, mais le bâtiment de façade a été bien préservé, restauré et transformé en musée où les panneaux explicatifs sont à la fois rédigés en français et en anglais.

Les objets exposés ont trait pour l'essentiel à l'activité de la prison jusqu'au milieu des années 1950, et notamment à la guerre d'indépendance avec les Français. Sont ainsi exposés, dans des salles assez sombres, différents instruments de torture et la guillotine qui servait à décapiter les "révolutionnaires" vietnamiens.

Vous y verrez aussi les photos d'anciens détenus américains et vietnamiens. Des clichés de propagande, sur lesquels des prisonniers américains souriants sont censés illustrer les bons traitements reçus de la part de leurs "hôtes" vietnamiens, s'accompagnent d'un panneau portant ces mots :

Entre le 5 août 1964 et le 24 janvier 1973, le gouvernement américain mena deux guerres, maritime et aérienne, de destruction à l'encontre du Vietnam du Nord. L'armée et le peuple nord-vietnamiens abattirent des milliers d'avions et capturèrent des centaines de pilotes américains, dont certains furent détenus à la prison de Hoa Lo par le ministère de l'Intérieur. Malgré les crimes commis à l'encontre de notre peuple, les Américains capturés n'ont fait l'objet d'aucune mesure de représailles. Bien au contraire, ils ont reçu une nourriture correcte, des vêtements et un abri. Conformément aux dispositions des Accords de Paris, notre gouvernement avait, dès mars 1973, rendu au gouvernement américain tous les pilotes capturés.

Musée de l'Aviation

Le musée de l'Aviation (Bao Tang Khong Quan ; carte Agglomération de Hanoi ; Đ Truong Chinh ; entrée 10 000 d, caméscope 10 000 d, appareil photo 2 000 d ; mar-sam 8h-11h et 13h-16h30), bien que l'un des plus grands du pays, n'attire que peu de visiteurs étrangers ; pourtant, il présente un réel intérêt pour les amateurs. Mig soviétiques, avions de reconnaissance, hélicoptères et matériel antiaérien sont exposés à l'extérieur. La grande salle contient des mortiers, des mitrailleuses et des bombes de fabrication américaine. Vous pouvez grimper à une échelle et vous faire photographier aux commandes d'un Mig à demi tronqué, y admirer une exposition de peintures de guerre, de facture très soviétique, ainsi que des portraits de Ho Chi Minh.

Le musée se situe dans le district de Dong Da, à l'extrême sud-ouest de la ville.

Musée des Gardes-frontière

Ce musée (Bao Tang Bien Phong ; Carte Centre de Hanoi ; 2 Pho Tran Hung Dao ; entrée libre ; lun-sam 8h-11h) est consacré aux amicaux jeunes gens en uniforme que vous avez croisés à l'aéroport ou aux postes-frontières. Malgré les heures d'ouverture officielles, il arrive que l'on trouve porte close.

NATATION

Plusieurs hôtels chics abritent une piscine privée réservée exclusivement à leur clientèle. L'Army Hotel (Carte Centre de Hanoi ; Pho Pham Ngu Lao), qui jouxte le musée de l'Histoire, ouvre quant à lui toute l'année sa grande piscine au public. L'entrée coûte 40 000 d ou 3 $US la journée. Le Melia Hotel (Carte Vieille ville ; Pho Ly Thuong Kiet) dispose d'une piscine au cadre très agréable pour laquelle les "membres invités" paieront 5 $US – 10 $US pour accéder en outre à la salle de sport. D'autres hôtels proposent également des forfaits à la journée d'environ 10 $US (voir la rubrique Où se loger plus loin dans ce chapitre).

Près du lac de l'Ouest, les Ho Tay Villas (Carte Agglomération de Hanoi ; ☎ 825 8241) font payer l'accès à leur piscine 30 000 d la journée. Pour le même prix, le Thang Loi Hotel, à proximité, dispose de deux bassins. Cet endroit est plus agréable mais n'ouvre que de mai à octobre.

Inspiré de celui de HCMV, le parc aquatique de Hanoi (Carte Agglomération de Hanoi ; ☎ 753 2757), construit tout récemment à 5 km du centre-ville, réunit le lot classique de piscines, toboggans et autres jeux aquatiques typiques de ces établissements. L'entrée coûte 50 000 d pour les personnes d'une taille supérieure à 1,10 m, 30 000 d pour les autres. Le parc est ouvert tous les jours du 15 avril à novembre.

CENTRES DE REMISE EN FORME

Certains hôtels internationaux ouvrent leur club au public moyennant un droit d'entrée. Le plus chic, le Clark Hatch Fitness Centre du Sofitel Metropole Hotel et du Sofitel Plaza (☎ 826 6919 poste 8881), propose un forfait à la journée de 12 $US. Dans la même catégorie, vous pourrez profiter de toutes les prestations du Daewoo Hotel Fitness Centre (☎ 835 1000), piscine comprise, moyennant 20 $US par jour.

GOLF

King's Island est un parcours de 18 trous, implanté à 45 km à l'ouest de Hanoi, au pied du Ba Vi. L'adhésion s'élève à 5 000 $US. Le club est ouvert aux visiteurs.

Toujours dans les limites de l'agglomération de Hanoi, devant la tour de la TV, vous pourrez vous entraîner sur le practice du Lang Ha Golf Club (Carte Agglomération de Hanoi ; ☎ 835 0909, 16A Pho Lang Ha ; non-membres 20 $US ; tlj 6h-22h). Les mordus de la petite balle blanche iront à King's Island pour effectuer un parcours complet.

Promenade matinale dans le parc Lénine

Si vous voulez découvrir une autre facette des habitants de Hanoi, promenez-vous dans le parc Lénine à l'aube, c'est-à-dire entre 5h et 7h.

Vous y verrez un véritable défilé de mode allant des pantalons lâches en coton aux tenues de sport moulantes en Lycra. Les jeunes gens jouent au foot, les femmes mûres s'entraînent à la danse des drapeaux, tandis que des groupes d'hommes et de femmes, jeunes ou âgés, pratiquent l'aérobic sur des airs revus et corrigés à la Love Story. Les seniors font gracieusement du taijiquan (ou taichi), d'autres méditent en solitaire, jambes croisées, au bord de l'eau. Quelques téméraires piquent même une tête dans le lac. Autour du plan d'eau, joggers et promeneurs se croisent et s'évitent de façon plus organisée que le trafic qui s'intensifie dans les rues de la ville.

Les marchands de vêtements usagés et les échoppes de riz au lait, maïs, pommes de terre, lait de soja ou fruits sont autant d'obstacles à contourner, sans parler des stands de pesée, des balayeurs et des jardiniers. Vous zigzaguerez pour éviter les volants de badminton des groupes qui tendent leur filet entre les arbres ou plantent des piquets en travers du chemin pour disputer des matchs bruyants et animés qui durent 1 heure ou plus.

Vers 7h30, le calme revient ; les gens partent au travail et le parc retrouve sa tranquillité jusqu'à l'arrivée des promeneurs du soir. Cette balade matinale est une façon bien agréable de commencer sa journée.

MASSAGE

Le gouvernement a sévèrement limité le nombre d'établissements autorisés à proposer des massages. Pour le moment, vous pourrez vous faire masser, en tout bien tout honneur, au Hoa Binh Hotel, au Dan Chu Hotel et au Thang Loi Hotel, pour 4 à 6 \$US l'heure. Les établissements plus chics comme le Guoman, le Sofitel Metropole Hotel et le Nikko Hotel facturent l'heure entre 10 et 20 \$US.

Voyez également l'Institut de médecine traditionnelle (Carte Centre de Hanoi ; ☎ 943 1018, 26-29 Pho Nguyen Binh Khiem), ou l'Institut d'acupuncture (Carte Agglomération de Hanoi ; ☎ 853 3881, H3 Pho Vinh Ho et 49 Pho Thai Thinh).

SALONS DE BEAUTÉ

Les salons de beauté de Hanoi offrent souvent des services un peu "particuliers". Si vous avez besoin d'une coupe de cheveux dans un endroit recommandable, adressez-vous au Vu Doo Salon (☎ 823 3439, 32c Pho Cao Ba Quat), tenu par Vu, sympathique coiffeur anglophone qui s'est acquis une solide réputation parmi la communauté expatriée de Hanoi.

L'établissement offre des prestations de classe internationale à des prix raisonnables : 9/10 \$US homme/femme (shampooing, massage du crâne, coupe, séchage et coiffure). Comptez environ 4 \$US pour un soin des mains ou des pieds.

COURS DE LANGUES

Le Vietnamese Language Centre (Carte Centre de Hanoi ; ☎ 826 2468, Hanoi Foreign Language College, 1 Pho Pham Ngu Lao ; lun-ven 8h-11h30 et 13h30-17h) propose des cours de langue dispensés par des professionnels. Ce petit campus géré par l'Université de Hanoi se situe dans l'enceinte du musée d'Histoire.

Le prix des cours varie en fonction du nombre d'étudiants ; les cours particuliers ne devraient pas excéder 7 \$US l'heure. Pour avoir accès au dortoir des étudiants étrangers, il vous sera demandé 200 \$US par mois. Renseignez-vous avant de partir auprès des services diplomatiques vietnamiens de votre pays.

MANIFESTATIONS ANNUELLES

Les fêtes du Têt, le Nouvel An lunaire vietnamien, se déroulent fin janvier ou début février (reportez-vous à la section spéciale Fête du Têt du chapitre Renseignements pratiques). Cette période coïncide avec de nombreuses festivités dans Hanoi et ses environs. Une semaine avant le Têt, un marché aux fleurs s'installe Pho Hang Luoc. À partir du jour de l'An, et pendant deux semaines, un concours floral se déroule dans le parc Lénine.

Le 13e jour du premier mois lunaire, dans le village de Lim (province de Ha Bac), des groupes de filles et de garçons se livrent traditionnellement au hat doi, sorte de duel vocal où les groupes se répondent.

Des tournois d'échecs humains et des combats de coqs ont également lieu.

Le 15ᵉ jour du premier mois lunaire, ne manquez pas les rencontres de catch de la butte Dong Da, site du soulèvement contre les envahisseurs chinois, mené par l'empereur Quang Trung (Nguyen Hue) en 1788.

La fête nationale du Vietnam, le 2 septembre, se célèbre sur la place Ba Dinh, l'immense esplanade devant le mausolée de Ho Chi Minh, avec un grand rassemblement populaire et un feu d'artifice. Le lac Hoan Kiem se prête à des courses de bateaux.

OÙ SE LOGER

Presque toutes les pensions bon marché se concentrent dans un rayon de 1 km autour du lac Hoan Kiem. À la différence du district de Pham Ngu Lao, à HCMV, où elles se succèdent sans interruption, elles sont ici plus éparpillées tout en se trouvant, en majorité, dans la vieille ville ou tout à proximité.

Plusieurs établissements bas de gamme vous logent en dortoir (autour de 3 $US) ou en chambre économique (moins de 10 $US). Dans un éventail de 10 à 15 $US, de nombreux "mini-hôtels" proposent cependant des chambres propres et climatisées, certaines avec TV par satellite.

À quelques exceptions près, les hôtels pratiquant des tarifs compris entre 20 et 50 $US n'offrent guère plus que les mini-hôtels, malgré la différence de prix.

Si votre budget vous le permet et si vous êtes disposé à débourser de 50 à 100 $US, vous dormirez dans un quatre-étoiles (pour moitié prix par rapport à Hong Kong ou Bangkok). Guettez les promotions dans *Vietnam News*, le *Guide* et *Time Out*, et demandez à la réception de l'hôtel s'il pratique des "promotions" – à savoir, des réductions sur les chambres.

OÙ SE LOGER – PETITS BUDGETS
Vieille ville

Thu Giang Guesthouse (☎ 828 5734, thuyhan00@hotmail.com, 5A Pho Tam Thuong ; simples/doubles avec sdb 6/7 $US). Les petits budgets apprécient cette pension sympathique, nichée dans une allée entre Pho Yen Thai et Pho Hang Gai. Elle loue des chambres rustiques mais climatisées.

Manh Dung Guesthouse (☎ 826 7201, fax 824 8118, manhdung@vista.gov.vn, 2 Pho Tam Thuong ; simples/doubles 6/7 $US). Cette pension familiale offre une bonne solution de repli si la première adresse, toute proche, affiche complet. Elle pratique les mêmes tarifs et dispose d'un accès Internet.

Thuy Nga Guesthouse (☎ 826 6053, thuyngahotel@hotmail.com, 24C Pho Ta Hien ; chambres avec/sans balcon 10/9 $US). Cette pension familiale propose 6 petites chambres lumineuses, d'une propreté irréprochable.

Stars Hotel (☎ 828 1911 ou 828 1928, 26 Pho Bat Su, chambres avec/sans balcon 15/10 $US). Cet établissement est très prisé pour ses chambres claires et confortables et son personnel charmant. Les chambres, dont les plus agréables disposent d'un balcon, sont toutes climatisées.

A to Z Queen Café 1 (☎ 826 0860, fax 825 0000, queenaz@fpt.vn, 65 Pho Hang Bac ; doubles 5 $US). Le seul élément de confort dans les chambres de cet établissement est un ventil. ; en outre, vous devrez partager la sdb.

A to Z Queen Café 2 (☎ 826 7356, queenaz@fpt.vn, 50 Pho Hang Be ; dortoir 3 $US, doubles avec ventil./clim. 6/12 $US). Cet hôtel se dégrade de plus en plus, mais il possède un cybercafé au 1ᵉʳ étage et un bar très fréquenté à l'étage inférieur.

Camellia Hotel (☎ 828 3583, fax 824 4277, 13 Pho Luong Ngoc Quyen ; chambres avec clim. 12-20 $US). Avec des tarifs incluant le petit déjeuner et la TV par satellite, cet hôtel ne désemplit pas. Quelque peu défraîchi, il a cependant l'avantage d'être bien situé.

Binh Minh II Hotel (☎ 825 0728, fax 824 7183, 31 Pho Hang Bac ; petites chambres 10 $US). En plein centre, le petit Binh Minh II Hotel donne l'impression d'un îlot de verdure grâce à l'arbre majestueux qui est planté devant. Les chambres, au confort rudimentaire, possèdent toutes une sdb et la clim.

Anh Sinh Hotel (☎/fax 824 2229, anhsinhtour@hotmail.com, 49 Pho Hang Be ; chambres avec clim. 15-40 $US, dortoir 3 $US). Situé face au Queen 2, cet hôtel offre un bon rapport qualité/prix.

Real Darling Cafe (☎ 826 9386, fax 825 6562, darling_cafe@hotmail.com, 33 Pho

Hang Quat ; dortoir 3 \$US, simples/doubles 5/10 \$US). Cet établissement loue des chambres rustiques mais bien entretenues. Le personnel parle anglais.

Prince Hotel (1) (☎ 828 0155, fax 828 0156, ngodzung@hn.vnn.vn, 51 Pho Luong Ngoc Quyen ; petites/grandes chambres 15/20 \$US). Nous vous recommandons cette adresse. Les grandes chambres doubles, meublées dans un style chinois, possèdent un balcon. Les tarifs incluent le petit déjeuner et l'accès Internet.

Prince Cafe (☎ 828 1893, 53 Pho Luong Ngoc Quyen ; chambres avec/sans balcon 10/8 \$US). À côté du Prince Hotel, le Prince Cafe loue des chambres exiguës mais bien entretenues pour un prix modique.

Van Minh Hotel (☎ 926 0150, nngocminh@fpt.vn, 88 Pho Hang Bac ; chambres avec clim. 15-30 \$US). Autrefois connu sous le nom de Prince (2), il se trouve à proximité du Prince Hotel. Cet établissement propose des chambres avec sdb et TV par satellite. Certaines, particulièrement bon marché, ne possèdent pas de fenêtre.

New Tong Dan Hotel (Nam Phuong Hotel ; ☎ 825 2219, fax 825 5354, tongdanhotel@hn.vnn.vn, 210 Pho Tran Quang Khai ou 17 Pho Tong Dan ; simples/doubles 10/20 \$US). Les touristes apprécient l'accueil de cet établissement situé à l'est du lac Hoan Kiem, près du fleuve Rouge. Les chambres, bien agencées, justifient le slogan de l'établissement "plus qu'un hôtel, un chez-soi". Vous accéderez à la réception par Pho Tran Quang Khai ou Pho Tong Dan.

De nombreux hôtels bon marché se sont installés sur Pho Nha Chung, dans le quartier branché de la cathédrale.

Spring Hotel (☎ 826 8500, fax 826 0083, spring.hotel@fpt.vn, 8A Pho Nha Chung ; chambres 10-18 \$US). Cet hôtel loue des chambres simples mais agréables. La famille qui le gère est très aimable et parle couramment anglais.

Hotel Thien Trang (☎ 826 9823, fax 828 6717, thientranghotel24@hotmail .com ; chambres 10-15 \$US). Au 24 de la même rue, l'Hotel Thien Trang offre un rapport qualité/prix acceptable, mais optez pour les chambres à l'étage si vous voulez une fenêtre.

Nam Phuong Hotel (1) (☎ 824 6894, 26 Pho Nha Chung ; chambres avec ventil./ clim. à partir de 7/8 \$US). Lors de notre passage, cet établissement était en travaux ; il devrait être pimpant à sa réouverture.

Lotus Guesthouse (☎ 934 4197, fax 826 8642, lotus-travel@hn.vnn.vn, 24V Pho Ly Thuong Kiet ; chambres 6-15 \$US). Cet établissement calme et bien entretenu propose des chambres, quelque peu exiguës et basses de plafond, qui ne conviendront probablement pas aux claustrophobes ou aux personnes de grande taille. L'hôtel possède son propre café.

Trang Tien Hotel (☎ 825 6115, fax 825 1416, 35 Pho Trang Tien ; doubles 15-20 \$US). Cet hôtel s'étend de façon anarchique mais offre un bon rapport qualité/prix pour son emplacement entre le lac Hoan Kiem et l'opéra.

Centre-ville

Dream 2 Hotel (☎ 828 7045, fax 828 7472, 3B Pho Tong Duy Tan ; doubles avec/sans balcon 15/12 \$US). Ce mini-hôtel classique propose 6 chambres climatisées bien entretenues. Il se situe sur une rue tranquille entre la vieille ville et le mausolée de Ho Chi Minh.

Hotel Memory (☎ 934 9909, memoryhotel@fpt.vn, 25 Pho Nguyen Thai Hoc ; chambres avec clim. 12-18 \$US). Proche de la gare ferroviaire, de la rue Cam Chi, avec sa multitude de restaurants de rue, et à deux pas de la vieille ville, cet établissement pratique des tarifs raisonnables qui incluent le petit déjeuner et la TV par satellite.

Hotel 30/4 (☎ 826 0807, fax 822 1818, 115 Pho Tran Hung Dao ; chambres avec/sans sdb 15/7-10 \$US). En face de la gare ferroviaire, l'Hotel 30/4 tire son nom des événements du 30 avril 1975, date à laquelle les troupes du Nord entrèrent dans Saigon. Rien de surprenant, donc : cet établissement assez bruyant est géré par l'État.

OÙ SE LOGER – CATÉGORIE MOYENNE
Vieille ville

Hong Ngoc Hotel 1 (☎ 828 5053, hongngochotel@hn.vnn.vn, 34 Pho Hang Manh ; simples/doubles 25/35 \$US). À quelques minutes à pied au nord-ouest du lac Hoan Kiem se dresse cet agréable hôtel. Les chambres les plus chères sont spacieuses ; les meilleur marché ne disposent pas de fenêtre. Les prix comprennent le petit déjeuner.

Quoc Hoa Hotel (☎ 828 4528, fax 826 7424, Pho Bat Dan, quochoa@hn.vnn.vn ; chambres standard/deluxe 20/35 $US). Voici une bonne adresse. Ce petit établissement calme et bien entretenu, fréquenté par les hommes d'affaires, dispose de tout le confort moderne. L'accès Internet y étant facturé 1 $US la minute, mieux vaut aller se connecter au café en face.

Classic Street Hotel (☎ 825 2421, hohoa@hn.vnn.vn, 41 Pho Hang Be ; chambres standard 18 $US, simples/doubles deluxe avec petit déj 25/35 $US). Ce nouvel établissement de la vieille ville a su restituer l'atmosphère élégante du Hanoi d'autrefois. Toutes les chambres disposent de la clim. et de la TV par satellite, et certaines offrent une vue imprenable sur les toits.

Tu Do Hotel (Freedom Hotel ; ☎ 826 7119, fax 824 3918, freedomhotel@hn.vnn.vn, 45 Pho Hang Trong ; chambres 18-30 $US). Ses 12 petites chambres bien entretenues sont toutes équipées de la clim. et de la TV par satellite.

Ho Guom Hotel (☎ 825 2225, fax 824 3564, hoguomtjc@hn.vnn.vn, 76 Pho Hang Trong ; chambres standard/deluxe 20/35 $US). Cet établissement, géré par l'État, est bien situé, calme et bien tenu. En outre, il possède un personnel affable. Les chambres avec balcon surplombent une cour intérieure et offrent un excellent rapport qualité/prix.

Trang An Hotel (☎ 826 8982, fax 825 8511, trangan@camellia-hotels.com, www.camellia-hotels.com, 58 Pho Hang Gai ; chambres 12-25 $US). Il est difficile de critiquer l'emplacement, le personnel et le rapport qualité/prix du Trang An Hotel. Bien qu'un peu fatiguées, ses chambres sont correctement entretenues. Pour un prix supérieur, on vous proposera une suite avec balcon, clim. et TV par satellite. L'établissement connaissant une forte fréquentation, nous vous conseillons de réserver à l'avance. Vous passerez par une boutique de soieries avant d'atteindre la réception.

Win Hotel (☎ 826 7150, esmntb@hn.vnn.vn, 34 Pho Hang Hanh ; chambres avec clim. 20-30 $US). L'accueillant

Win Hotel se trouve dans la "rue des cafés", où se concentrent des **cafés** animés. Les chambres sont pimpantes, mais les simples quelque peu exiguës.

Dan Chu Hotel (☎ 825 4937, fax 826 6786, danchu@hn.vnn.vn, 29 Pho Trang Tien ; chambres standard à partir de 40 $US). Datant de la fin du XIXᵉ siècle, cet hôtel affiche un air de grandeur quelque peu décadente. Situé entre l'opéra et le lac, il dispose d'un salon de massage (respectable), dans lequel même les non-clients peuvent se faire masser moyennant 80 000 d l'heure.

Chains First Eden Hotel (☎ 828 3896, fax 828 4066, cfeden@hn.vnn.vn, 3A Pho Phan Dinh Phung ; chambres standard/deluxe 30/89 $US). Proche de la citadelle, cette adresse est fréquentée par une clientèle d'affaires. Parmi les prestations, citons la salle de sport, le sauna, le centre d'affaires, la TV par satellite et le **restaurant** proposant des spécialités chinoises et vietnamiennes. Les chambres de catégorie supérieure sont agréables, mais les meilleur marché restent chères, vu leur taille.

Galaxy Hotel (☎ 828 2888, fax 828 2466, galaxyhtl@netnam.org.vn, 1 Pho Phan Dinh Phung ; chambres à partir de 45 $US). Une adresse appréciée des groupes européens. Autour du bâtiment principal, datant de 1918, se trouvent un centre d'affaires et un sympathique **café-restaurant** ; toutes les chambres disposent de la TV par satellite.

Viet Anh Hotel (☎ 846 8525, fax 824 3198, 22 Pho Cua Dong ; simples/doubles 20/22 $US). Cet accueillant mini-hôtel se situe au nord de la vieille ville, près de la citadelle. Les chambres donnant sur l'arrière coûtent moins cher, mais elles ne disposent pas de fenêtre ; en revanche, celles en façade possèdent un balcon.

Centre-ville

Thien Thai Hotel (Hôtel Paradise ; ☎ 823 7126, fax 823 6917, 45 Pho Nguyen Truong To ; chambres standard/deluxe 35/50 $US, petit déj inclus). De construction récente, cet hôtel reproduit le style colonial. Toutes les chambres disposent d'un balcon et offrent un niveau de confort correct pour le prix demandé.

Anh Hotel II (☎ 843 5141, fax 843 0618, 43 Pho Nguyen Truong To ; simples/doubles

HANOI

8/20 \$US). Voisin du Thien Thai Hotel, le Anh Hotel II est plus petit. Certaines chambres disposent d'une alcôve et de lits installés sur une plate-forme ; demandez à les voir.

Army Hotel *(Khach San Quan Doi ; ☎ 825 2896, fax 825 9276, 33C Pho Pham Ngu Lao ; simples/doubles 35/50 \$US).* Propriété de l'armée, mais loin de ressembler à un baraquement militaire, ce magnifique immeuble date de l'époque coloniale. Fréquenté par les groupes, il dispose d'une salle de musculation et d'une belle piscine d'eau de mer, pour laquelle le forfait à la journée s'élève à 3 \$US.

Green Park Hotel *(☎ 822 7725, fax 822 5977, greenpark@hn.vnn.vn, 48 Pho Tan Nhan Tong ; chambres standard 45 \$US).* À quelques minutes de marche du parc Lénine, se tient cet imposant établissement dont la décoration décline toutes les nuances du vert. Le **restaurant**, au dernier étage, offre une vue magnifique. Fréquenté notamment par les hommes d'affaires, il propose des remises de 30% sur les prix affichés selon son taux d'occupation.

Agglomération de Hanoi

Thang Loi Hotel *(Hôtel cubain ; ☎ 829 4211, thangloihtl@hn.vnn.vn, Duong Yen Phu ; chambres standard 40 \$US).* Cet hôtel fut construit au milieu des années 1970 avec l'aide de Cuba, d'où son surnom. Le bâtiment cubain pris pour modèle étant de plain-pied, le plan des étages du Thang Loi est la réplique fidèle du rez-de-chaussée, ce qui explique l'existence de portes ne menant nulle part. Des bungalows entourent le bâtiment principal, construit sur pilotis au-dessus du Ho Tay (lac de l'Ouest). L'hôtel, qui se situe à 3,5 km du centre-ville, dispose d'un agréable jardin paysager et d'une piscine (ouverte uniquement de mai à septembre). L'accès aux courts de tennis et au sauna est inclus dans le prix, mais vous devrez payer un supplément pour le salon de massage.

Ho Tay Villas *(Khuy Biet Thu Ho Tay ; ☎ 804 7772, hotayvillas@fmail.vnn.vn ; chambre standard/suite 24/120 \$US).* Ces spacieuses villas des rives du Ho Tay (lac de l'Ouest) étaient jadis réservées aux cadres du Parti communiste. C'est désormais un hôtel et les dollars des visiteurs sont les bienvenus dans ce cadre exceptionnel.

Même si vous n'y résidez pas, une visite vous instruira sur la façon de vivre des "représentants du peuple" de l'un des pays les plus pauvres d'Asie. L'hôtel se trouve à 5,5 km au nord du centre-ville.

OÙ SE LOGER – CATÉGORIE SUPÉRIEURE

Dans certains hôtels de luxe, une double taxe de 10% et de 5% est à ajouter au prix que nous indiquons (++). Reportez-vous à la rubrique *Hébergement* du chapitre *Renseignements pratiques* pour plus de détails sur le sujet.

Vieille ville

Sofitel Metropole Hotel *(☎ 826 6919, fax 826 6920, sofitelhanoi@hn.vnn.vn, 15 Pho Ngo Quyen ; chambres à partir de 200 \$US).* Gigantesque, ce complexe compte parmi les grands hôtels de luxe du pays. La décoration à la française est omniprésente : il suffit de fermer les rideaux pour se croire à Paris. Une petite piscine, un centre de remise en forme et un institut de beauté figurent au nombre des prestations.

Melia Hotel *(☎ 934 3343 ou 934 3344, solmelia@meliahanoi.com.vn, 44B Pho Ly Thuong Kiet ; chambres à partir de 88 \$US++).* Dans le gratte-ciel le plus laid de la ville, on découvre toutefois une décoration de très bon goût. La boutique à la réception vend d'excellents pains de seigle.

Centre-ville

De Syloia Hotel *(☎ 824 5346, fax 824 1083, 17A Pho Tran Hung Dao ; chambres standard/deluxe 50/70 \$US).* Cet élégant établissement à la française dispose d'un centre de remise en forme, d'un sauna et d'un restaurant de spécialités vietnamiennes Cay Cau, vivement recommandé.

Guoman Hotel *(☎ 822 2800, fax 822 2822, guomanhn@hn.vnn.vn, 83A Pho Ly Thuong Kiet ; chambres standard/deluxe 70/120 \$US).* Géré par l'État, le Guoman Hotel se classe parmi les établissements quatre-étoiles aux normes internationales et offre souvent des prix inférieurs à ceux indiqués ici. Situé à environ 1 km au sud-ouest du lac Hoan Kiem, il dispose d'un centre de remise en forme luxueux, d'un restaurant de grande qualité et de deux bars.

Hotel Nikko (☎ 822 3535, 84 Tran Nhan Tong ; chambres à partir de 180 $US++). Installé à un emplacement de choix en bordure du parc Lénine, cet établissement propose souvent une réduction pouvant aller jusqu'à 50% du prix affiché.

Hanoi Opera Hilton (☎ 933 0500, fax 933 0530, www.hilton.com, 1 Le Thanh Tong ; chambres à partir de 120 $US++). Idéalement situé à côté de l'Opéra, ce somptueux hôtel offre toute la panoplie d'un Hilton en termes d'équipement, de services et de gastronomie. Le forfait à la journée donnant accès au centre de remise en forme et à la piscine coûte 11 $US.

Sofitel Plaza (☎ 823 8888, fax 829 388, 1 Đ Thanh Nien ; chambres à partir de 180 $US++, suite présidentielle 1 000 $US). La construction du Sofitel Plaza, anciennement Meritus Westlakes, a été cofinancée par une société de Singapour. L'établissement propose toutes les prestations hôtelières possibles et imaginables, telle la piscine à toit ouvrant, une première en Asie du Sud-Est. Au 20ᵉ étage, le **Summit Lounge Bar**, d'où vous pourrez admirer le coucher du soleil sur la lac de l'Ouest et la ville, pratique tous les jours une *happy hour* de 16h30 à 20h.

Agglomération de Hanoi

Hanoi Horison Hotel (☎ 733 0808, hhh_sale@netnam.org.vn, 40 Pho Cat Linh ; chambres 90-170 $US). À l'entrée de ce luxueux hôtel, se dresse une cheminée en brique, seul vestige de la briqueterie qui occupait autrefois ce terrain. L'hôtel dispose d'une magnifique salle de musculation et d'une piscine, pour lesquels le forfait à la journée s'élève à 7 $US.

Daewoo Hotel (☎ 831 5000, info@daewoohotel.cm.vn ; chambres standard à partir de 199 $US, suites à partir de 319 $US++). Situé au Daeha Centre (à l'ouest de la ville), voici l'établissement le plus grand et le plus cher de la ville. Sa construction a été cofinancée par la Corée du Sud. Ne vous attendez surtout pas à un hôtel de style colonial : le bâtiment fait 15 étages et au nombre des prestations figurent une grande piscine au centre d'un jardin paysager, une discothèque, une salle de musculation, un centre d'affaires et trois restaurants. L'entrée de la piscine seule coûte 10 $US par jour, mais vous pourrez utiliser tout le complexe sportif moyennant 20 $US.

OÙ SE LOGER – LOCATIONS

Comme partout au Vietnam, les mini-hôtels constituent l'option la moins onéreuse. Visitez plusieurs adresses pour détecter la meilleure affaire et n'hésitez pas à négocier.

Environ 5 000 expatriés vivent à Hanoi, soit trois fois plus qu'à HCMV. Les appartements ont en général un loyer élevé – un trois-pièces se loue en moyenne de 800 à 3 000 $US par mois. Les étrangers dont le budget est plus limité peuvent, en revanche, trouver une bonne chambre climatisée dans une pension ou un mini-hôtel contre 200 à 300 $US.

Somerset Grand Hanoi (☎ 934 2342, fax 822 1968, www.somerset.com, 49 Pho Hai Ba Trung ; appartements 1/2/3 pièces 110/135/220 $US la nuit, tarifs dégressifs). Sur le site de l'ancienne prison Hoa Lo, là où étaient détenus les prisonniers de guerre américains, se dresse cette résidence hôtelière, dans un gratte-ciel moderne baptisé Hanoi Towers. Ses vastes appartements, d'un bon rapport qualité/prix, sont entièrement équipés, machine à laver et couverts compris. Séjourner dans cette résidence donne accès à la piscine, au centre de remise en forme et au sauna. Vous trouverez le **restaurant Jacc's** au 4ᵉ étage, ainsi qu'un supermarché bien approvisionné au rez-de-chaussée. Vous obtiendrez facilement une réduction sur les tarifs affichés, qui sont d'ailleurs dégressifs selon la durée de votre séjour.

OÙ SE RESTAURER

Ces dernières années, Hanoi a connu une transformation miraculeuse : de désert culinaire, elle est devenue l'une des capitales mondiales de la gastronomie. La ville répond à toutes les envies, même celles des voyageurs désargentés, avec des restaurants vietnamiens exquis et un nombre grandissant de cafés chics.

Pour allier bonne chère et juste cause, rendez-vous à la Hoa Sua ou au Koto (voir plus loin), tous deux recommandés pour leur excellente cuisine et leurs programmes de formation professionnelle destinés aux enfants des rues.

Les restaurants, les bars et les cafés ont une fâcheuse tendance à changer de nom, l'adresse ou de direction. Tenez-vous au courant en lisant *le Guide* ou *Time Out*.

Cuisine vietnamienne

Vieille ville. Parmi les innombrables petits restaurants de ce quartier, essayez donc le **Little Hanoi (1)** (☎ 926 0168, 25 Pho Ta Hien ; menus à partir de 15 000 d ; 11h-23h) qui, dans une ambiance accueillante, pratique des petits prix, ce qui lui vaut d'être pris d'assaut tant par les touristes que par les habitants, à l'heure du déjeuner comme au dîner.

Hanoi Garden (☎ 824 3402, 36 Pho Hang Manh ; menus à partir de 5,50 \$US ; carte à partir de 40 000 d ; 10h-14h et 17h-22h). Voici une bonne adresse pour le déjeuner ou le dîner : vous y savourerez, en salle ou en terrasse, des spécialités du Sud-Vietnam ou des plats chinois épicés.

L'une des spécialités de Hanoi est le *cha ca*, une sorte de délicieux petit burger de poisson.

Cha Ca La Vong (☎ 825 3929, 14 Pho Cha Ca). Voici le plus célèbre restaurant servant ce plat, tenu par la même famille depuis cinq générations. Vous pourrez également en déguster dans des restaurants meilleur marché tels le **Cha Ca 66** (☎ 826 7881, 66 Pho Hang Ga) et le **Thang Long** (☎ 824 5115, 40 Pho Hang Ma).

Pho Bo Dac Biet (2B Pho Ly Quoc Su). Si vous voulez vous régaler d'une délicieuse soupe de nouilles au bœuf (pho bo), essayez cette adresse. Vous pouvez commander cette soupe dans la plupart des restaurants, voire même dans une échoppe de rue, du moment que vous voyez la marmite bouillir.

The Whole Earth Restaurant (☎ 926 0696 ou 926 0349, 7 Pho Dinh Liet ; menus à partir de 25 000 d ; 8h-23h) propose un vaste choix de "plats de viande" végétariens.

Centre-ville. Toutes les adresses de cette rubrique figurent sur la carte *Centre de Hanoi*.

Soho (☎ 826 6555, 57 Pho Ba Trieu). La spécialité de ce restaurant chic mais à l'ambiance décontractée situé à environ 1 km au sud du lac Hoan Kiem, est la bouillabaisse franco-vietnamienne mais essayez aussi les différents plats du jour, servis en salle ou sous la véranda.

Quan Com Pho (☎ 943 2356, 29 Pho Le Van Huu ; plats à partir de 25 000 d ; tlj

10h30-14h et 16h30-22h). Vous dégusterez ici de l'excellente cuisine : les seiches au miel, cuites au barbecue, sont un vrai régal. À l'heure du déjeuner, les employés vietnamiens et étrangers prennent d'assaut les grandes salles à manger, installées sur plusieurs niveaux. Les toilettes sont d'une propreté parfaite.

Tiem Pho (48-50 Pho Hué). Dans cet établissement qui sert tard le soir, vous gouterez une divine soupe de nouilles au poulet (pho ga). À la diagonale, vous trouverez le **Restaurant 1, 2, 3** (☎ 822 9100, 55 Pho Hué ; plats 30 000 d) qui ressemble à un fast-food haut de gamme. Ses spécialités : le poisson au barbecue et la bouillie de poisson (chao), tous deux délicieux.

Cuisine gastronomique vietnamienne

Vieille ville. Club Opera (☎ 824 6950, 59 Pho Ly Thai To ; plats à partir de 6 \$US ; 11h-14h et 17h30-22h30). Installé en face du Sofitel Metropole Hotel, ce restaurant sert de la grande cuisine vietnamienne dans un cadre élégant à l'européenne. La carte se renouvelle en fonction des saisons.

Centre-ville. Brother's Cafe (☎ 733 3866, 26 Pho Nguyen Thai Hoc ; buffet midi/soir 5/10 \$US ; lun-sam 11h-14h et tlj 18h30-22h30). Installé dans la cour d'un temple bouddhiste bâti il y a deux siècles et demi et superbement restauré, ce restaurant propose le soir un buffet pour un prix très raisonnable incluant une boisson ; le menu de midi est également une bonne affaire. L'ambiance "harmonie avec la nature" voulue par le propriétaire, Khai (qui possède également la boutique chic Khai Silk), reste paisible, même en plein service.

Emperor (☎ 826 8801, 18B Pho Le Thanh Tong ; plats à partir de 5 \$US ; 11h-14h et 17h30-22h). Vous dégusterez ici de l'excellente cuisine en salle ou en terrasse à et jouerez au billard dans le bar branché. Un orchestre de **musique traditionnelle** anime les soirées du mercredi et du samedi de 19h30 à 21h30. Le mardi et le vendredi, de 20h à 22h, vous dînerez aux accents d'une musique latino.

Seasons of Hanoi (☎ 843 5444, 95B Pho Quan Thanh). Ce restaurant, installé dans une villa coloniale et meublé d'antiquités vietnamiennes et coloniales, est une autre

HANOI

adresse d'exception pour savourer la gastronomie vietnamienne.

Nam Phuong (☎ 824 0926, 19 Pho Phan Chu Trinh ; plats 60 000 d ; tlj 11h-14h et 17h30-22h). Situé dans une villa charmante, ce restaurant propose une cuisine authentique et savoureuse. Un **orchestre traditionnel** anime les soirées à partir de 19h30. La carte des vins est impressionnante.

Cuisine asiatique

Si vous voulez de la bonne cuisine chinoise et japonaise à Hanoi, attendez-vous à la payer cher. Les meilleures adresses sont généralement les restaurants des grands hôtels. Ainsi, le Sofitel Plaza Hotel propose tous les midis un buffet à volonté pour la somme de 10 $US. Le Mela Hotel propose quant à lui une formule équivalente s'élevant à 6 $US.

Vieille ville. De la Thaïlande à l'Inde, toute la palette de la cuisine asiatique est représentée dans la vieille ville.

Baan Thai Restaurant (☎ 828 1120, 3B Pho Cha Ca ; 30 000-60 000 d ; midi et soir). Idéalement situé, cet établissement a affiché une carte illustrée à l'entrée, ce qui s'avère pratique pour choisir ses plats.

Revival (☎ 824 1166, 41B Pho Ly Thai To). Si vous appréciez la cuisine indienne, essayez cet agréable restaurant proposant un service de livraison.

Tandoor (☎ 824 5359, 24 Pho Hang Be ; formule déj 52 000 d ; lun-sam midi et soir). Le Tandoor compense son manque d'ambiance par la saveur de ses plats.

Saigon Sakura (☎ 825 7565, 17 Pho Trang Thi) Pas de confusion : voici un restaurant japonais. Attendez-vous à débourser 10 à 15 $US pour des sushis et une soupe miso.

Centre-ville. Tao-Li (☎ 822 3535, 84 Tran Nhan Tong ; plats à partir de 6 $US ; tlj 11h30-14h et 18h-22h). Voici l'un des restaurants de l'Hotel Nikko. Il sert des spécialités du Sichuan.

Benkay Restaurant (☎ 822 3535, 84 Tran Nhan Tong ; formule déj à partir de 7 $US ; tlj 11h30-14h et 18h-22h), Selon les expatriés japonais, aucun restaurant n'égale cette adresse, située au 2ᵉ étage de l'Hotel Nikko.

Ky Y (☎ 978 1386, 29 Phu Dong Thien Vuong ; lun-sam midi et soir). Moins

onéreux, le Ky Y propose des sushis e des sashimis. Ce restaurant était ferm pour rénovation lors de notre passage espérons que la qualité sera toujours a rendez-vous.

Van Anh (☎ 928 5163, 5a Pho Tong Du Tan). Ce restaurant thaïlandais, tenu par u chef thaï, est entouré par la kyrielle de res taurants vietnamiens de Pho Cam Chi.

Cuisine européenne

Vieille ville. Les cafés pour touristes cité dans la rubrique *Agences de Voyages*, plu haut dans ce chapitre, offrent une bonn option aux budgets les plus serrés.

Kangaroo Cafe (☎ 828 9931, kangaroo @hn.vnn.vn, 18 Pho Bao Khanh). Ce café populaire, tout proche de la rive ouest d lac Hoan Kiem, est un lieu agréable ten par un couple d'Australiens qui sert d bons petits plats occidentaux à des pri vietnamiens. Reportez-vous à la rubrique *Agences de voyages* pour connaître les cir cuits proposés par cet établissement.

Restaurant-Café Linh Phung (☎ 92ε 0592, 7 Pho Dinh Liet ; plats à partir d 20 000 d). Cette adresse propose des plat vietnamiens et internationaux à des pri raisonnables.

Café des Arts (☎ 828 7207, 11B Pho Bao Khanh ; menus 7-10 $US ; de 9h à tarc dans la nuit). Semblable à une brasseriε parisienne, il règne dans cet établissemen sans prétention une bonne ambiance. De expositions temporaires et autres événe ments culturels y sont organisés.

Cyclo Bar & Restaurant (☎ 828 6844 38 Pho Duong Thanh ; formule déj 4 $US) Cet établissement mérite le détour, ne se rait-ce que pour le décor. Installé dans ur cyclo-pousse habilement transformé, vou y dégusterez d'honnêtes plats vietnamien et français. Le menu fixe du midi offre ur bon rapport qualité/prix.

La Salsa (☎ 828 9052, 25 Pho Nha Tho tlj de 10h30 à tard dans la nuit). Ce ba à tapas franco-canadien, très fréquente par les touristes et les Vietnamiens, s'es installé dans la rue branchée qui fait face à la cathédrale Saint-Joseph. Vous y dégus terez le jeudi, une délicieuse paëlla pou 110 000 d.

The Restaurant (The Press Club ; ☎ 934 0888, 59a Pho Ly Thai To ; plats environ 15 $US). Le meilleur restaurant de Hanoi selon l'opinion générale, mélange les mets fins vietnamiens et les recettes étrangères, le tout dans un cadre élégant. Essayez la fameuse sauce maison à base de haricots noirs et de cabernet sauvignon pour accompagner vos fruits de mer.

Le Restaurant d'Arthur (☎ 934 5238, *moreaux.d@fpt.vn, 17 Pho Ton Dan ; menu 4 plats 100 000 d ; lun-sam 8h-22h et dim 9h-19h*). Idéalement situé entre l'Opéra et la vieille ville, cet établissement propose de la cuisine française dans un cadre intime et sans prétention. L'épicerie au sous-sol prépare des sandwiches-baguette variés pour déjeuner sur le pouce.

Le Beaulieu Restaurant (☎ 826 6919 *poste 8028, 15 Pho Ngo Quyen*). Installé dans l'élégant Sofitel Metropole Hotel, voici sans doute le meilleur restaurant français de Hanoi. On y sert une authentique cuisine française dans un décor romantique.

Restaurant Bobby Chinn (☎ 934 8577, *1 Pho Ba Trieu ; plats 6-10 $US ; à partir de 10h*). Dans un cadre très chic, le chef de cet établissement mijote de la cuisine fusion (des ingrédients de premier choix alliant savamment l'art culinaire occidental et l'asiatique). Nous vous recommandons en particulier les superbes salades et les plats à base de saumon. Poussez les tentures de soie pour boire votre café, confortablement installé sur les divans et les coussins, au fond de la salle.

Plusieurs restaurants italiens ont ouvert dans la vieille ville.

Pepperonis Pizza & Cafe (☎ 928 5246, *29 Pho Ly Quoc Su ; pizzas 1,25-4 $US, pâtes 1,60 $US ; tlj à partir de midi*). À la carte, figurent de sympathiques plats de pâtes et des salades. Vous pouvez même vous faire livrer votre repas.

Mama Rosa (☎ 825 8057, *6 Pho Le Thai To ; pâtes et pizzas à partir de 50 000 d*). Face au lac Hoan Kiem se tient le Mama Rosa qui se donne un air plus chic que nécessaire avec ses serveurs en nœud papillon.

Mediterraneo Restaurant (☎ 826 6288, *23 Pho Nha Tho ; plats 5-7 $US ; tlj 10h30-22h30*). Les pâtes, pizzas et salades sont excellentes mais servies en portions congrues. N'hésitez pas à en redemander.

Jacc's (☎ 934 8325, *4ᵉ étage des Hanoi Towers, 49 Hai Ba Trung ; brunch dim 8 $US ; de 6h30 à minuit*). Principalement fréquenté par les expatriés, le Jacc's pro-

pose dans son patio lumineux une carte créative ainsi que des en-cas. Les amateurs de sport viennent regarder les événements sportifs, notamment australiens, retransmis à la télévision.

Centre-ville. **Al Fresco's** (☎ 826 7782, *23L Pho Hai Ba Trung ; menus 5-15 $US ; à partir de midi*). Tenu par des Australiens, ce restaurant propose des pizzas merveilleuses, de délicieux plats de côtes tex-mex et de belles salades. Nous vous conseillons les fajitas au poisson.

Verandah Bar & Café (☎ 825 7220, *9 Pho Nguyen Khac Can ; plats à partir de 5 $US ; 11h-14h et de 17h30 à tard dans la nuit*). Installé dans une jolie villa coloniale, ce restaurant affiche à son menu des enchiladas au poulet, du saumon fumé et des quiches. Vous pouvez simplement venir y prendre un verre, confortablement installé au bar, ou vous restaurer à l'étage ou sous la véranda.

Luna d'Autunno (☎ 823 7338, *11B Dien Bien Phu ; pizzas à partir de 55 000 d, pâtes fraîches à partir de 80 000 d, salades à partir de 30 000 d ; tlj midi et soir*). Cette adresse se spécialise dans la cuisine italienne éclectique et authentique. Installé à l'intérieur ou à l'extérieur, vous vous régalerez avec les antipasti et pâtes fraîches maison. Vous pouvez également vous faire livrer une pizza cuite au feu de bois. Associé au restaurant, le bar à vins voisin **Da Gino** fait office de galerie d'art à l'étage et de librairie italienne.

Hoa Sua (☎ 824 0448, *81 Pho Tho Nhuom ; menu déj vietnamien/français 25 000/65 000 d ; 8h-22h*). Nous vous conseillons chaudement d'aller déjeuner dans ce restaurant en plein air : vous vous régalerez de plats et de desserts franco-vietnamiens, et vous accomplirez un geste utile puisque le lieu est géré par une association qui accueille les enfants défavorisés et les forme aux métiers de l'hôtellerie. La boulangerie vend des pâtisseries à emporter. Un orchestre de musique classique anime le dîner du samedi et le déjeuner du dimanche.

Poissons et fruits de mer

Vieille ville. **La Brique** (☎ 928 5638, *6 Pho Nha Tho ; pain fourré 20 000 d, plats de poisson 60 000 d ; 9h-24h*). Sur l'artère face à la cathédrale Saint-Joseph, cette adresse offre une atmosphère détendue et un choix simple mais délicieux de produits de la mer. Nous vous recommandons le *cha ca* de poisson au barbecue et le poisson enrobé d'une feuille de bananier. L'établissement doit son nom aux murs de brique qui délimitaient autrefois un marché au poisson. En fond sonore, vous entendrez de la variété européenne.

San Ho Restaurant (☎ 822 2184, 58 Pho Ly Thuong Kiet ; tlj midi et soir) Installé dans une jolie villa, voici l'un des meilleurs restaurants de fruits de mer de Hanoi. Les prix reflètent ceux du marché, donc attendez-vous à débourser environ 100 000 d par personne.

Centre-ville. **Sam Son Seafood Market** (☎ 825 0780, 77 Pho Doc Bac). À la fois marché au poisson et restaurant, cet établissement se situe sur la rive du fleuve Rouge. Choisissez un poisson frétillant que vous dégusterez quelques minutes plus tard : fraîcheur garantie !

Cuisine végétarienne

Voici les rares restaurants strictement végétariens de Hanoi.

Tamarind Cafe & Fruit Juice Bar (Carte Vieille ville ; ☎ 926 0580, 80 Pho Ma May ; menus 2-4 $US ; 6h-24h). Au cœur de la vieille ville, vous savourerez dans la salle lumineuse et confortable de ce restaurant, des plats asiatiques, des jus de fruits frais et des pâtisseries.

Com Chay Nang Tam (Carte Centre de Hanoi ; ☎ 826 6140, 79A Pho Tran Hung Dao ; menus à partir de 20 000 d ; tlj 11h-13h30 et 17h-22h). À environ 1 km au sud-ouest du lac Hoan Kiem, cet établissement non-fumeurs est une véritable institution. Il tient sa réputation de ses succulentes créations culinaires, imitant des plats de viande. Quelques végétariens pourront s'en offusquer, mais il s'agit là d'une vieille tradition bouddhiste conçue pour mettre les non-végétariens à l'aise. L'entrée du restaurant se fait par une allée peu engageante, derrière des bâtiments. Une petite annexe du **Com Chay Nang Tam** a ouvert dans la vieille ville (79 Pho Hang Bac).

Bistros, cafés et glaciers

Vieille ville. Little Hanoi (2) (☎ 928 5333, 21 Pho Hang Gai ; sandwichs 30 000 d ; tlj 7h30-23h). Au nord-ouest du lac Hoan Kiem, le Little Hanoi, non apparenté au restaurant Little Hanoi (1), est un café très animé servant quelques plats typiques et des sandwichs délicieux.

Ily Café (☎ 826 0247, 97 Pho Ma May ; soupes et salades 25 000-30 000 d ; tlj 19-23h). Cette adresse compte parmi les plus sympathiques de la ville, surtout quand quelqu'un se met au piano.

69 Bar-Restaurant (☎ 926 0452, 69 Pho Ma May ; menus à partir de 30 000 d ; tlj 10h-24h). Installé dans une ancienne maison vietnamienne superbement restaurée, ce bar reste ouvert tard, ce qui en fait l'endroit idéal pour boire un dernier verre.

Thuy Ta Cafe (☎ 825 1907, 1 Pho Le Thai To ; pâtisseries 5 000 d, menus 40 000 d ; 6h-23h). Ce café est toujours bondé, mais, si vous avez de la chance, vous pourrez vous installer à l'ombre dans le jardin, qui borde le lac Hoan Kiem.

À l'autre bout du lac, allez prendre un verre dans le superbe patio du **Dak Linh Cafe** (☎ 828 7043).

Il règne toujours une bonne ambiance au **Puku** (☎ 928 5244 ; à l'étage du 60 Pho Hang Trong ; petit déj 25 000-35 000 d ; 7h-22h), au décor original.

Les sandwichs créatifs et les jus de fruits frais du **No Noodles** (☎ 928 5969, 20 Pho Nha Chung ; sandwichs à partir de 25 000 d) sont à consommer sur place ou à emporter.

Café Le Malraux (☎ 928 6203, 6 Nha Tho ; petit déj français 55 000 d ; toute la journée). Cet élégant café sert repas et pâtisseries. Le gérant, français, passe toujours de la variété française et s'occupe également d'une boutique de meubles en rotin, ce qui explique la variété de sièges confortables.

Trung Nguyen (☎ 926 0473, 20 Pho Hang Mam). Cet établissement appartient à une chaîne de cafés populaires de HCMV. Le café servi provient des hauts plateaux du centre du Vietnam. Les balcons des 2e et 3e étages offrent une vue plongeante sur la rue.

Des **petits cafés** sympathiques et chaotiques jalonnent Pho Hang Hanh. Vous pourrez vous installer à l'un des balcons pour observer l'animation de la rue.

Fanny (☎ 828 5656, 48 Pho Le Thai To). Situé face au lac et à la poste centrale, ce glacier très réputé concocte des glaces et des crêpes "franco-vietnamiennes". En saison, ne manquez pas de goûter la glace au *com* (riz), un parfum exquis extrait de pousses de riz gluant.

Des cafés chics ont élu domicile près de l'Opéra.

Au Lac (☎ 825 7807, 57 Pho Ly Thai To). Installée dans une charmante cour devant une demeure coloniale, cette maison sert d'excellents repas légers ; c'est l'une des meilleures adresses pour savourer un bon café.

Diva (☎ 934 4088 ; petit déj 15 000 d, repas légers à partir de 35 000 d ; tlj 7h-24h). À quelques pas de là se dresse un autre établissement de style colonial, qui vous servira en salle ou en terrasse.

The Deli (The Press Club Deli ; ☎ 934 0888, 59A Pho Ly Thai To ; sandwichs gourmets à partir de 3 $US, formule déj à partir de 5 $US). Installée au Press Club, cette boulangerie-traiteur propose un service en salle et à emporter.

Paris Deli (☎ 934 5269, 2 Pho Phan Chu Trinh ; repas légers à partir de 30 000 d ; 7h30-23h). En face de l'Opéra, ce bistro parisien fabrique d'excellents sandwichs-baguette et pâtisseries que vous pourrez vous faire livrer.

Kem Trang Tien (54 Pho Trang Tien). Situé entre l'Opéra et le lac Hoan Kiem, ce glacier est sans doute le plus couru de la ville. Les gens font la queue sur le trottoir pour s'offrir ses délicieuses crèmes glacées, que vous pourrez également goûter dans le café climatisé voisin.

Centre-ville. Café Pho Cu Xua (☎ 928 5749 ; 195 Pho Hang Bong ; 11h-19h), Ne vous fiez pas à la devanture de ce café très prisé des jeunes cadres : il possède un joli petit jardin à l'arrière où prendre un café, une crème glacée ou un cocktail.

Kinh Do Cafe (☎ 825 0216, 252 Pho Hang Bong ; repas légers 20 000 d ; tlj 7h-22h). Proche du centre-ville, cet établissement propose d'excellents yaourts, pâtisseries françaises et café du pays. Sachez que c'est là que Catherine Deneuve venait prendre son café du matin pendant le tournage du film *Indochine*. Le patron parle couramment français.

Koto (☎ 747 0338, www.streetvoices.com .au, 61 Pho Van Mieu ; jus de fruits à partir

de 20 000 d ; tlj 6h30-16h). Koto est en fait l'acronyme pour "Know One, Teach One". Créé par une association visant à former et encadrer des enfants des rues, cet établissement, sans prétention mais confortable, propose des sandwichs et des gâteaux délicieux, du vrai café, des cocktails de fruits frais et d'autres délices diététiques. C'est l'endroit idéal pour recharger vos batteries avant ou après la visite du temple de la Littérature, juste derrière.

The Deli (Carte Agglomération de Hanoi ; ☎ 846 0007, 18 Pho Tran Huy Lieu). Près du lac Giang Vo, à l'extérieur de la ville, The Deli prépare des sandwichs savoureux que vous paierez environ 1,20 $US.

Restaurants de rue

Pour allier gastronomie et découverte des sites, il vous suffira d'explorer les rues suivantes, figurant sur la carte *Centre de Hanoi*.

Cam Chi. À environ 500 m au nord-est de la gare ferroviaire de Hanoi, Cam Chi est une rue très étroite, presque une ruelle, bondée de **petites échoppes** proposant cuisine délicieuse et très bon marché. Les cartes sont rédigées uniquement en vietnamien et le confort laisse à désirer mais vous ferez un mini-banquet pour 2 $US ! Cam Chi signifie "interdit de montrer du doigt". Ce nom fut donné à la rue il y a plusieurs siècles pour rappeler à ses habitants qu'ils ne devaient pas pointer d'un doigt curieux le roi et sa cour lorsque ceux-ci se déplaçaient dans le quartier.

Pho Mai Hac De et Pho To Hien Thanh. Au sud du centre-ville se trouve une concentration de **restaurants** sur Pho Mai Hac De. Cette artère croise Pho To Hien Thanh, où se sont installés des établissements spécialisés dans les poissons et les fruits de mer.

Duong Thuy Khue. Sur la rive sud du Ho Tay, Ð Thuy Khue regroupe une trentaine de **restaurants de poissons et fruits de mer** en plein air, au bord du lac. L'endroit, situé sur la route de la pagode Ho Tay, est très prisé des habitants de Hanoi et la concurrence y fait rage, si l'on en juge par les rabatteurs qui se jettent presque sous les roues des voitures pour guider les clients

HANOI

jusqu'à leur table. On s'y restaure bien pour environ 6 $US par personne.

Pho Nghi Tam. À environ 10 km au nord du centre, le long de la digue qui sépare le lac de l'Ouest du Song Hong (fleuve Rouge), une soixantaine de **restaurants de viande de chien** (*Carte Agglomération de Hanoi ; repas à partir de 30 000 d*) bordent Pho Nghi Tam sur 1 km. Même si vous n'avez aucune envie de goûter du chien, la promenade mérite le détour le dernier jour du mois lunaire : les habitants de Hanoi croient en effet que consommer cette viande pendant la première moitié du mois lunaire porte malheur ; ils désertent alors ces restaurants, dont la plupart restent d'ailleurs fermés. Les affaires reprennent pendant la seconde moitié du mois et les clients se bousculent le dernier jour, particulièrement favorable. Le soir, des milliers de motos encombrent la rue et les rabatteurs se jettent littéralement sur vous pour vous vanter les vertus de leur établissement.

Magasins d'alimentation

Vieille ville. Vous trouverez la meilleure sélection de produits alimentaires occidentaux au **Fivimart** (*210 Tran Quang Khai ; tlj 8h-21h*).

Le supermarché **Intimex**, situé sur la rive ouest du lac Hoan Kiem, à l'opposé de la poste centrale, offre également un vaste choix ; l'entrée se fait par une allée, derrière l'institut de beauté Clinique.

Vous trouverez de quoi grignoter et vous désaltérer à l'occidentale à l'épicerie **Trung Tal Thuong Mai** (*7 Pho Dinh Tien Hoang ; tlj 8h-12h et 13h30-19h*), qui possède une entrée côté lac et une autre sur la rue parallèle.

Le supermarché **Citimart** (*rez-de-chaussée des Hanoi Towers, 49 Hai Ba Trung*) est bien fourni en produits alimentaires d'importation.

Centre-ville. Pour effectuer des petites courses, il faut se rendre au **Hanoi Star Mart** (☎ *822 5999, 60 Pho Ngo Thi Nham*), l'un des meilleurs mini-supermarchés de la ville. Une petite succursale a ouvert ses portes à côté du Energy Hotel, au 30 Pho Ly Thai To.

L'épicerie **Western Canned Foods** (*Pho Ba Trieu*) se spécialise dans les conserves,

mais vous y trouverez aussi des produits alimentaires secs ou frais.

On peut aussi s'approvisionner en légumes frais au **Hom Market**, au sud du centre-ville, à l'angle de Pho Hué et de Pho Tran Xuan Soan.

OÙ SORTIR
Pubs et bars

Sauf indication contraire, les endroits qui suivent figurent tous sur la carte de la vieille ville.

Lieu de rendez-vous favori du célèbre Minsk Club de Hanoi, le **Highway 4** (☎ *926 0639, 5 Pho Hang Tre*) est l'endroit idéal pour découvrir, dans un décor évoquant des pentes montagneuses accidentées, les vertus mystiques, médicinales, apaisantes (et enivrantes) du *ruou*, l'alcool de riz vietnamien – goûtez les variétés aux fruits, très parfumées. Vous y trouverez aussi des informations sur les circuits à moto envisageables au Vietnam.

Niché dans la vieille ville et tenu par un guide à moto franco-vietnamien du nom de Fredo-Binh, le plaisant **Bar Le Maquis** (☎ *828 2598, 2A Pho Ta Hien*) est l'une des rares adresses du quartier à rester ouverte après 23h.

Le **Funky Monkey** (☎ *928 6113, 15B Pho Hang Hanh*), l'une des adresses favorites des adultes larges d'esprit, propose bar, table de billard, musique forte et cocktails très alcoolisés. Il est particulièrement animé les vendredi et samedi soirs.

Proches de l'angle nord-ouest du lac Hoan Kiem, deux pubs voisins, le **GC** (☎ *825 0499, 5 Pho Bao Khanh*) et le **Polite Club** (☎ *825 0959*), sont très appréciés et connus pour leur heure de fermeture tardive.

La **R&R Tavern** (☎ *9710498, 47 Pho Lo Su*) est tenue par un couple américanovietnamien, toujours disposés à bavarder et à vous faire écouter une sélection des Grateful Dead, la plus complète du Sud-Est asiatique. Ils préparent également des petits plats faits maison. Si vous rentrez tard dans la nuit ou vous levez tôt, vous apprécierez leur petit déjeuner avec de vrais pancakes au babeurre.

Le **Met Pub** (☎ *826 6919 poste 8857*) se trouve dans une nouvelle aile du Sofitel Metropole Hotel. Cet endroit agréable propose une cuisine délicieuse et la meilleure sélection de bières de la ville, mais gare aux prix !

Le **Spotted Cow** (voir la carte Centre de Hanoi ; ☎ 824 1028, 23C Pho Hai Ba Trung), un pub australien branché d'où partent de nombreuses courses d'orientation des Hash House Harriers.

Discothèques

Si vous voulez voir se trémousser les jeunes cadres dynamiques vietnamiens, vous aurez le choix entre plusieurs discothèques. Ces établissements ayant une fâcheuse tendance à être rapidement dépassés, renseignez-vous pour connaître les derniers endroits à la mode. La plupart des discothèques exigent un droit d'entrée de 4 $US environ.

Dans la vieille ville, le **New Century Nightclub** (☎ 928 5285, 10 Pho Trang Thi) fait actuellement fureur. Vous pourriez vous croire à New York, Paris ou Londres.

Tenu par la même famille que son homonyme d'HCMV, le fameux **Apocalypse Now** (Carte Centre de Hanoi ; ☎ 971 2783, 5C Pho Hoa Ma ; de 9h à tard dans la nuit) bat son plein le week-end. Sa clientèle chic apprécie visiblement la musique tonitruante. Le bar ferme lorsque les derniers clients partent.

Concerts de jazz

Le **Jazz Club By Quyen Van Minh** (Carte Vieille ville ; Cau Lac Bo ; ☎ 825 7655, 31-33 Pho Luong Van Can ; sessions tlj 20h30-23h30) fera votre bonheur si vous êtes friand de jazz. Le propriétaire, Minh, professeur de saxophone au conservatoire de Hanoi, se produit ici en compagnie des musiciens les plus divers, depuis ses élèves jusqu'à son talentueux fils en passant par des jazzmen de réputation internationale.

Musique traditionnelle

Les meilleurs endroits pour entendre un concert de musique traditionnelle restent les restaurants vietnamiens chics du centre-ville, comme le **Club Opera**, le **Nam Phuong** ou le **Cay Cau** (au De Syloia Hotel).

Le **temple de la Littérature** accueille également tous les jours des concerts.

Musique classique

Construit en 1911, le magnifique **Opéra de Hanoi** (Nha Hat Lon ; carte Vieille ville ; ☎ 825 4312, Pho Trang Tien), dont la salle peut accueillir 900 personnes, se trouve à l'extrémité est de Pho Trang Tien, à l'angle de Pho Bao Khanh. Il a subi pendant trois ans de minutieux travaux de restauration qui viennent de prendre fin. C'est depuis l'une de ses loges qu'une délégation annonça, le 16 août 1945, la prise de la ville par les Viet-Minh. Des spectacles sont donnés régulièrement en soirée, dans une fabuleuse atmosphère de grandeur passée. Feuilletez le Guide ou Time Out pour vous tenir au courant des programmes.

Cinémas

L'endroit le plus récent et le meilleur pour voir des films étrangers est le **Centre national de cinématographie** (Carte Agglomération de Hanoi ; ☎ 514 1114, 87 Pho Lang Ha). Le **Fanslands Cinema** (Carte Centre de Hanoi ; ☎ 825 7484, 84 Pho Ly Thuong Kiet) passe aussi des films occidentaux.

Les francophones profiteront des programmes de l'**Alliance française de Hanoi** (☎ 826 6970, 42 Pho Yet Kieu), dont le déménagement Pho Trang Tien est prévu courant 2003.

En face du bureau de la Police de l'immigration se tient le **Thang 8 Cinema** (Carte Centre de Hanoi ; Pho Hang Bai), qui programme de temps à autre des longs métrages étrangers.

Cirque

Les spectacles du **cirque central** (Rap Xiec Truong Uong ; carte Centre de Hanoi ; entrée 2,50 $US ; spectacle mar-dim 20h, dim 9h) se déroulent sous un immense chapiteau à proximité de l'entrée nord du parc Lénine (Cong Vien Le Nin). Une représentation spéciale pour les enfants a lieu le dimanche matin. Le cirque reste l'une des traditions russes encore vivantes au Vietnam. La plupart des artistes (acrobates, jongleurs, dresseurs de fauves…) ont appris leur métier dans les pays de l'Est. Les nouvelles recrues reçoivent aujourd'hui l'enseignement de leurs aînés vietnamiens.

Marionnettes aquatiques

À Hanoi se déroulent les plus beaux spectacles de cet art fantastique, originaire du nord du pays (voir l'encadré Le théâtre de marionnettes aquatiques).

Le **théâtre municipal des Marionnettes aquatiques** (Roi Nuoc Thang Long ; carte Vieille ville ; ☎ 825 5450, 57B Pho Dinh

Le théâtre de marionnettes aquatiques

L'art millénaire des marionnettes sur eau (*roi nuoc*) demeura confiné au nord du Vietnam jusque dans les années 1960. C'était à l'origine un passe-temps des paysans, qui passaient une grande partie de leurs journées dans les rizières et considéraient la surface de l'eau comme une scène toute trouvée (selon une autre version, ils furent contraints d'adapter l'art des marionnettes tradition-nelles à la suite d'une inondation du delta du fleuve Rouge).

Ces paysans sculptaient les marionnettes dans du bois de figuier (*sung*), matériau résistant à l'eau. Celles-ci figuraient des habitants de leur village, les animaux de leur ferme ou des créatures mythiques telles que le dragon, le phénix ou la licorne. Les spectacles avaient lieu sur des étangs, des lacs ou des rizières inondées.

D'anciens textes d'érudits racontent que, sous les dynasties Ly et Tran (1010-1400), ce simple passe-temps villageois fut élevé au rang de spectacle de cour. Puis il disparut presque entièrement, avant de renaître lors de l'ouverture, à Hanoi, du théâtre central de marionnettes aquatiques.

Les spectacles sont aujourd'hui donnés au-dessus d'un bassin de forme carrée, qui constitue la "scène". L'eau est sombre, dans le but de dissimuler les mécanismes actionnant les marionnettes. Recouvertes d'une peinture brillante à base de pigments végétaux, celles-ci peuvent mesurer jusqu'à 50 cm de long et peser jusqu'à 15 kg. Leur vie n'excédant pas trois à quatre mois quand elles servent en continu, leur fabrication occupe à plein temps plusieurs villages des environs de Hanoi.

Chaque représentation nécessite 11 marionnettistes, qui ont suivi une formation d'au moins trois ans. Plongés dans l'eau jusqu'à la taille, ils sont dissimulés derrière un écran de bambou. Ils souf-fraient autrefois de différentes affections liées à leur longue présence dans l'eau, mais aujourd'hui ils portent des combinaisons qui leur évitent ces maladies professionnelles.

Certaines marionnettes sont simplement fixées à de longues tiges de bambou ; d'autres sont placées sur une base flottante, elle-même fixée à une tige. Elles ont pour la plupart des membres et une tête articulés, et parfois un gouvernail pour les diriger. Il peut y avoir jusqu'à trois tiges pour une seule marionnette et, dans la demi-pénombre, on a l'impression de les voir littéralement marcher sur l'eau. Les techniques complexes de manipulation des marionnettes, gardées secrètes par tradition, ne se transmettaient que de père en fils (jamais de père en fille, pour éviter, si elles se mariaient à un homme étranger au village, qu'elles ne lui livrent leur secret).

La musique a autant d'importance que l'action qui se déroule sur scène. L'orchestre se compose de flûtes en bois (*sao*), de gongs (*cong*), de tambours (*trong com*), de xylophones en bambou et du *dan bau*, un étonnant instrument à une seule corde dont la caisse est taillée dans l'écorce séchée d'un concombre chinois, le *bau*. Une tige souple en bambou, fixée à une extrémité de la caisse, modifie la tension de la corde, produisant des sons étranges et obsédants.

Le spectacle se compose d'une succession de tableaux évoquant aussi bien des scènes de la vie quotidienne que des légendes expliquant les origines de divers phénomènes naturels et sociaux, de la formation des lacs à celle des États. Une scène mémorable représente la culture du riz, où la pousse du riz ressemble à un film en accéléré et où les scènes de récolte sont à la fois frénétiques et gracieuses. Un autre tableau, décrivant la bataille entre un pêcheur et sa proie, est si réaliste qu'on a l'impression que le poisson est vivant. On verra aussi des dragons crachant le feu (feu d'artifice compris), une course-poursuite entre un jaguar, une troupe de canards et leur gardien, et un garçon jouant de la flûte sur le dos d'un buffle.

Le spectacle est divertissant et l'eau met merveilleusement l'intrigue en valeur, en permettant aux marionnettes d'apparaître et de disparaître comme par magie. Attention aux éclaboussures dans les premiers rangs.

Tien Hoang ; entrée 10 000-40 000 d/0,60-2,60 \$US ; taxes appareil photo/caméscope 10 000/50 000 d ; spectacles tlj 18h30 et 20h, dim 9h30) se situe au bord du lac Hoan Kiem. Les tarifs les plus élevés donnent droit aux meilleures places et à une cassette audio en souvenir. Les éven-tails et les programmes multilingues sont gratuits. En lisant les titres des vignettes, vous suivrez mieux le spectacle.

ACHATS

Que vous souhaitiez ou non faire des achats, vous croiserez certainement des enfants, petits vendeurs de cartes postales et de plans de la ville. Ils sont omniprésents dans tout le pays mais, à Hanoi, beaucoup sont orphelins, comme en atteste la carte spéciale qu'ils vous montreront. N'oubliez pas qu'ils triplent souvent les prix et n'hésitez pas à marchander gentiment.

Marchés

Le **marché Dong Xuan** s'élève sur 3 étages, à 900 m au nord du lac Hoan Kiem. En 1994, un incendie le détruisit, faisant cinq victimes. Depuis sa reconstruction, le marché, véritable attraction touristique, compte des centaines de stands et occupe près de 3 000 personnes.

Près de la cathédrale Saint-Joseph, le petit **marché Hang Da, proche de l'église protestante,** propose des produits alimentaires importés, de la bière, du vin et des fleurs. Le 2e étage comporte un choix d'étoffes et de prêt à porter.

Au nord-est de l'angle de Pho Hué et de Pho Tran Xuan Soan se tient le **marché Hom** (*Carte Centre de Hanoi*), qui offre essentiellement des produits alimentaires d'importation. Si vous avez l'intention de vous faire faire des vêtements, ce marché est l'endroit idéal pour l'achat de vos tissus.

À quelques pâtés de maisons au nord de la gare ferroviaire de Hanoi se tient le **marché Cua Nam**, dont le principal intérêt du réside dans les fleurs. En revanche, Ð Le Duan, artère reliant la gare au marché, regorge de boutiques d'articles ménagers. Une adresse à retenir si vous vous installez à Hanoi.

À quelques kilomètres du centre-ville, sur la route de l'aéroport, se trouve le **marché aux fleurs** (Cho Hoa), en ébullition autour de 5h. Ceux qui s'y rendent vers 7h peuvent malgré tout profiter de la multitude de couleurs et de parfums. Charger une énorme quantité de fleurs coupées sur un vélo ou une moto requiert un véritable savoir-faire – conduire également, puisqu'elles bouchent la vue du conducteur !

Assez loin au sud du centre-ville, le **marché Mo** occupe Pho Bach Mai et Pho Minh Khai. Ses marchandises, viande, poisson, fruits et légumes, intéressent plus les résidents que les touristes.

Également éloigné mais pour sa part au nord-ouest de la ville, le **marché Buoi** est célèbre pour ses animaux vivants (canards, poulets, etc.) et ses plantes d'ornement. Ces dernières sont de meilleure qualité aux jardins situés devant le temple de la Littérature.

Boutiques

À l'angle nord-ouest du lac Hoan Kiem, Pho Hang Bong et Pho Hang Gai regroupent un certain nombre de boutiques où l'on vend des tee-shirts imprimés ou brodés à l'effigie de Ho Chi Minh, ainsi que des couvre-chefs vietcong – des tenues que réfugiés vietnamiens et anciens combattants aujourd'hui émigrés en Occident n'apprécient pas toujours.

Pho Hang Gai et Pho Hang Bong sont également des rues renommées pour le linge de maison brodé, les tee-shirts et les tentures. Pho Hang Gai est également l'endroit idéal pour se faire tailler un vêtement sur mesure. Promenez-vous dans Pho Hang Dao, juste au nord du lac Hoan Kiem, pour trouver une montre russe à emporter en souvenir.

Si vous n'avez pas l'intention de vous rendre à Sapa, vous trouverez à Hanoi même un vaste choix de **costumes ethniques** et d'**objets artisanaux** : promenez-vous le long de Pho Hang Bac ou Pho To Tich, où se concentrent une dizaine de boutiques. **Craft Link** (*Carte Centre de Hanoi* ; ☎ 843 7710, 43 Pho Van Mieu) est une organisation à but non lucratif qui achète de l'artisanat et des tissus de bonne qualité aux prix du marché et finance des projets communautaires au profit des artisans.

Vous trouverez un extraordinaire **marché aux chaussures** (*Pho Hang Dau*) au nord-est du lac Hoan Kiem. N'espérez cependant pas trouver de grandes pointures occidentales.

Si vous recherchez des **CD** et **DVD** (généralement proposés à 2 $US), sachez que plusieurs boutiques sur Pho Hang Bong et Pho Trang Tien en vendent. Ils sont piratés et leur commerce n'est donc pas légal.

Dans Pho Trang Tien, de nombreuses boutiques fabriquent en dix minutes des **lunettes** incroyablement bon marché.

Boutiques de stylistes

Près de la cathédrale Saint-Joseph, **La Boutique and the Silk** (*Carte Vieille ville ;*

☎ 928 5368, 6 Pho Nha Tho) mérite une petite visite. Les créations originales s'inspirent des costumes portés par les minorités ethniques du Vietnam et sont fabriquées à partir de soieries laotiennes de haute qualité.

Khai Silk (Carte Vieille ville ; ☎ 825 4237, khaisilk@fpt.vn, 96 Pho Hang Gai) propose aussi des vêtements en soie. Son propriétaire, Khai, parle couramment français et anglais. L'enseigne dispose de succursales dans les hôtels chics Sofitel Metropole et Nikko.

Ipa-Nima (☎ 942 1872, 59G Pho Hai Ba Trung) propose une fabuleuse collection de vêtements ainsi que des petits hauts et accessoires brodés de perles assez kitsch.

Plusieurs belles **boutiques de meubles** bordent Pho Nha Tho.

Galeries

Dans l'espoir d'attirer les acheteurs, les jeunes artistes exposent leur œuvres dans des galeries d'art privées. Les plus élégantes ont élu principalement domicile dans Pho Trang Tien, entre le lac Hoan Kiem et l'Opéra. Les prix vont de quelques dizaines à plusieurs milliers de dollars, et le marchandage est de rigueur.

Plusieurs galeries sont regroupées dans la vieille ville à l'angle de Pho Trang Tien et Pho Ngo Quyen. La **Gallery Huong Xuyen** (www.huongxuyengallery.com) vend aussi de belles cartes de vœux ; la **A Gallery** (www.vietnamesepainting.com) anime des expositions permanentes et temporaires, et la **Hanoi Contemporary Art Gallery** (www.hanoi-artgallery.com) expose des collections de céramiques et de tableaux. Juste en face, la **Nam Son Art Gallery** (namson@fpt.vn) possède une collection intéressante d'œuvres contemporaines.

Non loin du Dan Chu Hotel, vous trouverez les célèbres galeries **Hanoi Studio** et **Van Gallery** (www.vangallery.com).

Vous trouverez un vaste choix de posters de propagande (avec traduction des slogans) à la **Hanoi Gallery** (110 Hang Bac ; tlj 9h-20h), dans la vieille ville, qui vous offrira un tube pour le transport ou l'expédition.

Artisanat et antiquités

Plusieurs boutiques se spécialisent dans l'artisanat moderne et ancien (notamment laques, mobilier incrusté de nacre, céra-miques, statuettes en bois de santal…), les aquarelles, les peintures à l'huile, les gravures et les antiquités (vraies ou fausses). Pho Hang Gai, Pho To Tich, Pho Hang Khai et Pho Cau Go constituent un bon terrain de recherche pour qui souhaite rapporter un souvenir ancien ou artisanal.

Dans un immense entrepôt, **Furniture Gallery** (Carte Vieille ville ; ☎ 826 9769, 8B Pho Ta Hien) propose des antiquités, des tableaux, des meubles et des objets d'artisanat.

Non loin, **Vietnamese House** (☎ 826 2455, 92 Hang Bac) est une petite boutique agréable qui vend tout un bric-à-brac neuf et ancien.

Plusieurs **magasins d'antiquités**, affichant pour la plupart des tarifs excessifs, se succèdent dans Đ Le Duan, face au Nikko Hotel (Carte Centre de Hanoi).

COMMENT S'Y RENDRE
Avion

Les vols internationaux directs sont moins nombreux à Hanoi qu'à HCMV. Cependant, avec un changement à Bangkok ou à Hong Kong, presque toutes les destinations sont accessibles. Pour plus de renseignements sur les vols internationaux, reportez-vous au chapitre Comment s'y rendre.

Vous trouverez ci-après la liste des compagnies aériennes internationales possédant un bureau de réservation à Hanoi, de même que les coordonnées d'agents chargés de plusieurs compagnies. L'emplacement des agences est indiqué sur les cartes de ce chapitre.

Air France (Carte Vieille ville ; ☎ 825 3484/824 7066, fax 826 6694)
1 Pho Ba Trieu
All Nippon Airways (☎ 934 7237, fax 934 7299) 25 Pho Ly Thuong Kiet
British Airways (☎ 934 7239, fax 934 7242) 25 Pho Ly Thuong Kiet
Cathay Pacific Airways (Carte Vieille ville ; ☎ 826 7298, fax 826 7709)
Hanoi Towers, 49 Hai Ba Trung
China Airlines (☎ 824 2688, fax 824 2588) 18 Pho Tran Hung Dao
China Southern Airlines (☎ 771 6611, fax 771 6600) 360 Kim Ma
Emirates Airline (☎ 934 7240, fax 934 7242) 25 Pho Ly Thuong Kiet
Japan Airlines (☎ 826 6693, fax 826 6698) 63 Pho Ly Thai To

Korean Air (☎ 934 7236, fax 934 7235)
 25 Pho Ly Thuong Kiet
Malaysia Airlines (Carte Vieille ville ;
 ☎ 826 8820, fax 824 2388)
 Sofitel Metropole Hotel, 15 Pho Ngo Quyen
Qantas Airways (☎ 974 7238, fax 974 7242)
 25 Pho Ly Thuong Kiet
Singapore Airlines (Carte Vieille ville ;
 ☎ 826 8888, fax 826 8666)
 17 Pho Ngo Quyen
Thai Airways (Carte Vieille ville ;
 ☎ 826 6893, fax 826 7934)
 Melia Hotel, 44B Pho Ly Thuong Kiet
Vasco (☎ 827 1707, fax 827 2705)
 Aéroport de Gia Lam
Vietnam Airlines (Carte Vieille ville ;
 ☎ 942 0848, fax 942 0846)
 94 Pho Quang Trung

Bus

Hanoi possède plusieurs gares routières,
chacune desservant une région particulière. Elles sont généralement bien organisées, avec guichets, tableaux des horaires
et tarifs. Si vous comptez voyager en bus,
mieux vaut vous renseigner et acheter
votre billet 24 heures à l'avance.

C'est en centre-ville, de la **gare routière
de Kim Ma** (*Ben Xe Kim Ma ; carte* Centre
de Hanoi *; angle Pho Nguyen Thai Hoc et
Pho Giang Vo*), que partent les bus vers Lao
Cai, Sapa, Dien Bien Phu et autres destinations du Nord-Ouest.

Les bus ralliant le Nord-Est partent de
la **gare routière de Gia Lam** (*Ben Xe Gia
Lam*). Les destinations comprennent la
baie d'Along, Haiphong et Lang Son, près
de la frontière chinoise. La gare se trouve
à 2 km au nord-est du centre-ville, au-delà
du fleuve Rouge. Les cyclo-pousse ne traversent pas le pont et vous devrez vous y
rendre à moto ou en taxi.

Dans le même quartier, la **gare routière
de Giap Bat** (*Ben Xe Giap Bat ; carte* Agglomération de Hanoi), à 7 km au sud de
la gare ferroviaire de Hanoi, dans Đ Giai
Phong, dessert les localités situées au sud
de Hanoi, y compris HCMV.

Au sud-ouest de Hanoi, la **gare rou-
tière de Son La** (*Ben Xe Son La ; km 8,
Pho Nguyen Trai*), près de l'Université de
Hanoi, est aussi le port d'attache des bus à
destination/en provenance du Nord-Ouest
(Hoa Binh, Mai Chau, Son La, Tuan Giao,
Dien Bien Phu et Lai Chau). La plupart des
touristes se rendant vers ces destinations

trouveront la gare routière de Kim Ma bien
plus pratique.

Minibus

La plupart des cafés et des hôtels de la ville
se chargent des réservations dans les minibus touristiques. Parmi les destinations les
plus demandées figurent la baie d'Along
et Sapa.

Des minibus partent fréquemment de la
gare routière de Gia Lam vers Haiphong
(25 000 d ; 2 heures), de 5h à 18h environ.
Ils ne quittent Hanoi que lorsqu'ils sont
pleins à craquer. À Haiphong, les minibus
partent de la gare de Tam Bac.

Train

La **gare principale de Hanoi** (*Ga Hang
Co ; ☎ 825 3949, 120 Đ Le Duan ; guichets
7h30-12h30 et 13h30-19h30*) se trouve à
l'extrémité ouest de Pho Tran Hung Dao.
Les trains qui en partent se dirigent vers
le Sud. Les étrangers peuvent retirer leurs
billets au guichet n°2, où le personnel parle
anglais. Il est préférable d'acheter son billet
au moins un jour à l'avance pour s'assurer
une place assise ou une couchette.

Les billets des trains à destination du
Nord, de Lao Cai (pour Sapa) et de la
Chine se prennent aux guichets spéciaux,
à droite de l'entrée principale. Seul le guichet n°13 vend des billets pour la Chine.

Vous n'achèterez pas forcément le billet
là où vous prendrez le train : juste derrière
la gare principale, ou gare A, de Đ Le
Duan, la **gare Tran Quy Cap** (*gare B, Pho
Tran Quy Cap ; ☎ 825 2628*) accueille les
trains à destination du Nord.

Pour compliquer encore un peu les
choses, certains trains desservant le Nord
(Viet Tri, Yen Bai, Lao Cai, Lang Son) et
l'Est (Haiphong) partent des gares de **Gia
Lam**, à l'est du fleuve Rouge, et de **Long
Bien** (*☎ 826 8280*), située côté ouest (c'est-
à-dire côté ville) N'oubliez surtout pas de
vous faire préciser la gare de départ lors
de l'achat de votre billet. Vous pouvez
essayer de vous renseigner par téléphone,
mais sans garantie de tomber sur un opérateur qui parlera votre langue. Le billet peut
s'acheter à la gare principale jusqu'à deux
heures avant le départ ; autrement, il faut
se rendre directement à la gare de départ.

Renseignez-vous sur les horaires auprès
de **Vietnam Rail** (*Duong Sat Viet Nam ;*

HANOI

www.vr.com.vn). Pour plus d'informations sur les trains, consultez le chapitre *Comment s'y rendre.* Pour les trains vers Haiphong, reportez-vous à la rubrique consacrée à cette ville, dans le chapitre *Le Nord-Est.*

Voiture et moto

Pour louer une voiture avec chauffeur, adressez-vous à un hôtel, un café de voyageurs ou une agence de voyages. Si dans le Nord-Est les routes principales sont à peu près bonnes, certaines du Nord-Ouest sont dans un état pitoyable. Vous aurez certainement besoin d'un véhicule tout-terrain ou d'une jeep.

Un circuit de six jours dans une jeep russe coûte en moyenne 180 \$US, location du véhicule, essence et service d'un chauffeur compris. Ces vieilles guimbardes n'accueillent que deux passagers et sont inconfortables à souhait : selon la saison, vous serez poussiéreux et en sueur, ou trempé et frissonnant. Si vous choisissez un 4x4 plus confortable, japonais ou coréen, comptez au moins le double. N'hésitez pas à faire préciser si les tarifs incluent le logement et les repas du chauffeur.

Voici certaines distances terrestres calculées au départ de Hanoi :

destination	distance (en km)
Along	165
Parc national de Ba Be	240
Bac Giang	51
Bac Ninh	29
Bach Thong (Bac Can)	162
Cam Pha	190
Cao Bang	272
Da Bac (Cho Bo)	104
Danang	763
Dien Bien Phu	420
Ha Dong	11
Ha Giang	343
Hai Duong	58
Haiphong	103
Hoa Binh	74
Ho Chi Minh-Ville	1 710
Hué	658
Lai Chau	490
Lang Son	146
Lao Cai	294
Ninh Binh	93
Parc national de Ba Be	240

Sapa	324
Son La	308
Tam Dao	85
Thai Binh	109
Thai Nguyen	73
Thanh Hoa	175
Tuyen Quang	165
Viet Tri	73
Vinh	319
Yen Bai	155

Une longue randonnée dans l'arrière-pays montagneux, au nord de Hanoi, est séduisante, bien qu'épuisante et dangereuse à cause de la circulation. Même si vous ne roulez pas pendant les mois les plus froids (janvier et février), n'oubliez pas les fortes averses du milieu de l'été. Malgré ces désagréments, bon nombre de voyageurs préfèrent la moto à tout autre transport.

Si vous envisagez de parcourir le Nord du pays en moto, consultez *Circuits à moto* sous la rubrique *Agences de voyages,* plus haut dans ce chapitre. Plusieurs agences de bonne réputation peuvent vous procurer un guide et une moto de location et vous aider à mettre au point votre itinéraire.

Une Minsk 125cc de fabrication russe vous permettra de sillonner le Nord sans souci – sa puissance est nécessaire sur les routes de montagne, et tous les mécaniciens savent la réparer. La qualité des motos de location varie énormément – prenez le temps de trouver une société réputée, surtout si vous projetez un long circuit. Les expatriés de Hanoi ne tarissent pas d'éloges au sujet d'un certain Phung Duc Cuong, qui loue, répare, vend et achète des Minsk ; pour le contacter, renseignez-vous au bar Highway 4 *(Carte Vieille ville ; ☎ 926 0639, 5 Pho Hang Tre).*

Le coût de location d'une Minsk tourne autour de 5 \$US la journée. Vous pourrez probablement en trouver une un peu moins chère, mais attention à la qualité ! Si vous envisagez d'acheter, sachez qu'il n'est pas forcément intéressant de se procurer une moto neuve ; les véhicules d'occasion ont été testés et ils s'avèrent souvent plus fiables, et bien moins chers que les neufs.

Des dizaines de magasins de motos se succèdent dans Pho Hué. C'est là qu'il faut aller vous renseigner si vous désirez en acquérir une, comme acheter un casque de bonne qualité.

COMMENT CIRCULER
Desserte de l'aéroport

Implanté à environ 35 km au nord de Hanoi, l'aéroport de Noi Bai se trouve à 45-60 minutes de la ville. La route de l'aéroport, l'une des plus modernes du Vietnam, est parfois traversée par un troupeau de bœufs, mené par un paysan en tenue traditionnelle. Cette superbe route aboutit dans la sordide banlieue nord de Hanoi.

Les minibus de Vietnam Airlines effectuent la navette entre Hanoi et l'aéroport de Noi Bai moyennant 2 \$US. Le nouveau terminal compte peu de panneaux d'information. Vous devrez en sortir pour voir où se trouvent les taxis et minibus. En venant de l'aéroport, le chauffeur vous déposera au bureau de Vietnam Airlines, Pho Quang Trung. De là, vous pourrez gagner rapidement à pied la vieille ville, au nord, ou bien faire appel à l'un des innombrables conducteurs de cyclo-pousse ou de moto-taxi pour 5 000 d par personne, quelle que soit votre destination dans le centre-ville. Si vous ne pouvez vous accorder sur le prix, faites mine de partir : le chauffeur changera très probablement d'avis. Attendez-vous à payer un petit supplément si vos bagages pèsent lourd et que votre chauffeur doit rétablir l'équilibre du véhicule.

Le service de minibus fonctionne correctement, mais prenez garde aux escroqueries, en particulier à l'aéroport. Méfiez-vous des rabatteurs élégamment vêtus qui montent dans les minibus en se prétendant employés de Vietnam Airlines. Ils sont particulièrement doués pour repérer les nouveaux venus, entamer la conversation avec eux et leur recommander un "bon hôtel bon marché". Pour éviter ce genre de harcèlement, dites que vous avez déjà une réservation, même si c'est faux.

En direction de l'aéroport, vous trouverez environ toutes les 30 minutes un minibus au départ du même emplacement, dans Pho Quang Trung, en face du bureau de Vietnam Airlines où s'achètent les tickets. Il est préférable de réserver sa place la veille.

La compagnie Airport Taxi (☎ 873 3333) facture 10 \$US la course dans un sens comme dans l'autre. Ses chauffeurs ne vous demanderont pas de régler le péage du pont traversé en route. Ce n'est pas le cas de certains autres taxis – renseignez-vous avant de monter.

Dès l'intérieur du terminal, des rabatteurs proposent des taxis, mais la file d'attente "officielle" se trouve à l'extérieur du hall. Le billet se prend auprès de l'agent à la tête de la file car, à l'heure actuelle, il n'existe pas de guichet dans le nouveau terminal. Cela pourrait cependant changer.

Dans le centre de Hanoi, vous n'aurez aucun mal à trouver une voiture devant le bureau de Vietnam Airlines. N'acceptez pas de payer plus de 10 \$US, péage compris.

Vous verrez également devant les cafés de voyageurs des taxis collectifs et des minibus qui vous conduiront à l'aéroport pour 2 \$US environ.

La société de transports publics de Hanoi a ouvert une ligne desservant l'aéroport : les bus n°7 (2 500 d) s'arrêtent au Daewoo Hotel et à l'Opéra. Ils partent toutes les 15 à 20 minutes, tous les jours, entre 5h et 21h. Ce mode de transport revient beaucoup moins cher qu'un taxi.

Bus

Hanoi compte 31 lignes de bus publics. Le parcours des lignes n'est pas facile à comprendre, et certains services sont peu fréquents. Hormis la marche, c'est néanmoins le moyen le plus économique de se déplacer (1 000 d selon le trajet).

Longtemps attendu, le plan des lignes de bus de Hanoi a finalement été publié en 2001. Le seul endroit où se le procurer est le **Centre de gestion du trafic** (☎ 747 0403, *hncauduong@fpt.vn, 16 Cao Ba Quat*). Il indique également les lignes interprovinces et les correspondances.

Moto

De nombreux voyageurs louent des motos ou des scooters pour explorer Hanoi, mais nous vous le déconseillons. Outre les graves dangers que vous fera courir le mode de conduite vietnamien, vous devrez résoudre le problème du code de la route, du parking, etc. Il est facile d'outrepasser des règles que l'on ne connaît pas et la police ne se privera pas de vous rappeler à l'ordre.

Si vous voulez à tout prix circuler dans Hanoi à deux-roues, optez plutôt pour le vélo.

Taxi

Plusieurs compagnies de taxi possèdent des véhicules avec compteur. Toutes pratiquent des tarifs similaires : 2 500 d pour les deux premiers kilomètres puis 5 000 d le kilomètre, selon les compagnies. La liste suivante n'est pas exhaustive :

Airport Taxi	☎ 873 3333
City Taxi	☎ 822 2222
Red Taxi	☎ 856 8686
Taxi PT	☎ 856 5656
Viet Phuong Taxi	☎ 828 2828

Bicyclette

La bicyclette est un bon moyen de se promener dans Hanoi. De nombreux hôtels et cafés en louent pour 1 $US/jour environ.

Si vous souhaitez acheter un vélo, allez dans Pho Ba Trieu et Pho Hué, où se situent les magasins spécialisés *(Carte Centre de Hanoi)*.

Cyclo-pousse

Les cyclo-pousse de Hanoi sont plus spacieux que ceux de HCMV ; on peut y monter à deux et partager ainsi le prix de la course. Mettez-vous bien d'accord sur le tarif avant de partir. Il arrive souvent que le conducteur vous réclame le *double* à l'arrivée en prétendant que le prix convenu s'entendait par personne.

Une course dans le centre-ville devrait tourner autour de 5 000 d par personne. Les trajets plus longs, par exemple entre la vieille ville et le mausolée de Ho Chi Minh, peuvent revenir deux fois plus cher. Quelques rudiments de vietnamien s'avèrent fort utiles pour marchander.

Tout comme leurs homologues de HCMV, les conducteurs ne comprennent ni le français ni l'anglais ; mieux vaut se munir d'un plan de la ville pour indiquer sa destination. Pensez à vous munir d'un calepin et d'un crayon pour noter votre destination et négocier les prix. C'est un métier ingrat : offrez de bon cœur un millier de dong en pourboire.

Moto-taxi

Vous n'aurez aucune difficulté à trouver un *xe om* à Hanoi. Placez-vous sur une grande artère et un conducteur vous fera une offre toutes les dix secondes.

Le tarif officiel est de 1 000 d le kilomètre. En réalité, les touristes paient environ 5 000 d par personne pour un trajet en centre-ville et 10 000 d pour les courses plus longues.

Environs de Hanoi

MUSÉE DE LA PISTE HO CHI MINH

Ce musée *(Bao Tang Duong Ho Chi Minh ; RN 6 ; entrée 10 000 d ; mar-dim 7h30-11h et 13h30-16h)* se situe à environ 13 km au sud-ouest de Hanoi. On peut prévoir de s'y arrêter lors d'une excursion au village d'artisans de Van Phuc ou à la pagode des Parfums.

PAGODE DES PARFUMS

Située à une soixantaine de kilomètres au sud-ouest de Hanoi par la route, la **pagode des Parfums** *(Chua Huong ; entrée 17 000 d, plus 8 000 d l'aller-retour en bateau)* est un haut lieu de la région. La promenade en bateau traverse de superbes paysages, qui vous feront trouver trop courtes les deux heures (aller-retour) du parcours. Prenez deux ou trois heures de plus pour grimper au sommet ; prévoyez de bonnes chaussures de marche, car le chemin qui y mène est pentu et très glissant en cas de pluie.

Cet ensemble de temples et de sanctuaires bouddhiques se niche dans les falaises calcaires du mont Huong Tich (montagne de l'Empreinte parfumée). Les principaux sites en sont la pagode du Chemin du Ciel (Thien Chu), la pagode du Purgatoire (Giai Oan Chu) – où les divinités purifient les âmes, apaisent les souffrances et accordent une descendance aux couples sans enfants – et la pagode de l'Empreinte parfumée (Huong Tich Chu).

Les pèlerins accourent nombreux à la fête annuelle qui débute au milieu du 2e mois lunaire et se poursuit jusqu'à la dernière semaine du 3e mois lunaire (en mars et avril). La foule se presse durant cette période, notamment les jours pairs du mois lunaire. Consultez un calendrier, car vous serez bien plus tranquille un jour impair. En 2002, le 6e jour du premier mois lunaire se plaçant sous des auspices particulièrement favorables, on a alors dénombré 3 000 barques sur le plan d'eau. L'embouteillage a duré de 12h à 21h ! Tous les week-ends de l'année, les fidèles et les

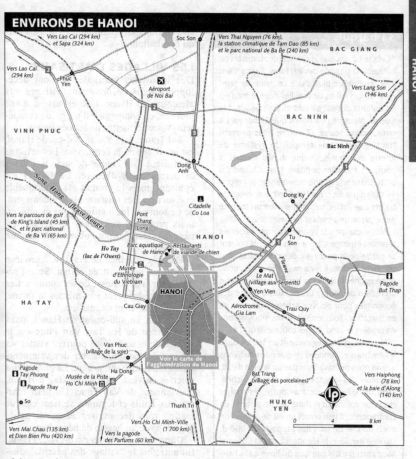

ENVIRONS DE HANOI

Vers Lao Cai (294 km) et Sapa (324 km)

Soc Son

Vers Thai Nguyen (76 km), la station climatique de Tam Dao (85 km) et le parc national de Ba Be (240 km)

BAC GIANG

Vers Lao Cai (294 km)

Phúc Yen

Aéroport de Noi Bai

Vers Lang Son (146 km)

VINH PHUC

BAC NINH

Bac Ninh

Dong Anh

Dong Ky

Song Hong (fleuve Rouge)

Vers le parcours de golf de King's Island (45 km) et le parc national de Ba Vi (65 km)

Pont Thang Long

Citadelle Co Loa

Tu Son

Ho Tay (lac de l'Ouest)

Parc aquatique de Hanoi

Restaurants de viande de chien

HANOI

Fleuve

Duong

Pagode But Thap

Musée d'Ethnologie du Vietnam

HANOI

Le Mat (village aux Serpents)

HA TAY

Cau Giay

Aérodrome Gia Lam

Yen Vien

Trau Quy

Van Phuc (village de la soie)

Voir la carte de l'agglomération de Hanoi

Pagode Tay Phuong

Pagode Thay

Ha Dong

Musée de la Piste Ho Chi Minh

Bat Trang (village des porcelaines)

Vers Haiphong (78 km) et la baie d'Along (140 km)

So

Thanh Tri

HUNG YEN

Vers Mai Chau (135 km) et Dien Bien Phu (420 km)

Vers la pagode des Parfums (60 km)

Vers Ho Chi Minh-Ville (1 700 km)

0   4   8 km

visiteurs viennent faire du bateau, de la marche et explorer les grottes. Les détritus, les échoppes bruyantes et les vendeurs ambulants font partie du paysage. Vous voilà prévenu !

Comment s'y rendre

On accède à la pagode par la route, puis par bateau, avant de terminer le parcours à pied.

Pour commencer, le trajet en voiture Hanoi-My Duc dure prend deux heures. Votre chauffeur vous déposera à une quinzaine de minutes de marche de l'embarcadère, mais un *xe om* pourra vous y mener moyennant 2 000 d. C'est à bord de barques à rames, maniées le plus souvent par des femmes, que vous atteindrez enfin le pied de la montagne. La promenade sur l'eau dure une heure à une heure et demie.

Après une marche harassante de 4 km après le débarcadère, vous arriverez à la pagode principale. Prévoyez 2 heures pour le trajet du retour, davantage s'il a plu car le sentier sera glissant. Le forfait – comprenant l'aller-retour en barque et l'entrée du site – revient à 28 000 d. Si vous préférez réserver une barque pour aller et venir à votre guise, il vous en coûtera 45 000 d de plus. Négociez la location directement à l'embarcadère, car le guichet à l'entrée du site voudra vous faire payer 200 000 d !

La plupart des cafés de voyageurs organisent des sorties bon marché jusqu'à la pagode. Pour 9 ou 10 $US, vous pouvez trouver un circuit d'une journée compre-

Mme Thuyen mène sa barque

"Cela fait 2 ans que je conduis des touristes en bateau à la pagode des Parfums. J'appartiens à un groupe de plus d'une centaine de femmes, toutes issues de familles dont le mari ou les enfants ont été blessés ou tués pendant la guerre. Nous ne possédons que 27 barques à rames, donc seules 27 d'entre nous peuvent travailler en même temps. Un système de loterie détermine chaque année lesquelles pourront travailler pendant 1 an. Quand j'ai cette chance, je gagne bien ma vie : je perçois 15 000 d par jour, quel que soit le nombre de trajets que j'effectue, même si aucun touriste ne se présente pendant plusieurs jours.

Notre groupe a la priorité pour promener les touristes étrangers. Les autres rameurs doivent se battre seuls pour ravir des clients à la concurrence. Parfois, il n'y a pas de touristes, donc ils ne gagnent rien. Une barque coûte environ un million de dong, et nous faisons toutes des économies pour pouvoir acheter notre propre embarcation. Tous les 3 ou 4 ans, nous devons en rénover le fond, ce qui coûte 250 000 d.

Nous possédons également un terrain dans les environs et vendons ce que nous cultivons quand nous ne travaillons pas sur le plan d'eau. Je cultive des longanes, une sorte de lychee. Mon mari, apiculteur, transporte ses ruches chez nos voisins au rythme des floraisons ; en contrepartie, il leur remet un ou deux litres de miel. Un litre de miel nos rapporte 70 000 d. L'année dernière, la récolte n'a pas été bonne. Mon mari n'a obtenu que 50 litres dans l'année, alors que les trois premiers mois de cette année ont déjà rapporté 30 litres.

J'étais une femme soldat ; c'est ainsi que j'ai rencontré mon mari. Nos enfants ont maintenant 19, 16 et 14 ans. Quand ils étaient plus jeunes, je ne ramais pas, je vendais des bijoux et de l'encens sur le site de la pagode. Je travaille dur, mais quand je pense à mes enfants qui finissent leurs études et qui auront un vrai métier, ça me motive."

nant le transport, le guide et le déjeuner. Une excursion de meilleure qualité, en petit groupe et dans un véhicule plus confortable, vous coûtera 14 à 16 $US environ. Optez pour une visite organisée,

car, à moins de louer une voiture, gagner le site en transport public relève du parcours du combattant.

LES VILLAGES D'ARTISANS

Des industries familiales se sont développées dans de nombreux villages aux alentours de Hanoi. Une excursion d'une journée, en compagnie d'un guide compétent, vous permettra de les découvrir.

Bat Trang, à 13 km au sud-est de Hanoi, est le village de la céramique. Les artisans produisent à la chaîne de superbes vases et autres chefs-d'œuvre. Le travail est épuisant, mais le produit est remarquable et d'un prix très raisonnable. Évidemment, ce ne sont pas les boutiques qui manquent, mais promenez-vous dans les allées derrière les échoppes pour observer la cuisson des objets.

Dans la province de Ha Tay, à environ 25 km au sud-ouest de Hanoi, **So** est réputé pour la délicatesse de ses nouilles. Les habitants fabriquent eux-mêmes la farine, faite d'ignames et de manioc.

À 8 km au sud-ouest de Hanoi, dans la province de Ha Tay, **Van Phuc** est le village de la soie. Vous pourrez visiter les ateliers de tissage, acheter des vêtements ou les faire faire sur mesure. La plupart des soieries en vente Pho Hang Gai, à Hanoi, proviennent de Van Phuc. Un petit marché aux fruits et légumes se tient chaque matin ; vous découvrirez aussi une petite pagode avec un bassin de nénuphars.

Dong Ky, à 15 km au nord-est de Hanoi, fut autrefois le "village des pétards". Jusqu'en 1995, date à laquelle le gouvernement les a interdits, un festival de pétards avait lieu à Dong Ky. La production de pétards a cédé la place à la fabrication de magnifiques meubles traditionnels incrustés de nacre. Vous pouvez passer commande et vous faire livrer à l'étranger.

Au village de **Le Mat**, à 7 km au nord-est du centre de Hanoi, les habitants élèvent des serpents pour les vendre aux restaurants cossus de la capitale et fabriquer des décoctions médicinales. Vous pourrez goûter à la chair et à l'élixir de serpent. Pour 6 à 8 $US, on vous servira un repas composé de plats différents, tous à base de serpent. Le festival de Le Mat a lieu le 23e jour du 3e mois lunaire, animé, entre autres, par des "danses du serpent".

D'autres villages d'artisans de la région produisent des chapeaux coniques, de délicates cages à oiseaux en bois et des herbes aromatiques.

PAGODES THAY ET TAY PHUONG

Ces deux pagodes se trouvent à 20 minutes de route l'une de l'autre, accrochées aux parois de saillies calcaires qui émergent soudain dans le paysage de rizières.

La pagode Thay *(pagode du Maître ; 3 000 d)*, également appelée pagode de la Bénédiction céleste (Thien Phuc), est dédiée au Bouddha Thich Ca (Sakyamuni, Bouddha historique), et 18 arhats apparaissent sur l'autel central. À gauche, se dresse une statue du bonze Tu Dao Hanh, le "Maître" auquel est dédiée la pagode. La statue de droite représente le roi Ly Nhan Tong, réincarnation de Tu Dao Hanh. Devant la pagode se dresse une petite estrade édifiée sur pilotis : cette pièce d'eau accueille en effet des spectacles de marionnettes aquatiques lors des fêtes.

Suivez le sentier qui longe la pagode principale et grimpez une dizaine de minutes pour atteindre le magnifique petit temple perché sur un rocher. L'ensemble du site est gigantesque, et seuls les habitués semblent s'y retrouver. Nous vous conseillons de prendre un guide pour profiter au mieux de votre visite.

La fête annuelle de la pagode a lieu du 5e au 7e jour du 3e mois lunaire. Les pèlerins et les touristes ont alors l'occasion de voir un spectacle de marionnettes aquatiques, de se promener sur le site et d'explorer les grottes alentour.

La pagode Tay Phuong *(pagode de l'Ouest ; entrée 3 000 d)*, également appelée Sung Phuc, se compose de trois bâtiments de plain-pied édifiés en ordre décroissant, nichés au sommet d'une butte qui aurait la forme d'un buffle. Les sculptures représentent "les conditions humaines" ont été réalisées dans du bois de jacquier ; les plus célèbres datent du XVIIIe siècle.

La plus ancienne construction du site fut érigée au VIIIe siècle. Après avoir grimpé l'escalier très raide menant à la pagode principale, vous pourrez redescendre par un sentier qui passe par deux autres pagodes et traverse un village. Au bout du chemin, tournez à droite pour arriver au parking.

Comment s'y rendre

Les pagodes se trouvent à environ 30 km au sud-ouest de Hanoi, dans la province de Ha Tay. Certains cafés de Hanoi pour voyageurs à petit budget proposent pour les découvrir une excursion d'une journée. Vous pouvez également louer une voiture avec chauffeur (30 $US) afin de combiner la visite des pagodes et celle du parc national de Ba Vi.

PARC NATIONAL DE BA VI
☎ 034

À environ 65 km à l'ouest de Hanoi, ce parc national *(☎ 881205 ; entrée 6 000 d)*, qui entoure le mont Ba Vi (Nui Ba Vi), attire les Hanoïens cherchant à s'échapper de la ville le temps d'un week-end. Le parc recèle plusieurs espèces de plantes rares et, côté faune, deux espèces menacées d'écureuils volants. Malheureusement, il y a peu de chance de les apercevoir.

Le parc abrite également un jardin d'orchidées et une volière, et ses pentes boisées se prêtent aux randonnées. Un temple dédié à Ho Chi Minh se niche au sommet de la montagne (1 276 m), auquel on accède par un escalier de 1 229 marches – environ une demi-heure d'ascension. Un effort récompensé par le panorama sublime découvrant le fleuve Rouge et, au loin, Hanoi – du moins d'avril à décembre, quand la vue est dégagée. L'ambiance tient sinon du surnaturel en cas d'humidité et de brume. La route glissante et étroite menant au parking est d'une raideur impressionnante. Le projet d'élargissement devrait néanmoins être achevé en 2003.

Située à l'intérieur du parc, la **Ba Vi Guesthouse** *(☎ 881197 ; chambres avec ventil./clim. 8/10 $US)* loue des chambres avec sdb. Les tarifs augmentent de 2 $US par chambre le week-end ; en été, la grande piscine est ouverte aux clients. Demandez un bungalow éloigné de la piscine et du restaurant si vous souhaitez être au calme, surtout le week-end. Vous devrez impérativement vous munir de votre passeport ; faute de quoi, vous risqueriez de devoir repartir à Hanoi – un voyageur en a fait les frais. Même si vous n'y passez pas la nuit, jetez un œil au règlement intérieur de la pension, écrit dans un anglais très créatif !

Malgré son aspect peu engageant, le restaurant du parc propose une cuisine délicieuse et bon marché : comptez environ 35 000 d le déjeuner copieux pour trois personnes ; nous vous conseillons d'y déjeuner si votre circuit à la journée combine la visite du parc national et des pagodes Thay et Tay Phuong. En revanche, mieux vaut éviter de se rendre aux toilettes.

Le parc national de Ba Vi se trouve à environ 65 km à l'ouest de Hanoi. Actuellement, le seul moyen d'accès pratique consiste à louer un véhicule (voir le paragraphe *Pagodes Thay* et Tay Phuong). Renseignez-vous aussi dans les cafés de Hanoi pour vous joindre éventuellement à une visite organisée.

On confond souvent les sites touristiques proches de la ville de Ba Vi, loin des limites du parc, et le parc national lui-même. La cascade de Ao Vua (bassin royal) se trouve près de cette ville ; 14 km plus au nord, vous trouverez les sources de Suoi Mo. Ces deux sites possèdent davantage d'infrastructures et sont très fréquentés le week-end. Précisez bien au chauffeur votre destination.

CITADELLE CO LOA

La citadelle Co Loa (*Co Loa Thanh ; entrée 2 000 d/pers, 5 000 d/voiture ; tlj 8h-17h*), première citadelle fortifiée de l'histoire du Vietnam, remonte au IIIe siècle av. J.-C. D'imposants remparts entouraient une superficie de 5 km^2 ; seuls des vestiges en subsistent aujourd'hui. Co Loa redevint la capitale nationale sous le règne de Ngo Quyen (939-944). Au centre de la citadelle se dressent des temples dédiés au roi An Duong Vuong (257-208 av. J.-C.), fondateur de la dynastie légendaire des Thuc, et à sa fille My Nuong (Mi Chau).

La légende raconte que My Nuong montra à son mari, fils d'un général chinois, l'arbalète magique qui rendait son père invincible. Le gendre la vola et la remit à son propre père. Grâce à cette arbalète, les Chinois purent enfin vaincre An Duong Vuong et son armée, privant le Vietnam de son indépendance.

La citadelle Co Loa se trouve à 16 km au nord du centre de Hanoi, dans le district de Dong Anh, et peut se visiter par un bref détour sur le chemin de Tam Dao.

STATION CLIMATIQUE DE TAM DAO

☎ 0211 • altitude : 930 m

Construite par les Français en 1907 pour échapper à la touffeur du delta du fleuve Rouge, la station climatique de Tam Dao se nommait alors la "cascade d'Argent" (Thac Bac). La plupart des somptueuses villas coloniales furent détruites durant la guerre d'Indochine, dans les années 50, et les ruines ont fait place à des cubes de béton inspirés de l'architecture soviétique. Aujourd'hui, on tente de restaurer ces anciennes splendeurs.

En raison de son altitude et de la fraîcheur de son climat, les résidents de Hanoi appellent parfois Tam Dao "la Dalat du Nord" ; il n'y a pourtant guère de ressemblance entre ces deux villes. Si vous vivez à Hanoi et que vous souhaitez passer un week-end d'été tranquille, vous y trouverez la fraîcheur et un rythme paisible. Cependant, si vous souhaitez faire une randonnée d'une certaine difficulté ou observer les oiseaux, vous serez un peu déçu : il n'y a pas grand-chose à y faire mis à part écouter le vacarme des karaokés renvoyer leur écho dans la vallée. Si vous envisagez de faire de la marche, vous ne raterez rien en court-circuitant Tam Dao.

Créé en 1996, le **parc national de Tam Dao** (trois îles) recouvre une grande partie de la région. Les trois sommets de la montagne Tam Dao, tous culminant à environ 1 400 m, sont parfois visibles au nord-est de la station, semblables à des îles flottant dans la brume. L'humidité relative et l'altitude favorisent le développement de la faune tropicale : on y dénombre ainsi 64 espèces de mammifères, dont le langur, et 239 sortes d'oiseaux, mais vous aurez besoin de crapahuter en compagnie d'un guide pour les apercevoir. Le braconnage reste préoccupant. La plupart des bars de Tam Dao servent de l'alcool de riz relevé, selon le cas, d'un oiseau, d'un reptile ou d'un petit mammifère capturé dans le parc. En outre, les touristes se voient fréquemment proposer des bêtes sauvages. Le déboisage, légal ou non, a également eu de sérieux impacts sur l'environnement. Plusieurs minorités montagnardes vivent dans la région, mais la taille de leurs communautés a tendance à décroître.

Ne vous laissez pas surprendre par le froid à Tam Dao : l'hiver est très marqué dans cette région. Les randonnées varient d'une demi-heure aller-retour jusqu'à la cascade, à 8 heures de marche dans la forêt primaire. Renseignez-vous au Mela Hotel pour louer les services d'un guide (50 000 d). La meilleure période pour la visite va de fin avril à mi-octobre, époque à laquelle la brume se lève parfois, laissant la place au soleil.

Sachez cependant que, comme d'autres sites du pays, Tam Dao attire des groupes de touristes vietnamiens le week-end ; il est préférable de s'y rendre en semaine.

Où se loger et se restaurer

Tam Dao compte de nombreux hôtels, dont les prix vont de 80 000 d à 65 $US. Vous traverserez la ville en moins de dix minutes, donc n'hésitez pas à comparer et à négocier les prix. Méfiez-vous quand l'hôtel jouxte un karaoké.

Mela Hotel (☎/fax 8254352 ; *chambres 45-65 $US*). Élégant et haut de gamme, à l'image de ses tarifs, cet établissement est très prisé par les expatriés vivant à Hanoi. Vous ne trouverez pas d'autre hôtel de cette catégorie dans la ville.

Anh Dao Hotel (☎ 824309 ; *chambres 120 000-150 000 d*). Quoiqu'un peu défraîchi, cet hôtel offre un bon rapport qualité/prix. Certaines des chambres, de belles dimensions, possèdent un balcon.

Nha Nghi Suoi Bac (☎ 824275 ; *chambres 80 000-100 000 d*). Avoisinant une petite source, cette pension propose trois chambres au confort rudimentaire. À l'heure où nous rédigeons cet ouvrage, c'est l'un des rares établissements sans karaoké.

Vous trouverez de quoi vous restaurer dans les **hôtels** ou les restaurants de **com pho**. Évitez de commander les plats comportant de la viande.

Comment s'y rendre

À 85 km au nord-ouest de Hanoi, le parc national de Tam Dao fait partie de la province de Vinh Phuc. De Hanoi, vous devrez prendre un bus pour Vinh Yen (une heure de route) à la **gare routière de Kim Ma**, puis louer une moto (30 000 d environ) pour parcourir la route étroite de 24 km menant au parc national.

Louer une voiture avec chauffeur à la journée vous coûtera environ 40 $US au départ de Hanoi. Si vous vous y rendez en moto, comptez deux heures de trajet.

Le Nord-Est

Baignée par le fleuve Rouge et par la mer, la fertile région du Nord-Est est le berceau de la civilisation vietnamienne. Le Vietnam n'a pas toujours eu des relations harmonieuses avec les Chinois, qui l'envahirent au IIᵉ siècle av. J.-C. pour y rester près de 1 000 ans. La dernière invasion ne remonte qu'à l'année 1979 (voir l'encadré *Un stratagème infaillible*, dans ce chapitre).

Le potentiel économique de la région est une réalité et les investisseurs s'intéressent principalement à Haiphong, le plus grand port maritime du pays. Toutefois, ce sont les paysages qui attirent les touristes dans la région. Le littoral, avec les baies d'Along et de Bai Tu Long, ainsi que l'île Cat Ba, offre quelques-unes des plus étranges et des plus belles formations géologiques au monde. Ajoutez à cela les lacs Ba Be, les montagnes des environs de Cao Bang, les habitants de la région, appelés Montagnards, et un accès facile à la Chine, et vous comprendrez l'engouement des visiteurs pour le Nord-Est.

CON SON ET DEN KIEP BAC

Ces sites offrent sans doute plus d'intérêt pour les Vietnamiens que pour les touristes. Il est toutefois agréable de s'y arrêter quelques heures, en chemin vers Haiphong ou Along.

Con Son fut la résidence de Nguyen Trai (1380-1442), un célèbre poète, écrivain et général qui aida l'empereur Le Loi à vaincre la dynastie chinoise des Ming au XIIIᵉ siècle. Le site de Con Son *(entrée 3 000 d/pers, 5 000 d/véhicule)* comprend un temple érigé en l'honneur de Ngyuen Trai au sommet d'une montagne. Pour y accéder, empruntez l'escalier de 600 marches si vous voulez vous dégourdir les jambes, sinon faites le tour par un chemin qui passe près d'une source et à travers une forêt de conifères. La promenade est agréable si vous faites abstraction des détritus qui jonchent le parcours.

À quelques kilomètres de là, le Den Kiep Bac *(temple de Kiep Bac; entrée 2 000 d/pers, 5 000 d/véhicule)* est dédié à Tran Hung Dao (1228-1300), un général d'un courage exceptionnel qui triompha de 300 000 envahisseurs mongols au milieu

À ne pas manquer

- Naviguer sur les eaux vert émeraude de la baie d'Along parmi les 3 000 îlots et grottes de ce site inscrit au patrimoine mondial de l'Unesco
- Se prélasser sur une plage de l'île Cat Ba et faire une randonnée dans les superbes paysages sauvages de son parc national
- Découvrir en bateau les lacs et les rivières du parc national de Ba Be
- Explorer les alentours de Cao Bang, à la frontière chinoise, riche en cascades, grottes et sites historiques

Nord-Est du Vietnam

Cao Bang
Lang Son
Mong Cai
Along
Haiphong
Cat Ba
Baie d'Along et baie de Bai Tu Long

des années 1280. Tran Hung Dao est peut-être devenu, après Ho Chi Minh, le héros le plus vénéré du pays.

Érigé en 1300 à l'emplacement supposé de la mort du général, ce superbe temple honore également d'autres notables de sa famille. C'est là que repose sa fille, Quyen Thanh, qui avait épousé Tran Nhat Ton, le fondateur présumé de la secte bouddhique vietnamienne appelée Truc Lam.

À l'intérieur du site, une petite exposition retrace les exploits de Tran Hung Dao. Il faudra que quelqu'un sachant lire le vietnamien vous traduise les informations. Un **festival consacré à Tran Hung Dao** a lieu chaque année au Den Kiep Bac, du 18ᵉ au 20ᵉ jour du 8ᵉ mois lunaire.

Les sites de Den Kiep Bac et de Con Son se situent dans la province de Hai Duong, à 80 km de Hanoi. Si vous possédez votre propre moyen de transport, vous pourrez facilement vous y arrêter lors de votre trajet vers Haiphong ou la baie d'Along. Plusieurs **hôtels** et **pensions** se trouvent à proximité des sites.

HAIPHONG
☎ 031 • 1 667 600 habitants

En repoussant les limites de son agglomération, Haiphong est devenue la troisième ville la plus peuplée du Vietnam. Elle s'avère le principal centre industriel du nord et l'un des ports maritimes les plus importants du pays.

Haiphong n'était qu'une petite bourgade commerçante lorsque les Français s'en emparèrent, en 1874. Elle devint rapidement un port actif et la proximité des mines de charbon provoqua son développement industriel.

En 1946, le terrible bombardement des "quartiers indigènes" fut l'une des toutes premières causes de la guerre d'Indochine. Des milliers de civils vietnamiens périrent. La France prétendit à l'époque qu'il ne s'agissait "que de 6 000 victimes civiles, au maximum".

Haiphong subit les attaques aériennes et navales des Américains de 1965 à 1972. Le port fut miné en mai 1972, sur ordre du président Nixon, afin d'empêcher les Soviétiques de ravitailler le Nord-Vietnam. Conformément aux accords de Paris de 1973, les États-Unis aidèrent au déminage (10 démineurs américains participèrent à cet effort).

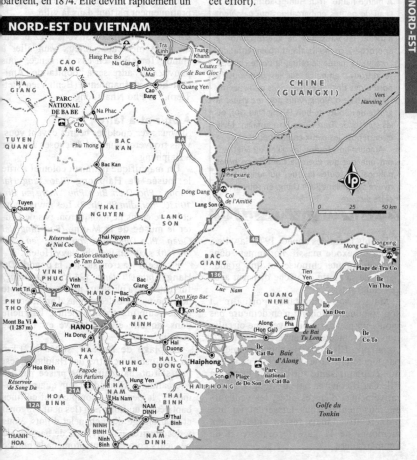

NORD-EST DU VIETNAM

Un stratagème infaillible

Véritable héros au Vietnam, le général Tran Hung Dao (1226-1300) repoussa à trois reprises les guerriers mongols de l'armée chinoise qui tentaient d'envahir le pays.

Sa plus célèbre victoire eut lieu sur la rivière Bach Dang, au nord-est du Vietnam, en 1288. Adoptant la stratégie militaire de Ngo Quyen (qui reconquit l'indépendance du Vietnam en 939, après 1 000 ans passés sous la tutelle chinoise), il obtint à nouveau l'indépendance du pays.

À la nuit tombée, il fit planter des pieux en bambou (dont la longueur était calculée pour qu'ils restent immergés à marée haute) près des berges où l'eau était peu profonde. À marée haute, Tran Hung Dao fit mettre à l'eau de petites embarcations qui passèrent aisément au-dessus des piquets, dans le but d'inciter les vaisseaux de guerre chinois à approcher, ce qu'ils firent, bien entendu. Lorsque la marée se retira, la flotte chinoise se retrouva empalée sur les bambous, à portée des flèches enflammées de l'ennemi. Dans la baie d'Along, vous pourrez visiter la grotte des Bouts de bois (Hang Dau Go), où les soldats de Tran Hung Dao auraient taillé et entreposé les pieux en bambou.

Aujourd'hui, toutes les villes du Vietnam ont une rue qui porte le nom de ce héros national, et toutes les rues qui longent une rivière s'appellent Bach Dang, en souvenir de cette victoire.

Depuis la fin des années 1970, la ville a connu un exode massif, notamment dans la communauté chinoise, et une grande partie de sa flotte de pêche disparut avec ces émigrants.

Malgré son importance portuaire et son étendue, Haiphong n'en demeure pas moins un peu assoupie, avec une circulation clairsemée et de superbes bâtiments coloniaux. Bien que Haiphong ne mérite pas foncièrement le détour, elle constitue une étape plaisante sur la route menant à l'île Cat Ba ou à la baie d'Along. Comparativement à d'autres cités, les vendeurs en tous genres vous laisseront ici une paix relative, mais restez vigilant aux alentours de la gare ferroviaire et de l'embarcadère.

Renseignements

Office du tourisme. Vietnam Tourism (☎ 842957, fax 842974, 20 Pho Le Dai Hanh) se fera un plaisir d'organiser votre excursion à Cat Ba ou dans la baie d'Along.

Argent. La **Vietcombank** (11 Pho Hoang Dieu) se trouve près de la poste.

Poste. La **poste principale** (3 Pho Nguyen Tri Phuong) est installée dans un grand bâtiment jaune et ancien, au coin de Pho Hoang Van Thu.

E-mail et accès Internet. Les **cafés Internet** se concentrent dans le centre, sur Pho Dien Bien Phu, mais vous en trouverez pratiquement partout dans la ville.

En cas d'urgence. Si vous avez besoin de soins médicaux, mieux vaut aller à Hanoi. Toutefois, en cas d'urgence, vous pouvez vous adresser à **l'hôpital de l'Amitié tchéco-vietnamienne** (Benh Vien Viet-Tiep), sur Pho Nha Tuong.

À voir et à faire

Si vous avez quelques heures devant vous, vous trouverez quantité de choses à visiter à Haiphong.

Un magnifique bâtiment colonial abrite le **musée de Haiphong** (Bao Tang Hai Phong ; Pho Dien Bien Phu ; mar, jeu 8h-10h30, mer, dim 8h-9h30). Les navigateurs et les vétérans ne manqueront pas de visiter le **musée de la Marine** (Bao Tang Hai Quan ; Pho Dien Bien Phu ; mar, jeu, sam 8h-11h), situé en face du Navy Hotel.

Fondée il y a trois siècles, la **pagode Du Hang** (Chua Du Hang ; 121 Pho Chua Hang) fut restaurée à plusieurs reprises. Elle reste néanmoins un bel exemple d'architecture et de sculpture traditionnelles. La ruelle dans laquelle elle se trouve est typique et animée.

La **plage de Do Son**, située à 21 km au sud-est du centre de Haiphong, est une station balnéaire très prisée par les Vietnamiens. S'étendant sur quatre kilomètres, la péninsule compte neuf collines baptisées Cuu Long Son (les neuf dragons) et se prolonge d'un chapelet d'îlots. Vous y découvrirez une myriade de barques de pêcheurs colorées, une promenade bordée

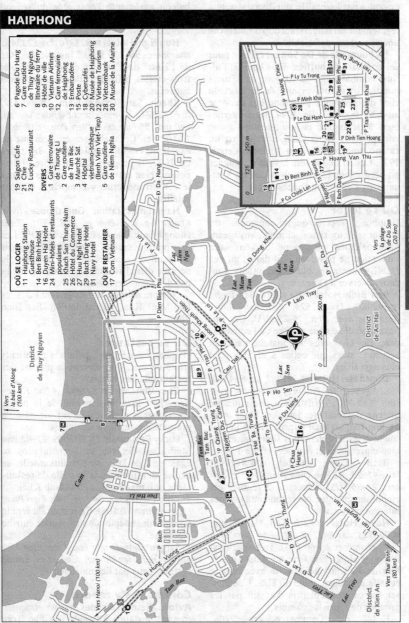

HAIPHONG

OÙ SE LOGER
11 Haiphong Station
    Guesthouse
14 Ben Binh Hotel
16 Duyen Hai Hotel
24 Mini-hôtels et restaurants
    populaires
25 Khach San Thang Nam
26 Hôtel du Commerce
27 Huu Nghi Hotel
29 Bach Dang Hotel
31 Navy Hotel

OÙ SE RESTAURER
17 Com Vietnam
19 Saigon Cafe
21 Chie
23 Lucky Restaurant

DIVERS
1   Gare ferroviaire
    de Thuong Li
2   Gare routière
    de Tam Bac
3   Marché Sat
4   Hôpital
    vietnamo-tchèque
    (Benh Vien Viet-Tiep)
5   Gare routière
    de Niem Nghia
6   Pagode Du Hang
7   Gare routière
    de Thuy Nguyen
8   Itinéraire du ferry
9   Hôtel de ville
10 Vietnam Airlines
12 Gare ferroviaire
    de Haiphong
13 Embarcadère
15 Poste
18 Cybercafés
20 Musée de Haiphong
22 Vietnam Tourism
28 Vietcombank
30 Musée de la Marine

NORD-EST

de lauriers-rose et des plages, un peu décevantes par leur taille, qui disparaissent à marée haute. La réputation de la station est légèrement surfaite. Beaucoup d'hôtels ont une apparence défraîchie.

La **bourgade de Do Son** est célèbre pour ses **combats de buffles**. Tous les ans, l'ultime combat a lieu le 10e jour du 8e mois lunaire, date anniversaire de la mort du chef d'une révolte paysanne qui remonte au XVIIIe siècle. En 1994, le gouvernement s'est associé en joint-venture à une entreprise de Hong Kong pour ouvrir un **casino**, une première au Vietnam depuis 1975. Les étrangers sont invités à y gagner ou perdre leur fortune, alors que les Vietnamiens s'en voient l'accès refusé.

Où se loger

Haiphong reçoit quotidiennement un millier de touristes chinois voyageant principalement en groupe. Si vous avez l'intention de passer la nuit dans l'un des établissements les plus chic, mieux vaut donc réserver à l'avance.

Ben Binh Hotel (Nha Khach Ben Binh ; ☎ 842260, fax 842524, 6 Đ Ben Binh ; chambres avec clim. 15-25 $US). Cet imposant hôtel se situe en face de l'embarcadère. Les chambres bon marché s'avèrent vétustes, alors que celles à 25 $US sont plus agréables.

Duyen Hai Hotel (☎ 842157, fax 844140, Pho Nguyen Tri Phuong ; chambres avec clim. 150 000 d). Installé à 5 minutes de marche de l'embarcadère, cet hôtel offre un bon rapport qualité/prix. Aussi petites soient-elles, les chambres sont néanmoins bien entretenues et équipées d'une TV.

Bach Dang Hotel (☎ 842444, fax 841625, 42 Pho Dien Bien Phu ; chambres 20-35 $US). Récemment rénové, cet établissement agréable répond aux normes internationales.

Navy Hotel (Khach San Hai Quan ; ☎ 823713, fax 842278, 27C Pho Dien Bien Phu ; chambres 20-60 $US). Très spacieux, le Navy Hotel fait face au musée de la Marine. La somptueuse suite, avec cuisine et salle à manger, coûte 60 $US. L'établissement est souvent pris d'assaut par les groupes de touristes chinois.

Hôtel du Commerce (☎ 842706, fax 842560, 62 Pho Dien Bien Phu ; chambres 150 000-300 000 d). Cet établisse-

ment date de l'époque coloniale. Un joli balcon agrémente l'ensemble du second étage, mais les chambres s'avèrent décevantes.

Huu Nghi Hotel (☎ 823310, fax 823245 ; chambres 50-300 $US). Installé à côté de l'Hôtel du Commerce, ce grand hôtel trois-étoiles, offre de belles chambres bien agencées.

Khach San Thang Nam (☎ 745432, fax 745674, vntourism.hp@bdvn.vnmail. vnd.net, 55 Pho Dien Bien Phu ; chambres 170 000 d). Cet établissement présente un excellent rapport qualité/prix. Inauguré en 2002, il propose des chambres lumineuses, bien entretenues, équipées de tout le confort moderne, y compris la TV par satellite.

Haiphong Station Guesthouse (Nha Khach Ga Hai Phong ; ☎ 855391, 75 Đ Luong Khanh Thien ; chambres 15 $US). Les prix pratiqués ici ne se justifient guère, car les chambres sont défraîchies. Toutefois, la pension offre l'avantage de se situer à deux pas de la gare ferroviaire.

Nombre de **mini-hôtels** se sont installés Pho Minh Khai, au sud de Pho Dien Bien Phu.

Où se restaurer

Haiphong est réputée pour ses excellents fruits de mer, que servent la plupart des **restaurants des hôtels**.

Com Vietnam (☎ 841698, 4 Pho Hoang Van Thu). Installé non loin de la poste, cet agréable petit restaurant vietnamien présente des tarifs raisonnables.

Lucky Restaurant (☎ 842009, 22-B2 Pho Minh Khai). Cet établissement, qui propose également de la cuisine traditionnelle, se trouve au milieu d'une kyrielle de **restaurants bon marché**, sur Pho Minh Khai.

Chie (☎ 823327, 64 Pho Dien Bien Phu ; repas environ 10 $US). Ce restaurant fera le bonheur des adeptes de sushis et de cuisine japonaise.

Saigon Café (angle Pho Dien Bien Phu et Pho Dinh Tien Hoang). Ce bar est animé certains soirs par des musiciens.

Comment s'y rendre

Avion. Vietnam Airlines (www.vietnamair. com.vn), installée à l'angle des Pho Tran Phu et Pho Pham Ngu Lao, est la seule compagnie aérienne à assurer la liaison entre Haiphong et Ho Chi Minh-Ville (HCMV) ou Danang. Renseignez-vous sur les horaires.

Bus. Haiphong compte trois gares routières longue distance.

Les bus vers Hanoi (25 000 d, 2 heures) partent de la **gare routière de Tam Bac** toutes les dix minutes environ entre 4h50 et 19h. Il y a plusieurs départs quotidiens vers Vinh (45 000 d, 7 heures), la ville jonction vers Cau Treo, à la frontière laotienne.

Des bus pour HCMV (193 000 d, 42 heures) *via* Nha Trang et d'autres villes du sud, quittent quotidiennement la **gare routière de Niem Nghia** à 6h et 8h30.

La gare routière pour les bus desservant Bai Chay (à Along), ou Mong Cai à la frontière chinoise, se situe dans le district de Thuy Nguyen, sur la rive nord de la Cam. Il faut prendre un ferry pour y parvenir, et puisque la gare se cache dans une petite rue, nous vous conseillons de prendre un *xe om*. Sachez toutefois que le trajet vers ces deux villes s'avère plus aisé, plus rapide et plus confortable par voie maritime.

Train. La ligne principale Hanoi-HCMV ne passe pas à Haiphong mais une voie parallèle relie Haiphong à Hanoi. Un express quotidien part pour la gare de Hanoi B (22 000 d, 2 heures), à 18h10, et plusieurs trains pour la gare de Long Bien (22 000 d, 2 heures 30), à Hanoi, sur la rive est du fleuve Rouge.

L'agglomération de Haiphong compte deux gares ferroviaires. La **gare de Thuong Li**, implantée dans l'ouest de la ville, s'avère excentrée. La **gare de Haiphong**, en plein centre-ville, est le terminus du train en provenance de Hanoi.

Voiture et moto. Haiphong se trouve à 103 km de Hanoi par la **RN5**. Cette voie express (la première au Vietnam) qui relie les deux villes, a été achevée en 1999.

Bateau. Tous les bateaux partent du port situé au bout de Ð Ben Binh, à 10 minutes à pied du centre-ville.

Les hydroglisseurs qui desservent Cat Ba (90 000 d, 75 minutes) partent à 6h30, 9h et 13h.

Les bateaux lents, qui rallient Mong Cai *via* Cat Ba (70 000 d), quittent le port aux mêmes heures.

Les hydroglisseurs à destination de Hong Gai, à Along (90 000 d, 75 minutes), lèvent l'ancre à 7h, 10h30 et 16h30.

Comment circuler
Haiphong compte plusieurs sociétés de taxis climatisés avec compteur. Essayez Haiphong Taxi (☎ 838383). De nombreux *xe om* sillonnent également la ville.

ALONG
☎ 033 • 149 900 habitants
La plupart des infrastructures touristiques (hôtels, restaurants et autres services) se concentrent dans la ville d'Along, capitale de la province de Quang Ninh. Ces dernières années, cette bourgade autrefois paisible s'est muée en "lieu de perdition" pour les touristes (vietnamiens ou étrangers) en voyages organisés et le nombre des enseignes "Thai massage" révèle l'importance de la prostitution.

Séjourner à Along offre peu d'intérêt mais vous y passerez probablement si vous vous rendez dans la baie d'Along. C'est une ville où vous serez heureux d'arriver en circuit organisé : vous ne serez pas la proie des rabatteurs essayant de vous vendre des excursions dans la baie. Choisissez de préférence un forfait qui comprend une nuit à bord d'un bateau plutôt qu'à terre. Si vous venez de Hanoi par vos propres moyens, ne vous arrêtez pas à Along, mais dirigez-vous directement vers l'île Cat Ba *via* Haiphong (voir la rubrique *Baie d'Along*), où vous pourrez organiser plus tranquillement votre itinéraire.

Orientation
Along est divisée en deux par la baie et le district le plus intéressant pour les voyageurs est celui de Bai Chay. Plus proche de la baie et plus attrayant, Bai Chay possède en effet une meilleure infrastructure hôtelière et attire la majorité des touristes.

Un court trajet en ferry (500 d) vous mène au district de Hon Gai, grand port charbonnier (le charbon est l'une des principales productions de la province). Le ferry depuis Haiphong accoste à Hon Gai et, si vous arrivez tard, il est plus simple de passer la nuit dans ce quartier avant de rejoindre Bai Chay le lendemain.

Retenez bien les noms des districts : la plupart des bus longue distance indiquent "Bai Chay" ou "Hon Gai" plutôt qu'Along.

NORD-EST

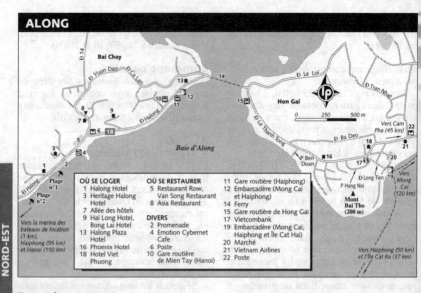

ALONG

OÙ SE LOGER
1 Halong Hotel
3 Heritage Halong Hotel
4 Allée des hôtels
9 Hai Long Hotel, Bong Lai Hotel
13 Halong Plaza Hotel
16 Phoenix Hotel
18 Hotel Viet Phuong

OÙ SE RESTAURER
5 Restaurant Row, Van Song Restaurant
8 Asia Restaurant

DIVERS
2 Promenade
4 Emotion Cybernet Cafe
6 Poste
10 Gare routière de Mien Tay (Hanoi)
11 Gare routière (Haiphong)
12 Embarcadère (Mong Cai et Haiphong)
14 Ferry
15 Gare routière de Hong Gai
17 Vietcombank
19 Embarcadère (Mong Cai, Haiphong et Île Cat Hai)
20 Marché
21 Vietnam Airlines
22 Poste

Renseignements

Argent. La **Vietcombank** dispose d'une agence à Hon Gai, ce qui n'a rien de pratique pour les touristes, qui séjournent pour la plupart à Bai Chay, de l'autre côté de la baie.

E-mail et Internet. À l'**Emotion Cybernet Café**, dans la rue principale de Bai Chay, l'accès à Internet revient à 400 d la minute. D'autres cybercafés se trouvent le long de l'"allée des hôtels".

Plages

Les "plages" d'Along se composent essentiellement de vase et de rochers, un inconvénient auquel les autorités tentent de remédier. Une société taiwanaise a construit deux plages à Bai Chay avec du sable importé, mais elles n'incitent guère à la baignade.

Où se loger

La plupart des voyageurs résident à Bai Chay, où plus d'une centaine d'hôtels se font concurrence, garantissant des prix abordables, à condition d'éviter les rabatteurs. Cependant, les tarifs augmentent en pleine saison et pendant le Têt.

Hong Gai offre également des solutions d'hébergement, ce qui peut s'avérer un choix judicieux si vous avez prévu un trajet en bus ou en bateau tôt le matin ou tard dans la soirée.

Bai Chay. La plupart des établissements se concentrent le long de l'"allée des hôtels", dans le centre-ville. D'innombrables mini-hôtels, quasi identiques, louent leurs doubles, avec sdb et clim. de 8 à 12 $US. Sur la colline, quelques hôtels jouissent d'une belle vue sur la baie.

Bong Lai Hotel (☎ 845658 ; chambres avec/sans balcon 12/10 $US). Cet établissement sans prétention, bon marché et accueillant, jouit d'une vue merveilleuse.

Hai Long Hotel (☎ 846378, fax 846174 ; chambres avec clim. 12 $US). Juste à côté et légèrement plus grand, le Hai Long Hotel offre, depuis son toit, une vue imprenable. Des rénovations étaient en cours lors de notre passage.

Hanlong Plaza Hotel (☎ 845810, fax 846867, plaza.qn@hn.vnn.vn ; chambres à partir de 140 $US++). Voici une bonne adresse, juste à côté du débarcadère des ferries pour véhicules. Ce confortable établissement propose généralement une ristourne d'environ 40% sur le prix affiché.

La plupart des autres hôtels s'étirent sur 2 km le long de la grand-route, à l'ouest de la ville (en direction de Hanoi). Ce sont souvent de vastes et chers établissements d'État.

Heritage Halong Hotel (☎ 846888, fax 846718, heritagehl.qn@hn.vnn/vn ; chambres 110-250 $US). Cet établissement clinquant est le fruit d'une joint-venture avec une société de luxe de Singapour. Les chambres, agréables, disposent d'une belle vue. Les groupes de touristes ont l'habitude d'y descendre.

Halong Hotel (☎ 846320, fax 846318 ; chambres avec clim. 15-110 $US). Ce gigantesque complexe hôtelier se divise en 4 bâtiments de catégories différentes, ce que les prix reflètent.

Hon Gai. Moins nombreux dans ce district et moins recherchés, les hôtels maintiennent des prix bas (et les rabatteurs se font plus rares). La plupart des établissements se regroupent le long de Đ Le Thanh Tong, qui court d'est en ouest, et dans Pho Hang Noi, à peu près en face de la rive. La gamme des hôtels s'étend de l'ordinaire au sordide et la route devient très bruyante tôt le matin.

Hotel Viet Phuong (☎ 826197, Đ Le Thanh Tong ; chambres avec clim. 120 000 d). Cet hôtel paraît l'un des plus propres et offre l'avantage d'être entouré de bons petits **restaurants com binh dan** et d'**échoppes de pain frais** pour le petit-déjeuner.

Phoenix Hotel (☎ 827236, 169 Đ Le Thanh Tong ; chambres avec ventil./clim. 150 000/200 000 d). Cette adresse propose un confort assez sommaire.

Où se restaurer

À part les mini-hôtels, la plupart des **hôtels** indiqués possèdent des restaurants. Si vous voyagez en circuit organisé, les repas seront probablement compris dans le forfait.

Les voyageurs indépendants exploreront le quartier situé à l'ouest du centre de Bai Chay, où nombre de **restaurants** bon marché proposent une cuisine tout à fait correcte. Le propriétaire du **Van Song Restaurant** parle couramment français.

Asia Restaurant (☎ 846927). Installé dans "l'allée des hôtels", cet établissement populaire est tenu par un ancien restaurateur berlinois qui parle un peu anglais. Vous pourrez déguster d'excellentes spécialités vietnamiennes à des prix raisonnables.

À Hon Gai, dirigez-vous vers les petits **restaurants locaux** qui bordent Pho Ben Doan et les alentours de l'Hotel Viet Phuong.

Comment s'y rendre

Bus. Les bus vers Hanoi (35 000 d, 3 heures 30) quittent toutes les 15 minutes la **gare routière de Mien Tay** à Bai Chay, non loin du terminal des ferries.

De l'autre côté de la rue, un bus démarre toutes les 20 minutes à destination de Haiphong (18 000 d, 2 heures).

Les bus vers le nord-est partent la gare routière de **Hon Gai**. Des départs réguliers se font à destination de Mong Cai (35 000 d, 6 heures) et Cua Ong (9 000 d, 2 heures) pour rejoindre l'île Van Don.

Voiture et moto. Along se situe à 160 km de Hanoi, à 55 km de Haiphong et à 45 km de Cam Pha. Le trajet en voiture Hanoi-Along demande environ 3 heures.

Bateau. Des bateaux lents se dirigent quotidiennement de Hon Gai à Haiphong (30 000 d, 3 heures). Ils partent de Hon Gai à 6h30, 11h et 16h. Les départs en hydroglisseur (60 000 d, 75 minutes) s'effectuent à 8h et 13h.

Une navette maritime assure la liaison quotidienne entre Hon Gai et l'île Cat Hai (30 000 d, 2 heures). Les horaires varient en fonction de la saison et du nombre de passagers. Cette traversée offre de jolies vues de la baie d'Along.

De Cat Hai, on peut prendre un petit ferry pour l'île Cat Ba (30 000 d, 2 heures) : voir la rubrique *Île Cat Ba* plus loin dans ce chapitre). De temps à autres, des bateaux relient directement Hon Gai à l'île Cat Ba.

Il existe également une liaison quotidienne entre Hong Gai et Mong Cai. L'hydroglisseur (170 000 d, 3 heures) part à 6h et le ferry (70 000 d, 7 heures) à 9h.

Vous pouvez également vous rendre de Bai Chay à Mong Cai par hydroglisseur (12 $US, 3 heures). Les départs s'effectuent à 8h et 13h.

L'hydroglisseur, qui relie Bai Chay à Haiphong (5 $US, 50 minutes), lève l'ancre à 9h10 et 13h10.

Attendez-vous néanmoins à des changements d'horaires.

BAIE D'ALONG

Avec ses 3 000 îles émergeant des eaux vert émeraude du golfe du Tonkin, la baie d'Along, qui couvre 1 500 km², constitue l'une des merveilles du Vietnam. En 1994, elle est devenue le deuxième site vietnamien inscrit au patrimoine mondial de l'Unesco. On l'a comparée aux paysages féeriques des îlots karstiques de Guilin, en Chine, et à Krabi, dans le sud de la Thaïlande. Ces innombrables petites îles recèlent des plages et des grottes nées de l'action du vent et des vagues, ainsi que des pentes peu boisées qui vibrent de chants d'oiseaux.

Outre les vues à couper le souffle, les visiteurs viennent ici explorer les innombrables grottes (dont certaines sont superbement illuminées) et faire des randonnées dans le parc national de Cat Ba. La baie d'Along elle-même ne compte que quelques plages dignes de ce nom, excepté celles de l'île Cat Ba. Mais, plus loin, dans la baie de Lan Ha (au large de l'île Cat Ba), la situation s'inverse : Lan Ha possède plus d'une centaine de plages, mais quasiment aucune grotte.

Premier site touristique du nord-est du pays, la baie d'Along attire un flot régulier de visiteurs tout au long de l'année. En février, mars et avril, un temps souvent froid et bruineux, qui favorise le brouillard et diminue la visibilité, affecte la baie d'Along et l'île Cat Ba. Malgré tout, les températures descendent rarement au-dessous de 10°C. Pendant les mois d'été, les orages tropicaux sont fréquents.

Along (*Ha Long*) signifie "là où le dragon descend dans la mer". La légende veut qu'un énorme dragon ait vécu dans la montagne. Courant un jour vers la mer, il créa, avec les battements de sa queue, les vallées et les crevasses de la région. Lorsqu'il plongea dans l'eau, les trous qu'il avait creusés s'emplirent d'eau, ne laissant que quelques terres émergées.

Le dragon n'est peut-être qu'une légende, mais les marins de la région ont souvent affirmé avoir aperçu une sorte de monstre marin surnommé la *Tarasque* (sans doute en référence au dragon des légendes provençales, terrassé par Sainte Marthe). Certains militaires, plus méfiants, pensent qu'il s'agit en réalité d'un sous-marin espion impérialiste, tandis que des voyageurs excentriques croient avoir découvert une version vietnamienne du monstre du Loch Ness. Le prétendu monstre continue de hanter la baie d'Along, indifférent à la police maritime, à Vietnam Tourism et aux services de l'immigration ! C'est en tout cas une source de profit non négligeable pour ceux qui mènent les touristes en jonque, histoire de voir la Tarasque avant que, lassée, elle ne s'en aille.

Une menace bien réelle pèse cependant sur la baie : la chasse aux souvenirs touristiques. Les fonds marins se vident rapidement de leurs coraux et de leurs coquillages rares. Dans les grottes, stalactites et stalagmites sont peu à peu brisés pour servir de matière première aux porte-clés, presse-papiers, cendriers, etc., que l'on retrouve en vente dans les magasins de la ville. Mieux vaut donc acheter des cartes postales et des peintures sur soie.

Une carte détaillée de la baie d'Along et de la baie voisine de Bai Tu Long a été publiée en 1998 par la direction départementale de la baie d'Along. Vous pourrez l'acheter (quelque 8 000 d) chez les marchands de souvenirs sur les sites des grottes ou, sinon, demandez à votre guide où vous pouvez vous en procurer un exemplaire.

Grottes

Les îles calcaires de la baie d'Along sont parsemées de milliers de grottes, de toutes tailles et de toutes formes. Vous n'accéderez à la plupart d'entre elles que si vous avez loué un bateau, mais les circuits organisés prévoient la visite de certaines.

L'imposante **Hang Gau Do** (grotte des Bouts de bois), que les Français appelaient aussi grotte des Merveilles, comprend trois salles auxquelles on accède par un escalier de 90 marches. Dans la première, une assemblée de gnomes semble tenir conseil parmi les stalactites. Les parois de la deuxième salle scintillent lorsqu'on les éclaire. Mais c'est de la troisième pièce que la grotte tire son nom vietnamien. Au XIIIe siècle, elle aurait servi à entreposer les pieux de bambou que Tran Hung Dao, général et héros populaire, planta dans le lit du Bach Dang pour empaler les navires de la flotte du conquérant mongol Kubilai Khan, qui tentait d'envahir le pays (reportez-vous à l'encadré *Un stratagème in-*

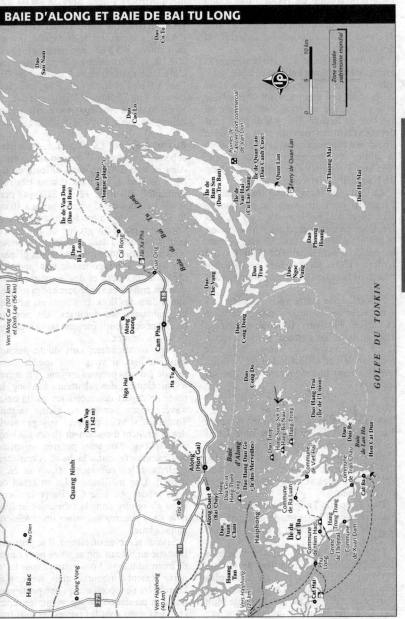

BAIE D'ALONG ET BAIE DE BAI TU LONG

faillible, dans ce chapitre). Cette grotte est celle qui se situe le plus près du continent. La grotte voisine de **Hang Thien Cung** fait partie du même système souterrain et présente des formations calcaires en forme de choux-fleurs, ainsi que des stalactites et des stalagmites.

Nombre de visiteurs viennent admirer la grotte de **Hang Sung Sot**, qui compte également trois belles salles gigantesques. Dans la seconde, une étonnante roche phallique éclairée en rose est considérée comme un symbole de fertilité. Une fois de plus, vous devrez gravir des marches pour y accéder. En suivant le parcours dans les entrailles de la grotte, vous ressortirez devant la baie. Non loin, l'impressionnante grotte de **Hang Bo Nau** peut également se visiter.

La grotte de **Hang Trong** (ou grotte du Tambour) tient son nom du phénomène acoustique créé par le vent qui s'y engouffre. Citons enfin, parmi les plus connues, la grotte de Bo Nau, celle de Hang Hahn, longue de 2 km, et celle de Hang Ca, qui renferme un lac paisible dans lequel les habitants de la région plongent pour ramasser des huîtres.

Savoir quelle grotte vous visiterez sera sans doute décidé le jour même de votre excursion. Plusieurs facteurs entrent en effet en ligne de compte, parmi lesquels la météo, le nombre de bateaux déjà présents sur le site et le nombre de visiteurs qui font peser une menace écologique sur les grottes.

Îles

Dao Tuan Chau (île Tuan Chau), située à 5 km à l'ouest de Bai Chay, compte parmi les rares îles développées de la baie. Elle abrite l'ancienne résidence d'été de Ho Chi Minh, trois villas et un restaurant. Un grand complexe hôtelier est aussi en construction.

Dao Titop (île Titop) possède une petite plage propice à la baignade et à partir de laquelle l'on peut monter jusqu'au sommet de l'îlot.

L'île **Cat Ba**, la plus réputée et la plus développée de toutes les îles de la baie d'Along, fait l'objet d'une rubrique, plus loin dans ce chapitre. De Cat Ba, vous pouvez accéder à l'île inhabitée de **Hon Cat Dua** (île Ananas) où vous pourrez passer la nuit.

Comment s'y rendre

Avion. Aujourd'hui, seule la société Northern Airport Flight Service (☎ 04-827 4409, fax 827 2780, 173 Pho Truong Chinh) propose des vols entre Hanoi et la baie d'Along, uniquement le dimanche. Il vous en coûtera 175 $US par personne (pour 20 $US supplémentaires, la prestation inclura les transferts entre l'aéroport de Gia Lam à Hanoi et le port d'Along, une croisière de 4 ou 5 heures et le déjeuner dans la baie). Vous pouvez également affréter un hélicoptère pour 2 000 $US l'heure.

Bus et bateau. La plupart des touristes achètent un circuit d'une ou deux nuits dans la baie d'Along dans un café ou un hôtel de Hanoi. Les prix restent très raisonnables, allant de 12 à16 $US par personne (par bus de 45 places) jusqu'à 40 ou 55 $US. Cette dernière formule comprend un circuit par petit groupe et une nuit à bord d'un bateau dans la baie, ce que nous vous recommandons vivement. La plupart des forfaits comprennent le transport, les repas, le logement et des activités, telles que des croisières sur la baie et des promenades dans les îlots. Les boissons ne sont généralement pas incluses. Un nombre croissant de circuits incluent une excursion en kayak de mer.

Vous n'obtiendrez sans doute pas un meilleur prix si vous vous rendez dans la baie par vos propres moyens. En outre, le harcèlement des rabatteurs à Along, le point de départ des croisières sur la baie, s'avère assez pénible en pleine saison. Toutefois, si vous préférez voyager seul, des bus relient directement Hanoi à Along et Haiphong, d'où vous pourrez organiser vos excursions dans la baie. (Consultez également les rubriques *Along* et *Haiphong*). Une meilleure solution serait de vous rendre sur l'île Cat Ba (voir *Comment s'y rendre* dans la rubrique *Cat Ba*), d'où vous pourrez organiser une croisière dans la baie.

Si vous réservez un circuit, il se peut que la sortie en bateau soit annulée pour cause de mauvais temps. Vous pourrez vous faire partiellement rembourser mais, sachez que la croisière ne représente qu'une petite partie de la prestation (le logement, les repas et le transport sont les postes les plus importants). Selon le nombre de participants,

ous n'obtiendrez sans doute pas plus de
ou 10 \$US.

omment circuler

ateau. Vous ne verrez pas grand-chose
vous n'explorez pas les îles et les grottes
n bateau. Si vous vous retrouvez seul à
Along, des propriétaires de bateaux privés,
es agences de voyage et des hôtels à Bai
Chay proposent des circuits. La concurrence
'avère féroce et la pratique de prix exagérés
u la vente forcée restent encore courantes.

La baie étant très vaste, nous vous con-
eillons d'opter pour un bateau rapide, afin
e mieux en profiter. Vous avez également
a possibilité de louer une jonque. Ce type
'embarcation romantique et photogénique
e fait rare et, quand le vent est faible, vous
urez l'impression de ne pas beaucoup
vancer.

Inutile de louer un bateau pour vous
eul, d'autres touristes, vietnamiens ou
trangers, se feront un plaisir de le par-
ager avec vous. Une petite embarcation
eut contenir 6 à 12 personnes et coûte
uelque 6 \$US l'heure. Les bateaux de
aille intermédiaire (les plus courants)
ccueillent une vingtaine de touristes et
e louent 15 \$US l'heure. Comptez 25 \$US
our un bateau plus grand, conçu pour 50
u 100 personnes.

Toutes les embarcations sont amarrées
ans une marina située à 2 km à l'ouest de
Bai Chay.

Nous vous conseillons de garder un œil
ur vos objets de valeur. Les cabines des
ateaux sont équipées d'un verrou mais,
ors d'une excursion à la journée, il est
référable de demander à quelqu'un de sur-
eiller vos affaires si vous allez nager.

LE CAT BA

☎ 031 • 7 000 habitants

Cat Ba est la plus grande île des alentours
le la baie d'Along. Du côté est de l'île, la
aie de Lan Ha, particulièrement belle,
ompte de nombreuses plages. Alors que
a majorité des îles de la baie d'Along ne
sont que des rochers abrupts inhabités, Cat
Ba abrite quelques minuscules **villages de
êcheurs et d'agriculteurs**, ainsi qu'une
ourgade en plein essor. À part quelques
oches fertiles, la terre s'avère trop ro-
ailleuse pour l'agriculture : la plupart des
ésidents vivent de la mer, d'autres du tou-

risme. Ces difficiles conditions d'existence
ont poussé de nombreux habitants de Cat
Ba à se joindre à l'exode des "boat people"
vietnamiens dans les années 1970 et 1980.
Si l'île a ainsi perdu une grande partie de
sa flotte de pêche, la manne financière
fournie par leurs parents d'outremer a permis aux habitants de Cat Ba de construire
les hôtels et les restaurants flambant neuf
que vous pouvez découvrir.

Cat Ba reste une île relativement sereine,
même si le nombre de chambres d'hôtel (et
de karaokés !) a été multiplié par 20 depuis
1996.

En 1986, la moitié de l'île Cat Ba
(354 km^2 en totalité) et 90 km^2 de ses eaux
côtières ont été déclarés parc national, afin
de protéger les différents écosystèmes de
ce petit paradis. Le parc englobe des
forêts subtropicales d'arbres à feuillage
persistant sur les hauteurs, des formations
marécageuses au pied des collines et des
mangroves côtières, sans compter de
nombreux lacs d'eau douce et les récifs
de corail au large. Le littoral se compose
essentiellement de falaises rocheuses,
ponctuées de petites criques où se cachent
quelques **plages** de sable.

D'innombrables lacs, cascades et grottes
se sont formés dans les collines calcaires
qui culminent à 331 m. La végétation des
sommets s'avère peu développée en raison
des vents violents qui la balaient. Le **lac
Ech** s'étend sur 3 ha et ne s'assèche jamais,
contrairement aux autres plans d'eau ;
l'eau de pluie a en effet tendance à s'infiltrer dans les grottes avant de rejoindre la
mer, d'où un manque d'eau lors de la saison
sèche. Bien que la plus grande partie de
l'île s'élève à une altitude de 50 à 200 m,
certains endroits se trouvent au-dessous du
niveau de la mer.

Les eaux du littoral abritent des phoques
et des dauphins, ainsi que quelque 200 espèces de poissons, 500 espèces de mollusques et 400 espèces d'arthropodes.

Sur l'île, 17 sites ont livré des armes de
pierre et des ossements humains remontant
à 6 000 ou 7 000 ans.

Depuis que Ho Chi Minh est venu en
personne à Cat Ba, le 1er avril 1951, une
grande fête commémore cet événement
chaque année. Un **monument** à l'Oncle Ho
se dresse sur le mont n°1, la petite colline
qui fait face à la jetée de Cat Ba.

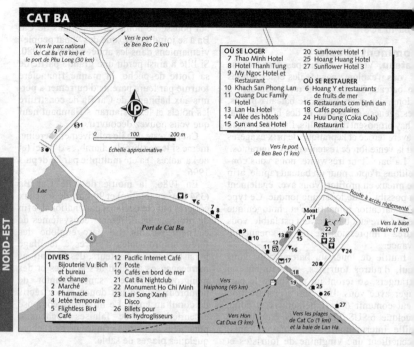

CAT BA

Vers le port
de Ben Beo (2 km)

Vers le parc national
de Cat Ba (18 km) et
le port de Phu Long (30 km)

OÙ SE LOGER
7 Thao Minh Hotel
8 Hotel Thanh Tung
9 My Ngoc Hotel et
Restaurant
10 Khach San Phong Lan
11 Quang Duc Family
Hotel
13 Lan Ha Hotel
14 Allée des hôtels
15 Sun and Sea Hotel

20 Sunflower Hotel 1
25 Hoang Huang Hotel
27 Sunflower Hotel 3

OÙ SE RESTAURER
6 Hoang Y et restaurants
de fruits de mer
16 Restaurants com binh dan
18 Cafés populaires
24 Huu Dung (Coka Cola)
Restaurant

0   100   200 m
Échelle approximative

Vers le port
de Ben Beo (1 km)

Lac

Port de Cat Ba

Route à accès réglementé

Mont
n°1

Vers la base
militaire (1 km)

DIVERS
1 Bijouterie Vu Bich
et bureau
de change
2 Marché
3 Pharmacie
4 Jetée temporaire
5 Flightless Bird
Café

12 Pacific Internet Café
17 Poste
19 Cafés en bord de mer
21 Cat Ba Nightclub
22 Monument Ho Chi Minh
23 Lan Song Xanh
Disco
26 Billets pour
les hydroglisseurs

Vers
Haiphong (45 km)

Vers Hon
Cat Dua (3 km)

Vers les plages
de Cat Co (1 km)
et la baie de Lan Ha

La période la plus agréable sur l'île s'étend de fin septembre à novembre (le meilleur mois) ; la température de l'air et de l'eau s'avère alors très douce et le ciel souvent dégagé. De décembre à février, le temps, plus frais, reste plaisant. Entre février et avril, les pluies sont fréquentes. Les mois d'été, de juin à août, sont chauds et humides.

Parc national de Cat Ba

Le parc national de Cat Ba *(entrée 25 000 d, services d'un guide 5 $US par jour, pers ou groupe)* abrite 32 espèces de mammifères, parmi lesquels le semnopithèque de François, le sanglier, le cerf, l'écureuil et le hérisson. On dénombre plus de 70 espèces d'oiseaux, dont le faucon, le calao et le coucou. L'île Cat Ba est située sur un important axe migratoire d'oiseaux aquatiques (canards, oies, oiseaux de mer) qui nichent sur les plages et dans les mangroves. Parmi les 745 espèces de plantes répertoriées, on compte 118 espèces d'arbres à bois de charpente et 160 plantes médicinales. Le parc abrite une essence unique, le Cay Kim Gao *(Podocarpus*

fleuryi hickel) pour les amateurs d'horti-culture). Autrefois, les rois et les seigneur ne mangeaient qu'avec des baguettes fabri-quées dans le bois de cet arbre, qui noirci au contact d'une substance empoisonnée

Nous vous recommandons de vous fair accompagner par un guide lors de vos ran données, autrement vous risquez de ne voi que le feuillage des arbres. Le **camping** es autorisé dans le parc, mais pensez à vou munir de tout le nécessaire. Vous pourre louer le matériel en ville.

Deux grottes du parc sont ouvertes a public. L'une, la **grotte hôpital**, présent un intérêt historique puisqu'elle a serv d'hôpital clandestin pendant la guerre d Vietnam. La seconde, la grotte de **Trun Trang** (Hang Trung Trang) est facilemen accessible, mais munissez-vous d'un lampe de poche si vous voulez distingue quelque chose. Elle se trouve au sud d l'entrée du parc, le long de la route princi pale. Vous devrez vous acquitter d'un droi d'entrée très raisonnable.

Les voyageurs apprécient généralemen la randonnée *très* sportive de 18 km travers le parc (de 5 à 6 heures). Prévoye es services d'un guide, le transport en bus usqu'à l'entrée de la piste et un bateau our le retour. Tout ceci peut être organisé facilement dans les hôtels de Cat Ba, si vous voyagez de façon indépendante, et est normalement compris dans votre circuit, si vous voyagez en groupe. Nombre de randonnées se terminent à Viet Hai, un village reculé où vivent quelques représentants d'une minorité ethnique. De là, vous emprunterez un bateau pour rejoindre le village de Cat Ba. Si vous décidez de faire cette randonnée, portez des chaussures adéquates, emportez un vêtement de pluie ainsi qu'une réserve d'eau (au moins 3 litres) et de la nourriture en suffisance. Les marcheurs solitaires pourront s'acheter un en-cas frugal dans les kiosques de Viet Hai, où les groupes s'arrêtent généralement pour déjeuner. Cette randonnée n'a rien de facile et le sentier devient encore plus difficile et glissant après la pluie. Il existe cependant des circuits plus courts et moins éprouvants.

Pour parvenir aux bureaux du parc à Trung Trang, empruntez un minibus depuis l'un des hôtels de Cat Ba (80 000 d, 30 minutes). Tous les restaurants et les hôtels vendent des tickets de minibus. Louer une moto revient à quelque 20 000 d l'aller simple.

Plages

Les plages de sable blanc de Cat Co (appelées simplement **Cat Co 1** et **Cat Co 2**) constituent l'endroit idéal pour se reposer. Elles se situent à environ 1 km du village de Cat Ba, en contrebas d'un cap escarpé et sont accessibles à pied ou en moto (quelque 3 000 d). L'entrée s'élève à 7 000 d.

Les deux plages sont séparées par une petite colline, que l'on peut gravir en une vingtaine de minutes. Néanmoins, la plupart des visiteurs suivent un chemin plus facile, une nouvelle passerelle de bois qui longe la mer sur 700 m et contourne la montagne. Cat Co 2, la moins fréquentée et la plus agréable des deux plages, offre un hébergement sommaire et un camping.

Le week-end, les plages attirent nombre de touristes vietnamiens (et les détritus s'empilent), mais le calme revient en semaine.

À part celles du village de Cat Ba, les principales plages sont Cai Vieng, Hong Xoai Be et Hong Xoai Lon.

Où se loger

Ces dernières années, les possibilités d'hébergement ont considérablement augmenté à Cat Ba. Le développement continue bon train pour répondre aux besoins d'un marché touristique en plein essor. N'hésitez pas à comparer les hôtels bon marchés puisqu'ils ne sont pas tous du même standing. En règle générale, évitez ceux où un réceptionniste apathique écoute de la musique à plein tube et optez plutôt pour un hôtel familial dans lequel vous voyez du personnel féminin et des enfants. Ces derniers sont généralement mieux entretenus, plus paisibles et silencieux. Depuis que les résidents de Hanoi ont "découvert" Cat Ba, l'île est devenue un lieu de villégiature très couru l'été, les week-ends et jours fériés.

En mai 1998, le raccordement au réseau électrique national a apporté sur l'île tout le confort moderne, climatisation, TV par satellite et eau chaude compris. Grâce à cela, les générateurs, dont le vacarme assourdissant rendait toute conversation pratiquement impossible à l'heure du dîner, ont disparu. L'inconvénient est qu'ils ont cédé leur place aux karaokés en plein air et aux discothèques d'où s'échappent des sons sourds.

Peu d'hôtels disposent d'un accès Internet. Toutefois, le **Pacific Internet Café** situé dans "l'allée des hôtels" possède plusieurs terminaux et facture 200 d la minute.

Où se loger – petits budgets et catégorie moyenne

La majorité des hôtels sont installés dans la bourgade de Cat Ba, en bordure de mer. Ceux qui se trouvent à l'est (c'est-à-dire ceux qui ne sont pas construits à flanc de colline) bénéficient de meilleures brises et sont moins exposés à l'ambiance karaoké/call-girl. Dans presque tous les hôtels, un membre du personnel vous renseignera en anglais. Toutefois, il sera peut-être nécessaire d'attendre, si ce précieux informateur n'est pas dans les parages.

Le prix des chambres varie sensiblement : durant la pleine saison d'été (de mai à septembre), attendez-vous à payer au minimum 15 \$US pour une chambre. Pendant les mois d'hiver (d'octobre à avril), quand l'activité tourne au ralenti, vous trouverez de quoi vous loger convenablement pour 5 à 10 \$US. Les prix que nous indiquons sont ceux de la basse saison, pendant laquelle vous pouvez négocier. Nous avons classé les établissements par ordre géographique, en partant de l'extrémité ouest du front de mer. Si ceux-là sont complets, sachez qu'il en existe beaucoup d'autres.

Sunflower Hotel 3 (☎ 888215, fax 888451, sunflowerhotel@hn.vnn.vn, chambres avec ventil. 8-13 $US). Voici la version petit budget en bord de mer des 3 hôtels familiaux du même nom de la ville. Le confort s'avère correct. Comptez un supplément de 2 $US pour une chambre avec la clim.

Hoang Huong Hotel (☎ 888274 ; chambres avec ventil./clim. 7/12 $US). Cet établissement propose des chambres bien entretenues. Celles situées en façade possèdent d'énormes baies vitrées et un balcon commun surplombant la mer.

Quang Duc Family Hotel (☎ 888231, fax 888423 ; chambres avec clim. 10 $US). Voici l'exemple type de "l'hôtel familial" à Cat Ba, disposant de chambres avec TV par satellite. Vous pourrez y réserver vos excursions et louer un kayak pour 10 $US la journée.

Lan Ha Hotel (☎ 888999, fax 888299 ; chambres rdc/étage avec ventil. 4/5 $US). D'un confort sommaire, cet hôtel offre néanmoins un bon rapport qualité/prix. C'est l'un des meilleurs établissements bon marché de "l'allée des hôtels", mais n'hésitez pas à comparer, car certains sont extrêmement bruyants.

Khach San Phong Lan (☎ 888605 ; chambres avec clim. 10 $US). Cet hôtel jouit d'un bel emplacement. Les chambres sur la façade, bien que très rudimentaires, possèdent un balcon donnant sur le port.

My Ngoc Hotel Restaurant (☎ 888199, fax 888422 ; chambres 10-15 $US). Les chambres bien entretenues de cet établissement offrent un confort spartiate. Les tables du restaurant s'éparpillent sur la promenade. Vous pourrez vous renseigner sur les circuits et louer un kayak pour 6 $US la journée.

Thao Minh Hotel (☎ 888630 ; chambres 10-15 $US). Le Thao Minh Hotel abrite d'agréables chambres avec balcon en façade.

Hotel Thang Tung (☎ 888364 ; chambres avec ventil. 6 $US). Ne vous attendez pas à un niveau de confort exceptionnel dans cet établissement, voisin du précédent,

étant donné les tarifs affichés. Toutefois il s'avère bien entretenu et jouit d'un be emplacement.

Plus à l'ouest, plusieurs hôtels parsè ment le front de mer. S'ils offrent un con fort agréable, ils sont néanmoins entourés de bars à karaoké et de salons de massage un quartier donc qui n'est pas des plu calmes.

Sun and Sea Hotel (☎ 888315 fax 888475 ; chambres avec clim. 15 $US) Cet hôtel dispose de jolies chambres quoi que petites pour le prix, qui inclut cepen dant le petit déjeuner. Il se situe à quelques pas du front de mer.

Sunflower Hotel 1 (☎ 888215, fax 888451, sunflowerhotel@hn.vnn.vn ; cham bres 18 $US). Voici la version haut de gamme des hôtels familiaux du même nom Les chambres confortables sont équipées de TV par satellite. Le **Sunflower Hotel 2** étai en chantier lors de notre passage.

Si vous voulez échapper au tumulte de la ville, vous pouvez passer la nuit dans l'une des deux chambres rustiques de la **pension** (chambres 50 000 d) de Cat Co Hai, sur la plage de Cat Co. Le gérant loue des tentes pour **camper** sur la plage.

Pour une retraite plus isolée, choisissez la **pension de plage** (chambres 10 $US) que le département des parcs nationaux a cons truit récemment sur l'île voisine de **Hon Cat Dua** (île Ananas). On peut également camper sur la plage, à condition d'apporter son matériel. En dehors des rangers, l'île est inhabitée (à moins de compter les cerfs, les singes et les serpents !). Faites des pro visions si vous souhaitez y passer la nuit. Cat Dua se trouve à une trentaine de mi nutes en bateau de Cat Ba ; il n'existe pas de ferry public et vous devrez trouver un bateau privé pour vous emmener et revenir vous chercher. Un bateau pouvant trans porter 15 personnes devrait coûter 6 $US l'aller. Pour vous aider à organiser cette escapade, renseignez-vous au My Ngoc Hotel ou au Quang Duc Family Hotel.

Où se restaurer

Les restaurants en bordure de mer propo sent des fruits de mer délicieux et de toute première fraîcheur.

Situé à l'extrémité ouest de la prome nade, le restaurant **Hoang Y** offre un choix fantastique de produits de la mer. Vous pourrez y déguster une grosse portion de crevettes ou de seiches grillées à l'ail pour quelque 50 000 d. Les végétariens trouveront également leur bonheur en savourant, par exemple, le plat à base de pommes de terre et de tomates. Cet établissement sans prétention est toujours bondé.

Le **Huu Dung Restaurant** jouit encore d'une bonne renommée, mais allez-y tôt dans la soirée car deux discothèques ont ouvert leurs portes dans le voisinage et vous devrez crier pour vous faire entendre une fois que la musique lancée. Régalez-vous avec la spécialité de la maison : le poisson entier cuit à la vapeur.

Une multitude de petits **restaurants com binh dan** bon marché bordent "l'allée des hôtels".

Restaurants flottants. De nombreux restaurants "flottants", spécialisés dans les produits de la mer, sont ancrés en face du port de Cat Ba. Renseignez-vous sur leurs prix (souvent exagérés) et sur le coût du bateau qui vous emmènera et reviendra vous chercher.

Les îliens vous conseilleront de vous rendre de l'autre côté de la baie dans un des restaurants flottants du port de Ben Beo. L'eau est plus claire et le lieu moins touristique. Comptez quelque 15 000 d le trajet aller-retour en bateau qui vous attendra le temps du dîner. Faites-vous recommander un batelier par votre hôtel.

Xuan Hong (☎ 888485). Parmi les établissements situés le long de la jetée de Ben Beo, le Xuan Hong est le restaurant d'une ferme piscicole. Vous pouvez vous promener le long des grands bassins pour observer le fonctionnement de l'élevage. Vous ne douterez pas de la fraîcheur du poisson en constatant qu'il est pêché juste après votre commande. Les crevettes grillées au feu de bois, accompagnées d'une sauce et de riz, constituent un mets simple mais délicieux. Les prix sont calculés en fonction du poids et de l'espèce. Comptez 100 000 d pour un copieux assortiment de poissons.

Où sortir

L'une des façons les plus agréables de passer la soirée consiste à s'installer confortablement dans un bar à l'extrémité ouest du front de mer pour siroter un verre en contemplant le monde et les flots.

Flightless Bird Café (☎ 888517 ; à partir de 18h30). Si vous vous sentez davantage l'humeur sociale, ce bar chic regorge généralement de touristes étrangers. Tenu par un expatrié néo-zélandais, par ailleurs une mine d'information locale, cet endroit est sympathique pour prendre un verre (comptez 20 000 d le verre de vin australien), jouer aux fléchettes, écouter de la musique ou regarder un film. Au second étage, un agréable balcon surplombe le port. L'établissement n'ouvre que le soir, mais le patron prépare des paniers-repas sur commande. Vous pourrez également y échanger des livres.

Deux discothèques très bruyantes se sont installées sur la colline derrière la ville. Situé dans un énorme bâtiment violet, le **Cat Ba Nightclub** pratique une tactique commerciale assez originale : quand la discothèque est peu fréquentée, on ne mettra de la musique qu'une fois que vous aurez consommé. À côté, la **Lan Song Xanh Disco** passe de la musique quoi qu'il arrive.

Perché au 8e étage, le **Seaview Bar** n'ouvre que le soir. Il dispose d'une table de billard et d'une vue exceptionnelle, mais pas d'ascenseur !

Comment s'y rendre

L'île Cat Ba se trouve à 40 km à l'est de Haiphong et à 20 km au sud d'Along. Attention, l'île compte deux embarcadères : l'un dans la ville de Cat Ba, où s'arrêtent la plupart des voyageurs, et l'autre à Phu Long, 30 km plus loin. De Phu Long, des motos-taxis ne demandent qu'à vous transporter jusqu'au centre-ville, à 30 km de là (ou au parc national de Cat Ba, à 15 km), pour quelque 50 000 d. Vous pouvez également prendre un bus, mais le trajet s'avère beaucoup plus long.

À l'heure où nous écrivons ces lignes, la jetée temporaire à l'extrémité ouest de la ville était toujours utilisée, mais la remise en service de l'ancienne jetée près de la poste était prévue. Renseignez-vous à votre arrivée.

Grande innovation : 2 hydroglisseurs de fabrication russe, de 75 et 108 places, ont été récemment mis en service. Ces fusées climatisées permettent de réduire la durée du trajet Cat Ba-Along et Cat Ba-Haiphong à 45 minutes pour le premier et à 1 heure 15 pour le second. Les hydroglisseurs partent actuellement de Cat Ba pour Haiphong une fois par jour, à 15h (90 000 d). Ils quittent Haiphong pour Cat Ba à 6h30, 9h et 13h. Sachez cependant que les horaires sont susceptibles de changer. En général, mais surtout pendant les week-ends d'été, il faut réserver à l'avance, et arriver tôt sur le quai car les bateaux larguent les amarres une fois pleins.

Les bateaux lents mettent quelque 2 heures 30 et coûtent 70 000 d par personne. Les horaires changent constamment ; renseignez-vous sur place.

On peut également se rendre à Cat Ba par l'île Cat Hai, plus proche de Haiphong. De Haiphong, le bateau fait une brève halte à Cat Hai avant de continuer vers le port de Phu Long, sur l'île Cat Ba. Il existe aussi un bac au départ de Hon Gai (ville d'Along), à 12h30, qui vous amène en 2 heures à Cat Hai, d'où vous pouvez prendre un autre bateau jusqu'au port de Phu Long (10 000 d, 20 minutes). Il paraît qu'un ferry prenant à son bord des véhicules exploite désormais cette ligne. Il serait donc possible de se rendre en moto ou en voiture jusqu'à Haiphong, d'y prendre le ferry jusqu'à Cat Hai, pour ensuite traverser l'île, ce qui prend 15 minutes environ, et arriver à l'embarcadère où un ferry vous emmènera à Phu Long sur Cat Ba. Renseignez-vous sur place si cet itinéraire vous tente.

De nombreux bateaux de tourisme, lents, effectuent la liaison entre la ville d'Along et l'île Cat Ba. Renseignez-vous auprès des cafés et des agences de voyages de Hanoi sur les voyages organisés menant à Cat Ba. Ces circuits comprennent généralement le transport, l'hébergement, les repas et les services d'un guide, mais mieux vaut s'en assurer.

Comment circuler
Louer un vélo est un moyen merveilleux d'explorer l'île. Plusieurs hôtels vous dénicheront un vieux vélo chinois, mais vous pouvez trouver un VTT au Flightless Bird Cafe.

On peut affréter facilement des minibus avec chauffeur. La plupart des hôtels proposent des locations de motos (avec ou sans chauffeur). Attention : si vous allez à la plage ou au parc national, garez votre véhicule sur le parking payant (2 000 d) si vous voulez le retrouver à votre retour ; des vols et des actes de vandalisme ont en effet été signalés.

On vous proposera des promenades en canot autour du port de pêche de Cat Ba (environ 20 000 d). Vous pouvez aussi louer un kayak auprès d'un des hôtels, moyennant 2 $US l'heure.

La plupart des hôtels et des restaurants du bourg de Cat Ba organisent des circuits en bateau dans la baie d'Along, des promenades dans le parc national ou dans l'île, ainsi que des parties de pêche. Les tarifs dépendent du nombre de participants, mais vous vous en tirerez généralement pour 8 $US la journée ou 20 $US pour un circuit de deux jours et une nuit.

Parmi les tour-opérateurs les plus fiables, nous vous recommandons le **My Ngoc Hotel Restaurant** (☎ 888199) et le **Quan Duc Family Hotel** (☎ 888231).

BAIE DE BAI TU LONG
☎ 033
Le plateau calcaire immergé qui a donné naissance aux spectaculaires îles de la baie d'Along s'étend vers le nord-est jusqu'à la frontière chinoise, sur près de 100 km. La région contiguë à la baie d'Along s'appelle la baie de Bai Tu Long.

La baie de Bai Tu Long se révèle tout aussi belle que sa célèbre voisine, et même plus, car elle reste épargnée par le développement touristique. Ceci présente à la fois un avantage et un inconvénient. Si la baie n'est pas polluée et s'avère peu développée, les infrastructures touristiques restent inexistantes. Circuler dans la baie et s'y loger n'a rien d'évident. En outre, si vous ne parlez pas vietnamien, vous aurez des difficultés à obtenir des renseignements.

De la baie d'Along, vous pouvez louer un bateau jusqu'à la baie de Bai Tu Long. Un bateau de 20 places revient à 10 $US l'heure et la traversée dure quelque 5 heures. Vous pouvez aussi opter pour la voie terrestre (une option beaucoup moins chère) jusqu'à la jetée de Cua Ong, où emprunter un ferry public pour l'île Van Don et des îles les plus reculées, ou encore louer un bateau depuis la jetée de l'île Cai Rong.

Île Van Don (Dao Cai Bau)
Van Don est l'île la plus grande, la plus peuplée et la plus développée de l'archipel.

Elle ne compte cependant pour l'instant aucune infrastructure touristique. Van Don rappelle l'île Cat Ba avant le boom de la construction hôtelière de la fin des années 1990.

Cai Rong est la principale bourgade de l'île, qui mesure quelque 30 km de long et 15 km en son point le plus large. La longue plage, de sable "dur" et de mangroves, de Bai Dai ("longue plage") s'étend sur la majeure partie de la côte sud. À quelques encablures de là, apparaissent d'étonnantes **formations rocheuses**, similaires à celles de la baie d'Along. Lors de notre passage, un hôtel était en chantier sur la plage et il devrait aujourd'hui être achevé. C'était le seul projet d'hébergement plannifié.

Où se loger et se restaurer. Les quelques hôtels se situent tous sur la jetée de Cai Rong, à quelque 8 km de Tai Xa Pha, là où les ferries sont amarrés. Cai Rong est un lieu bigarré et animé, où de nombreuses barques de pêcheurs et de bateaux de touristes viennent jeter l'ancre. Les karaokés et les motos foisonnent. Le niveau sonore augmente dès 6h du matin. Mieux vaut donc opter pour une chambre avec clim. pour pouvoir vous isoler du bruit. Ne comptez pas profiter de la plage, il n'y en a pas !

Hung Toan Hotel (☎ 874220 ; *chambres avec clim. 60 000 d*). Situé à 100 m de la jetée, cet hôtel propose des chambres assez mal entretenues sur lesquelles donne un vaste balcon. Bien qu'exiguës, les trois meilleures chambres se situent à l'étage.

Duyen Huong Guesthouse (☎ 874113 ; *chambre avec/sans clim. 100 000/60 000 d*). Cette petite pension pimpante dispose de chambres de taille tout à fait respectable équipées d'une sdb avec eau chaude. Certaines possèdent même un balcon.

Nha Nghi Nhu Hoa (*chambres clim. 80 000 d*). Située à côté de l'établissement précédent, la Nha Nghi Nhu Hoa offre le même niveau de confort. Éviter néanmoins les chambres du 2e étage, où une pièce a été aménagée en karaoké.

Khach San Sy Long (☎ 874854 ; *chambres avec ventil. 70 000 d*). Agréablement sise à l'angle de la jetée, cette pension jouit d'un bel emplacement. Les chambres sont cependant petites et le confort plus sommaire que dans certains hôtels avoisinants.

Le plus : les lieux s'avèrent d'une propreté irréprochable.

Plusieurs autres pensions sont disséminées dans cette rue, où l'on trouve aussi des **restaurants** affichant des tarifs raisonnables.

Comment s'y rendre. Pour l'instant, l'île est desservie par des ferries qui font la navette entre Cua Ong Pha (jetée de Cua Ong, sur le continent) et Tai Xa Pha (jetée de Tai Xa, sur l'île Van Don). Le ferry qui transporte piétons, bicyclettes, motos et poulets (1 000 d, 20 minutes) fait la navette toutes les demi-heures entre 6h et 17h. Le ferry réservé aux véhicules part de Cua Ong toutes les deux heures, de 6h30 à 16h30 (du 1er octobre au 31 mars) et de 5h à 17h (du 1er avril au 30 septembre).

Un hydroglisseur relie quotidiennement l'île Van Don à Along (6 $US, 70 minutes). Le départ s'effectue à 15h30. Par ailleurs, pour rejoindre Mon Cai (12 $US, 2 heures 30), un bateau part à 8h30.

Ces horaires sont sujets à des modifications et dépendent de la météo. Il se peut que vous ayez à patienter une journée ou davantage sur place.

Des bus fréquents relient Hon Gai (Along) à la gare routière de Cua Ong, à 1 km de la jetée, sur le continent. En chemin, vous passerez devant de nombreuses mines de charbon. Une fine pellicule de poussière noire se déposera sur votre visage (et vos poumons) bien avant la fin de votre périple. Ayez une pensée pour les personnes qui vivent dans cet environnement et qui respirent cet air-là tous les jours.

Pour parcourir les 8 km entre le débarcadère de Tai Xa et la ville de Cai Rong, prenez une moto-taxi (10 000 d).

Autres îles. La jetée de Cai Rong (Cai Rong Pha), à la lisière de la ville de Cai Rong, sert de point de départ aux bateaux qui explorent les îles reculées de la baie. Vous pouvez louer un bateau pour rejoindre Hon Gai ou Bai Chay (environ 10 $US l'heure, 5 heures).

Vous pouvez également louer un bateau touristique (*du lich*) pour explorer les îles des alentours pendant quelques heures. Renseignez-vous près de la jetée. Les tarifs oscillent entre 70 000 d et 80 000 d l'heure.

Île Quan Lan (Dao Canh Cuoc)

L'atout principal de cette île est sa magnifique **plage de sable blanc** en forme de croissant qui s'étend sur 1 km, avec son eau, d'un bleu pur, agitée de vagues parfaites pour le surf. La meilleure saison s'étend de mai à octobre ; il y fait trop froid en hiver. Actuellement, l'île ne compte ni hôtel ni restaurant.

Chaque année, du 16e au 18e jour du 6e mois lunaire, le **Hoi Cheo Boi (fête des barques)**, plus grand événement de la baie, attire des milliers de spectateurs.

Dans le nord-est de l'île se dressent les **ruines** de l'ancien port commercial de Van Don. Il reste peu de chose de ce port qui jouait autrefois un rôle primordial dans le négoce entre la Chine et le Vietnam. Les ports en eau profonde, tels Haiphong ou Hon Gai, ont depuis longtemps supplanté ces îles.

Un ferry circule tous les jours entre les îles Quan Lan et Van Don (17 000 d, 2 heures). Il part à 14h de Van Don et à 7h de Quan Lan. Cela signifie qu'il faut camper sur l'île (pensez à emporter matériel et provisions).

Île Van Hai (Cu Lao Mang)

La découverte d'antiques tombes chinoises indique un riche passé de commerce maritime. L'île compte de belles plages, mais l'exploitation minière du sable (pour la fabrication du verre) est en train de les détruire. Un bateau part pour l'île Van Don à 7h et 14h (17 000 d, 80 minutes).

Île Ban Sen (Dao Tra Ban)

Également appelée Tra Ban, cette île s'avère la plus proche de Van Don et d'un accès facile. Dépourvue d'infrastructures touristiques, sa visite implique de passer la nuit sur place, mieux vaut donc être bien équipé.

Le bateau quitte l'île Van Don à 14h et arrive sur la côte nord de l'île Ban Sen entre 15h et 15h30 (10 000 d). Pour le trajet en sens inverse, le bateau part tous les jours de Ban Sen, vers 7h, pour arriver à Van Don entre 8h et 8h30.

Île Co To (Dao Co To)

Située au nord-est, Co To est l'île habitée la plus éloignée du continent. Elle comprend plusieurs collines, dont la plus haute s'élève à 170 m. Un grand phare surmonte l'une d'elles. Le littoral se compose essentiellement de falaises et de gros rochers, mais compte au moins une jolie **plage** de sable. Les bateaux de pêche jettent l'ancre à côté de cette plage et, à marée basse, vous pourrez les rejoindre à pied. On peut passer la nuit dans une petite **pension** très sommaire.

Des ferries desservent Co To depuis Van Don les lundi, mercredi et vendredi ; vérifiez les horaires à Cai Rong. En sens inverse, ils partent les mardi, jeudi et samedi. Aucun service n'est assuré le dimanche. Comptez 30 000 d l'aller simple et quelque 5 heures de traversée (selon le vent).

MONG CAI ET LA FRONTIÈRE CHINOISE

☎ 033 • 48 100 habitants

Mong Cai se situe sur la frontière chinoise, à l'extrémité nord-est du Vietnam. Auparavant, le poste-frontière (Cua Khau Quoc Te Mong Cai) n'était ouvert qu'aux Vietnamiens et aux Chinois. Aujourd'hui, c'est l'un des postes-frontières terrestres officiels du Vietnam.

Le poste-frontière ouvre tous les jours de 7h30 à 16h30. Votre visa pour la Chine doit impérativement vous avoir été délivré à Hanoi (ou votre visa pour le Vietnam doit vous avoir été délivré par l'ambassade à Beijing si vous effectuez le trajet en sens inverse). Du moins, c'est ce que nous ont affirmé les douaniers vietnamiens. Nous n'avons pas pu confirmer leurs dires puisque aucun touriste ne s'est présenté.

Il semble difficile d'attribuer un intérêt quelconque à Mong Cai. Pour les Vietnamiens, l'attrait principal consiste à se procurer des marchandises chinoises à bas prix (et de mauvaise qualité). Quant aux visiteurs chinois, ils semblent que certains viennent ici pour le faible coût de la nourriture, de l'alcool et des prostituées.

Si vous parlez chinois, vous pourrez le pratiquer à Mong Cai. Le personnel vietnamien de la plupart des hôtels, des restaurants et des boutiques en connaît au moins les bases. De plus, environ 70% des échoppes appartiennent à des Chinois qui traversent la frontière tous les jours pour vendre leurs marchandises. Ce qui explique que le marché ferme si tôt, les commerçants chinois devant traverser la

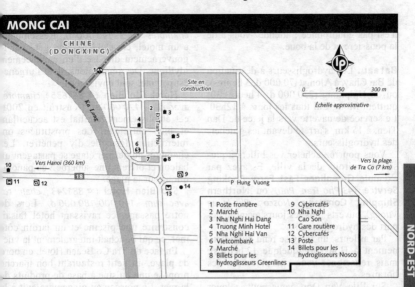

MONG CAI

CHINE
(DONGXING)

Site en construction

0   150   300 m
Échelle approximative

Vers Hanoi (360 km)

P Hung Vuong

Vers la plage
de Tra Co (7 km)

1 Poste frontière	9 Cybercafés
2 Marché	10 Nha Nghi
3 Nha Nghi Hai Dang	Cao Son
4 Truong Minh Hotel	11 Gare routière
5 Nha Nghi Hai Van	12 Cybercafés
6 Vietcombank	13 Poste
7 Marché	14 Billets pour les
8 Billets pour les	hydroglisseurs Nosco
hydroglisseurs Greenlines	

frontière avant sa fermeture, à 16h30. Si vous possédez quelque yuan chinois, vous n'aurez donc aucun mal à les écouler.

Hormis le passage de la frontière, Mong Cai ne possède rien pour retenir les touristes. C'est une ville poussiéreuse aux bâtiments branlants et aux constructions chaotiques. De l'autre côté de la frontière (côté chinois), Dongxing ne promet rien de mieux.

Renseignements

Vous disposez d'une succursale de la **Vietcombank** dans le centre-ville, où changer les chèques de voyage.

Plusieurs établissement proposent un **accès Internet** Pho Hung Vuong.

Où se loger et se restaurer

Les hôtels de Mong Cai ne vous laisseront pas un souvenir impérissable. Il en existe beaucoup, tous offrant plus ou moins le même niveau de confort. Faites votre choix en les visitant, sinon vous pouvez essayer les adresses suivantes.

Nha Nghi Hai Dang (☎ 881555, 107 Pho Tran Phu ; chambres avec ventil./clim. 80 000/ 120 000 d). Cet hôtel offre un niveau de confort acceptable, en ayant l'avantage d'être bon marché et de se situer en centre-ville.

Nha Nghi Hai Van (☎ 886479, Thang Loi ; chambres avec clim. 150 000 d) Voici

l'établissement le plus récent et le mieux entretenu que nous ayons visité, avec à la réception un personnel disposé à fournir des renseignements.

Truong Minh Hotel (☎ 883368, 202 Trieu Ð ; chambres 135 000-150 000 d). Cet établissement paraît légèrement plus calme que tous ceux installés sur cette grande artère.

Nha Nghi Cao Son (☎ 883883 ; chambres avec clim. 120 000-150 000 d). De nombreux hôtels font face à la gare routière. Si vous descendez au Nha Nghi Cao Son, demandez une chambre donnant sur l'arrière, moins bruyant.

Outre des **échoppes** en ville, vous trouverez quelques **restaurants** installés autour du rond-point.

Comment s'y rendre

Bus. Mong Cai se trouve à 360 km de Hanoi. Les 5 bus quotidiens qui parcourent les 360 km séparant Mong Cai de Hanoi (42 000 à 62 000 d, 10 heures) partent tous entre 5h30 et 7h30. De nombreux bus et minibus à destination de Hong Gai, à Along (25 000 à 35 000 d, 6 heures), quittent Mong Cai entre 5h30 et 16h30.

Le trajet Mong Cai-Lang Son dure 5 heures, mais cette route n'est desservie que par un ou deux bus quotidiens, qui partent tôt le matin. De plus, vous devez changer de bus à Tien Yen. La majeure partie de la route n'est pas goudronnée ; attendez-vous à de la poussière et de la boue.

Bateau. Les hydroglisseurs à destination de Bai Chay, à Along (170 000 d, 3 heures), ou de Haiphong (230 000 d, 4 heures 30) quittent Mong Cai tous les jours à 12h30. Le service de navette vers la jetée de Dan Tien, à 15 km, s'arrête devant les guichets des hydroglisseurs.

Vous pourrez acheter vos billets à plusieurs endroits de la ville. Essayez par exemple **Greenlines Fast Ferry Booking Service** (43 Pho Tran Phu) ou **Northern Shipping Company** (Nosco ; Pho Hung Vuong), ouverts tous les jours avant le départ des hydroglisseurs.

Par ailleurs, un ferry se rend quotidiennement à Hon Gai (quelque 12 heures), mais renseignez-vous sur place sur les horaires.

Sur l'île Van Don, vous pouvez louer un bateau jusqu'à Mong Cai. La traversée (6 heures) vous coûtera quelque 150/200 $US l'aller simple/aller-retour.

ENVIRONS DE MONG CAI
Plage de Tra Co
À 7 km au sud-est de Mong Cai s'étend Tra Co, une péninsule à la forme bizarre, "présentée" comme station balnéaire. Cette plage longue de 17 km, aux eaux peu profondes et au sable si compact que l'on peut y rouler en voiture, compte parmi les plus grandes de tout le pays. Des barques de pêche en bois peint viennent s'y échouer quand elles n'illuminent pas la baie lors de leurs sorties de pêche nocturnes.

La station balnéaire reste de taille modeste mais, en pleine saison, de mai à août, une foule de touristes vietnamiens et chinois vient envahir les karaokés et les salons de massage. Hors saison, l'endroit redevient paradisiaque : accueillant, serein et superbe. Passer la nuit à Tra Co s'avère bien plus agréable qu'à Mong Cai.

Où se loger et se restaurer. Parmi tous les hôtels et pensions existants, seuls ceux présentés ici sont, pour le moment, installés directement sur le front de mer. Hors saison, les prix restent vraiment intéressants mais ils augmentent considérablement en pleine saison.

Tra Co Beach Hotel (☎ 881264 chambres 2 lits 140 000 d). Ressemblan à un motel, cet établissement géré par l gouvernement dispose d'un emplacemen idyllique. Des rénovations, dont l'urgenc est patente, sont envisagées.

Hotel Gio Bien (☎ 881635 ; chambre avec clim. 120 000 d). Construit en 200 cet établissement familial est accueillan et bien entretenu. Les prostituées on interdiction formelle d'y pénétrer. Le chambres au dernier étage se partagent u balcon et offrent une superbe vue panora mique sur la plage.

Sao Bien Hotel (☎ 881243 ; chambre avec clim. 140 000-180 000 d). Lors d notre passage, ce ravissant hôtel faisa construire une piscine et un jardin côt mer, ce qui bouchait intégralement la vue

En face du Tra Co Beach Hotel, en bor de plage, un petit **restaurant** bon march propose une cuisine à base de produits d la mer. Le poisson au gingembre cuit à l vapeur est un véritable délice.

LANG SON
☎ 025 • 62 300 habitants • altitude : 270 m
Capitale de la province qui porte son nom émaillée de sommets, Lang Son se situ dans une région peuplée essentiellemen de minorités montagnardes (Tho, Nung Man et Dzao) ; la plupart d'entre eux on conservé leur mode de vie traditionnel.

Lang Son a été partiellement détruit par les troupes chinoises lors de l'invasio de février 1979 (voir l'encadré Tensions d voisinage, dans ce chapitre). Les ruines d la ville et le village dévasté de Dong Dan étaient souvent montrés aux journaliste étrangers comme preuves de l'agressio chinoise. Si la frontière reste aujourd'hu très protégée, les relations commercial entre les deux pays semblent de nouvea au beau fixe ; et les deux bourgades ont ét reconstruites

Non loin de Lang Son, plusieurs grotte d'une taille impressionnante se dissimu lent dans les collines calcaires des envi rons. Vous pourrez également découvri les ruines d'une citadelle de la dynas tie Mac datant du XVIe siècle. Nombr de voyageurs passent par Lang Son san s'y arrêter, car cette ville commerçante s trouve sur la route qui mène à la Chine Le poste-frontière se situe, en fait, just à la sortie de Dong Dang, une bourgade installée à 18 km au nord. Inutile de faire un détour pour visiter la ville mais, si vous disposez de quelques heures, plusieurs sites intéressants vous attendent.

À voir et à faire

À 2,5 km du centre de Lang Son, se cachent deux grandes **grottes** superbes (entrée 5 000 d ; tlj 6h-18h). Toutes deux, éclairées et faciles à explorer, abritent des autels bouddhistes.

Vaste et superbe, la **grotte de Tam Thanh** renferme une piscine naturelle et comporte également une ouverture panoramique sur les rizières environnantes. Une centaine de mètres plus loin, en haut d'un escalier en pierre, se dressent les ruines de la **citadelle de la dynastie Mac**. Cet endroit désert et magnifique offre une vue splendide sur la campagne.

La rivière Ngoc Tuyen coule à travers la **grotte de Nhi Thanh**, située à 700 m de celle de Tam Thanh. Des poèmes écrits par Ngo Thi San, le soldat qui la découvrit au XVIIIe siècle, ont été gravés dans la paroi à l'entrée. Une stèle commémorative montre l'un des premiers résidents français de Lang Son vêtu de ses vêtements occidentaux.

Où se loger et se restaurer

Les hôtels de Lang Son n'offrent rien de particulier.

Hoang Nguyen Hotel (☎ 870349, 84 Pho Tran Dang Ninh ; simples/doubles lits jumeaux 10/15 $US). Cet établissement privé sympathique, propose un niveau de confort acceptable. Optez pour une chambre donnant sur l'arrière, avec vue sur les rizières. Un cybercafé a ouvert à quelques pas de là.

Hoa Binh Hotel (☎ 870807, 127 Pho Tran Dang Ninh ; chambres avec clim. 12 $US). Relativement récent, le Hoa Binh Hotel loue des chambres bien entretenues.

Mai Phuong Hotel (☎ 870458, 82 Pho Tran Dang Ninh ; chambres 120 000-150 000 d). Installé à côté du Hoang Nguyen Hotel, cet établissement propose des chambres agréables.

Ngoc Mai Hotel (☎ 871837, 25 Pho Le Loi ; chambres avec clim. 180 000 d). Les vastes chambres du Ngoc Mai Hotel sont lumineuses, mais mal aérées. Un cybercafé jouxte l'hôtel.

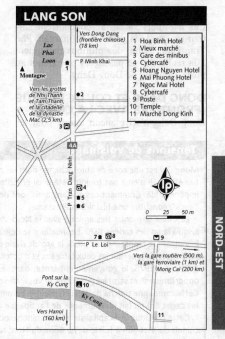

LANG SON

Vers Dong Dang (frontière chinoise) (18 km)

Lac Phai Loan

▲ Montagne

P Minh Khai

Vers les grottes de Nhi Thanh et Tam Thanh, et la citadelle de la dynastie Mac (2,5 km)

P Tran Dang Ninh

4A

P Le Loi

Vers la gare routière (500 m), la gare ferroviaire (1 km) et Mong Cai (200 km)

Pont sur la Ky Cung

Ky Cung

Vers Hanoi (160 km)

0   25   50 m

1 Hoa Binh Hotel
2 Vieux marché
3 Gare des minibus
4 Cybercafé
5 Hoang Nguyen Hotel
6 Mai Phuong Hotel
7 Ngoc Mai Hotel
8 Cybercafé
9 Poste
10 Temple
11 Marché Dong Kinh

La ville compte de nombreux hôtels et pensions offrant un niveau de confort équivalent. Peu disposent d'une salle à manger, mais rien n'interdit de déguster un **com pho** en ville ou de dîner dans l'un des restaurants bon marché situés près de la gare routière.

Achats

Le **marché Dong Kinh**, ainsi que le **vieux marché**, exposent d'innombrables – et fragiles – produits chinois affichés à petits prix.

Comment s'y rendre

Des bus à destination de Long Bien, à Hanoi (30 000 d, 5 heures), partent régulièrement de la **gare routière longue distance**. Un départ quotidien vers Cao Bang (30 000 d, 5 heures) est programmé à 4h30. Des minibus partent régulièrement à destination de Cao Bang via That Khe et Dong Khe, depuis leur arrêt, Pho Tran Dang Ninh.

Plusieurs trains circulent quotidiennement entre Lang Son et Hanoi (71 000 d, 5 heures). Les départs ont lieu à 2h21, 6h40 et 14h10.

NORD-EST

Comment circuler

Les habituels *xe om* se concentrent surtout autour de la poste et du marché. Pho Tran Dang Ninh, des minibus maraudent à la recherche de passagers se rendant au poste-frontière de Dong Dang.

DONG DANG ET COL DE L'AMITIÉ (FRONTIÈRE AVEC LA CHINE)

Dong Dang n'offre aucun intérêt pour les voyageurs, à l'exception de sa situation géographique à la frontière chinoise. Le poste-frontière en lui-même se trouve à Huu Nghi Quan, à 3 km au nord de la ville. Un *xe om* vous y emmènera, moyennant 5 000 d. La frontière est ouverte tous les jours de 7h à 17h et vous devrez parcourir à pied les 500 m séparant le Vietnam de la Chine. Trois trains partant de Hanoi arrivent tous les jours à Dong Dang *via* Lang Son.

Tensions de voisinage

Mong Cai est une zone de libre-échange dont les marchés, en plein essor, connaissent une activité frénétique. Il n'en a pas toujours été ainsi et, entre 1978 et 1990, la frontière était pratiquement impénétrable. Comment ces anciens amis sont devenus des ennemis jurés, puis de nouveau des "amis", constitue une histoire intéressante.

La Chine se montra très amicale avec le Nord-Vietnam à partir du départ des Français, en 1954, jusqu'à la fin des années 1970. Les relations se dégradèrent rapidement après la réunification, lorsque le Vietnam se rapprocha de l'URSS, la grande rivale de la Chine. Le gouvernement vietnamien essayait sans doute de jouer sur les deux tableaux et d'obtenir ainsi une aide accrue des deux puissances.

En mars 1978, le gouvernement lança, dans le Sud, une campagne contre les "commerçants opportunistes" et saisit les propriétés privées, afin d'achever la "transformation socialiste" du pays. Cette campagne toucha particulièrement la communauté chinoise. Les discours marxistes-léninistes cachaient en fait la résurgence de l'antipathie ancestrale des Vietnamiens envers les Chinois.

Cette politique anticapitaliste et antichinoise poussa près de 500 000 des 1 800 000 résidents chinois du Vietnam à fuir le pays. Ceux du Nord rejoignirent la Chine par voie de terre et ceux du Sud s'exilèrent par la mer. Cette opération s'avéra lucrative, du moins dans le Sud, chaque réfugié chinois devant payer au gouvernement jusqu'à 5 000 $US de "droit de sortie" pour être autorisé à partir. Les entrepreneurs de Ho Chi Minh-Ville pouvaient se le permettre, contrairement aux ressortissants du Nord, souvent très pauvres.

En représailles, la Chine coupa son aide au Vietnam, annula des dizaines de projets de développement et rappela 800 techniciens. L'invasion du Cambodge par le Vietnam fin 1978 mit le feu aux poudres : les Khmers rouges étaient les alliés de la Chine. Les dirigeants chinois, déjà préoccupés par la forte concentration des troupes soviétiques sur leur frontière avec l'URSS, se persuadèrent que le Vietnam avait basculé dans le camp soviétique, qui tentait d'encercler la Chine d'armées hostiles.

En février 1979, la Chine envahit le Nord du Vietnam pour lui "donner une leçon". On ne sait trop quelle leçon les Vietnamiens en tirèrent, mais les Chinois apprirent à leurs dépens que les troupes vietnamiennes, endurcies par des années de guerre contre les Américains, ne se laissaient pas faire. Les troupes chinoises se retirèrent après 17 jours. Leurs dirigeants déclarèrent l'opération un "franc succès" malgré des pertes estimées à 20 000 combattants. Des observateurs constatèrent que l'Armée de libération du peuple chinois avait été sévèrement maltraitée par les Vietnamiens. Paradoxalement, l'aide chinoise avait partiellement participé à la victoire du Vietnam.

Officiellement, les deux pays considèrent ces "malentendus" comme de l'histoire ancienne et se déclarent mutuellement "bons voisins". Le commerce florissant autour de la frontière en témoigne. En pratique, toutefois, la Chine et le Vietnam continuent de se méfier l'un de l'autre et de se disputer les droits de forage pétrolier dans la mer de Chine méridionale. La frontière reste une zone sensible, même si le prochain affrontement risque plutôt de se dérouler en mer.

Si vous visitez la Chine et si vous parlez de l'invasion de 1979, on vous dira probablement que l'armée chinoise n'a fait que répondre, en légitime défense, aux raids vietnamiens au cours desquels d'innocents villageois auraient été massacrés. Les Chinois sont les seuls à croire cette version des faits et à proclamer qu'ils ont gagné cette guerre.

Par ailleurs, à l'heure où nous écrivions ces lignes, il existait un train à destination de Beijing *via* le col de l'Amitié qui partait de Hanoi le mardi et le vendredi. Le voyage durait 55 heures, avec 3 heures d'arrêt pour les formalités de douane. Cela a pu changer depuis, aussi, nous vous conseillons de vous renseigner sur place.

CAO BANG

☎ 026 • 45 500 habitants

Capitale de la province du même nom, cette ville poussiéreuse, perchée bien au-dessus du niveau de la mer, bénéficie d'un climat plaisant. Son principal attrait réside dans la campagne environnante, la plus belle région montagneuse du Nord-Est, qui mérite qu'on s'y attarde.

Profitez de votre séjour à Cao Bang pour visiter le **monument aux morts**, dressé en haut de la colline. Prenez la seconde route qui part de Ð Pac Bo, passez sous le porche d'une école primaire et vous tomberez sur l'escalier qui y mène. Au sommet, une vue panoramique superbe s'offre à vous. La sérénité du lieu vous permettra de récupérer de votre effort physique.

Renseignements

Si vous désirez échanger des dollars, rendez-vous à la **Bank for Foreign Investment and Development**. Armez-vous de patience face au personnel léthargique et peu avenant. Pour éviter ce désagrément, prévoyez d'arriver avec assez d'argent liquide.

Lors de notre passage, nous n'avons pas trouvé d'accès Internet ouvert au public à Cao Bang.

Où se loger et se restaurer

Thanh Loan Hotel (*Khach San Thanh Loan* ; ☎ 857026, fax 857028, 159 Pho Vuon Cam ; *chambres avec clim. 15 \$US*). Cet établissement bien entretenu, dispose d'un personnel charmant. Dommage qu'un aigle empaillé trône à la réception ! Un tarif unique, petit-déjeuner compris, s'applique à toutes les chambres, quelle que soit leur taille. En façade et sur l'arrière, elles s'avèrent plus lumineuses et spacieuses que celles au milieu du bâtiment.

Huong Thom Hotel (☎ 855888, Ð Kim Dong ; *chambres avec clim. 180 000 d*). Non loin du marché, cet hôtel offre également un bon niveau de confort. Certaines

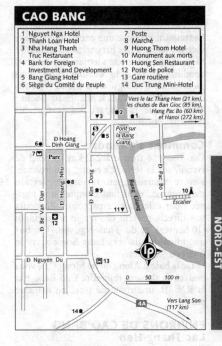

CAO BANG

1 Nguyet Nga Hotel	7 Poste
2 Thanh Loan Hotel	8 Marché
3 Nha Hang Thanh	9 Huong Thom Hotel
Truc Restaurant	10 Monument aux morts
4 Bank for Foreign	11 Huong Sen Restaurant
Investment and Development	12 Poste de police
5 Bang Giang Hotel	13 Gare routière
6 Siège du Comité du Peuple	14 Duc Trung Mini-Hotel

Vers le lac Thang Hen (21 km),
les chutes de Ban Gioc (85 km),
Hang Pac Bo (60 km)
et Hanoi (272 km).

Ð Hoang Dinh Giang

Parc

Ð Hoang Nhu

Ð Be Van Dan

Ð Kim Dong

Bang Giang

Ð Pac Bo

Escalier

Ð Nguyen Du

Pont sur la Bang Giang

0   50   100 m

Vers Lang Son (117 km)

chambres bénéficient d'une vue sur la rivière. Le prix comprend le petit déjeuner et la TV.

Bang Giang Hotel (☎ 8534331 ; *chambres avec clim. 150 000-200 000 d*). Près du pont au nord de la ville, cet énorme établissement géré par le gouvernement paraît mieux entretenu que certains autres. Les chambres à l'arrière jouissent d'une belle vue sur la rivière.

Duc Trung Mini-Hotel (☎ 853424 ; *chambres 180 000-200 000 d*). Ce petit établissement privé donne sur une rue calme, au sud de la ville. Essayez d'ignorer l'ours noir empaillé qui orne la réception !

Nguyet Nga Hotel (☎ 856445 ; *chambres avec ventil./clim.a 100 000/ 140 000 d*). Situé de l'autre côté du pont, à la diagonale du Bang Giang Hotel, cet hôtel bon marché présente le meilleur rapport qualité/prix dans sa catégorie. Vous pouvez également essayer l'une des nombreuses **pensions** de la ville.

Outre les restaurants des hôtels, vous trouverez de quoi vous restaurer aux **échoppes** près du marché. Le **Huong Sen Restaurant** est un sympathique *com*

NORD-EST

binh dan installé au bord de la rivière. Sur l'autre rive, le **Nha Hang Thanh Truc Restaurant** propose une excellente cuisine vietnamienne à des prix très raisonnables. Si vous ne parlez pas vietnamien, on vous conduira jusqu'à la cuisine pour vous montrer ce qui figure au menu. À vous d'indiquer ce qui vous ferait plaisir. Sachez toutefois que la plupart des restaurants ferment vers 20h.

Comment s'y rendre

Cao Bang se trouve à 272 km au nord de Hanoi, sur la RN3. La route, goudronnée, s'avère sinueuse, en raison du terrain montagneux, et il faut compter une journée pour effectuer ce parcours. Plusieurs bus directs partent chaque jour de Hanoi (10 heures) et de Thai Nguyen. Un bus quotidien depuis/vers Lang Son couvre le trajet en 7 heures.

De la baie d'Along ou de Mong Cai, vous pouvez également rejoindre Cao Bang par la RN 4B, une route de terre en majeure partie.

ENVIRONS DE CAO BANG
Lac Thang Hen

Ce grand lac peut se visiter tout au long de l'année. Toutefois, le paysage change en fonction de la saison. Pendant la période des pluies, de mai à septembre, 36 lacs se forment entre les roches sinueuses. Pendant la saison sèche, ces lacs s'assèchent, à l'exception du lac Thang Hen. Apparaît alors une vaste **grotte** que l'on peut explorer en radeau de bambou. Il faut néanmoins trouver quelqu'un dans les environs pour vous emmener. La région offre par ailleurs d'agréables **randonnées** d'une journée, à faire en compagnie d'un guide local. Le personnel de votre hôtel à Cao Bang devrait pouvoir vous aider à en trouver un.

Thangh Hen ne compte ni hôtel, ni restaurant et n'est pas desservi par les transports publics. Depuis Cao Bang, il faut parcourir 20 km en voiture jusqu'au col de Ma Phuc. Un kilomètre plus loin, tournez à gauche au croisement, et roulez encore sur 4 km.

Hang Pac Bo

Hang Pac Bo (qui signifie grotte de la roue à eau) se situe à 3 km de la frontière chinoise. La grotte et ses environs revêtent

La légende des lacs

Le décor enchanteur de Thang Hen s'accompagne naturellement d'une triste légende. Il était une fois un très beau et très intelligent jeune homme du nom de Chang Sung. Sa mère, qui l'adorait, avait décidé que son fils deviendrait mandarin avant d'épouser une belle jeune fille.

Selon la tradition confucéenne, on ne devenait mandarin qu'après avoir réussi un concours. Chang Sung réussit brillamment cette épreuve difficile. Une lettre officielle lui notifia la bonne nouvelle, lui ordonnant de se rendre au palais royal une semaine plus tard.

Apprenant le succès de son fils, la mère de Chang Sung mit en œuvre la seconde partie de son plan. Elle choisit une jolie fille du nom de Biooc Luong (Fleur jaune) et arrangea rapidement un grand mariage.

Chang Sung ne pouvait être plus heureux. Biooc et lui passèrent une lune de miel si délicieuse que Chang Sung en oublia son rendez-vous au Palais royal pour ne s'en rappeler que la veille. Il savait quelle serait la déception de sa mère s'il laissait passer cette chance. Il décida alors d'en appeler aux forces magiques des ténèbres pour qu'elles l'aident à rejoindre le Palais royal en quelques bonds de géant. Malheureusement, il ne put contrôler la direction ni la vitesse de ses sauts et se blessa à chaque bond, créant 36 cratères. Le dernier bond l'amena au sommet du col Ma Phuc, où il mourut d'épuisement avant de se transformer en pierre. Les cratères se remplirent d'eau pendant la saison des pluies et devinrent les 36 lacs de Thang Hen.

un caractère sacré pour les révolutionnaires vietnamiens. Le 28 janvier 1941, après 30 ans d'exil, Ho Chi Minh revint au Vietnam pour mener à bien la révolution qu'il avait planifiée depuis longtemps.

Pendant près de 4 ans, Ho Chi Minh vécut dans cette grotte, proche de la frontière chinoise, écrivant de la poésie, en attendant la fin de la Seconde Guerre mondiale. Cette cachette lui aurait permis une fuite rapide hors du pays au cas où les soldats français auraient tenté de l'arrêter. Ho Chi Minh baptisa le ruisseau qui coulait devant sa grotte "le Lénine" et un mont voisin "le pic Karl Marx".

Un **musée** dédié à Ho Chi Minh *(entrée libre ; tlj 7h30-11h30 et 13h30-16h30)* se trouve à l'entrée du site, et le parking 2 km plus loin. Il faut ensuite marcher 10 minutes pour atteindre la grotte. Dans la direction opposée, à 15 minutes de marche à travers une rizière et une forêt, vous tomberez sur une **cabane** qui servait également de cachette à Ho Chi Minh. En chemin, vous remarquerez un rocher saillant qui lui servait de "boîte aux lettres". Cet endroit merveilleux et serein reste, aujourd'hui encore, totalement exempt de toute infrastructure touristique.

Hang Pac Bo se situe à quelque 60 km au nord-ouest de Cao Bang. Prévoyez 1 heure 30 pour explorer les alentours et 3 heures pour le trajet du retour. Une escapade d'une demi-journée à faire en *xe om* pour 10 \$US environ. Vous n'aurez pas besoin d'un permis de circuler malgré la proximité de la frontière chinoise.

Chutes de Ban Gioc

Ce lieu pittoresque, situé à la lisière de la Chine, reste peu visité. Son nom, Ban Gioc, dérive des dialectes montagnards parlés dans la région, mais il est parfois transformé en Ban Doc.

Ces chutes sont les plus larges, mais non les plus hautes, du Vietnam. Sur un dénivelé de 53 m, elles courent sur 300 m de large. Elles finissent d'un côté en Chine, de l'autre au Vietnam. Leur débit varie considérablement entre la saison sèche et la saison des pluies. Le spectacle est très impressionnant de mai à septembre, mais les remous rendent alors la baignade difficile au pieds des chutes. Les trois niveaux de la cascade forment une sorte d'escalier géant et le niveau des eaux reste généralement assez élevé pour que ce décor magnifique mérite le détour. La marche à travers des rizières pour y parvenir constitue déjà un plaisir en soi.

Les chutes sont alimentées par la Quay Son, au milieu de laquelle une démarcation invisible marque la frontière. Vous pourrez atteindre cette ligne imaginaire – sans jamais la franchir – à bord d'un **radeau** en bambou (30 000 d). Ces dernières années, les infrastructures touristiques se sont développées du côté chinois, alors que la rive vietnamienne ne dispose que d'une passerelle en bambou et de quelques radeaux.

Cette zone ne comporte aucun poste-frontière officiel mais vous devrez néanmoins obtenir un permis pour la visiter. Il coûte officiellement 10 \$US, mais nombre d'hôtels à Cao Bang se chargeront des formalités, moyennant 100 000 à 200 000 d. Laissez-les s'en occuper, c'est beaucoup moins contraignant que d'aller le chercher vous-même au poste de police. À quelque 10 km en aval du site, vous devrez montrer votre autorisation et laisser votre passeport à un point de contrôle sur le bord de la route. Une fois arrivé au parking, vous remettrez votre permis à un garde, et récupérerez tous vos papiers au retour. Ce système fonctionnait parfaitement lorsque nous nous y sommes rendus, mais le règlement pourrait bien changer.

Grottes de Nguom Ngao. L'entrée principale des grottes *(droit d'entrée et guide 50 000 d)* se situe à 2 km des chutes, tout près de la route de Cao Bang. Les grottes, gigantesques, s'étendent sur 3 km, et l'une des galeries débouche, par une entrée secrète, non loin des chutes.

La visite guidée dure généralement 1 heure et vous ne pénétrez que de 400 m à l'intérieur de la grotte. Vous pouvez néanmoins demander à en voir davantage. Comptez 2 heures pour la visite complète, sans supplément de prix. Une installation électrique semble en projet, mais mieux vaut se munir d'une lampe de poche.

Où se loger et se restaurer. À l'heure où nous écrivons ces lignes, aucun hôtel ne s'était encore installé du côté vietnamien de la frontière. Cao Bang reste donc le plus proche point d'hébergement. Vous pourrez peut-être vous loger très sommairement à la **People's Committee Guesthouse** *(Nha Khach UBND)*, à Trung Khanh.

Les possibilités de restauration sont limitées à Trung Khanh et inexistantes à Ban Gioc. Prévoyez donc un panier repas pour votre excursion aux chutes et aux grottes.

Comment s'y rendre. L'état satisfaisant de la route de montagne qui relie Cao Bang et Ban Gioc *via* Quang Yen permet de parcourir ces 87 km en voiture de tourisme. Comptez cependant 2 heures 30 de trajet sur cette route aussi pittoresque que sinueuse. Si vous empruntez la route qui mène aux chutes, vous constaterez que la portion entre Tra Linh et Trung Khanh n'a pas été rénovée. Nous vous recommandons d'y aller en 4X4, surtout s'il a plu. Un service de transport public fonctionne entre Cao Bang et Trung Khanh, mais pas au-delà. Négociez un *xe om* à Trung Khanh pour vous rendre aux chutes.

Marchés montagnards

Dans la province de Cao Bang, les Kinh (vietnamiens d'origine) restent largement minoritaires. Le groupe ethnique le plus important est celui des Thay (46%), suivi des Nung (32%), des Hmong (8%), des Dzao (7%), des Kinh (5%) et des Lolo (1%). Toutefois, les mariages mixtes, l'éducation généralisée et les vêtements modernes effacent peu à peu les distinctions culturelles.

La majorité des Montagnards de Cao Bang ignorent tout des travers du monde extérieur. Au marché, par exemple, nul besoin de marchander : les vendeurs demandent les mêmes prix aux étrangers qu'aux locaux. Reste à savoir si cette pratique résistera au tourisme, même limité.

Les grands marchés montagnards de la province de Cao Bang, dont nous donnons la liste ci-après, se tiennent tous les cinq jours, selon le calendrier lunaire :

Trung Khanh les 5e, 10e, 15e, 20e, 25e et 30e jours de chaque mois lunaire.
Tra Linh les 4e, 9e, 14e, 19e, 24e et 29e jours de chaque mois lunaire.
Nuoc Hai les 1er, 6e, 11e, 16e, 21e et 26e jours de chaque mois lunaire.
Na Giang les 1er, 6e, 11e, 16e, 21e et 26e jours de chaque mois lunaire. Ce marché se tient à 20 km de Hang Pac Bo, dans la direction de Cao Bang. Fréquenté par des Thay, des Nung et des Hmong, c'est l'un des meilleurs et des plus vivants marchés en province.

PARC NATIONAL DE BA BE

☎ 0281 • altitude : 145 m

On fait parfois référence au parc national de Ba Be *(Vuong Quoc Gia Ba Be ;* ☎ *894014, fax 894026 ; entrée 10 000 d/ pers, assurance 1 000 d, 10 000 d/véhicule)* sous l'appellation de Lacs Ba Be. Situé dans la province de Bac Kan, il fut le huitième parc national du Vietnam à être créé, en 1992. Cette magnifique région de plus de 23 000 ha regorge de cascades, de

rivières, de vallées profondes, de lacs et de grottes encadrés de pics montagneux. Elle est peuplée par la minorité Thay, qui vit dans des maisons sur pilotis.

La forêt tropicale du parc abrite plus de 550 espèces de plantes et le gouvernement alloue des subventions aux villageois pour qu'ils n'abattent pas les arbres. Parmi les quelque 300 espèces d'animaux vivant dans le parc, citons 65 espèces de mammifères (que l'on voit rarement), 214 espèces d'oiseaux, des papillons et autres insectes. Si la chasse est interdite, les villageois sont autorisés à pêcher.

Le parc est entouré de montagnes abruptes culminant à 1 554 m. L'édition 1939 du guide Madrolle sur l'Indochine recommandait de visiter les environs "en voiture, à cheval ou, pour les dames, en chaise à porteurs".

Ba Be (les trois Baies) se compose en fait de trois lacs reliés entre eux et mesurant au total plus de 8 km de long, 400 m de large et jusqu'à 35 m de profondeur. Ils contiennent près de 50 espèces de poissons d'eau douce.

Deux des lacs sont séparés par une étendue d'eau large de 100 m, appelée Be Kam, elle-même délimitée par deux parois de roche crayeuse. Les **Thac Dau Dang** (Dau Dang ou chutes de Ta Ken) consistent en une série d'impressionnantes cascades coincées entre des murailles rocheuses. On y accède en bateau ou à pied, à condition d'y consacrer une journée. À 200 m après les rapides, vous apercevrez le petit village thay de Hua Tang.

Ne manquez pas de visiter **Hang Puong** (grotte de Puong), qui mesure 30 m de haut et traverse toute une montagne sur 300 m de long, puis de remonter sa rivière souterraine en bateau ; une superbe promenade.

Ne manquez pas de louer un bateau, qui revient à 40 000 d l'heure. Les embarcations, amarrées à près de 2 km des bureaux du parc, peuvent accueillir huit personnes (mais le prix est identique si vous n'êtes que deux). Donnez-vous 7 heures pour visiter la plupart des sites. La croisière s'avère un enchantement malgré le bruit des moteurs. Les services d'un guide à la journée (vivement conseillé) coûtent 10 $US.

Le personnel du parc propose différents circuits. Les prix sont dégressifs et varient en fonction du nombre de personnes mais attendez-vous à payer au moins 25 \$US par jour si vous êtes seul. Parmi les options à la journée, vous aurez le choix entre une excursion en bateau, un circuit combinant une sortie en bateau à moteur, une randonnée de 3 ou 4 km et un tour en pirogue, ou encore plusieurs circuits en bicyclette, en bateau et à pied. Si vous le désirez, les employés se chargeront de vous trouver un logement chez l'habitant à l'intérieur du parc ou d'organiser des treks plus longs.

L'entrée se paie à un poste de contrôle sur la route menant au parc, à environ 15 km avant les bureaux, juste après avoir quitté Cho Ra.

Pour ceux qui comprennent l'anglais, une cassette vidéo sur le parc est en vente à l'accueil des visiteurs (8 \$US).

Où se loger et se restaurer

Il existe deux possibilités d'hébergement à proximité de l'entrée du parc. Les **guesthouses** récemment bâties *(20 \$US)* louent des chambres agréables mais un peu cher et les **cottages** de deux pièces disposent de chambres climatisées *(chambres 25 \$US)*. Négocier les tarifs en dong permet probablement d'obtenir un meilleur prix. Vous pourrez dîner au restaurant local mais devrez passer commande au moins 1 heure avant de passer à table. Un établissement propose un accès Internet, facturé 10 000 d l'heure.

Ba Be Hotel (☎ *876115 ; chambres avec ventil. 12-15 \$US).* Cet établissement se trouve à Cho Ra, à 18 km des lacs. Les chambres sont loin de valoir le prix demandé. Mieux vaut loger dans l'enceinte du parc.

Vous pourrez également passer la nuit dans une **maison sur pilotis** dans un des deux hameaux du parc. Le personnel du parc peur se charger de la réservation, moyennant 3 \$US par personne. Vous pourrez vous procurer de la nourriture dans ces villages, notamment du poisson fraîchement pêché, à des prix raisonnables.

Prévoyez suffisamment d'argent liquide, car vous ne trouverez aucun bureau de change dans le parc.

Comment s'y rendre

Le parc national de Ba Be se situe dans la province de Bac Kan, non loin de la limite des provinces de Cao Bang et de Tuyen Quang. Les lacs sont à 240 km de Hanoi, à 61 km de Bac Kan (également appelée Bach Thong) et à 18 km de Cho Ra.

La plupart des visiteurs louent un véhicule à plusieurs, à Hanoi. Depuis l'ouverture d'une nouvelle route, en 2000, il n'est plus nécessaire de prendre un 4x4. Comptez environ 6 heures de trajet depuis Hanoi ; la majeure partie des visiteurs prévoient une excursion de 3 jours et 2 nuits.

Atteindre le parc par les transports publics relève du parcours du combattant : de Hanoi, il faut emprunter un bus pour Phu Thong (30 000 d, 6 heures) *via* Thai Nguyen et/ou Bac Kan, puis le bus qui dessert Cho Ra (10 000 d, 2 heures). À Cho Ra, vous devrez louer une moto (environ 30 000 d) pour effectuer les

La légende de l'île de la Veuve

Un îlot minuscule au milieu des lacs Ba Be est à l'origine d'une légende locale. Les Thay croient que les lacs recouvrent d'anciennes terres cultivées, au milieu desquelles se trouvait le village de Nam Mau.

Un jour, les habitants de Nam Mau trouvèrent un buffle qui errait dans la forêt voisine. Ils le capturèrent, l'abattirent et s'en partagèrent la viande, mais ne donnèrent rien à une vieille veuve solitaire.

Malheureusement pour les villageois, ce buffle n'était pas une bête ordinaire. Il appartenait au fantôme de la rivière. Ne voyant pas revenir son buffle, le fantôme se rendit au village, déguisé en mendiant. Il quémanda de la nourriture aux villageois qui refusèrent de partager leur festin de buffle et le chassèrent. La veuve, seule à faire preuve de générosité, lui donna un peu de nourriture et lui offrit le gîte pour la nuit.

Dans la soirée, le mendiant conseilla à la veuve de prendre une poignée de riz et de semer les grains à la volée autour de sa maison. Quelques heures plus tard, un orage éclata, entraînant une inondation. Les villageois périrent noyés, les flots emportèrent leurs maisons et leurs fermes, laissant place aux lacs Ba Be. Seule la maison de la veuve fut épargnée : c'est l'actuelle Po Gia Mai (l'île de la Veuve).

derniers 18 km, à moins que vous ne préfériez marcher.

Quelques cafés de Hanoi organisent des circuits aux lacs Ba Be pour 60 $US environ. Renseignez-vous à Buffalo Tours ou à Handspan Adventure Travel (leurs adresses figurent dans la liste des agences de voyages du chapitre *Hanoi*).

THAI NGUYEN
☎ 028 • 171 400 habitants • altitude : 300 m

La ville de Thai Nguyen présente peu d'intérêt, mais le **musée des Cultures des Ethnies vietnamiennes** (*Bao Tang Van Hoa Cac Dan Toc ; entrée 10 000 d ; mar-dim 7h-11h et 14h17h30, guichet ouvert jusqu'à 17h*) mérite que l'on s'y arrête en chemin vers les lacs Ba Be. C'est le plus grand musée sur ce thème, au Vietnam. Cet énorme bâtiment rose pastel accueille des expositions hautes en couleur représentant la cinquantaine de tribus montagnardes vivant dans le pays.

Comment s'y rendre

Thai Nguyen se situe à 76 km au nord de Hanoi et la route qui relie les deux villes est en bon état.

Des bus et des minibus desservent Thai Nguyen (15 000 d, 3 heures) depuis la gare de Gia Lam, à Hanoi, de façon régulière entre 5h et 15h.

ENVIRONS DE THAI NGUYEN
Grotte de Phuong Hoang

La grotte de Phuong Hoang est l'une des plus vastes et des plus accessibles du nord du pays. Elle comporte quatre salles principales, dont deux sont éclairées par le soleil à certaines heures. Si quelques stalactites et stalagmites ont été cassées par des chasseurs de souvenirs, la plupart restent intacts. Comme bien d'autres au Vietnam, cette grotte a servi d'"hôpital" et de dépôt de munitions pendant la guerre. N'oubliez pas votre lampe de poche pour la visite, si vous voulez voir quelque chose.

Une route défoncée mène à la grotte, située à 40 km de Thai Nguyen. Le trajet s'effectue en moto.

Réservoir de Nui Coc

Situé à 25 km à l'ouest de Thai Nguyen, le réservoir de Nui Coc (*entrée 6 000 d, chambres d'hôtel 80 000-250 000 d*) est une belle étendue d'eau, très prisée des citadins de Hanoi, qui s'y pressent les week-ends d'été. Le tour du lac en bateau dure 1 heure (environ 180 000 d). Vous ne regretterez pas cette promenade. Vous pouvez profiter de la piscine du parc (20 000 d) ou louer une barque à rames. L'endroit constitue une halte agréable pour vous rafraîchir en chemin vers les lacs Ba Be.

Le Nord-Ouest

Le Nord-Ouest offre quelques-uns des paysages les plus extraordinaires du Vietnam. Les régions montagneuses abritent également plusieurs minorités ethniques, dont certaines n'ont pas changé de mode de vie depuis des générations, malgré l'impact croissant des influences extérieures.

La route nationale 6 (RN 6) serpente à travers de superbes montagnes et des hauts plateaux, peuplés notamment de Thaï noirs, de Thaï blancs, de Dao et de Hmong. Les Thaï occupent essentiellement les plaines, où ils habitent de belles maisons sur pilotis et cultivent du thé et des fruits. Les Dao et les Hmong résident sur des terres plus arides, au-delà de 1 000 m d'altitude.

La route, en grande partie asphaltée entre Hanoi et Dien Bien Phu, est vertigineuse. Plus impressionnante encore, la RN 12, qui relie Dien Bien Phu à Lai Chau, longe une falaise abrupte, sujette à de fréquents glissements de terrain. Bien que régulièrement bitumée, cette route s'avère à certains endroits en si mauvais état que vous sentirez vos os s'entrechoquer ! Plus loin, les ornières qui jalonnent le trajet de Lai Chau à Sapa ne vous laisseront guère de répit, mais vous vous consolerez en admirant un paysage à couper le souffle, parmi les plus beaux du Sud-Est asiatique.

Les routes du nord-ouest s'améliorent d'année en année. Cependant, si vous souffrez du dos ou êtes sensible au vertige, mieux vaut prévoir de courtes étapes. Nombre de voyageurs ne vont pas plus loin que Mai Chau ou Son La, ou encore Sapa, dans l'autre sens avant de rebrousser chemin.

Le trajet le plus intéressant est le "circuit du Nord-Ouest", qui consiste à rejoindre Mai Chau, Son La puis Dien Bien Phu, avant de continuer vers le nord jusqu'à Lai Chau ou Tam Duong, Sapa et Lao Cai, avant de revenir à Hanoi. Mieux vaut effectuer ce circuit en 4x4 ou à moto, car les routes peuvent parfois être coupées, vous obligeant alors à emprunter des chemins de traverse. Si vous êtes courageux et disposez de beaucoup de temps

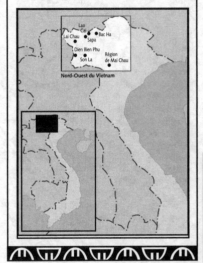

À ne pas manquer

- Découvrir en 4x4 ou à moto certains des plus beaux beaux paysages du Sud-Est asiatique
- Rencontrer les minorités ethniques qui vivent dans les villages des hauts plateaux
- S'émerveiller des couleurs et de l'animation des marchés montagnards
- Explorer les pentes du Fansipan, point culminant du Vietnam (3 143 m)

Nord-Ouest du Vietnam

devant vous, prenez les transports publics. Accordez-vous une semaine entière pour visiter cette région voire davantage, avec les bus locaux. Et bravo à tous ceux qui parcourent ces routes de montagne à bicyclette.

Attention

La région du Nord-Ouest ne compte que très peu d'établissements où changer les chèques de voyage et rares sont les endroits qui acceptent les cartes de crédit. Certains hôtels de Sapa changeront vos chèques de voyage, en prenant une commission de 10% ! Il est plus facile de convertir des dollars US en dong, mais à un taux peu intéressant. Mieux vaut prendre vos précautions à Hanoi.

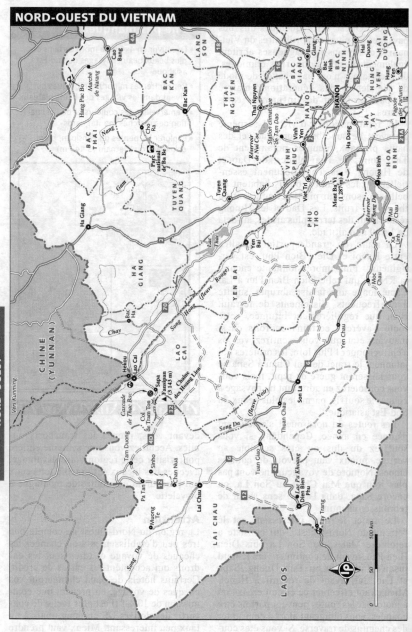

NORD-OUEST DU VIETNAM

NORD-OUEST

HOA BINH
☎ 008 • 75 000 habitants
• altitude : 200 m

La cité de Hoa Binh (Paix), capitale de la province du même nom, se situe à 74 km au sud-ouest de Hanoi. De nombreuses tribus montagnardes, dont des Thaï et des Hmong, peuplent la région. La ville peut constituer une étape sur la longue route jusqu'à Dien Bien Phu *via* Mai Chau.

Hoa Binh s'étend dans la plaine, au pied des montagnes. Ses habitants s'habillent à la dernière mode vietnamienne mais vous trouverez cependant des tenues montagnardes traditionnelles, ainsi que des arbalètes, des pipes à opium et beaucoup d'autres objets d'artisanat à la **boutique de souvenirs** du Hoa Binh Hotel I.

Le petit **musée** de Hoa Binh *(entrée libre ; lun-ven 8h-10h30 et 14h-16h30)* expose des reliques des guerres d'Indochine et du Vietnam, parmi lesquelles un véhicule amphibie tout rouillé de l'armée française.

À quelque 200 m à droite du musée, vous apercevrez la gigantesque paroi d'un **barrage hydroélectrique**. De l'autre côté de la rivière se dresse un imposant monument en hommage aux 161 ouvriers qui ont péri pendant sa construction.

Renseignements

La **Hoa Binh Tourism Company** *(☎ 854374, fax 854372)* ne dispose pas de bureaux ouverts au public, mais le personnel des hôtels Hoa Binh I et II, qui appartiennent à la société, pourra vous renseigner.

Vous pourrez vous connecter à Internet à la **poste**.

Où se loger et se restaurer

Hoa Binh Hotels I et II *(☎ 852537, fax 854372 ; simples/doubles 28/33 $US)*. Ces maisons montagnardes sur pilotis sont équipées de tout le confort moderne, eau chaude et TV incluses. Elles se trouvent sur la route qui mène à Mai Chau et comptent parmi les deux meilleurs établissements du Nord-ouest. Des **pensions** meilleur marché et de nombreux restaurants **com pho** se sont installés au centre de la ville, le long de la RN6.

RÉSERVOIR DE SONG DA

S'étalant à l'ouest de Hoa Binh, le réservoir de Song Da (Ho Song Da) est le plus grand du Vietnam. L'inondation de la région a forcé nombre de fermiers à se déplacer, 200 km en amont. Le barrage participe à un important système hydroélectrique qui approvisionne tout le nord du pays. Depuis 1994, une ligne électrique de 500 000 volts alimente le Sud, épargnant à Ho Chi Minh-Ville (HCMV) les pannes de courant saisonnières qui la frappaient régulièrement.

Le meilleur moyen d'accéder au réservoir consiste à prendre une petite route qui coupe la RN6 au carrefour de Dong Bang, à 60 km à l'ouest de Hoa Binh, et juste à la sortie de Mai Chau. À partir du carrefour de Dong Bang, suivez la route pendant près de 5 km pour atteindre la jetée de Bai San. Vous aurez du mal à la trouver, mais quelqu'un finira bien par sortir d'une maison pour vous demander où vous voulez vous rendre. Faites-vous accompagner par une personne parlant vietnamien pour prendre les dispositions nécessaires.

Parmi les excursions possibles, celle qui va jusqu'aux **îles Ba Khan**. Ces îles constituent en fait les cimes de montagnes immergées, et rappellent la baie d'Along. La traversée aller-retour dure 3 heures et revient à 150 000 d par bateau (chacun pouvant prendre 10 passagers).

Une autre excursion en bateau vous conduira à Than Nhan, un village peuplé par la tribu des Dao. La traversée, de 2 heures aller-retour, coûte 100 000 d. Depuis la jetée où vous débarquerez, vous devrez parcourir un chemin abrupt de 4 km avant d'atteindre le village. Si vous souhaitez y passer la nuit, comptez 50 000 d pour la traversée aller. Un autre bateau vous déposera le lendemain à la jetée de Bai San.

Enfin, il est également possible de louer un bateau pour naviguer de Bai San à Hoa Binh (400 000 d, 6 heures).

MAI CHAU
☎ 018 • 47 500 habitants
• altitude : 300 m

Si vous voulez visiter un authentique **village montagnard** sans trop vous éloigner de Hanoi, rendez-vous à Mai Chau. Cette bourgade rurale, dépourvue de véritable centre, se compose de plusieurs villages, de fermes et de huttes dispersés dans une vaste vallée. La région, superbe, est majoritairement peuplée de Thaï blancs, lointains cousins de tribus thaïlandaises, laotiennes et chinoises.

Entre autres activités, vous pourrez passer la nuit dans une maison thaï sur pilotis, **marcher** dans la splendide vallée ponctuée de rizières, ou encore partir en **randonnée** jusqu'aux villages des communautés ethniques. Comptez de 7 à 8 km pour une marche exploratoire. Vous pouvez louer les services d'un guide local moyennant quelque 5 $US.

Bien que la plupart des habitants ne portent plus le costume traditionnel, les femmes thaï, expertes en tissage, confectionnent toujours des vêtements de style traditionnel que vous pourrez acheter au village. Vous verrez sans doute des femmes à l'œuvre derrière un métier à tisser installé sous ou dans leur maison. Les Thaï de Mai Chau ne font pas de la vente forcée, contrairement aux Hmong de Sapa, mais le marchandage poli reste de rigueur.

Si l'aventure vous tente, faites le célèbre trek (18 km) qui va du **village de Lac** (Ban Lac), à Mai Chau, au **village de Xa Linh**, situé près d'un col (1 000 m) d'altitude, sur la RN6.

Lac est peuplé de Thaï blancs et **Xa Linh** de Hmong. Cette randonnée, trop fatigante à effectuer en un jour, implique de passer la nuit dans un hameau et exige les services d'un guide local. Le tarif demandé inclut une voiture qui vous ramènera du col à Mai Chau. Sachez que la piste s'élève de 600 m et que la pluie la rend dangereusement glissante.

Vous pouvez également opter pour une randonnée plus longue, de trois à sept jours. Contactez **Hoa Binh Tourism Company** (☎ 008-854374, fax 854372), installée dans le Hoa Binh Hotel I, pour l'organiser ou, plus simple, renseignez-vous dans les villages Mai Chau de Lac ou de Pom Coong.

Plusieurs cafés et agences de voyages de Hanoi proposent des excursions bon marché à Mai Chau, incluant transport, nourriture et hébergement.

Où se loger et se restaurer

Mai Chau Guesthouse (☎ 851812 ; *chambres à partir de 120 000 d*). Cette pension au confort rudimentaire, gérée par le gouvernement, se trouve le long de la route qui serpente dans la vallée. Les chambres à l'arrière disposent d'un balcon donnant sur les rizières et les montagnes.

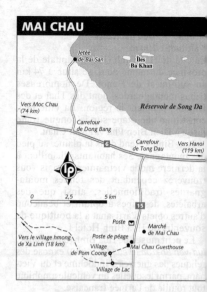

La plupart des voyageurs préfèrent cependant s'écarter un peu de la route principale et passer la nuit dans les **maisons thaï sur pilotis** (*50 000 d/pers*) des villages de Lac ou de Pom Coong. Cette solution, beaucoup plus séduisante, coûte également moins cher. Lac est le plus animé des deux villages ; parfois, le soir, ses habitants organisent des spectacles de danse et de chants traditionnels (moyennant une petite contribution).

Si vous espérez une rencontre exotique à la Indiana Jones (partager un bol de soupe dans laquelle nagent des globes oculaires d'animaux, participer à une cérémonie rituelle de fertilité, etc.), vous serez déçu. Passer la nuit dans un village d'une minorité ethnique de Mai Chau est une expérience très "civilisée". Les normes touristiques y sont respectées : alimentation électrique continue, confort moderne et, même, des toilettes hygiéniques à l'occidentale. Les matelas et les moustiquaires sont fournis. Ce n'est pas une mauvaise chose en soi, bien que cela ne ressemble sans doute pas à l'idée que vous vous faisiez d'un tel séjour. Par ailleurs, les tour-opérateurs ne remédient en rien à cette situation : ils installent de grands placards publicitaires partout où leurs groupes s'arrêtent pour se restaurer, y compris sur les belles maisons en bois sur pilotis !

En dépit des récents aménagements et de l'exploitation commerciale, la majorité des visiteurs repartent enchantés de leur séjour.

Nul besoin de réserver. Il suffit en effet de se présenter au village, mais mieux vaut arriver avant la tombée du jour (de préférence en milieu d'après-midi). Vous pouvez commander vos **repas** dans la maison où vous logez, moyennant quelque 20 000 d, selon ce que vous demandez. Les femmes ont appris à cuisiner des plats occidentaux mais goûtez plutôt la cuisine locale, bien plus intéressante.

Comment s'y rendre

Mai Chau se trouve à 135 km de Hanoi et à 5 km au sud du carrefour de Tong Dau, sur la RN6 (la route Hanoi-Dien Bien Phu).

Depuis Hanoi, il n'existe aucun moyen de transport public direct pour Mai Chau. Toutefois, de nombreux bus desservent Hoa Binh (12 000 d, 2 heures), très proche. Depuis Hoa Binh, des bus relient régulièrement Mai Chau (20 000 d, 2 heures), à 6h, 12h, 13h et 16h. Ils s'arrêtent généralement au carrefour de Tong Dau. Comptez 5 000 d pour le *xe om* qui vous conduira ensuite jusqu'au centre-ville de Mai Chau.

En théorie, les étrangers doivent s'acquitter d'un droit d'entrée de 5 000 d pour pénétrer dans Mai Chau. Toutefois, le poste de péage installé devant la pension gérée par le gouvernement, sur la route principale, n'est pas toujours gardé.

MOC CHAU
☎ 022 • 113 100 habitants
• altitude : 1 500 m

Cette bourgade de montagne produit l'un des meilleurs thés du Vietnam, et vous pourrez en faire provision. Plusieurs minorités ethniques peuplent les alentours, dont des Hmong verts, des Dao, des Thaï et des Muong.

Une industrie laitière de pointe a vu le jour à Moc Chau à la fin des années 1970, grâce à l'aide de l'Australie et, par la suite, des Nations unies. La laiterie approvisionne la capitale en produits "de luxe", tels que le lait frais, le lait condensé sucré et ces petites confiseries en barres nommées *Banh sua*. Moc Chau s'impose donc comme le lieu idéal pour se régaler de lait frais et de yaourts. C'est le moment de céder à vos envies, dans l'une des nombreuses crémeries qui longent la RN6 lorsqu'elle traverse Moc Chau.

Si vous comptez passer la nuit à Moc Chau, élisez domicile à la **Duc Dung Guesthouse** (☎ 866181 ; chambres 120 000 d), située à une centaine de mètres de la RN6, en tournant à gauche devant la poste.

Depuis Hanoi, comptez environ 6 heures de voiture sur une route en bon état, pour rallier Moc Chau, à 200 km de là. Comptez encore 120 km de Moc Chau à Son La (voir la rubrique *Son La*, dans ce chapitre).

YEN CHAU
☎ 022 • 50 800 habitants

Dans ce petit district rural renommé pour sa production fruitière, les bananes sont récoltées toute l'année. Parmi les fruits saisonniers, citons les mangues (mai-juin), les longanes (juillet-août) et les anones (août-septembre).

Les petites mangues vertes, en particulier, sont considérées comme les meilleures du pays, même si elles déçoivent souvent les étrangers, qui leur préfèrent les gros fruits jaunes et juteux du Sud. Quoi qu'il en soit, les Vietnamiens apprécient ces mangues au goût moins soutenu, tout spécialement trempées dans de la sauce de poisson (*nuoc mam*) et du sucre. Mûrs ou non, les fruits restent verts et il faudra vous faire aider pour les choisir à point.

Depuis Hanoi, il faut compter environ 8 heures pour parcourir les 260 km de route jusqu'à Yen Chau. Il reste ensuite 60 km jusqu'à Son La.

SON LA
☎ 022 • 61 600 habitants

Chef-lieu de la province du même nom, Son La constitue une bonne étape sur la route de Dien Bien Phu. S'il ne compte pas parmi les merveilles du Vietnam, le paysage reste cependant plaisant et l'exploration de la ville remplira amplement votre demi-journée.

Majoritairement peuplée de Montagnards, parmi lesquels des Thaï noirs, des Meo, des Muong et des Thaï blancs, cette province a fort peu subi l'influence vietnamienne, jusqu'au XXe siècle. De 1959 à 1980, elle faisait partie de la région autonome de Tay Bac (Khu Tay Bac Tu Tri).

À voir et à faire

Lieu chargé d'histoire, l'**ancienne prison française et musée** (*Nha Tu Cu Cua Phap ; entrée 10 000 d ; tlj 7h30-11h, 13h30-17h*) fut autrefois une colonie pénitentiaire où étaient incarcérés les Vietnamiens anticolonialistes. Détruite par les avions américains lors des "délestages" de bombes non utilisées pendant les raids sur Hanoi et Haiphong, elle a été partiellement restaurée. Tourelles et miradors, reconstruits, surplombent à nouveau ce qu'il reste des cellules, des chaînes et des murs intérieurs. Un pêcher planté par To Hieu, un détenu des années 1940, est le seul rescapé des bombardements. Aujourd'hui, une rue, un lycée et quelques édifices de Son La immortalisent le nom de To Hieu.

À partir de la route principale, une petite route grimpe vers la prison. À son extrémité, les bureaux du Comité populaire abritent, au dernier étage, un petit **musée** qui expose des objets ethniques intéressants. Vous pourrez profiter de la vue panoramique sur les ruines de la prison. Vous accéderez à celle-ci par l'arrière du bâtiment, en passant sous un vieux panneau sur lequel on devine encore le mot "Pénitencier".

Perchée au-dessus de la ville, une **tour d'observation** offre de superbes vues sur Son La et ses environs. Pour y parvenir, il faut cependant grimper un escalier assez raide pendant une vingtaine de minutes. Les photos sont autorisées, mais les gardes se montreront intraitables si vous braquez votre objectif sur les installations de télécommunication, également utilisées à des fins militaires. Ils vous proposeront peut-être d'entamer la conversation et de vous offrir de l'alcool de riz. L'escalier de pierre qui mène à l'observatoire part sur la gauche du Trade Union Hotel.

Au **marché** de Son La, vous découvrirez un petit choix de sacs tissés colorés, à porter en bandoulière, ainsi que des écharpes, des boutons et des tours de cou en argent, des vêtements et autres objets d'artisanat montagnard.

Malheureusement, les grottes de **Tam Ta Toong** (qui n'attiraient que peu de touristes) sont toujours fermées par crainte de contamination des eaux qui alimentent Son La. Renseignez-vous à votre hôtel pour savoir si elles sont à nouveau ouvertes au public.

Les **sources chaudes de Suoi Nuoc Nong** se situent à quelques kilomètres au sud de la ville. Ceux qui le désirent pourront se baigner dans le petit bassin communal (*entrée libre*), assez trouble, ou préférer une des cabines privées en béton (*5 000 d*). Pour y parvenir, empruntez la route en face du musée et passez devant le siège du Parti. La route est en mauvais état sur un kilomètre, mais les cinq derniers kilomètres avant les sources sont goudronnés.

Où se loger

La plupart des voyageurs qui vont de Hanoi à Dien Bien Phu (ou inversement) passent une nuit à Son La. Les hôtels ne manquent pas, mais beaucoup sont peu recommandables et/ou servent de maison close. Nous vous indiquons ici les rares exceptions.

Ngoc Hoa Guesthouse (*Nha Nghi Ngoc Hoa ; ☎ 853993 ; lit en dortoir 6 pers 3 $US ; doubles avec sdb 12 $US*). Vous ne trouverez pas un établissement correct à meilleur prix.

Nha Nghi Long Phuong et **Nha Nghi Thanh Loan** sont deux pensions rustiques situées à l'embranchement principal. Vous pourrez y dormir moyennant quelque 5 $US la chambre.

Trade Union Hotel (*Khach San Cong Doan ; ☎ 852244, fax 855312 ; doubles en lits jumeaux avec clim. 15 $US*). Vrai bijou parmi les établissements gérés par l'État, cet hôtel tenu par un personnel très chaleureux pratique des prix raisonnables pour de grandes chambres, eau chaude et petit déjeuner compris.

People's Committee Guesthouse (*Nha Khach Uy Ban Nhan Dan Tinh Son La ; ☎ 852080 ; chambres avec clim. 150 000 d*). Une aile gigantesque est en construction mais les travaux devraient être achevés au moment où vous lisez ces lignes. Les nouvelles chambres promettaient d'être agréables.

Phong Lan Hotel (*☎ 853516, fax 852318 ; chambres avec ventil. 15 $US, doubles en lits jumeaux avec clim. 18-20 $US*). Situé juste en face du marché, cet hôtel inclut le petit déjeuner dans ses tarifs.

Où se restaurer

À l'angle du carrefour principal, le **Long Phuong Restaurant** (*☎ 852339*) propose

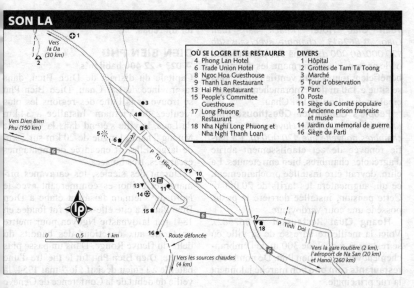

Vers
la Da
(30 km)

Vers Dien Bien
Phu (150 km)

P To Hieu

P Tinh Doi

Route défoncée

Vers les sources chaudes
(4 km)

Vers la gare routière (2 km),
l'aéroport de Na San (20 km)
et Hanoi (260 km)

0   0,5   1 km

OÙ SE LOGER ET SE RESTAURER	**DIVERS**
4 Phong Lan Hotel	1 Hôpital
6 Trade Union Hotel	2 Grottes de Tam Ta Toong
8 Ngoc Hoa Guesthouse	3 Marché
9 Thanh Lan Restaurant	5 Tour d'observation
13 Hai Phi Restaurant	7 Parc
15 People's Committee	10 Poste
Guesthouse	11 Siège du Comité populaire
17 Long Phuong	12 Ancienne prison française
Restaurant	et musée
18 Nha Nghi Long Phuong et	14 Jardin du mémorial de guerre
Nha Nghi Thanh Loan	16 Siège du Parti

un menu intéressant. Essayez la soupe aigre *mang dang* (pousses de bambou), une spécialité thaï, ou encore le riz gluant assaisonné de sel aux grains de sésame.

Le **Hai Phi Restaurant** cuisine la spécialité locale, le *lau* (viande de chèvre). Les plus aventureux commanderont le *tiet canh*, un plat hautement prisé constitué d'un bol de sang de chèvre coagulé, accompagné de cacahuètes pilées et de légumes. Plus conventionnelle, la chèvre cuite à la vapeur se révèle savoureuse.

Le **Thanh Lan Restaurant**, près de la poste, offre de la bonne cuisine vietnamienne.

Comment s'y rendre

L'aéroport de Son La, appelé Na San, se trouve à 20 km de la ville sur la route de Hanoi. Au moment de la rédaction de ce guide, deux vols hebdomadaires relient Hanoi à Son La, et vice versa, mais cela peut avoir changé depuis.

À supposer qu'ils ne tombent pas en panne, les bus mettent de 12 à 14 heures pour aller de Son La à Hanoi *(63 000 d)*. Les départs des bus s'effectuent régulièrement entre 4h et 12h. Les 2 bus vers Dien Bien Phu *(39 000 d, 10 heures)* partent aussi à 4h et 12h.

Son La est à 320 km de Hanoi et à 150 km de Dien Bien Phu. En Jeep, comp-

tez 10 heures pour la première partie du parcours, puis 6 heures pour la seconde.

THUAN CHAU

Thuan Chau est une bourgade installée à environ 35 km au nord-ouest de Son La. Si vous y allez tôt le matin, vous profiterez du spectacle qu'offrent les femmes magnifiquement vêtues de leurs costumes traditionnels se rendant au **marché**. De 9 heures à 10 heures, vous les croiserez sur la route, regagnant leur village à pied, à bicyclette ou à moto.

TUAN GIAO

☎ 023 • 94 900 habitants
• altitude : 600 m

Cette bourgade isolée s'étend au croisement de la RN42 en direction de Dien Bien Phu (80 km, 3 heures) et de la RN6A en direction de Lai Chau (98 km, 4 heures). La plupart des voyageurs arrivent de Son La (75 km, 3 heures) et de Hanoi (406 km, 13 heures). Ces temps de trajet valent pour une voiture ou une moto ; si vous circulez en bus public, multipliez-les au moins par 1,5.

Peu de visiteurs passent la nuit à Tuan Giao, à moins de ne pas pouvoir arriver à Dien Bien Phu en fin de journée. Si vous explorez tranquillement le Nord-Ouest, Tuan Giao constitue une étape logique.

NORD-OUEST

Où se loger et se restaurer

Tuan Giao Hotel (*Khach San Tuan Giao* ; ☎ *862613* ; *chambre avec/sans sdb 120 000/60 000 d*). Dans cet hôtel récent, où le personnel est charmant, les chambres bénéficient toutes d'un ventilateur. L'hôtel se situe à 150 m de l'embranchement principal en direction de Lai Chau.

People's Committee Guesthouse (*Nha Khach Uy Ban Nhan Dan Huyen* ; ☎ *862391* ; *chambres nouvelle aile 120 000 d*). La partie rénovée de cet établissement abrite d'agréables chambres, bien entretenues. La clim. devrait être installée prochainement, ce qui augmentera les tarifs de 20 000 d. Cette pension, installée derrière la poste, possède une cour verdoyante.

Hoang Quat Restaurant (☎ *862582*). Voici la meilleure adresse de la ville où se restaurer, à quelque 300 m de l'embranchement vers Dien Bien Phu. De nombreux **restaurants com pho** bon marché jalonnent la rue principale.

LAC PA KHOANG

À 17 km à l'est de Dien Bien Phu en venant de Son La et à 4 km après la bifurcation sur la route nationale, s'étale un superbe plan d'eau artificiel, baptisé lac Pa Khoang (Ho Pa Koang). Dans les environs, vous pourrez également découvrir le **bunker du général Giap**, commandant vietnamien de la campagne de Dien Bien Phu. Il se situe à 15 km par la route, en contournant le lac. On peut aussi s'y rendre en bateau, une promenade d'une heure suivie par une marche de 3 km dans la forêt. Vous pouvez également vous arrêter à l'autre bout du lac, dans un petit village où vit une communauté thaï.

Il est possible de passer la nuit à Pa Khoang. Construit en 1997 sur un site superbe, le **Pa Khoang Hotel** (☎ *926552* ; *chambres avec ventil. 10-12 $US*) se dégrade cependant rapidement. Les chambres humides et poussiéreuses ne donnent pas envie d'y dormir, mais l'endroit reste agréable pour une halte de quelques heures sur la route Dien Bien Phu. Louez un bateau à moteur (10 $US l'aller-retour) pour visiter le bunker ou les villages. Vous pourrez déjeuner sur place. Si elle est toujours dans les parages, une vieille femme pleine d'allure mais aux dents noircies ne manquera pas

de vous embrasser avant de vous concocter un repas.

DIEN BIEN PHU
☎ 023 • 22 400 habitants

Capitale du district de Dien Bien, dans la province de Lai Chau, Dien Bien Phu se trouve dans l'une des régions les plus reculées du Vietnam. Installée à 34 km du Laos, la ville s'étend dans la vallée de Muong Thanh, longue de 20 km sur 5 km de large. Elle est encadrée de montagnes escarpées, très boisées.

Durant des siècles, les caravanes birmanes et chinoises commerçant avec le Nord du Vietnam faisaient étape à Dien Bien Phu. La cité elle-même fut fondée en 1841 par la dynastie Nguyen pour mettre un terme aux exactions des bandits du delta du fleuve Rouge. Dans un passé plus proche, Dien Bien Phu fut le théâtre d'une bataille à l'enjeu décisif : le 7 mai 1954, la veille du début de la Conférence de Genève sur l'Indochine, le Vietminh vint à bout de la garnison française, après 57 jours de siège. Le moral des troupes était atteint et le gouvernement français se vit contraint de renoncer à rétablir son autorité coloniale en Indochine.

On vient principalement à Dien Bien Phu en raison de son passé et de son histoire, et la majorité des visiteurs sont français. Apparemment, Dien Bien Phu suscite chez eux une fascination égale à celle de la zone démilitarisée (DMZ) pour les Américains.

Des Montagnards, majoritairement thaï et hmong, peuplent la région. Le gouvernement a encouragé les Vietnamiens de souche à venir s'y installer et peupler la nouvelle capitale provinciale. Ils représentent aujourd'hui près d'un tiers de la population de la vallée de Muong Thanh, qui compte 60 000 âmes.

Le tourisme a des répercussions importantes sur Dien Bien Phu, et la plupart des bâtiments que vous verrez sont très récents. Par ailleurs, la ville est devenue le chef-lieu de la province de Lai Chau en 1993. Cet honneur tient au fait que l'ancienne capitale (Lai Chau) risque de disparaître sous les eaux dans quelques années (pour plus de détails, voir la rubrique *Lai Chau*). Compte tenu de son isolement, la taille et l'apparence de Dien Bien Phu surprennent

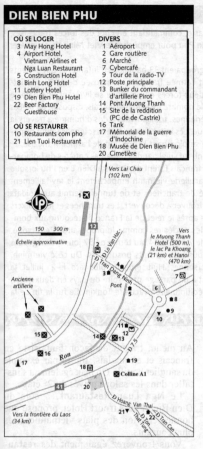

DIEN BIEN PHU

OÙ SE LOGER
3 May Hong Hotel
4 Airport Hotel,
   Vietnam Airlines et
   Nga Luan Restaurant
5 Construction Hotel
8 Binh Long Hotel
11 Lottery Hotel
19 Dien Bien Phu Hotel
22 Beer Factory
   Guesthouse

OÙ SE RESTAURER
10 Restaurants com pho
21 Lien Tuoi Restaurant

DIVERS
1 Aéroport
2 Gare routière
6 Marché
7 Cybercafé
9 Tour de la radio-TV
12 Poste principale
13 Bunker du commandant
   d'artillerie Pirot
14 Pont Muong Thanh
15 Site de la reddition
   (PC de Castrie)
16 Tank
17 Mémorial de la guerre
   d'Indochine
18 Musée de Dien Bien Phu
20 Cimetière

Vers Lai Chau
(102 km)

Vers
le Muong Thanh
Hotel (500 m),
le lac Pa Khoang
(21 km) et Hanoi
(470 km)

0   150   300 m
Échelle approximative

Ancienne
artillerie

Pont

Colline A1

Vers la frontière du Laos
(34 km)

(surtout si l'on arrive par la route). Vous y trouverez même un cybercafé, qui facture 10 000 d l'heure, à 300 m sur la route qui mène à la ville depuis le Muong Thanh Hotel.

À voir et à faire

Le site de la bataille de Dien Bien Phu abrite aujourd'hui le **musée de Dien Bien Phu** (☎ 824971). Le **PC** du colonel de Castries a récemment été reconstitué, ainsi que l'infirmerie. On peut également découvrir de vieux chars français et des pièces d'artillerie dans les environs. Un **monument aux morts vietminh** s'élève sur l'ancienne position appelée Éliane (colline A1), théâtre de très durs affrontements (les Français avaient donné des noms de femmes à toutes les collines : Claudine, Huguette, Françoise, Isabelle, Béatrice, Gabrielle). Il faut payer un droit d'entrée pour chaque **site** (5 000 d ; tlj 7h30-11h et 13h30-16h30).

L'ancien **pont Muong Thanh**, conservé en l'état, reste fermé aux engins motorisés. Près de l'extrémité sud du pont (on ne voit qu'un cratère couvert d'algues) se trouve le **bunker** dans lequel le commandant d'artillerie Pirot se suicida.

En 1984, pour le 30e anniversaire de la bataille, un **mémorial** a été inauguré à la mémoire des 3 000 soldats français qui reposent sous les rizières.

De son côté, le **cimetière de Dien Bien Phu**, remarquablement agencé, rend hommage aux morts vietnamiens ; vous en aurez une vue d'ensemble en montant les marches après l'entrée principale.

Où se loger et se restaurer

Les établissements les moins chers en ville sont financés par la compagnie aérienne locale, la commission de la loterie nationale, le ministère des travaux publics et, tenez-vous bien, la brasserie locale !

Dien Bien Phu Airport Hotel (☎ 825052 ; chambres avec clim. 150 000 d). Dans cet hôtel installé au-dessus des bureaux de la Vietnam Airlines, mieux vaut opter pour les chambres des étages supérieurs, plus spacieuses et plus lumineuses. L'endroit n'a rien d'extraordinaire et donne sur une rue bruyante.

Lottery Hotel (chambres avec sdb 120 000 d). Bénéficiant d'une situation assez calme, non loin de la poste, cet établissement loue des chambres sommaires.

Construction Hotel (☎ 824386 ; chambres 80 000 d). Le confort rudimentaire des chambres reflète les tarifs pratiqués par cet hôtel situé au bord de la rivière.

Beer Factory Guesthouse (Nha May Bia ; ☎ 824635 ; chambres 100 000-120 000 d). Les chambres sommaires sont prises d'assaut par les amateurs de bière puisque l'établissement jouxte un vaste pub bia hoi.

Muong Thanh Hotel (☎ 826719, fax 826720 ; doubles lits jumeaux avec sdb 15-18 $US). Voici la meilleure adresse de la ville. Les groupes ayant l'habitude de descendre là, nous vous conseillons de réserver. Préférez une chambre dans la nouvelle aile, bien plus confortable, pour

NORD-OUEST

Le siège de Dien Bien Phu

Au début de l'année 1954, le général Henri Navarre, commandant en chef des forces françaises, envoya 12 bataillons dans la cuvette de Dien Bien Phu pour empêcher le Viet Minh de s'emparer de Luang Prabang, alors capitale du Laos.

Les troupes du général Vo Nguyen Giap, qui regroupaient 33 bataillons d'infanterie, 6 régiments d'artillerie et un régiment du génie, encerclèrent l'armée française, composée de 30% de Vietnamiens de souche. À partir de mars 1954, les deux forces en présence se livrèrent une bataille sans merci. Le Viet Minh, qui surpassait par cinq le nombre de soldats français, disposait de pièces d'artilleries de 105 mm et de mitrailleuses anti-aériennes, transportées à dos d'homme à travers la jungle et les cours d'eau, un véritable défi logistique. Les mitrailleuses furent soigneusement disposées dans des caches creusées dans la montagne surplombant la position de l'armée française.

L'échec du premier assaut de l'infanterie vietminh fut suivi par des semaines entières de bombardements intensifs. Six bataillons de parachutistes français furent dépêchés à Dien Bien Phu lorsque la situation empira. Mais le mauvais temps et l'artillerie vietminh empêchèrent le ravitaillement et l'arrivée des renforts. Un système sophistiqué de tranchées et de tunnels permit aux soldats vietminh d'atteindre la position française sans se trouver à découvert. Les tranchées et les bunkers de l'armée française tombèrent entre leurs mains après le rejet de la France de recourir aux bombardiers américains, ainsi que d'utiliser des missiles nucléaires comme le proposait le Pentagone. Les troupes du général Navarre durent se rendre le 7 mai 1954, au terme de 57 jours de siège. Les 13 000 soldats de la garnison française furent tous tués ou faits prisonniers. Du côté vietminh, les pertes humaines furent estimées à 25 000 personnes. Huit semaines plus tard, le 21 juillet, la conférence de Genève sur l'Indochine aboutissait à un partage provisoire du pays en deux états, au nord et au sud du 17e parallèle. Le corps expéditionnaire évacua le Tonkin. Ce fut la fin de la présence française en Indochine.

---

un prix identique. Vous pourrez profiter de la grande piscine (dont l'eau n'est pas toujours claire), du vaste restaurant, du karaoké et du salon de "massage thaï". Les prix comprennent le petit déjeuner.

Binh Long Hotel (☎ 824345, *429 Đ Muong Thanh ; chambres avec clim. 12 $US*). Une famille accueillante gère cet hôtel, dont les chambres doubles avec sdb, un peu exiguës, sont bien entretenues. Le petit déjeuner est inclus.

May Hong Hotel (☎ 826300 ; *doubles lits jumeaux 100 000 d*). Ce mini-hôtel proche de la gare routière offre un confort correct. Attention au molosse agressif enchaîné dans la cour.

Dien Bien Phu Hotel (☎ 825103, *fax 825467, Đ 7.5 ; chambres 12 $US*). Bénéficiant d'un emplacement central, ce vaste hôtel géré par l'État loue des chambres assez lugubres et humides. De sérieux travaux d'entretien seraient à envisager.

Quand il sera temps de vous restaurer, rendez-vous au **Lien Tuoi Restaurant** (☎ 824919, *Đ Hoang Van Thai ; plats environ 30 000 d*), meilleur établissement de la ville, situé à 400 m du musée de Dien Bien Phu.

Au menu, traduit de façon fantaisiste en français et en anglais, figure par exemple du sanglier bouilli. On peut également s'installer dans les salons privés du 2e étage.

Le **Nga Luan Restaurant**, à côté du Dien Bien Phu Airport Hotel, propose une bonne sélection des plats vietnamiens les plus courants.

Vous trouverez également des **restaurants com pho** Đ 7.5.

Comment s'y rendre

Le trajet par la route jusqu'à Dien Bien Phu se révèle plus intéressant que le champ de bataille qui vaut à la ville sa célébrité.

Avion. Vietnam Airlines assure habituellement quatre vols par semaine entre Dien Bien Phu et Hanoi. La fréquence varie en fonction de la demande, particulièrement forte en juillet et août.

Vietnam Airlines (☎ 824692, *fax 826060 ; tlj 7h30-11h30 et 13h30-16h30*) possède un bureau de réservation dans l'Airport Hotel.

L'aéroport se situe à 1,5 km du centre-ville, sur la route de Lai Chau.

Bus. Un service de bus directs relie Hanoi à Dien Bien Phu (100 000 d, 16 heures). Les départs s'effectuent à 4h30, 8h30 et 10h30.

Les bus pour Lai Chau (25 000 d, 3 heures) partent à 8h, 9h, 10h, 11h et 13h30. Il faut se lever aux aurores pour attraper le bus quotidien pour Son La (38 000 d, 5 heures) : il part à 4h30 !

Bien sûr, le bus est très bon marché, mais le trajet est fastidieux. Les bus sont tellement bondés que votre voisin fera probablement écran au paysage. Si la perspective d'un trajet dans un véhicule surchargé sur une route défoncée vous effraie, choisissez plutôt l'avion, le 4x4 ou la moto.

Voiture et moto. Le parcours de 470 km, sur la RN 6 et la RN 42, entre Hanoi et Dien Bien Phu demande 16 heures (si vous êtes chanceux). Vous pouvez l'effectuer d'une traite, mais la plupart des voyageurs préfèrent éviter la conduite de nuit et font étape à Son La.

Tay Trang (frontière du Laos). La frontière laotienne se situe à seulement 34 km de Dien Bien Phu, mais on ne sait pas réellement si ce poste-frontière sera ouvert aux touristes. Lors de notre discussion avec un douanier courant 2002, nous avons appris qu'il a été décidé de rénover le poste-frontière pour en faire un point de passage international et que les formalités administratives devraient être terminées en 2004, au plus tard. Mieux vaut vous renseigner au préalable.

LAI CHAU
☎ 023 • 19 600 habitants
• altitude : 600 m

Cette petite ville est nichée au fond d'une superbe vallée creusée par la rivière (Song Da) et entourée de montagnes vertigineuses. Tout comme Tam Duong, Lai Chau constitue une étape idéale pour le déjeuner et/ou la nuit, sur la route de Sapa, depuis Dien Bien Phu. La beauté des lieux fait écran à la misère de ses habitants. Malgré une nette augmentation du nombre de touristes, la population connaît une existence difficile. Loin des grands axes commerciaux, l'activité économique de la ville reste limitée et sa seule richesse provient de cultures et de

productions particulièrement lucratives, dont l'opium et le bois. Inutile de préciser que le gouvernement vietnamien n'apprécie guère la culture du pavot et des mesures ont été prises pour décourager les Montagnards d'en cultiver.

Si le commerce de l'opium est aujourd'hui en crise, il en va de même pour l'industrie du bois. Ces dernières années, les zones boisées ont été considérablement réduites et les inondations ont augmenté dans des proportions inquiétantes. En 1990, 140 personnes ont trouvé la mort dans une violente crue de la Da, qui noya l'étroite vallée. En 1996, une crue plus dévastatrice encore a fait 100 victimes et coupé la ville du reste du pays pendant deux mois.

Le gouvernement a prévu de construire un barrage juste au-dessus du réservoir de Song Da. Cela entraînera la submersion définitive de la ville (raison pour laquelle la capitale provinciale a été transférée de Lai Chau à Dien Bien Phu en 1993). Ces travaux devraient aboutir (pas avant 2010) à la réalisation de la plus grande centrale hydroélectrique de l'Asie du Sud-Est. À l'avenir, monter à bord d'un sous-marin pourrait être le seul moyen de visiter Lai Chau.

Si la ville était engloutie, il y ferait certainement moins chaud. Étrangement, Lai Chau subit en été les températures les plus élevées du pays, jusqu'à 40°C en juin et juillet. La faute en revient à la brûlante mousson estivale du sud-est qui arrive de l'océan Indien, ainsi qu'aux montagnes qui retiennent la chaleur.

Où se loger et se restaurer
Lan Anh Hotel (☎/fax 852370 ; doubles lits jumeaux 8-20 $US). Le meilleur hôtel de la ville. Ses jolies maisons thaï en bois sur pilotis disposent d'une véranda avec ventil. Vous pourrez également profiter d'un bon **restaurant**. Les propriétaires peuvent vous aider à organiser une excursion en bateau ou un circuit touristique.

Song Da Hotel (☎ 852527 ; doubles lits jumeaux 150 000 d). Dans cet établissement convenable, au bord de la route de Dien Bien Phu, on peut louer des chambres sommaires, avec eau chaude et clim.

Nam Lay Hotel (☎ 852346 ; chambres 100 000 d). Situé en hauteur par rapport à la route principale qui mène à Lai Chau, cet hôtel offre un confort très rudimentaire.

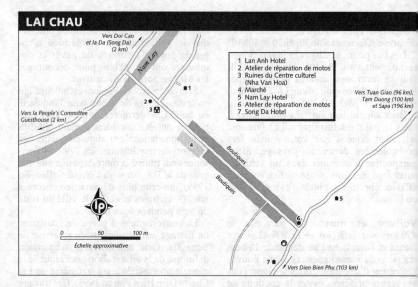

LAI CHAU

1 Lan Anh Hotel
2 Atelier de réparation de motos
3 Ruines du Centre culturel (Nha Van Hoa)
4 Marché
5 Nam Lay Hotel
6 Atelier de réparation de motos
7 Song Da Hotel

Vers Doi Cao et la Da (Song Da) (2 km)

Nam Lay

Vers la People's Committee Guesthouse (2 km)

Vers Tuan Giao (96 km), Tam Duong (100 km) et Sapa (196 km)

Boutiques

Boutiques

0   50   100 m
Échelle approximative

Vers Dien Bien Phu (103 km)

Comment s'y rendre

La plupart des voyageurs arrivent de Dien Bien Phu (103 km, 3 heures), mais l'on peut également se rendre à Lai Chau depuis Tuan Gio (96 km, 4 heures), en empruntant la RN 6. La route qui va de Lai Chau à Sapa et Lao Cai (180 km, 8 heures), bien que cahoteuse, est peut-être la plus belle du pays. Rappelez-vous que les durées indiquées, théoriques, ne tiennent pas compte des pannes ou des incidents éventuels.

Des bus publics assurent la liaison depuis/vers Hanoi, desservent également des localités du Nord-Ouest, telles que Dien Bien Phu, Son La et Sapa. Si vous aimez les émotions fortes, les propriétaires du **Lan Anh Hotel** (☎/fax 852370) se feront un plaisir de vous renseigner sur les agglomérations desservies et les horaires.

MUONG TE
☎ 023 • 43 900 habitants
• altitude : 900 m

Muong Te, l'une des dernières localités vietnamiennes avant les frontières chinoise et laotienne, est située à 98 km au nordouest de Lai Chau, sur les belles rives de la Da. L'essentiel de sa population appartient à l'ethnie thaï, mais les habitants se sont tellement intégrés qu'il devient difficile de les distinguer des Vietnamiens de souche. Les Lahu (Khau Xung), les Si La et les Ha

Nhi figurent parmi les autres minorités présentes dans la région.

Mis à part un petit **marché** le dimanche et quelques **villages** aux alentours, il n'y a pas grand chose à voir ou à faire à Muong Te. Rares sont les visiteurs étrangers, ce qui, aux yeux de certains, en fait tout l'intérêt. Seul hébergement, la vieille **People's Committee Guesthouse** comporte un petit restaurant.

Même si vous n'avez pas l'intention de vous rendre à Muong Te, vous prendrez peut-être l'embranchement qui y mène, sur la RN 12 (à 7 km de Lai Chau). Presque immédiatement après la bifurcation, vous atteindrez un pont suspendu en bois branlant. Ceux qui ont soif de sensations fortes pourront le traverser bien que s'y engager avec autre chose qu'une petite moto semble déraisonnable. À quelque 8 km de ce pont, vous apercevrez un vestige très particulier : un **poème gravé dans la pierre** au XVe siècle par l'empereur Le Loi, après qu'il eut réussi à chasser les Chinois de la région. Le poème avertissait les envahisseurs potentiels de ce qui les attendait. Traduit du chinois, en voici le texte :

Hélas ! Rebelles lâches et fanatiques, je suis venu ici défendre les habitants de la frontière, abandonnés depuis les débuts de l'humanité.

(Suite du texte en page 252)

NORD-OUEST

Les minorités ethniques au Vietnam

Si les Chinois et les Vietnamiens d'origine habitent essentiellement dans les centres urbains et les régions côtières, les autres ethnies, soit environ 10% de la population totale, vivent pour la plupart dans les régions de hauts plateaux. Plusieurs de ces minorités comptent au moins un million de représentants, tandis que d'autres ne rassemblent plus qu'une centaine d'individus.

C'est dans le Nord-Ouest, au cœur du superbe massif montagneux qui s'étire à la frontière de la Chine et du Laos, que résident les tribus montagnardes les plus remarquables, alors que nombre d'ethnies des Hauts Plateaux du Centre et du Sud se distinguent difficilement des Vietnamiens, tout au moins aux yeux des visiteurs étrangers.

Les Français appelaient les tribus des Hauts Plateaux les "Montagnards", terme que ces minorités utilisent encore lorsqu'elles parlent français ou anglais. Les Vietnamiens les nomment souvent *Moi*, un terme désobligeant qui signifie "sauvages" et reflète malheureusement un sentiment populaire très répandu. Le gouvernement actuel préfère néanmoins le terme de "minorités nationales". Certaines vivent au Vietnam depuis des milliers d'années, d'autres ont émigré au cours des derniers siècles.

Historiquement, les régions des Hauts Plateaux et leurs habitants ont bénéficié de leur indépendance tant que leurs dirigeants ont reconnu la souveraineté du Vietnam et payé tributs et taxes. La Constitution de 1980 a aboli deux de ces régions, établies dans les montagnes septentrionales en 1959.

Au cours du siècle dernier, les Montagnards virent leur territoire se réduire comme peau de chagrin ; sous le mandat français, nombre d'entre eux furent dépossédés de leurs terres au profit des plantations coloniales. Cernés par ces exploitations, privés de leur chasse et de leurs cultures traditionnelles, nombre d'entre eux n'eurent d'autre choix que de travailler pour les colons. Ces derniers "importèrent" en outre des paysans vietnamiens des plaines, entraînant ainsi le déplacement des Montagnards.

Les tentatives des Vietnamiens de souche pour soumettre les populations des Hauts Plateaux ont rencontré une résistance farouche (voir l'encadré *Le Fulro* dans *Les Hauts Plateaux du Centre*). Durant la guerre du Vietnam, les Montagnards, qui occupaient une position stratégique sur ce que l'on a appelé la piste Ho Chi Minh, ont été activement enrôlés, tant par les communistes que par les Américains. Leur parfaite connaissance du terrain en faisait des experts en matière de guérilla. Selon les chiffres américains, on estime que 200 000 Montagnards sont morts pendant cette guerre. Après la victoire des Nord-Vietnamiens, nombre de ceux qui avaient combattu aux côtés des Sud-Vietnamiens et des forces américaines ont été emprisonnés ou exécutés. Le gouvernement vietnamien n'a que très récemment levé les restrictions concernant les touristes américains désireux de visiter les minorités montagnardes de la région des Hauts Plateaux du Centre ; il redoutait que la Central Intelligence Agency (CIA) américaine ne tente *encore* de recruter au sein des populations locales.

La plupart des communautés montagnardes partagent un mode de vie identique, rural et agricole, une architecture similaire et des rituels traditionnels comparables, ainsi qu'un long passé d'affrontements intertribaux. Beaucoup sont semi-nomades et pratiquent la culture sur brûlis, ce qui a considérablement éprouvé l'environnement. Ces pratiques menacent les

Crédit photo :
Liz Thompson

forêts déjà amoindries et le gouvernement tente d'encourager les minorités à se sédentariser, à cultiver le riz en rizières inondées à plus basse altitude, et à s'intéresser à des cultures plus rentables, comme le thé, le café et la cannelle. Néanmoins, certains voient là une nouvelle tentative du gouvernement pour "intégrer" les Montagnards. Malgré certains avantages – des subventions à l'irrigation et un meilleur accès à l'enseignement et aux soins –, de nombreuses minorités, farouchement indépendantes, demeurent méfiantes à l'égard de la population vietnamienne des plaines.

Comme dans d'autres régions d'Asie, les influences extérieures ont peu à peu effrité la riche identité culturelle propre à tant de minorités ethniques vietnamiennes. Peu d'entre elles portent encore le costume traditionnel, à l'exception des femmes des villages reculés de l'extrême nord du pays. Si l'introduction de l'électricité, de la médecine moderne et de l'enseignement représentent d'incontestables avancées, cette évolution s'accompagne cependant de l'abandon des traditions ancestrales. Plus récent, l'afflux des touristes est tout aussi menaçant. Il attire un nombre croissant d'habitants des plaines et développe les échanges marchands. À Sapa, par exemple, les enfants tendent la main en réclamant une pièce ou un bonbon.

Photographier les Montagnards semble être l'activité favorite des touristes en "safari-photo". Sachez vous montrer respectueux. Certains touristes imaginent, à tord, que les minorités portent leurs "costumes" uniquement dans le but d'être pris en photo.

Les minorités vietnamiennes jouissent d'une autonomie certaine et, bien que la langue nationale officielle soit le vietnamien, les enfants continuent à apprendre leur propre langue (vous trouverez quelques phrases utiles dans le chapitre *Langue*). Policiers et militaires appartiennent souvent aux ethnies locales, bien représentées à l'Assemblée nationale de Hanoi.

Bien qu'il n'existe pas de système de discrimination institué, le préjudice culturel subi par les minorités montagnardes les maintient au bas de l'échelle dans les domaines de l'éducation et de l'économie. Malgré l'amélioration de l'enseignement rural, les possibilités d'emploi restent rares. L'espérance de vie est faible et le taux de mortalité infantile élevé. Ceux qui vivent près des centres urbains et du littoral ont un sort plus enviable, grâce à un meilleur accès aux soins et à l'éducation.

Thay

Population : 1,2 million
Provinces : Bac Can, Bac Giang, Cao Bang, Lang Son, Quang Ninh, Thai Nguyen

Les Thay, originaires du sud de la Chine, constituent la plus importante ethnie montagnarde. Ils vivent à basse altitude et dans les vallées des provinces du Nord. Très proches des croyances vietnamiennes (bouddhisme, confucianisme et taoïsme), ils vénèrent aussi des génies et des esprits locaux. Au XVIe siècle, ils élaborèrent leur propre écriture. La littérature et les arts thay (musique, chansons folkloriques, poèmes et danses) ont acquis une renommée certaine. Les Thay sont également connus pour leur habileté à cultiver le riz en rizières inondées, ainsi que le tabac, les fruits, les herbes et les épices.

Ils vivent traditionnellement dans des maisons de bois sur pilotis, mais leur longue histoire de proximité avec les Vietnamiens d'origine a entraîné une évolution progressive vers un habitat en brique et en terre. On les reconnaît à leurs vêtements indigo et noirs. Ils portent souvent un fichu de la même couleur et, parfois, une sorte de machette dans un fourreau accroché à la ceinture.

Thaï

Population : 1 million +
Provinces : Hoa Binh, Lai Chau, Nghe An, Son La

Comme les Thay, les Thaï viennent du sud de la Chine. Ils se sont établis le long des berges fertiles des rivières qui servaient à l'irrigation. Les théories varient quant à leurs liens avec les Thaï du Siam (Thaïlande), de même que la référence aux couleurs dans les sous-groupes comme les Thaï rouges, noirs et blancs. Certains prétendent que ces couleurs reprennent celles des jupes portées par les femmes ; d'autres qu'elles correspondent aux noms des fleuves Noir et Rouge, voisins. Les Thaï noirs se trouvent surtout à Son La (les femmes portent des chemisiers et des coiffes de couleurs vives), tandis que les Thaï blancs se concentrent à Hoa Binh (leurs femmes portent des habits plus discrets ou des vêtements occidentaux). Les hommes s'habillent, pour la plupart, comme les Vietnamiens d'origine.

Les villages contiennent généralement quarante à cinquante maisons de bambou sur pilotis. Les Thaï, dont l'écriture date du V siècle, ont produit une littérature très diverse, de la poésie aux chants d'amour, en passant par les contes populaires. Si vous passez la nuit dans le village de Lac (voir la rubrique *Mai Chau*), vous aurez peut-être la chance d'assister à l'un de leurs spectacles de musique et de danse.

Muong

Population : 900 000 +
Provinces : Hoa Binh, Thanh Hoa

Établis principalement dans la province de Hoa Binh, les Muong, une ethnie à domination masculine, habitent dans de petits hameaux de maisons sur pilotis, appelés *quel* et regroupés en *muong*. Chaque muong est dirigé par un *lang*, une famille noble. S'ils sont, à l'origine, proches des Vietnamiens de souche et difficiles à distinguer de ces derniers, leur culture, riche, les rapproche des Thaï.

Ils sont réputés pour leur littérature folklorique, leurs poèmes et leurs chants, très souvent traduits en vietnamien. Leurs instruments de musique préférés sont le gong, les tambours, la flûte de Pan, la flûte et le violon à deux cordes. Comme les Vietnamiens, ils cultivent le riz en rizières inondées, même si, par le passé, le riz pluvial (en cultures sèches) constituait leur aliment de base.

Les femmes muong portent de longues jupes et des chemisiers courts ; les hommes sont vêtus d'une chemise et d'un pantalon bleu indigo.

Nung

Population : 700 000
Provinces : Bac Thai, Cao Bang, Ha Bac, Lang Son, Tuyen Quang

Regroupées en petits villages, les maisons nung sont divisées en deux parties – l'une réservée à l'habitat et l'autre au travail et au culte. Du culte des ancêtres jusqu'aux fêtes traditionnelles, les Nung s'apparentent aux Thay sur le plan spirituel et social. Les jeunes filles nung exigent de leur futur époux une forte dot, et la tradition veut que l'héritage passe de père en fils, un signe de l'influence chinoise. La plupart des villages nung possèdent un chaman, qui chasse les mauvais esprits et soigne les malades. Connus pour leurs talents en matière d'agriculture, les Nung récoltent des légumes, des fruits, des épices et du bambou. Ils s'illustrent également par leur artisanat : meubles en bambou, vannerie, travail de l'argent et fabrication de papier. Ils portent des vêtements essentiellement noirs et indigo et des coiffes.

Hmong

Population : 550 000 +
Provinces : Cao Bang, Ha Giang, Lai Chau, Lao Cai, Nghe An,
Tuyen Quang, Son La, Yen Bai

Depuis qu'ils ont émigré de Chine au XIXᵉ siècle, les Hmong sont devenus l'une des plus importantes, et des plus démunies parmi les communautés ethniques du Vietnam. Les Hmong vivent en altitude où ils cultivent le riz pluvial, des légumes, des fruits et des plantes médicinales (y compris l'opium) et élèvent des porcs, des vaches, des poules et des chevaux. On les trouve partout en Asie du Sud-Est, mais nombre d'entre eux se sont réfugiés en Occident.

Cette minorité se divise en plusieurs sous-groupes : les Hmong noir, blanc, rouge, vert et Fleur, qui se distinguent par les subtiles variations de leur costume traditionnel. Les plus faciles à reconnaître sont les Hmong noirs, aux habits de toile indigo aux reflets métalliques. Les femmes portent une jupe, un tablier, des sortes de guêtres et un chapeau cylindrique. Les hommes Hmong Fleur s'habillent en bleu nuit et noir ; le costume des femmes, un peu plus sophistiqué que celui des Hmong noirs, s'accompagne d'une coiffe de laine. Les femmes Hmong se parent de grands colliers, de nombreux bracelets et de boucles d'oreille d'argent.

Jarai

Population : 190 000 +
Provinces : Dac La, Gia Lai, Khanh Hoa, Phu Yen

La minorité jarai est la plus importante des Hauts Plateaux du Centre, particulièrement aux environs de Pleiku. Les villages portent souvent le nom d'une rivière ou d'un ruisseau proche, ou encore celui d'un chef de tribu. Une grande maison sur pilotis, sorte de centre communal (*nha-rong*) se trouve habituellement au centre du village. Les femmes jarai demandent les hommes en mariage par l'intermédiaire d'une marieuse, qui remet à l'élu un bracelet de cuivre. Les croyances et les rituels animistes demeurent vivaces et les Jarai manifestent leur respect envers leurs ancêtres et la nature par le biais d'une cohorte de génies (*yang*). Parmi les esprits familiers, ils invoquent Po Teo Pui (le Roi du Feu) et Po Teo La (le Roi de l'Eau) pour faire venir la pluie.

Plus peut-être que n'importe quelle autre ethnie montagnarde, les Jarai sont renommés pour leurs instruments de musique, depuis des "gongs" à cordes jusqu'à des tubes de bambou qu'ils utilisent comme flûtes et percussions. Les femmes jarai portent des blouses indigo sans manches et de longues jupes.

Bahnar

Population : 135 000
Provinces : Kon Tum, Binh Dinh, Phu Yen

On pense que les Bahnar ont émigré il y a fort longtemps du littoral aux Hauts Plateaux du Centre. Animistes, ils vénèrent des arbres, comme le banian et le ficus. Ils observent leur propre calendrier, qui impose dix mois de culture – les deux autres étant consacrés aux obligations sociales et personnelles (mariage, tissage, achat et vente de nourriture et de marchandises, cérémonies et fêtes).

Traditionnellement, lorsqu'un bébé atteignait son premier mois, on lui perçait les lobes, après avoir soufflé dans ses oreilles, au cours d'une cérémonie ; il devenait ainsi membre du village. Les bébés qui mouraient avant ce rituel étaient, croyait-on, emmenés par une déesse aux oreilles noires, Duydai, dans un pays peuplé de singes. Les Bahnar sont réputés pour leurs sculptures sur bois, notamment celles qui servent à décorer les maisons funéraires. Ils portent le même costume que les Jarai.

Sedang
Population : 95 000 +
Provinces : Kon Tum, Quang Ngai, Quang Nam

Originaires des Hauts Plateaux du Centre, les Sedang se retrouvent jusqu'au Cambodge. Comme beaucoup de leurs voisins, ils ont subi des siècles de guerres et d'invasions. Les Sedang n'ont pas de nom de famille et pratiquent, dit-on, une totale égalité des sexes. Ils prennent soin aussi bien de leurs neveux ou nièces que de leurs propres enfants, ce qui crée une forte tradition de solidarité fraternelle. Bien que la plupart des cérémonies spirituelles et culturelles soient liées à l'agriculture, certaines de leurs coutumes restent sans équivalent, comme la cession des tombes, le partage des biens avec les défunts et les accouchements à l'orée des bois. Les femmes portent de longues jupes et s'enroulent le buste dans une sorte de sarong.

Dao
Population : 470 000 +
Provinces : région des frontières chinoise et laotienne, Sapa

Les Dao (ou Zao) forment l'un des groupes ethniques les plus importants du Vietnam. Ils vivent surtout dans les provinces du Nord-Ouest, le long des frontières chinoise et laotienne. Les Dao pratiquent le culte ancestral des esprits, connu sous le nom de "Ban Ho", et sacrifient, au cours de rituels complexes, des cochons et des poules. Leur proximité avec la Chine explique l'usage courant de la médecine traditionnelle chinoise et la similarité de l'écriture Nom Dao avec les idéogrammes chinois.

Les femmes dao arborent des costumes sophistiqués, associant un tissage recherché, des perles et des pièces d'argent (la richesse d'une femme se calcule, dit-on, au poids des pièces qu'elle porte). Leurs longs cheveux sont noués dans un grand turban rouge ou brodé.

Ede
Population : 24 000 +
Provinces : Gia Lai, Kon Tum, Da lac

Polythéistes, les Ede vivent dans de longues maisons sur pilotis sans poutres, en forme de bateau, qui abritent souvent des familles élargies. Un tiers de l'espace est réservé à l'usage collectif ; le reste est réparti en petits quartiers, de manière à créer une certaine intimité pour les couples mariés. Comme les Jarai, les Ede son matrilinéaires ; c'est la famille de la jeune fille qui demande le garçon en mariage ; le couple marié vit avec la famille de l'épouse et les enfants portent le nom de famille de leur mère. L'héritage revient aux femmes, en particulier à la benjamine de la famille. Les femmes ede portent généralement une veste brodée de couleurs vives, ainsi que des bijoux et des perles en cuivre et argent.

(Suite du texte de la page 246)

Ce territoire n'a plus rien à craindre, désormais l'apparence des plantes, le murmure du vent et jusqu'au chant des oiseaux effraient le misérable ennemi. La nation est désormais unifiée et ce poème est un gage de paix pour l'Est de ce pays.

**En ce jour mémorable de décembre,
année du Cochon (1432)**

Pour trouver ce monument, repérez, au bord de la route surplombant la rivière, une volée de marches étroites près d'une petite plaque de pierre portant l'inscription : "Di Tich Lich Su – Bia Le Loi".

SINHO
☎ 023 • 56 200 habitants
• altitude : 1 054 m

Sinho est un beau village de montagne peuplé, dans une large mesure, d'ethnies minoritaires. Un **marché** pittoresque se tient le dimanche. Le seul hôtel, **People's Committee Guesthouse**, est malheureusement un peu triste.

On atteint Sinho après 38 km d'une épouvantable piste escarpée, qui part de la RN 12 (compter à peu près 1 heure 30 dans chaque sens). La bifurcation se trouve à 1 km au nord du village de Chan Nua en venant de Lao Cai. Une randonnée éprouvante relie Tam Duong à Sinho.

TAM DUONG
☎ 023 • 94 400 habitants

Cette bourgade reculée, entre Lai Chau et Sapa, ne présente guère d'intérêt mais les voyageurs y font habituellement étape pour déjeuner ou passer la nuit quand ils se rendent de Dien Bien Phu à Sapa.

Le **marché local**, installé au centre de la bourgade sur la RN 12, mérite une visite. Nombre de Montagnards des villages voisins et des Vietnamiens s'y pressent. Si vous en avez le temps, vous pouvez passer quelques jours à Tam Duong pour explorer la région alentour.

La portion de la RN 4D reliant Tam Duong à Sapa, le long du massif du Fansipan et de la frontière chinoise, s'avère particulièrement belle.

Où se loger et se restaurer
Phuong Thanh Hotel *(☎ 875158 ; chambres avec sdb 10 $US)*. Cet établissement fort apprécié loue des chambres (petit déjeuner compris) agréables, bien entretenues avec ventil. Celles à l'arrière offrent une belle vue et disposent d'une véranda. Une annexe se trouve de l'autre côté de la route.

Tam Duong Hotel *(☎ 875288 ; chambres 120 000 d)*. Cet hôtel chaleureux abrite des chambres avec ventil., bien entretenues, mais légèrement humides. Les prix incluent le petit déjeuner.

La meilleure adresse pour se restaurer en ville est le **Tuan Anh Restaurant**. Non loin de là, d'autres **établissements com pho**, tel le Phuong Thanh, constituent une alternative possible. Sachez que le restaurant **Kieu Trinh** est connu pour ses plats de viande de chien.

SAPA
☎ 020 • 36 200 habitants
• altitude : 1 650 m

Principale destination du Nord-Ouest, Sapa, ancienne station climatique érigée en 1922, se cache dans une vallée superbe, proche de la frontière chinoise. Cette région magnifique, peuplée de plusieurs minorités, s'enveloppe souvent de brume.

Le mauvais état des routes rendait autrefois l'accès de Sapa difficile depuis Hanoi. Les aléas historiques ont ensuite empêché Sapa de devenir un haut lieu touristique : la Seconde Guerre mondiale, la guerre d'Indochine, la guerre du Vietnam, les affrontements dus au différend frontalier sino-vietnamien de 1979, sans compter le déclin brutal de l'économie du pays dans les années 1980. Les vieux hôtels édifiés par les Français ont été laissés à l'abandon et Sapa est tombée dans l'oubli.

Récemment, la ville est revenue au premier plan, entraînant un boom touristique qui a radicalement modifié son sort : les mauvaises routes sont en cours de rénovation, d'innombrables hôtels ont surgi, l'alimentation en électricité est devenue plus régulière et la nourriture s'est considérablement améliorée. La municipalité se prépare même à donner des noms aux rues ! L'inconvénient inhérent à cette prospérité est le changement culturel pour les Montagnards, qui sont désormais nombreux à profiter de l'économie de marché et des effets du tourisme.

Ici, seul le climat reste immuable. Si vous venez en hiver, couvrez-vous chaudement car il fait froid (0°C) et humide.

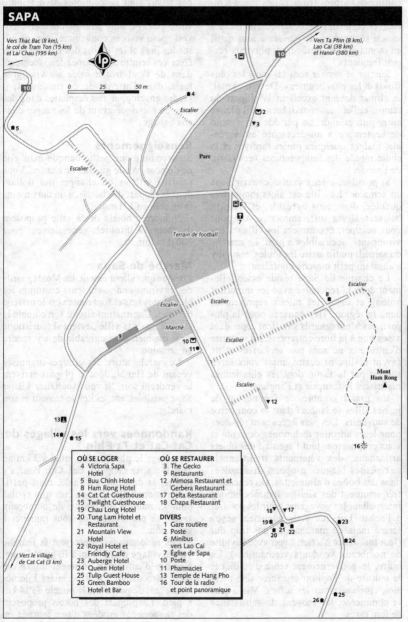

SAPA

Vers Thac Bac (8 km),
le col de Tram Ton (15 km)
et Lai Chau (195 km)

Vers Ta Phin (8 km),
Lao Cai (38 km)
et Hanoi (380 km)

0   25   50 m

Parc

Escalier

Escalier

Terrain de football

Escalier

Escalier   Escalier

Marché

Escalier

Mont
Ham Rong ▲

Escalier

NORD-OUEST

OÙ SE LOGER
4 Victoria Sapa
    Hotel
5 Buu Chinh Hotel
8 Ham Rong Hotel
14 Cat Cat Guesthouse
15 Twilight Guesthouse
19 Chau Long Hotel
20 Tung Lam Hotel et
    Restaurant
21 Mountain View
    Hotel
22 Royal Hotel et
    Friendly Cafe
23 Auberge Hotel
24 Queen Hotel
25 Tulip Guest House
26 Green Bamboo
    Hotel et Bar

OÙ SE RESTAURER
3 The Gecko
9 Restaurants
12 Mimosa Restaurant et
    Gerbera Restaurant
17 Delta Restaurant
18 Chapa Restaurant

DIVERS
1 Gare routière
2 Poste
6 Minibus
    vers Lao Cai
7 Église de Sapa
10 Poste
11 Pharmacies
13 Temple de Hang Pho
16 Tour de la radio
    et point panoramique

Vers le village
de Cat Cat (3 km)

Cette fraîcheur favorise néanmoins la culture des arbres fruitiers des zones tempérées, tels que les pêchers, les pruniers, etc., et celle des herbes médicinales. La saison sèche dure de janvier à juin mais, en montagne, les après-midi pluvieux restent fréquents.

Janvier et février sont les mois les plus froids et les plus brumeux. De mars à mai, le climat devient excellent la plupart du temps, et l'été est chaud, bien qu'il pleuve entre juin et août. La période qui s'étend de septembre à mi-décembre est agréable, malgré quelques pluies tardives et la chute rapide des températures vers la fin de l'année.

Si possible, mieux vaut découvrir Sapa en semaine. La ville est alors moins fréquentée, donc plus agréable, et les prix baissent. Il y a suffisamment à voir pour vous occuper, notamment les villages environnants, accessibles à pied. Le marché du samedi matin attire les foules, mais il y a aussi un petit **marché** quotidien.

Le charme de Sapa réside essentiellement dans la rencontre avec les minorités hmong et dzao, les mieux représentées dans la région. Très pauvres pour la plupart, ces Montagnards s'initient cependant assez vite à la libre entreprise. La majorité d'entre eux ne sont pas scolarisés et ne savent ni lire ni écrire, mais vous serez surpris par la façon dont les plus jeunes maîtrisent le français et l'anglais.

Un grand nombre de femmes et de jeunes filles se lancent dans le commerce de souvenirs. Les plus âgées sont réputées pour leurs adroites techniques de vente et vous proposeront tout l'éventail des objets artisanaux, des vêtements traditionnels aux petites blagues à opium dissimulées dans des boîtes d'allumettes. On rencontre fréquemment des vieilles femmes hmong interpellant les voyageurs pour les pousser à l'achat. Lorsque vous négociez, soyez ferme mais ne marchandez pas trop dur (leur insistance n'a rien à voir avec l'avidité de nombreux vendeurs vietnamiens). En outre, le gouvernement tente d'éradiquer la culture de l'opium et exerce une pression croissante sur les terres. Mis à part le commerce, les moyens de subsistance se font rares.

Les vêtements traditionnels, beaux et bon marché, sont teints avec des produits naturels qui ne sont pas fixés. La plupart des tissus sont susceptibles de déteindre sur tout ce qu'ils touchent (y compris votre peau) d'une étrange couleur bleuvert : pour vous en convaincre, jetez un œil sur les bras et les mains des Hmong. Pour fixer ces teintures, trempez les vêtements dans de l'eau froide salée ou vinaigrée mais, dans l'attente de ce traitement, il faudra envelopper vos emplettes dans des sacs en plastique avant de les ranger dans vos bagages.

Renseignements

Sapa compte une petite **banque** mais elle ne dispose pas de guichet de change. Vous pourrez utiliser ou changer des dollars dans la plupart des hôtels, à un taux moins favorable qu'à Hanoi.

Nombre d'hôtels de la ville proposent des **accès à Internet**, généralement pour 500 d la minute.

Marché de Sapa

Presque quotidiennement, les Montagnards des environs endossent leurs costumes les plus chatoyants et font route vers le marché de Sapa. L'animation atteint son comble le samedi, mais la ville devient si touristique qu'il est bien plus agréable de s'y rendre en semaine.

Le marché attire des groupes organisés venant de Hanoi, dont la plupart arrivent le vendredi soir. Si vous souhaitez visiter Sapa paisiblement, évitez le samedi et son marché.

Randonnées vers les villages de Cat Cat et Ta Phin

Le village le plus proche, situé à 3 km au sud de Sapa, s'appelle **Cat Cat**. Pour s'y rendre, la descente est raide, mais particulièrement belle. Si vous êtes trop épuisé pour la montée du retour, de nombreux *xe om* se proposeront de vous ramener à votre hôtel.

Les randonneurs apprécient la marche vers le **village de Ta Phin**, à 10 km de Sapa. Nombre d'entre eux prennent un *xe om* pour parcourir les huit premiers kilomètres, avant de parcourir la boucle de 14 km à pied. La plupart des hôtels proposent des randonnées guidées d'une journée ou d'une demi-journée. Attendez-vous à débourser entre 4 et 10 $US, selon le nombre de participants et, le cas échéant, le moyen de transport utilisé.

Nous vous recommandons de vous adresser à l'**Auberge Hotel** (☎ 871243), au **Mountain View Hotel** (☎ 871334) ou au **Friendly Cafe** (*Royal Hotel*) pour les randonnées avec un guide. Vous pouvez également réserver un circuit auprès des agences installées dans la rue principale de Sapa.

Fansipan

La chaîne des montagnes Hoang Lien, surnommées "Alpes tonkinoises" par les Français, s'étend aux alentours de Sapa. Parmi ces montagnes se dresse le Fansipan (3 143 m), point culminant du Vietnam. Sa cime, parfois enneigée et fréquemment noyée de brouillard, domine Sapa. Le Fansipan est accessible toute l'année mais son ascension requiert une bonne forme physique et l'équipement adéquat ; toutefois, ne sous-estimez pas la difficulté et préparez-vous à affronter l'humidité et, souvent, le froid. La meilleure période s'étend de mi-octobre à mi-décembre, puis en mars, lorsqu'éclosent les fleurs sauvages.

Accessible seulement à pied, le sommet du Fansipan est à 19 km de Sapa. En dépit de cette proximité, le circuit aller-retour demande habituellement de 3 à 4 jours à cause du terrain accidenté et de la fréquence du mauvais temps. Des randonneurs expérimentés l'ont toutefois parcouru en 2 jours, ce qui reste rare. Après la première matinée, vous ne verrez plus de villages, uniquement des forêts, de magnifiques panoramas de montagne et, peut-être, quelques représentants de la **faune** locale, tels des singes, des bouquetins et des oiseaux.

Nul besoin de cordes ou de talents de grimpeurs particuliers pour s'attaquer au Fansipan, une bonne endurance suffit. On ne trouve actuellement aucun refuge sur le parcours : vous devrez donc être autosuffisant. Emportez un sac de couchage, une tente imperméabilisée, des provisions, un réchaud, un imperméable ou un poncho, une boussole et autres objets de première nécessité. Mieux vaut emporter votre propre matériel. Il est essentiel de se faire accompagner d'un guide réputé et, à moins d'être un alpiniste chevronné, il est fortement recommandé de trouver des porteurs pour l'équipement.

Pour des informations sur les guides de randonnées, adressez-vous aux établissements cités dans la rubrique précédente, ainsi qu'au **Chapa Restaurant** (☎ 871245). Si vous réservez une randonnée auprès d'un tour-opérateur local, le forfait tout compris atteint généralement 60 $US par personne pour deux randonneurs, 50 $US par personne dans un groupe de quatre et 45 $US par personne pour un groupe de 6 participants, ce qui est bien le maximum.

Col de Tram Ton

Si vous empruntez la route qui va de Sapa à Lai Chau, vous passerez par le col de Tram Ton. Situé sur le versant nord du Fansipan, à 15 km de Sapa, il est perché à 1 900 m d'altitude, ce qui en fait le plus haut col du Vietnam. Outre les vues absolument magnifiques, les changements de climat s'avèrent spectaculaires. Sur le versant de Sapa, attendez-vous à un temps froid, brumeux et désagréable. Descendez quelques centaines de mètres sur l'autre versant dominant Lai Chau pour vous réchauffer sous un beau soleil. Des vents violents balaient ce col, ce qui n'a rien de surprenant compte tenu de la différence de température : Sapa est le point le plus glacial du Vietnam alors que Lai Chau est le plus torride.

À 5 km, sur la route en direction de Sapa, vous découvrirez **Thac Bac**, ou cascade d'Argent, impressionnante chute d'eau qui mesure 100 m de haut. Empruntez le chemin en boucle (*3 000 d*) qui passe par un escalier et un pont à mi-hauteur pour admirer la magnifique vue plongeante.

Où se loger

Si vous faites partie d'un circuit organisé par un café ou une des agences de voyages de Hanoi, votre hébergement sera probablement prévu. En revanche, les voyageurs indépendants doivent savoir que les tarifs varient sensiblement selon le nombre de touristes présents. Les week-ends d'été, les chambres manquent et les prix s'envolent, pouvant passer de 8 $US au double, ou davantage. Négociez les tarifs après avoir comparé les prix un peu partout. Mieux vaut bien sûr éviter les vendredi et samedi si vous n'avez rien réservé. En milieu de semaine, vous ne devriez pas rencontrer de problème, en particulier pendant l'hiver.

L'art de la broderie

À l'image de nombreuses femmes montagnardes, les Yao de Ta Phin – une communauté vivant à une dizaine de kilomètres de Sapa –, sont des expertes en broderie, un art qui se transmet de génération en génération. Seuls les fils de soie sont traditionnellement utilisés. Les brodeuses se fournissent en soie sauvage au marché, la font bouillir pour la rendre plus douce, puis la teignent avec des pigments naturels extraits de plantes, telles que le curcuma ou les feuilles de thé. Trois brins de soie sont ensuite torsadés par la brodeuse qui attache une extrémité sur la jambe de son pantalon, passe le fil dans un bracelet qu'elle tient avec un orteil avant de ramener l'autre extrémité vers son genou. D'une dernière petite torsion rapide, le fil est prêt à l'emploi.

Les vêtements portés tous les jours comportent plusieurs pièces brodées. Le *luy khia* désigne le pan inférieur richement brodé du dos de la veste. Plus petit, le *luy tan* consiste en un rectangle de motifs qui décore le dos de la veste. Le *luy leng* est une pièce décorative pour la fermeture sur le devant de la veste. Quant au pantalon, *la peng*, il est décoré de bandes de couleurs distinctes, au lieu de motifs. *La peng pe* désigne l'étoffe qui resserre le bas du pantalon. La ceinture, appelée *la sin*, sert à relever le pan arrière de la veste pendant les travaux des champs. *Chap hoong* désigne le collet en coton rouge que les femmes portent sous leur veste et qui peut se parer d'ornements en argent. Le *hong* que les femmes Yao portent sur la tête consiste généralement en une superposition d'au moins sept foulards de coton.

Les nombreux motifs de broderie yao sont récurrents mais leurs symboles restent un mystère. La plupart s'inspirent de la nature. On voit ainsi des mains de gibbons, des légumes ou encore les divinités de l'orage. Ceci pourrait simplement refléter l'environnement naturel des Yao, ou encore la façon taoïste d'apprécier l'équilibre entre la nature sauvage et la nature domestiquée.

À l'image des autres cultures, celle des Yao est dynamique et en constante mutation. Les femmes disent "emprunter" ou copier des motifs des autres ethnies et les intégrer à leurs propres créations. Ceci explique sans doute la multitude de motifs floraux hmong. Il se pourrait bien que des dessins occidentaux, comme les empreintes laissées par les chaussures des randonneurs, fassent leur apparition.

Source : Série Our Craft Traditions : *A Yao Community in Sapa, Vietnam* par Vo Mai Phuong et Claire Burkert, Le musée d'Ethnologie du Vietnam, 2001.

Méfiez-vous des établissements chauffés au charbon : les fumées qui se dégagent de ces vieux poêles peuvent causer des problèmes respiratoires si la pièce est mal aérée. La plupart des hôtels proposent maintenant des chauffages électriques ou des feux de cheminée pendant l'hiver.

On peut choisir parmi une cinquantaine d'établissements, qui vont d'une série de pensions bon marché aux hôtels de luxe. La majorité des villas-hôtels de Sapa appartiennent au gouvernement, ce qui signifie que les efforts de rénovation restent, malheureusement, limités. Ces établissements conservent cependant un certain charme. Des mini-hôtels récents et sans âme poussent comme des champignons et leur karaokés empoisonnent la ville. Les chantiers de construction continuent de se multiplier.

Les hôtels cités ci-dessous proposent des chambres et/ou des balcons avec une vue splendide. Le paysage constitue après tout l'une des raisons de venir à Sapa. La liste ci-dessous n'est pas exhaustive : vous trouverez une kyrielle d'établissements d'un bon rapport qualité/prix, notamment le long de la rue principale, mais ils n'offrent pas cette vue sublime.

Où se loger – petits budgets

Auberge Hotel (☎ 871243, fax 871666, auberge@sapadiscovery.com, www.sapadiscovery.com ; simples/doubles 6/28 $US). Cet hôtel doit sa réputation à sa vue sur la ville et la vallée, ainsi qu'à son jardin de bonsaïs. Certaines des chambres à l'étage supérieur disposent d'une cheminée ; les moins chères, situées dans l'aile la plus ancienne, ont hélas perdu leur vue sur la montagne à cause des nouvelles constructions. Nous vous recommandons le restaurant de l'auberge, où vous pourrez d'ailleurs vous informer sur les excursions et les randonnées.

MARK KIRBY

Un bambin de l'ethnie Dao à Sapa, province de Lao Cai

THOMAS DOWNS

Jeux d'enfants à Hoi An

JOHN ELK III

Jeux de hasard à Nha Trang

GREG ELMS

Jeune femme coiffée d'un *non bai tho* (chapeau conique), près de Nha Trang

Ferme sur pilotis, Hoa Binh

Enfants des montagnes du nord-ouest du Vietnam

Rizières en terrasses dans la province de Lai Chau

Enfants de l'ethnie hmong à Lao Cai, près de Sapa

Damier de rizières, Hoa Binh

Dans l'une des régions les plus pauvres du Vietnam, le site de Tam Coc, d'une rare beauté, surnommé "la baie d'Along des rizières", réserve des paysages stupéfiants

OLIVER STREWE

THOMAS DOWNS

GREG ELMS

CRAIG PERSHOUSE

THOMAS DOWNS

Rameur près de la pagode des Parfums, près d'Hanoi

BILL WASSMAN

MASON FLORENCE

Poteries de Bat Trang, Hanoi

JOHN BANAGAN

Le lotus, symbole de pureté

Pagode, Hanoi

DONALD C. & PRISCILLA ALEXANDER EASTMAN

Le bassin à carpes près de la maison d'Ho Chi Minh et du palais présidentiel, Hanoi

Le mausolée de Ho Chi Minh est un lieu de pèlerinage très fréquenté, Hanoi

Près du lac Hoan Kiem, Hanoi

Temple de la Littérature, Hanoi

Céramiques en camaïeu de bleus, Hoi An

En ville, la moto est la reine de la circulation

Marionnettes aquatiques, Hanoi

La course folle des deux-roues dans une ville vietnamienne

GREG ELMS

Sur le marché de nuit à Dalat, province de Lam Dong

NOBORU KOMINE

La ville côtière de Tuy Hoa, à l'embouchure du fleuve Da Rang, province de Phu Yen

TOM SMALLMAN

À l'entrée des tours cham de Po Nagar

ANDERS BLOMQVIST

Bateaux de pêche au large de la plage de Dai Lanh

Sur Duong Tran Phu à Nha Trang

La plage de Nha Trang longue de 6 km

La tour Nhan Cham, près de Tuy Hoa

La cathédrale néo-gothique de Nha Trang

Queen Hotel (☎ 871301, fax 871282 ; doubles lits jumeaux 4-10 $US). Dans cet établissement accueillant, situé à côté de l'Auberge Hotel, les chambres avec vue offrent un bon rapport qualité/prix. Certaines possèdent une cheminée.

Tulip Guest House (☎ 871914 ; simples/ doubles 4/7 $US). Construite en 2001, cette agréable petite pension, bien tenue, propose des chambres qui jouissent d'une vue magnifique.

Green Bamboo Hotel (☎ 871214 ; chambres 8-25 $US). Cette villa de style colonial bénéficie, en plus d'une belle vue, d'un petit jardin et d'un bar animé. Les chambres les plus chères, sans table ni chaise, s'avèrent assez rudimentaires pour le prix demandé.

Mountain View Hotel (☎ 871334, ninhhongsapa@hn.vnn.vn ; chambres 6-15 $US). L'ancienne Ninh Hong Guesthouse a déménagé pour un emplacement de premier choix aux abords de la ville. Les chambres sur le pignon offrent une vue à couper le souffle. La propriétaire, Mme Hong, parle couramment anglais et fut l'une des premières femmes guide de Sapa. Elle dirige aujourd'hui une petite équipe de femmes guides.

Tung Lam Hotel et Restaurant (☎ 871404, fax 871081 ; chambres 15 $US). Ici, les chambres sont agréables et bien tenues. Le restaurant dispose d'une terrasse surplombant la vallée.

Cat Cat Guesthouse (☎ 871387, catcat@fpt.vn ; chambres 7-20 $US). Cette pension sur plusieurs niveaux remporte un franc succès en raison de la vue magnifique qu'elle offre depuis la terrasse et certaines des chambres. Le ménage n'est pas le fort de la maison : vérifiez la propreté des draps et de la sdb avant de vous installer.

Twilight Guesthouse (Nha Nghi Hoang Hon ; ☎ 871601, fax 871318 ; chambres à partir de 8 $US). Construite en 2001, cette petite pension tranquille loue des chambres immaculées, avec sdb et balcon commun. Pour 12 $US, vous obtiendrez une chambre d'angle, avec vue.

Où se loger – catégorie moyenne

Royal Hotel (☎/fax 871313, royalhotel_ sapa@yahoo.com ; chambres 18-30 $US). Bien situé, cet hôtel loue des chambres de bon standing et seuls quelques toits empiètent sur la vue des chambres les plus chères. Cet établissement abrite désormais le fameux **Friendly Cafe**, réputé depuis longtemps pour ses informations sur les randonnées.

Chau Long Hotel (☎ 871245, fax 871844, chapatour@hn.vnn.vn, www.chaulonghotel .com ; chambres 28-51 $US). Inauguré en 2001, cet hôtel merveilleusement situé loue des chambres confortables. Le cybercafé et le bar au 3e étage sont très agréables.

Buu Chinh Hotel (☎ 871389, fax 871332 ; chambres 20 $US). Ce bâtiment qui ressemble à un chalet suisse appartient aux services postaux. Installé à l'écart du centre-ville, il accueille notamment des groupes. Les chambres bien entretenues disposent d'un balcon et d'une vue magnifique.

Où se loger – catégorie supérieure

Victoria Sapa Hotel (☎ 871522, fax 871539, victoriasapa@fpt.vn, www.victoriahotels-asia.com ; chambres supérieures/deluxe 85/103 $US, studios 6 pers 147 $US, suites de luxe 180 $US). On vient ici pour un séjour d'exception. Rien ne manque : des chambres décorées avec goût, des vues à couper le souffle depuis le restaurant, deux bars, une piscine intérieure chauffée, un centre de remise en forme et un court de tennis. Les prix comprennent le petit déjeuner, les taxes et les prestations. Les non-résidents payeront 5 $US pour profiter de la piscine.

L'hôtel propose à ses clients une formule incluant le trajet Hanoi-Lao Cai à bord du **Victoria Express** (☎ 04-933 0318, fax 933 0319, victoria@fpt.vn). L'établissement possède en effet des wagons de luxe et une voiture-restaurant privée, attachés au train de passagers circulant sur cette ligne.

Où se restaurer

Mimosa Restaurant et **Gerbera Restaurant** (plats à partir de 20 000 d). Ces deux établissements voisins possèdent une terrasse où s'installer pour déguster du bœuf, du sanglier et du chevreuil au barbecue ou bien des pâtes, des salades et des plats vietnamiens traditionnels. Les prix de ces plats familiaux sont raisonnables.

The Gecko (☎ 871504 ; panier repas 40 000 d). Vous pourrez boire un expresso, acheter un panier repas ou déjeuner frugalement dans ce sympathique restaurant tenu par des Français. Le délicieux menu fixe du soir coûte 150 000 d mais, si votre budget ne le permet pas, contentez-vous de prendre un verre au bar. L'endroit est un point de rencontre agréable.

Delta Restaurant (☎ 871799). Rendez-vous dans cet établissement pour déguster des pizzas et des pâtes à l'italienne.

Chapa Restaurant (☎ 871245, chapatour @fpt.vn). Cet établissement pour touristes sert les traditionnels banana pancakes et des rouleaux de printemps. Ne vous effrayez pas de la foule à l'entrée, il reste certainement des tables à l'étage.

L'Auberge Hotel dispose d'un restaurant très prisé, avec terrasse, où l'on peut déguster quelques plats végétariens. Quant aux cafés, vous en trouverez dans la plupart des hôtels les plus fréquentés. Un bon moyen de se restaurer à prix raisonnables.

Au sud de l'escalier descendant vers le marché, de nombreux **restaurants** populaires s'échelonnent le long de la rue principale. D'autres sont installés en contrebas du marché, en direction du village de Cat Cat.

Où sortir

Les lieux nocturnes restent rares et se limitent, pour l'essentiel, aux confortables bars des pensions.

Pionnier des bars de style occidental de Sapa, le **Bamboo Bar** (Green Bamboo Hotel) propose un spectacle gratuit de musique et de danse traditionnelles les vendredi et samedi, de 20h30 à 22h.

Le Ham Rong Hotel organise également les vendredi et samedi, de 20h30 à 22h, un spectacle authentique et sans prétention qui se déroule en plein air (25 000 d avec une boisson).

The Gecko abrite un bar tout à fait convenable, où écouter une musique agréable.

Quant à l'élégant **Victoria Sapa Hotel**, il dispose deux bars confortables ainsi que d'une terrasse. Les boissons coûtent un peu plus cher qu'ailleurs mais l'atmosphère reste incomparable.

Comment s'y rendre

Bus, minibus et motos. Située dans la région frontalière, Sapa constitue une étape idéale pour les voyageurs qui entrent au Vietnam ou vont en Chine.

Distante de 38 km du poste-frontière de Lao Cai, sur la frontière chinoise, la ville bénéficie d'un service de minibus qui la relient régulièrement à Lao Cai, entre 5h et 17h (25 000 d, de 1 à 2 heures, suivant les travaux d'entretien de la route). Les minibus attendent devant l'église de Sapa mais ils n'ont pas d'horaire précis. À Lao Cai, ils ne démarrent pas avant l'arrivée du train en provenance de Hanoi.

Le trajet Sapa-Bac Ha (110 km), dans des minibus affrétés par les hôtels, devrait revenir à 10 \$US par personne (prix affiché pour se rendre au marché du samedi). Le minibus quitte Sapa à 6h, et repart à 13h de Bac Ha. Vous pouvez également vous rendre à Bac Ha en minibus en changeant de véhicule à Lao Cai.

Les bus pour Hanoi (environ 12 heures) quittent Sapa vers 5h.

Vous pouvez parcourir les 380 km qui séparent Hanoi de Sapa à moto, mais c'est un long voyage – mieux vaut partir tôt. Les plus courageux qui circulent à vélo devront affronter une côte de 38 km, à la fin du voyage – un véritable enfer !

Des cafés de Hanoi organisent des week-ends à Sapa moyennant 40 \$US. Ils combinent en général des transports en train et en minibus C'est probablement le moyen le plus tranquille de faire cette excursion, mais nombre de voyageurs préfèrent se débrouiller par eux-mêmes. Reportez-vous à Agences de voyages dans le chapitre Hanoi pour plus d'informations.

Train. Voyager en train entre Hanoi et Sapa est devenu nettement plus agréable depuis l'apparition de confortables voitures-couchettes. À l'heure actuelle, vous ne pouvez réserver votre billet que dans les hôtels et les agences de voyages de Hanoi mais, quand vous lirez ces lignes, il vous sera sans doute possible de le faire directement à la gare.

Les prix s'échelonnent de 62 000 d la place assise à 130 000 d la couchette. Le train de jour quitte Lao Cai à 10h20, le train de nuit part à 18h45. Le trajet dure environ 10 heures. Dans le sens inverse, les deux trains quittent Hanoi vers 22h. Les agences de Sapa facturent le billet de train un peu plus cher que la gare de Lao

Cai, mais vous serez certain d'obtenir une place assise ou une couchette. Vous pourrez réserver, en outre, une place à bord du minibus qui relie Sapa à Lao Cai, à l'heure qui coïncide le mieux avec le départ de votre train.

Comment circuler
Pour découvrir les environs de Sapa, l'idéal est encore la marche, bien que pratiquement tous les chemins soient assez pentus ! Si vous ne disposez que d'une heure, grimpez au sommet de la tour de la radio, d'où la vue sur la vallée s'avère époustouflante.

Pour une excursion plus longue, vous pouvez louer une moto, moyennant quelque 6 $US par jour, ou 10 $US avec chauffeur.

LAO CAI
☎ 020 • 35 100 habitants
• altitude : 650 m
Ville la plus importante à l'extrémité nord-ouest de la ligne de chemin de fer, Lao Cai marque la frontière avec la Chine. La cité ayant été rasée durant l'invasion chinoise de 1979, la plupart des bâtiments sont donc flambant neufs. Le poste-frontière, fermé pendant la guerre de 1979, a rouvert en 1993.

Aujourd'hui, Lao Cai est une destination courue par les voyageurs qui circulent entre Hanoi ou Sapa, et Kunming, en Chine. La ville se révèle cependant inhospitalière ; n'y passez pas la nuit si vous pouvez faire autrement.

Orientation et information
De l'autre côté de la frontière s'étend la cité de Hekou – à moins d'être un passionné des villes frontières chinoises, vous n'aurez guère envie de vous y attarder.

En face de la Song Hong Guesthouse, une **banque** change les monnaies étrangères, mais seulement en espèces. Ne vous fiez pas aux changeurs du marché noir, en particulier en Chine ; ils vous offriront un taux misérable. Si vous n'avez pas le choix, ne réalisez que de petites transactions.

Où se loger et se restaurer
Song Hong Guesthouse (☎ 830004 ; chambres 10 $US). Toute proche du poste-frontière, cette pension compte 14 cham-

bres, tenues sans soin, dont certaines bénéficient de la clim. Optez pour une chambre à l'étage avec vue sur le fleuve et la Chine.

Binh Minh Hotel (☎ 830085, 39 Pho Nguyen Hué ; chambres 100 000/ 150 000 d). Le personnel de cet établissement géré par l'État se montre amical. Certaines chambres étaient en travaux lors de notre passage et offriront sans doute un bon rapport qualité/prix.

Huyen Trang Guesthouse (☎ 832199, 27 Pho Nguyen Hué ; chambres 120 000 d). Installé non loin du Binh Minh, cet établissement correct accuse un air défraîchi. Demandez une chambre à l'étage pour ne pas être dérangé par le bruit de la réception.

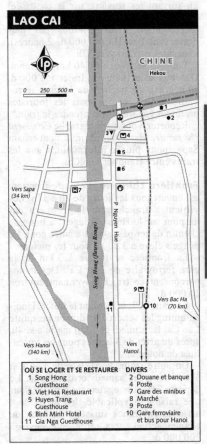

OÙ SE LOGER ET SE RESTAURER
1 Song Hong Guesthouse
3 Viet Hoa Restaurant
5 Huyen Trang Guesthouse
6 Binh Minh Hotel
11 Gia Nga Guesthouse

DIVERS
2 Douane et banque
4 Poste
7 Gare des minibus
8 Marché
9 Poste
10 Gare ferroviaire et bus pour Hanoi

NORD-OUEST

Gia Nga Guest House (☎ 830459 ; chambres 80 000-120 000 d). Inauguré à la fin de l'année 2001, cet établissement a conservé son apparence pimpante. L'aimable propriétaire, qui ne parle pas un mot d'anglais, a judicieusement installé une douche (15 000 d avec serviette et savon) et une consigne à bagages pour les voyageurs qui veulent se rafraîchir après la nuit passée dans le train depuis Hanoi.

Viet Hoa Restaurant (Pho Nguyen Hué). Situé non loin du poste-frontière, ce restaurant, dont la carte a été traduite en anglais, est le meilleur de la ville.

Comment s'y rendre

Les minibus vers Sapa (25 000 d, 1 à 2h suivant les travaux sur la chaussée) partent régulièrement jusqu'en milieu d'après-midi. Trois minibus par jour desservent Bac Ha (40 000 d, 2 heures), le dernier partant vers 12h.

Lao Cai se trouve à 340 km de Hanoi. Des bus effectuent ce trajet (53 000 d, 10 heures), en partant de la gare ferroviaire à 4h30 et 5h, mais les touristes préfèrent généralement prendre le train.

Reportez-vous au paragraphe *Comment s'y rendre* dans la rubrique concernant Sapa, pour plus d'informations sur les trains entre Hanoi et Lao Cai.

Frontière chinoise. Le poste-frontière est ouvert tous les jours de 7h à 17h. Les véhicules franchissent la frontière par un pont sur le fleuve Rouge. La ligne de chemin de fer passe par un autre pont. Le péage s'élève à 3 000 d pour les piétons.

La frontière se trouve à 3 km de la gare ferroviaire de Lao Cai. Des motos parcourent ce trajet moyennant environ 10 000 d.

Le train LC1, effectuant le trajet Hanoi-Kunming les vendredi et dimanche, quitte Lao Cai les samedi et lundi matin à 9h40, après un arrêt de 3 heures pour les formalités de douane.

Un autre train, le 5121, relie Lao Cai à Kunming les samedi et dimanche. Le départ s'effectue également à 9h40. Pour une raison inexplicable, les tarifs sont affichés en francs suisses ! Au taux de change actuel, cela représente environ 300 000 d.

BAC HA
☎ 020 • 70 200 habitants
• altitude : 700 m

Depuis quelques années, cette petite bourgade des hauts plateaux commence à concurrencer Sapa. Comparé à cette dernière, le tourisme n'en est qu'à ses balbutiements et, si vous arrivez en milieu de semaine, la ville vous paraîtra merveilleusement calme. Cependant, la situation évolue rapidement ; de nouveaux hôtels sont en construction et les restaurants apprennent à cuisiner les banana pancakes.

L'un des obstacles à l'essor du tourisme est peut-être la diffusion quotidienne, crachotante mais énergique, de la Voix du Vietnam, de 5h à 6h puis de 18h à 19h, depuis des haut-parleurs qui déversent sur la ville, entre la colline et le marché, un torrent de décibels dont la vallée répercute l'écho. Prenez donc de quoi vous boucher les oreilles. Des hôteliers font pression pour mettre un terme à tout ce vacarme.

Les reliefs qui entourent Bac Ha s'élèvent à environ 900 m d'altitude et profitent d'un climat plus doux qu'à Sapa. Dix ethnies montagnardes vivent dans la région : des Hmong Fleur, des Dao, des Giay (Nhang), des Han (Hoa), des Xa Fang, des Lachi, des Nung, des Phula, des Thaï et des Thulao – en plus des Kinh (d'origine vietnamienne).

L'une des principales industries de Bac Ha est la production de boissons distillées (alcool de riz, vin de manioc et liqueur de maïs). La liqueur de maïs que produisent les Hmong Fleur est si forte qu'elle peut littéralement s'enflammer ! Bac Ha est le seul endroit du Vietnam où vous en trouverez. Un emplacement particulier lui est réservé sur le marché du samedi.

La récolte de l'opium constituait une importante source de revenus, jusqu'à ce que le gouvernement y mette le holà, voilà plusieurs années.

Prenez une lampe de poche si vous arpentez les rues de Bac Ha le soir. L'approvisionnement électrique de la ville reste précaire et les coupures de courant sont fréquentes.

Marchés montagnards

Plusieurs marchés intéressants se tiennent aux alentours de Bac Ha, tous à moins de 20 km les uns des autres.

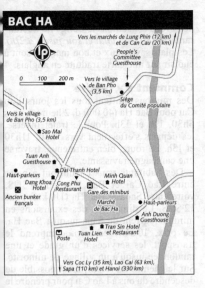

BAC HA

Vers les marchés de Lung Phin (12 km) et de Can Cau (20 km)

People's Committee Guesthouse

Vers le village de Ban Pho (3,5 km)

Siège du Comité populaire

0   100   200 m

Vers le village de Ban Pho (3,5 km)

Sao Mai Hotel

Tuan Anh Guesthouse

Dai-Thanh Hotel

Haut-parleurs

Minh Quan Hotel

Dang Khoa Hotel

Cong Phu Restaurant

Gare des minibus

Ancien bunker français

Marché de Bac Ha

Haut-parleurs

Anh Duong Guesthouse

Tran Sin Hotel et Restaurant

Poste

Tuan Lien Hotel

Vers Coc Ly (35 km), Lao Cai (63 km), Sapa (110 km) et Hanoi (330 km)

Marché de Bac Ha. Ce marché vivant et très couru, installé dans un bâtiment de béton, est le principal marché de Bac Ha. Vous y verrez beaucoup de Hmong Fleur (leur nom provient des fleurs que les femmes brodent sur leurs jupes). On y vend entre autres, des buffles, des porcs, des chevaux et des poulets. Quoi qu'il en soit, les touristes semblent se contenter d'acheter de l'artisanat et du vin local. Le marché se déroule le dimanche.

Marché de Can Cau. Ce marché en plein air compte parmi les plus extraordinaires du pays. Il se tient à 20 km au nord de Bac Ha et à 9 km au sud de la frontière chinoise, ce qui explique le grand nombre de marchands chinois et l'essor du commerce des chiens. Il ne fonctionne que le samedi. Vous pouvez vous y rendre en empruntant la nouvelle route.

Marché de Lung Phin. Ce petit marché est situé entre celui de Can Cau et Bac Ha, à 12 km de cette dernière localité. Moins fréquenté que les autres, il a lieu le dimanche.

Marché de Coc Ly. Ce marché se tient le jeudi, à 35 km de Bac Ha. Vous pouvez y accéder *via* une route en assez bon état, ou encore vous y rendre par voie fluviale.

Les hôtels de Sapa et de Bac Ha pourront organiser votre excursion.

Randonnées vers les villages traditionnels

La visite des villages autour de Bac Ha vous initiera au quotidien des Montagnards. Les habitants de **Ban Pho**, le village le plus proche, mènent une existence simple. Les Hmong Fleur très hospitaliers, forment l'une des populations les plus affables du pays. Un circuit en boucle de 7 km depuis Bac Ha passe par Ban Pho.

Plusieurs autres villages sont également accessibles à pied : comptez 8 km aller-retour pour vous rendre à **Trieu Cai** ; 6 km aller-retour pour **Na Ang** et 4 km aller-retour pour **Na Hoi**. Demandez au réceptionniste de votre hôtel de vous indiquer le chemin.

Pruniers en fleurs

Au printemps, dès le début du mois de mars, les nombreux pruniers des environs fleurissent, recouvrant la campagne d'un manteau blanc. La récolte des meilleurs fruits a lieu en juin et juillet.

Où se loger et se restaurer

Les haut-parleurs ayant envahi la ville, il est difficile de trouver un coin tranquille à Bac Ha. Tout comme à Sapa, les prix des chambres ont tendance à augmenter le week-end, avec l'arrivée des touristes qui viennent visiter le marché dominical. Les hôtels affichent souvent complet en fin de semaine et ne proposent aucune chambre climatisée. Attendez-vous, dans le restaurants, à la présence importune, même s'ils ne sont pas méchants, de nombreux chiens en quête de nourriture.

Sao Mai Hotel (*☎ 880288, fax 880285 ; chambres dans l'aile ancienne/récente/ neuve 10/15/20 $US*). Les groupes descendent souvent dans cet hôtel qui loue des chambres agréables et bien tenues. L'établissement se compose d'un ancien bâtiment en béton et de deux maisons en bois, plus récentes. Le personnel ne nous a guère semblé attentionné.

Tuan Anh Guesthouse (*☎ 880377 ; chambres 100 000 d*). Cette pension familiale offre un confort simple mais d'un bon rapport qualité/prix.

Dai Thanh Hotel (*☎ 880448 ; chambres 80 000-150 000 d*). Cet hôtel était en cours de rénovation lors de notre passage, ce qui laisse supposer que le standing sera amélioré.

Dang Khoa Hotel (☎ 880290 ; *chambres 120 000-150 000 d*). Cet établissement un peu défraîchi jouxte un restaurant où déguster des plats honnêtes.

Minh Quan Hotel (☎ 880222 ; *chambres 120 000-150 000 d*). Ici, les chambres confortables disposent d'un balcon donnant sur le marché de Bac Ha et les montagnes.

Anh Duong Guesthouse (☎ 880329 ; *chambres 80 000-100 000 d*). Cette pension sympathique surplombe le marché. Les chambres, rénovées en 2002 s'avèrent petites mais lumineuses.

Tran Sin Hotel (☎ 880240 ; *chambres 7-10 $US*). Les chambres possèdent un balcon qui surplombe le marché ; certaines offrent aussi une vue sur les montagnes. Le **restaurant** compte parmi les rares endroits où se restaurer en ville.

Tuan Lien (☎ 880261 ; *chambres 70 000-80 000 d*). Situé à côté du Tran Sin, cet hôtel ne devrait être considéré qu'en dernier recours. Les chambres sont exiguës et peu engageantes mais, puisque l'établissement venait de changer de propriétaire lors de notre passage, nous espérons que le confort sera amélioré.

En dehors des restaurants des hôtels, nous vous conseillons le **Cong Phu Restaurant** (☎ 880254 ; *midi et soir jusqu'à 21h*). Les plats savoureux et bon marché, sont à choisir sur une carte traduite en anglais.

Comment s'y rendre

Des minibus quittent tous les jours Lao Cai pour Bac Ha (40 000 d, 2 heures), vers 6h30, 11h et 13h. Pour le trajet inverse, les départs s'effectuent vers 5h30, 11h30 et 13h. La route, bien entretenue, traverse une campagne ravissante.

Des habitants vous conduiront à moto entre Lao Cai et Bac Ha pour 5 $US, voire entre Sapa et Bac Ha (110 km) pour 12 $US. Le dimanche, des excursions en minibus partent de Sapa jusqu'à Bac Ha. Le prix, 10 $US environ, comprend le transport, les services d'un guide et une randonnée jusqu'à un village de minorité. Sur le chemin du retour, il est possible de descendre du bus à Lao Cai pour prendre le train de nuit à destination de Hanoi.

Bac Ha se trouve à 330 km (10 heures) de Hanoi. Des cafés de Hanoi proposent des circuits en bus de 4 jours jusqu'à Bac Ha pour environ 60 $US, avec, habituellement, la visite de Sapa.

Le Centre-Nord

Le Centre-Nord, l'une des régions des plus pauvres du pays, attire peu de visiteurs étrangers. La plupart d'entre eux font d'une traite le trajet Hanoi-Hué, préférant s'attarder à Hoi An, à Hué ou dans les localités situées plus au sud ou tout au nord.

Cependant, plusieurs sites intéressants se trouvent à deux heures seulement de Hanoi, ce qui permet aux voyageurs de les explorer en un ou deux jours depuis la capitale. Tam Coc offre un paysage d'exception où les pics calcaires pointent au milieu des rizières. Non loin de là, l'ancienne capitale de Hoa Lu ne manque pas de caractère. Le village flottant de Kenh Ga offre un aperçu de la vie sur l'eau, tandis que la cathédrale de Phat Diem est l'exemple du mariage réussi entre les architectures religieuses vietnamienne et européenne. Enfin, au parc national de Cuc Phuong, le voyageur pourra approcher ce que la nature offre de mieux.

Les plages de la région, bien que prisées des Vietnamiens, ne peuvent rivaliser avec celles qui s'étendent plus au sud.

Histoire

L'importance historique de la région remonte au Xe siècle, lorsque Hoa Lu était la capitale du pays. Ses temples somptueux se dressaient dans un superbe paysage de falaises calcaires et de rizières. Aux XIIIe et XIVe siècles, la dynastie Tran fit de Thang Long (l'actuelle Hanoi) sa capitale. Ce fut l'une des périodes les plus stables et les plus prospères de l'histoire vietnamienne. Pour mettre fin aux guerres fratricides qui opposaient les prétendants au trône, les Tran avaient instauré un système ingénieux : le prince héritier partageait le pouvoir avec son père ; il devenait le roi officiel pendant que l'ancien souverain continuait de régner dans une seconde capitale, Tuc Mac, à quelque 5 km de Nam Dinh.

Au cours de la guerre du Vietnam, le Centre-Nord a énormément souffert des bombardements américains, en particulier à Thanh Hoa.

THAI BINH

☎ 036 • 135 000 habitants

Peu de voyageurs visitent Thai Binh, que ne traverse pas la RN 1. Vous vous y ar-

À ne pas manquer

- Apprécier Tam Coc, la "baie d'Along des rizières", près de Ninh Binh, et le village flottant de Kenh Ga

- Programmer une randonnée en forêt et la visite du Centre d'aide aux primates en danger, dans le parc national de Cuc Phuong

- Consacrer du temps aux temples de Hoa Lu, l'ancienne capitale et visiter la cathédrale sino-vietnamienne de Phat Diem

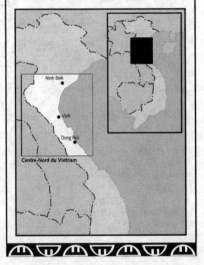

Centre-Nord du Vietnam

rêterez si vous prenez la route secondaire qui relie Ninh Binh à Haiphong. La ville ne présente guère d'intérêt, hormis la pagode Keo.

Pagode Keo

La pagode Keo (Chua Keo) fut fondée au XIIe siècle pour honorer le Bouddha et le moine Khong Minh Khong, qui avait miraculeusement guéri de la lèpre l'empereur Ly Than Ton (qui régna de 1128 à 1138). Le clocher en bois, finement sculpté, compte parmi les chefs-d'œuvre de l'architecture vietnamienne traditionnelle.

La pagode Keo se dresse à 9,5 km de la ville de Thai Binh. Vous trouverez sans problème une moto-taxi en ville pour vous y conduire (10 000 d).

CENTRE-NORD

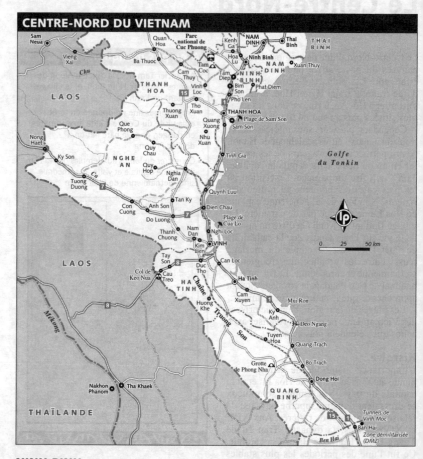

CENTRE-NORD DU VIETNAM

NINH BINH
☎ 030 • 53 000 habitants

Ces dernières années, cette bourgade quelque peu endormie s'est transformée en haut lieu touristique, grâce à la proximité de Tam Coc (9 km), Hoa Lu (12 km), Kenh Ga (21 km), ainsi que du parc national de Cuc Phuong (45 km).

Bien que l'on puisse visiter ces trois sites dans la journée depuis Hanoi, la plupart des voyageurs préfèrent passer la nuit à Ninh Binh ou dans le parc national pour faire ces excursions sur un rythme plus paisible.

Où se loger et se restaurer
Les hôtels sont ici beaucoup plus propres et mieux entretenus que la majorité des hébergements ruraux du Vietnam. Tous proposent un accès Internet pour environ 500 d la minute, réservent vos circuits ainsi que vos transports et louent motos et bicyclettes ; bien souvent, ils préparent également des repas simples. Les hôtels ci-dessous sont classés selon leur situation, en progressant du nord au sud le long de la RN 1.

Viet Hung Hotel (☎ 872002 ; viethunghotel-nb@hn.vnn.vn ; 2 ĐTran Hung Dao ; chambres avec clim. 10-35 $US). Cet établissement propre et lumineux, construit en 2001, propose des tarifs intéressants qui incluent le petit déjeuner.

Thanh Thuy's Guesthouse (☎ 871811, 128 Đ Le Hong Phong ; chambres avec ventil. 4-6 $US, avec clim. 8-15 $US). Cette pension familiale offre un bon rapport qualité/prix.

Thuy Anh Mini-Hotel (☎/fax 871602, thuyanhhotel@hn.vnn.vn, 55A Đ Truong Han Sieu ; chambres 7-25 $US). Cet établissement familial en plein centre ville, apprécié des voyageurs à petit budget, loue des chambres impeccables.

Star Hotel (☎ 871522, fax 871200, 267 Đ Tran Hung Dao ; chambres avec ventil./clim. 6/15 $US). Situé de l'autre côté de Đ Tran Hung Dao, face au Thuy Anh, cet hôtel privé bon marché est très fréquenté ; l'accueil pourrait néanmoins être plus professionnel.

Queen Mini-Hotel (☎ 871874 ; chambres avec ventil./clim. 6/8 $US). Installé à 30 m de la gare ferroviaire et non loin de la gare routière, cet établissement s'avère plus tranquille que la plupart des hébergements de la ville. Les chambres les plus récentes sont particulièrement intéressantes et l'annexe, de l'autre côté de la rue (lits en dortoir à 1 $US), sera probablement achevée lors de votre passage.

Ninh Binh n'est pas spécialement connue pour sa gastronomie mais compte néanmoins quelques **restaurants de com pho**, essentiellement à l'angle de Đ Le Hong Phong et de Đ Tran Hung Dao et à proximité de la gare ferroviaire.

Van Xuan Inter-Hotel Complex (☎ 860648, fax 860647 ; chambres avec clim. 25 $US). Situé hors du périmètre urbain, cet établissement agréable, bien que vieillot, se trouve non loin de la citadelle de Hoa Lu ; il n'est pas accessible en transport public. Les chambres, spacieuses, sont équipées de la TV par satellite.

Comment s'y rendre

Bus. Ninh Binh se situe à 93 km au sud de Hanoi. Des bus publics réguliers partent de la **gare routière sud** de Hanoi. Le trajet dure 2 heures 30 et coûte 25 000 d. La gare routière de Ninh Binh se trouve de l'autre côté de la rivière (Van) par rapport à la poste.

Les bus "circuit découverte" qui sillonnent le pays du nord au sud font étape à Ninh Binh. Ils prennent et déposent leurs passagers devant les hôtels Thuy Anh et Star. Une place à bord d'un bus climatisé confortable depuis/vers la vieille ville de Hanoi vous reviendra à 3 $US.

Train. Les *Express de la Réunification* reliant Ho Chi Minh-Ville à Hanoi (voir le chapitre

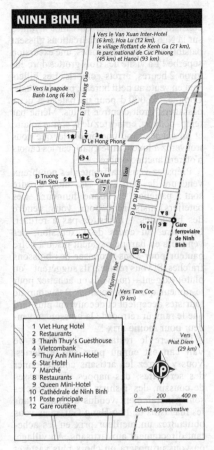

NINH BINH

Vers le Van Xuan Inter-Hotel (6 km), Hoa Lu (12 km), le village flottant de Kenh Ga (21 km), le parc national de Cuc Phuong (45 km) et Hanoi (93 km)

Vers la pagode Banh Long (6 km)

Đ Tran Hung Dao

Đ Le Hong Phong

Đ Truong Han Sieu

Đ Van Giang

Van

Đ Le Dai Hanh

Gare ferroviaire de Ninh Binh

Đ Nguyen Hue

Vers Tam Coc (9 km)

Vers Phat Diem (29 km)

1 Viet Hung Hotel
2 Restaurants
3 Thanh Thuy's Guesthouse
4 Vietcombank
5 Thuy Anh Mini-Hotel
6 Star Hotel
7 Marché
8 Restaurants
9 Queen Mini-Hotel
10 Cathédrale de Ninh Binh
11 Poste principale
12 Gare routière

0   200   400 m

Échelle approximative

Comment circuler) passent tous par Ninh Binh, mais seul le service lent S3 s'y arrête.

ENVIRONS DE NINH BINH
Tam Coc

Les touristes appellent ce site d'une rare beauté la "baie d'Along sans eau", "la baie d'Along des rizières", etc. Alors que les hautes formations rocheuses de la baie d'Along se dressent au-dessus de la mer (voir le chapitre *Le Nord-Est*), celles de Tam Coc dominent un paysage de rizières. Elles évoquent immanquablement les remarquables sites chinois de Guilin et Yangshuo.

Tam Coc signifie "Trois Grottes". La première, Hang Ca, mesure 127 m de long ; la deuxième, Hang Giua, 70 m ; et la troisième, Hang Cuoi, 40 m seulement.

CENTRE-NORD

La meilleure façon de visiter Tam Coc consiste à se promener en canot à rames sur la Ngo Dong. Les embarcations glissent paisiblement dans les grottes, une excursion superbe ! La visite des trois grottes dure environ 2 heures, arrêts compris. Les billets sont en vente au petit bureau, près des quais. Comptez 55 000 d pour un bateau à deux passagers, droit d'entrée inclus. Même par temps couvert, emportez de la crème solaire et un chapeau (ou une ombrelle, que vous trouverez à louer sur le quai), car les canots n'offrent aucune ombre.

Préparez-vous à affronter les nombreux vendeurs de Tam Coc – les mots d'ordre sont : patience et bonne humeur ! Les bateliers insisteront pour vous vendre des broderies – n'hésitez pas à refuser. En outre, au cours de l'excursion, des vendeurs en barque pagaient jusqu'à votre hauteur pour vous proposer des boissons fraîches. Si vous refusez, ils suggèrent – ou plutôt exigent – que vous en achetiez pour le rameur qui vous conduit. Beaucoup de touristes acceptent et découvrent plus tard que le rameur rétrocède la boisson au vendeur pour moitié prix !

Derrière le restaurant, le **village de Van Lan** est connu pour ses broderies. Vous y verrez les artisans confectionner des serviettes, des nappes, des housses de coussin, des T-shirts, etc. Ces articles sont généralement vendus à Hanoi, dans les magasins de Pho Hang Gai, mais vous obtiendrez un meilleur prix en les achetant directement aux artisans. Au village, on vous proposera un choix plus vaste et des prix moins élevés que les offres des bateliers.

Comment s'y rendre. Tam Coc se trouve à 9 km au sud-ouest de Ninh Binh. Prenez la RN 1 vers le sud, puis tournez vers l'ouest à l'embranchement de Tam Coc. À Hanoi, des cafés pour petits budgets organisent des excursions d'une journée à Tam Coc. Prévoyez environ 12 $US pour la version bon marché, ou 20 $US pour un circuit en petit groupe dans un véhicule confortable et sous la conduite d'un guide professionnel. Les hôtels de Ninh Binh proposent aussi des excursions d'une journée. Ils louent également des motos et des bicyclettes pour ceux qui préfèrent se déplacer par leurs propres moyens.

Hoa Lu

Le paysage ressemble à celui de Tam Coc, mais Hoa Lu présente également un intérêt historique. Capitale du Vietnam sous la dynastie Dinh (968-980), puis de la dynastie des Le antérieurs (980-1009), sa proximité avec la Chine et la protection naturelle de son relief lui conféraient un avantage certain.

L'ancienne citadelle de Hoa Lu (*entrée 30 000 d*), en grande partie détruite, couvrait une surface de 3 km^2. Des remparts protégeaient les temples, les sanctuaires et le palais royal. La famille royale résidait dans la citadelle intérieure.

Le mont Yen Ngua constitue un superbe arrière-plan aux deux temples qui subsistent. Le temple de **Dinh Tien Hoang**, restauré au XVIIe siècle, est dédié à la dynastie Dinh. Le socle en pierre d'un trône royal se dresse devant l'entrée. À l'intérieur, vous verrez des cloches de bronze et une statue de l'empereur Dinh Tien Hoang en compagnie de ses trois fils. Le second temple, **Le Dai Hanh** (ou Duong Van Nga), honore la mémoire des souverains de la dynastie des Le antérieurs. La salle principale contient un assortiment de tambours, de gongs, d'encensoirs, de chandeliers et d'armes. Sur la colline qui surplombe les temples se dresse la tombe de Dinh Tien Hoang. Il faut escalader 207 marches pour en atteindre le sommet, d'où la vue magnifique récompensera vos efforts.

En 1998, les archéologues ont mis au jour une "nouvelle" section de l'ancienne citadelle, laquelle remonterait au Xe siècle. Ces vestiges, ainsi que certains objets trouvés lors des fouilles, ont été maintenus sur place et sont aujourd'hui exposés dans une salle érigée autour des excavations.

Des guides proposent des visites gratuites dans les sanctuaires (laissez-leur un pourboire si vous faites appel à leurs services), mais vous pouvez également les explorer seul. Une fois dépassés les vendeurs, très insistants, qui vous attendent à l'entrée, le site offre une atmosphère très paisible, notamment en fin d'après-midi, lorsque les visiteurs sont moins nombreux.

Comment s'y rendre. Hoa Lu se situe à 12 km au nord de Ninh Binh. Aucun transport public ne la dessert et les voyageurs font généralement le trajet à vélo

(1 $US/jour depuis Ninh Binh), en moto ou en voiture.

Pagode Banh Long

Bien qu'elle n'ait rien de spectaculaire, cette pagode bouddhique, à 6 km de Ninh Binh, mérite une petite visite. De la RN 1 (Ð Tran Hung Dao à Ninh Binh), prenez vers l'ouest la route qui passe devant le Viet Hung Hotel.

Village flottant de Kenh Ga

Kenh Ga (canal aux poulets) doit son nom au grand nombre de poulets sauvages qui peuplaient autrefois les environs ; c'est du moins ce que racontait le père de notre batelier, évoquant avec nous ses souvenirs d'enfant. Si les poulets ont peu de chance de se montrer, vous découvrirez en revanche le village flottant sur la rivière Hoang Long et quelques bâtiments construits sur les rives. Kenh Ga flotte dans un décor montagneux extraordinaire. Le seul autre endroit au Vietnam où vous pourrez voir un spectacle comparable est le delta du Mékong.

Kenh Ga est un endroit idyllique qui illustre mieux que tout autre endroit du nord du pays la vie quotidienne le long des rivières. Les habitants semblent passer la majeure partie de leur vie sur l'eau : ils s'occupent de leurs élevages piscicoles flottants, récoltent des algues pour les nourrir, écument les eaux troubles et peu profondes de la rivière à la recherche de coquillages ou vendent des légumes de bateau à bateau. Même les enfants vont à l'école en bateau.

Sur la jetée, vous pouvez louer un canot à moteur moyennant 80 000 d la promenade d'une heure autour du village. L'agence touristique du gouvernement local organise les circuits en bateau depuis l'année 2000 et a réussi jusqu'à présent à préserver une certaine discrétion et à éloigner les perturbateurs. Espérons que cela va durer.

Les villageois sont très chaleureux. Les enfants crient joyeusement "*tay oi*" (Occidental) à tous les touristes qu'ils voient – même les Vietnamiens !

Comment s'y rendre. Kenh Ga se trouve à 21 km de Ninh Binh. Suivez la RN 1 vers le nord pendant 11 km, puis tournez vers l'ouest et roulez pendant encore 10 km, jusqu'à la jetée. Plusieurs petites routes extraordinaires, apparem-

ment non cartographiées, conduisent à la jetée dans de magnifiques paysages. Demandez à un habitant de la région de vous faire un croquis du chemin à suivre, ou allez trouver **M. Cao**, un résident de Kenh Ga qui a beaucoup voyagé et parle anglais. Il conduit les voyageurs à travers la région et forme des guides touristiques depuis de nombreuses années. **ET Pumpkin Tours** (☎ 9260739, 85 Pho Ma May, Hanoi) devrait pouvoir le contacter.

PHAT DIEM

Phat Diem (parfois appelée Kim Son, son ancien nom) abrite une **cathédrale** remarquable par sa taille et son architecture sino-vietnamienne unique d'inspiration européenne. À l'époque de la colonisation française, la cathédrale était un haut lieu du catholicisme dans le Nord. Phat Diem possédait même un séminaire. En 1954, la division du pays a entraîné le départ massif des catholiques vers le Sud et la fermeture du sanctuaire. Celui-ci est aujourd'hui rouvert, de même que les dizaines d'églises du district. Selon les derniers chiffres, quelque 120 000 catholiques vivent dans la région.

La voûte est soutenue par des colonnes massives en bois de 1 m de diamètre et de 10 m de haut. Dans les nefs latérales, vous apercevrez des statues de bois et de pierre fort étranges. L'autel est taillé dans un seul bloc de granit. Les façades extérieures s'élèvent à 16 m du sol.

Le complexe regroupe de nombreux édifices, dont le plus vaste a été achevé en 1891. L'ensemble a été fondé par un prêtre vietnamien du nom de Six, qui est enterré sous le parvis de la cathédrale. Derrière le bâtiment principal, un amoncellement de roches calcaires attirera votre attention ; le père Six les avait empilées pour vérifier si le terrain était adapté à la réalisation de son œuvre. Apparemment, le test a réussi.

Le clocher s'élève à l'arrière de la cathédrale. À sa base, vous remarquerez deux énormes dalles de pierre posées l'une sur l'autre : leur intérêt réside dans le fait qu'elles servaient d'estrades aux mandarins venus observer (avec un certain amusement, n'en doutons pas) les rites catholiques. Toutes les grandes dalles sculptées de ce complexe ont été acheminées par des moyens de fortune sur quelque 200 km.

La tour la plus élevée abrite une cloche si grosse qu'elle ferait pâlir d'envie celle de Notre-Dame. Avec d'autres lourdes pièces de métal, elle fut hissée au sommet de la tour au moyen d'une gigantesque rampe de terre. Une fois la construction achevée, les déblais furent répandus autour du lieu saint, surélevant le site d'environ 1 m et le protégeant d'éventuelles inondations.

Non loin de là se dressent une petite chapelle en grosses pierres de taille – dont l'intérieur est aussi frais que celui d'une grotte – et un pont couvert datant de la fin du XIXe siècle.

Des nuées de touristes vietnamiens visitent la cathédrale, bien que peu d'entre eux soient catholiques ; ils font preuve d'une très grande curiosité envers les églises et le christianisme en général. L'entrée est gratuite, mais vendeurs et mendiants se pressent sur le site aux heures d'affluence. L'église est généralement fermée ; adressez-vous au kiosque des guides (situé devant l'entrée principale) si vous voulez visiter l'intérieur. Les messes sont célébrées quotidiennement à 5h et 17h.

Comment s'y rendre

Phat Diem se trouve à 121 km au sud de Hanoi et à 29 km au sud-est de Ninh Binh. Des bus directs relient Ninh Binh à Phat Diem et l'on peut aussi faire le trajet en moto.

Il n'existe pas de circuits organisés à destination de Phat Diem. Cependant, les agences de voyages de Hanoi vous proposeront une excursion sur mesure d'une journée en voiture privée, avec ou sans guide.

PARC NATIONAL DE CUC PHUONG
☎ 030 • altitude : 648 m

Ce parc national (*☎ 846006, district de Nho Quan, province de Ninh Binh ; entrée 40 000 d • ☎ 04-829 2604, 1 Pho Doc Tan Ap, Hanoi*), aménagé en 1962, est l'une des plus importantes réserves naturelles du Vietnam. Ho Chi Minh lui-même l'inaugura en 1963, prononçant à l'occasion cette courte allocution :

La forêt est de l'or. Si nous savons bien la conserver, elle sera très précieuse. Sa destruction entraînera des conséquences graves pour la vie et la productivité.

Ce parc, qui se trouve à 70 km de la mer, occupe une surface de 25 km de long sur 11 km de large, à cheval sur les provinces de Ninh Binh, de Hoa Binh et de Thanh Hoa. Le point culminant du parc est le Dinh May Bac (pic du Nuage argenté), à 648 m. Un climat subtropical règne sur les basses terres. Des outils préhistoriques ont été mis au jour à Con Moong, l'une des nombreuses grottes du parc, lequel abrite également l'excellent **Centre d'aide aux primates en danger** (voir l'encadré sur le sujet).

Bien que la faune et la flore aient dramatiquement décliné ces dernières décennies, les 222 km^2 de forêt tropicale primaire du parc demeurent l'habitat d'une variété fantastique d'espèces animales et végétales : ils abritent 320 espèces d'oiseaux, 97 espèces de mammifères, dont des chauves-souris, et 36 espèces de reptiles. Parmi les plantes répertoriées en 1983, 433 possèdent des propriétés médicales et 299 sont comestibles. La réserve abrite une essence particulière appelée Cay Kim Gao (*Podocarpus fleuryi hickel*), qui pousse également dans le parc national de Cat Ba. Autrefois, les rois et les nobles ne mangeaient qu'avec des baguettes taillées dans ce bois clair, qui avait la propriété de noircir au contact d'une substance empoisonnée.

Le braconnage et la destruction de l'habitat naturel constituent la préoccupation constante des gardes forestiers. De nombreuses espèces endémiques, tels l'ours brun, le chat sauvage, mais également certains oiseaux et reptiles, ont disparu du parc par la faute de l'homme. Les Muong se sont à plusieurs reprises violemment heurtés aux gardes qui tentaient de les empêcher d'abattre des arbres. Le gouvernement a par la suite déplacé le village hors de l'enceinte du parc. Espérons que les habitants pourront participer aux programmes d'écotourisme, ce qui permettrait de donner à la politique de conservation une valeur économique qui bénéficiera à l'environnement. Les autorités ont récemment lancé un projet de route nationale traversant le parc, ce qui devrait avoir un impact considérable sur le développement, le déplacement et la protection des plantes et des animaux.

La meilleure époque pour visiter le parc s'étend d'octobre à mars, pendant la saison sèche. D'avril à juin, la température et l'humidité augmentent progressivement,

Centre d'aide aux primates en danger

La visite de ce centre *(www.primatecenter.org ; entrée libre ; tlj 9h-11h et 13h-16h)* s'impose si vous venez à Cuc Phuong. Géré par des Vietnamiens et par des biologistes allemands, il s'attache à améliorer la vie des singes du Vietnam.

En 1995, le projet, encore embryonnaire, ne s'occupait que de quelques singes ; aujourd'hui, l'endroit connaît une grande activité et l'on y soigne, étudie et élève 85 animaux représentant 14 espèces différentes de gibbons et d'entelles. L'entelle est un singe arboricole à longue queue, tandis que le gibbon possède de longs bras et se nourrit de fruits. Le centre compte également quelques loris (primates nocturnes plus petits).

On estime qu'il ne reste aujourd'hui que 20 espèces de primates en liberté au Vietnam, dont la plupart sont menacées par les chasseurs et/ou la destruction de leur habitat. Certains essaient d'en faire des animaux domestiques, ce qui est quasiment impossible. Les entelles ne mangent que des feuilles fraîchement coupées, leur système digestif ne tolérant rien d'autre ; en ne nourrissant pas correctement leur singe, les propriétaires ignorants tuent souvent leur "animal de compagnie" avant même de pouvoir se glorifier de leur nouvelle acquisition. Tous les animaux du centre ont ainsi pu échapper à la vie en cage ou au commerce illégal, qui les conduit essentiellement en Chine où ils font office de médicament. Des amateurs sont prêts à payer très cher ces animaux rares (entre 200 et 1 000 $US) pour leur valeur "médicale", qu'il s'agisse de soulager les calculs biliaires ou d'en faire des aphrodisiaques. Heureusement, des mesures sont dorénavant prises pour freiner le commerce illégal et protéger les entelles qui subsistent.

La coopération entre les autorités vietnamiennes et le personnel du centre a donné de très bons résultats en matière de reproduction et de rétablissement des primates. Lors de notre passage, nous avons eu la chance de découvrir un douc (rhinopithèque à pieds gris), âgé d'une semaine, le premier au monde né en captivité (le jeune père jouait fièrement son rôle de protecteur, le cou tendu et le regard noir, exhibant un long pénis rose en érection). Les doucs se reproduisent à merveille et sont des primates fascinants avec leur "caleçon" rouge (la traduction littérale en vietnamien est "singe en short"). C'est un véritable plaisir de découvrir ces animaux remarquables et très malins. Certaines espèces originaires du sud disposent même de dortoirs chauffés en hiver, ce qui n'est pas le cas des employés du centre.

L'un des principaux objectifs du centre est de réintroduire les primates dans leur habitat naturel. La chasse représente encore une menace trop importante, mais une étape préliminaire a consisté à relâcher quelques gibbons et un groupe d'entelles de Hatinh en semi-liberté, dans une zone de 2 ha, adjacente au centre. Un groupe de doucs a été libéré dans un autre enclos de 4 ha à demi sauvage. Si vous préférez découvrir les entelles dans leur milieu naturel, demandez au centre où se trouvent les meilleurs postes d'observation – nous ne pouvons, pour des raisons évidentes, les divulguer dans ce guide.

Le centre se trouve à environ 500 m avant l'accueil du parc national et est ouvert aux visiteurs à certaines heures. Vous ne pouvez pas le visiter seul ; si vous voyagez en indépendant, vous devrez tout d'abord louer les services d'un guide à l'accueil du parc. Si vous optez pour un circuit organisé au départ de Ninh Binh, sachez que le centre accueille les guides du Thuy Anh Hotel et de la Thanh Thuy's Guesthouse, mais refuse l'accès à de nombreux autres établissements.

La visite du centre est gratuite, mais n'hésitez pas à acheter un poster ou une carte postale ou à faire un don. Quant aux biologistes ou autres professionnels concernés par ce type d'activité, ils souhaiteront peut-être envoyer un message électronique avant leur visite pour interroger le centre sur leur besoin de produits de l'étranger.

tandis que de juillet à septembre, les pluies amènent avec elles une multitude de sangsues. Une visite en avril-mai permet d'apercevoir des millions de papillons.

Un petit centre d'information, situé quelques centaines de mètres avant l'entrée du parc, accueille les visiteurs.

Randonnée dans le parc

Le parc regorge de magnifiques sentiers que vous pourrez découvrir si vous consacrez plusieurs jours au parc.

Les promenades courtes comprennent la visite d'un grand **jardin botanique** clos où vous découvrirez plusieurs espèces endémiques telles que cerfs, civettes, gibbons et entelles. Un autre petit sentier mène à un escalier abrupt au bout duquel se trouve le précieux site archéologique de la **Grotte de l'homme préhistorique**.

Une randonnée d'une journée parmi les plus appréciées (8 km aller-retour) mène à un grand arbre millénaire (*Tetrameles nudiflora*), une autre, plus longue, à la montagne du Nuage argenté.

Une marche éprouvante de cinq heures vous conduira à Kanh, un village muong. Vous pouvez y passer la nuit et descendre la rivière Buoi en radeau.

Le personnel du parc vous remettra des plans succincts pour vous repérer dans les sentiers, mais il est recommandé de faire appel à un guide pour les marches plus longues. Ce guide vous coûtera au minimum 5 \$US par jour pour un groupe de cinq personnes au plus, chaque personne supplémentaire devant débourser 1 \$US.

Où se loger
Deux possibilités d'hébergement s'offrent aux visiteurs, avec un confort et des prix très variables. On peut loger au centre de la réserve, à 18 km de l'entrée – là est le meilleur endroit pour partir en randonnée ou aller observer les oiseaux à l'aube. Le parc y loue des **chambres rudimentaires** dans une maison sur pilotis *(6 \$US/pers)*, et 2 **bungalows** équipés *(simples/doubles 15/25 \$US)*. L'immense piscine est alimentée par la rivière.

Autour des bureaux et le long de la route tranquille qui mène au parc se trouvent des **bungalows** et une **pension** *(simples/doubles 15/20 \$US)*, de même que des chambres aménagées dans une **maison sur pilotis** *(5 \$US/pers)*. On peut aussi **camper** *(2 \$US/pers)* si on dispose de son propre équipement. Il est également possible de commander des repas, notamment végétariens, à l'accueil.

Évitez les week-ends et les vacances scolaires vietnamiennes, périodes pendant lesquelles la réserve peut être *très* fréquentée. On peut réserver directement auprès du bureau du parc.

Comment s'y rendre
Le parc national de Cuc Phuong se situe à 45 km de Ninh Binh. Sur la RN 1, l'embranchement qui y mène conduit au village flottant de Kenh Ga (voir plus haut). Aucun transport public ne dessert cette route.

THANH HOA
☎ 037
Thanh Hoa est la capitale de la province du même nom. Une grande et belle église s'élève à la périphérie nord de la ville. Vous découvrirez Thanh Hoa en vous rendant à la plage de Sam Son.

C'est dans cette province qu'eut lieu l'insurrection de Lam Son (1418-1428), au terme de laquelle Le Loi (le futur empereur Ly Thai To) et ses troupes chassèrent les Chinois et rétablirent l'indépendance du pays.

Les ethnies montagnardes muong et thaï rouges vivent dans l'ouest de la province.

Où se loger et se restaurer
Thanh Hoa Hotel *(☎ 852517, fax 853963, 25A Đ Quang Trung ; chambres 10-35 \$US)*. Cet établissement se trouve dans le centre-ville, du côté ouest de la nationale. Le prix des chambres paraît excessif au vu de leurs dimensions et de leur état.

Loi Linh Hotel *(☎ 851667, 22 Đ Tran Phu ; chambres 10 \$US)*. Cet hôtel familial est étrangement organisé au-dessus d'un imposant hall d'entrée. Les chambres, petites et sombres, sont néanmoins propres et climatisées.

Des **échoppes de soupe**, des **cafés** et quelques **restaurants** bordent la RN 1, notamment vers l'entrée sud de la ville.

Comment s'y rendre
Les *Express de la Réunification* font halte à Thanh Hoa (consultez l'encadré du chapitre *Comment circuler*). La ville se situe à 502 km de Hué, à 139 km de Vinh et à 153 km de Hanoi par la route.

PLAGE DE SAM SON
☎ 037
Sans doute la station balnéaire la plus populaire du Nord, Sam Son se trouve trop loin de Hanoi pour une excursion d'une journée. Les week-ends d'été (mai à septembre), les citadins s'y précipitent pour échapper à la moiteur de la capitale. En hiver, les touristes se font rares et peu d'hôtels restent ouverts.

Sam Son compte en fait deux plages, séparées par un cap rocheux. Au nord s'étend la plage principale, bordée d'hôtels en béton, de karaokés et de salons de massage, très belle hors saison. Elle ne plaira pas à tout le monde, mais on peut y faire une excursion intéressante d'une journée n basse saison si l'on dispose d'un moyen de transport indépendant.

La plage sud, peu construite, attire toutefois beaucoup de pique-niqueurs. Le cap, un parc ouvert au public, se prête à quelques **randonnées**, à la découverte de somptueux panoramas, de **forêts de pins**, d'impressionnants rochers de granit.

Vous parviendrez à la pagode Co Tien, dont le promontoire abrite une base militaire – un panneau dissuade de s'en approcher.

Où se loger

La plupart des hôtels de Sam Son, appartiennent à l'État et pratiquent des prix bien trop élevés pour les prestations offertes. Les tarifs augmentent en haute saison, de juin à août. Vous pourrez négocier les prix en hiver, bien que l'endroit ne présente aucun intérêt à cette époque de l'année.

Alors que la plupart des hôtels sont gérés par l'État, le **Hoa Dang Hotel** (☎ 821288 ; chambres 3 lits 100 000/350 000 d basse/ haute saison) est quant à lui un petit établissement privé sans prétention. Du balcon, on peut admirer la plage.

De nombreux **hôtels** (chambres 15/30 $US basse/haute saison) bordent la plage.

Comment s'y rendre

Thanh Hoa est le plus proche carrefour routier et ferroviaire. La ville de Sam Son est distante de 16 km ; le trajet s'effectue facilement en moto.

VINH
☎ 038 • 201 900 habitants

Capitale de la province du Nghe An, cette ville portuaire n'offre que peu d'intérêt hormis ses sinistres bâtiments de style soviétique ; cependant, les alentours présentent quelques curiosités. La situation économique de Vinh s'est améliorée récemment grâce à la forte augmentation du trafic routier sur la RN 1. Les voyageurs qui circulent entre Hué et Hanoi par voie de terre, et ceux qui transitent par Tha Khaek au Laos, via le poste-frontière de Cau Treo, pourront y faire étape pour la nuit.

Les provinces du Nghe An et de Ha Tinh, outre un sol peu fertile, souffrent du pire climat du Vietnam, ponctué d'inondations et de typhons dévastateurs. La population locale l'explique ainsi : "Le typhon est né ici et vient souvent nous rendre visite". Les étés sont brûlants et secs ; le glacial vent du nord rend encore plus désagréables les hivers froids et pluvieux.

Outre ce climat inamical, plusieurs années d'une agriculture collective mal gérée ont contribué à appauvrir ces provinces, qui comptent aujourd'hui encore parmi les plus déshéritées du pays. Les récentes réformes économiques ont cependant apporté un certain nombre d'améliorations.

Histoire

L'histoire récente de Vinh est plutôt tragique. Ville-citadelle agréable pendant l'ère coloniale, elle a beaucoup souffert des bombardements français des années 1950 et de la politique de terre brûlée du Vietminh. Elle fut ensuite ravagée par un incendie.

La piste Ho Chi Minh partait de la province du Nghe An et une grande partie des équipements militaires passait par le port de Vinh. Il n'est donc pas surprenant que l'aviation américaine ait totalement détruit la ville entre 1964 et 1972, ne laissant que deux bâtiments debout. Les Américains ont payé cher ces bombardements ; c'est dans les provinces du Nghe An et de Ha Tinh qu'ils perdirent le plus de pilotes et d'appareils.

Orientation et renseignements

En venant du sud, la RN 1 entre dans Vinh et traverse l'embouchure de la Lam (Ca), appelée aussi estuaire de Cua Hoi. Les adresses comportent rarement un numéro de rue. Vous trouverez plusieurs **cybercafés** sur Đ Le Phong Hong.

Argent. La **Vietcombank** (Ngan Hang Ngoai Thuong Viet Nam) se situe près du rond-point où Đ Le Loi devient Đ Nguyen Trai.

Poste. La poste principale (Đ Nguyen Thi Minh Khai ; tlj 6h30-21h), à l'angle de Đ Dinh Cong Trang, était sur le point d'achever sa rénovation lors de notre passage. Un petit **guichet** annexe a ouvert ses portes à côté du Phu Nguyen Hai Hotel.

Services médicaux. En cas d'urgence, rendez-vous à l'**hôpital** (à l'angle de Đ Tran Phu et de Đ Le Mao).

Où se loger

Dong Do Hotel (☎ 846989, 9 Đ Nguyen Trai ; chambres 100 000-120 000 d). L'an-

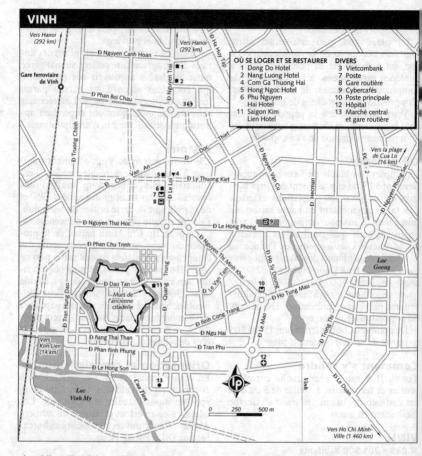

VINH

Vers Hanoi (292 km)

Đ Nguyen Canh Hoan

Vers Hanoi (292 km)

Gare ferroviaire de Vinh

Đ Phan Boi Chau

Đ Truong Chinh

Đ Chu Van An

Đ Nguyen Thai Hoc

Đ Phan Chu Trinh

Đ Tran Hung Dao

Đ Dao Tan

Murs de l'ancienne citadelle

Đ Đang Thai Than

Đ Phan Đinh Phung

Đ Le Hong Son

Vers Kim Lien (14 km)

Lac Vinh My

Đ Le Loi

Đ Ly Thuong Kiet

Đ Le Hong Phong

Đ Nguyen Thi Minh Khai

Đ Nguyen Van Cu

Đ Hecman

Đ Ho Sy Dong

Đ Le Mao

Đ Van Tam

Đ Đinh Cong Trang

Đ Ngu Hai

Đ Tran Phu

Đ Quang Trung

Đ Ho Tung Mau

Đ Trong Thi

Đ Ha Huy Tap

Đ Nguyen Trai

Đoc Thiet

Vers la plage de Cua Lo (16 km)

Đ Nguyen Phong Sac

Lac Goong

Chua Tien

Đ Le Duan

Vinh

Vers Ho Chi Minh-Ville (1 460 km)

OÙ SE LOGER ET SE RESTAURER	DIVERS
1 Dong Do Hotel	3 Vietcombank
2 Nang Luong Hotel	7 Poste
4 Com Ga Thuong Hai	8 Gare routière
5 Hong Ngoc Hotel	9 Cybercafés
6 Phu Nguyen	10 Poste principale
Hai Hotel	12 Hôpital
11 Saigon Kim	13 Marché central
Lien Hotel	et gare routière

0   250   500 m

---

cien Vina Hotel loue des chambres équipées de sdb, propres et bon marché.

Nang Luong Hotel (☎ 844788, 2 Đ Nguyen Trai ; chambres avec clim. 15-34 $US). Ce vieil établissement, agréable, possède une piscine correcte. Les chambres les moins chères sont dotées de la TV par satellite et offrent un très bon rapport qualité/prix.

Phu Nguyen Hai Hotel (☎ 848429, fax 832014, ctpnh@hn.vnn.vn, 81 Đ Le Loi ; chambres 18-35 $US). Cet hôtel neuf et propre propose des chambres spacieuses et claires. Choisissez-en une à l'arrière de manière à échapper au brouhaha de la rue.

Hong Ngoc Hotel (☎ 841314, fax 841229, 99 et 13 Đ Le Loi ; chambres avec clim. 15-25 $US). Cette autre bonne adresse loue des chambres bon marché

dans un bâtiment ancien peu engageant. De l'autre côté de la rue, l'annexe, plus récente, devait être rénovée.

Saigon Kim Lien Hotel (☎ 838899, fax 838898, sgklna@hn.vnn.vn, 25 Đ Quang Trung ; chambres 30-70 $US). Cet hôtel d'affaires standard offre un service de qualité et consent souvent des réductions.

Quelques établissements bon marché et assez miteux sont regroupés dans Đ Quang Trung, entre Đ Phan Chu Trinh et Đ Dao Tan.

Où se restaurer

Outre les innombrables stands d'ustensiles ménagers, le **marché central de Vinh** (Cho Vinh) abrite, vers le fond en direction de la gare routière, des **échoppes de restauration**. Il s'étend à l'extrémité de

Le bétel

S'il est une chose qui se vend partout au Vietnam, sur n'importe quel trottoir, c'est le bétel. Les feuilles de ce poivrier cultivé en Asie se mastiquent et, associées aux noix d'arec, procurent un effet tonique et une légère sensation d'ivresse. La noix d'arec est le fruit du chou palmiste (un très beau palmier) ; elle ne s'avale pas – vous le regretteriez ! La noix, généralement fendue, est mélangée avec de la chaux puis enveloppée dans une feuille de bétel. Tout comme le tabac, la première prise est difficile à supporter, puis on ne peut plus s'en passer.

Ses propriétés astringentes, font terriblement saliver et donc, cracher. Les taches rouge foncé que vous voyez sur les trottoirs ne sont pas du sang, mais du jus de bétel mélangé à de la salive. Le fait de chiquer du bétel pendant plusieurs années teinte progressivement les dents, qui deviennent presque noires.

Đ Cao Thang, qui est le prolongement de Đ Quang Trung.

Com Ga Thuong Hai *(99 Đ Le Loi)*. Ce restaurant, accolé à l'ancienne aile du Hong Ngoc Hotel, propose une bonne cuisine de style chinois. Il doit son nom au "Poulet au riz de Shanghai", savoureuse spécialité maison. La carte est traduite en anglais, avec une touche de fantaisie (notamment pour les plats de grenouille et de serpent).

Vous remarquerez un peu partout dans la ville des stands de friandises aux cacahuètes. Des sucreries d'aspect similaire sont proposées dans tout le pays, mais celles de Vinh, qui existent en trois variétés (notamment une appelée Keo Cu-do), restent de loin les meilleures.

Comment s'y rendre

Bus. Vinh compte deux **gares routières** : celle de Đ Le Loi accueille la plupart des bus en provenance et à destination de Hanoi et Ho Chi Minh-Ville, tandis que les dessertes de Tay Son et de la frontière laotienne (voir plus loin la rubrique *Cau Treo*) partent de la gare située derrière le marché. Les bus pour Tay Son indiquent souvent comme destination Trung Tam, qui est l'ancien nom de cette ville. Certains services en direction du nord et du sud démarrent aussi de cette gare.

Train. *L'Express de la Réunification* s'arrête à Vinh (voir le chapitre *Comment circuler*). La **gare de Vinh** *(Ga Vinh ;* ☎ 824924) se situe à 1 km à l'ouest du carrefour de Đ Le Loi et de Đ Phan Boi Chau et environ 1,5 km au nord du marché.

Voiture et moto. Vinh se trouve à 87 km de la frontière laotienne, à 139 km de Thanh Hoa, à 96 km de Dong Hoi et à 319 km de Hanoi.

Comment circuler

Comptez environ 5 000 d pour une course en ville en moto-taxi.

Fait étonnant pour une si petite ville, Vinh compte trois compagnies de taxis : **Phu Nguyen Taxi** *(*☎ *833333)*, **Quynh Ha Taxi** *(*☎ *858585)* et **Viet Anh Taxi** *(*☎ *843999)*.

ENVIRONS DE VINH
☎ 038

Plage de Cua Lo

Avec Sam Son et Do Son, Cua Lo fait partie des trois principales stations balnéaires de la moitié nord du pays. Aménagée pour plaire aux Vietnamiens, elle risque en revanche de décevoir de nombreux voyageurs.

La plage est belle, recouverte de sable blanc et bordée d'une eau claire et d'un bosquet de pins, qui procure un peu d'ombre. En haute saison (mai à septembre), l'endroit est envahi de détritus. Toutefois, si vous êtes dans la région et si le temps le permet, vous y passerez un bon moment : cette excursion d'une demi-journée au départ de Vinh vous permettra en effet de déguster un bon repas de fruits de mer à l'un des restaurants de la plage.

Où se loger. De nombreux **hôtels** *(chambres 5 $US)* sont installés sur le front de mer, aux côtés des **pensions** *(chambres 30 $US)* pour les grandes entreprises d'État. La plupart proposent des "massages" et des séances de karaoké, et des prostituées arpentent dans les parages, même en dehors de la saison touristique. Les tarifs des hôtels diminuent considérablement pendant les mois d'hiver et il ne faut pas hésiter à négocier – dans la mesure où vous avez véritablement envie de séjourner ici.

Comment s'y rendre. Cua Lo, située à 16 km au nord-est de Vinh, est facilement accessible en moto et en taxi.

Kim Lien

À 14 km au nord-ouest de Vinh se trouve **le village de Hoang Tru, lieu de naissance de Ho Chi Minh**. Sa maison natale, une simple ferme de bambou et de feuilles de palmiers reflétant ses origines modestes, est devenue un lieu de culte où les touristes vietnamiens se rendent en pèlerinage. Il y passa ses premières années jusqu'en 1895, date à laquelle la famille vendit la maison et déménagea à Hué afin que son père puisse étudier.

En 1901, la famille revint s'installer dans une **maison de Kim Lien**, à 2 km de Hoang Tru. Un **musée** a été ouvert non loin de cette demeure.

L'accès aux trois *sites (tlj 7h30-11h et 13h30-17h)* est gratuit, mais vous devrez acheter à l'accueil trois bouquets de fleurs (10 000 d chacun) et les déposer sur chacun des trois autels. Il n'existe pas de brochure d'information en anglais.

Devant le musée, sur le parking, des vendeurs proposent les fameuses cacahuètes caramélisées de Vinh.

Aucun transport public ne dessert Kim Lien, mais il est facile de venir en moto ou en taxi depuis Vinh.

CAU TREO
(FRONTIÈRE AVEC LE LAOS)

Ce poste-frontière se trouve à 96 km à l'ouest de Vinh. Sur les 25 derniers kilomètres, la route traverse de magnifiques paysages abrupts et boisés. La frontière est ouverte tous les jours de 7h à 17h. L'endroit étant totalement désert, faites vos provisions d'eau et d'en-cas à Tay Son lorsque vous traverserez cette localité. Depuis le côté vietnamien, il reste 1,5 km à franchir, à pied ou en moto, pour atteindre la frontière laotienne. Si vous venez de Tay Son en moto, le conducteur peut faire la liaison entre les deux postes-frontières.

Comment s'y rendre

C'est à Vinh que passent tous les types de transports à destination de la frontière.

Les bus partent de la gare routière du marché central dix fois par jour entre 6h et 14h (10 000 d). Le bus vous conduira jusqu'à la ville de Tay Son (anciennement Trung Tam), d'où il reste 26 km jusqu'à la frontière. Vous pouvez attendre le passage d'un bus local pour couvrir une dernière partie du trajet, ou louer une moto qui vous mènera directement à la frontière. Il vous en coûtera la même chose quel que soit le moyen de transport (50 000 d). C'est le prix appliqué aux habitants de la région et il vous faudra peut-être négocier pour en bénéficier.

DEO NGANG

Deo Ngang (col de Ngang) est une région côtière montagneuse, qui constitue la partie la plus orientale de la chaîne de Hoanh Son (chaîne transversale), allant du Laos à la mer. Cette région servit de frontière entre le Vietnam et le royaume du Champa jusqu'au XIe siècle, puis entre le Tonkin et l'Annam pour les Français. On voit toujours la porte d'Annam à Deo Ngang, de la RN 1.

DONG HOI
☎ 052 • 93 500 habitants

Le joli port de pêche de Dong Hoi est la capitale de la province de Quang Binh. On a découvert dans la région d'importants vestiges datant de la période néolithique. Pendant la guerre du Vietnam, le port a été la cible de nombreux bombardements. Vous remarquerez sur la RN 1, au nord de la DMZ, de vieux bunkers français et d'innombrables cratères de bombes américaines, plus particulièrement à proximité des ponts de chemin de fer.

L'hôpital Vietnam-Cuba fut construit par les Cubains à 1 km au nord de la ville ; la rivière Nhat Le coule à l'est de la cité. Si vous passez la nuit sur place, faites 200 m vers l'est de la RN 1 en direction de la rivière et de son port de pêche – de nombreux hôtels et pensions y sont installés, au bord de l'eau, dans un cadre charmant.

D'ordinaire, les voyageurs ne dorment à Dong Hoi que s'ils veulent voir, à 55 km de là, la grotte de Phong Nha (voir la section consacrée à cette grotte, plus loin dans ce chapitre). La visite et le trajet prennent une journée. Certains hôtels de Dong Hoi organisent cette excursion.

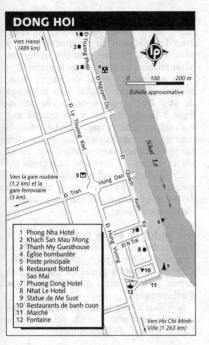

DONG HOI

Vers Hanoi
(489 km)

0   100   200 m
Échelle approximative

Vers la gare routière
(1,2 km) et la
gare ferroviaire
(3 km)

D Truong Phap
D Nguyen Du
D Ly Thuong Kiet
Nhat Le
Hung Dao
D Tran
D Quach Xuan Ky
D Hung Vuong
D N Trai

1 Phong Nha Hotel
2 Khach San Mau Mong
3 Thanh My Guesthouse
4 Église bombardée
5 Poste principale
6 Restaurant flottant
   Sao Mai
7 Phuong Dong Hotel
8 Nhat Le Hotel
9 Statue de Me Suot
10 Restaurants de banh cuon
11 Marché
12 Fontaine

Vers Ho Chi Minh-
Ville (1 263 km)

Plages

La majeure partie de la province de Quang Binh est bordée de dunes et de plages, lesquelles s'étendent à perte de vue au nord de Dong Hoi ainsi que sur une longue langue de terre côté sud. La **plage de Nhat Le** s'étend à l'embouchure de la rivière du même nom, à environ 2,5 km du centre-ville. Vous pouvez également vous baigner à la **plage de Ly Hoa**.

Si vous longez la RN 1 vers le nord depuis Dong Hoi, vous pourrez suivre la belle route côtière sur quelques kilomètres puis bifurquer à gauche pour rejoindre la nationale.

Où se loger et se restaurer

Les meilleurs établissements se regroupent sur la rive ouest de la Nhat Le, à l'est de la RN 1.

Khach San Mau Hong (☎ 821804, *Ð Truong Phap ; chambres 3 lits 100 000-140 000 d*). Cette petite pension, ouverte en 2002 par une famille adorable (qui ne parle pas du tout anglais), est notre meilleure adresse. Les chambres y sont claires et propres et l'endroit est calme.

Phong Nha Hotel (☎ *824971, fax 824973, 5 Ð Truong Phap ; chambres avec clim. 15-40 \$US*). Ce grand établissement récent se trouve assez loin du centre-ville et des restaurants, près de la plage de Nhat Le.

Thanh My Guesthouse (☎ *821026, Ð Nguyen Du ; chambres 90 000-100 000 d*). Les chambres de cette pension sont sommaires mais son cadre est charmant.

Phuong Dong Hotel (☎ *822276, fax 822404, 20 Ð Quach Xuan Ky ; chambres avec clim. 10-35 \$US*). Cet établissement monolithique, géré par le gouvernement, propose des chambres peu engageantes de diverses catégories, à des prix variables.

Nhat Le Hotel (☎ *822180, 16 Ð Quach Xuan Ky ; chambres 10-20 \$US*). Cet hôtel est le plus grand des établissements intallés au bord de la rivière. Il jouit d'une excellente situation et les chambres sur l'avant sont dotées de balcons. Propriété de l'État, il est assez décrépit.

De nombreux autres hôtels et pensions se succèdent le long de la Nhat Le et de la RN 1.

Le Sao Mai Floating Restaurant prépare de bons fruits de mer à des prix raisonnables. Amarré sur la rivière Nhat Le, ce restaurant flottant est très apprécié pour son ambiance.

Plus classiques, les bons **restaurants** locaux concentrés près du marché ont fait des *banh cuon* (crêpes de riz fourrées) leur spécialité. C'est délicieux ! Comptez environ 30 000 d pour 2 personnes.

Comment s'y rendre

Bus. Sur le parcours de la RN 1, Dong Hoi profite d'un service de bus réguliers.

Train. *L'Express de la Réunification* s'arrête à Dong Hoi (voir le chapitre *Comment circuler*).

Voiture et moto. Dong Hoi se trouve à environ 166 km de Hué, 94 km de Dong Ha, 197 km de Vinh et 489 km de Hanoi.

GROTTE DE PHONG NHA

Formée il y a environ 250 millions d'années, c'est la plus grande et la plus belle grotte connue du Vietnam (☎ *823424 ; entrée 20 000 d, bateau privé 60 000 d ; tlj 6h-16h*). Située dans le village de Son Trach, à 55 km au nord-ouest de Dong

Hoi, et inscrite en 2000 au patrimoine mondial de l'Unesco, elle se distingue par ses kilomètres de **galeries** et de **rivières souterraines**, agrémentées de nombreuses stalagmites et stalactites. Au mois de novembre et décembre, la rivière a tendance à sortir de son lit et la partie souterraine de la grotte est généralement fermée. Il reste toujours possible de visiter la partie sèche, mais cela peut se révéler dangereux.

Ce n'est qu'en 1990 que des spéléologues britanniques explorèrent 35 km de galeries dans la grotte et dressèrent un plan précis des passages souterrains (et subaquatiques). Ils ont déterminé que la caverne principale mesurait presque 8 km de long et découvert 14 autres grottes.

Phong Nha signifie "grotte des Dents" ; malheureusement, les "dents" (les stalagmites de l'entrée) ont disparu. Plus loin, les déprédations diminuent. Une grotte sèche au-dessus de la montagne abrite celle de Phong Nha. Vous pouvez y accéder à pied en une dizaine de minutes depuis l'entrée de Phong Nha – suivez le panneau mentionnant Tien Son, au bas de l'escalier.

Les Cham avaient installé des sanctuaires bouddhiques dans des recoins de la grotte aux IXe et Xe siècles et l'on peut en voir quelques vestiges. Les bouddhistes vietnamiens vénèrent ces sanctuaires, tout comme les autres sites cham.

Pendant la guerre du Vietnam, la grotte servit d'hôpital et de dépôt d'armes. L'entrée porte les marques des attaques des avions de chasse. Il n'est pas surprenant que les avions de guerre américains se soient acharnés sur la région de Phong Nha : c'était l'un des accès majeurs à la piste Ho Chi Minh. Les mauvaises herbes n'ont pas encore complètement recouvert la piste, mais vous ne saurez en distinguer les traces sans un guide.

Phong Nga attire un grand nombre de visiteurs. La grotte est magnifique, mais il vous faudra hélas supporter les détritus, le bruit, la fumée de cigarette et l'indiscipline

des visiteurs qui escaladent les stalagmites. Tout cela est bien entendu interdit, mais l'application du règlement laisse à désirer. Vous pourrez peut-être éviter ces désagréments en arrivant tôt le matin.

Le bureau d'accueil de Phong Nha, énorme complexe installé dans le **village de Son Trach**, chapeaute l'accès touristique à la grotte. C'est à cet endroit que vous devrez acheter votre ticket d'entrée et pourrez louer un bateau pour vous rendre sur place. Chaque embarcation peut transporter jusqu'à dix personnes. La grotte est équipée d'un système d'éclairage électrique, mais mieux vaut emporter une lampe de poche, d'autant que certains sentiers sont assez sombres.

Où se loger et se restaurer

Vous trouverez une pension extrêmement sommaire à Son Trach, mais on peut facilement visiter la grotte en une journée depuis la RN 1 ainsi que d'autres lieux d'hébergement.

Son Trach compte de nombreux **restaurants de com pho** à petits prix, mais la cuisine n'a rien d'exceptionnel.

Comment s'y rendre

Certains hô tels de Dong Hoi (20 km au sud de Bo Trach) proposent des excursions onéreuses en direction de Phong Nga. Aucun transport public ne dessert Son Trach. Vous pouvez prendre un bus local de Dong Hoi à Bo Trach, puis une moto-taxi à la gare routière. En négociant, comptez environ 5 \$US le trajet jusqu'à Son Trach. Le conducteur vous attendra pendant que vous visitez le site.

L'entrée de la grotte se trouve à 3 km de Son Trach par la rivière. Le trajet dure environ 30 minutes et permet de découvrir la vie fluviale. Il faut compter près de 2 heures pour parcourir la rivière souterraine, environ 4 heures si la visite inclut la grotte sèche.

Le Centre

La région du Centre abrite certains des sites touristiques les plus intéressants du Vietnam : mémoriaux et témoignages émouvants de la guerre du Vietnam, empreintes de la colonisation française, anciennes demeures de marchands dans des ports autrefois prospères et vestiges monumentaux de cultures ancestrales. De magnifiques paysages complètent le tableau, des plages de la côte aux montagnes de la frontière laotienne.

Entre 1954 et 1975, le fleuve Ben Hai servit de ligne de démarcation entre la République du Vietnam (Sud-Vietnam) et la République démocratique du Vietnam (Nord-Vietnam). La zone démilitarisée (on utilise pour la désigner les initiales américaines, DMZ) s'étendait sur 5 km de part et d'autre de cette ligne.

La DMZ et ses environs, au sud, furent le théâtre de nombreux affrontements et comptèrent, pendant la guerre du Vietnam, d'importantes forces américaines.

En allant vers le sud de la DMZ, vous atteignez Hué et Hoi An, deux villes chargées d'histoire classées au patrimoine mondial, qui figurent parmi les plus agréables du Vietnam. Sur le plan historique, Hué est vraisemblablement la cité la plus passionnante du pays. Elle fut la capitale du Vietnam de 1802 à 1945, sous le règne des treize empereurs de la dynastie des Nguyen. Le vieux port de Hoi An (anciennement connu sous le nom de Faifo) constitue l'endroit idéal pour se détendre et goûter la vie telle qu'elle était voilà quelques siècles.

La province de Quang Nam, qui englobe la municipalité de Danang, renferme les sites cham les plus importants – notamment ceux de My Son et de Tra Kieu (Simhapura) –, devenus de hauts lieux touristiques. D'autres destinations, telles les montagnes de Marbre et China Beach, voient également affluer de nombreux visiteurs. Autrefois très animée, la ville de Danang paraît aujourd'hui plus calme. Son musée de la Sculpture cham s'avère fabuleux et, vers l'intérieur des terres, le splendide parc national de Bach Ma offre l'occasion d'un véritable bain de nature.

À ne pas manquer

- Découvrir les anciens champs de bataille de la zone démilitarisée (DMZ)
- Voguer sur la rivière des Parfums et s'imprégner de l'atmosphère des majestueuses tombes royales
- Se promener dans le parc de Bach Ma et explorer les ruines des villas coloniales françaises
- Flâner dans Hoi An, ville au charme suranné
- S'émerveiller devant les ruines cham de My Son au levée du soleil
- Découvrir la splendide collection de statues cham au musée de la Sculpture cham de Danang
- Prendre un bain de soleil sur la plage de China Beach et explorer les canyons et les grottes des montagnes de Marbre

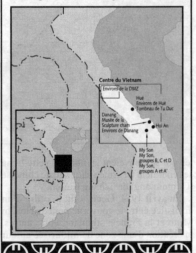

Centre du Vietnam
Environs de la DMZ
Hué
Environs de Hué
Tombeau de Tu Duc
Danang
Musée de la Sculpture cham
Environs de Danang
Hoi An
My Son, groupes B, C et D
My Son, groupes A et A'

LA DMZ

Le partage du Vietnam est le résultat d'une série d'accords signés entre les États-Unis, le Royaume-Uni et l'ex-URSS lors de la conférence de Potsdam, en juillet 1945. Pour des raisons logistiques et politiques, les Alliés décidèrent que les troupes d'occupation japonaises situées au sud du 16e parallèle se rendraient aux Britanniques, tandis que cel-

CENTRE

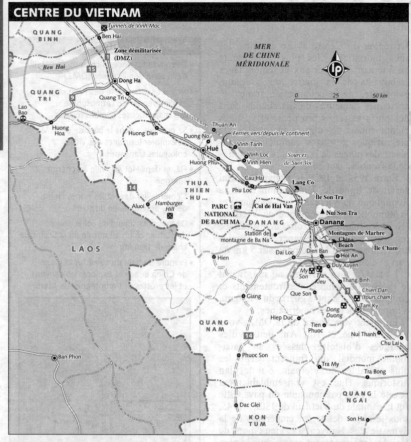

CENTRE DU VIETNAM

les qui se trouvaient au nord de cette ligne se rendraient à l'armée nationaliste chinoise (Guomintang) de Tchang Kaï-chek.

En avril 1954, Genève fut le cadre d'un armistice entre le gouvernement de Ho Chi Minh et la France, stipulant, entre autres, la création d'une zone démilitarisée autour du fleuve Ben Hai. Le texte spécifiait que ce partage du Vietnam ne pouvait être que provisoire, la ligne de démarcation ne constituant en aucun cas une frontière politique. Néanmoins, les élections nationales prévues en juillet 1956 n'eurent pas lieu, et le Vietnam se retrouva bel et bien divisé en deux États séparés par le Ben Hai, lequel coïncide à peu près exactement avec le 17e parallèle. La région située au sud du Ben Hai fut le théâtre de sanglantes

batailles au cours de la guerre du Vietnam. Quang Tri, la base Rockpile, Khe Sanh, Lang Vay et Hamburger Hill (butte Apbia) sont autant de noms qui ont rythmé le quotidien de foyers américains.

Depuis 1975, les mines et autres engins non explosés ont tué ou mutilé plus de 5 000 personnes dans la DMZ et ses environs. Nécessité faisant loi, les paysans les plus démunis continuent à ramasser les débris pour les revendre. Ils ne sont d'ailleurs que fort maigrement payés pour cette dangereuse collecte.

Orientation

L'ancienne zone démilitarisée s'étend de la côte à la frontière du Laos, à l'ouest ; la RN 9 (Quoc Lo 9) suit, à quelque 10 km au sud, une ligne plus ou moins parallèle. La piste Ho Chi Minh (Duong Truong Son, perpendiculaire à la RN 9) – en fait, un réseau de voies, de pistes et de chemins –, permettait de relier le Nord au Sud du pays, en traversant les montagnes Truong Son et l'est du Laos.

Pour éviter la pénétration de troupes et les livraisons dans la région, les Américains établirent une série de bases le long de la RN 9 (d'est en ouest), incluant Cua Viet, Gio Linh, Dong Ha, Con Thien, Cam Lo, Camp Carroll, le Rockpile, Ca Lu (aujourd'hui appelée Dakrong), Khe Sanh et Lang Vay.

Ces anciennes bases peuvent se visiter en une longue journée de voyage depuis Hué, ou une longue demi-journée depuis Dong Ha. La route partant du pont sur le Dakrong, sur la RN 9, conduit vers le sud-est à la vallée d'Ashau (site de la funeste Hamburger Hill) et à Aluoi. Avec un 4x4, on peut parcourir entièrement les soixante kilomètres, plutôt rudes, qui séparent Aluoi de Hué. En 2001, un conducteur expérimenté a rapporté qu'il lui a néanmoins fallu une journée entière pour effectuer ce court trajet.

Les sites intéressants de la zone démilitarisée situés le long de la RN 1 s'avèrent plus accessibles et plus faciles à trouver.

Renseignements

Si vous voulez visiter la DMZ en profondeur, un bon guide s'impose, non seulement pour appréhender pleinement l'histoire de cette région mais aussi pour comprendre et juger la signification de certains lieux. D'autant que nombre de sites ne sont pas localisés et qu'il est facile de se perdre dans le dédale des pistes poussiéreuses.

À Hué, vous pourrez facilement réserver des circuits d'une journée – ces circuits passant à Dong Ha, ils permettent de prendre d'autres passagers en chemin – auprès de pratiquement tous les hôtels et les cafés de la ville. Seules quelques agences organisent ces excursions ; elles vous proposeront donc toutes de vous joindre à un groupe.

Prévoyez la somme de 11 à 15 \$US par personne pour passer une journée dans la DMZ. La plupart des guides parlent anglais, quelques-uns connaissent le français. Indiquez votre préférence au moment de réserver.

Attention aux mines

La guerre est finie, mais la mort et les risques de blessure sont toujours d'actualité dans l'ancienne zone démilitarisée (DMZ), où traînent encore de nombreuses mines et des obus non désamorcés. Pas question de rapporter un souvenir : ne touchez à rien et regardez où vous mettez les pieds. Si les gens des environs ont laissé sur place certains débris, c'est qu'ils jugent trop dangereux de les ramasser. Les obus au phosphore, matière hautement inflammable au contact de l'air, ne s'altèrent pas, même s'ils sont exposés de manière prolongée aux intempéries. Ils restent donc extrêmement dangereux durant de longues années.

SITES MILITAIRES SUR LA RN 1
Tunnels de Vinh Moc

Le remarquable réseau souterrain de Vinh Moc (*entrée et visite guidée 25 000 d*) témoigne de la détermination des Nord-Vietnamiens à triompher, à tout prix et malgré d'incroyables sacrifices, durant la guerre qui les opposa au Sud-Vietnam et aux États-Unis. Nous vous suggérons de combiner la visite des tunnels avec une baignade sur l'une des superbes et immenses plages qui s'étendent, sur plusieurs kilomètres, au nord et au sud de Vinh Moc.

Visibles dans leur intégralité, les tunnels de Vinh Moc (2,8 km de long) sont restés en l'état, contrairement à ceux de Cu Chi, à côté de Ho Chi Minh-Ville (HCMV). On s'y déplace plus facilement, car ils sont plus hauts et plus larges que ceux de Cu Chi, et l'on s'y sent moins claustrophobe.

Les tunnels sont éclairés, mais vous pouvez prendre une lampe de poche, au cas où il y aurait des coupures d'électricité.

Histoire. En 1966, les Américains lancèrent une attaque massive contre le Nord-Vietnam, consistant en des bombardements aériens et des tirs d'artillerie incessants. Située juste au nord de la DMZ, Vinh Moc devint alors l'une des régions les plus bombardées de la planète. Les abris de fortune ne résistant pas à cet assaut, certains villageois prirent la fuite, tandis que d'autres creusèrent des tunnels dans la terre rouge argileuse.

CENTRE

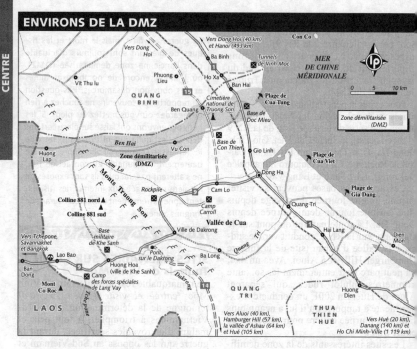

ENVIRONS DE LA DMZ

Les forces vietcong (VC) jugèrent bien utile d'installer une base à cet endroit et encouragèrent les villageois à rester sur place. Après 18 mois de travail (durant lesquels la terre déblayée fut camouflée, pour éviter que la détection aérienne ne la repère), elles parvinrent à établir une immense base souterraine. Les civils aidèrent à creuser les tunnels et des familles entières s'installèrent dans de nouvelles maisons souterraines, qui virent même la naissance de 17 enfants.

Les civils et les forces vietcong furent ensuite rejoints par des soldats nord-vietnamiens, dont la mission consistait à garder le contact avec l'île Con Co, voisine, et à lui livrer du matériel militaire. Grâce aux tunnels de Vinh Moc, le Nord-Vietnam achemina au total 11 500 tonnes de matériel vers l'île et 300 tonnes vers le Sud.

D'autres villages au nord de la DMZ construisirent leurs propres tunnels. Un bombardement eut raison des souterrains de Vinh Quang (à l'embouchure du Ben Hai).

Pour l'essentiel, les tunnels de Vinh Moc n'ont guère changé depuis 1966, bien que certaines des 12 entrées (7 donnent sur la plage bordée de palmiers) aient été consolidées et que la végétation en ait envahi d'autres. Construits sur 3 niveaux, les tunnels se trouvaient entre 15 et 26 m sous le sommet de la falaise.

Comment s'y rendre. Quittez la RN 1 à la hauteur du village de Ho Xa, soit 6,5 km au nord du fleuve Ben Hai. Il reste encore 13 km pour atteindre Vinh Moc. Au large se dresse l'île Con Co, qui servit d'entrepôt de munitions. Entourée de plages rocheuses, elle abrite aujourd'hui une petite base militaire.

Plage de Cua Tung

Cette grande plage sauvage se déploie juste au nord de l'embouchure du Ben Hai. D'autres occupent la rive sud du Ben Hai. Toutes les parcelles de terre non cultivées sont recouvertes de cratères de bombes.

Aucun bus ne dessert la plage de Cua Tung. Pour y parvenir, quittez la RN 1 à 1,2 km au nord du Ben Hai en bifurquant sur la droite (vers l'est). La plage se trouve à quelque 7 km au sud de Vinh Moc, par la piste de terre qui longe la côte.

Base de Doc Mieu

Construite au bord de la RN 1, sur une hauteur, à 8 km au sud du fleuve Ben Hai, cette base faisait partie d'une ligne de défense électronique très sophistiquée ("mur McNamara", du nom du ministre de la Défense américain en exercice de 1961 à 1968), visant à empêcher les incursions nordistes au Sud. Elle ressemble aujourd'hui à un paysage lunaire de bunkers, de bombes et d'obus, où la terre rouge est parsemée de débris de tissu et de vieille ferraille. Ce "chantier" est du reste l'œuvre des ferrailleurs, et non de la guerre.

Fleuve Ben Hai

À 22 km au nord de Dong Ha, un nouveau pont (situé à côté de l'ancien) permet à la RN 1 de traverser le Ben Hai, autrefois ligne de démarcation entre le Sud et le Nord-Vietnam. Le pont actuel et ses deux tours à drapeau ont été érigés après le cessez-le-feu signé à Paris en 1973. Un typhon a détruit la tour de la rive nord en 1985.

Cimetière de Truong Son

Le cimetière national de Truong Son honore la mémoire de dizaines de milliers de soldats nord-vietnamiens (appartenant à des unités du transport, du génie civil et de la défense antiaérienne) tués dans la Cordillère annamitique, le long de la piste Ho Chi Minh. Les rangées de pierres tombales blanches, entretenues par des invalides de guerre, s'étendent à perte de vue.

Le cimetière se divise en 5 zones, selon les lieux d'origine des soldats, chaque zone étant elle-même subdivisée selon la province d'origine. Les tombes de 5 colonels et de 7 héros décorés (Trung Ta et Dai Ta représentent les rangées des martyrs), dont une femme, se trouvent un peu à l'écart. L'épitaphe "Liet Si" signifie "martyr". À l'origine, ces soldats avaient été enterrés là où la mort les avait fauchés ; ils furent transférés en ces lieux après la réunification. De nombreuses tombes sont vides et portent les noms de quelques-uns des 300 000 combattants vietnamiens portés disparus.

Une stèle triangulaire érigée au sommet d'une colline domine le cimetière. On peut déchiffrer, sur un côté, les hommages des dignitaires vietnamiens à tous ceux qui ont œuvré sur la piste Ho Chi Minh, ainsi qu'un poème de To Huu. Un autre côté de la stèle rapporte les péripéties du contingent de mai 1959 (Doang 5.59), qui, dit-on, avait été levé le jour de l'anniversaire de Ho Chi Minh avec pour mission de maintenir l'approvisionnement du Sud. La troisième face détaille les unités de ce contingent, qui comprenait 5 divisions. Le site a servi de base à ce contingent de 1972 à 1975.

La route menant au cimetière national de Truong Son quitte la RN 1 à 13 km au nord de Dong Ha et à 9 km au sud du Ben Hai. La distance qui sépare le cimetière de la RN 1 est de 17 km.

Une piste de 18 km, tout juste praticable en voiture, le relie à Cam Lo, sur la RN 9. Elle longe des plantations d'hévéas, ainsi que des habitations de la tribu Bru, qui cultive notamment le poivre noir.

Base de Con Thien

En septembre 1967, les troupes nord-vietnamiennes traversèrent la zone démilitarisée afin de s'emparer de la base des marines de Con Thien, qui avait été installée là pour empêcher de telles incursions et qui faisait partie des dispositifs du mur McNamara. La riposte des Américains ne se fit pas attendre. Leurs avions effectuèrent 4 000 bombardements (dont 800 par des B 52), déversant près de 40 000 tonnes de bombes sur les forces nord-vietnamiennes aux alentours de Con Thien. Les douces collines recouvertes de broussailles furent alors transformées en un paysage lunaire de cendres et de cratères fumants. Le siège fut levé, mais l'objectif était atteint : détourner l'attention des Américains afin de permettre la préparation de l'offensive du Têt dans les villes du Sud.

Aujourd'hui, les alentours de la base sont encore si dangereux que même les chasseurs de ferraille les évitent.

La base de Con Thien se situe à 10 km à l'ouest de la RN 1 et à 7 km au sud du cimetière de Truong Son, le long de la route qui les relie. De la base elle-même, il ne reste que des bunkers au sud de la route.

Une autre base américaine, la C-3, s'étend à 6 km en direction de la RN 1, quand on vient de Con Thien (et à 4 km de la route nationale). Ses remparts rectangulaires sont toujours visibles au nord

CENTRE

Portés disparus (MIA)

Le problème relatif à la liste officielle des soldats américains portés disparus (*missing in action*, ou MIA) continue à empoisonner les relations américano-vietnamiennes. On en dénombre encore plus de 2 000. De nombreuses familles américaines restent persuadées que leurs proches sont prisonniers de guerre (*prisoners of war*, ou POWs), enfermés dans des camps secrets au cœur de la jungle vietnamienne.

Environ 400 pilotes furent abattus au large de la côte vietnamienne, tandis que d'autres s'écrasèrent au sol ou moururent au combat. Il faut savoir que la jungle engloutit vite les corps. Néanmoins, lorsque le Vietnam libéra les 590 derniers prisonniers de guerre américains, 37 manquaient à l'appel. Le gouvernement vietnamien nie catégoriquement retenir des soldats américains. Il va sans dire que le Vietnam n'aurait aucun intérêt à ces détentions.

On ne parle pas autant des 300 000 MIA vietnamiens, difficiles à reconnaître sans plaques d'identification. Le peuple vietnamien se sent aussi touché que le peuple américain à cet égard, d'autant que l'absence de dépouille rend difficile le culte des ancêtres.

Dans l'intervalle, les équipes spécialisées dans la recherche des MIA passent les campagnes vietnamiennes au peigne fin, aux frais du contribuable américain. Tous les fragments découverts sont envoyés au laboratoire central d'identification de Hawaii (Cilha) pour des examens médicolégaux basés sur l'analyse dentaire et l'ADN.

De nombreux Vietnamiens participent également à ces recherches. Leur gouvernement retenant 75% de leurs salaires, nul ne s'étonnera que ce dernier n'ait pas spécialement hâte de voir partir ces équipes.

Cette sombre affaire n'a pas fini de faire couler de l'encre. Lorsque des groupes de pression américains en faveur de POW et des MIA ont fait circuler des photos montrant des soldats américains retenus prisonniers dans un camp vietnamien, des enquêtes officielles ont montré que les photos étaient truquées. Ces groupes de pression ont cependant réussi à saper les efforts du gouvernement américain visant à renouer des relations diplomatiques avec le Vietnam. En dépit de ces protestations, les relations ont repris entre les deux pays en 1995 et le président Clinton a fait une visite officielle au Vietnam en 2000.

de la route. La présence de mines en rend l'accès impossible.

SITES MILITAIRES SUR LA RN 9
Huong Hoa (Khe Sanh)

Installée dans une superbe région de collines, de vallées et de champs, à 600 m d'altitude, cette agréable capitale de district doit sa renommée à ses plantations de café, autrefois administrées par les Français.

La plupart des habitants font partie de l'ethnie des Bru (Van Kieu), originaire des montagnes avoisinantes. Ils se distinguent par leurs vêtements : les femmes portant des sortes de sarong et les cabas tissés remplaçant les sacs en plastique.

Officiellement, la ville a été rebaptisée Huong Hoa, mais elle restera gravée dans les mémoires occidentales sous le nom de Khe Sanh.

Où se loger. À moins que vous ne preniez la route pour le Laos le lendemain, il n'y a aucun intérêt à passer la nuit ici. Au moment de notre enquête, il n'existait qu'un seul établissement, la **People's Committee Guesthouse** (☎ 053-880563, *chambres 10 $US environ*).

Comment s'y rendre. La gare routière de Khe Sanh (*RN 9*) se trouve à 600 m au sud-ouest (vers le Laos) de l'embranchement en triangle pour la base de Khe Sanh. Des bus partent régulièrement pour Dong Ha (10 000 d, 1 heure 30) et Lao Bao (10 000 d, 1 heure). Changez de bus à Dong Ha pour toutes les autres destinations.

Base militaire de Khe Sanh

Théâtre du siège le plus célèbre de la guerre du Vietnam et de sa bataille la plus controversée, la base de Khe Sanh se tient sur un plateau aride entouré de collines verdoyantes, souvent plongées dans le brouillard. À regarder cette paisible campagne, les petites maisons et les jardins potagers des paysans, on imagine mal l'enfer qui y régna au début de 1968. Comment oublier pourtant que près de 10 000 soldats nord-vietnamiens, quelque 500 soldats américains (le chiffre officiel réussit à n'en comptabiliser que 205), ainsi qu'un nombre inconnu de civils perdirent ici la vie, sous une avalanche de bombes, d'obus au phosphore, de napalm et de tirs d'artillerie ?

Le **site** *(25 000 d)* a été nettoyé en vue de l'ouverture d'un musée commémoratif. Deux bunkers ont été reconstruits, où sont exposés quelques photos et autres souvenirs. Derrière le site principal, le tracé des pistes d'atterrissage reste visible, et aucune végétation n'y a repoussé. Certains commentaires publiés dans le guide des visiteurs sont très émouvants, notamment ceux des vétérans de la guerre.

L'équipe chargée de retrouver les dépouilles des soldats américains portés disparus lors de ces violentes batailles continue à fouiller régulièrement la région. La plupart des restes découverts sont ceux de Vietnamiens.

Histoire

À la fin de l'année 1966, malgré l'opposition de l'état-major du corps des marines à la stratégie d'usure du général Westmoreland (commandant en chef des forces américaines au Vietnam), les forces spéciales (les Bérets verts), chargées de recruter et d'entraîner les membres des ethnies locales, firent de leur petite base de Khe Sanh un véritable bastion. En avril 1967, ils lancèrent les "batailles des collines", afin d'en déloger l'armée nord-vietnamienne. En l'espace de quelques semaines, 155 marines et sans doute des milliers de Nord-Vietnamiens y trouvèrent la mort. Les combats furent concentrés sur les collines 881 Sud et 881 Nord, toutes deux situées à environ 8 km au nord-ouest de la base de Khe Sanh.

Fin 1967, les services secrets américains détectèrent la présence de dizaines de milliers d'artilleurs nord-vietnamiens dans les collines avoisinantes. Le général Westmoreland en conclut que Hanoi préparait un autre Dien Bien Phu (l'ultime bataille de la guerre d'Indochine en 1954). La comparaison était absurde, vu la puissance de feu américaine et la proximité des autres bases. Même le président Johnson était alors obsédé par le spectre de Dien Bien Phu : afin de suivre le déroulement de la bataille, il se fit construire une maquette en relief du plateau de Khe Sanh et exigea une garantie écrite du chef de l'état-major interarmées selon laquelle la base tiendrait bon.

Westmoreland fit venir à Khe Sanh 500 avions et hélicoptères et porta à 6 000 le nombre de ses soldats. Il envisagea même le recours à l'arme nucléaire.

Le siège de Khe Sanh, qui dura 75 jours, commença le 21 janvier 1968 par un assaut limité au périmètre de la base. Tandis que les marines et leurs alliés, les rangers sud-vietnamiens, se préparaient pour une grande offensive au sol, Khe Sanh devint le centre d'attraction des médias du monde entier, faisant notamment la couverture des magazines *Newsweek* et *Life* et la une d'innombrables journaux sur toute la planète. Durant les deux mois qui suivirent, les Nord-Vietnamiens pilonnèrent la base jour et nuit, tandis que les bombardiers américains déversaient 100 000 tonnes d'explosifs sur ses environs immédiats. Toutefois, à aucun moment, les Nord-Vietnamiens ne tentèrent de prendre la base d'assaut. Le 7 avril 1968, après de violents combats, les troupes américaines finirent par rouvrir la RN 9 en rejoignant les marines, et les combats prirent fin.

On sait aujourd'hui que le siège de Khe Sanh, qui coûta la vie à 10 000 Nord-Vietnamiens, n'était qu'une gigantesque diversion destinée à détourner l'attention des villes du Sud, où se préparait l'offensive du Têt. Celle-ci commença une semaine après le début du siège. Sur le moment, cela n'empêcha pas le général Westmoreland de clamer le contraire : selon lui, l'offensive du Têt n'était qu'une vulgaire manœuvre pour faire oublier l'offensive nord-vietnamienne à Khe Sanh !

La fin du commandement de Westmoreland au Vietnam coïncida avec le redéploiement des troupes américaines, juillet 1968 : les nouveaux stratèges estimèrent qu'après tout la base de Khe Sanh, pour laquelle tant d'hommes avaient [donné] leur vie, ne revêtait pas une réelle [impor]tance stratégique. Après avoir [...] enterré ou fait sauter tout ce qu[i pouvait,] le cas échéant, servir à l'ennem[i...]

américaines évacuèrent la base dans le plus grand secret. Les généraux donnaient ainsi raison, sans le savoir, à un officier des marines, qui avait déclaré longtemps auparavant : "Quand on est à Khe Sanh, on ne se trouve nulle part. Alors, si on la perdait, on ne perdrait rien."

Comment s'y rendre. Pour parvenir à la base de Khe Sanh, prenez la direction nord-ouest à l'intersection en forme de triangle (il existe un petit panneau), 600 m après la gare routière de Khe Sanh, sur la route de Dong Ha. La base se situe à droite (est), à 2,5 km de ce croisement.

Camp des forces spéciales de Lang Vay

En février 1968, l'infanterie nord-vietnamienne, épaulée par neuf chars, s'empara du camp des forces spéciales de Lang Vay (Lang Vei), installé là en 1962. Sur les 500 défenseurs de la base (Sud-Vietnamiens, Bru et Montagnards), 316 furent tués lors des combats, ainsi que 10 des 24 Américains présents, et on dénombra 11 blessés.

De la base ne subsistent que les carcasses des bunkers, envahis par la végétation, ainsi qu'un vieux tank.

La base est située sur une crête au sud-ouest de la RN 9, entre la gare routière de Khe Sanh (9,2 km) et Lao Bao (7,3 km).

Camp Carroll

Installé en 1966, Camp Carroll porte le nom d'un capitaine des Marines mort lors de la prise d'un pont de la région. Ses énormes canons de 175 mm pouvaient atteindre des cibles aussi éloignées que Khe Sanh. Le commandant sud-vietnamien du camp, le lieutenant-colonel Ton That Dinh, capi-[...]la en 1972 et rejoignit les troupes nord-[...]amiennes.

[...]reste pas grand-chose de Camp [...]rmis une borne commémora-[...]nne, quelques tranchées, [...]ériels militaires et des [...] bunkers en béton [...]lation, qui cher-[...]s d'acier. Les [...]ervirent dans [...].

[...]vriers (Xi Nghiep [...]partenant à l'État,

occupe aujourd'hui les environs. En chemin, vous remarquerez les poivriers que l'on laisse pousser jusqu'à ce qu'ils grimpent sur les troncs des jaquiers. On trouve également des plantations d'hévéas alentour.

La petite route pour Camp Carroll se situe à 10 km à l'ouest de Cam Lo, à 23 km au nord-est du pont sur le Dakrong et à 37 km à l'est de la gare routière de Khe Sanh. La base s'étend à 3 km de la RN 9.

Rockpile

Se dressant à 230 m d'altitude, le sommet de ce monticule de rochers servit de poste d'observation aux marines américains. À proximité était installée une base pour l'artillerie longue portée. Ce piton rocheux ne présente aujourd'hui que peu d'intérêt et vous devrez certainement faire appel à un guide pour le visiter.

Le piton se situe à 26 km à l'ouest de Dong Ha, sur la RN 9.

Pont sur le Dakrong

Enjambant le Dakrong (également appelé Ta Rin), ce pont, situé à 13 km à l'est de la gare routière de Khe Sanh, a été reconstruit en 2001.

La route qui part au sud-est du pont et mène à Aluoi passe par les maisons sur pilotis des Bru. C'était autrefois un tronçon de la piste Ho Chi Minh.

Aluoi

À près de 65 km au sud-est du pont sur le Dakrong et à 60 km au sud-ouest de Hué, Aluoi se trouve au cœur d'une région de cascades et de chutes d'eau. Les habitants de cette zone montagneuse appartiennent aux groupes ethniques Ba Co, Ba Hy, Ca Tu et Taoi. Lorsque, en 1966, les forces spéciales de l'armée américaine abandonnèrent leurs bases d'Aluoi et d'Ashau, la région devint un important point de transit du ravitaillement acheminé sur la piste Ho Chi Minh.

Parmi les sites militaires les plus connus des environs d'Aluoi, citons les zones d'atterrissage de Cunningham, Erskine et Razor, la Colline 1175 (à l'ouest de la vallée) et la Colline 521 (au Laos). Le butte Apbia, surnommée Hamburger Hill (la "colline Hamburger"), se dresse plus au sud, dans la vallée d'Ashau. En mai

1969, lors d'une opération de ratissage près de la frontière laotienne, les forces américaines subirent là l'une des batailles les plus meurtrières de toute la guerre : en moins d'une semaine, 241 soldats périrent, événement dont les médias américains firent leurs choux gras. Un mois plus tard, les forces américaines reçurent l'ordre de poursuivre leurs opérations ailleurs et les Nord-Vietnamiens réoccupèrent la colline.

DONG HA
☎ 053 • 65 200 habitants

Capitale de la nouvelle province de Quang Tri, Dong Ha s'étend à l'intersection des RN 1 et 9. En 1968-69, la ville servit de QG aux marines américains. Au printemps 1968, une division nord-vietnamienne traversa la zone démilitarisée et attaqua Dong Ha. Plus tard, l'armée sud-vietnamienne y installa l'une de ses bases. Aujourd'hui, Dong Ha ne constitue guère plus qu'une étape sur la route de la zone démilitarisée et/ou la frontière laotienne. La ville est envahie par la poussière et le grondement de la RN 1, sur laquelle donnent la plupart des hôtels. Les haut-parleurs publics débutent leurs programmes dès 5h.

Orientation

Dans la ville, la RN 1 s'appelle Ð Le Duan. La RN 9, qui va vers Lao Bao, coupe la RN 1 à proximité de la gare routière. Ð Tran Phu (l'ancienne RN 9) coupe Ð Le Duan 600 m au nord de la gare routière (en allant vers le fleuve). Ð Tran Phu part ensuite vers le sud sur 400 m jusqu'au centre-ville, avant de bifurquer vers l'ouest.

Un marché longe la RN 1, entre Ð Tran Phu et le fleuve.

Renseignements

À 1 km au nord du pont conduisant hors de la ville, le **Dong Que Restaurant** (dongqueqt@dng.vnn.vn, 159 Ð Le Duan) peut réserver les excursions dans la zone démilitarisée, les billets de train et de bus. Les propriétaires sont charmants et serviables, et leurs enfants parlent très bien l'anglais (vous les rencontrerez en dehors des heures de cours). Vous pouvez également vous adresser à **DMZ Tours** (☎ 852927, fax 851617, 66 Ð Le Duan), dans le Dong Ha Hotel, et au **Trung Tam Quan Restau-**

rant (Ð Le Duan, 200 m au sud du Dong Ha Hotel), l'agent local du Sinh Café.

Les excursions à moto dans la zone démilitarisée reviennent à 12-15 \$US par personne et les circuits en bus à 10 \$US environ. Les bus transportent en principe des touristes de Hué, auxquels vous pouvez vous joindre après l'excursion si c'est votre prochaine destination.

Où se loger

Dong Ha Hotel (☎ 852262, RN 1 ; simples/doubles 6/15 \$US). Situé juste au nord de la gare routière, cet établissement vieillot et peu reluisant propose les chambres les moins chères de la ville. Les doubles disposent de la clim.

Nha Khach Buu Dien Tinh Quang Tri (☎ 854418, RN 1 ; simples/doubles avec clim. 15/20 \$US). Voilà une meilleure adresse, qui n'a pourtant rien d'exceptionnel. Cette pension appartenant à la poste se dresse à 1 km de la gare routière, vers le sud de la ville.

Thanh Tinh Hotel (☎ 852236, fax 852850, 220 Ð Le Duan ; doubles/triples 15/20 \$US). Cet hôtel loue des chambres sommaires avec clim. et eau chaude. Les plus récentes, situées à l'étage sur l'arrière, sont plus propres et plus tranquilles.

Khach San Phung Hoang (☎ 854567, Ð Le Duan ; chambres avec clim. 15-20 \$US). Ce nouvel établissement possède de grandes chambres. Mieux vaut éviter celles qui donnent sur la rue.

Nha Nghi Du Lich Cong Doan (☎ 852744, 4 Ð Le Loi ; chambres avec eau froide et ventil. 70 000 d, avec eau chaude et clim. 170 000-210 000 d). Située 500 m à l'ouest de la gare routière, cette pension gérée par l'État est la moins désagréable du quartier. Les sdb sont lugubres, mais vous serez au calme, loin de la route principale.

Hieu Giang Hotel (☎ 855036, fax 856859, 183 Ð Le Duan ; chambres 25-40 \$US). Cette nouvelle adresse, l plus clinquante de Dong Ha, se trouve l'intersection des RN 9 et 1.

Le Dong Que Restaurant est suscep d'avoir ouvert quelques chambres. J un coup d'œil.

Où se restaurer

Outre les **restaurants des hôt** compte de nombreux **restau** pho au bord de la RN 1, notamment aux alentours de la gare routière et au croisement avec la RN 9.

Trung Tan Quan Restaurant. Cet établissement installé dans le centre-ville propose une carte savoureuse. Sa "cuisine vietnamienne" – un bon plat de viande ou de poisson, de légumes, de riz et d'épices fraîchement cuisinés – revient à 20 000 d. Un accès Internet est disponible.

Le **Dong Que Restaurant** prépare également de la cuisine fraîche et savoureuse. Les toilettes sont impeccables.

Comment s'y rendre

Bus. La gare routière de Dong Ha *(Ben Xe Khach Dong Ha, 122 Ð Le Duan)* se trouve à l'intersection des RN 1 et RN 9. Elle propose des services réguliers pour Hué (5 000 d, 2 heures), Khe Sanh (10 000 d, 1 heure 30) et Lao Bao (15 000 d, 2 heures). Pour Lao Bao, il faut changer à Khe Sanh. Les prix indiqués sont ceux appliqués aux Vietnamiens et les touristes étrangers payent généralement un peu plus cher. Des bus relient également Dong Ha à Ho Xa, à quelque 13 km à l'ouest de Vinh Moc, sur la RN 1.

À Hué , les services vers/depuis Dong Ha démarrent et arrivent à la **gare routière de An Hoa**.

Train. Les *Express de la Réunification* s'arrêtent à la gare de Dong Ha. Reportez-vous à la rubrique *Train* du chapitre *Comment circuler*.

Pour aller de la gare routière à la **gare ferroviaire de Dong Ha** (Ga Dong Ha), prenez la RN 1 vers le sud-est sur 1 km. Tournez à droite à la grande pension dénommée Nha Khach 261 ; l'arrière de la gare se trouve à 150 m en suivant le chemin.

Voiture et moto. Le trajet en *xe om* [...] Dong Ha et Lao bao, à la frontière [...] revient à environ 10 \$US. Voici [...] à partir de Dong Ha :

	22 km
	190 km
	94 km
	617 km
	1 169 km
	72 km
	65 km
	80 km
	327 km

Cimetière national de Truong Son	30 km
Vinh	294 km
Vinh Moc	41 km

LAO BAO (FRONTIÈRE AVEC LE LAOS)
☎ 053

Les voyageurs étant de plus en plus nombreux à entrer au Vietnam par les routes, Lao Bao devient un important point de passage pour le commerce et le tourisme entre le Laos, la Thaïlande et le Centre du Vietnam. Le poste frontière est ouvert tous les jours de 7h à 17h (dans les deux sens), mais il faut posséder le visa adéquat. D'après les nombreux voyageurs qui ont traversé par Lao Bao, les formalités ne posent pas de problème.

Lao Bao longe la rivière Tchepone (Song Xe Pon), qui marque la frontière avec le Laos. Côté laotien, la zone est dominée par le mont Co Roc, autrefois bastion de l'artillerie nord-vietnamienne.

À 2 km du poste-frontière, le marché de Lao Bao propose des produits thaïlandais de contrebande ayant transité par le Laos. Les commerçants acceptent indifféremment dong vietnamien ou kip laotien. Si ce n'est pas absolument nécessaire, ne changez pas d'argent à la frontière. Le taux peut être inférieur de moitié à celui pratiqué par les banques.

Rien ne vous retiendra à Lao Bao, à moins d'avoir manqué l'ouverture du poste frontière. Vous y trouverez quelques **pensions et restaurants de com pho**. Vous pouvez également visiter les ruines d'une **prison** coloniale française *(Nha Tu Lao Bao)* à quelque 2 km de la ville.

Comment s'y rendre

Lao Bao se trouve à 18 km à l'ouest de Khe Sanh, 80 km de Dong Ha, 152 km de Hué, 46 km de Tchepone (Laos), 250 km de Savannakhet (frontière lao-thaïlandaise) et 950 km de Bangkok *(via Ubon Ratchathani)*.

Bus et moto. Pour rejoindre la frontière, vous passerez inévitablement par Dong Ha. De là, des bus publics desservent régulièrement Khe Sanh (10 000 d, 1 heure 30) et Lao Bao (15 000 d, 2 heures), mais il faut généralement changer de véhicule à Khe Sanh.

Le poste frontière se trouve à 2 km de la ville de Lao Bao. Les Vietnamiens payent 5 000 d (les étrangers quelque 10 000 d) pour un xe om jusqu'à la frontière. Vous pouvez faire le trajet à pied en 20 minutes. Vous devrez encore marcher sur 1 km pour couvrir la distance entre les deux postes frontière.

Si vous voyagez à bord d'un bus touristique jusqu'à Savannakhet, prévoyez un temps d'attente à la frontière pour le contrôle des papiers. Certains de ces bus arrivent à Lao Bao vers 2h du matin, ce qui signifie que vous devez patienter jusqu'à l'ouverture de la frontière, à 7h.

Les voyageurs indépendants venant du Laos à moto n'ont pas rencontré de problèmes pour effectuer les démarches de douane et d'immigration.

Si vous venez du Laos, sachez qu'aucun bus public ne dessert directement Hué, malgré ce que vous diront les chauffeurs. Ils s'arrêtent tous à Dong Ha.

QUANG TRI
☎ 053 • 15 400 habitants

Importante cité jadis fortifiée, Quang Tri s'étend à 59 km au nord de Hué et à 12,5 km au sud de Dong Ha. Au printemps 1972, quatre divisions de l'armée nord-vietnamienne franchirent la DMZ, épaulées par les blindés et l'artillerie, envahissant la province de Quang Tri au cours d'une offensive sanglante, connue sous le nom de "Eastertide". Elles assiégèrent la ville et la pilonnèrent sans merci jusqu'à ce qu'elle tombe entre leurs mains, tout comme le reste de la province. Les B 52 américains et l'artillerie sud-vietnamienne mirent quatre mois pour récupérer la ville, réduite à néant. L'armée sud-vietnamienne perdit 5 000 hommes durant ces combats.

Il ne reste donc plus grand-chose à voir à Quang Tri, mis à part le **mémorial** et quelques vestiges des douves, des remparts et des portes de la **citadelle**, ancien QG de l'armée sud-vietnamienne. Les ruines de la **citadelle** se trouvent à 1,6 km de la RN 1. Le bâtiment en ruine de deux étages qui se dresse entre la nationale et la gare routière servait autrefois d'école bouddhique. Sur la RN 1, près de l'embranchement vers Quang Tri, une église (du moins ce qu'il en reste) mérite le détour : elle porte encore les stigmates des très violents combats entre les forces américaines et le Viet-Cong.

Site d'un important débarquement américain, la plage de Cua Viet, à 16 km au nord-est de Quang Tri, est un lieu plaisant pour se baigner. La construction d'un grand port, destiné à accueillir l'import et l'export de matériaux du Laos et du Nord de la Thaïlande, est en projet. Une autre plage, Gia Dang, s'étend à 13 km à l'est de la ville. Aucune des deux ne vaut véritablement le détour et les voyageurs, dans leur grande majorité, préfèrent pousser plus au sud, jusqu'à Thuan An, plage proche de Hué, ou encore à China Beach, à proximité de Danang.

Comment s'y rendre

La **gare routière** (*Đ Tran Hung Dao*) se trouve à 1 km de la RN 1. Les Vietnamiens vous suggèreront d'intercepter les bus (pour le nord comme pour le sud) sur la nationale, plutôt que d'attendre à la gare.

Le service quotidien à destination de Khe Sanh quitte la gare routière à 8h. Soyez sur place en avance.

HUÉ
☎ 054 • 286 400 habitants

Par tradition, Hué représente l'un des principaux centres culturels, religieux et d'enseignement du pays. De nos jours, les superbes tombeaux des empereurs Nguyen (reportez-vous à la section *Les environs de Hué*), plusieurs somptueuses pagodes et les restes de la citadelle constituent les principales attractions touristiques de la ville. En mai 2001, Hué a accueilli son premier festival, auquel ont participé des artistes locaux et internationaux répartis dans les divers quartiers de la ville. L'expérience a connu un tel succès qu'elle a été renouvelée en 2002 et deviendra probablement un événement international majeur. Les chambres d'hôtel valent de l'or à cette occasion, d'où la nécessité de réserver le plus tôt possible.

Sans le tourisme, les sites culturels de Hué seraient peut-être tombés dans l'oubli : de 1975 à 1990, on a laissé à l'abandon ces rappels historiques de la dynastie des Nguyen "politiquement incorrects". Il faut attendre 1990 pour que les autorités locales prennent conscience du potentiel touristique de la cité ; ces monuments ont alors été déclarés trésors nationaux. Classés au patrimoine mondial par l'Unesco en 1993, les monuments de Hué sont aujourd'hui en cours de rénovation.

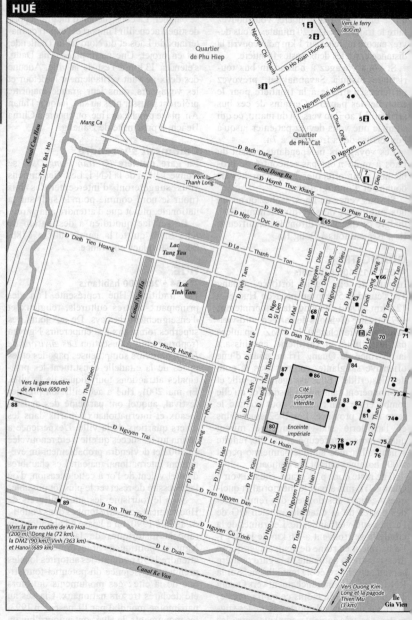

HUÉ

CENTRE

Quartier
de Phu Hiep

Vers le ferry
(800 m)

Mang Ca

Quartier
de Phu Cat

Canal Cua Hau

Tang Bat Ho

Đ Bach Dang

Canal Dong Ba

Pont
Thanh Long

Đ Huynh Thuc Khang

Đ 1968

Đ Phan Dang Lu

Đ Dinh Tien Hoang

Đ Ngo Duc Ke

Đ Le Thanh Ton

Lac
Tang Tau

Lac
Tinh Tam

Canal Ngu Ha

Đ Tinh Tam

Đ Ngo Si Lien

Đ Mai

Đ Nguyen Dieu

Đ Dang Dung

Đ Chi Dieu

Đ Thuyen

Đ Han

Đ Dinh Cong Trang

Đ Duy Tan

Đ Tong

Đ Phung Hung

Đ Nhat Le

Đ Le Truc

Đ Doan Thi Diem

Vers la gare routière
de An Hoa (650 m)

Đ Thai Phien

Đ Tue Tinh

Đ Dang Thai Than

Cité
pourpre
interdite

Đ Nguyen Trai

Quang

Phuc

Enceinte
impériale

Đ Le Huan

Đ 23 Thang 8

Đ Ton That Thiep

Đ Trieu

Đ Thach Han

Đ Yet Kieu

Đ Nhiem

Đ Nguyen Thien Thuat

Đ Han

Đ Tran Nguyen Dan

Đ Thoi

Đ Nguyen

Đ Nguyen Cu Trinh

Đ Ngo

Đ Tran

Đ Le Duan

Canal Ke Van

Vers la gare routière de An Hoa
(200 m), Dong Ha (72 km),
la DMZ (90 km), Vinh (363 km)
et Hanoi (689 km)

Vers Duong Kim
Long et la pagode
Thien Mu
(3 km)

Île
Gia Vien

Đ Le Duan

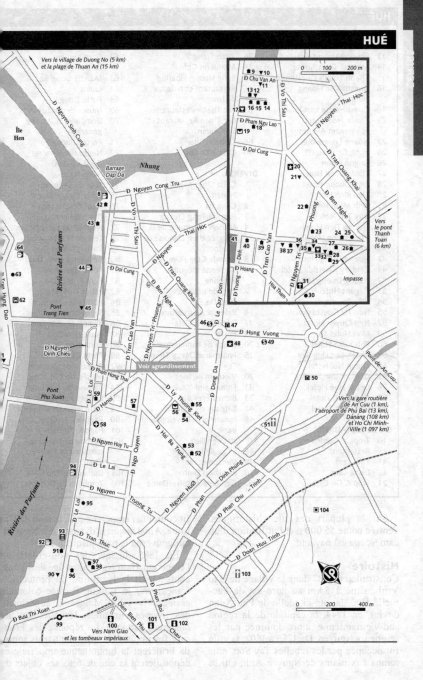

HUÉ

Vers le village de Duong No (5 km)
et la plage de Thuan An (15 km)

Île
Hen

Nhung

Barrage
Dap Da

Đ Nguyen Sinh Cung

Rivière des Parfums

Đ Nguyen Cong Tru

Thai Hoc

Đ Doi Cung

Pont
Trang Tien

Đ Nguyen
Dinh Chieu

Pont
Phu Xuan

Voir agrandissement

Đ Pham Hong Thai

Đ Le Loi

Đ Hanoi

Đ Nguyen Huy Tu

Đ Ngo Quyen

Đ Le Lai

Đ Nguyen

Đ Le Loi

Đ Tran Thuc

Đ Nguyen Dinh Chieu

Rivière des Parfums

Đ Buu Thi Xuan

Đ Dien Bien Phu

Vers Nam Giao
et les tombeaux impériaux

Đ Chu Van An

Đ Vo Thi Sau

Đ Nguyen Thai Hoc

Đ Pham Ngu Lao

Đ Doi Cung

Đ Tran Quang Khai

Đ Ben Nghe

Phuong

Vers
le pont
Thanh
Toan
(6 km)

Dinh

Đ Tran Cao Van

Đ Nguyen Tri

Đ Hoang

Đ Truong

Hoa Tham

Impasse

0   100   200 m

Đ Hung Vuong

Vers la gare routière
de An Cuu (1 km),
l'aéroport de Phu Bai (13 km),
Dànang (108 km)
et Ho Chi Minh-
Ville (1 097 km)

Đ Dong Da

Đ Ly Thuong Kiet

Đ Hai Ba Trung

Dinh Phung

Đ Nguyen Hue

Đ Phan

Đ Phan Chu Trinh

Truong Tu

Đ Doan Huu Trinh

Pont de An Cuu

0   200   400 m

Đ Phan Boi

Chau

CENTRE

HUÉ

OÙ SE LOGER
9 A Dong Hotel
13 Phuong Hoang Hotel
14 Mimosa Guesthouse
15 Thanh Thuy's Guesthouse
16 Guesthouse Hoang Huong
18 Guest House Van Xuan
22 Thuan Hoa Hotel et Vietnam Airlines
23 Hoang Long Hotel
24 Vong Canh Hotel
26 Saigon Hotel
27 Thang Long Hotel
28 Binh Duong Hotel
29 Thai Binh Hotel
35 Binh Minh Hotel
37 Duy Tan Hotel
39 Truong Tien Hotel
40 L'Indochine Hotel
41 Hotel Saigon Morin
42 Huong Giang Hotel
43 Century Riverside Hotel
52 Huong Duong Hotel
53 Elegant Hotel
54 Villa Tourist
55 Hue TU Guest House
57 Ngo Quyen Hotel
59 Mini Hotel 18
60 Phu Xuan Hotel
67 Khach San Hoa Sen
68 Thanh Noi Hotel
91 Guesthouse 5 Le Loi
96 Le Loi Hué Hotel
97 Nam Giao Hotel
98 Dien Bien Hotel

OÙ SE RESTAURER
10 Tropical Garden Restaurant
11 Tinh Tam
12 Dong Tam
21 Stop & Go Cafe
32 Cafe on Thu Wheels
34 Xuan Trang Cafeteria
36 Xuan Trang 2
38 Mandarin Café
45 Song Huong Floating Restaurant et bateaux de tourisme
61 Lac Thanh Restaurant, Lac Thien Restaurant et Lac Thuan
66 Tinh Gia Vien
90 Cafe 3 Le Loi

DIVERS
1 Chua Ong, pagode Fukien
2 Chua Ba
3 Pagode Tang Quang
4 Maison commune de la congrégation chinoise de Canton
5 Pagode Chieu Ung
6 Ancienne mosquée indienne
7 Pagode nationale Dieu De
8 Bateaux de tourisme
17 DMZ Bar & Cafe
19 Poste
20 Police de l'immigration
25 Pharmacie Dai Ly Thuoc Tay
30 Vietnam Airlines
31 Église Saint-Xavier
33 Brown Eyes Bar
44 Bateaux de tourisme
46 Industrial & Development Bank
47 Hôtel de ville
48 Siège de la police
49 Vietcombank
50 Palais An Dinh
51 Cathédrale Notre-Dame
56 Poste principale
58 Hôpital général de Hué
62 Gare routière de Dong Ba
63 Marché Dong Ba
64 Quais
65 Porte Dong Ba
69 Musée des Beaux-Arts
70 Complexe du Musée général
71 Porte Thuong Tu
72 Neuf canons sacrés (les 4 saisons)
73 Porte Ngan
74 Tour du Drapeau
75 Porte Quang Duc
76 Neuf canons sacrés (les 5 éléments)
77 Neuf urnes dynastiques
78 Temple The To Mieu
79 Porte Chuong Duc
80 Résidence Dien Tho
81 Porte Ngo Mon
82 Pont Trung Dao
83 Palais Thai Hoa
84 Porte Hien Nhon
85 Salles des mandarins
86 Bibliothèque royale
87 Porte Hoa Binh
88 Porte Nha Do
89 Porte Chanh Tay
92 Bateaux de tourisme
93 Musée Ho Chi Minh
94 Bateaux de tourisme
95 Collège national
99 Gare ferroviaire de Hué
100 Pagode Bao Quoc
101 Pagode Tu Dam
102 Pagode Linh Quang, tombeau de Phan Boi Chau
103 Cathédrale Phu Cam
104 Tombeau de Duc Duc

Sur la plupart des sites historiques, l'entrée coûte 55 000 d et l'utilisation d'un caméscope est payante.

Histoire

Construite en 1687 dans le village de Bao Vinh, situé à 5 km au nord-est de l'actuelle Hué, la cité-citadelle de Phu Xuan devint, en 1744, la capitale de la région sud-vietnamienne, alors dominée par les seigneurs Nguyen. De 1786 à 1802, la ville fut occupée par les rebelles Tay Son, puis tomba aux mains de Nguyen Anh, qui se fit couronner empereur sous le nom de Gia Long. Ainsi naquit la dynastie des Nguyen, qui gouverna le pays jusqu'en 1945.

En 1885, lorsque les conseillers de l'empereur Ham Nghi, alors âgé de 13 ans, contestèrent la légitimité du protectorat français sur le Tonkin, l'armée coloniale assiégea la ville. Malgré la supériorité des troupes ennemies, les Vietnamiens lancèrent l'attaque. La réponse des Français fut implacable : pendant trois jours, ils brûlèrent la bibliothèque impériale et dépouillèrent la cité de tous ses objets de valeurs : or, argent et même moustiquaires et cure-dents furent emportés. L'empereur s'enfuit au Laos, mais fut par la suite capturé et exilé en Algérie. Les Français placèrent alors sur le trône impérial Dong Khanh, plus malléable, coupant ainsi court à toute velléité d'indépendance de la part des Vietnamiens.

Le nom actuel de la ville vient vraisemblablement d'une déformation de son nom d'origine, Thanh Hoa, le terme *Hoa* signifiant "paix" ou "harmonie" en vietnamien. Le nom "Hué" date de plus de deux siècles.

Lors de l'offensive du Têt, en 1968, Hué connût de sanglantes batailles. Fait unique dans le Sud, elle resta plusieurs semaines aux mains des communistes. Tandis que l'état-major américain s'efforçait de mettre fin au siège de Khe Sanh, les troupes nord-vietnamiennes et vietcong contournèrent les forces ennemies et pénétrèrent directement dans Hué, troisième ville du Sud-Vietnam. À leur arrivée, les communistes hissèrent leur drapeau au sommet de la citadelle. Il y flotta 25 jours. Durant ce temps, le gouvernement local sud-vietnamien s'effondra.

Les cadres du Parti communiste entreprirent alors d'éliminer les éléments "réfractaires" de la ville. Des milliers de citoyens, figurant sur des listes méticuleusement établies des mois à l'avance, se retrouvèrent victimes de gigantesques rafles. Au cours des 25 jours suivants, quelque 3 000 civils – marchands, bonzes, prêtres, intellectuels, ainsi que bon nombre d'étrangers et de notables liés au gouvernement sud-vietnamien – furent ainsi sommairement fusillés, tués à coups de gourdin ou enterrés vivants. Quelques années plus tard, on découvrit leurs cadavres, jetés dans des fosses communes en divers lieux aux alentours de la ville.

Les troupes sud-vietnamiennes s'avérant incapables de déloger les armées nord-vietnamiennes et vietcong, le général Westmoreland ordonna aux GI de reprendre la ville. Pendant plusieurs semaines, celle-ci fut donc la cible des roquettes vietcong et des bombes américaines. Au terme de dix jours de combats acharnés, les troupes communistes durent effectuer un retrait progressif de la "nouvelle ville". Les deux semaines qui suivirent, la plupart des quartiers à l'intérieur de la citadelle, qui abritaient les deux tiers de la population de Hué, furent dévastés par l'aviation nord-vietnamienne, l'artillerie américaine et les combats de rue. On estime à environ 10 000 le nombre de personnes tuées à Hué au cours de l'offensive du Têt, dont plusieurs milliers de Vietcong, 400 soldats sud-vietnamiens, 150 marines et une grande majorité de civils.

On raconte que, bien après la fin de la guerre, un vétéran américain serait retourné à Hué. À son affirmation, devant un officier vietcong, selon laquelle les États-Unis n'avaient perdu aucune des grandes batailles de la guerre, l'officier aurait répondu : "C'est tout à fait juste, mais est-ce bien l'important ?"

Orientation

La ville de Hué s'étend de part et d'autre de la rivière des Parfums. Sur la rive nord du fleuve se trouve la citadelle, ainsi que quelques hôtels tranquilles, mais c'est la rive sud qui abrite la plupart des infrastructures touristiques, des hôtels et des restaurants. Pour vous rendre dans les quartiers de Phu Cat et de Phu Hiep, traversez le canal Dong Ba au niveau du marché du même nom.

Cartes. Vous trouverez une carte correcte de Hué et de ses environs (environ 1 \$US), un peu partout en ville, ainsi que dans les cafés fréquentés par les voyageurs.

Renseignements

Argent. La **Vietcombank** (*54 Đ Hung Vuong*) échange les chèques de voyage et avance du liquide aux détenteurs de cartes de crédit.

L'**Industrial & Development Bank** (☎ 823361, *41 Đ Hung Vuong*) propose les mêmes services.

Poste. La **poste principale** se trouve Đ Ly Thuong Kiet. Une annexe est située Đ Le Loi, près de la rivière.

E-mail et accès Internet. De nombreux **cybercafés** bordent les secteurs touristiques de Đ Hung Vuong et Đ Le Loi. Comptez environ 100 d par minute de connexion. La plupart des hôtels disposent également d'un accès Internet facturé 300 d la minute.

CENTRE

Agences de voyages. Vous pouvez réserver un moyen de transport, ainsi qu'un circuit dans la zone démilitarisée et sur la rivière des Parfums dans les agences touristiques du célèbre **Mandarin Café** (☎ 821281, *mandarin@dng.vnn.vn, 12 Ð Hung Vuong*), et du **Stop and Go Café** (☎ 889106, *4 Ð Ben Nghe*). Messieurs Cu et Do, gérants respectifs de ces lieux, vous aideront à organiser vos déplacements dans la région. Le centre touristique du **Le Loi Hué Hotel** (☎ 824668, *2 Ð Le Loi*) effectue également les réservations.

En cas d'urgence. L'**hôpital général de Hué** (*Benh Vien Trung Uong Hué ;* ☎ 822325, *16 Ð Le Loi*) se dresse près du pont Phu Xuan.

La pharmacie **Dai Ly Thuoc Tay** (☎ 823361, *33 Ð Hung Vuong*), installée non loin du croisement avec Ð Ben Nghe, est une adresse fiable.

Visas. Pour les prorogations de visa, adressez-vous au bureau de la **police de l'immigration** (*Ð Ben Nghe*).

Citadelle

La citadelle (Kinh Thanh) est entourée de douves sur un périmètre de 10 km. On doit sa construction, entamée en 1804, à l'empereur Gia Long, qui fit choisir le site par ses géomanciens. À l'origine réalisés en terre, puis consolidés par une couche de briques de 2 m d'épaisseur, ses remparts s'inspirent des fortifications de Vauban.

L'empereur gouvernait depuis l'enceinte impériale (Dai Noi ou Hoang Thanh), une "citadelle dans la citadelle", protégée par des murs de 6 m de haut et de 2,5 km de long. Cette enceinte impériale compte quatre portes, la plus célèbre étant la porte Ngo Mon, et abrite la Cité pourpre interdite, qui renfermait les appartements privés de l'empereur.

Les façades de la citadelle sont rectilignes, à l'exception de l'une d'entre elles, légèrement arrondie pour suivre la courbe de la rivière. Les remparts sont entourés de douves dessinées en zigzag, larges de 30 m et profondes de 4 m. À l'angle nord se dresse la forteresse de Mang Ca. Cette ancienne concession française sert, aujourd'hui encore, de base militaire. La citadelle compte dix portes fortifiées, chacune accessible par un pont.

À l'intérieur de la citadelle, une grande partie du terrain, rasé au cours de l'offensive du Têt (1968), est aujourd'hui vouée aux cultures maraîchères.

Tour du Drapeau. Également appelée "le chevalier du roi", la tour du Drapeau (Cot Co) est surmontée d'un mât de drapeau haut de 37 m. Installé en 1809 puis prolongé en 1831, le mât fut abattu par le terrible typhon qui ravagea la ville en 1904. Reconstruite en 1915, la tour fut à nouveau détruite en 1947. Celle que nous voyons aujourd'hui date de 1949. En 1968, le Vietcong y fit flotter le drapeau du Front national de libération pendant 25 jours, pour défier les forces ennemies.

Neuf canons sacrés. Situés juste à l'intérieur de la citadelle, près des portes donnant sur la tour du Drapeau, les neufs canons sacrés sont les défenseurs symboliques du palais et du royaume. Fondus en 1804, sur l'ordre de l'empereur Gia Long, à partir d'objets de cuivre dérobés aux rebelles Tay Son, ils n'ont jamais été utilisés. Chacun mesure 5 m de long et pèse approximativement 10 tonnes. Les 4 canons situés près de la porte Ngan symbolisent les 4 saisons, tandis que les 5 canons proches de la porte Quang Duc représentent les 5 éléments (métal, bois, eau, terre et feu).

L'enceinte impériale

Porte Ngo Mon. Face à la tour du Drapeau, la porte Ngo Mon (*porte du Midi ; entrée 55 000 d ; tlj 6h30-17h30*) sert d'accès principal à l'enceinte impériale.

Parée de battants jaunes, la porte principale était exclusivement réservée à l'usage de l'empereur, tout comme le pont de l'étang aux Lotus. Toute autre personne devait emprunter les portes latérales et les sentiers contournant l'étang.

La porte est surmontée du Ngu Phung (belvédère des Cinq Phénix), sur lequel l'empereur apparaissait lors des grandes occasions, telle la publication du calendrier lunaire. C'est sur ce même belvédère que Bao Dai, dernier souverain de la dynastie des Nguyen, abdiqua le 30 août 1945 devant une délégation du gouvernement révolutionnaire provisoire de Ho Chi Minh. Le toit est recouvert de tuiles vernissées jaunes, tandis que les toits environnants sont verts.

Palais Thai Hoa. Construit en 1803, puis transféré sur son site actuel en 1833, le palais Thai Hoa (palais de l'Harmonie suprême) est constitué d'un grand hall surmonté d'un superbe toit courbe dont le faîtage, composé de gigantesques madriers, est soutenu par 80 colonnes sculptées et laquées. Le palais, auquel on accède par le pont Trung Dao et la porte du Midi, accueillait autrefois les réceptions officielles et les cérémonies impériales : anniversaires et couronnements. Le souverain, alors assis sur son trône surélevé, recevait les hommages de hauts fonctionnaires : sur l'esplanade à deux niveaux, mandarins administratifs et militaires se tenaient alignés, chacun d'un côté du hall, conformément aux neuf rangs mandarinaux.

Salles des mandarins. Dans ces bâtiments, restaurés en 1977, les mandarins se préparaient pour les cérémonies impériales tenues dans la salle de réception Can Chanh. Les salles se trouvent derrière le palais de l'Harmonie suprême, de part et d'autre d'une cour dans laquelle se tiennent deux gigantesques trônes de bronze (*vac dong*) du XVIIᵉ siècle.

Neuf urnes dynastiques. Coulées en 1835-1836, chacune de ces urnes (*dinh*) retrace, à travers ses ornements traditionnels, la vie d'un souverain de la dynastie des Nguyen. Sur leurs flancs, les motifs ciselés, dont certains sont d'origine chinoise et datent de 4 000 ans, représentent soleil, météores, nuages, montagnes, fleuves et autres paysages.

Mesurant environ 2 m de hauteur et pesant de 1 900 à 2 600 kg, ces urnes symbolisent la puissance et la stabilité du règne des Nguyen. L'urne centrale, la plus grande et la plus finement ornementée, est dédiée à Gia Long.

Cité pourpre interdite. Réservée uniquement à l'usage personnel de l'empereur, la Cité pourpre (Tu Cam Thanh) interdite ne pouvait accueillir que les eunuques, car ils ne représentaient aucune menace pour la vertu des concubines royales.

La Cité pourpre interdite fut presque entièrement détruite lors de l'offensive

du Têt. On y cultive aujourd'hui toutes sortes de plantes, dont la sensitive, variété de mimosa qui se rétracte au toucher. La **Bibliothèque impériale** (Thai Binh Lau), abrite désormais une petite exposition de photos ; ses jardins paysagés ont été refaits comme à l'origine. Non loin de là, on peut découvrir ce qu'il reste du **Théâtre royal** (Duyen Thi Duong), dont la construction démarra en 1826 et qui servit plus tard de Conservatoire national de musique.

Résidence Dien Tho. Dans l'angle ouest de l'enceinte royale se dresse l'étonnante résidence Dien Tho, qui abritait autrefois les appartements et la salle d'audience des Reines mères de la dynastie des Nguyen. Des photos rappellent le rôle de la salle, qui accueille également une exposition de vêtements royaux brodés. À l'extérieur se trouve le pavillon des plaisirs de leurs Altesses, un ravissant bâtiment construit au-dessus d'un bassin aux nénuphars.

Temple Thé Mieu. Situé près de la porte Chuong Duc, le temple Thé Mieu rend hommage aux empereurs Nguyen. Le sanctuaire et ses annexes ont été érigés en 1821 et les structures en bois ont été restaurées en 1998.

Lac Tinh Tam. À 500 m au nord de l'enceinte impériale, cette étendue d'eau possède deux petites îles reliées à la rive par un pont. Accompagnés de leur suite, les empereurs venaient s'y détendre.

Lac Tang Tau. Sur une île au centre du lac Tang Tau (situé au nord du lac Tinh Tam) s'élevait autrefois une bibliothèque royale. L'endroit est maintenant occupé par une petite pagode hinayana (theravada ou Nam Tong) du nom de Ngoc Huong.

Musées
Musée des Beaux-Arts. Construit en 1845, le superbe bâtiment qui abrite le Musée des Beaux-Arts (*3 Đ Le Truc ; entrée 22 000 d ; tlj 7h-17h*) a été restauré en 1923, à la fondation du musée. Sur les murs sont inscrits des poèmes en caractères vietnamiens (*nom*). Malheureusement, les plus belles pièces de la collection ont été égarées ou détruites pendant la guerre. Restent des céramiques, des meubles et des costumes royaux.

CENTRE

Notez, à gauche de la salle, une chaise royale à porteurs, un gong et un instrument de musique constitué de pierres suspendues sur deux niveaux. De l'autre côté de la pièce se trouve le jeu favori des empereurs, qui consistait à faire tomber dans un pot long et étroit un bâton tenu en équilibre sur un socle de bois.

Complexe du Musée général. Le beau bâtiment situé en face du musée est une ancienne école qui accueillait autrefois les princes et les fils des grands mandarins. Il abrite aujourd'hui une salle d'exposition et fait partie d'un ensemble connu sous le nom de Musée général (*entrée libre ; tlj sauf jeu 7h30-17h*). Il rassemble, formant un étrange mariage, le **musée de l'Armée**, avec ses habituelles collections d'armes américaines et soviétiques, et un petit **musée d'Histoire naturelle**. L'entrée se fait par Đ Le Truc ou par Đ 23 Thang 8.

Musée Ho Chi Minh. Ce musée (*Bao Tang Ho Chi Minh ; 9 Đ Le Loi*) expose une collection de photographies, quelques effets personnels de Ho Chi Minh, ainsi que des documents relatifs à sa vie politique.

Pagodes, temples et églises

Pagode Thien Mu. Bâtie sur une colline, cette pagode (*pagode Linh Mu*) domine la rivière des Parfums. Emblème officieux de la ville de Hué, elle figure parmi les monuments les plus célèbres du Vietnam. Construite en 1844 sous le règne de l'empereur Thieu Tri, elle compte sept étages, chacun dédié à un *manushi-buddha*, un Bouddha qui apparaissait sous une forme humaine (consultez l'encadré *Pagode Thien Mu*).

La pagode Thien Mu fut fondée en 1601 par le seigneur Nguyen Hoang, gouverneur de la province de Thuan Hoa. La légende veut que la fée Thien Mu ait annoncé à la population locale la venue d'un seigneur qui allait construire une pagode pour la prospérité du pays. Nguyen Hoang fit alors édifier un temple à cet emplacement. Au fil des siècles, la pagode Thien Mu fut plusieurs fois détruite et reconstruite.

Dans le pavillon qui se trouve à droite de la tour, vous pourrez admirer une stèle de 1715 surmontant une tortue en marbre, symbole de longévité. À gauche de cette même tour se dresse un second pavillon hexagonal qui abrite une gigantesque cloche de 2 052 tonnes, nommée Dai Hong Chung et coulée en 1710. On dit qu'il est possible de l'entendre à 10 km à la ronde. Dans la vitrine du sanctuaire principal, derrière le Bouddha rieur, trois statues représentent A Di Da, le Bouddha du passé, Thich Ca (Sakyamuni), le Bouddha historique, et Di Lac, le Bouddha de l'avenir.

La pagode Thien Mu se trouve au bord de la rivière des Parfums, à 4 km au sud-ouest de la citadelle. Pour y accéder (à bicyclette par exemple), prenez Đ Tran Hung Dao, le long de la rivière, puis Đ Le Duan après le pont Phu Xuan. Traversez la voie ferrée et suivez Đ Kim Long. On peut également y accéder en barque.

Pagode Bao Quoc. Édifiée en 1670 par Giac Phong, un bonze originaire de Chine, la pagode Bao Quoc ("pagode qui sert le pays") fut rénovée une dernière fois en 1957. Elle doit son nom actuel à l'empereur Minh Mang qui l'inaugura en 1824. Il y célébra son quarantième anniversaire en 1830. Depuis 1940, elle accueille un séminaire pour moines bouddhistes, mais les étudiants viennent se retirer dans sa paisible cour, bordée d'orchidées, pour y travailler.

L'autel central du grand sanctuaire renferme trois statues représentant, de gauche à droite, Di Lac, Thich Ca et A Di Da. Derrière ces bouddhas se cache une salle dédiée à la mémoire des anciens moines, dont les tombes sont éparpillées autour du bâtiment. Dans le stupa rouge et gris à trois étages repose le fondateur de la pagode.

La pagode Bao Quoc surplombe la colline Ham Long, dans le quartier de Phuong Duc. Pour y accéder, descendez Đ Le Loi pour rejoindre Đ Dien Bien Phu, et tournez à droite immédiatement après la voie ferrée.

Pagode Tu Dam. Située à 400 m au sud de la pagode Bao Quoc, cette pagode (*croisement Đ Dien Bien Phu et Đ Tu Dam*) se classe parmi les plus célèbres du Vietnam. Reconstruite en 1936, elle ne présente en revanche aucun intérêt architectural.

Fondée en 1695 par Minh Hoang Tu Dung, un bonze chinois, elle reçut en 1841 son nom actuel de l'empereur Thieu Tri. En 1951, l'Association du bouddhisme unifié du Vietnam a vu le jour ici, lors d'un

Pagode Thien Mu

Au début des années 1960, la pagode Thien Mu, un peu à l'extérieur de Hué, fut un foyer d'émeutes antigouvernementales. Curieusement, elle fut également un foyer de protestations anticommunistes dans les années 1980, lorsqu'un meurtre fut commis à ses abords. Les manifestants investirent alors le quartier du pont Phu Xuan, le fermant ainsi à la circulation. Les bonzes furent arrêtés et accusés de perturber la circulation et l'ordre public. Aujourd'hui, la pagode coule des jours plus paisibles, hébergeant un petit groupe de moines, de religieuses et de novices.

Derrière le grand sanctuaire, on peut venir admirer l'Austin dans laquelle le bonze Thich Quang Duc effectua son dernier voyage en 1963.

C'est à Saigon qu'il s'immola publiquement en signe de protestation contre la politique du président Ngo Dinh Diem. Les journaux du monde entier publièrent la photographie de son suicide. Son sacrifice donna lieu à une vague d'immolations volontaires.

Un grand nombre d'Occidentaux ne furent pas tant choqués par ces actions que par la réaction de Tran Le Xuan (Mme Nhu, célèbre belle-sœur du président Diem), qui qualifia gaiement ces immolations de "partie barbecue", ajoutant : "Laissons-les brûler, et applaudissons." Ces déclarations ne firent qu'amplifier le ressentiment populaire croissant à l'égard du régime du président Diem. Mme Nhu

LPP

reçut le surnom de "papillon de fer" et de "femme-dragon" dans la presse américaine. Au mois de novembre, le président Diem fut assassiné, de même que son frère Ngo Dinh Nhu (l'époux de Mme Nhu), par ses propres militaires. Mme Nhu se trouvait alors à l'étranger.

Un monument célèbre la mémoire de Thich Quang Duc (Dai Ky Niem Thuong Toa Thich Quang Duc) près de la pagode Xa Loi, à Ho Chi Minh-Ville, à l'intersection de Đ Nguyen Dinh Chieu et Đ Cach Mang Thang Tam.

grand rassemblement. Haut lieu de la lutte bouddhiste contre la guerre et le régime de Diem dans les années 1960, la pagode fut, en 1968, le théâtre de violents combats.

À l'heure actuelle, la pagode est le siège de l'Association bouddhiste de la province, et seul un petit groupe de moines y vit encore. Dans le sanctuaire trône un étrange bouddha en bronze, fondu à Hué en 1966.

À l'est de la pagode, au bout de Đ Tu Dam, vous découvrirez la **pagode Linh Quang**, ainsi que le **tombeau** du savant et révolutionnaire anticolonialiste Phan Boi Chau (1867-1940).

Cathédrale Notre-Dame. Imposant édifice moderne construit entre 1959 et 1962, la cathédrale Notre-Dame *(Dong Chua Cuu The ; 80 Đ Nguyen Hué)* allie l'aspect fonctionnel d'une cathédrale

européenne à la tradition vietnamienne. Cette immense cathédrale rassemble aujourd'hui 1 600 fidèles. La messe y est célébrée tous les jours, à 5h et 17h, par deux prêtres francophones, ainsi que le dimanche à 7h. Des cours de catéchisme sont dispensés aux enfants. Si la porte principale est fermée, sonnez à la celle du bâtiment jaune, à côté.

Cathédrale Phu Cam. Entamée en 1963, la construction de cette cathédrale *(20 Đ Doan Huu Trinh)* fut interrompue en 1975, avant que le clocher ne soit achevé. Il s'agit de la huitième église construite sur ce site depuis 1682, et le diocèse de Hué, qui siège là, espère un jour réunir les fonds nécessaires à la finition du bâtiment. La cathédrale se dresse à l'extrémité sud de Đ Nguyen Truong Tu.

Église Saint-Xavier. Cette église catholique (Đ Nguyen Tri Phuong), construite en 1915, présente un extérieur peu avenant. L'intérieur, en revanche, est bien entretenu et les grandes orgues électriques fonctionnent. L'entrée est libre mais une petite obole sera bienvenue pour contribuer à l'entretien des lieux.

L'église s'élève au sud-ouest de l'hôtel Binh Minh. Vous pouvez demander à entrer par la porte de derrière. Certaines personnes chargées de veiller sur les lieux parlent français.

Pagode nationale Dieu De. Édifiée sous le règne de l'empereur Thieu Tri (1841-1847), cette pagode (Quoc Tu Dieu De ; 102 Đ Bach Dang) a son entrée le long du canal Dong Ba. Il s'agit de l'une des trois "pagodes nationales" de la ville, qui furent autrefois parrainées par l'empereur. Dieu De est célèbre pour ses quatre tours trapues, deux de part et d'autre de la porte, deux autour du sanctuaire. Deux possèdent une cloche, une troisième abrite un tambour et la quatrième, une stèle dédiée au fondateur de la pagode.

Au cours du règne de Ngo Dinh Diem (1955-1963) et vers le milieu des années 1960, la pagode nationale Dieu De constitua le bastion de la révolte bouddhiste et estudiantine contre la guerre et le régime en place. En 1966, elle fut prise d'assaut par la police, et bon nombre de bonzes, de fidèles et d'étudiants furent arrêtés. Le matériel radio du mouvement fut également confisqué. Aujourd'hui, quelques rares moines y résident toujours.

Les pavillons situés de chaque côté de l'entrée principale abritent les 18 La Ha – situés juste en dessous des bodhisattvas dans la hiérarchie bouddhique – et les huit Kim Cang, protecteurs de Bouddha. Derrière les estrades se tient le Bouddha Thich Ca (Sakyamuni), entouré de ses deux assistants, Pho Hien Bo Tat (à sa droite) et Van Thu Bo Tat (à sa gauche).

Ancienne mosquée indienne. Construite en 1932 par la communauté musulmane indienne de Hué, cette mosquée (120 Đ Chi Lang) a servi au culte jusqu'en 1975, date de la fuite précipitée des Indiens. C'est aujourd'hui une résidence privée et il faut scruter les bâtiments alentour pour distinguer sa silhouette.

Pagode Chieu Ung. Cette pagode (Chieu Ung Tu ; face au 138 Đ Chi Lang), qui date du milieu du XIXᵉ siècle, fut élevée par la congrégation chinoise de Hainan en mémoire de ses 108 marchands accusés à tort de piraterie et exécutés par les autorités vietnamiennes en 1851. Reconstruite en 1908, elle a été rénovée en 1940. Son sanctuaire a cependant conservé sa décoration d'origine et, même s'il n'a pas échappé à la dégradation, il a fort heureusement été épargné par les rénovations modernistes qui ont gâté tant de pagodes.

Pagode Tang Quang. Située dans une allée en face du 80 Đ Nguyen Chi Thanh, la pagode Tang Quang (Tang Quang Tu) est la plus grande des trois pagodes hinayana de Hué. Datant de 1957, elle doit la particularité de son architecture au lien historique du bouddhisme hinayana avec le Sri Lanka et l'Inde (plutôt que la Chine). Le terme pali Sangharansyarama inscrit sur la façade signifie "Lumière émanant de Bouddha".

Lieux de rassemblement
Maison commune de la congrégation chinoise de Canton. Cet édifice (Chua Quang Dong ; face au 154 Đ Chi Lang) fut érigé il y a près d'un siècle. Apposée au mur de droite, une statue de Confucius (Khong Tu) à la barbe dorée, est posée sur un petit autel. Sur l'autel principal trône Quan Cong à la face rouge (Guangong en chinois), flanqué de Trung Phi (sur la gauche) et de Luu Bi (sur la droite). Sur l'autel de gauche est juché Lao-tseu, accompagné de ses disciples, et, sur celui de droite Phat Ba, bouddha féminin.

Chua Ba. Fondée par la congrégation chinoise de Hainan il y a un siècle environ, cette pagode (face au 216 Đ Chi Lang) a été endommagée lors de l'offensive du Têt, puis reconstruite. Sur l'autel central trône Thien Hau Thanh Mau, déesse de la Mer, patronne des pêcheurs et des marins. Sur la droite, enfermé dans sa vitrine de verre, siège Quan Cong, entouré de ses habituels compagnons, le mandarin militaire Chau Xuong (à sa droite) et le mandarin administratif Quang Binh (à sa gauche).

Chua Ong. Érigée par la congrégation chinoise du Fujian, sous le règne de l'empereur Tu Duc (1848-1883), cette grande pagode *(face au 224 Đ Chi Lang)* fut gravement endommagée par l'explosion d'un bateau de munitions lors de l'offensive du Têt. Elle possède un bouddha en or, protégé par une vitrine en verre, devant les entrées principales. L'autel de gauche est dédié à Thien Hau Thanh Mau, représentée avec ses deux auxiliaires : Thien Ly Nhan aux mille yeux et Thuan Phong Nhi à la face rouge, qui entend tout à 1 500 km à la ronde. Sur l'autel de droite, vous pourrez admirer une statue de Quan Cong.

Non loin de là, vous découvrirez la **pagode de la congrégation chinoise de Fukien** (Tieu Chau Tu).

Collège national

Le collège national *(Quoc Hoc ; 10 Đ Le Loi ; à partir de 15h)* est l'un des établissements secondaires les plus prestigieux du Vietnam. Ngo Dinh Kha, le père du président sud-vietnamien Ngo Dinh Diem, le fonda en 1896 et en fut longtemps le directeur. De nombreuses personnalités, du Nord comme du Sud, le fréquentèrent avant de faire carrière. Citons par exemple le général Vo Nguyen Giap, ce fameux stratège auquel on attribue la victoire du Vietminh à Dien Bien Phu et qui servit le Nord-Vietnam de très longues années en qualité de vice-Premier ministre, ministre de la Défense et commandant en chef ; ainsi que Pham Van Dong, Premier ministre nord-vietnamien pendant plus d'un quart de siècle ; ou encore Do Muoi, secrétaire général et ancien Premier ministre ; et même Ho Chi Minh, qui y fit un court séjour en 1900.

De colossaux travaux de rénovation ont été entrepris en 1996, à l'occasion du centenaire de l'établissement. Une statue y a été érigée à la mémoire de Ho Chi Minh. On ne peut visiter le Collège national et le tout proche collège Hai Ba Trung qu'une fois les cours terminés, à partir de 15h environ.

Pont Thanh Toan

Si vous ne connaissez pas le célèbre pont japonais de Hoi An, ou si vous aimez sortir des sentiers battus, allez admirer le pont Thanh Toan, passerelle couverte très proche de celle de Hoi An sur le plan architectural. Ce pont, situé à quelque 7 km à l'est de Hué, n'accueille que de rares visiteurs,

et essentiellement des villageois venus faire une courte sieste.

Le mieux est de s'y rendre à moto ou à bicyclette. Dénicher ce pont présente quelques difficultés, sans conséquence si vous considérez que se perdre fait partie de l'aventure. Descendez Đ Ba Trieu sur quelques centaines de mètres vers le nord jusqu'à l'enseigne du Citadel Hotel. Tournez à droite et suivez sur 6 km un sentier plaisant et cahoteux. Vous traverserez plusieurs villages et passerez devant plusieurs rizières et pagodes avant d'atteindre le pont.

Où se loger – petits budgets

Quartier est de Đ Le Loi. Pour trouver une chambre sommaire et bon marché près de la rivière, rendez-vous dans la petite ruelle qui donne dans Đ Le Loi, entre Đ Pham Ngu Lao et Đ Chu Van An. Nombre de ces hôtels enverront une voiture vous chercher à l'aéroport si vous réservez à l'avance.

Guesthouse Hoang Huong (☎ 828509, *46/2 Đ Le Loi ; lits en dortoir 2 $US, simples 4-6 $US, chambres avec clim. 7-10 $US).* Cette pension sommaire affiche généralement complet, ce qui est de bon augure.

Mimosa Guesthouse (☎ 828068, *fax 823858, tvhoang4@hotmail.com, 46/6 Đ Le Loi ; chambres avec clim. 10-12 $US).* Voilà une bonne adresse gérée par M. Tran Van Hoang, un ancien professeur de français, auteur de plusieurs ouvrages dans cette langue. L'endroit, calme, possède d'agréables balcons communs. Arrivez de préférence le matin ou réservez car la pension est très fréquentée.

Thanh Thuy's Guesthouse (☎ 824585, *46/4 Đ Le Loi ; simples/doubles à partir de 6/7 $US).* Ce petit établissement familial propose des chambres climatisées qu'il vaut mieux réserver.

Phuong Hoang Hotel *(Phoenix Hotel,* ☎ 826736, *fax 828999, phoenixhotel@ dng.vnn.vn, 48/3 Đ Le Loi ; chambres avec clim. 10-25 $US).* Cet hôtel loue de grandes chambres avec la TV par satellite à un tarif intéressant. Le **restaurant végétarien** attenant s'avère correct.

A Dong Hotel (☎ 824148, *adongcoltd@ dng.vnn.vn, 18 Chu Van An ; simples/ chambres lits jumeaux 12/15 $US).* Cet agréable petit établissement donne sur la route, ce qui le rend très bruyant.

CENTRE

Guesthouse Van Xuan (☎ 826567, 4 Pham Ngu Lao ; simples/chambres lits jumeaux 5/7 $US). Voici une excellente adresse pour les petits budgets, dans un bâtiment bas et sobre doté d'un agréable balcon commun.

Quartier de Đ Hung Vuong. Un autre groupe d'hôtels bon marché est installé autour de l'intersection de Đ Nguyen Tri Phuong et Đ Hung Vuong.

Binh Duong Hotel (☎/fax 833298, binhduong@dng.vnn.vn, 10/4 Đ Nguyen Tri Phuong ; simples/doubles avec ventil.-clim. 5-6/8-10 $US, chambres avec sdb 15 $US). Niché dans une petite allée tranquille du centre-ville, cet hôtel est généralement pris d'assaut par les voyageurs japonais. Extrêmement propre et bon marché, il bénéficie de plaisantes terrasses. Toutes les chambres sont équipées de la TV par satellite et les clients peuvent surfer sur Internet. Lors de notre passage, un **Binh Duong 2** devait ouvrir près de la poste principale.

Thai Binh Hotel (☎ 828058, fax 832867, ksthaibinh@dng.vnn.vn, 10/9 Đ Nguyen Tri Phuong ; chambres standard 8-15 $US, chambres deluxe 20-30 $US). En face, dans la même allée, cet établissement populaire se divise en deux parties. La plus ancienne, à l'arrière, paraît plus calme. Toutes les chambres ont la TV par satellite et un accès Internet est disponible dans le hall.

Binh Minh Hotel (☎ 825526, fax 828362, binhminhhue@dng.vnn.vn, 12 Đ Nguyen Tri Phuong ; chambres avec clim. 8-35 $US). Cet agréable hôtel familial reçoit de très bonnes notes des voyageurs. Vous aurez un vaste choix de chambres, mais préférez celles sur l'arrière car l'établissement se trouve sur un grand axe.

Hoang Long Hotel (☎ 828235, fax 823858, hoanglong-hue@dng.vnn.vn, 20 Đ Nguyen Tri Phuong ; chambres bon marché avec clim. 7-10 $US). Cette étrange construction qui marie le béton, le marbre et les céramiques, possède des chambres correctes, dont quelques-unes avec balcon.

Thang Long Hotel (☎ 826462, fax 826464, 16 Đ Hung Vuong, thuhuong @dng.vnn.vn ; chambres avec ventil. 7 $US, avec clim. 10 $US). Bien que peu accueillant, cet hôtel affiche souvent complet ; il doit donc avoir des avantages.

Duy Tan Hotel (☎ 825001, fax 826477, duytancoecco@dng.vnn.vn, 12 Đ Hung Vuong ; chambres avec clim. 12-30 $US). Le Duy Tan jouit d'une situation centrale, dans un quartier où l'on se gare sans difficulté. Les tarifs restent raisonnables, les chambres les plus chères étant spacieuses, claires et agrémentées d'un balcon.

Truong Tien Hotel (☎ 823127, fax 847225, truongtien@dng.vnn.vn, 8 Đ Hung Vuong ; lits en dortoir 3 $US, chambres 8-20 $US). Cet hôtel sobre et impersonnel dispose des dortoirs de trois lits, avec sdb, qui s'avèrent particulièrement intéressants si vous êtes seul dans la chambre.

Vong Canh Hotel (☎ 824130, fax 826798, 25 Đ Hung Vuong, chambres avec ventil./clim. 8/12-30 $US). Dans cet établissement récemment restauré, les chambres les moins chères, minuscules, n'ont pas de fenêtre.

Saigon Hotel (☎ 821007, 32b Đ Hung Vuong ; chambres avec clim. 12-20 $US). Les chambres les moins chères, à l'arrière, sont belles et calmes. Les tarifs comprennent le petit déjeuner.

L'Indochine Hotel (Dong Duong Hotel ; ☎ 823866, fax 825910, indochinehotel@dng. vnn.vn, 2 Đ Hung Vuong ; chambres 12-30 $US). Dans cet hôtel central, installé à l'écart de l'avenue, les chambres bon marché de l'ancienne aile sont parfaites.

Autres quartiers. Très différents, ces deux établissements occupent une situation centrale dans Đ Ly Thuong Kiet.

Villa Tourist (☎ 825461, 14 Đ Ly Thuong Kiet ; 3 chambres 10 $US, 15 $US et 20 $US). Cet établissement loue des chambres dans la maison familiale, une petite villa coloniale qui dévoile encore une certaine majesté (les salles de bain sont plus spacieuses que les chambres de la plupart des hôtels). Réservez car elle affiche souvent complet.

Hué Trade Union Guest House (Nha Khach Cong Doan ; ☎ 823064, 13 Đ Ly Thuong Kiet ; chambres 100 000 d-150 000 d). Située en face de l'adresse précédente, cette pension occupe un élégant bâtiment colonial usé par le temps. Le bureau syndical occupe le rez-de-chaussée, tandis l'étage abrite quatre immenses chambres climatisées à haut plafond, qui comptent chacune entre 2 et 4 lits.

D'autres hôtels bon marché sont regroupés près de la gare ferroviaire.

Le Loi Hué Hotel (Khach San Le Loi ; ☎ 822153, fax 824527, 2 Ð Le Loi ; chambres 7-30 $US). Cette énorme bâtisse connaît un succès fou auprès des voyageurs au budget limité, grâce à ses chambres intéressantes à petit prix. Les moins chères, minuscules et décrépites, restent en effet satisfaisantes. L'établissement est bien situé, à 100 m de la gare ferroviaire. Il offre la TV par satellite, un accès Internet et un service efficace pour réserver vos voitures, taxis et circuits.

Nam Giao Hotel (☎ 825736, 3b Ð Dien Bien Phu ; chambres 200 000 d). Voilà une bonne adresse pour se rapprocher de la gare si le Le Loi s'avère complet. À côté, le **Dien Bien Hotel** (☎ 821678, fax 821676, 3 Ð Dien Bien Phu ; simples/doubles avec ventil. 8-15/10-20 $US) est similaire.

Quelques hôtels bon marché sont dispersés dans d'autres quartiers.

Huong Duong Hotel (☎ 821550, 3b Ð Hai Ba Trung ; chambres 8-15 $US). Dans cet établissement plus éloigné du centre, les chambres affichées à 12 $US se révèlent beaucoup plus intéressantes que les moins chères.

Mini Hotel 18 (☎ 823720, fax 825814, huetc@dng.vnn.vn, 18 Ð Le Loi ; chambres lits jumeaux 12-13 $US). Ce petit hôtel installé près de la rivière propose de bonnes chambres claires et climatisées qui viennent d'être repeintes.

Ngo Quyen Hotel (☎ 823278, fax 823502, 11 Ð Ngo Quyen ; doubles 2-25 $US). De l'extérieur, ce bâtiment donne l'impression d'avoir beaucoup vécu, mais il est bien situé et les chambres à 25 $US sont bien équipées.

Où se loger – catégorie moyenne et supérieure
Rive nord. Trois hôtels de catégorie moyenne sont installés à proximité de la citadelle, sur la rive nord de Hué.

Thanh Noi Hotel (☎ 522478, fax 527211, thanhnoi@dng.vnn.vn, 3 Ð Dang Dung ; chambres avec clim. 12-30 $US). Cet établissement populaire jouit d'un cadre idéal, calme et ombragé. Il possède son propre restaurant, un grand parking et une bonne piscine à jets. Si les chambres de plus de 15 $US offrent un bon rapport qualité/prix, celles à 12 $US sont d'un confort variable. Visitez-en plusieurs avant de choisir. Un accès Internet est disponible dans le hall.

Khach San Hoa Sen (Lotus Hotel, ☎ 525997, 33 Ð Dinh Cong Trang ; chambres avec clim. 15-25 $US). Plus loin sur la rive nord, cet hôtel niché sous les arbres dans une rue résidentielle très tranquille dispose de chambres assez spacieuses.

Phu Xuan Hotel (☎ 527512, 27 Ð Tran Hung Dao ; chambres avec clim. 16-19 $US). Ce vieil établissement situé près du pont Phu Xuan profite d'une situation intéressante, mais bruyante.

Rive sud. Ce quartier offre de nombreuses opportunités dans la catégorie supérieure.

Guesthouse 5 Le Loi (☎ 822155, fax 828816, 5leloihotel@dng.vnn.vn, 5 Ð Le Loi ; chambres avec clim. 40-80 $US). Installé dans une imposante villa ancienne, cette pension bénéfice de charmants jardins et de belles vues sur la rivière. Les chambres les plus chères s'avèrent parfaites, mais les autres auraient besoin d'une rénovation.

Thuan Hoa Hotel (☎ 822553, fax 822470, t_hoahtl@dng.vnn.vn, 7 Ð Nguyen Tri Phuong ; chambres avec clim. 25-50 $US). Dans cet hôtel à l'allure de banque, les chambres à 25 $US sont intéressantes, avec leur équipement moderne et leur mobilier neuf.

Elegant Hotel (Thanh Lich Hotel, ☎ 825973, fax 825972, thanhlichks@dng.vnn.vn, 33 Ð Hai Ba Trung ; simples/doubles 30/35 $US). Cet établissement bien aménagé est un peu plus éloigné de la rivière.

Century Riverside Hotel (☎ 823390, fax 823399, 49 Ð Le Loi, 65-170 $US). Ce somptueux hôtel se dresse sur la berge de la rivière des Parfums. Le luxe se paie, mais des réductions de 15 à 30% sont parfois consenties aux clients de dernière minute, en fonction de la saison et du nombre de chambres disponibles. L'accès à la piscine revient à 5 $US par jour.

Huong Giang Hotel (☎ 822122, fax 823102, hghotel@dng.vnn.vn, 51 Ð Le Loi ; chambres 50-230 $US). Voilà une autre adresse exceptionnelle installée au bord de l'eau. La terrasse donnant sur la rivière est charmante et l'usage de la piscine panoramique ne vous coûtera que 2 $US par jour.

Hotel Saigon Morin (☎ 823526, fax 825155, sgmorin@dng.vnn.vn, 30 Ð Le Loi ; chambres standard 50-60 $US, deluxe 80-100 $US, suites 180-300 $US). Ce luxueux établissement historique occupe tout un pâté de maisons sur la rive sud de la rivière des Parfums. Il offre tout le confort dont on peut rêver : trois restaurants, un ravissant bar-café avec terrasse (aux tarifs très raisonnables) et une piscine en forme de calebasse.

Où se restaurer

Réputée pour sa gastronomie, Hué est le modèle culinaire du centre du Vietnam. Reportez-vous à la section spéciale *Saveurs du Vietnam* pour avoir des idées sur les mets à goûter.

Rive sud. Le long de Ð Hung Vuong, vous trouverez quantité de cafés bon marché qui valent bien une halte. La concurrence féroce fait baisser les prix. Ces cafés sont d'excellents endroits pour rencontrer d'autres touristes et échanger des impressions de voyage.

Mandarin Café (☎ 821281 ; *mandarin@ dng.vnn.vn ; 12 Ð Hung Vuong ; petit déj environ 10 000 Ð ; tlj 6h30-22h30).* Ouvert tard le soir, ce lieu est le pôle rassemblant les voyageurs. À goûter sans faute, la salade de pommes de terre et la spécialité de la maison, les crêpes à la banane. Le souriant propriétaire, M. Cu, est une mine de conseils judicieux et il parle bien anglais. Autre point fort, le Mandarin Café ne cesse d'améliorer ses services depuis notre premier passage.

Stop & Go Cafe (☎ 889106, *4 Ð Ben Nghe ; spécialités environ 8 000 d ; 6h30-tard le soir).* Le propriétaire, M. Do, peintre et guide indépendant aux cheveux argentés, a su donner à ce café (qui dispose d'une salle en terrasse) son atmosphère bohème. Les spécialités de la maison sont le *banh khoai,* une galette de riz salée, et le *nem lui,* une délicieuse brochette grillée que l'on roule dans une crêpe de riz, avec de la laitue et du concombre, avant de la tremper dans une sauce aux cacahuètes. Un délice.

Xuan Trang Cafeteria (☎ 832480, *14A Ð Hung Vuong ; plats environ 12 000 d).* Cet établissement sert une cuisine excellente et bon marché, ainsi qu'un grand choix de plats végétariens.

Tropical Garden Restaurant (☎ 847143, *5 Ð Chu Van An ; plats environ 2 $US, dîner à partir de 18h30).* Cet agréable restaurant propose un service à l'intérieur, dans un joli bâtiment, ou à l'extérieur dans un charmant jardin ombragé. On y mitonne des spécialités du Centre et c'est le seul endroit de la ville où vous pourrez écouter de la musique traditionnelle à un volume agréable. Un concert informel a lieu chaque soir entre 19h et 21h.

Song Huong Floating Restaurant (☎ 823738 ; *8h-21h). Bien situé au bord de la rivière des Parfums, au nord du pont Trang Tien,* ce restaurant prépare des plats corrects. Vous pouvez également venir boire un verre afin de profiter de la brise et du cadre.

Vous trouverez un **café** au Le Loi Hué Hotel. Son vis-à-vis, le **Cafe 3 Le Loi**, sert également de bons petits plats à des prix tout à fait raisonnables. Tous deux s'avèrent proches de la gare ferroviaire, une situation idéale pour une collation avant un départ.

La cuisine végétarienne est une ancienne tradition de Hué. Sur les **marchés,** des étals en proposent le 1er et le 15e jour du mois lunaire.

Dong Tam (☎ 828403, *48/7 Ð Le Loi ; menu déj ou dîner 25 000 d).* Ce restaurant situé dans un jardin, au fond d'une étroite ruelle, prépare la meilleure cuisine végétarienne de la ville, pour des prix modiques.

Adjacent, le **Phuong Hoang Restaurant** (*48/3 Ð Le Loi),* installé dans l'hôtel du même nom, est un autre établissement végétarien. Tout comme le **Tinh Tam** (*4 Ð Chu Van An),* que vous trouverez au coin de la rue. Ne manquez pas la "biche" au poivre noir et à la citronnelle, ainsi que le "thon" à la tomate.

Des plats végétariens figurent sur la plupart des cartes de la ville, généralement à base de "viande de soja".

Rive nord. **Lac Thanh Restaurant** (☎ 524674, *6A Ð Dinh Tien Hoang, plats à partir de 7 000 d).* Les touristes se réunissent volontiers dans cet établissement, tenu par un sympathique propriétaire, M. Lac, un sourd-muet qui comprend que le langage des signes. Toutefois, sa fille, Lan Anh, parle couramment anglais. C'est l'endroit idéal pour rencontrer d'autres voyageurs. Ne reculez pas devant l'aspect repoussant de l'entrée ou de l'escalier à l'arrière. À l'étage, la salle et la terrasse sont très agréables.

CENTRE

À côté, le **Lac Thien Restaurant** semble être sa copie conforme, avec une ambiance tout aussi agréable. Sa cuisine, savoureuse, est préparée par des employés également malentendants. Dans la plus pure tradition vietnamienne, une troisième version de cet établissement, également appelée **Lac Thuan**, a récemment fait son apparition de l'autre côté du lac Thanh.

Tinh Gia Vien (☎ 522243, 20/3 Đ Le Thanh Ton ; menus 10-15 $US). Avec son agréable jardin, ce restaurant doit sa réputation à ses plats, servis dans le style traditionnel de la cour impériale de Hué. Leur présentation artistique surpasse les saveurs, mais l'expérience est amusante, sauf, peut-être, lorsque l'endroit est pris d'assaut par des groupes de touristes. L'établissement se trouve dans une ruelle inattendue.

Explorer le **marché Dong Ba**, la nourriture, de qualité, y est très bon marché. Seul désagrément : les chaises sont parfois peu confortables, lorsque chaise il y a !

Où sortir
DMZ Bar & Cafe (44 Đ Le Loi). Les expatriés et les voyageurs se réunissent le soir dans cet bar-café populaire pour se restaurer, boire un verre et jouer au billard.

Brown Eyes Bar (Đ Nguyen Tri Phuong). Installé à côté du **Cafe on Thu Wheels**, cet établissement similaire tient davantage du bar et de la salle de billard que du café. Les deux endroits sont animés après 21h et proposent de la musique tard dans la nuit. Vous trouverez de bonnes lectures sur les murs.

Achats
Hué est réputée pour ses chapeaux coniques, les plus beaux du Vietnam. La spécialité de la ville est le "chapeau poétique" qui, placé à contre-jour, laisse apparaître, en noir, des paysages sur des feuilles de palmier translucides.

On apprécie également le papier de riz fait à Hué, ainsi que les peintures sur soie. Sachez néanmoins que les commerçants gonflent souvent les prix, jusqu'à quatre fois leur valeur réelle. Obtenir 50% de réduction ne présente aucune difficulté. Il suffit de faire mine de partir.

On trouve absolument tout au plus grand marché de Hué, le **marché Dong Ba**, installé sur la rive nord de la rivière des Parfums, un peu au nord du pont Trang Tien. Il a été reconstruit en 1986, après le passage d'un typhon.

Comment s'y rendre
Avion. Les bureaux de **Vietnam Airlines** (☎ 823249, 12 Đ Hanoi ; lun-sam 7h-11h et 13h30-17h) s'occupent des réservations. Tout comme le **bureau des réservations** du Thuan Hoa Hotel (☎ 824709). Chaque jour, plusieurs avions relient Hué à HCMV et à Hanoi.

Bus. Il existe trois gares routières principales à Hué. La **gare routière de An Cuu**, située derrière le garage Mobil à l'extrémité sud-est de Đ Hung Vuong, à 1 km au sud du pont An Cuu, dessert les destinations du Sud. De là partent des bus publics pour HCMV à 6h (100 000 d), pour Dalat à 5h (95 000 d) et pour Danang toutes les 30 minutes, entre 6h et 16h30 (20 000 d).

La **gare routière de An Hoa**, au nord-ouest de la citadelle sur la RN 1, dessert le nord. La **gare routière de Dong Ba**, à côté du marché Dong Ba, est réservée aux destinations locales.

Minibus. Les compagnies de minibus ont fait de Hué l'une des principales destinations touristiques, et de nombreux voyageurs adoptent ce type de transport. Ainsi, Hué-Hoi An, avec une étape à Danang, est un circuit très populaire. On peut se procurer les billets dans certains hôtels, ainsi qu'au bureau de réservation Sinh Café du Mandarin Café – le personnel vous indiquera votre point de rendez-vous. Il existe deux départs par jour, à 8h et à 13h, que ce soit de Hué ou de Hoi An. Le minibus fait généralement une étape de 10 minutes à la plage de Lang Co et au col de Hai Van, le temps d'admirer le paysage. Le billet pour Hoi An ou Danang coûte quelque 3 $US.

Train. Hué est desservie par les Express de la Réunification. Pour plus de détails sur les tarifs, reportez-vous à la rubrique Train du chapitre Comment circuler.

La **gare ferroviaire de Hué** (Ga Hué ; ☎ 822175 ; guichet 7h30-17h) est située sur la rive sud de la rivière des Parfums et à l'extrémité sud-ouest de Đ Le Loi.

Voiture et moto. Voici quelques distances routières à partir de Hué :

Fleuve Ben Hai	94 km
Danang	108 km
Dong Ha	72 km
Dong Hoi	166 km
Hanoi	689 km
Ho Chi Minh-Ville	1 097 km
Lao Bao (frontière du Laos)	152 km
Quang Tri	56 km
Savannakhet, Laos	400 km
Vinh	368 km

Comment circuler

Depuis/vers l'aéroport. L'aéroport de Phu Bai, distant de 14 km au sud du centre-ville, était autrefois une base aérienne américaine. Le tarif de la course en taxi revient généralement à 8 \$US. Les taxis collectifs (renseignez-vous auprès des hôtels) permettent de réduire le coût du transfert à 2 \$US par personne – il en va de même avec le minibus Vietnam Airlines qui quitte l'agence de Hué 2 heures avant chaque départ (20 000 d).

Taxi. Il existe 4 compagnies de taxi à Hué.

Co Do Taxi	(☎ 830830)
Gili	(☎ 828282)
Mai Linh	(☎ 898989)
Thanh Do	(☎ 858585)

Cyclo-pousse et moto. Le tarif usuel pour les deux moyens de transport est de 15 000 d/km, à négocier.

Il est possible de louer des motos dans certains hôtels, notamment autour des "enclaves" touristiques de Le Loi et Hung Vuong. La location d'une cylindrée de 70 à 100 cm² coûte de 50 000 à 70 000 d par jour.

Les excursions à moto dans les environs de Hué organisées par **Mme Thu du Cafe On Thu Wheels** (☎ 832241, 10/2 Đ Nguyen Tri Phuong) s'avèrent très appréciées. Le tarif est de 7 \$US par jour avec les services d'un guide.

Bicyclette. S'il ne pleut pas et si la circulation ne vous fait pas peur, le vélo constitue un agréable moyen de visiter Hué et les tombeaux les plus proches. De nombreux hôtels louent des bicyclettes pour environ 1 \$US par jour.

Bateau. Nous vous recommandons les promenades en bateau sur la rivière des

Parfums. Elles permettent d'aller admirer les tombeaux de Tu Duc, Thieu Tri et Minh Mang (voir la section *Les environs de Hué*), ainsi que la pagode Thien Mu. Les hôtels et les cafés pour voyageurs peuvent se charger des réservations. Comptez 2 \$US par personne. La promenade dure environ 6 heures (généralement de 8 h à 14h, déjeuner compris).

Aux alentours de Hué, un grand nombre de sites touristiques, tels que la plage de Thuan An, la pagode Thien Mu et plusieurs tombeaux royaux sont accessibles par le fleuve. La location d'un bateau revient à 60 000 d l'heure de croisière sur la rivière, et à quelque 150 000 d pour une demi-journée, avec la visite d'un ou de plusieurs sites. Renseignez-vous directement à l'un des quatre grands pontons d'amarrage de la rivière. Vous paierez moins cher que par une agence et pourrez choisir votre itinéraire.

ENVIRONS DE HUÉ
☎ 054
Village de Duong No

Le paisible village de Duong No constitue un agréable but d'excursion depuis Hué. Son principal attrait réside dans la modeste et jolie maison de Ho Chi Minh (Nha bac Ho ; entrée libre ; tlj), très bien conservée, où il vécut de 1898 à 1900. Continuez le long de la rivière sur quelques mètres jusqu'à **Ben Da** ; les marches conduisent à l'endroit où se baignait l'ancien dirigeant. Après un joli pont situé 300 m plus loin, se dresse un **Am Ba**, ou temple de "l'esprit féminin". Le sanctuaire, orné de mosaïques murales, s'avère assez délabré, mais le lieu est calme et propice à la contemplation.

Situé 6 km au nord-est de Hué, Duong No est aisément accessible à vélo ou à moto. Repérez une petite pancarte en bois sur la gauche au niveau d'un pont proche de la route principale. Traversez ce pont et tournez tout de suite à droite. La maison de Ho Chi Minh se trouve à quelques centaines de mètres de là, au bord de la rivière. Vous pouvez faire une belle boucle en suivant le sentier derrière la demeure de l'oncle Ho. Au bout du chemin, vous parviendrez à une route ; prenez à gauche et continuez sur environ 2 km à travers un charmant village campagnard. Bifurquez de nouveau à gauche pour revenir vers le pont sur la route principale.

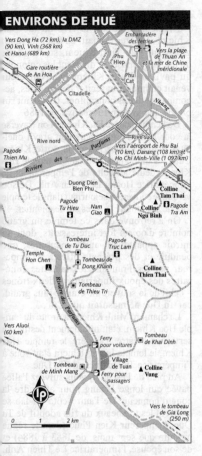

ENVIRONS DE HUÉ

Vers Dong Ha (72 km), la DMZ (90 km), Vinh (368 km) et Hanoi (689 km)

Embarcadère des ferries

Vers la plage de Thuan An et la mer de Chine méridionale

Phu Hiep

Phu Cat

Gare routière de An Hoa

Voie la cité de Hué

Citadelle

Nhung

Rive nord

Parfums

Rive sud

Vers l'aéroport de Phu Bai (10 km), Danang (108 km) et Ho Chi Minh-Ville (1 097 km)

Pagode Thien Mu

Rivière

des

Duong Dien Bien Phu

Pagode Tu Hieu

Nam Giao

Colline Tam Thai

Colline Ngu Binh

Pagode Tra Am

Tombeau de Tu Duc

Pagode Truc Lam

Temple Hon Chen

Tombeau de Dong Khanh

Colline Thien Thai

Tombeau de Thieu Tri

Rivière des Parfums

Vers Aluoi (60 km)

Ferry pour voitures

Tombeau de Khai Dinh

Tombeau de Minh Mang

Village de Tuan Ferry pour passagers

Colline Vung

Vers le tombeau de Gia Long (250 m)

0   1   2 km

De Thuan An à Vinh Hien

Proche de l'embouchure de la rivière des Parfums, à 15 km au nord-est de Hué, la plage de Thuan An (Bai Tam Thuan An) s'ouvre sur un splendide lagon, à la pointe d'une île longue et étroite. La plage offre de belles promenades, dans un cadre assez préservé, malgré quelques kiosques. De septembre à avril, la mer est généralement trop agitée pour se baigner.

Le site est relié au continent par un petit pont. Derrière la plage, une route pittoresque de 50 km (la RN 49, mais personne ne connaît son nom) s'étire sur toute la longueur de l'île, de Thuan An à Vinh Hien. La traversée de ces paysages préservés représente une belle excursion d'une journée, à moto ou en voiture, depuis Hué.

C'est aussi une autre possibilité d'itinéraire vers ou depuis Hué pour les voyageurs qui longent la côte à moto ou à bicyclette.

En venant de Thuan An, l'île est étroite et la route longe le lagon avec d'un côté l'océan et de l'autre les pêcheurs. Elle croise plusieurs villages où trônent, le long des habitations, d'énormes jarres de nuoc mam. De vastes jardins potagers surélevés s'étendent à perte de vue. Mais le paysage le plus extraordinaire est celui que forment les milliers de tombeaux et de temples familiaux, à la fois spacieux, riches et colorés, qui bordent le rivage. Les Vietnamiens appellent cet endroit la "**cité des tombeaux**" et les familles locales rivalisent d'ingéniosité pour offrir le plus beau monument à leurs ancêtres. De nombreux *boat people* venaient de cette île (il était, et reste, assez facile de prendre la mer de cet endroit) et ce sont les Vietnamiens d'outre-mer qui financent la construction de ces étonnantes bâtisses.

Comment s'y rendre. Trois possibilités s'offrent aux visiteurs qui désirent emprunter cette route : deux pour les excursionnistes de Hué et une pour les voyageurs de passage.

En une journée, vous pouvez, bien entendu, aller le plus loin possible avant de revenir jusqu'à Thuan An. Vous pouvez également vous rendre à Vinh Tanh, à mi-parcours, puis tourner à droite jusqu'à un embarcadère. Un ferry fait la navette avec le continent jusqu'à 16h environ. La traversée dure 20 minutes et coûte 5 000 d pour les motos et 30 000 d pour les voitures. L'arrivée s'effectue à 13 km de la RN 1, au sud de l'aéroport de Hué.

Les voyageurs de passage – uniquement ceux qui circulent à moto ou en vélo – peuvent continuer jusqu'à Vinh Hien et, de là, prendre un bateau public jusqu'à Cau Hai, sur le continent, près de la route d'accès du parc national de Bach Ma. La traversée dure environ 1 heure et revient à 5 000 d pour une moto et 2 personnes.

La route de Thuan An, non goudronnée, est assez accidentée sur le premier tronçon de 15 km, ce qui ralentit considérablement la circulation. La chaussée est ensuite praticable jusqu'à Vinh Hien. La circulation des bateaux dépend des conditions météorologiques et vous pouvez être

CENTRE

contraint de rebrousser chemin en cas de mauvais temps.

Tombeaux impériaux

Les tombeaux (Lang Tam ; entrée 55 000 d par tombe ; tlj 6h30-17h30, hiver tlj 7h-17h) de la dynastie des Nguyen (1802-1945) sont de somptueux mausolées qui s'éparpillent le long de la rivière des Parfums, de 7 à 16 km au sud de Hué.

Nam Giao. Ce temple (temple du Ciel ; entrée libre) constituait autrefois le principal lieu de culte du Vietnam. C'est là que, tous les trois ans, l'empereur avait coutume de procéder à des sacrifices hautement élaborés, en hommage au tout-puissant empereur du Ciel (Thuong De). L'esplanade supérieure, qui symbolise le ciel, est ronde ; la terrasse intermédiaire, qui représente la terre, ainsi que l'esplanade basse, sont carrées.

Après la réunification du pays, les autorités régionales ont érigé, à l'endroit même où se tenait autrefois l'autel des sacrifices, un obélisque à la mémoire des soldats tués pendant la guerre du Vietnam. Les protestations des habitants de Hué ont cependant fini par avoir raison du Comité populaire de la ville, qui a détruit l'édifice en 1993. Nam Gio n'a pas été restauré et tombe en ruine.

Tombeau de Tu Duc. L'empereur dessina lui-même les plans de cet ensemble majestueux et paisible, élevé au milieu des frangipaniers et des pins. Il vécut à l'intérieur de cette enceinte harmonieusement proportionnée, pour en superviser les travaux, qui durèrent 3 ans, de 1864 à 1867. La dépense fut énorme et l'on enrôla des ouvriers de force. S'ensuivit un complot contre l'empereur, qui fut découvert et réprimé, en 1866.

On raconte que Tu Duc, dont le règne fut le plus long de toute la dynastie (1848-1883), vivait dans un luxe démesuré (se reporter à la section spéciale Saveurs du Vietnam). Malgré ses 104 épouses et ses innombrables concubines, Tu Duc ne laissa aucune descendance, probablement parce qu'il avait contracté les oreillons et était devenu stérile.

Protégé par un épais mur octogonal, le tombeau de Tu Duc est accessible au sud-est via la porte Vu Khiem. Une allée pavée

de briques bat trang mène à l'embarcadère Du Khiem, situé sur la rive du lac Luu Khiem. Tu Duc venait chasser le petit gibier sur l'île Tinh Khiem, sur la droite du lac. À l'opposé, se dressent les colonnes du pavillon Xung Khiem, où l'empereur venait composer et réciter des poèmes, accompagné de ses concubines. Construit sur pilotis, le pavillon fut rénové en 1986.

De l'embarcadère Du Khiem, l'on traverse la cour Khiem Cung, puis l'on gravit quelques marches pour passer la porte Khiem Cung, avant de pénétrer dans le temple Hoa Khiem, dédié au culte de l'empereur et de l'impératrice Hoang Le Thien Anh. De son vivant, le souverain séjournait dans le temple lors de ses longues visites sur le chantier.

On a retrouvé dans ce temple un grand nombre d'objets fort intéressants, dont un miroir appartenant aux concubines, une pendule et des présents offerts à l'empereur par les Français, les tablettes funéraires des époux impériaux et deux trônes – celui de la souveraine était le plus grand, car Tu Duc ne mesurait que 1 m 53.

La chambre Minh Khiem, à droite du temple Hoa Khiem, était initialement destinée à servir de théâtre. Derrière le temple Hoa Khiem, le temple Luong Khiem était voué à l'impératrice Tu Du, mère de Tu Duc.

Au pied de l'escalier, vous suivrez l'allée pavée qui longe l'étang pour atteindre la cour d'honneur. De l'autre côté du lac se trouvent les tombeaux du fils adoptif de Tu Duc, l'empereur Kien Phuc (dont le règne ne dura que sept mois, de 1883 à 1884) et de son épouse, l'impératrice Le Thien Anh. Encadrée d'éléphants, de chevaux et de minuscules mandarins civils et militaires (moins grands que l'empereur), l'allée mène ensuite au pavillon de la Stèle. Cette pierre de près de 20 tonnes – la plus grande au Vietnam – provient de la région de Thanh Hoa, à 500 km au nord. Il fallut 4 ans pour l'acheminer jusqu'à Hué. Tu Duc écrivit lui-même son épitaphe, afin de clarifier certains aspects de son règne. Admettant pleinement ses erreurs, il choisit de baptiser sa tombe Khiem, ce qui signifie "modeste". Les deux tours proches témoignent néanmoins de la puissance de l'empereur.

Protégée par un mur, la sépulture de Tu Duc s'étend de part et d'autre d'un lac en forme de demi-lune. En fait, l'empereur n'y a jamais été réellement enterré, puisque l'on

TOMBEAU DE TU DUC

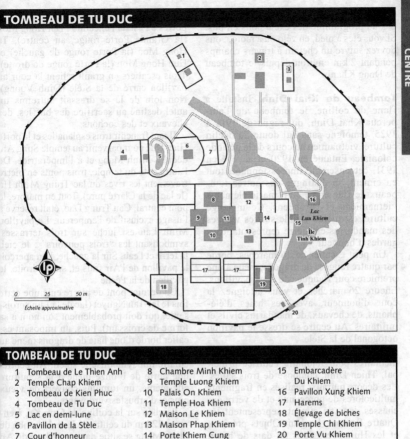

```
0    25       50 m
Échelle approximative
```

TOMBEAU DE TU DUC

1 Tombeau de Le Thien Anh	8 Chambre Minh Khiem	15 Embarcadère
2 Temple Chap Khiem	9 Temple Luong Khiem	Du Khiem
3 Tombeau de Kien Phuc	10 Palais On Khiem	16 Pavillon Xung Khiem
4 Tombeau de Tu Duc	11 Temple Hoa Khiem	17 Harems
5 Lac en demi-lune	12 Maison Le Khiem	18 Élevage de biches
6 Pavillon de la Stèle	13 Maison Phap Khiem	19 Temple Chi Khiem
7 Cour d'honneur	14 Porte Khiem Cung	20 Porte Vu Khiem

ignore où il repose exactement (entouré de nombreux objets précieux). Le secret fut en effet bien gardé : pour éviter que sa tombe ne soit pillée, les 200 serviteurs chargés de ses funérailles furent décapités.

Le tombeau de l'empereur se trouve à quelque 5 km au sud de Hué, dans le village de Duong Xuan Thuong, perché sur la colline de Van Nien.

Tombeau de Dong Khanh. Ce sont les Français qui, après avoir capturé Ham Nghi, placèrent sur le trône impérial Dong Khanh, neveu et fils adoptif de Tu Duc. Comme prévu, cet empereur fantoche sut se montrer docile ; il régna trois ans, de 1885 à sa mort.

Le mausolée de Dong Khanh (entrée 22 000 d), le plus petit des tombeaux impériaux, fut construit en 1889. Le site est très beau, retiré et, semble-t-il, peu visité. Il se trouve à 5 km de la ville, 500 m après le tombeau de Tu Duc.

Tombeau de Thieu Tri. La construction du tombeau de Thieu Tri, empereur qui régna de 1841 à 1847, fut achevée en 1848. Contrairement aux autres, cette sépulture n'est pas protégée par un mur d'enceinte. En revanche, la configuration de la tombre de Tri (entrée libre) est similaire à celle de Minh Mang, en plus petit (voir le paragraphe Tombeau de Minh Mang). Elle se trouve à quelque 7 km de Hué, dans un paisible cadre champêtre. Sa visite ne semble pas au programme des excursions en bus. Si vous êtes à pied, en vélo ou à moto, vous devrez suivre un chemin à travers champs pendant 2 km environ depuis le tombeau de Dong Khanh.

Tombeau de Khai Dinh. Installé à flanc de colline, le tombeau de l'empereur Khai Dinh, qui régna de 1916 à 1925, témoigne sans nul doute du déclin culturel vietnamien au cours de la période coloniale. Entamé en 1920 et achevé en 1931, cet ensemble impressionnant, tout en ciment, se distingue des autres tombeaux de Hué en ce qu'il marie éléments vietnamiens et européens. Ce mélange culturel est même visible sur les visages des mandarins en pierre représentant les gardes d'honneur.

Un petit escalier de 36 marches, bordé par quatre rangées de dragons, mène à une première cour flanquée de deux pavillons. Encore 26 marches et vous atteignez la cour d'honneur, avec ses haies d'éléphants, de chevaux, de mandarins civils et militaires. Au centre se dresse le pavillon octogonal de la Stèle.

Il faut emprunter trois escaliers supplémentaires pour rejoindre l'édifice principal, Thien Dinh, composé de trois salles. Les décors muraux, réalisés en fragments multicolores de porcelaine et de verre enchâssés dans du ciment, représentent les Quatre Saisons, les Huit Objets précieux et les Huit Fées. Sous un dais de béton disgracieux et devant le symbole du soleil est disposée une statue d'or et de bronze représentant Khai Dinh en tenue d'apparat. Dessous reposent les reliques de l'empereur, à 18 m sous terre. La dernière salle est vouée au culte de l'empereur.

Le tombeau de Khai Dinh se trouve à 10 km de Hué, dans le village de Chau Chu.

Tombeau de Minh Mang. Renommé pour son architecture qui se fond harmonieusement dans le paysage, le tombeau de Minh Mang est probablement le plus majestueux de tous les tombeaux impériaux. Empereur de 1820 à 1840, Minh Mang en conçut lui-même les plans, mais la construction ne commença qu'après sa mort, en 1841, pour s'achever deux ans plus tard.

On accède à la cour d'honneur par trois portes à l'est de l'enceinte : Dai Hong Mon (la Grande Porte rouge, au centre), Ta Hong Mon (la Porte rouge de gauche) et Huu Hong Mon (la Porte rouge de droite). Trois escaliers en granit relient la cour au pavillon carré de la Stèle (Dinh Vuong). Non loin de là se dressait autrefois un autel destiné au sacrifice des buffles, des chevaux et des cochons.

Il faut franchir trois esplanades et la porte Hien Duc pour parvenir au temple Sung An, dédié à Minh Mang et à l'impératrice. De l'autre côté du temple, trois ponts en pierre traversent les rives du lac Trung Minh Ho (le lac de la Clarté pure). Tout en marbre, le pont central, Cau Trung Dao, était réservé à l'usage exclusif de l'empereur. Le pavillon Minh Lau est juché sur trois terrasses symbolisant les "trois pouvoirs" : le ciel, la terre et l'eau. Sur la gauche, l'on aperçoit le pavillon de l'Air frais et, sur la droite, le pavillon de la Pêche.

Un dernier pont de pierre enjambe cette fois le lac Tan Nguyet (lac de la Lune croissante, qui doit probablement son nom à sa forme de croissant). Puis, un imposant escalier bordé d'une haie de dragons mène au tombeau, entouré d'un mur d'enceinte circulaire qui symbolise le soleil. Au centre, une porte de bronze mène à la sépulture elle-même, un tumulus couvert de vieux pins et d'arbustes verdoyants.

Perchée sur la colline de Cam Ke, à environ 12 km du centre de Hué, la tombe de Minh Mang se situe dans le village de An Bang, sur la rive occidentale de la rivière des Parfums. Pour vous y rendre, prenez le bateau à quelque 1,5 km à l'ouest du tombeau de Khai Dinh, au sud d'An Bang. L'aller-retour coûte environ 1 \$US, mais il faut attendre que 20 passagers se présentent (ce qui ne prend pas longtemps). En négociant fermement, vous devriez pouvoir louer un bateau entier pour 50 000 d l'aller.

Tombeau de Gia Long. Fondateur de la dynastie des Nguyen en 1802, l'empereur Gia Long, qui régna jusqu'en 1819, ordonna lui-même la construction de son tombeau en 1814. Si l'on en croit les archives royales, le souverain sillonna la région à dos d'éléphant pour choisir l'emplacement de sa sépulture, à 14 km au sud de Hué, sur la rive ouest de la rivière des Parfums. Son

Tombeaux impériaux

Bien que chacun des mausolées se caractérise par une structure et une architecture propres, la plupart d'entre eux sont composés de cinq parties :

SB

- Un pavillon abritant une stèle de marbre, sur laquelle sont gravés les accomplissements, les exploits et les vertus de feu l'empereur. Ces épitaphes étaient généralement rédigées par le successeur du défunt (exceptée celle de Tu Duc, qui choisit de l'écrire lui-même).

- Un temple dédié à l'empereur et à l'impératrice. Sur chacun des autels reposaient les tablettes mortuaires du défunt. En face, sur une petite estrade, étaient disposés les objets qui accompagnaient le souverain dans sa vie quotidienne : plateau à thé, nécessaire à bétel, étuis à cigarettes, etc. La plupart de ces accessoires ont aujourd'hui disparu.

- Le tombeau de l'empereur, généralement installé dans une enceinte carrée ou circulaire.

- Une cour d'honneur, pavée de briques marron *bat trang* et flanquée de statues de pierre représentant des éléphants, des chevaux, des mandarins civils et militaires. Les mandarins civils portent un chapeau carré et tiennent dans la main un sceptre d'ivoire, symbole de leur autorité ; les mandarins militaires arborent, quant à eux, un couvre-chef rond et un sabre.

- Un étang recouvert de fleurs de lotus, entouré de frangipaniers et de pins.

Les empereurs Nguyen ordonnèrent eux-mêmes, de leur vivant, la construction de leur tombeau, généralement protégé par un mur. Un grand nombre des trésors déposés dans ces sépultures ont disparu pendant les guerres.

mausolée, dont il ne reste que des ruines, ne reçoit que de rares visites.

PARC NATIONAL DE BACH MA
☎ 054 • altitude 1 200 m

Perchée à 1 200 m d'altitude, à 20 km seulement de la plage de Canh Duong, la station de montagne de Bach Ma *(Vuon Quoc Gia Bach Ma ;* ☎ 871330, fax 871299 *; bamaecot@dng.vnn.vn ;* entrée 10 500 d), qui date de l'époque française, bénéficie d'un climat très doux. L'endroit se révèle tout simplement splendide. Les Français commencèrent à y construire des lieux de villégiature en 1930. On comptait 139 chalets en 1937, époque à laquelle on appelait Bach Ma le "Dalat du Centre du Vietnam". Une majorité de personnalités françaises de haut rang y demeurant en saison, le Vietminh s'est acharné sur cette station, théâtre de combats sanglants au début des années 1950. Après l'indépendance, Bach Ma fut rapidement oubliée et les villas laissées à l'abandon. De nos jours, il ne

reste plus que des ruines et quelques murs en pierre.

Avec ses vues époustouflantes, Bach Ma représentait un site idéal pour surveiller le littoral tout proche depuis le col de Hai Van. Pendant la guerre du Vietnam, les Américains en ont exploité la position stratégique et l'ont transformé en bunker fortifié. En dépit de nombreuses tentatives, le Viet-Cong ne parvint pas à les en déloger. Parmi les lugubres souvenirs de cette guerre, on raconte encore que, de temps à autre, des fantômes viennent hanter les lieux.

En 1991, ces 22 000 ha, classés zone protégée, sont devenus le parc national de Bach Ma. Aujourd'hui, les autorités locales s'efforcent de réparer les dommages de la déforestation et de la défoliation causés par la guerre du Vietnam.

Dans le parc, on a recensé 93 espèces de mammifères, dont des tigres, des ours et différents singes. Au grand bonheur des défenseurs de la nature, on a découvert à Bach Ma, en 1992, des empreintes et des cornes appartenant à une espèce d'antilope jusqu'alors inconnue, le *sao la*. Deux autres espèces ont été découvertes à la fin des années 1990, le muntjac de Truong Son, qui ressemble à un cerf, et le muntjac géant. Grâce à une lutte draconienne contre le braconnage, on espère faire revenir à Bach Ma les éléphants sauvages réfugiés de l'autre côté de la frontière laotienne.

La faune du parc étant majoritairement nocturne, l'observer réclame des trésors de patience et de persévérance. Le parc national est un véritable jardin d'Eden pour les amateurs d'oiseaux, à condition de se lever à l'aube. Parmi les 800 espèces recensées au Vietnam, Bach Ma en abrite quelque 330, dont le merveilleux faisan d'Argus et le faisan d'Edwards. On pensait cet oiseau obstiné disparu, car il n'avait pas été aperçu depuis 70 ans, avant d'être redécouvert récemment dans la zone tampon du parc.

Les botanistes, enfin, qui ont déjà dénombré plus de 1 150 variétés de plantes à Bach Ma, estiment qu'il en reste tout autant à découvrir. Parmi ces végétaux se trouvent au moins 338 espèces de plantes médicinales, 33 variétés servant à fabriquer des huiles essentielles, 26 utilisées pour le tissage et 22 plantes comestibles pour les ours.

Bach Ma ne reçoit des visiteurs que depuis mars 1998. Bien qu'il soit encore trop tôt pour évaluer l'efficacité, le personnel du parc accomplit des efforts remarquables pour protéger le site, encourageant le développement des communautés avec les minorités ethniques de la région, ainsi que l'écotourisme. Les jeunes gardes forestiers parlent parfois anglais, vous montreront quelques vestiges de la guerre. Vous pourrez découvrir une intéressante exposition au centre d'accueil, avec nombre d'informations sur l'histoire naturelle, ainsi que des vestiges de la guerre, disséminés çà et là dans le parc.

De juillet à février, le temps s'avère généralement humide à Bach Ma, et le brouillard nuit à la visibilité. On peut cependant visiter le parc durant la saison des pluies, d'octobre à novembre, en prenant garde aux sangsues. Toutefois, préférez la période allant de mars à juin (éventuellement jusqu'à septembre), afin de bénéficier d'un temps agréable.

Où se loger et se restaurer
National Park Guesthouse (☎/fax 871330 ; *emplacements de camping 3 000 d, tentes pour 6 pers 80 000 d, chambres sans/avec sdb 100 000/150 000 d*). Cette charmante pension, reconstruite sur les fondations d'un chalet français ayant appartenu à l'empereur Bao Dai, se situe vers le sommet du parc. Les chambres les plus chères, installées dans un bâtiment séparé, offrent davantage de confort et de meilleures vues. Les repas doivent être commandés au moins 4 heures à l'avance car le parc fait venir les produits frais du marché.

Plusieurs sociétés privées ont construit ou font construire de petits hébergements dans le parc. Près du sentier du sommet, le **Morin-Bach Ma Hotel** (*chambres 20 $US*) accueille déjà les visiteurs. Tous ces projets restent sous la haute surveillance des autorités du parc qui, nous l'espérons, veilleront au développement d'hébergements modestes et respectueux de l'environnement.

Une **cantine** est installée près de l'accueil du parc.

Comment s'y rendre
Le parc national de Bach Ma s'étend à 28 km à l'ouest de Lang Co et à 45 km au sud-ouest de Hué. L'étroite route aménagée en 1932 par les Français, reconstruite en 1993, a été récemment rénovée et bitumée, pratiquement jusqu'au point culminant du parc.

L'entrée et le centre d'accueil touristique se trouvent au km 3 de cette route qui part de la ville de Cau Hai, sur la RN 1. Ensuite, 16 km de lacets séparent l'accès du sommet. À moins d'aimer à tout prix marcher, il vous faudra louer un véhicule auprès du personnel du parc. La location d'un 4x4 pour 4 passagers coûte quelque 250 000 d par jour avec un retour le même jour, 300 000 d avec un retour le lendemain ou 150 000 d à l'aller simple. Les motos ne sont plus autorisées à circuler sur la route du sommet.

Si vous décidez de descendre à pied, comptez entre trois et quatre heures de marche. Pensez à emporter beaucoup d'eau et un chapeau car la partie inférieure de la route se trouve en plein soleil.

Comment circuler
Vous simplifirez beaucoup votre visite en louant un véhicule que vous garderez le

Sentiers de randonnée dans le parc national de Bach Ma

Les itinéraires de randonnée ne manquent pas dans cette belle forêt. Plusieurs sentiers sont indiqués sur le plan du parc national, mais demandez aux gardes de vous confirmer qu'ils sont praticables.

Le **sentier du Faisan** doit son nom au beau faisan d'Argus, une espèce rare. Vous aurez plus de chance d'entendre le cri du faisan que de l'apercevoir, à moins d'avoir beaucoup de temps et de patience. Ce sentier long de 2,5 km commence à 5 km sur la route qui mène au sommet. Il traverse la forêt jusqu'à une série de chutes d'eau et de bassins où vous pouvez vous rafraîchir avant de rebrousser chemin.

Le **sentier de la Cascade des cinq lacs** débute 1 km après la pension du parc national. Ce parcours de 2 km sillonne la forêt et longe plusieurs cascades. L'eau est si froide que peu d'animaux y survivent, hormis une espèce de grenouille découverte récemment.

Le **sentier des Rhododendrons** peut être considéré comme une prolongation de l'itinéraire précédent. On peut également l'atteindre par un chemin partant du km 16 sur la route d'accès au sommet. La meilleure période pour découvrir cette partie du parc est le printemps, à la floraison des rhododendrons. En fin de parcours, vous découvrirez une chute d'eau. Si vous en avez le courage, vous pouvez descendre les 650 marches qui mènent au pied de la cascade. De là, le courant rejoint la rivière des Parfums, à Hué.

Le **sentier du Sommet** propose une ascension abrupte mais courte (500 m) jusqu'au Hai Vong Dai, le plus haut sommet de Bach Ma (1 450 m). Aujourd'hui, les visiteurs se contentent d'admirer la vue époustouflante mais, en 1968, une base d'hélicoptères occupait ce lieu stratégique. Les traînées de nuages blancs *(bach ma)* qui enveloppent souvent le sommet sont comparées à la crinière d'un cheval blanc. Elles ont inspiré le nom donné au parc.

Ces sentiers sont détaillés avec d'autres itinéraires dans le plan distribué avec le billet d'entrée. Vous trouverez d'autres renseignements dans le fascicule *Bach Ma National Park* (12 000 d), vendu à l'entrée du parc.

temps de votre séjour dans le parc. C'est notamment le cas si vous voulez emprunter certains sentiers, dispersés sur les 16 km de route qui conduisent au sommet.

SOURCES DE SUOI VOI

Distantes de 15 km au nord de la plage de Lang Co, les sources de Suoi Voi *(sources de l'Éléphant ; entrée 10 000 d par pers, 10 000/5 000 d par voiture/moto)* constituent un havre de paix à l'écart des lieux touristiques. Vous passerez la journée à déambuler dans la forêt ou à vous baigner dans l'eau claire et fraîche des cours d'eau. Les motards et les cyclistes qui affrontent les pentes abruptes de la RN 1, au nord comme au sud, apprécieront d'y faire une pause.

Les sources principales sont accessibles à pied depuis le parking, sur une route cahoteuse. Comptez 1,5 km depuis l'entrée elle-même, distante de 2,3 km de la route principale. Leurs gigantesques rochers, dont l'un évoque vaguement la silhouette d'un éléphant, semblent faire corps avec l'imposante chaîne des monts Bach Ma, qui se profilent en toile de fond. Si vous prenez le temps d'explorer les lieux, vous trouverez, à l'écart du site principal, des bassins moins fréquentés, tel le **bassin de Vung Do**, qui s'étale à près de 200 m des grandes sources.

L'endroit n'est guère touristique (la plupart des étrangers se retrouvent sur la côte) et il vous arrivera même, en semaine, de jouir d'une solitude totale. En revanche, évitez le dimanche, lorsque des centaines de jeunes couples vietnamiens viennent y roucouler...

Sur la RN 1, à environ 15 km de la plage de Lang Co, un vieux panneau indique "Suoi Voi". Juste après la bifurcation à l'ouest, vous apercevrez l'église de Thua Lau, construite au XIXe siècle. De là, suivez la piste jusqu'à l'entrée du site.

Là, vous devrez acquitter un droit d'entrée. Gardez votre ticket, car on pourrait le réclamer à l'intérieur du site. Près des sources, sont disposés des **stands de nourriture**, mais mieux vaut emporter votre pique-nique.

Si vous suivez la piste, vous déboucherez, à 15 km au nord de la bifurcation, sur le village de Cau Hai et sur la route menant au parc national de Bach Ma.

CENTRE

PLAGE DE LANG CO
☎ 054

Bordée de palmiers, cette plage de sable fin fait face, d'un côté, à un lagon d'eau bleu turquoise et, de l'autre, à la mer de Chine méridionale. Les voyageurs aiment venir déjeuner ou dormir dans ce lieu paisible. Si vous participez à un "voyage découverte", c'est un endroit agréable où faire halte un à deux jours si la saison et le temps s'y prêtent.

Le meilleur moment pour se rendre à Lang Co va de mai à juillet. De la fin du mois d'août au mois de novembre, les averses sont fréquentes. De décembre à février, il y fait très froid et vous n'aurez probablement guère envie de vous attarder.

Les splendides paysages de Lang Co sont visibles du haut du col de Hai Van, depuis la RN 1 et la ligne de chemin de fer reliant Danang à Hué.

Où se loger et se restaurer
Lang Co Hotel (☎ 874426 ; *doubles avec/ sans sdb 8/6 $US, triples/quadruples sans sdb 10/12 $US, doubles/triples avec sdb, eau chaude et clim. 12/15 $US*). Occupant un terrain ombragé proche de la plage, ce vaste hôtel géré par l'État s'avère très agréable. Il constitue un bon choix même s'il est un peu décrépit (des travaux sont prévus). Vous pouvez louer des bicyclettes pour 10 000 d par jour ou un bateau privé pour faire le tour du lagon, moyennant 150 000 d (jusqu'à 15 passagers). Sur la plage, le **Hai Duong**, bon restaurant de crustacés, pratique des prix raisonnables.

Thanh Tam Seaside Resort (☎ 874456 ; *chambres avec ventil. 10-15 $US*). À 1 km au nord du Lang Co Hotel, cet établissement propose des bungalows sommaires sur la plage pour 10 $US. Étrangement, les chambres les plus chères offrent une vue sur une annexe en béton qui fait office de garage. Le restaurant en terrasse jouit en revanche d'un beau panorama et la carte est correcte.

Lang Co Beach Resort (☎ 973555, *langco@dng.vnn.vn ; chambres avec clim. à partir de 60 $US*). Cet hôtel situé sur la plage possède une piscine et loue des chambres sobres et élégantes.

Comment s'y rendre
Bus. Des bus circulent tous les jours à destination de Hué (12h, 3 $US), Danang (10h, 3 $US), Hoi An (16h, 3 $US) et Hanoi (16h30, 14 $US).

Train. La gare de **Lang Co**, desservie par des trains ordinaires, se trouve à 3 km de la plage. Toutefois, vous n'aurez aucune difficulté à trouver une bonne âme pour vous y conduire à moto.

Voiture et moto. Lang Co se situe à 35 km au nord de Danang, en passant le col de Hai Van.

DANANG
☎ 0511 • 1,1 million d'habitants

Avant la guerre du Vietnam, on désignait souvent Danang comme la "Saigon du Nord", ce qui était à la fois flatteur et péjoratif. À l'instar de sa grande sœur du Sud, Danang devait sa réputation une économie florissante, à ses grands restaurants, à sa circulation et à ses magasins rutilants. Bars et prostitution étaient également des commerces lucratifs dans cette ville très fréquentée par les militaires, et cet héritage subsiste encore aujourd'hui.

Comme à Saigon, la corruption touchait tous les secteurs. La "libération" de 1975 et la réunification ont marqué un tournant et largement enrayé ces activités. La libéralisation économique récemment intervenue au Vietnam a permis à Danang de retrouver un peu de sa splendeur.

La ville a entrepris un vaste programme de rénovation et de développement de son infrastructure. Aujourd'hui, elle ressemble surtout à un immense chantier de construction. Les travaux devraient être en grande partie terminés lorsque vous lirez ces lignes.

Danang se place désormais au range de quatrième ville du pays. Située à la limite septentrionale du climat tropical, elle bénéficie toute l'année de températures clémentes ; Hué, sa proche voisine, connaît des hivers beaucoup plus rigoureux. Les visiteurs découvrent Danang sur le chemin du musée de la Sculpture cham et lorsqu'ils doivent changer de transport. La plupart préfèrent s'arrêter à Hoi An ou à l'extérieur de la ville, près de China Beach. Si les hôtels de Hoi An affichent complet, vous serez néanmoins obligé de loger à Danang.

Histoire
Connue sous le nom de Tourane du temps de la domination française, Danang devint au XIXᵉ siècle le principal port de la région.

À la fin du mois de mars 1975, Danang, deuxième ville du Sud-Vietnam, sombra dans le chaos total. Le gouvernement de Saigon ayant retiré ses troupes de Hué et laissant Quang Ngai aux mains des communistes, le Sud-Vietnam se retrouvait coupé en deux. Pris de panique, les habitants tentèrent de fuir la ville, mise à feu et à sang par les soldats de l'armée du Sud en déroute. Le 29 mars 1975, deux camions de combattants vietcong, pour moitié des femmes, pénétrèrent dans ce qui avait été la ville la mieux défendue du Sud et décrétèrent la "libération" de Danang sans tirer le moindre coup de feu.

La chute de Danang se déroula en effet de façon si pacifique que les seuls affrontements (ou presque) eurent lieu entre les soldats sud-vietnamiens et les civils qui se disputaient des places sur les avions et les navires en partance.

Orientation
Danang s'étend sur la rive ouest du fleuve Han. La rive orientale est accessible *via* le nouveau pont Song Han ou encore le pont Nguyen Van Troi, plus au sud. La ville fait partie d'une péninsule longue et étroite à la pointe nord de laquelle s'élève Nui Son Tra (appelée "montagne des Singes" par les Américains). Une nouvelle route se construit petit à petit autour de Nui Son Tra, qui s'ouvre lentement au tourisme. China Beach et les montagnes de Marbre bordent la cité au sud, tandis que le col de Hai Van domine Danang au nord.

Renseignements
Argent. Une agence de la **Vietcombank** (*140 Đ Le Loi*) est installée à l'angle de Đ Hai Phong. C'est le seul endroit en ville où échanger les chèques de voyage. La **VID Public Bank** (*2 Đ Tran Phu*) et la **Danang Commercial Joint Stock Bank,** repérables en face de Dana Tours, Đ Hung Vuong, assurent également un service de change.

E-mail et accès Internet. De nombreux endroits proposent une connexion Internet, notamment les cybercafés qui se succèdent Đ Tran Quoc Toan, entre Đ Yen Bai et Đ Nguyen Chi Thanh.

Agences de voyages. Si vous cherchez un circuit organisé ou autre, rendez-vous chez **Dana Tours** (*☎ 822516, fax 821312, danamarle@dng.vnn.vn ; 76 Đ Hung Vuong*), principale agence de voyage de Danang. Son personnel se charge également des réservations de voitures et de croisières, des prorogations de visa, ainsi que de l'organisation de randonnées autour de la station de montagne de Ba Na ou dans le parc national de Bach Ma.

Truong Van Trong's Tour (*☎ 0903-597971, trongn59@yahoo.com*) propose des formules originales. M. Trong accompagne les voyageurs pour un circuit à moto dans les montagnes du Centre, ou les conduit (toujours à moto) jusqu'à Hanoi ou HCMV. Il propose également des excursions d'une journée à partir de Danang. Très appréciés des voyageurs, M. Trong et ses associés parlent bien le français, l'anglais, l'allemand, l'italien et le japonais.

En cas d'urgence. Danang dispose de quatre hôpitaux. L'**hôpital C** (*Benh Vien C ; ☎ 822480, 35 Đ Hai Phong*) réunit les équipements médicaux les plus modernes de la ville.

Visas. Le **consulat laotien** (*12 Đ Tran Qui Cap ; lun-ven 8h-11h30, 14h-16h30*) se trouve à l'extrémité nord de la ville.

Un **consulat thaïlandais** devrait ouvrir, une fois la liaison routière entre le Vietnam, le Laos et la Thaïlande achevée. Renseignez-vous en ville.

Musée de la Sculpture cham
Site le plus intéressant de Danang, le musée de la Sculpure cham (*musée Cham, Bao Tang Cham ; intersection Đ Trung Nu Vuong et Đ Bach Dang ; entrée 20 000 d ; tlj 7h-17h*) fut fondé en 1915 par l'École française d'Extrême-Orient. Il abrite une collection de sculptures cham qui compte parmi les plus belles du monde. Prenez le temps d'admirer les détails des sculptures en grès (autels, lingam, *garudas, ganeshas* et représentations de Shiva, Brahma et Vishnu), qui sont souvent d'une extrême finesse.

À l'entrée du bâtiment, vous pourrez vous procurer un ouvrage trilingue inti-

CENTRE

DANANG

Baie de Danang

Plage de Thanh Binh

Đ Ong Ich Khiem

Đ Dinh Tien Hoang

Đ Tran Cao Van

19

Đ Hai Phong

Đ Le Duan

Đ Hoang Hoa Tham

Đ Ong Ich Khiem

Đ Cao Thang

Đ Dong Da

Đ Le Loi

Đ Quang Trung

Đ Nguyen Thi Minh Khai

Đ Ngo Gia Tu

Đ Pasteur

Đ Hung Vuong

Đ Trieu Nu Vuong

Đ Binh Trong

Đ Nguyen Trai

Đ Tran Qui Cap

Đ Ly Thuong Kiet

Đ Nguyen Du

Đ Ly Tu Trong

Đ Nguyen Chi Thanh

Đ Bach Dang

Đ Tran Phu

Đ Le Duan

Đ Phan Dinh Phung

Đ Phan Chu Trinh

Đ Nguyen Chi Thanh

Đ Hung Vuong

Đ Yen Bai

Đ Tran Quoc Toan

Đ Bach Dang

Đ Tran Phu

Đ Thai Phien

Đ Le Hong Phong

Đ Hoang Van Thu

Đ Hoang Dieu

Đ Le Dinh fi

Đ Nguyen Van Linh

Đ Pham Ngu Lao

Đ Huynh Thuc Khang

Đ Phan Chu Trinh

Đ Trung Nu Vuong

Han

Vers My Khe et China Beach (2 km)

Vers D Dien Bien Phu (500 m), la gare routière interurbaine (1 km), l'aéroport de Danang (2 km), la RN 1 (3 km), le col Hai Van (28 km), Hué (108 km), Hanoi (767 km) et Ho Chi Minh-Ville (972 km)

Vers l'aéroport (1 km)

Vers le musée Ho Chi Minh (1,5 km), la plage de My Khe (5 km), les montagnes de Marbre/China Beach (10 km) et Hoi An (29 km)

0   150   300 m

LP

CENTRE

DANANG

OÙ SE LOGER
1 Harmony Hotel
3 Saigon Tourane Hotel
4 Danang Hotel
   (ancienne aile)
5 Danang Hotel
   (nouvelle aile)
8 Thu Bon Hotel
9 Elegant Hotel
11 Bank's Guesthouse
12 Guesthouse 34
13 Song Han Hotel
16 Royal Hotel
22 Binh Duong Mini-Hotel
24 Bach Dang Hotel
28 Bamboo Green
   Riverside
32 Hoa Sen Hotel
39 Daesco Hotel
40 Bamboo Green
   Harbourside
44 Dai A Hotel
47 Pacific Hotel
48 Green Bamboo 1 Hotel

OÙ SE RESTAURER
15 Bamboo Bar,
   Mien Trung
   et Thoi Dai
21 Mi Quang Restaurant
25 Hanakim Dinh Restaurant
34 Hong Ngoc Restaurant
36 Christie's Restaurant et
   The Cool Spot Bar
42 Phi Lu Restaurant
45 Kim Do Restaurant

DIVERS
2 Poste
6 VID Public Bank
7 Consulat du Laos
10 Marché Don Dangh
14 Palais de justice
17 Vietcombank
18 Hôpital C
19 Gare ferroviaire
   de Danang
20 Temple caodai
23 Vietnam Airlines

26 Poste (courrier national)
27 Poste
   (courrier international)
29 Hôpital Vinh Toan
30 Stade de Danang et
   piscine
31 Marché Con
33 Hôtel de ville
35 Dana Tours
37 Danang Commercial
   Joint Stock Bank
38 Marché Han
41 Cathédrale de Danang
43 Cybercafés
46 Théâtre Nguyen Hien
   Dinh
49 Pagode Phap Lam,
   restaurant végétarien
   Com Chay
50 Temple caodai
51 Musée cham
52 Pagode Tam Bao
53 Pacific Airlines
54 Pagode Pho Da

tulé *Musée de la Sculpture cham – Danang (Bao Tang Dieu Khac Cham Da Nang)*. Rédigé par le directeur de l'établissement, Tran Ky Phuong, grand spécialiste vietnamien du Champa, ce livret fournit un excellent aperçu de l'art cham et présente certaines des pièces exposées. Des guides attendent à l'entrée. Si vous souhaitez utiliser leurs services, mettez-vous d'abord d'accord sur le prix.

Les pièces du musée, couvrant la période du VIIe au XVe siècle, furent découvertes à Dong Duong (Indrapura), Khuong My, My Son, Tra Kieu (Simhapura), Thap Mam (Binh Dinh), ainsi que sur d'autres sites, la plupart localisés dans les provinces de Quang Nam et de Danang. Les salles du musée portent le nom de chaque lieu de découverte.

Les quatre bas-reliefs qui entourent la base de l'autel de Tra Kieu (VIIe siècle) relatent plusieurs épisodes de l'épopée du Ramayana, dans un style typique de l'art amaravati du sud de l'Inde. La scène A (16 personnages) représente le prince Rama rompant l'arc sacré (Rudra) de la citadelle de Videha et gagnant ainsi la main de la princesse Sita, fille du roi Janak.

Dans la scène B (16 personnages), les ambassadeurs dépêchés par Janak auprès de Dasaratha, roi d'Ayodhya et père de Rama, vantent les exploits du héros, couvrent le souverain de présents et l'invitent à Videha pour assister au mariage.

La scène C (18 personnages) retrace les noces du jeune prince et de trois de ses frères épousant les cousines de la princesse Sita.

La scène D représente 11 vierges célestes (*apsaras*), dansant et offrant des fleurs aux jeunes mariés, sous les auspices de deux musiciens *gandhara qui* apparaissent au début de la scène A.

Cathédrale de Danang
Également appelée Con Ga (église du Coq) par la population locale, en raison de la girouette perchée sur son clocher, la cathédrale de Danang (*Chinh Toa Da Nang, Đ Tran Phu*) fut construite en 1923 pour les ressortissants français résidant dans la ville. Elle accueille aujourd'hui une paroisse de 4 000 fidèles. Son architecture rose bonbon et ses vitraux évoquent le style médiéval.

À côté de la cathédrale se trouvent les bureaux du diocèse de Danang et le couvent de Saint-Paul. Une centaine de religieuses, vêtues de blanc l'été et de noir l'hiver, y résident, fréquentant également un autre couvent bâti sur la rive est du Han.

CENTRE

MUSÉE DE LA SCULPTURE CHAM

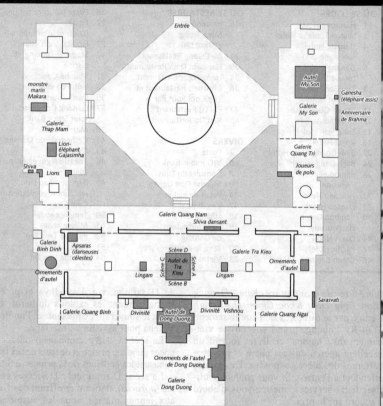

Entrée

monstre marin Makara

Galerie Thap Mam

Lion-éléphant Gajasimha

Shiva

Lions

Galerie Binh Dinh

Apsaras (danseuses célestes)

Ornements d'autel

Galerie Quang Binh

Galerie Quang Nam

Shiva dansant

Scène D

Scène C

Autel de Tra Kieu

Scène A

Lingam

Scène B

Lingam

Divinité

Autel de Dong Duong

Divinité

Vishnou

Ornements de l'autel de Dong Duong

Galerie Dong Duong

Autel My Son

Galerie My Son

Ganesha (éléphant assis)

Anniversaire de Brahma

Galerie Quang Tri

Joueurs de polo

Galerie Tra Kieu

Ornements d'autel

Sarasvati

Galerie Quang Ngai

Des messes sont généralement dites du lundi au samedi à 5h et 17h, le dimanche à 5h, 6h30 et 16h30.

Temple caodai

Construit en 1956, le temple caodai *(Thanh That Cao Dai ; Đ Hai Phong)* est le plus grand édifice de la secte en dehors de celui de Tay Ninh (se reporter au chapitre *Les environs de Ho Chi Minh-Ville*). Le caodaïsme compte 50 000 fidèles dans les provinces de Quang Nam et de Danang, dont 20 000 à Danang même. Comme dans tous les édifices caodai, la prière a lieu quatre fois par jour, à 6h, 12h, 18h et 24h.

Le temple possède deux accès : celui de gauche, appelé *Nu Phai*, est réservé aux femmes, et celui de droite, *Nam Phai*, aux

hommes. Les entrées du sanctuaire obéissent à la même distribution : les femmes à gauche et les hommes à droite. Le prêtre et la prêtresse, quant à eux, pénètrent par la porte centrale. Derrière l'autel siège un gigantesque globe orné de l'œil divin, emblème du caodaïsme.

En face de l'autel, descendant du plafond, un écriteau porte l'inscription *van giao nhat ly*, qui signifie "Les religions ont toutes la même raison". Derrière ces lettres d'or, on aperçoit les fondateurs de cinq grandes religions mondiales soit, de gauche à droite, Mahomet, Lao-Tseu (tout de bleu vêtu comme un pope orthodoxe), Jésus (qui semble tout droit sorti d'un tableau français), Bouddha (aux traits marqués du Sud-Est asiatique) et Confucius (plus chinois que jamais).

Dans la salle située après le sanctuaire principal, des portraits présentent les premiers meneurs du mouvement caodai, enturbannés et vêtus d'une tunique blanche. Ngo Van Chieu, père du caodaïsme, se tient debout, arborant un turban pointu et une longue robe blanche imprimée de motifs bleus.

Pagodes

La **pagode Phap Lam** (*Chua Phap Lam ; face au 373 Đ Ong Ich Khiem*), également connue sous le nom de Chua Tinh Hoi, a été construite en 1936. À l'intérieur, une statue en cuivre de Dia Tang, le roi de l'Enfer, garde l'entrée. Plusieurs bonzes vivent dans cette pagode.

L'édifice principal de la **pagode Tam Bao** (*Chua Tam Bao ; 253 Đ Phan Chu Trinh*) se remarque aisément, avec sa tour à cinq niveaux. Quelques moines seulement vivent dans cette pagode, construite en 1953.

La **pagode Pho Da** (*Chua Pho Da ; face au 293 Đ Phan Chu Trinh*), d'une architecture plutôt classique, date de 1923. Aujourd'hui, une quarantaine de moines y logent et y étudient. Les fidèles et leurs enfants participent activement à la vie religieuse de cette pagode dynamique.

Musée Ho Chi Minh

Le musée Ho Chi Minh (*carte Environs de Danang ; Bao Tang Ho Chi Minh ; Đ Nguyen Van Troi, tlj 7h-11h et 13h-16h30*) se divise en trois parties : un ensemble de salles consacrées à l'histoire militaire, où sont exposées des armes américaines, soviétiques et chinoises ; une copie conforme de la maison de Ho Chi Minh, à Hanoi (petit étang compris) ; et un musée dédié à "Oncle Ho", situé de l'autre côté de la mare.

Si vous n'avez pas le temps de visiter la véritable résidence du fondateur du Vietminh (ou l'une de ses multiples reproductions), sa réplique reste une étape incontournable.

Le musée est installé à 250 m à l'ouest de Đ Nui Thanh.

Promenades en bateau

Au nord de Danang (non loin du col de Hai Van), les eaux très claires de la Thuy Tu incitent à une promenade en bateau. Vous pouvez embarquer depuis le village de Nam O, célèbre pour son *nuoc mam* et son *goi ca* (filets de poisson frais et cru, marinés et recouverts d'épices – version vietnamienne du sushi). Là, vous découvrirez également des plages de sable qui bordent la rivière, idéales pour une baignade. Reportez-vous à la section *Plage de Nam O*, dans *Environs de Danang*. Renseignez-vous aussi sur les possibilités de croisières nocturnes sur le Han. Un bateau-restaurant est amarré en face du musée de la Sculpture cham.

Natation

Un immense **parc aquatique** (*entrée 5 000 d ; tlj sauf mar 9h-21h*) a ouvert début 2002 en bordure du fleuve, 1 km après le musée Ho Chi Minh.

N'espérez pas nager dans la vieille piscine publique de Danang, située près du stade, à moins de pouvoir résister à tous les microbes.

Où se loger

Les établissements cités ci-dessous sont tous situés dans le centre et le nord de Danang. Il y en a pour tous les goûts et toutes les bourses. N'hésitez pas à faire le tour du quartier si un hôtel ne vous plaît pas. Lorsque Hoi An est prise d'assaut, Danang héberge les voyageurs qui n'ont pas trouvé de chambre.

Pour les hôtels situés près des plages de My Khe et de China Beach, reportez-vous à la rubrique *Environs de Danang*.

Où se loger – petits budgets et catégorie moyenne

Quelques hôtels bon marché sont installés à l'extrémité nord de la péninsule de Danang. Si le paysage pâtit de la proximité du port, le quartier se révèle beaucoup plus calme que le centre-ville envahi par les voitures, quelque 2 km au sud. Le trajet jusqu'au centre ou au front de mer pour les repas représente une belle promenade. Danang est une ville bruyante mais la tranquillité revient entre 21h et 6h du matin. Vous devriez pouvoir dormir si vous ne logez pas à proximité de l'un des nombreux karaokés de la ville.

Danang Hotel – Ancienne aile (☎ *823258, 3 Đ Dong Da ; chambres avec ventil./clim. 5/7 $US*). Cet établissement est en très mauvais état. Construit à la fin des années 1960 pour héberger les militaires américains, il n'a pratiquement pas été amélioré depuis. Les chambres sont rudimentaires et insalubres.

Danang Hotel – Nouvelle aile (☎ 834662, fax 823431 ; chambres avec clim. 16-40 $US). Ce bâtiment a mal vieilli mais il reste plus confortable que l'ancienne section. Les deux ailes devraient être rénovées. Croisons les doigts !

Harmony Hotel (☎ 829146, fax 829145, 20 Ð Dong Da ; chambres avec clim. à partir de 15 $US). Cet hôtel, à peu près convenable, s'avère toutefois bruyant ; prévoyez des bouchons d'oreille.

Bank's Guest House (Nha Khach Ngan Hang, ☎ 821090, 195 Ð Dong Da ; chambres avec ventil. à partir de 5 $US). Plus proche du centre, cette pension présente un rapport qualité/prix correct.

Guest House 34 (Nha Nghi 34, ☎ 822732, 34 Ð Bach Dang ; chambres avec ventil./clim. 5/7 $US). Cet établissement, le plus intéressant de Danang, abrite quelques chambres organisées autour d'un jardin tranquille, au bord du fleuve. Les chambres climatisées bénéficient de l'eau chaude, contrairement aux autres.

Dai A Hotel (☎ 827532, fax 825760, 27 Ð Yen Bai ; chambres à partir de 15 $US). Cet hôtel climatisé est convenable, mais vous trouverez d'autres hébergements plus calmes pour le même prix.

Binh Duong Mini-Hotel (☎ 821930, fax 827666, 30-32 Ð Tran Phu ; chambres avec clim. 15-30 $US). Ce mini-hôtel quelconque possède de grandes chambres et jouit d'une situation assez centrale, dans une rue tranquille.

Hoa Sen Hotel (☎ 824505, fax 829001, 101-105 Ð Hung Vuong ; chambres 15-40 $US). Ce mini-hôtel récent s'avère assez proche de la gare ferroviaire et à quelques rues du marché Con (Cho Con). Les chambres bon marché, sans fenêtre, sont lugubres. Des citations provocatrices couvrent les murs du hall d'entrée.

Song Han Hotel (☎ 822540, fax 821109, 36 Ð Bach Dang ; chambres 16-55 $US). Cet établissement situé au bord du fleuve Han offre un beau panorama et un bon rapport qualité/prix.

Bach Dang Hotel (☎ 823649, fax 821659, bdhotel@dng.vnn.vn, 50 Ð Bach Dang ; chambres avec vue sur l'arrière/ le fleuve 18/50 $US). Ce vaste hôtel jouit d'une vue sur le fleuve à l'étage. Les chambres les moins chères, immenses, donnent sur l'arrière, plus tranquille.

Thu Bon Hotel (☎ 821101, fax 822854, 10 Ð Ly Thuong Kiet ; chambres avec clim. 20-30 $US). Cet établissement ancien mais tout à fait honorable propose sur l'arrière quelques chambres calmes dotées d'un petit balcon. La TV par satellite et le petit déjeuner sont inclus dans les tarifs.

Elegant Hotel (☎ 892893, fax 835179, elegant@dng.vnn.vn, 22A Ð Bach Dang ; chambres à partir de 60 $US). L'Elegant porte bien son nom et nombre de ses chambres donnent sur le fleuve. On y consent souvent des remises de 30%, en période calme.

Saigon Tourane Hotel (☎ 821021, fax 895285, sgtouran@dng.vnn.vn, 14A Ð Tran Qui Cap et 5 Ð Dong Da ; chambres 60-150 $US). Dans ce lieu haut de gamme, qui figure parmi les plus raffinés de Danang, les tarifs des chambres, parfaitement équipées, incluent la taxe, le service et le petit déjeuner. Le prix pour une chambre non réservée peut descendre jusqu'à 28 $US ; une affaire en or ! Au dernier étage, un restaurant en terrasse domine le fleuve.

Royal Hotel (☎ 823295, fax 827279, royalhotel@dng.vnn.vn, 17 Ð Quang Trung ; chambres à partir de 55 $US). Ce trois-étoiles sélect occupe une rue assez tranquille et abrite un restaurant japonais.

Bamboo Green Riverside (☎ 832591, fax 832593, riversidets@dng.vnn.vn, 68 Ð Bach Dang ; chambres 55-120 $US). Cet autre établissement en surplomb du fleuve offre une réduction de 30% sur les tarifs affichés.

Bamboo Green Harbourside (☎ 822722, fax 824165, bamboogreen@dng.vnn.vn, 177 Ð Tran Phu ; simples/doubles 35/40 $US). Voici une nouvelle adresse, bien située, près du centre de Danang, en face de la cathédrale. L'endroit est intéressant si vous profitez du tarif sans réservation, affiché à 25 $US.

Daesco Hotel (☎ 892807, fax 892988, daescohotel@dng.vnn.vn, 155 Ð Tran Phu ; chambres 35-70 $US). Dans cet hôtel d'affaires standard, l'on bénéficie d'un centre de remise en forme avec bain de vapeur, d'un bar et d'un restaurant.

Où se restaurer

Christie's Restaurant (☎ 824040, fax 829323 ou 826645, christies@hotmail.com, 112 Ð Tran Phu ; pâtes à partir de 20 000 d ; tlj 10h-

22h). Ce café-restaurant situé au 2e étage sert divers plats acceptables : hamburgers, pizzas, pâtes, ainsi que de la cuisine japonaise et vietnamienne. On y propose également un petit service d'échange de livres (japonais pour la plupart).

Hong Ngoc Restaurant (193 Ð Nguyen Chi Thanh). Ce bon restaurant chinois remporte un franc succès.

Phi Lu Restaurant (225 Ð Nguyen Chi Thanh ; repas à partir de 20 000 d ; midi et soir). L'ambiance du Phi Lu n'a rien d'exceptionnel, mais le cuisine chinoise, excellente, attire beaucoup de monde.

Hanakim Dinh Restaurant (15 Ð Bach Dang ; plats env 40 000 d). Joint-venture japonaise installée en bordure du fleuve, avec une agréable terrasse, ce bar-restaurant propose un grand choix de plats et de cocktails.

Mi Quang Restaurant (1A Ð Hai Phong). Installé non loin du temple caodai, ce restaurant connaît beaucoup de succès à l'heure du déjeuner avec ses grands et savoureux bols de *mi quang* (une soupe de nouilles de blé agrémentée de légumes verts).

Com Chay Chua Tinh Hoi (500 Ð Ong Ich Khiem ; plats env 3 000 d ; tlj 6h-22h). Selon les habitants de Danang, ce restaurant végétarien est le meilleur de la ville. Il se trouve juste derrière l'entrée de la pagode Phap Lam. D'autres adresses végétariennes sont installées dans les rues qui bordent la pagode.

Bamboo Bar (☎ 837175, bamboo_dn@dng.vnn.vn, 5 Ð Bach Dang). Cet endroit rustique au bord du fleuve s'avère idéal pour siroter un verre, jouer au billard ou déguster un en-cas attablé en terrasse. Les sympathiques propriétaires, qui parlent français, anglais et allemand, vous aideront à organiser une croisière en bateau ou à louer une moto.

Non loin du Bamboo Bar, le **Mien Trung** (9 Ð Bach Dang) et le **Thoi Dai** (☎ 826404, 5 Ð Bach Dang) servent tous deux de la cuisine vietnamienne, chinoise et occidentale dans un cadre magnifique au bord du fleuve.

Où sortir
Inauguré en 2002, le **Nguyen Hien Dinh Theatre** (à l'angle de Ð Le Hong Phong et Ð Phan Chu Trinh ; 20 000 d ; ven-dim 19h30) propose des spectacles de musiques et de danses traditionnelles du Vietnam.

The Cool Spot Bar occupe le rez-de-chaussée du Christie's Restaurant. C'est un établissement confortable et climatisé, mais l'ambiance et le service restent décevants.

Achats
Le **marché Han** (Cho Han, intersection Ð Hung Vuong et Ð Tran Phu) reste généralement ouvert tard le soir, un moment agréable pour y flâner.

Le **marché Con** (Cho Con), le plus grand de Danang, n'ouvre que durant la journée. Vous découvrirez parmi ses stands colorés toutes sortes de produits vietnamiens : articles ménagers, céramiques, fruits et légumes frais, papeterie, couteaux, fleurs et vêtements en fibres synthétiques...

Comment s'y rendre
Avion. Pendant la guerre du Vietnam, l'aéroport de Danang était l'un des plus fréquentés au monde. Il demeure l'un des trois aéroports internationaux du pays. Les vols directs en provenance de Bangkok, de Hong Kong et de Singapour ont repris depuis peu. Presque tous les vols à destination de l'étranger font escale à HCMV. Les formalités de douane et d'immigration peuvent cependant être accomplies à Danang.

Vietnam Airlines (☎ 821130, 35 Ð Tran Phu) assure de nombreuses liaisons depuis/vers Danang (voir l'encadré *Service des lignes intérieures* du chapitre *Comment circuler*).

Pacific Airlines (☎ 583583, 35 Nguyen Van Linh ; tlj 9h-17h) relie Danang à Hong Kong.

Bus. La **gare routière interurbaine de Danang** (carte Environs de Danang, Ben Xe Khach Da Nang ; 7h-11h et 13h-17h) se trouve à quelque 3 km du centre-ville, sur la voie baptisée successivement Ð Hung Vuong, Ð Ly Thai To et Ð Dien Bien Phu. Vous trouverez un guichet très efficace pour les liaisons longue distance à l'intérieur de la gare ; les prix sont détaillés sur une affiche.

Les premiers/derniers services partent pour Hanoi à 6h et 8h (87 000 d), pour Saigon à 5h30 et 14h (104 000 d) et pour Hué à 5h30 et 17h (22 000 d).

Dans la gare interurbaine, vous pouvez également réserver et emprunter les bus qui desservent Savannakhet (Laos) *via* Dong Ha et le poste frontière de Lao Bao (voir la rubrique *Passage de frontières* dans le chapitre *Comment s'y rendre*). Lors de notre passage, les bus circulaient les lundi, mercredi, vendredi et dimanche, à 19h (120 000 d), mais cette périodicité est susceptible de changer.

Les bus pour Hoi An (10 000 d) partent d'une **gare routière locale** située à 200 m de la gare interurbaine. Des départs réguliers sont prévus tout au long de la journée.

Minibus. La plupart des voyageurs préférant se loger à Hoi An plutôt qu'à Danang, et Hoi An bénéficie d'un meilleur service de minibus. Toutefois, il est possible d'emprunter un minibus haut de gamme à Danang. Pour les lignes desservant Hué et Nha Trang, renseignez-vous au Bamboo Bar.

Il existe également un service de minibus quotidien entre Danang et Hoi An. Les départs de Danang se font à 8h et les retours à 17h (3 \$US/5,50 \$US aller/aller-retour), si le nombre de passagers est suffisant (les chauffeurs attendent toujours au moins quatre passagers).

Train. Danang est naturellement desservie par les *Express de la Réunification* (voir la rubrique *Train* du chapitre *Comment circuler*) et de nombreux trains relient quotidiennement HCMV, Hanoi, ainsi que les gares intermédiaires.

Le centre-ville est distant de 1,5 km de la **gare ferroviaire de Danang** (Ga Da Nang), située Đ Hai Phong, à l'extrémité nord de Đ Hoang Hoa Tham. Le trajet entre Danang et Hué (20 000 d) est l'un des plus beaux du pays (celui qui mène au col de Hai Van s'avère également spectaculaire).

Vers le nord, la train le plus rapide vous conduira à Hué en 3 heures 15, en partant à 6h15. Les trains locaux, quant à eux, mettent 6 heures et démarrent à 14h30. Surveillez vos effets personnels lors des longues traversées de tunnels.

Voiture et moto. Pour se rendre à Hoi An, le plus simple est de louer une voiture (environ 10 \$US) auprès d'une agence de voyages locale, ou une moto (autour de 8 \$US) auprès d'un des chauffeurs qui se tiennent aux coins des rues. Moyennant un petit supplément, le chauffeur vous attendra pendant que vous visiterez les montagnes de Marbre et China Beach. Il est également possible de gagner My Son

à moto (12 \$US) ou en voiture (35 \$US) et, pour ceux qui ont déjà visité Danang, de se faire déposer à Hoi An au retour.

Voici quelques distances routières à partir de Danang :

Hanoi	764 km
Ho Chi Minh-Ville	972 km
Hoi An	30 km
Hué	108 km
Lao Bao	350 km
Nha Trang	541 km
Quang Ngai	130 km
Qui Nhon	303 km
Savannakhet (Laos)	500 km

Comment circuler
Depuis/vers l'aéroport. L'aéroport de Danang se trouve à 2 km à l'ouest du centre-ville. Il ne faut donc que 15 minutes pour s'y rendre en cyclo.

Cyclo-pousse et moto. Trouver une moto-taxi ou un cyclo-pousse ne présente aucune difficulté. Suivez les précautions habituelles et préparez-vous à marchander.

Vous pouvez louer une moto au Bamboo Bar.

Taxi. Airport Taxi (☎ 825555) et **Dana Taxi** (☎ 815815) utilisent des véhicules modernes avec climatisation et compteur.

Bateau. Au Bamboo Bar, on vous indiquera à qui vous adresser pour une croisière organisée.

ENVIRONS DE DANANG
☎ 0511
Nui Son Tra
La péninsule de Son Tra, en majeure partie occupée par une base militaire et navale, est interdite d'accès. Une belle route de campagne longe une partie de la côte, qui abrite une plage isolée et un mémorial en souvenir d'un épisode de l'histoire coloniale.

En août 1858, des troupes françaises et philippines, menées par les Espagnols, attaquèrent Danang afin de mettre un terme aux persécutions perpétrées par le gouvernement de l'empereur Tu Duc à l'encontre des missionnaires et des catholiques vietnamiens. Si les assaillants n'eurent guère de mal à prendre la cité, ils durent par la suite affronter le choléra, la dysenterie, le scorbut, le typhus et des fièvres mystérieuses. L'été suivant, les pertes humaines causées par la maladie surpassaient de vingt fois celles des combats. Un grand nombre de ces soldats espagnols et français reposent sous une **chapelle** (Bai Mo Phap Va Ta Ban Nha ; carte Environs de Danang), à 15 km au nord de la ville. Les noms des victimes figurent sur les murs.

Pour accéder au cimetière, traversez le pont Song Han et tournez à gauche dans Đ Ngo Quyen. Poursuivez vers le nord, en direction du port de Tien Sa (Cang Tien Sa). À votre droite, sur une petite colline, vous apercevrez l'ossuaire, petit bâtiment blanc, à peu près 500 m avant la porte du port.

Cachée bien à l'abri derrière le port et la chapelle, la **plage de Tien Sa** offre un cadre tranquille et ses eaux claires invitent à la baignade. Le site est gâté par les déchets, mais le panorama sur le col Hai Van s'avère magnifique. Plusieurs bungalows touristiques étaient en construction lorsque nous avons visité les lieux et d'autres sont en projet. Espérons que le développement restera limité.

En longeant la côte vers l'est, vous ne manquerez pas de sentir les usines de *nuoc mam*, même si on ne les voit pas. Après quelques kilomètres sur une route accidentée, vous parviendrez au village balnéaire de **Bai But**. Il s'agit d'un étrange agrégat de minuscules **bungalows** (50 000-100 000 d) et d'une poignée de restaurants sur une baie calme et somptueuse. Très attrayants de l'extérieur, les bungalows, éparpillés sur la colline en surplomb de la plage, offrent un intérieur sommaire. Emportez un tapis de sol si vous décidez de dormir sur place. L'endroit est agréable pour se promener pendant une heure ou deux.

Plage de Nam O
La plage de Nam O s'étend dans la baie de Danang, à 15 km au nord-ouest de la ville. La communauté de Nam O a longtemps vécu de la fabrication des pétards, désormais interdite par le gouvernement, depuis 1995. Pour survivre, la population locale s'est tournée vers la production de nuoc mam.

China Beach
Cette gigantesque plage, se déroulant sur plusieurs kilomètres au nord et au sud des montagnes de Marbre, commence à peu

près 30 km au sud de la montagne de Son Tra et s'étend presque jusqu'à Hoi An. Très fréquentée par les vacanciers vietnamiens et les touristes étrangers, elle accueille maintenant l'un des complexes hôteliers les plus élégants du Vietnam.

L'appellation commune de China Beach, très récente, regroupe en fait deux plages, dont chacune porte un nom vietnamien.

La plage de My Khe (Bai Tam My Khe), où les soldats américains venaient se "relaxer", et le rivage de la station balnéaire de Non Nuoc sont les plus fréquentés. Préparez-vous à affronter une nuée de vendeurs brandissant casquettes "China Beach", bouddhas en bois, bracelets de jade, nouvelles "antiquités" et autres attrape-touristes.

D'aucuns affirment que la vraie China Beach des GI's n'est pas l'étendue de rivage actuellement mise en valeur : elle se limiterait en réalité à My Khe, à 6 km de Danang. Un courant sous-marin la rend extrêmement dangereuse, particulièrement en hiver. Toutefois, protégée par la montagne Son Tra, My Khe reste la moins exposée de toutes les plages de la côte.

De mai à juillet – la meilleure période pour se baigner aux alentours de Danang –, la mer, habituellement agitée, se montre plus calme. Seules les plages de Non Nuoc, de My An et parfois celle de My Khe sont surveillées. Ironiquement, c'est toutefois en hiver que l'on rencontre les plus belles déferlantes, idéales pour le surf – débutants s'abstenir. De mi-septembre à décembre, China Beach devient le véritable paradis des surfers, surtout le matin, lorsque le vent se lève. En décembre 1992, la première compétition internationale de surf au Vietnam s'est déroulée le long de China Beach.

Où se loger et se restaurer. Non Nuoc Seaside Resort (☎ 836214, fax 836335 ; simples/doubles avec ventil. 6/12 $US, chambres avec clim. 11-18 $US). Ce vieux bloc de béton édifié par les Soviétiques, dont les chambres n'offrent rien de particulier, a l'avantage d'être peu cher et de se trouver à quelques mètres de la plage. On peut profiter du calme de cette immense propriété, à moins qu'une conférence ne s'y tienne. L'établissement abrite un vaste **restaurant** avec vue sur l'océan.

ENVIRONS DE DANANG

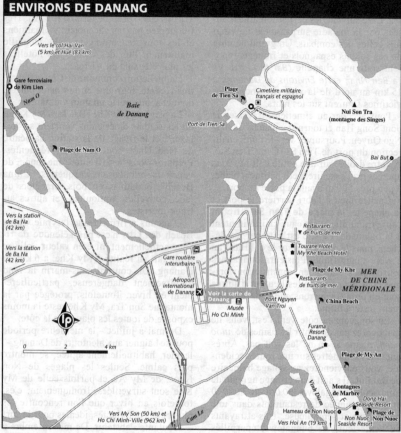

Dong Hai Seaside Resort (☎ 961009 ; *bungalows 7 $US*). Situé sur le chemin du Non Nuoc Seaside Resort, le Dong Hai loue des chambres très sommaires dans de jolis bungalows en brique, et vous pouvez prendre un repas dans l'un des restaurants de la plage ou de la ruelle voisine.

My Khe Beach Hotel (☎ 836125, fax 836123 ; *simples/doubles à partir de 10/12 $US*). Cette autre adresse bon marché, donnant directement sur la plage, a vieilli et mériterait quelques réfections. Lors de notre passage, une nouvelle aile était presque terminée. Vous trouverez ici un bon **restaurant avec un personnel agréable**, qui verse 10% de ses recettes à un organisme de charité.

Tourane Hotel (☎ 932666, fax 844328, *touranehotel@dng.vnn.vn ; chambres 25-40 $US*). Installé face à la plage, cet hôtel n'a rien en commun avec le somptueux Saigon Tourane de Danang. L'endroit a mal vieilli et se délabre. Des rénovations importantes sont au programme.

Furama Resort Danang (☎ 847333, fax 847666, *furamadn@hn.vnn.vn ; chambres 140-400 $US++*). Surplombant une portion privée de China Beach, cet élégant hôtel, le plus huppé de Danang, et même du Vietnam, offre un centre de plongée, un practice pour les golfeurs et deux piscines panoramiques. Si vous avez envie de goûter au luxe le temps d'une journée, vous pouvez profiter de sa superbe propriété, des piscines et du centre de remise en forme, moyennant 10 $US++.

C'est sur la plage de My Khe que vous dégusterez les meilleurs fruits de mer. À quelques mètres au nord du Tourane Hotel et au sud du My Khe Beach Hotel une ribambelle de **restaurants de fruits de mer** alignent leurs terrasse donnant sur l'océan.

Comment s'y rendre. Pour gagner la plage de My Khe depuis le centre de Danang, il suffit de franchir le pont Song Han, puis de suivre la direction de la mer. Un *xe om* vous y emmènera pour quelque 2 $US et patientera sur place pendant une ou deux heures.

Pour accéder à la station balnéaire de Non Nuoc par vos propres moyens, partez en direction des montagnes de Marbre, puis tournez à gauche vers le hameau de Non Nuoc. Suivez la route et repérez les pancartes indiquant le Non Nuoc Seaside Resort. Prenez ensuite le chemin à travers le bosquet de casuarinas.

Montagnes de Marbre

Ces montagnes (entrée 10 000 d) sont constituées de cinq gros affleurements rocheux... en marbre.

On dit que chacun d'entre eux représente un élément naturel, dont il porte le nom : Thuy Son (l'eau), Moc Son (le bois), Hoa Son (le feu), Kim Son (le métal ou l'or) et Tho Son (la terre). La plus haute et la plus réputée, Thuy Son, renferme de nombreuses grottes naturelles, où des sanctuaires hindous puis bouddhiques ont été érigés au fil des siècles. Thuy Son est un lieu de pèlerinage très fréquenté, plus particulièrement les nuits de pleine et de nouvelle lune, ainsi que durant le Têt, une merveilleuse période pour la visiter.

Une lampe de poche vous sera utile pour explorer les grottes. Les enfants du coin ont compris que les touristes raffolaient des souvenirs et qu'ils laissaient des pourboires aux guides improvisés. Ne vous attendez donc pas à faire la visite seule. Et attention à votre porte-monnaie ! Une nouvelle réglementation, récemment renforcée, interdit aux enfants d'accepter les pourboires, tout en leur permettant de vendre des souvenirs. Ces enfants, plutôt sympathiques, même s'ils se montrent un peu insistants, vous aideront à trouver les grottes les plus isolées.

Des deux chemins qui mènent à Thuy Son, le plus proche de la plage (à l'autre extrémité du village) permet de faire un meilleur circuit une fois en haut. Alors, à moins de vouloir faire le parcours dans l'autre sens, évitez l'escalier au pied duquel se trouvent des kiosques en béton. Un droit d'entrée vous sera demandé d'un côté comme de l'autre.

Au sommet de l'escalier (d'où l'on peut apercevoir l'île Cham) se dresse le portique Ong Chon, criblé d'impacts de balles. Derrière ce portique se cache la pagode Linh Ong. En entrant dans le sanctuaire, à votre gauche, vous pourrez admirer un personnage fantastique qui tire une langue énorme. Les bonzes vivent à droite de l'édifice, à côté d'un petit jardin d'orchidées.

Derrière la pagode Linh Ong, sur la gauche, un chemin passe par deux tunnels qui mènent à un ensemble de grottes, appelées Tang Chon Dong. Vous pourrez y admirer un grand nombre de bouddhas en béton et des blocs de pierre sculptés par les Cham. À côté d'un des autels, un escalier monte vers une autre grotte, partiellement ouverte et abritant deux bouddhas assis.

Pour poursuivre la visite, prenez le chemin qui se trouve immédiatement à gauche après le portique. Un escalier mène à Vong Hai Da, une petite terrasse panoramique offrant une vue magnifique sur China Beach et la mer de Chine méridionale.

Le chemin pavé se poursuit vers la droite et débouche sur un canyon où se cache la grotte de Van Thong, à gauche. En face de l'entrée se trouve un bouddha en ciment et, derrière lui, un petit passage donnant sur un conduit naturel par lequel on peut apercevoir le ciel.

À la sortie du canyon, après avoir passé un portique endommagé par la guerre, un sentier rocailleux part sur la droite et aboutit à Linh Nham, une grande grotte en forme de cheminée qui abrite un petit autel. À côté, un autre chemin mène à Hoa Nghiem, une cavité peu profonde renfermant une statue de Bouddha. En prenant le chemin à gauche du bouddha, vous arriverez à l'immense grotte de Huyen Khong : éclairée par une ouverture vers le ciel, celle-ci fait l'effet d'une cathédrale. Son accès est gardé par deux mandarins adminis-

CENTRE

tratifs (à gauche de l'entrée) et deux mandarins militaires (à droite de l'entrée).

La grotte abrite plusieurs autels bouddhistes et confucéens. Notez les inscriptions sur les murs en pierre. À droite, une porte donne sur deux stalactites qui, selon la légende, répandent des gouttes provenant du Ciel. En réalité, une seule d'entre elles suinte ; l'autre se serait asséchée au contact de la main de l'empereur Tu Duc. Durant la guerre du Vietnam, les combattants vietcong transformèrent la grotte en hôpital. À l'intérieur se trouve une plaque commémorative dédiée au groupe d'artilleuses qui, en 1972, détruisit plusieurs avions américains stationnés au pied des montagnes.

À gauche de la porte endommagée par la guerre s'élève la pagode Tam Thai Tu, restaurée par l'empereur Minh Mang en 1826. Un sentier obliquant à droite mène aux habitations des bonzes, puis à deux sanctuaires. De là, un chemin de terre rouge débouche sur cinq petites pagodes. Avant les résidences des moines, vous trouverez sur la droite un escalier menant à la terrasse panoramique de Vong Giang Dai, qui offre une vue imprenable sur les montagnes de Marbre et la campagne environnante. Pour redescendre, prenez le chemin donnant sur le portique de la pagode Tham Thai Tu.

Hameau de Non Nuoc

Ce hameau se trouve sur le versant sud de Thuy Son, à quelques centaines de mètres à l'ouest de la plage de My An. On y réalise de magnifiques sculptures sur marbre, artisanales (ou non) – un cadeau idéal si elles n'étaient si lourdes. Vous apprécierez de regarder les sculpteurs à l'œuvre et certaines petites réalisations font de jolis cadeaux.

Comment s'y rendre

Voiture et moto. Danang est distant de 11 km des montagnes de Marbre. La route traverse les ruines d'une gigantesque base militaire américaine, longue de 2 km. Les pistes d'atterrissage sont encore visibles.

Les montagnes de Marbre se dressent à 19 km au nord de Hoi An, le long de la "Route coréenne".

Bateau. Il est possible d'accéder aux montagnes par bateau. Ce trajet de 8,5 km sur les fleuves Han et Vinh Diem dure environ 1 heure 15.

COL DE HAI VAN

Le col de Hai Van (col des nuages) traverse la chaîne des monts Truong Son (ou cordillère annamitique), qui jouxte la mer de Chine méridionale. À quelque 30 km au nord de Danang, la RN 1 atteint 496 m d'altitude, passant au sud du pic Ai Van Son (1 172 m d'altitude). Ce tronçon de route offre une vue spectaculaire sur les montagnes. La ligne de chemin de fer, semée de nombreux tunnels, contourne la péninsule et longe la côte pour éviter la montagne.

Au XVᵉ siècle, le col servait de frontière naturelle entre le Vietnam et le royaume du Champa. Les défoliants utilisés au cours de la guerre du Vietnam ont malheureusement eu raison de sa végétation luxuriante. Au sommet se dresse un ancien fort français, reconverti en bunker par les armées sud-vietnamiennes et américaines.

En hiver, le col marque une rupture abrupte entre les climats septentrional et méridional : tel un mur de séparation, il protège le sud des violents "vents chinois" du nord-est. Ainsi, de novembre à mars, le versant exposé au nord de la montagne (y compris la plage de Lang Co) subit un temps froid et humide, tandis que de l'autre côté, en direction du sud (sur les plages avoisinant Danang et Hoi An), le climat reste chaud et sec. Un schéma qui n'a rien de systématique mais, en règle générale, lorsqu'en hiver le temps est mauvais à Hué, il fait beau à Danang.

La plupart des bus font une pause de 10 minutes au sommet du col. Vous devrez alors vous frayer un chemin parmi les vendeurs de souvenirs, particulièrement nombreux et acharnés. Évitez les personnes qui vous inviteront à changer votre argent contre des dong ou vice versa, vous n'avez aucune chance d'obtenir un taux intéressant.

En juin 2000 a débuté la construction d'un tunnel sous le col de Hai Van destiné à soulager le trafic. Ces travaux, estimés à 150 millions de dollars, devraient durer quatre ans.

STATION CLIMATIQUE DE BA NA

☎ 0511 • altitude 1 485 m

Ba Na (entrée 10 000 d par pers, 5 000/10 000 d par moto/voiture), que le gouvernement provincial qualifie avec optimisme de "Dalat de la province de Danang", est une ancienne station climatique fondée par les Français sur la crête du Mont Ba Na (Nui Chua). Elle offre une vue exceptionnelle sur la plaine, ainsi qu'un air agréablement frais. Lorsque la température est de 36°C au niveau de la mer, il fait entre 15 et 26°C à Ba Na. Si les précipitations sont importantes, entre 700 et 1 200 m d'altitude, le ciel reste généralement dégagé autour de la station elle-même. Les petits sentiers de montagne qui partent de Ba Na mènent à plusieurs chutes d'eau et panoramas.

Ba Na fut fondée en 1919 et, jusqu'à la Seconde Guerre mondiale, les Français parcouraient les vingt derniers kilomètres en chaise à porteurs ! Des quelque 200 résidences de villégiature construites à l'origine, il ne reste plus que des ruines éparses (très photogéniques). Les autorités provinciales souhaitent refaire de Ba Na un haut lieu du tourisme et développent le site afin de satisfaire aux exigences des visiteurs vietnamiens. Cela implique la construction de divers hébergements et restaurants, mais aussi, ce qui semble moins agréable, d'un grand nombre de karaokés (synonymes de décibels intempestifs) et de nombreux déchets.

Le panorama depuis la terrasse du restaurant Le Nim est exceptionnel ; une bonne raison pour y déjeuner. Le Ba Na By Night Resort (ouvert toute la journée) a conservé une cave à vin, construite par les Français, qui dispense une agréable fraîcheur. Vous pouvez également vous promener sur un sentier balisé, juste derrière la partie la plus huppée de l'hôtel, jusqu'aux belles ruines d'une ancienne villa française. Un immense bouddha visible à des kilomètres à la ronde est aussi en construction sur le site.

Où se loger et se restaurer

Chaque établissement a développé un système extrêmement complexe d'options et de tarifs, qui varient en fonction de la saison, du jour de la semaine, du nombre de personnes, de la durée du séjour, etc. Les prix indiqués ci-dessous ne sont donnés qu'à titre indicatif. D'autres hôtels étaient en construction lors de notre passage.

Ba Na Resort (☎ 818055, ☎ 746447, fax 712307, banatourist@dng.vnn.vn ; chambres 15-30 $US, bungalows avec/sans

sdb 70 000/50 000 d). Ce complexe hôtelier se compose d'un hôtel de 30 chambres et de 40 minuscules bungalows pouvant accueillir 2 personnes. Un grand **restaurant** complète le tout.

Le Nim (☎ 670026 ; chambres 50 000-200 000 d). Dans cet établissement que l'on rencontre sur un chemin juste en contrebas du Ba Na Resort, toutes les chambres sont organisées autour d'une cour, qui accueille des feux de camp animés de chansons le week-end (vous voilà prévenu). Le **restaurant** propose d'excellents fruits de mer frais à déguster en jouissant d'une vue inégalée.

Ba Na By Night Resort (☎ 671016, bananight@dng.vnn.vn ; chambres 200 000-700 000 d). Cet hôtel profite d'une belle implantation, mais sans panorama. Les vestiges d'une cave à vin de la période coloniale et d'une villa française méritent une petite visite.

Comment s'y rendre

Ba Na se trouve à 42 km à l'ouest de Danang. Vous y accéderez par une belle route sinueuse, bien qu'un peu étroite et vertigineuse.

Le droit d'entrée est perçu au début de la route d'accès au site. Si vous venez de Danang en transport public, une navette vous conduira au sommet pour 15 000 d de plus.

Si vous ne voulez pas faire tout le trajet en voiture – ou si vous aimez les grands frissons – prenez le téléphérique qui transporte les visiteurs depuis un parking gratuit situé quelques kilomètres en contrebas de la station. L'aller-retour revient à 35 000 d. Vous pouvez également monter en voiture jusqu'au sommet.

SUI MO

Les chutes de Suoi Mo (sources du Rêve ; entrée 3 000 d) constituent un agréable détour d'environ 1 heure sur la route de Ba Na. Pour y accéder, tournez à droite juste avant la route de Ba Na. Vous parviendrez à une seconde entrée, où vous paierez le droit d'admission Continuez à monter le chemin accidenté sur près de 2 km et cherchez la petite flèche indiquant Suoi Mo sur la gauche. Garez-vous à cet endroit et montez le sentier qui part sur la droite après quelques maisons. Après 20 minutes de marche (le sol est glissant par temps humide), vous passerez devant plusieurs bassins d'eau claire, avant d'atteindre la cascade. Le site est préservé et agréable, à condition de faire abstraction des détritus. Allez-y en semaine pour éviter l'affluence.

HOI AN
☎ 0510 • 75 800 habitants

Sise à 30 km au sud de Danang, la ville portuaire de Hoi An constitue le site le plus pittoresque de la côte. La plupart des touristes aiment s'y attarder.

Connue sous le nom de Faifo au temps des premiers marchands occidentaux, elle fut, du XVIIe au XIXe siècle, l'un des principaux ports internationaux d'Asie du Sud-Est. À son apogée, Hoi An, cité contemporaine de Macao et de Malacca (Malaisie), représentait une étape incontournable pour les marchands hollandais, portugais, chinois, japonais et autres. De là, les bateaux partaient commercer avec toutes les villes du Vietnam, voire la Thaïlande et l'Indonésie. Plus que toute autre cité vietnamienne, Hoi An respire ce parfum d'histoire qui vous envahit au fur et à mesure de votre visite.

Chaque année, la saison des pluies, en particulier les mois d'octobre et de novembre, apporte son lot de crues, notamment dans les quartiers proches du front de mer. La plus sévère d'entre elles, en 1964, a fait grimper l'eau jusqu'aux toits.

Classée au patrimoine mondial par l'Unesco, la vieille ville de Hoi An (www .hoianworldheritage.org ; entrée 50 000 d) bénéficie d'une réglementation très efficace qui s'efforce activement de préserver son patrimoine : monuments historiques et culturels d'importance ouverts au public, rues interdites aux véhicules motorisés, façades protégées, hauteur des bâtiments limitée, etc. Si seulement Hanoi suivait l'exemple pour sa vieille ville !

Les droits d'entrée sont destinés au financement de ces travaux de conservation. Le billet donne droit à la visite de plusieurs sites classés selon un système complexe. Vous pouvez arpenter toutes les rues anciennes et visiter un site dans chacune des cinq catégories suivantes : musées ; maisons communes ; anciennes demeures ; "culture immatérielle", tels que les concerts de musique traditionnelle ou les ateliers d'artisanat ; et "autres" (le temple de Quan Cong ou celui du pont couvert japonais). Pour découvrir davantage de monuments, vous devrez acheter un billet supplémentaire dans l'un des nombreux guichets de la ville.

Le système semble assez mal contrôlé mais espérons que les fonds récoltés sont bel et bien attribués aux projets de restauration et de préservation. Malgré l'afflux des touristes, la ville reste très conservatrice et il est conseillé de porter une tenue convenable lors de la visite des sites.

La "nuit légendaire de Hoi An" se déroule le 14e jour de chaque mois lunaire (mois de la pleine lune), de 17h30 à 22h. À l'occasion de cette fête très pittoresque, on organise des dégustations de cuisine traditionnelle, des spectacles de musique et de danse, ainsi que des jeux le long des rues du centre-ville éclairées à la lueur des lanternes.

Hoi An s'avère très agréable pour les piétons : la vieille ville est fermée aux voitures et tous les hôtels sont à une distance raisonnable du centre. La cité offre également une multitude d'activités. Pour une promenade d'une demi-journée, suivez l'itinéraire indiqué sur la carte de Hoi An et profitez-en pour admirer ses sites culturels et touristiques. Reportez-vous à la liste détaillée ci-dessous, ou à l'encadré *Promenade entre culture et patrimoine* pour un itinéraire des sites intéressants.

Parmi les autres activités dignes d'intérêts, citons les cours de cuisine vietnamienne, les concerts de musique traditionnelle et la découverte du travail des artisans locaux (sculpture sur bois, peintures, céramiques et tissage). Vous pouvez également effectuer une croisière sur le fleuve, louer une bicyclette pour aller jusqu'à la plage ou faire le tour des tailleurs pour refaire votre garde-robe. Essayez de rester au moins quelques jours.

Histoire
On a récemment découvert à Hoi An des fragments de céramique vieux de 2 200 ans. Ce sont les plus anciens vestiges d'occupation de la cité, attribuables à la civilisation Sa Huynh, apparentée à la culture Dong du Nord du Vietnam et datant de la fin de l'âge du fer.

Du IIe au Xe siècle, la région se situait au cœur du royaume du Champa. Durant cette période furent construits la capitale

HOI AN

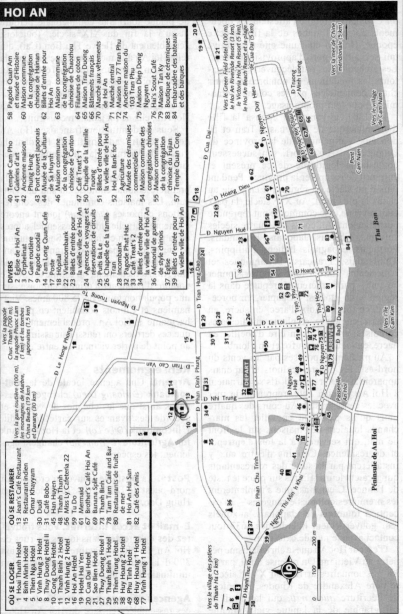

OÙ SE LOGER
1 Hoai Thanh Hotel
4 Binh Minh Hotel
5 Thien Nga Hotel
6 Vinh Hung 3 Hotel
8 Thuy Duong Hotel II
10 Cong Doan Hotel
11 Thanh Binh 2 Hotel
12 Vinh Hung 2 Hotel
16 Hoi An Hotel
19 Hotel Hai Yen
20 Cua Dai Hotel
21 Sao Bien Hotel
27 Thuy Duong Hotel I
29 Thanh Binh 1 Hotel
35 Thien Trung Hotel
38 Huy Hoang 2 Hotel
49 Phu Tinh Hotel
68 Huy Hoang 1 Hotel
77 Vinh Hung 1 Hotel

OÙ SE RESTAURER
13 Jean's Café Restaurant
15 Restaurant indien
    Omar Khayyam
30 Dudi
31 Café Bobo
45 Han Huyen
48 Thanh Thanh 1
56 Miss Ly Cafeteria 22
59 Tu Do
67 Mermaid
67 Brother's Café Hoi An
69 Banana Split Café
73 Tam Tam Café and Bar
80 Restaurants de fruits
    de mer
81 Hoi An Hai San
82 Café des Amis

40 Temple Cam Pho
41 Galeries d'art
42 Ancienne maison
    Phung Hung
62 Pont couvert japonais
44 Musée de la Culture
    de Sa Huynh
46 Maison commune
    de la congrégation
    chinoise de Chaozhou
64 Maison Tran Duong
65 Bâtiments français
70 Marché aux vêtements
    de Hoi An
71 Marché central
72 Maison du 77 Tran Phu
74 Ancienne maison du
    103 Tran Phu
75 Maison Diep Dong
    Nguyen
76 Hai's Scout Café
79 Maison Tan Ky
83 Boutique de céramiques
84 Embarcadère des bateaux
    et des barques

58 Pagode Quan Am
    et musée d'Histoire
60 Maison commune
    de la congrégation
    chinoise de Hainan
62 Billets d'entrée pour
    la vieille ville de Hoi An
63 Maison commune
    de la congrégation
    chinoise de Canton
47 Café Treat's 1
50 Chapelle de la famille
    Truong
51 Billets d'entrée pour
    la vieille ville de Hoi An
52 Hoi An Bank for
    Agriculture
53 Musée des céramiques
    commerciales
54 Maison commune des
    congrégations chinoises
55 Maison commune
    de la congrégation
    chinoise du Fujian
57 Temple Quan Cong

40 Temple Cam Pho
41 Galeries d'art

DIVERS
2 Église de Hoi An
3 Orphelinat
7 Gare routière
9 Pagode caodaï
14 Tam Long Quan Cafe
17 Poste
18 Hôpital
22 Vietincombank
23 Billets d'entrée pour
    la vieille ville de Hoi An
24 Agences de voyages et
    réservations de circuits
25 Puits Ba Le
26 Chapelle de la famille
    Tran
28 Incombank
32 Pagode Phat Hac
34 Café Treat's 2
34 Billets d'entrée pour
    la vieille ville de Hoi An
36 Mémorial de guerre
    de style chinois
37 Église
39 Billets d'entrée pour
    la vieille ville de Hoi An

cham de Simhapura (Tra Kieu), ainsi que les temples d'Indrapura (Dong Duong) et de My Son (voir l'encadré *Le Royaume du Champa*). Comme l'attestent les documents perses et arabes de la fin de cette époque, Hoi An était une cité très active qui servait de port d'approvisionnement. Les archéologues ont découvert aux alentours les fondations de nombreuses tours cham, démantelées par les colons vietnamiens pour leur propre usage.

En 1307, le roi cham épousa la fille d'un monarque de la dynastie Tran et fit don aux Vietnamiens de la province de Quang Nam. À sa mort, son successeur contesta la légitimité de ce présent et entreprit de récupérer la province. Pendant plus d'un siècle, la région fut en proie au chaos le plus total. Au XVe siècle, la paix était revenue et le commerce put reprendre normalement. Au cours des quatre siècles suivants, Chinois, Japonais, Hollandais, Portugais, Espagnols, Indiens, Philippins, Thaïlandais, Français, Britanniques et Américains vinrent tous s'approvisionner en soie – particulièrement réputée dans la région –, en étoffes, en papier, en porcelaine, en thé, en noix d'arec, en sucre, en mélasse, en poivre, en plantes médicinales chinoises, en ivoire, en cire d'abeille, en nacre, en laque, en soufre et en plomb.

Au printemps, poussés par les vents du nord-est, les navires chinois et japonais appareillaient vers le sud. Ils séjournaient à Hoi An jusqu'à l'été, reprenant la mer avec les vents du sud. Au cours des quatre mois qu'ils passaient en ville, les marchands louaient des maisons sur le front de mer, qui servaient à la fois d'entrepôt et de résidence. Certains d'entre eux y installèrent par la suite des représentants qui géraient leurs affaires sur place le reste de l'année. C'est ainsi que s'implantèrent les premières colonies étrangères – à l'exception toutefois des Japonais, auxquels leur gouvernement interdit dès 1637 tout contact avec le monde extérieur.

C'est par Hoi An que le christianisme pénétra au Vietnam. On recense ainsi, parmi les missionnaires arrivés au XVIIe siècle, le père Alexandre de Rhodes, inventeur de l'écriture *quoc ngu*, qui latinisait la calligraphie de la langue vietnamienne (voir l'encadré qui lui est consacré dans le chapitre *Langue*).

Presque entièrement détruite par la révolte des Tay Son dans les années 1770 et 1780, Hoi An fut reconstruite et son statut de plaque tournante commerciale perdura jusqu'à la fin du XIXe siècle. Toutefois, l'ensablement du fleuve Thu Bon (Cai), qui relie Hoi An à la mer, commença à gêner la navigation, et Danang (Tourane) éclipsa petit à petit Hoi An en tant que port et centre du commerce. En 1916, un terrible orage détruisit la ligne ferroviaire qui reliait Danang à Hoi An ; elle ne fut jamais reconstruite.

Sous la domination française, Hoi An devint centre administratif. Pendant la guerre du Vietnam, la ville demeura quasiment intacte.

C'est à Hoi An que vint s'implanter la première colonie chinoise du sud du Vietnam. Les maisons communes des congrégations chinoises (*hoi quan*) jouent encore à l'heure actuelle un rôle essentiel auprès de la population chinoise du Sud, dont une partie parcourt parfois de grandes distances pour venir assister aux célébrations de Hoi An. Actuellement, on estime à 1 300 le nombre d'habitants d'origine chinoise, sur une population totale de 75 800 âmes. Vietnamiens et Chinois cohabitent en parfaite harmonie à Hoi An, probablement parce que ces derniers ont réussi leur assimilation au point de parler vietnamien entre eux.

Renseignements

Argent. Une agence locale de la **Vietcombank** *(Ð Hoang Dieu)* change les espèces ainsi que les chèques de voyage et accorde des avances sur carte de crédit. L'**Incombank** *(Ð Le Loi)* et la **Hoi An Bank for Agriculture** *(Ð Tran Phu)* changent également les espèces.

Poste. La poste se trouve au croisement nord-ouest de Ð Ngo Gia Tu et de Ð Tran Hung Dao.

E-mail et accès Internet. Vous trouverez des cybercafés dans toutes les rues de Hoi An. La plupart facturent la connexion 300 d la minute, avec une participation minimale de 10 minutes.

Agences de voyages. Consultez les agences rassemblées en face du Hoi An Hotel, Ð Tran Hung Dao. Il est difficile d'en recommander une plus que les autres car la plupart offrent les mêmes services (dont les excursions à My Son, les réservations des billets de bus et d'avion, et les prorogations de visa), à des prix similaires. La concurrence restant assez rude, vous pouvez néanmoins faire le tour des agents et négocier pour une prestation onéreuse ou spécifique.

En cas d'urgence. L'hôpital *(10 Đ Tran Hung Dao)* fait face à la poste.

Pagode Phac Hat

Cette pagode assez récente, aux façades couvertes de céramiques et de peintures colorées, constitue un lieu de culte actif.

Chapelle de la famille Truong

Fondée il y a près de deux siècles, la chapelle de la famille Truong *(Nha Tho To Truong)*, est dédiée aux ancêtres de la famille Truong, d'origine chinoise. Nombre de plaques commémoratives furent offertes par différents empereurs vietnamiens, afin de récompenser cette famille de fonctionnaires et de mandarins pour ses loyaux services à la cour impériale. On y accède par une petite allée jouxtant le 69 Đ Phan Chu Trinh.

Chapelle de la famille Tran

Dans l'angle nord-est de Đ Phan Chu Trinh, cette chapelle *(21 Đ Le Loi)*, dédiée aux ancêtres, fut érigée il y a quelque 200 ans. Sa construction fut financée par des membres de la famille chinoise Tran, venue s'installer au Vietnam vers 1700. L'architecture de l'édifice est d'influence chinoise et japonaise. Sur l'autel, des coffrets en bois renferment les tablettes en pierre des ancêtres, sur lesquelles figurent des idéogrammes chinois.

Musée de la céramique de commerce

Dans cette charmante maison *(80 Đ Tran Phu)*, restaurée avec modestie, on peut découvrir une collection de céramiques bleues et blanches de la période Dai Viet (XIe-XIIIe siècle). Ne manquez pas la superbe mosaïque en céramique au-dessus du bassin de la cour intérieure.

Maison du 77 Đ Tran Phu

Cette maison privée *(n°72 sur la carte)* date d'environ trois siècles. Les boiseries des pièces entourant la cour sont très finement sculptées, tout comme leurs poutres et leur toit en forme de crabe (dans le salon jouxtant la cour). Observez les carreaux de céramique verte sur la balustrade de la cour intérieure. Vous ne paierez qu'un droit d'entrée modique pour visiter la maison.

Maison commune des congrégations chinoises

Fondée en 1773, **la maison des congrégations chinoises** *(Chua Ba)* accueillait les cinq congrégations chinoises de Hoi An : Fujian, Canton, Hainan, Chaozhou et Hakka. Les pavillons de la cour principale présentent des éléments typiques de l'architecture française du XIXe siècle.

L'entrée principale du bâtiment se trouve Đ Tran Phu, en face de Đ Hoang Van Thu. Toutefois, on ne peut actuellement y accéder que par l'arrière, par le 31 Đ Phan Chu Trinh.

Maison commune de la congrégation chinoise de Fujian

Initialement destinée à accueillir les rassemblements de la communauté, cette maison commune *(face au 35 Đ Tran Phu ; tlj 7h30-12h et 14h-17h30)* fut plus tard transformée en temple dédié au culte de Thien Hau, divinité née dans la province de Fujian.

Près de l'entrée du hall principal, sur le mur à votre droite, Thien Hau, éclairée d'une lanterne, traverse une mer déchaînée pour sauver un bateau en détresse. En face sont représentés les chefs des six familles qui quittèrent le Fujian au XVIIe siècle pour s'installer à Hoi An après la chute de la dynastie Ming.

L'avant-dernière salle accueille la statue de la déesse. De part et d'autre de l'entrée se tiennent Thuan Phong Nhi à la peau rouge et Thien Ly Nhan à la peau verte. Ils sont chargés, grâce à leur vue perçante et leur ouïe fine, de repérer les navires en détresse et d'en avertir Thien Hau pour qu'elle parte les secourir. Contre le mur de droite est exposée la maquette d'un vaisseau chinois reproduit à l'échelle 1/20. Les quatre groupes de trois poutres qui soutiennent le toit sont de style japonais.

Dans la dernière chambre, l'autel central abrite les statuettes des six chefs de famille. Au-dessous, de plus petites statues représentent leurs successeurs à la tête du

L'architecture de Hoi An

Nombre de bâtiments en bois de Hoi An sont antérieurs au XIXe siècle. Ainsi, les plus imaginatifs se retrouveront aisément transportés quelques siècles en arrière, lorsque de nombreux navires se pressaient à quai, que les porteurs surchargés se bousculaient entre les entrepôts et les quais, tandis que les marchands négociaient dans un enchevêtrement de langues.

Peu touchée par la guerre du Vietnam, Hoi An fait aujourd'hui figure de vitrine de l'histoire vietnamienne. À ce jour, on a recensé dans la ville plus de 800 édifices historiques, classés selon neuf catégories :

• Les maisons et les boutiques
• Les puits
• Les chapelles privées dédiées au culte d'un ancêtre
• Les pagodes
• Les temples vietnamiens et chinois
• Les ponts
• Les bâtiments publics
• Les maisons communes des congrégations chinoises
• Les tombes (vietnamiennes, chinoises ou japonaises – il ne reste aucune tombe européenne)

Bon nombre de bâtiments anciens ont conservé des particularités architecturales devenues rares aujourd'hui. Ainsi, les devantures de certains magasins se ferment toujours à l'aide de planches glissées horizontalement dans des fentes, elles-mêmes creusées dans les colonnes soutenant la toiture ; certains toits sont constitués de tuiles yin – yang (*am-duong*) de couleur brique, ainsi appelées en raison de leur forme concave et convexe permettant un assemblage parfait. Au cours de la saison des pluies, le lichen et la mousse qui y poussent revêtent les toitures d'un vert éclatant. Bien des portes sont surmontées d'un morceau de bois circulaire portant le symbole du *am* et du *duong* entouré d'une spirale. Ces "yeux attentifs" (*mat cua*) ont pour rôle de protéger les habitants des demeures.

Peu à peu, les autorités de la ville rénovent les édifices historiques et l'on peut dire que de réels efforts sont accomplis pour préserver le caractère unique de Hoi An. Le gouvernement local y apporte beaucoup de soin : il faut obtenir un permis avant d'entreprendre la rénovation d'une maison ancienne et les travaux doivent respecter le bon goût.

Beaucoup de propriétaires de vieilles maisons font payer l'intrusion dans leur vie privée (jusqu'à 3 \$US pour une visite guidée), mais vous pouvez négocier. Le gouvernement les autorise à agir ainsi à condition que les fonds soient affectés à la rénovation des habitations.

La conservation des monuments historiques bénéficie de l'appui de l'Institut archéologique de Hanoi, de l'association pour l'amitié Japon-Vietnam, ainsi que d'experts européens et japonais.

---

clan. Sous une petite cloche en verre de 30 cm de haut se trouve une statuette de Le Huu Trac, un médecin vietnamien aussi célèbre au Vietnam qu'en Chine.

Derrière l'autel, à gauche, vous découvrirez le dieu de la Prospérité. À droite se tiennent trois fées et douze "sages-femmes" (*ba mu*), plus petites ; chacune d'entre elles transmet au nouveau-né un talent qui lui sera nécessaire au cours de sa première année de vie : sourire, téter, se coucher sur le ventre, etc. Les couples sans enfant avaient coutume de venir prier ici. Les trois groupes de statues symbolisent les princi-

paux éléments de la vie : l'ascendance, la descendance et le bien-être matériel.

Dans la pièce située à droite de la cour, l'autel central rend hommage aux anciens chefs de la congrégation chinoise. De chaque côté, des listes énumèrent les bienfaiteurs de la communauté, les femmes à gauche et les hommes à droite. Les panneaux muraux représentent les quatre saisons.

La maison commune de la congrégation chinoise du Fujian est relativement bien éclairée et peut donc se visiter après la tombée de la nuit. Déchaussez-vous avant de monter sur l'estrade, juste après les nefs.

Temple Quan Cong

Fondé en 1653, le temple Quan Cong (Chua Ong ; 24 Đ Tran Phu) est un temple chinois dédié à Quan Cong, dont la statue partiellement dorée – faite de papier mâché sur une âme de bois – trône sur l'autel central, à l'arrière du sanctuaire. À gauche, une statue représente le général Chau Xuong, l'un des gardes de Quan Cong, dans une pose avantageuse ; à droite, apparaît Quan Bing, un mandarin administratif plutôt replet. Le cheval blanc grandeur nature rappelle la monture de Quan Cong, avant qu'on ne lui offre un cheval rouge d'une extraordinaire endurance, souvent représenté dans les pagodes chinoises.

Sur les murs, des plaques de pierre dressent la liste des généreux donateurs qui financèrent la construction et la rénovation du temple. En passant dans la cour, jetez un coup d'œil sur les toits décorés de carpes. Symbole de persévérance, mais aussi de vigueur, de longévité et de prospérité, dans la mythologie chinoise, ce poisson est populaire à Hoi An.

Ôtez vos chaussures avant de monter sur l'estrade, en face de la statue de Quan Cong. Notez que, selon l'ancien système de numérotation, son adresse est 168 Đ Tran Phu.

Pagode Quan Am et musée d'Histoire

Ce bâtiment d'allure assez austère abrite une petite collection de carillons de temple, de gongs et de canons en bronze. Quelques objets cham y sont également exposés.

Maison commune de la congrégation chinoise de Hainan

Construite en 1883, cette maison commune (Đ Tran Phu) fut dédiée à la mémoire des 108 marchands de Hainan accusés à tort de piraterie et exécutés dans la province de Quang Nam, sous le règne de l'empereur Tu Duc. On découvre, sur les estrades richement ornées, des plaques commémoratives. En face de l'autel central, vous pourrez admirer une sculpture de bois dorée à l'or fin, représentant une scène de la cour chinoise.

La maison commune de la congrégation de Hainan se situe à l'extrémité est de Đ Tran Phu, non loin de l'angle avec Đ Hoang Dieu.

Maison commune de la congrégation chinoise de Chaozhou

Les Chinois originaires de Chaozhou construisirent leur maison commune (en face du 157 Đ Nguyen Duy Hieu) en 1776. Les poutres en bois, les murs et les autels sont magnifiquement sculptés. Face à l'autel, sur les portes, vous pourrez contempler deux jeunes Chinoises coiffées à la japonaise.

Cette maison commune se situe presque à l'angle de Đ Hoang Dieu.

Maison Tran Duong

Entre le 22 et le 73 Đ Phan Boi Chau, vous pourrez admirer un ensemble de maisons à colonnades de style français, parmi lesquelles celle, bâtie au XIXe siècle, de M. Tran Duong (25 Đ Phan Boi Chau). Ce sympathique professeur de mathématiques à la retraite qui parle français et anglais invite volontiers les visiteurs à effectuer le tour de sa demeure (62 m de long), en l'émaillant de commentaires historiques. L'entrée est gratuite mais un don sera grandement apprécié.

Ancienne maison du 103 Tran Phu

La devanture et les stores en bois de ce magasin éclectique forment une belle toile de fond pour une photo. Des ouvrières y fabriquent des lanternes en soie. Des poissons d'ornement au shampoing, tout est à vendre.

Maison commune de la congrégation chinoise de Canton

Érigée en 1786, cette maison commune (176 Đ Tran Phu ; tlj 6h-7h30 et 13h-17h30) possède un autel principal dédié à Quan Cong avec, de chaque côté, des éventails de cuivre au long manche. Le linteau, les montants de la porte principale et nombre de colonnes qui soutiennent le toit ont été réalisés dans un seul bloc de granit. Les autres colonnes ont été confectionnées en bois de jaquier, réputé pour sa solidité. D'intéressantes sculptures ornent les poutres du toit face à l'entrée principale.

Musée de la culture de Sa Huynh

Ce musée expose des objets antiques de la civilisation Dong Son de Sa Huynh. Le bâtiment, en lui-même, n'offre rien d'exceptionnel mais les collections méritent une visite.

Pont couvert japonais

Ce pont célèbre (*Cau Nhat Ban, ou Lai Vien Kieu*) relie le 155 Đ Tran Phu au 1 Đ Nguyen Thi Minh Khai. C'est la communauté japonaise de Hoi An qui, en 1593, construisit un premier pont à cet emplacement, afin d'établir une voie de communication avec le quartier chinois, situé sur l'autre rive. Le pont fut doté d'un toit pour que les citadins puissent venir s'y abriter de la pluie ou du soleil.

D'une solidité à toute épreuve, il fut apparemment conçu pour résister aux tremblements de terre, phénomènes particulièrement redoutés au Japon. Au fil des siècles, l'ornementation du pont est restée relativement fidèle au style nippon. Sa sobriété contraste de manière frappante avec la richesse des décorations vietnamiennes et chinoises. Les Français avaient aplani la chaussée pour faciliter le passage des véhicules, mais les grands travaux de rénovation entrepris en 1986 lui ont rendu sa forme convexe originelle.

La partie nord du pont abrite le petit **temple** de Chua Cau. Au-dessus de la porte est inscrit le nom qu'on lui a attribué en 1719, Lai Vien Kieu (pont des Passants du lointain) mais qui n'a jamais réellement réussi à détrôner l'appellation d'origine.

Selon la légende, il existait autrefois un monstre géant du nom de Cu, dont la tête se trouvait en Inde, la queue au Japon et le corps au Vietnam. Chacun de ses mouvements provoquait une série de catastrophes naturelles (inondations ou tremblements de terre) au Vietnam. Les habitants auraient alors érigé un pont sur le "talon d'Achille" de la bête, afin de la tuer. Après sa mort, la population locale, prise de pitié, aurait construit ce temple pour rendre hommage à son âme.

Les accès du pont sont gardés d'un côté par deux singes et de l'autre par deux chiens. Deux légendes justifient la présence de ces sentinelles : la première raconte que nombre d'empereurs japonais étant nés sous le signe du Chien ou du Singe, ces animaux faisaient l'objet d'un culte particulier. La seconde affirme que la construction du pont commença l'année du Singe pour s'achever l'année du Chien.

Une stèle énumère les noms des personnes ayant contribué à la rénovation du pont. Ces inscriptions sont rédigées en caractères chinois (*chu nho*), l'écriture *nom* étant alors peu usitée dans la région.

Ancienne maison Phung Hung

Dans une rue bordée de nombreux beaux bâtiments, cette ancienne maison se détache du lot. Elle abrite désormais une librairie et expose les créations originales de céramistes. Promenez-vous dans la boutique pour en apprécier l'atmosphère.

Temple Cam Pho

Plus récent et moins décoré, ce bâtiment est remarquable pour son toit en céramique en forme de dragon. Hélas, il est souvent fermé.

Pagode caodai

Située entre le 64 et le 70 Đ Huynh Thuc Khang (près de la gare routière), cette petite pagode fut construite en 1952 pour la communauté caodai de la ville, dont la plupart des membres vivent le long du chemin menant aux tombes japonaises. Le lieu héberge un unique prêtre, qui cultive du sucre et du maïs dans le jardin pour arrondir ses revenus.

Maison Tan Ky

Construite il y a deux siècles pour un riche marchand vietnamien, la maison Tan Ky (☎ 861474, 101 Đ Nguyen Thai Hoc ; tlj 8h-12h et 14h-16h30) s'avère remarquablement bien conservée. Elle ressemble exactement à ce qu'elle était au début du XIXe siècle.

Son agencement est révélateur des influences japonaise et chinoise sur l'architecture locale. Parmi les éléments nippons, citons le plafond en forme de carapace de crabe (juste avant la cour), soutenu par trois poutres de tailles différentes superposées en ordre décroissant. On retrouve des madriers similaires dans le salon. Sous le plafond en forme de crabe ont été sculptés des sabres, symboles de la force, ornés d'un ruban de soie, représentant la flexibilité.

Des colonnes pendent des poèmes chinois inscrits en nacre incrustée. Les caractères ornant ces panneaux, réalisés il y a un siècle et demi, se composent exclusivement d'oiseaux représentés avec grâce dans plusieurs positions de vol.

Quatre fonctions sont attribuées à la cour : elle laisse entrer la lumière, permet à l'air de circuler, apporte un peu de verdure au sein de la maison, recueille et évacue l'eau de pluie. Les dalles de pierre qui couvrent le sol du patio proviennent de la province de Thanh Hoa, dans le centre-nord du pays. Les balustrades de bois, ornées de feuilles de vigne gravées, rappellent l'influence européenne, soulignent le mélange culturel unique de Hoi An.

L'arrière de la maison donne sur la rivière. Cette partie était autrefois louée aux marchands étrangers. Comme l'attestent les deux poulies se balançant au-dessus de la porte d'entrée, la maison servait à la fois de résidence et de lieu de négoce.

Le toit recouvert de tuiles et le plafond en bois permettaient de garder la chaleur en hiver et la fraîcheur en été. Les dalles du sol proviennent des environs de Hanoi.

Bien que privée, la maison Tan Ky fait partie des choix offerts par votre billet pour visiter Hoi An. Le propriétaire, dont la famille habite ici depuis sept générations, parle couramment français.

Maison Diep Dong Nguyen

Cette maison (58 Ð Nguyen Thai Hoc, tlj 8h-12h et 14h-16h30) fut construite au XIXe siècle pour un marchand chinois, ancêtre des actuels propriétaires. Dans la première pièce du rez-de-chaussée, on pratiquait autrefois la médecine chinoise (thuoc bac). Les plantes médicinales étaient conservées dans les vitrines qui tapissent les murs. À l'étage, vous pourrez admirer une collection d'objets anciens ayant appartenu à la famille et qui comprennent des photographies, des porcelaines et des meubles. Attention, ces objets ne sont pas à vendre ! Deux chaises furent autrefois prêtées par la famille à l'empereur Bao Dai.

Selon l'ancienne numérotation, la maison Tan Ky est située au 58 Ð Nguyen Thai Hoc.

Autres sites importants

Église de Hoi An. Les uniques tombes d'Européens de Hoi An se trouvent dans la cour de cette église (intersection Ð Nguyen Truong To et Ð Le Hong Phong). Ce bâtiment moderne a été construit pour remplacer un édifice plus ancien, construit sur un autre site. Les dépouilles de plusieurs missionnaires du XVIIIe siècle y furent alors transférées.

Pagode Chuc Thanh. Érigée en 1454 par Minh Hai, un bonze originaire de Chine, cette pagode est la plus ancienne de Hoi An. On peut y admirer des objets rituels que l'on utilise depuis des siècles : plusieurs cloches, un gong de pierre vieux de 200 ans, ainsi qu'un gong de bois en forme de carpe, que l'on dit encore plus ancien. Aujourd'hui, plusieurs bonzes âgés habitent dans la pagode.

Dans le sanctuaire principal, des caractères chinois, dorés, gravés sur une poutre rouge, relatent sa construction. Un bouddha A Di Da, accompagné de deux Thich Ca, trône sur l'estrade centrale, sous un plafond en bois. En vis-à-vis, la statue d'un jeune bouddha Thich Ca est entourée de ses serviteurs.

Pour accéder à la pagode Chuc Thanh, prenez Ð Nguyen Truong To jusqu'au bout, puis tournez à gauche. Suivez le chemin sablonneux sur 500 m.

Pagode Phuoc Lam. Construite au milieu du XVIIe siècle, la pagode Phuoc Lam fut dirigée, à la fin du siècle dernier, par An Thiem, un bonze vietnamien fort intelligent qui embrassa la vie monastique à l'âge de 8 ans. Une décennie plus tard, ses frères furent enrôlés par l'empereur, alors menacé de rébellion. An Thiem prit leur place, obtint les galons de général puis, à la fin de la guerre, reprit sa vie religieuse. Il s'engagea alors, pour expier ses crimes de guerre, à nettoyer le marché de Hoi An pendant vingt ans. Une fois sa période de pénitence terminée, il fut nommé à la tête de la pagode Phuoc Lam.

Pour y accéder, continuez sur 350 m après la pagode Chuc Thanh. Vous passerez devant un obélisque érigé sur les tombes de treize résistants chinois décapités par les Japonais au cours de la Seconde Guerre mondiale.

Tombes japonaises. On distingue clairement des caractères japonais sur la pierre tombale de Yajirobei, un marchand nippon mort en 1647. La sépulture, tournée vers le nord-est, en direction du Japon, a parfaitement résisté aux assauts du temps, probablement grâce à son revêtement coulé dans un ciment particulièrement résistant, à base de poudre de coquillages, de feuilles de boi loi (utilisées pour fabriquer de l'encens) et de canne à sucre. On suppose que Yajirobei, de confession chrétienne, était venu au Vietnam pour échapper aux persécutions dans son pays natal.

Pour découvrir la tombe de Yajirobei,

CENTRE

Promenade entre culture et patrimoine

Cet itinéraire vous permettra de découvrir les principaux sites de Hoi An en une demi-journée. Tous les monuments sont par ailleurs détaillés dans la présentation générale de la ville. La promenade est indiquée sur la carte par une ligne en pointillé.

L'itinéraire débute à la **pagode Phac Hat**. Longez Đ Phan Chu Trinh vers l'est, puis bifurquez à droite dans l'allée à côté du n°69, où se trouve la **chapelle de la famille Truong**. De retour dans la rue principale, repérez la **chapelle de la famille Tran** à l'angle nord-est de Đ Phan Chu Trinh. Dirigez-vous vers le sud dans Đ Le Loi et tournez à gauche dans Đ Tran Phu, à l'intersection suivante. Visitez le **Musée de la céramique de commerce**. Face au musée se dresse la **maison du 77 Tran Phu**. Continuez dans Đ Tran Phu jusqu'à ce que vous rencontriez un groupe de bâtiments intéressants sur le côté gauche, dont fait partie la **maison commune des congrégations chinoises**. Juste à côté, vous découvrirez la **maison commune de la congrégation chinoise du Fujian**. Revenez sur la route et poursuivez vers l'est jusqu'au croisement suivant, où se dresse le **temple Quan Cong**. Faites un court détour vers le nord par Đ Nguyen Hué jusqu'à la **pagode Quan Am** et le **musée d'Histoire**. De retour dans Đ Tran Phu, toujours vers l'est, vous apercevrez sur votre gauche la **maison commune de la congrégation chinoise de Hainan**. Traversez l'intersection suivante, après laquelle la rue prend le nom de Đ Nguyen Duy Hieu. Sur votre gauche se dresse la **maison commune de la congrégation chinoise de Chaozhou**.

Prenez la prochaine rue à droite, puis bifurquez une nouvelle fois à droite, dans Đ Phan Boi Chau. Entre les n°22 et 73 s'étend tout un ensemble de demeures françaises à colonnades, dont la **maison Tran Duong**, qui date du XIXe siècle. Promenez-vous dans Đ Phan Boi Chau, empruntez la quatrième rue sur votre droite, puis tournez à gauche dans Đ Nguyen Thai Hoc et laissez-vous imprégner de son atmosphère particulière. Prenez à droite dans Đ Le Loi, puis à gauche dans Đ Tran Phu. Vous apercevrez immédiatement sur votre gauche l'**ancienne maison du 103 Tran Phu**. Continuez vers l'ouest et observez au passage la **maison commune de la congrégation chinoise de Canton**. Un peu plus loin sur la gauche se trouve le **musée de la Culture de Sa Huynh**. Après le musée, ne manquez pas le célèbre **pont couvert japonais**, qui relie Đ Tran Phu à Đ Nguyen Thi Minh Khai. Poursuivez votre chemin dans Đ Nguyen Thi Minh Khai où vous remarquerez l'**ancienne maison Phung Hung**. Faites une pause au **temple Cam Pho**.

A partir de là, vous pouvez retourner sur vos pas ou continuer jusqu'à la **pagode caodai**. Revenez ensuite par le pont japonais, bifurquez à droite et suivez la route jusqu'à Đ Nguyen Thai Hoc, où vous verrez au n°101 la **maison Tan Ky**. Sur la gauche, avant le carrefour suivant, se dresse la **maison Diep Dong Nguyen**.

prenez Đ Nguyen Truong To en direction du nord jusqu'au bout, puis suivez le petit chemin sablonneux à gauche (vers l'ouest) sur 40 m. Après la bifurcation, suivez le chemin jusqu'à la pagode Chuc Thanh, puis tournez à droite (vers le nord). Continuez sur un peu plus de 1 km, tournez à gauche (vers le nord) au premier croisement, puis à gauche (vers le nord-ouest) au second. Lorsque vous atteignez les champs, continuez jusqu'au canal d'irrigation, puis prenez le petit chemin qui monte vers la droite (au sud-est). Tournez à gauche au bout de 150 m (au nord-est), dans les rizières. La tombe se trouve à 100 m, sur une esplanade entourée d'un petit mur de pierre.

Quelques centaines de mètres plus loin, en direction de Hoi An, vous découvrirez la sé-

pulture d'un autre Japonais, Masai, mort en 1629. Pour l'atteindre, tournez à gauche (vers le sud-est) 100 m après les rizières. La tombe est sur votre droite, à 30 m du chemin.

Si vous vous perdez, montrez aux habitants des environs les mots *ma nhat* ou *mo nhat*, signifiant "tombes japonaises". Ils vous indiqueront le chemin.

Plusieurs Japonais ont également été enterrés dans le quartier de Duy Xuyen, sur l'autre rive du delta du Thu Bon.

Où se loger

À partir de novembre, les touristes affluent dans la petite ville de Hoi An. Contrairement aux autres régions du Vietnam, où une construction pléthorique a entraîné une augmentation de l'offre et une baisse des prix, les hôtels de Hoi An affichent très vite complet : en haute saison, des centaines de visiteurs imprévoyants doivent aller chercher une chambre à Danang. De nouveaux hôtels apparaissent sans cesse à Hoi An, mais si votre cœur penche pour un établissement précis, mieux vaut réserver.

La plupart des voyageurs préfèrent se loger dans le centre, il n'est donc pas étonnant que les hôtels y affichent très vite complet. Pourtant, les établissements excentrés s'avèrent bien souvent plus calmes et plus spacieux. Hoi An étant de dimension assez réduite pour s'y déplacer à pied, nul besoin de s'installer au cœur de la ville, par ailleurs bruyant.

Les prix indiqués dans cette rubrique sont les tarifs "standard". Attendez-vous à ce que ces prix flambent au cours de la saison touristique, surtout de novembre à janvier. Il se peut également – cela se produit rarement – que vous obteniez une réduction si vous arrivez sans réservation et qu'il reste de la place.

Plusieurs possibilités d'hébergements s'offrent à vous dans le centre de Hoi An ou à proximité.

Thanh Binh 1 Hotel (☎ 861740, fax 864192, vothihong@dng.vnn.vn, 1 Đ Le Loi ; chambres lits jumeaux avec ventil./ clim. 8/12-20 $US). Cet hôtel familial proche du centre-ville dispose de chambres assez spacieuses. Essayez d'en obtenir une à l'arrière, du côté du petit parc.

Thien Nga Hotel (☎ 916330, Đ Nhi Trung ; chambres avec clim. 10 $US). Dans ce petit établissement lumineux, à quelques minutes de marche du centre, le balcon à l'arrière donne sur les rizières.

Phu Tinh Hotel (☎ 861297, fax 861757, 144 Đ Tran Phu ; chambres avec sdb 8-15 $US). Cet hôtel un peu délabré jouit d'une situation centrale et possède une agréable cour arborée.

Hoai Thanh Hotel (☎ 861242, fax 861135, 23 Đ Le Hong Phong ; chambres avec ventil./clim. à partir de 8/10 $US, avec TV par satellite 28/35 $US). Sis à la périphérie nord de la ville, ce gigantesque hôtel est géré par l'État. Les chambres bon marché, calmes et propres de l'ancienne aile, sont un peu fatiguées.

Huy Hoang 1 (☎ 861453, fax 863722, 73 Đ Phan Boi Chau ; chambres avec ventil. 10-15 $US, avec clim. 15-20 $US, avec vue sur le fleuve 30 $US). Dans ce plaisant hôtel situé à côté du pont Cam Nam, le petit déjeuner sur le balcon, qui surplombe la rivière, est compris.

Thien Trung Hotel (☎ 861720, fax 863799, thientrungha@dng.vnn.vn, 63 Đ Phan Dinh Phung ; chambres 10-15 $US). Cet établissement impersonnel et plus ancien dispose de belles chambres et de bonnes salles de bain, malgré le bruit provenant de la rue principale. Doté d'un vaste parking, il est très pratique si vous voyagez en voiture ou à moto.

Thuy Duong Hotel I (☎ 861574, thuyduongco@dng.vnn.vn, 11 Đ Le Loi ; chambres à partir de 10-18 $US). Cet hôtel loue des chambres un peu vétustes et une salle Internet très fréquentée.

Binh Minh Hotel (☎ 861943, binhminh hotel@dng.vnn.vn, 12 Đ Thai Phien ; chambres à deux lits avec ventil. 8-10 $US). Cet établissement n'offre rien de particulier, à part un parking, si vous avez un véhicule, mais il vous satisfera si les autres hébergements affichent complet.

Vinh Hung 1 Hotel (☎ 861621, fax 861893, vinhhung.ha@dng.vnn.vn, 143 Đ Tran Phu ; chambres rdc/étage 15/20 $US, chambres deluxe 30-45 $US). Cet hôtel plein de charme occupe une ancienne maison de commerce chinoise. Contre un petit supplément, vous pourrez dormir dans l'une des 2 chambres utilisées par Michael Caine lors du tournage de The Quiet American. Elles sont décorées de meubles anciens et d'un beau lit à baldaquin. Si vous avez le sommeil léger, évitez la chambre située juste au-dessus de la réception. Les tarifs comprennent le petit déjeuner.

Vinh Hung 2 Hotel (☎ 863717, fax 864094, quanghuy.ha@dng.vnn.vn, Đ Nhi Trung ; chambres avec ventil./clim. 15/20-35 $US). Vaste et attrayant, cet hôtel récent abrite une piscine dans sa cour centrale.

Vinh Hung 3 (☎ 863717). Ouvert le jour de notre passage, ce nouvel établissement installé à côté du Vinh Hung 2, offre un confort similaire ainsi qu'une magnifique piscine au dernier étage.

Cong Doan Hotel (Trade Union Hotel, ☎ 826370, fax 861899, hatradeunion@dng. vnn.vn, 50 Đ Phan Dinh Phung). Lors de notre visite, cet hôtel proche du Vinh Hung 2 était sur le point de rouvrir après des travaux de rénovation.

Thanh Binh 2 Hotel (☎ 863715, fax 864192, vothihong@dng.vnn.vn, Đ Nhi Trung ; chambres 15-30 $US). Dans ce nouvel établissement, plus spacieux et plus élégant que le Thanh Binh 1, le petit déjeuner est inclus dans les tarifs.

Hoi An Hotel (☎ 861373, fax 861636, 6 Đ Tran Hung Dao ; chambres 45-100 $US). Ce somptueux bâtiment de style colonial, qui appartient au gouvernement, se classe parmi les plus grands hôtels du Vietnam. Il possède une vaste piscine et affiche une large gamme de prix. De nombreux groupes touristiques logent ici.

À l'extrémité est de la ville, sur la route de la plage de Cua Dai, vous croiserez plusieurs hôtels de catégorie moyenne, quelques restaurants, des cybercafés et des agences de voyages. Comptez 10 minutes de marche jusqu'à la vieille ville.

Sao Bien Hotel (Sea Star Hotel, ☎ 861589, fax 861382, 15 Đ Cua Dai ; chambres lits jumeaux 8-15 $US). Dans ce lieu assez vétuste mais bon marché, les chambres à l'étage jouissent d'une belle vue sur les toits de Hoi An.

Green Field Hotel (Dong Xanh Hotel ; ☎ 863484, greenfield@dng.vnn.vn, chambres avec clim. 10-25 $US). Cet hôtel, éloigné du centre, abrite de belles chambres. Une nouvelle annexe et une piscine devaient ouvrir après notre visite.

Cua Dai Hotel (☎ 862231, fax 862232, cuadaihotel@dng.vnn.vn, 18 Đ Cua Dai ; simples/lits jumeaux 20/25 $US). Cet établissement élégant offre un cadre plaisant et presque campagnard, tout en restant assez proche du centre-ville. Il compte une belle terrasse et de confortables sièges en rotin dispersés ici et là. Les chambres sont équipées de la clim., de la TV par satellite et le petit déjeuner est inclus. Mieux vaut réserver.

Hotel Hai Yen (☎ 862445, fax 862443, kshaiyen@dng.vnn.vn, 22A Đ Cua Dai ; chambres/suites 25/50 $US). Cet accueillant hôtel situé près du Cua Dai possède un jardin agréable et tranquille. Les chambres standard bénéficient de la clim., de la TV par satellite et d'une baignoire.

Quelques établissements convenables sont installés près de la gare routière, à 10 minutes de marche du centre.

Thuy Duong Hotel II (☎ 861394, fax 861330, 68 Đ Huynh Thuc Khang ; chambres avec ventil. à partir de 7 $US, avec clim. 15 $US). Situé entre la gare routière et une petite pagode caodai, cet hôtel bon marché se révèle assez plaisant. Demandez l'une des chambres qui donnent sur les jardins de la pagode.

Huy Hoang 2 Hotel (☎ 916234, kshuyhoang@dng.vnn.vn, 87 Đ Huynh Thuc Khang ; chambres à partir de 10 $US). Cet établissement présente un bon rapport qualité/prix, avec des chambres spacieuses et claires, équipées de TV par satellite. Un restaurant occupe le jardin. Il se trouve face à la gare routière, à 10 minutes de marche de la vieille ville.

De splendides complexes hôteliers (aux tarifs tout aussi flamboyants) s'échelonnent sur la plage de Cua Dai et ses environs.

Hoi An Riverside Resort (☎ 864800, hoianriver@dng.vnn.vn, Đ Cua Dai ; chambres à partir de 109 $US). Dans son magnifique cadre champêtre, cet élégant hôtel profite d'une vue sur les rizières et le fleuve. Situé à seulement 2 km de la plage, il compte une immense piscine. Le personnel consent souvent des réductions.

Victoria Hoi An Resort (☎ 04-933 0318, plage de Cua Dai, victoria@fpt.vn ; chambres à partir de 120 $US++). Installé à même la plage de Cua Dai, quelque 5 km à l'est de Hoi An, cet établissement bénéficie d'une merveilleuse plage privée et de tous les équipements à la hauteur de ses prix. Les chambres sont somptueuses et vous pouvez obtenir un rabais de 30% s'il y a de la place. Le complexe ouvre aux non-clients la journée, moyennant 10 $US++.

Hoi An Beach Resort (☎ 927011, hoianbeachresort@dng.vnn.vn, plage de Cua Dai ; chambres à partir de 80 $US). Cette résidence abrite de belles chambres avec balcon, spacieuses et aérées. Évitez celles qui donnent sur la route du front de mer, bruyante. L'établissement possède deux piscines.

Où se restaurer

La spécialité culinaire de Hoi An est le cao lau, un mélange de nouilles plates, de croûtons, de pousses de bambou et de légumes verts, le tout agrémenté de porc émincé. Juste avant de le servir, on y incorpore une crêpe de riz émiettée. Ce plat figure sur tous les menus de la ville. Hoi An est d'ailleurs le seul endroit où vous pourrez déguster un authentique *cao lau*, car l'eau utilisée pour la préparation doit obligatoirement provenir du puits Ba Le. Ce dernier, de forme carrée, aurait été construit à l'époque cham. Pour y accéder, prenez l'allée située en face du 35 Đ Phan Chu Trinh et tournez à droite juste avant le n°45/17. Ou demandez la direction à quelqu'un.

Autres spécialités de Hoi An, le won ton frit et la délicieuse "rose blanche" (une crevette cuite à la vapeur enveloppée dans une galette de riz). Vous pourrez en déguster dans la plupart des petits restaurants locaux.

Đ Nguyen Hué, Đ Tran Phu et, sur le front de mer, Đ Bach Dang regorgent de restaurants dans lesquels vous pouvez vous détendre le temps d'un repas ou d'un rafraîchissement. Ils proposent toutes sortes de cuisines : occidentale (pâtes, pizzas, banana pancakes), vietnamienne, chinoise et végétarienne. À moins d'une mention contraire, les restaurants ci-dessous vous serviront une copieuse assiette pour environ 15 000 d. Moyennant 50 000 d, vous dégusterez souvent un menu complet composé de 3 plats.

Miss Ly Cafeteria 22 (☎ 861603, 22 Đ *Nguyen Hué ; service à partir de 6h30*). Véritable institution de Hoi An, cet établissement prépare les won ton et les roses blanches les meilleurs de la ville. Perpétuellement bondé, il ferme une fois le dernier client parti (généralement tard).

Mermaid Restaurant (☎ 861527, 2 Đ *Tran Phu*). Le chef confectionne de bons repas toute la journée et de succulents menus (trois plats) en soirée.

Brother's Cafe Hoi An (☎ 914150, *27 Phan Boi Chau ; menu déj 6 $US ; 10h-22h*). À l'extrémité est de la ville, ce restaurant occupe d'anciens bâtiments français restaurés, au milieu d'un parc qui s'étend jusqu'au fleuve. Le cadre s'avère somptueux et le propriétaire a accordé beaucoup d'attention aux détails. Vous pouvez vous y arrêter pour boire un café ou un rafraîchissement.

Cafe des Amis (☎ 861616, 52 Đ *Bach Dang ; menus végétariens 4 plats 50 000 d, menus fruits de mer 60 000 d ; service à partir de 17h*). Cet établissement continue de surprendre agréablement ses clients avec un menu qui change au gré des envies de son chef, Kim.

Hoi An Hai San (☎ 861652, D64 Đ *Bach Dang ; plats environ 50 000 d ; du petit déj au dîner*). Ce restaurant de fruits de mer concocte une cuisine vietnamienne inventive, ainsi que des plats internationaux.

En continuant vers l'ouest jusqu'au fleuve après ces deux établissements, vous atteindrez Đ Bach Dang, où foisonnent les restaurants. Poursuivez sur quelques centaines de mètres pour découvrir les spécialités du jour des **restaurants de fruits de mer** installés au bord de l'eau.

Han Huyen Restaurant (*Restaurant flottant ;* ☎ 861462 ; *repas à partir de 30 000 d ; du petit déj au dîner*). Amarré sur la rive du fleuve, le Han Huyen jouit d'une excellente situation et l'on y déguste des plats savoureux.

Si vous aimez la cuisine chinoise, essayez le **Thanh Thanh 1 Restaurant** ou le **Tu Do Restaurant**, tous deux installés Đ Tran Phu, ainsi que le **Thanh Binh Restaurant** (*Đ Le Loi*).

Parmi les autres lieux réputés pour leur cuisine traditionnelle et leurs plats à petits prix, citons notamment le **Cafe Bobo** et l'excellent **Dudi Restaurant**, tous deux situés Đ Le Loi.

Banana Split Cafe (☎ 861136, 53 Đ *Hoang Dieu*). Cet établissement inspiré des plages de Nha Trang satisfera les amateurs de friandises avec ses glaces, ses jus de fruits frais et ses banana split.

Omar Khayyam's Indian Restaurant (☎ 910245, 14 Đ *Phan Dinh Phung ; thalis végétarien/non-végétarien 39 000/ 49 000 d*). Ce restaurant sert de copieux curries à petit prix, mais la cuisine manque d'originalité.

De nombreux cafés et bars animés sont apparus aux abords de la vieille ville, à l'angle de Đ Nhi Trung et de Đ Phan Dinh Phung, comme le célèbre **Treat's 2 Café** et le **Jean's Cafe Restaurant**, apprécié des voyageurs.

Où sortir

Tam Tam Cafe & Bar (☎ 862212, *fax 862207, tamtam.ha@dng.vnn.vn, 110 Đ Nguyen Thai Hoc*). Situé à l'étage d'un ancien salon de thé, ce lieu dont on soupçonne à peine l'existence, est géré par un Français expatrié. À côté d'un excellent menu français, vous pourrez y déguster de la cuisine italienne et de délicieuses salades et choisir parmi une large sélection de vins. Un billard et un bar sont également à la disposition de la clientèle, ainsi qu'un balcon pour dîner en plein air, plus une collection de plus de 400 CD. Goûtez le steak australien (9 000 d) arrosé de bière glacée. On y propose également un menu pour les petites faims, à prendre au bar, ainsi que du café et des gâteaux.

Treat's 1 Café (☎ *861125, 158 Đ Tran Phu*). Autre endroit populaire, ce lieu spacieux comporte un café-restaurant au deuxième étage. Treat, son sympathique et jeune propriétaire est connu pour ses généreuses "happy hours". Le **Treat's 2 Café**, à l'angle de Đ Phan Dinh Phung et de Đ Nhi Trung se révèle identique.

Hai's Scout Cafe (☎ *863210, 98 Đ Nguyen Thai Hoc; sandwiches environ 30 000 d*). Vous apprécierez ce café local pour ses lumières tamisées et son agréable cour. On peut y déguster à toute heure des sandwiches et des repas légers, d'authentiques cappuccinos et des cafés au lait, ainsi que des cocktails. Vous pouvez entrer par Đ Nguyen Thai Hoc ou Đ Tran Phu.

Tam Long Quan (☎ *862113, 48/10 Đ Tran Cao Van*). Ce petit café de style chinois niché dans une allée étroite près du Vinh Hung 2 Hotel, vaut le détour. Le propriétaire, M. Ngo Thi Hai, maître es kung-fu, l'a décoré de toutes sortes d'armes et d'une impressionnante collection de sculptures sur bois.

Cours de cuisine

Plusieurs cafés proposent des cours de cuisine en début de soirée. Pendant deux heures, vous apprendrez en toute simplicité à confectionner deux ou trois plats, avant de les déguster. Le **Hai's Scout Cafe** (☎ *863210*) organise des cours presque tous les soirs, de même que le **Mermaid Restaurant**, lorsque son propriétaire n'est pas trop absorbé par le service. Comptez environ 5 $US par personne dans un petit groupe. Renseignez-vous ici et là en arrivant en ville, car d'autres établissements projettent de suivre la tendance.

Achats

Hoi An est le paradis des amateurs de shopping. Les rues ont toutefois perdu de leur charme, soumises désormais aux règles mercantiles. Faire ses achats ici reste pourtant moins accablant que dans les autres villes touristiques du Vietnam.

Hoi An est réputée pour sa production de **vêtements en coton**, et les filatures abondent dans la ville assiégée par des rangées de métiers à tisser en bois. Tandis que, sous l'œil attentif des couturières, les roues des machines actionnent inlassablement les navettes, la cité s'emplit d'un incessant cliquetis.

La confection sur mesure figure parmi les spécialités de Hoi An et le nombre de

Une garde-robe sur mesure

Du matin au soir, Hoi An est bercée par le ronronnement des machines à coudre. Véritables cavernes d'Ali Baba, les magasins de confection exposent toutes sortes de tissus.

Passer la matinée dans l'une des boutiques du marché ou est une expérience intéressante et le moment de se confectionner une nouvelle garde-robe sur mesure pour à peine plus que le prix de l'étoffe. Pour 100 $US, vous obtiendrez la garde-robe complète : soit à partir de 15 $US pour une robe du soir, 8 $US pour une robe d'été et 20 $US pour un tailleur.

En quelques heures, les meilleurs couturiers confectionnent ce que vous voulez, à partir d'un patron ou d'une photo de magazine, en soie, en coton, en lin ou en fibre synthétique.

Lorsque vous achetez de la soie, assurez-vous qu'on ne vous vend pas de la "soie vietnamienne", terme désignant souvent le polyester et d'autres étoffes synthétiques ressemblant à de la soie. Un test infaillible consiste à appliquer une allumette ou un cigarette sur le tissu : le synthétique fondra, tandis que la soie brûlera.

Une fois le vêtement fini, vérifiez également ses coutures. Les vêtements non surfilés risquent de s'effilocher très vite, voire de se trouer. Exigez un fil de coton de la même couleur que le tissu choisi – sans quoi, ils utiliseront un fil blanc. Demandez également que le vêtement soit doublé, afin qu'il tombe mieux.

Quelques heures après avoir passé commande (et subi une séance de mesures dans les règles), vous retournerez au magasin pour les derniers essayages.

boutiques de tailleurs est passé en quelques années d'une dizaine à plus de 200 (voir l'encadré *Une garde-robe sur mesure*). La concurrence acharnée entraîne l'apparition d'une multitude de rabatteurs, pour la plupart des jeunes filles qui vous inviteront à "venir voir l'atelier de leur tante". En fait, la qualité doit être égale partout, qu'il s'agisse d'une simple retouche ou de la création d'une garde-robe. Les tailleurs réussissent très bien les copies ; emportez des vêtements que vous aimeriez qu'ils reproduisent. Prévoyez un peu de temps pour les retouches et l'essayage final. Pour avoir un aperçu des différentes étoffes disponibles, jetez un coup d'œil au **marché aux vêtements de Hoi An**, Đ Tran Phu.

L'afflux des touristes a fait du commerce de fausses antiquités une industrie extrêmement florissante dans la ville. Théoriquement, vous pouvez y dénicher d'authentiques objets anciens mais, méfiez-vous, ceux-ci partent généralement très vite.

Par ailleurs, l'artisanat local produit des objets tout aussi élégants, même ci ceux-ci ont été fabriqués la veille... Certes, les peintures sont généralement réalisées en nombre mais... à la main. Les **galeries d'art** qui occupent les magnifiques bâtiments de Đ Nguyen Thi Minh Khai, de l'autre côté du pont couvert, constituent une intéressante promenade.

La **sculpture sur bois** est une autre spécialité de la région. Traversez le pont Cam Nam pour atteindre le ravissant **village de Cam Nam**, réputé pour ses sculpteurs. De l'autre côté de la passerelle An Hoi, la péninsule de An Hoi a pour spécialité la construction de **bateaux** et les **tapis tissés**.

Comment s'y rendre

Bus. La principale **gare routière de Hoi An** (*74 Đ Huynh Thuc Khang*) se trouve à 1 km à l'ouest du centre-ville. Des bus desservent Dai Loc (Ai Nghia), Danang, Quang Ngai, Que Son, Tam Ky et Tra My. D'autres services plus fréquents à destination de Danang partent de la **gare routière nord**, Đ Le Hong Phong. Comptez 20 000 d. Le premier bus démarre à 5h et le dernier en fin d'après-midi.

Minibus. Presque tous les hôtels de la ville vendent des billets de minibus pour Nha Trang ou Hué. Le minibus pour Hué (4 \$US) passe par Danang (2 \$US) et vous y dépose si vous le désirez. Vous pouvez également descendre à Nha Trang (8 \$US) ou à My Lai (6 \$US). La plupart des minibus partent vers 8h des cafés situés à l'angle de Đ Phan Dinh Phung et de Đ Nhi Trung. Un autre départ est généralement prévu en milieu d'après-midi.

Voiture et moto. Il existe deux itinéraires pour se rendre de Danang à Hoi An. Le plus court passe *via* les montagnes de Marbre (à 11 km de Danang) et se poursuit vers le sud, sur 19 km. Sinon, empruntez la RN 1 et tournez à gauche à 27 km de Danang. Hoi An est indiquée et se trouve 10 km plus à l'est.

La course à moto-taxi entre Danang et Hoi An revient à quelque 30 000 d. Un taxi coûte de 8 à 10 \$US.

Bateau. Des petits ferries à moteur relient Hoi An aux districts avoisinants et à l'île Cham, depuis l'embarcadère situé à l'extrémité de Đ Hoang Van Thu. Des bateaux partent quotidiennement pour l'île Cham (généralement à 7h et 8h), suivant les conditions météorologiques, et les étrangers doivent se munir d'un permis pour effectuer ce voyage à bord d'un bateau public. Des services fréquents assurent également la liaison avec l'île Cam Kim.

Comment circuler

Il est très facile de se déplacer à pied dans Hoi An. Pour visiter les alentours, vous pouvez louer une bicyclette, moyennant 5 000 d la journée, mais il faut compter 1 \$US pour un engin confortable. La location d'une moto revient à quelque 5/ 10 \$US par jour sans/avec chauffeur. Vous trouverez des boutiques de location dans toute la ville.

Bateau. Nous vous recommandons une promenade en bateau sur le fleuve Thu Bon (ou Cai), le plus long de la province de Quang Nam. La location d'une barque avec rameur revient à quelque 2 \$US l'heure. La plupart des touristes se contentent d'une heure. Certaines excursions à My Son incluent un retour à Hoi An en bateau, une expérience fort distrayante.

CENTRE

Il est possible de louer des bateaux d'une capacité de 5 passagers pour visiter les villages d'artisanat et de pêche des environs. Prévoyez environ 4 $US l'heure. Vous en trouverez près du quai des barques.

ENVIRONS DE HOI AN
Plage de Cua Dai

Bordée de palmiers, cette plage de sable fin (Bai Tam Cua Dai) s'avère généralement déserte, sauf le week-end et les nuits de pleine lune, quand les habitants aiment à flâner tard le soir. La baignade est dangereuse, excepté entre avril et octobre, mais l'on peut se promener ou flâner agréablement sur la plage. Il est possible d'acheter des fruits de mer ou une boisson fraîche auprès des kiosques qui bordent la plage.

Cua Dai se trouve 5 km à l'est de Hoi An, au bout de Đ Cua Dai, qui prolonge Đ Tran Hung Dao et Đ Phan Dinh Phung. La route longe des bassins d'alevinage de crevettes, construits avec l'aide de l'Australie.

Pour connaître les possibilités d'hébergement sur la plage de Cua Dai, reportez-vous à la rubrique *Où se loger* du chapitre *Hoi An*.

Île Cam Kim

C'est du village de Kim Bong, sur l'île Cam Kim, que provenaient les remarquables sculptures sur bois qui ornent à présent les maisons marchandes et les bâtiments publics de Hoi An. Aujourd'hui encore, la plupart des sculptures sur bois vendues à Hoi An sont réalisées par des artistes de l'île. Certains villageois construisent des bateaux en bois.

Cam Kim est aisément accessible par bateau, au départ du quai situé Đ Hoang Van Thu.

Île Cham

Baignant dans la mer de Chine méridionale, à 21 km de Hoi An, l'île Cham, également connue sous le nom de Culao Cham, est réputée pour ses nids d'hirondelle, utilisés dans la préparation de la fameuse soupe, notamment à Hong Kong et à Singapour.

Un permis est nécessaire pour visiter l'île et la circulation des bateaux reste tributaire du temps. Les services publics partent vers 7h pour une traversée de trois heures. Il est néanmoins difficile pour les étrangers d'obtenir l'autorisation d'emprunter ces bateaux. Certaines agences proposent des excursions sur l'île. Renseignez-vous auprès de Son My Son Tour, qui fait partie des agences installées face au Hoi An Hotel.

Thanh Ha

À 3 km à l'ouest de Hoi An, Thanh Ha mérite bien son appellation de "village des potiers". Ces dernières années, cette industrie, autrefois florissante, a périclité. Les quelques artisans qui continuent de trimer dans leurs ateliers étouffants ne s'offusqueront pas de votre présence. Ils seront ravis si vous leur achetez un objet ou même si vous laissez simplement un pourboire pour la démonstration. Nombre d'excursions à My Son s'arrêtent dans ce village en revenant à Hoi An.

MY SON

My Son (*entrée 50 000 d ; tlj 6h30-16h30*) est l'un des sites les plus impressionnants de la région de Hoi An. Il regroupe les plus importants vestiges de l'ancien royaume du Champa du Vietnam. L'Unesco l'a d'ailleurs classé au patrimoine mondial depuis l'année 2000.

Durant les siècles où Tran Kieu (alors appelée Simhapura) fut la capitale politique du Champa, My Son émergea en tant que centre intellectuel et religieux. On pense même que le site fit office de lieu de sépulture impériale. Les historiens considèrent My Son comme l'équivalent cham des cités sud-asiatiques d'influence indienne que sont Angkor (Cambodge), Bagan (Myanmar), Ayuthaya (Thaïlande) et Borobudur (Java).

Les monuments se cachent au cœur d'une vallée verdoyante entourée de collines et dominée par l'imposant mont de la Dent de chat (Hon Quap). De petits ruisseaux d'eau claire, idéaux pour une baignade, serpentent entre les édifices et les plantations de café.

Histoire

Au cours du IVe siècle, sous le règne du roi Bhadravarman, My Son devint le centre religieux du royaume. Elle fut habitée jusqu'au XIIIe siècle, soit plus longtemps que toute autre cité historique d'Asie du Sud-Est (à titre de comparaison, Angkor et Bagan ne furent occupées que trois siècles). La plupart des temples étaient dédiés aux rois cham, ainsi qu'à la divinité qui leur était associée, le plus souvent Shiva, fondateur et gardien des dynasties du royaume.

Le Champa entretenait d'étroites relations avec Java, où allaient étudier les érudits cham. On a également retrouvé des traces d'échanges commerciaux entre les deux royaumes, telles des poteries cham à Java. Au XIIe siècle, le lien unissant les deux civilisations fut scellé par un mariage entre le roi du Champa et une jeune femme javanaise.

Comme l'attestent les ornementations inachevées des édifices de My Son, les Cham commençaient par construire les bâtiments, qu'il décoraient ensuite de sculptures. Toutefois, on ignore encore comment les briques étaient assemblées : certains affirment que les ouvriers utilisaient une sorte de mortier à base d'huiles végétales locales. Il fut un temps où le sommet de certaines tours était recouvert d'or.

La région de My Son a durement souffert de la guerre du Vietnam, notamment sur le plan démographique. Elle a été le siège de violents combats : le Viet-Cong établit une base dans cette zone considérée comme stratégique, ce à quoi les Américains répondirent en bombardant les monuments. On a retrouvé les fondements de 68 édifices, dont 25 avaient survécu aux pilonnages répétés des Chinois, des Khmers et des Vietnamiens au cours des siècles passés. Une vingtaine d'entre eux,

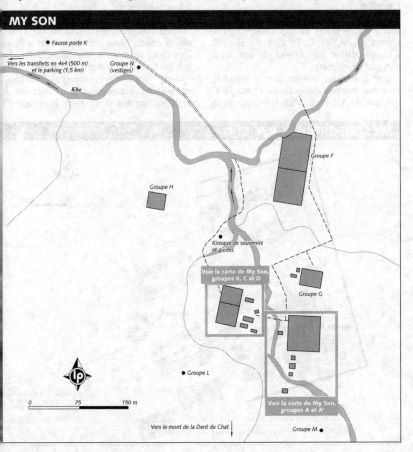

MY SON

- Fausse porte K

Vers les transferts en 4x4 (500 m) et le parking (1,5 km)

Groupe N (vestiges)

Khe

Groupe H

Groupe F

Kiosque de souvenirs et guides

Voir la carte de My Son, groupes B, C et D

Groupe G

0   75   150 m

- Groupe L

Vers le mont de la Dent du Chat

Voir la carte de My Son, groupes A et A'

Groupe M ●

épargnés par les Américains, ont toutefois subi de sérieux dommages. Aujourd'hui, les autorités vietnamiennes s'efforcent de restaurer les sites qui subsistent.

Renseignements

L'accès aux sites comprend le transport du parking jusqu'aux monuments (environ 2 km). En partant de Hoi An à 5h du matin, vous arriverez pour le lever du soleil (et le réveil des dieux et des gardes), en évitant le déferlement des cars touristiques, un peu moins matinaux. Le site de My Son attire de plus en plus de visiteurs. Mieux vaut donc s'y rendre tôt le matin ou le soir, afin de profiter en toute quiétude du paysage et de l'atmosphère.

Le site

Les archéologues ont réparti les monuments de My Son en dix groupes principaux : A, A', B, C, D, E, F, G, H et K. Chaque édifice est désigné par une lettre suivie d'un numéro.

Sur le chemin menant aux monuments, vous croiserez tout d'abord le faux portique K, qui date du XIᵉ siècle. Puis vous apercevrez

une plantation de café, créée en 1986, ainsi que des cultures d'arachide et de soja.

Groupe B. B1, le sanctuaire principal (*kalan*), fut dédié à Bhadresvara, forme contractée de "Bhadravarman", en référence au roi qui édifia le premier temple de My Son, et de "-esvera", signifiant Shiva. Le premier édifice fut érigé au IVᵉ siècle, détruit au VI ᵉ siècle et reconstruit au siècle suivant. Les fondations que nous voyons aujourd'hui, de gros blocs de grès, sont celles d'un second édifice, élevé au XIᵉ siècle. Les murs en brique ont disparu. Les niches murales étaient destinées à accueillir des lampes (les sanctuaires cham n'avaient pas de fenêtres). Le lingam a été découvert en 1985, à 1 m sous terre.

Construit au Xᵉ siècle, le groupe **B5** abritait autrefois les livres sacrés et les objets rituels (dont certains en or) utilisés lors des cérémonies tenues dans B1. Le toit en forme de bateau (la "proue" et la "poupe" ont disparu) témoigne d'influences architecturales malo-polynésiennes. À la différence des sanctuaires, le groupe B5

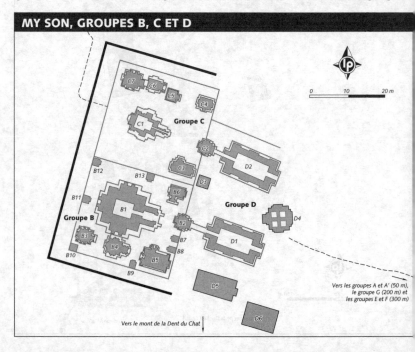

MY SON, GROUPES B, C ET D

0   10   20 m

Groupe C

Groupe B

Groupe D

Vers les groupes A et A' (50 m), le groupe G (200 m) et les groupes E et F (300 m)

Vers le mont de la Dent du Chat

MY SON, GROUPES A ET A'

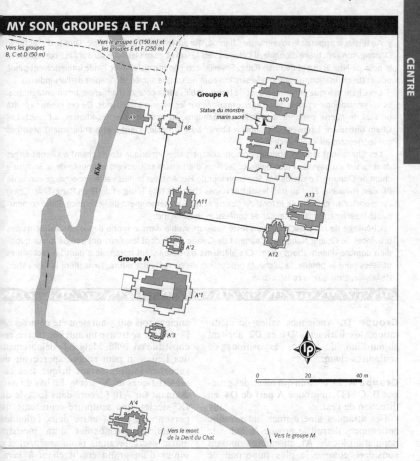

Vers les groupes
B, C et D (50 m)

Vers le groupe G (150 m) et
les groupes E et F (250 m)

Khe

Groupe A

Statue du monstre
marin sacré

A10

A9

A8

A1

A11

A13

A12

A'2

Groupe A'

A'1

A'3

0   20   40 m

A'4

Vers le mont
de la Dent du Chat

Vers le groupe M

est doté de fenêtres. La maçonnerie intérieure est entièrement d'origine. Sur le mur faisant face à B4, un bas-relief en brique représente deux éléphants sous un arbre où sont perchés deux oiseaux.

Dans **B4**, les ornementations du mur extérieur, qui rappellent, selon certains, des vers de terre, constituent un parfait exemple du style décoratif cham du Xe siècle, unique parmi les cultures d'Asie du Sud-Est.

B3 est surmonté d'un toit à l'indienne, dont la forme pyramidale est caractéristique des tours cham. Dans le groupe **B6** se trouve un bassin cham (le seul recensé jusqu'à présent) en forme de baignoire, qui contenait l'eau sacrée destinée à être versée sur le lingam (B1).

B2 est un portique. Tout autour du groupe B se dressent de petits temples (**B7** à **B13**) dédiés aux dieux des points cardinaux (*dikpalaka*).

Groupe C. C1 (VIIIe siècle) était voué au culte de Shiva, représenté sous sa forme humaine plutôt que sous forme de lingam, comme dans B1. À l'intérieur, vous pourrez admirer un autel sur lequel reposait autrefois une statue de la divinité, aujourd'hui exposée au musée de la Sculpture cham de Danang. De part et d'autre de l'entrée de pierre, vous apercevrez les trous, percés dans le linteau, qui maintenaient jadis les gonds de la porte en bois. Sur les murs extérieurs, tout en brique, ont été sculptés des motifs très représentatifs du VIIIe siècle.

Le royaume du Champa

Au IIe siècle apparaît le royaume du Champa, qui durera jusqu'au XVe siècle. Du site de l'actuelle Danang, son sanctuaire d'origine, il s'étendit vers le sud et gagna les villes aujourd'hui connues sous le nom de Nha Trang et de Phan Rang. Ses relations commerciales avec l'Inde influencèrent peu à peu cette civilisation, qui adopta le sanskrit comme langue sacrée et s'inspira de l'art indien.

Les Cham manquaient cruellement de terres arables sur la côte vietnamienne, très montagneuse. Ils vivaient donc en partie de pillages organisés sur les navires marchands. De ces rapines résulta un état de guerre permanent avec les Vietnamiens, au nord, et avec les Khmers, à l'ouest. Les Cham ont réussi à renverser le pouvoir khmer au XIIe siècle, avant d'être entièrement absorbés par le Vietnam au XVIIe siècle.

Les Cham sont réputés pour les nombreux sanctuaires en brique (tours cham) qu'ils ont érigés dans le sud du pays. Les plus belles collections d'art cham se trouvent au musée de la Sculpture cham de Danang. Le site de My Son (non loin de Hoi An), est le plus vaste témoignage connu de l'ancien royaume. Plus au sud, les autres ruines cham de Nha Trang et de Phan Rang-Thap Cham (se reporter au chapitre *Le littoral du Centre et du Sud*) témoignent de l'existence d'une communauté légèrement différente, car de confession musulmane.

L'héritage de la civilisation cham reste toujours visible dans le mode de vie des habitants des provinces de Quang Nam, de Danang et de Quang Ngai, dont les aïeux ont intégré à leur quotidien nombre d'innovations cham. Ces éléments transparaissent notamment dans les techniques utilisées pour la poterie, la pêche, la production du sucre, la riziculture, l'irrigation, la fabrication de la soie, ainsi que la construction.

Groupe D. Anciennes salles de méditation, les bâtiments **D1** et **D2** abritent aujourd'hui de petites expositions de sculptures cham.

Groupe A. Le chemin qui mène des groupes B, C et Đ au groupe A part de D4, en direction de l'est.

Les attaques américaines ont presque entièrement détruit le groupe A. Selon la population locale, **A1**, ensemble imposant considéré comme le plus important de My Son, aurait dans un premier temps résisté aux bombardements aériens. C'est une équipe du génie, héliportée, qui aurait achevé de le détruire. Dans tous les cas, il n'en reste plus aujourd'hui qu'un amas de briques provenant des murs effondrés. Indigné par la destruction de ce site, Philippe Stern, alors conservateur au musée Guimet de Paris et spécialiste de l'art cham, écrivit une lettre de protestation au président Nixon, qui donna l'ordre de poursuivre les combats contre le Viet-Cong en épargnant les monuments cham.

De tous les sanctuaires du site, **A1** est le seul à posséder deux portes : l'une fait face à l'est, en direction des divinités hindoues, et l'autre à l'ouest, où se trouvent les groupes B, C et D, ainsi que l'âme des anciens rois qui y auraient été enterrés. À l'intérieur se trouve un autel de pierre, reconstitué en 1988. Malgré le délabrement des lieux, on peut encore apercevoir de superbes sculptures sur brique très caractéristiques du Xe siècle. En bas du mur donnant sur A10 (décoré dans le style du IXe siècle), une sculpture représente un personnage priant entre deux colonnes circulaires, surmontées d'un monstre marin sacré javanais (*kala-makara*). Le séjour d'un grand érudit cham à Java, au Xe siècle, n'est peut-être pas étranger à la présence de ce motif. On prévoit de restaurer les sanctuaires A1 et A10 dès que possible.

Autres groupes. Envahi par la végétation, le **groupe A'** (VIIIe siècle) s'avère malheureusement inaccessible. Le **groupe E** fut construit entre les VIIIe et XIe siècles, tandis que le **groupe F** remonte au VIIIe siècle. Quant au **groupe G** (XIIe siècle), c'est le temps plutôt que la guerre qui a eu raison de lui. La restauration de ces ensembles est prévue à long terme.

Où se loger

Les établissements hôteliers les plus proches se trouvent à Hoi An et à Danang.

Comment s'y rendre

Minibus. À Hoi An, nombre d'hôtels proposent des excursions d'une journée à My Son, comprenant aussi la visite de Tra Kieu en chemin. Moyennant 2 ou 3 \$US par personne, il est difficile de trouver meilleur marché, à moins d'y aller à pied ! Les minibus partent de Hoi An à 8h pour un retour à 14h. Certaines agences proposent un retour à Hoi An en bateau.

Voiture. La location d'une voiture avec chauffeur jusqu'à My Son vous coutera environ 20 \$US. En voyageant par vos propres moyens, vous pouvez éviter les heures d'affluence en arrivant avant ou après les groupes touristiques, lorsque My Son dévoile toute sa beauté et tout son charme.

Moto. Il est possible de louer une moto pour accéder aux sites. Toutefois, de nombreux voyageurs se sont plaints d'avoir retrouvé leur véhicule en piteux état, les habitants leur demandant 25 \$US pour le réparer ! La police dit avoir mis un terme à ces abus, mais nous vous recommandons une grande prudence. Il est préférable de se faire conduire par un chauffeur, qui vous attendra à la sortie des sites.

TRA KIEU (SIMHAPURA)

C'est initialement à Tra Kieu, autrefois nommée Simhapura (la citadelle du Lion), que les Cham établirent leur capitale, du Vᵉ au VIIIᵉ siècle. Aujourd'hui, rien ne subsiste à l'exception des remparts rectangulaires. On y a trouvé de très nombreuses sculptures cham dont certaines, particulièrement fines, font l'orgueil du musée de la Sculpture cham de Danang.

Église de la Montagne

Juchée sur la colline de Buu Chau, l'église de la Montagne (Nha Tho Nui) offre une bonne vue d'ensemble sur la ville de Tra Kieu. Construit en 1970 pour remplacer l'ancien édifice religieux usé par le temps et la guerre, ce monument moderne et dégagé se tient sur le site d'une ancienne tour cham.

L'église de la Montagne se trouve à 6,5 km de la RN 1 et à 19,5 km du chemin menant à My Son. Siégeant au cœur de Tra Kieu, l'église est à 200 m du marché du matin, Cho Tra Kieu, et à 550 m de l'église de Tra Kieu.

Église de Tra Kieu

L'église de Tra Kieu (Dia So Tra Kieu), au service de 3 000 âmes, date d'un siècle. Une splendide mosaique en céramique, représentant un dragon, orne l'escalier extérieur. Décédé en 1989, l'ancien prêtre de cette paroisse, féru d'art cham, a rassemblé une collection d'objets recueillis par la population locale. Le deuxième étage du bâtiment qui s'élève à droite de l'église accueille, depuis 1990, un musée. Les objets ronds en céramique (du VIIIᵉ au Xᵉ siècle), représentant un visage, ornaient autrefois les bords des toits en tuile. Ce visage est celui de Kala, dieu du Temps. L'église de Tra Kieu se trouve à 7 km de la RN 1 et à 19 km du chemin menant à My Son. Elle se cache à 150 m au fond d'une allée, face à la **clinique de médecine occidentale** (Quay Thuoc Tay Y), à 350 m du marché du matin et à 550 m de l'église de la Montagne.

Comment s'y rendre

La plupart des excursions d'une journée pour My Son, au départ de Hoi An, prévoient un arrêt à Tra Kieu. Si ce n'est pas le cas, vous devrez louer une bicyclette ou une voiture (avec chauffeur). Consultez la rubrique *Comment s'y rendre* de *My Son*.

TAM KY
☎ 0510

Capitale de la province de Quang Nam, sur la RN 1 entre Chu Lai et Danang, Tam Ky est une ville quelconque. Les voyageurs n'y passent que pour visiter les **tours cham** de Chien Dang (Chien Dang Cham), situées à 5 km au nord de la ville, à 69 km au nord de Quang Ngai et à 62 km au sud de Danang.

Les trois tours sont protégées par un mur d'enceinte. Une stèle brisée date du règne d'Harivarman (XIIIᵉ siècle). Rassemblées après la guerre du Vietnam, la plupart des statues cham exposées à Chien Dang proviennent de différentes régions du pays. Nombre d'entre elles ont été très endommagées par les combats. Le gardien du site insistera certainement pour que vous fassiez un don. Lors de notre passage, il n'y avait ni billet, ni prix affichés. Une participation de 5 000 d par personne nous paraît convenable.

Dong Duong

Cet ancien centre religieux du Champa, autrefois appelé Indrapura, fut le site d'un important monastère mahayana, Lakshmindra-Lokeshvara, fondé en 875. Le royaume cham établit sa capitale à Dong Duong de 860 à 986, puis la transféra à Cha Ban (près de Qui Nhon). Malheureusement, le site fut particulièrement endommagé par les guerres d'Indochine et du Vietnam, et seule subsiste une partie de sa porte d'accès.

Où se loger

Tam Ky Hotel (*Khach San Tam Ky, RN 1*). Ce grand bâtiment rose du centre-ville est le seul hôtel de Tam Ky qui puisse accueillir les voyageurs. Il vaut mieux résider à Hoi An.

CHU LAI

À environ 30 km au nord de Quang Ngai, les bâtiments et les revêtements en béton de la gigantesque base américaine de Chu Lai longent la plage sur plusieurs kilomètres, à l'est de la RN 1.

C'est ici, à Chu Lai, que se trouve Dung Quat, première raffinerie de pétrole construite dans le pays. Il est prévu qu'un aéroport ouvre à proximité. Les voyageurs disposeront alors d'un autre point d'entrée (par les airs) pour le centre du Vietnam. Renseignez-vous sur les vols éventuels en arrivant.

Le littoral du Centre et du Sud

Ce chapitre couvre les provinces côtières de Quang Ngai, Binh Dinh, Phu Yen, Khanh Hoa, Ninh Thuan et Binh Thuan. Les villes, les plages et les sites historiques, pour la plupart situés le long de la RN 1 (appelée "Piste Ho Chi Minh" par de nombreux touristes, alors que la véritable piste se trouve davantage à l'intérieur des terres), seront traités du nord au sud dans ce chapitre.

Certaines des plus belles plages du Vietnam, ainsi que de nombreuses ruines cham, longent le littoral. Si vous allez vers le nord, ne manquez pas de visiter le musée de Sculpture cham de Danang qui présente une large et splendide collection de statuaire (voir le chapitre *Le Centre*).

Le littoral du Centre et du Sud est réputé pour ses excellents poissons et fruits de mer. Autre délice de la région, le fruit du dragon vert (*thanh long*), cultivé tout autour de Phan Rang.

La province de Binh Thuan, la plus au sud, se révèle l'une des plus arides du Vietnam (particulièrement au nord de Phan Thiet). Les plaines voisines, dominées par des montagnes rocheuses et érodées, abritent quelques rizières irriguées.

Par ailleurs, plusieurs villes de la côte permettent un accès facile aux régions montagneuses situées plus à l'intérieur des terres (voir le chapitre *Les Hauts Plateaux du Centre*).

QUANG NGAI

☎ 055 • 108 200 habitants

Quang Ngai, capitale de la province qui porte son nom, offre très peu de choses à voir ou à faire, mais représente une étape commode sur la RN 1.

Construite sur la rive sud de la rivière Tra Khuc (réputée pour ses roues hydrauliques géantes), Quang Ngai n'est qu'à 15 km de la côte. La ville et sa province sont également connues sous le nom de Quang Nghia, voire sous l'abréviation Quangai.

Avant même la Seconde Guerre mondiale, Quang Ngai était déjà un centre de la résistance anti-française. Durant la guerre d'Indochine, le Viet Minh y faisait la pluie et le beau temps. En 1962, le gouvernement sud-vietnamien imposa à la région son plan de hameaux stratégiques, qui força les pay-

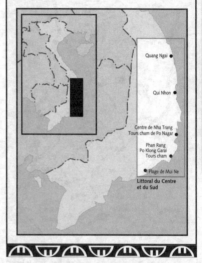

À ne pas manquer

- Prendre le soleil et surfer sur la paisible plage de Mui Ne, près de Phan Thiet
- Visiter les vestiges des monuments cham, notamment dans les environs de Phan Rang, de Thap Cham et de Qui Nhon
- Se promener d'île en île ou plonger dans les eaux turquoise de Nha Trang

Quang Ngai

Qui Nhon

Centre de Nha Trang
Tours cham de Po Nagar

Phan Rang
Po Klong Garai
Tours cham

Plage de Mui Ne

Littoral du Centre
et du Sud

sans à quitter leurs maisons pour vivre, désœuvrés, dans des hameaux fortifiés. Cette mesure exacerba le sentiment de colère et d'aliénation des populations locales qui se tournèrent vers le Viet-Cong (VC). La province fut le théâtre de combats parmi les plus acharnés de toute la guerre du Vietnam.

C'est dans le sous-district de Son My, à 14 km au nord de Quang Ngai, qu'eut lieu en 1968 le massacre de My Lai, au cours duquel des centaines de civils furent tués par les soldats américains. Un mémorial a été érigé sur ces lieux.

La violence des ces conflits explique qu'il ne reste que quelques très rares ponts anciens dans la province. Sur le bord de certaines rivières, les piles zébrées de rouille des vieux ponts en béton armé construits par les Français, probablement détruits par le Viet Minh, côtoient celles

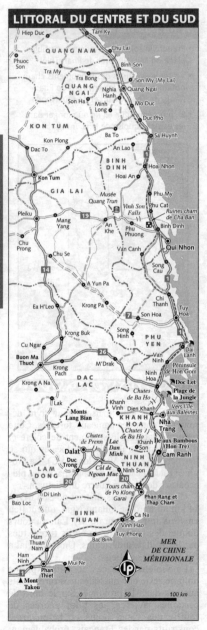

des ponts qui les ont remplacés et dynamités par le Viet-Cong.

Orientation

La RN 1 devient Đ Quang Trung en traversant la ville. La gare ferroviaire se trouve à 1,5 km à l'ouest, sur Đ Hung Vuong.

Renseignements

La **poste principale** (angle Đ Hung Vuong et Đ Phan Dinh Phung) se situe à 150 m à l'ouest de Đ Quang Trung.

Où se loger

Hotel 502 (☎ 822656, 28 Đ Hung Vuong ; chambres avec ventil./clim. 6/10 $US). Installé au fond d'une cour au bout d'une allée paisible, cet hôtel propose des chambres propres et calmes.

Kim Thanh Hotel (☎ 823471, 19 Đ Hung Vuong ; doubles 10-15 $US). Cet établissement répond parfaitement aux attentes des voyageurs à petit budget.

Dong Hung Hotel (☎821704 ; chambres avec ventil. et eau froide/clim 4/7-10 $US). Cet hôtel est situé dans l'artère centrale, très animée.

Central Hotel (☎ 829999, fax 822460, central@dng.vnn.vn, 784 Đ Quang Trung ; doubles 35-65 $US). Ce luxueux palais des plaisirs, qui se trouve dans la partie sud de la ville, compte parmi les établissements les plus élégants de Quang Ngai. Il comporte un court de tennis et une piscine.

My Tra Hotel (☎ 842985, fax 842980 ; chambres 25-40 $US, petit déj inclus). Une autre adresse haut de gamme, d'un rapport qualité/prix légèrement inférieur, située à la périphérie nord de la ville, sur l'autre rive de la Tra Khuc.

Où se restaurer

La province de Quang Ngai est réputée pour son *com ga*, une spécialité locale, en réalité originaire de Tam Ky, plus au nord. Ce plat de poulet bouilli (7 000 d la portion), servi sur du riz jaune (cuit dans du bouillon de poule), est garni de feuilles de menthe et accompagné d'une soupe à l'œuf et de pickles. Plusieurs établissements le préparent (guettez les panneaux portant les mots *com ga*), dont le **Hue Restaurant** (Đ Nguyen Nghiem). Vous aurez également le choix entre deux **restaurants de riz** (30 et 34 Đ Phan Chu Trinh) très bon marché.

QUANG NGAI

Vers Son Mai (My Lai, 13 km), la plage de Bien Khe Ky (17 km) et Danang (131 km)

Tra Khuc

0   100   200 m

1km

Đ Le Loi

Đ Hung Vuong

Đ Le Trung Dinh

Vers la gare ferroviaire de Quang Ngai (1,5 km)

Đ Phan Chu Trinh

Đ Quang Trung

Đ Ngo Quyen

Đ Du Tan

Đ Phan Dinh Phung

Đ Nguyen Nghiem

Đ Nguyen Ba Loan

Đ Tran Hung Dao

Vers le Central Hotel (500 m), Qui Nhon (174 km) et Ho Chi Minh-Ville (860 km)

1 My Tra Hotel	9 Hotel 502
2 Song Tra Hotel	10 Marché couvert
3 Échoppes de nourriture	11 Gare routière
4 Église	de Quang Ngai
5 Kim Thanh Hotel	12 Hué Restaurant
6 Poste	13 Vieille église
7 Restaurant de riz au n°30	14 Dong Hung Hotel
8 Restaurant de riz au n°34	

Sachez que les **stands de nourriture** *(Đ Quang Trung)* dressés près du Song Tra Hotel, restent généralement ouverts plus tard que les restaurants.

Comment s'y rendre

Bus. Les bus partent de la **gare routière de Quang Ngai** *(Ben Xe Khach Quang Ngai ; face au 32 Đ Nguyen Nghiem)*, une centaine de mètres à l'est de Đ Quang Trung (RN 1).

Minibus. Nombre de navettes touristiques circulent entre Quang Ngai et Hoi An (100 km ; 2 heures). Le trajet coûte 5 \$US environ.

Train. Les *Express de la Réunification* s'arrêtent à Quang Ngai. Pour les tarifs, consultez la rubrique *Train* du chapitre *Comment circuler.* La **gare ferroviaire de Quang Ngai** *(Ga Quang Nghia ou Ga Quang Ngai)* est située à 1,5 km à l'ouest du centre-ville.

Voiture et moto. Quang Ngai est à 131 km de Danang, 860 km de Ho Chi Minh-Ville (HCMV), 412 km de Nha Trang et 174 km de Qui Nhon.

ENVIRONS DE QUANG NGAI
Son My (My Lai)

Le site du massacre de My Lai est distant de 14 km du centre de Quang Ngai. Pour vous y rendre, prenez au nord Đ Quang Trung (RN 1) en direction de Danang et traversez le grand pont qui enjambe la rivière Tra Khuc. Quelques mètres après le pont se dresse une stèle triangulaire en béton indiquant le chemin pour le mémorial de Son My. Tournez à droite (vers l'est, parallèlement à la rivière) et empruntez une piste sur 12 km, qui traverse de superbes paysages de rizières, de plantations de manioc et de jardins potagers à l'ombre de casuarinas et d'eucalyptus.

Le mémorial de Son My est érigé dans un parc, à l'emplacement même de l'ancien petit hameau de Xom Lang (voir l'encadré *Le massacre de My Lai*). Les tombes de quelques victimes, regroupées par famille, ont été disséminées, au milieu des arbres et des rizières. Un **musée** *(entrée 10 000 d)* a été inauguré en 1992, non loin du mémorial.

Si vous ne disposez pas d'une voiture pour rejoindre le district de Son My depuis Quang Ngai, vous pouvez louer un *xe om* près de la gare routière ou le long de Đ Quang Trung.

Plage de Bien Khe Ky

Cette longue plage de sable fin (Bai Bien Khe Ky) frangée de casuarinas, s'étend à 17 km de Quang Ngai, et à quelques kilomètres à l'est du mémorial de Son My. Elle est séparée de la côte par un bras de mer, le Song Kinh Giang, d'une largeur de 150 m.

SA HUYNH
☎ 055

Petite station balnéaire du littoral, Sa Huynh s'enorgueillit d'une très jolie plage bordée de cocotiers et de rizières. Cette petite bourgade est également réputée pour ses marais salants.

Des archéologues ont découvert dans ses environs des vestiges de la civilisation Dong Son, datant du Ier siècle de notre ère.

Où se loger et se restaurer

Sa Huynh Hotel *(☎ 860311, fax 822836 ; simples avec ventil. 8 \$US, doubles avec ventil./clim. 10/15 \$US).* Vous n'aurez pas d'autre choix que cet hôtel en béton délabré, situé sur la plage. Hormis le plaisant

LITTORAL DU CENTRE ET DU SUD

Le massacre de My Lai

Le sous-district de Son My fut le théâtre des plus horribles crimes commis par les troupes américaines durant la guerre du Vietnam. Ces atrocités furent perpétrées dans les quatre hameaux du sous-district ; l'un d'eux, My Lai, a laissé son nom attaché à ces terribles exactions. Toutefois, c'est dans le hameau de Xom Lang (Thuan Yen) qu'on dénombra le plus de victimes, et c'est là que s'élève aujourd'hui le mémorial de Son My.

Le sous-district de Son My passait pour un fief vietnamien, où les villageois auraient nourri et logé des militants communistes. Quelle que soit la réalité des faits, ces paysans n'avaient pas vraiment le choix, le Viet-Cong (VC) punissant souvent de mort ceux qui refusaient de collaborer. Qui eut l'idée de "donner une leçon" à ces pauvres gens, on ne le saura jamais. Quoi qu'il en soit, les Américains, qui avaient essuyé des pertes les jours précédents, décidèrent de cette opération de destruction, menée par trois compagnies d'infanterie à l'aube du 16 mars 1968.

La zone fut pilonnée à l'artillerie lourde et aux roquettes, puis trois sections de la compagnie "Charlie" débarquées en hélicoptère entrèrent en action.

Dès que la 1re section du lieutenant William Calley se dirigea vers Xom Lang, elle ouvrit le feu sur les villageois qui s'enfuyaient, lança des grenades sur les maisons et les abris, massacra le bétail et incendia les cahutes. Une centaine de personnes, non armées, furent rassemblées et jetées dans un fossé, avant d'être fauchées à la mitrailleuse.

Dans les heures qui suivirent, les 2e et 3e sections, ainsi que les membres du QG de la compagnie, se livrèrent à d'autres assassinats. Plusieurs groupes de civils, comprenant des femmes et des enfants, furent rassemblés et exécutés. Les villageois qui fuyaient en direction de Quang Ngai furent abattus sur la route ; et les civils blessés, adultes ou enfants en bas âge, achevés d'une balle dans la tête. Des jeunes filles et des femmes furent victimes de viols, parfois collectifs. Quatre cas au moins ont été reconnus.

Un soldat américain se tira une balle dans le pied pour ne pas participer au massacre. Il fut le seul blessé américain de toute l'opération. Les troupes qui avaient perpétré ces massacres reçurent l'ordre de se taire mais plusieurs soldats, une fois rentrés aux États-Unis, désobéirent, afin de soulager leur conscience. Les journaux dévoilèrent l'affaire, ce qui affecta gravement le moral des troupes et provoqua de nouvelles manifestations pacifistes. Contrairement à ceux de la Seconde Guerre mondiale, qui connurent honneurs et gloire à leur retour, les soldats du Vietnam furent souvent rejetés par leurs compatriotes et traités de "tueurs de bébés".

L'armée américaine tenta, à tous les niveaux, de couvrir les atrocités commises, puis elle finit par ouvrir des enquêtes. Si plusieurs officiers reçurent des sanctions disciplinaires, un seul, le lieutenant Calley, fut traduit en cour martiale et reconnu coupable du meurtre de 22 civils non armés. Condamné à l'emprisonnement à vie, il passa 3 ans assigné à résidence et fit appel. Il fut libéré en parole en 1974, la Cour suprême ayant refusé de se prononcer sur son cas. Le procès de Calley fait toujours couler beaucoup d'encre. D'aucuns disent qu'on l'a pris pour bouc émissaire, sachant que les ordres furent donnés de plus haut. De toute évidence, Calley n'a pas agi seul.

voisinage du bord de mer, l'endroit n'a rien d'extraordinaire.

Son **restaurant** public n'offre guère d'attrait non plus. Heureusement, à une centaine de mètres, la RN 1 est bordée de quelques **cafés-restaurants**. L'un des meilleurs s'appelle le **Vinh**.

Comment s'y rendre

Train. Certains trains non express, donc très lents, s'arrêtent à la gare de Sa Huynh (Ga Sa Huynh).

Voiture et moto. Sa Huynh se trouve sur la RN 1, à près de 114 km au nord de Qui Nhon et à 60 km au sud de Quang Ngai.

QUI NHON

☎ 056 • 260 000 habitants

Capitale de la province de Binh Dinh, Qui Nhon (ou Quy Nhon) est l'un des ports les plus actifs du Vietnam. L'endroit permet de faire une halte agréable sur le long trajet qui relie Nha Trang à Danang et de goûter aux produits de la pêche locale.

Les plages des environs immédiats ne présentent guère d'intérêt, mais celles qui s'étendent au sud de Qui Nhon sont agréables, notamment sur la nouvelle route côtière à destination de Song Cau. Les faubourgs de Qui Nhon comptent de nombreuses tours cham à visiter, dont certaines bordent la RN 1, à 10 km au nord de l'embranchement de Qui Nhon.

Durant la guerre du Vietnam, l'activité militaire des Sud-Vietnamiens, des Américains, du Viet-Cong et des Sud-Coréens fut extrêmement intense dans la région de Qui Nhon. Les villageois, qui avaient fui les campagnes, s'entassaient dans des bidonvilles de fortune à travers la ville. Le maire de l'époque, espérant gagner de l'argent avec les troupes américaines, transforma sa résidence officielle en "salon de massage".

Orientation

Qui Nhon est implantée sur la côte, à 10 km à l'est de la RN 1. Vous verrez la sortie indiquée à un carrefour appelé Phu Tai.

Qui Nhon occupe une péninsule orientée est-ouest. L'extrémité de la péninsule constitue la zone portuaire, non accessible au public. Au sud de la péninsule se trouve la plage municipale, d'où l'on aperçoit l'île Cu Lao Xanh au large, ainsi qu'un tank rouillé de l'armée américaine, à moitié submergé à proximité du rivage. Sur la gauche, en regardant le large, se dresse au loin la statue géante de Tran Hung Dao, érigée sur un promontoire surplombant le port de pêche de Hai Minh.

Les rues situées aux alentours du marché Lon forment le centre-ville.

Renseignements

Argent. La **Vietcombank** (☎ 822266, *148 Ð Le Loi*) dispose de bureaux, au coin de Ð Tran Hung Dao.

E-mail et accès Internet. Vous pourrez relever vos mails à **Binh Dinh Internet** (*245 Ð Le Hong Phong*), pour 100 d la minute.

Agences de voyages. Pour des excursions organisées vers les ruines cham de Thap Doi, de Cha Ban et de Duong Long, adressez-vous à **Binh Dinh Tourist** (☎ 892953, *biditravel@dng.vnn.vn, 25 Ð Nguyen Hue*).

Barbara's Backpackers (☎ 892921, *nzbarb@yahoo.com, 18 Ð Nguyen Hue*), auberge pour voyageurs à petit budget, orga-

nise également des circuits et des promenades en bateau uniques dans la région.

Musée de Binh Dinh

Ce petit musée (*angle Ð Nguyen Hue et Ð Le Loi ; entrée libre ; lun-ven le matin*) présente des expositions sur l'histoire régionale avec, notamment, des statues cham et des tambours en bronze anciens.

Pagode Long Khanh

La principale pagode de Qui Nhon se profile au bout d'une allée, en face du 62 Ð Tran Cao Van et à côté du 143 Ð Tran Cao Van. Visible de la rue, un bouddha de 17 m de haut, érigé en 1972, règne sur un étang de nénuphars. À gauche du bâtiment principal, une tour basse abrite un tambour géant. À droite, une tour jumelle contient une énorme cloche coulée en 1970.

Le sanctuaire principal date de 1946. Endommagé durant la guerre d'Indochine, il a fait l'objet d'une restauration en 1957. Devant le grand Bouddha Thich Ca en cuivre, à la tête nimbée d'un néon multicolore, notez le dessin de Chuan De, déesse de la Miséricorde (ses bras et ses yeux, nombreux, signifient qu'elle peut tout voir et tout toucher). Sur la plate-forme surélevée apparaît un bouddha peint. Dans le couloir passant derrière l'autel principal, la cloche de bronze (1805) porte des inscriptions chinoises.

La pagode abrite également une photographie du bonze Thich Quang Duc s'immolant par le feu à Saigon en juin 1963, pour protester contre le régime Diem. L'étage du bâtiment est dédié aux plaques funéraires de bonzes (autel central) et de laïcs.

La pagode de Long Khanh a été fondée par le marchand chinois Duc Son (1679-1741) au début du XVIIIᵉ siècle. Les bonzes qui l'habitent se chargent des activités religieuses de l'importante communauté bouddhique de Qui Nhon. Le dimanche, ils enseignent la religion à des classes non mixtes d'enfants.

Pagode Tam An

Chua Tam An, la seconde pagode la plus active de Qui Nhon, est un petit lieu charmant où viennent surtout se recueillir des femmes.

Tours cham de Thap Doi

Les deux tours cham de Thap Doi présentent des toits en forme de pyramide arrondie, différents des toits en terrasse

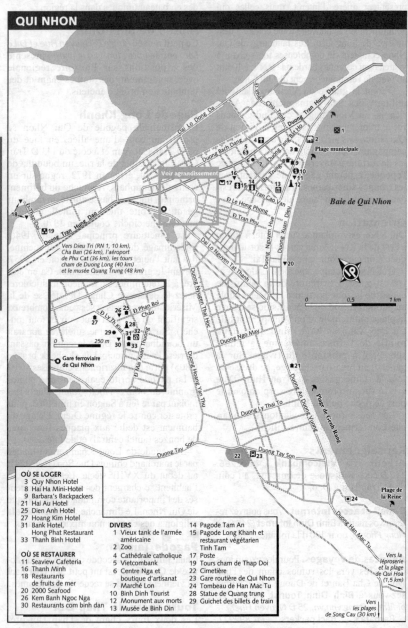

QUI NHON

Voir agrandissement

*Vers Dieu Tri (RN 1, 10 km),
Cha Ban (26 km), l'aéroport
de Phu Cat (36 km), les tours
cham de Duong Long (40 km)
et le musée Quang Trung (48 km)*

Baie de Qui Nhon

Plage municipale

0   0,5   1 km

Gare ferroviaire
de Qui Nhon

Plage de Cenh Rang

Plage de
la Reine

*Vers la
léproserie
et la plage
de Qui Hoa
(1,5 km)*

*Vers
les plages
de Song Cau (30 km)*

OÙ SE LOGER
3 Quy Nhon Hotel
8 Hai Ha Mini-Hotel
9 Barbara's Backpackers
21 Hai Au Hotel
25 Dien Anh Hotel
27 Hoang Kim Hotel
31 Bank Hotel,
    Hong Phat Restaurant
33 Thanh Binh Hotel

OÙ SE RESTAURER
11 Seaview Cafeteria
16 Thanh Minh
18 Restaurants
    de fruits de mer
20 2000 Seafood
26 Kem Banh Ngoc Nga
30 Restaurants com binh dan

DIVERS
1   Vieux tank de l'armée
    américaine
2   Zoo
4   Cathédrale catholique
5   Vietcombank
6   Centre Nga et
    boutique d'artisanat
7   Marché Lon
10 Binh Dinh Tourist
12 Monument aux morts
13 Musée de Binh Din

14 Pagode Tam An
15 Pagode Long Khanh et
    restaurant végétarien
    Tinh Tam
17 Poste
19 Tours cham de Thap Doi
22 Cimetière
23 Gare routière de Qui Nhon
24 Tombeau de Han Mac Tu
28 Statue de Quang trung
29 Guichet des billets de train

caractéristiques de l'architecture cham. La plus grande tour, dont les quatre portes de granit sont orientées vers les quatre points cardinaux, conserve en partie son décor de briques sculptées, ainsi que des vestiges du sanctuaire en granit qui coiffait jadis son sommet. Vous remarquerez les torses démembrés des *garuda* (créatures célestes semblables au griffon qui se nourrissent de *naga*, ou serpents divins) aux angles des toits des deux édifices.

Les niveaux supérieurs de la petite tour abritent plusieurs arbres florissants, dont les racines se sont frayées un passage entre les briques, s'enchevêtrant peu à peu dans la structure du bâtiment comme on le voit dans les temples d'Angkor. Pour y accéder, quittez la ville en prenant Đ Tran Hung Dao et tournez à droite après le n°886 dans Đ Thap Doi ; les tours se dressent à une centaine de mètres de la Đ Tran Hung Dao.

Zoo

Les locataires du zoo de **Binh Dinh-Xiem Riep-Ratanakiri** (*2B Đ Nguyen Hue*) sont en majorité des singes, des crocodiles, des porcs-épics et des ours. Ils proviennent de deux provinces cambodgiennes, qui ont donné leur nom au zoo.

Marché Lon

Le marché Lon (Cho Lon), marché central de Qui Nhon, occupe un vaste bâtiment moderne autour d'une cour. On y vend des fruits et des légumes.

Plages

La plage municipale de Qui Nhon, bordée de cocotiers, longe sur plusieurs centaines de mètres la côte sud de la péninsule. Sa partie la plus agréable fait face au Quy Nhon Hotel. Plus loin à l'ouest, vous apercevrez les bateaux et les huttes de familles de pêcheurs.

La plage de la Reine, vaste et calme, se déroule à 2 km au sud-ouest de la plage municipale. On y accède par Đ Nguyen Hue, qui se dirige vers l'ouest depuis l'extrémité de la péninsule. Plus au sud, de belles plages s'étirent le long de la route côtière qui rejoint Song Cau.

Léproserie de Qui Hoa et plage de la Reine

Ce site touristique accueille les visiteurs qui souhaitent profiter de la plage. Con-

trairement à d'autres, cette léproserie ressemble à un village pilote de bord de mer, où les patients vivent dans d'accueillantes petites maisons. Selon leurs capacités, ils travaillent dans les rizières, pêchent, effectuent diverses réparations ou tiennent des petites boutiques d'artisanat (l'un des ateliers, soutenu par Handicap International, fabrique des prothèses de membres).

Le parc de l'**hôpital** (☎ 646343 ; *entrée 3 000 d ; tlj 8h-11h30 et 13h30-16h*) est si bien entretenu qu'il évoque un complexe balnéaire. Les bustes des nombreux médecins (vietnamiens ou étrangers) sont disséminés dans le parc.

Devant la léproserie, la **plage de la Reine**, l'une des plus belles étendues de sable des environs de Qui Nhon, accueille la communauté des expatriés qui viennent s'y détendre le week-end.

La léproserie et la plage sont situées à l'extrémité ouest de l'An Đ Huong, environ 1,5 km après la route principale. En vous rendant à la plage, vous pourrez faire un détour par la colline pour visiter la **tombe de Han Mac Tu**.

Qui Hoa est accessible également depuis la nouvelle route de Song Cua – tournez à gauche (au bout du village) au sommet de la première colline si vous venez de Qui Nhon. Un panneau indique la bifurcation vers l'hôpital.

Où se loger

Barbara's Backpackers (☎ 892921, *nzbarb@yahoo.com, 18 Đ Nguyen Hue ; lits en dortoir 2 $US, chambre avec ventil. 5-7 $US*). Véritable institution et plébiscitée par maints voyageurs, cette auberge est tenue par une spécialiste locale du voyage, la sympathique néo-zélandaise Barbara. L'établissement, installé en face de la plage, possède une sorte de charme rétro. Toutes les chambres disposent d'une sdb, et divers circuits et moyens de transport peuvent être organisés sur place. Le **Kiwi Cafe** prépare une cuisine internationale familiale et bon marché (c'est le seul ici à proposer des plats occidentaux !).

Hai Ha Mini-Hotel (☎ 891295, *fax 892300, 5 Đ Tran Binh Trong ; chambres 15-30 $US*). Cet établissement accueillant, à un pâté de maisons de la plage municipale, loue des chambres climatisées convenables.

Bank Hotel (☎ 823591, *fax 821013, 257 Đ Le Hong Phong ; chambres avec* *ventil./clim. 12/13-18 $US).* Vieillot mais central, cet hôtel est habitué à recevoir des hôtes étrangers.

Thanh Binh Hotel (☎ *822041, fax 827569, thanbinhhotel@dng.vnn.vn, 6 Đ Ly Thuong Kiet ; chambres 8-18 $US dans l'ancienne aile, 20-40 $US dans la nouvelle).* Installé à une rue du Bank Hotel, cet établissement se compose d'une partie ancienne un peu défraîchie et d'une partie récente plus pimpante.

Dien Anh Hotel (☎ *822876, fax 822869, 298 Đ Phan Boi Chau ; simples/doubles 9/10 $US avec ventil., 13/15 $US avec clim.).* Face à la place, cet hôtel qui appartient au studio de cinéma local attire une clientèle d'acteurs débutants.

Hoang Kim Hotel *(Golden Age Hotel ;* ☎ *828768, fax 823826, 369 Đ Le Hong Phong ; chambres avec clim. 10-17 $US).* Un hôtel plus ancien qui bénéficie également d'une situation centrale.

Hai Au Hotel *(Seagull Hotel ;* ☎ *846473, fax 846768, ks.haiau@dng.vnn.vn, 489 Đ An Duong Vuong ; chambres 20-45 $US).* Les groupes étrangers apprécient cet hôtel qui donne sur la plage, au sud-ouest du centre-ville. Les chambres sentent cependant un peu le renfermé. Un petit déjeuner élémentaire est compris dans le tarif.

Quy Nhon Hotel (☎ *822401, fax 821162, hotelquynhon@dng.vnn.vn, 8 Đ Nguyen Hue ; chambres 27-60 $US).* À lire les brochures qui vantent les prestations de cet hôtel, en face de la plage municipale, le site serait l'équivalent vietnamien de la Côte d'Azur, tandis que l'hôtel rivaliserait avec le Club Méd.

Où se restaurer

Seaview Cafeteria (☎ *892953, Đ Nguyen Hue).* Sympathique et agréable, cet endroit en plein air fait face à la plage, non loin de l'office du tourisme. La carte offre une grande variété de plats, mais l'on peut aussi se contenter d'un rafraîchissement ou d'un café.

2000 Seafood (☎ *814503, 1 Đ Tran Doc).* Ce restaurant de poissons, l'un des plus appréciés de Qui Nhon, remporte un franc succès auprès de la population locale. Il faut se laisser tenter par la marmite de poissons *(lau).*

Hong Phat (☎ *811550, 261 Đ Le Hong Phong).* Voisin du Bank Hotel, le Hong Phat mitonne des plats thaïs et vietnamiens tout à fait corrects.

Thanh Minh *(151 Đ Phan Boi Chau)* et **Tinh Tam** *(141 Đ Tran Cao Van).* Installés à côté de la pagode Long Khanh, ces deux restaurants servent des plats végétariens absolument délicieux (et bon marché !).

Dans le centre-ville, vous trouverez des **restaurants com binh dan** près du Bank Hotel. Non loin de là, vous pourrez savourer des pâtisseries et des crèmes glacées excellentes au **Kem Bahn Ngoc Nga.**

Achats

Allez faire un tour au **Nga's Centre & Craft Shop** *(100 Đ Phan Boi Chau),* un atelier pour les femmes handicapées et les orphelins. On y vend de ravissants tissages Bahnar, des housses de coussins et d'autres objets artisanaux.

Comment s'y rendre

Avion. Des vols de Vietnam Airlines relient HCMV à Qui Nhon six fois par semaine.

À Qui Nhon, le **bureau des réservations de Vietnam Airlines** (☎ *822953)* est installé au bout de l'ancienne piste, côté ville.

L'aéroport de Phu Cat se situe à 36 km au nord de Qui Nhon. Vietnam Airlines met une navette à la disposition de ses passagers (25 000 d).

Bus. Il existe des services express pour Buon Ma Thuot, Dalat, Danang, Dong Hoi, Hanoi, HCMV, Hué, Nha Trang, Ninh Binh, Quang Tri, Thanh Hoa et Vinh.

La **gare routière de Qui Nhon** *(Ben Xe Khach Qui Nhon ;* ☎ *822246 ; face au 543 Đ Tran Hung Dao)* est installée près du croisement avec Đ Le Hong Phong.

Train. Les *Express de la Réunification* ne s'approchent qu'à 10 km de Qui Nhon, à l'arrêt de Dieu Tri. La **gare ferroviaire de Qui Nhon** *(Ga Qui Nhon ;* ☎ *822036)* est, en fait, placée au bout d'une voie latérale de 10 km débouchant sur la ligne principale nord-sud. Elle est desservie uniquement par des trains locaux, très lents, qu'il vaut mieux éviter. Vous arriverez plus vite à/depuis Dieu Tri en prenant un taxi ou un *xe om,* moyennant quelque 50 000 d.

Vous pouvez acheter des billets de train au départ de Dieu Tri à la gare de Qui Nhon mais, si vous arrivez à Dieu Tri

ar le train, il vaut mieux vous procurer
e billet de votre correspondance avant
e quitter la gare. Il existe également un
uichet près du Bank Hotel. Les tarifs sont
ndiqués dans la section *Train* du chapitre
Comment circuler.

Voiture et moto. Qui Nhon se trouve
677 km de HCMV, 238 km de Nha
rang, 186 km de Pleiku, 198 km de Kon
um, 174 km de Quang Ngai et 303 km
e Danang.

ENVIRONS DE QUI NHON

La région de Qui Nhon recèle une demi-
ouzaine d'ensembles architecturaux cham.

Cha Ban

Les ruines de Cha Ban, ancienne capitale
u royaume du Champa (également appe-
ée, selon les époques, Vijaya ou Qui Nhon),
'étendent à 26 km de Qui Nhon et à 5 km
e Binh Dinh. La cité tenait dans une en-
einte de 1 400 m sur 1 100 m. La tour Canh
ien (tour de Cuivre) se dresse au centre,
out près du tombeau du général Vu Tinh.

Cha Ban fut le siège du gouvernement
ham, de l'an 1000 (après la perte d'In-
rapura, connue également sous le nom
e Dong Duong) jusqu'en 1471. Elle subit
es assauts répétés des Vietnamiens, des
Khmers et des Chinois.

En 1044, le prince vietnamien Phat Ma
ccupa la ville et emporta un important
utin, y compris les épouses, les danseu-
es, les musiciennes et les chanteuses du
oi cham. De 1190 à 1220, Cha Ban vécut
ous la férule d'un chef khmer.

En 1377, les Vietnamiens échouèrent
ans leur tentative de prendre la capitale et
eur roi fut tué. L'empereur vietnamien Le
Thanh Ton fit tomber la porte est de la ville
n 1471 et captura le roi cham, ainsi que
inquante membres de sa famille. Au cours
e cette bataille, dernier grand combat livré
ar les Cham, 60 000 des leurs furent tués
t 30 000 autres faits prisonniers.

Cha Ban devint ensuite la capitale de la
égion centrale du Vietnam, sous la houlette
e l'aîné des trois frères Tay Son. En 1793,
a cité résista victorieusement aux troupes
e Nguyen Anh (futur empereur Gia Long),
our mieux s'incliner devant lui six ans
lus tard. Les Tay Son récupérèrent bientôt
e port de Thi Nai (l'actuel Qui Nhon) et

s'attaquèrent à Cha Ban. Le siège dura un
an. En juin 1801, l'armée de Nguyen Anh
avait épuisé ses munitions, mangé tous les
chevaux et les éléphants. Refusant l'ignominie d'une reddition, le général Vu Tinh
fit construire une tour octogonale en bois
que l'on remplit de poudre. Paré de ses vêtements de cérémonie, il entra dans la tour
et la fit exploser. En apprenant la nouvelle
de la mort de son dévoué général, Nguyen
Anh éclata en sanglots.

Tours cham de Duong Long

Les tours cham de Duong Long (Thap
Duong Long, ou tours d'Ivoire) se dressent à 15 km de Cha Ban. La plus grande
des trois est ornée de *nagas* (serpents) et
d'éléphants en granit. Notez, au-dessus
des portes, les bas-reliefs de femmes, de
danseuses, de lions, de monstres et autres
animaux. D'énormes têtes de dragons décorent les angles.

Musée Quang Trung

Ce musée est dédié à Nguyen Hue, le second des trois frères leaders de la révolte
Tay Son, qui s'autoproclama empereur en
1788, sous le nom de Quang Trung. L'année
suivante, Quang Trung et ses troupes bat-
taient à plate couture, près de Hanoi, une
armée chinoise forte de 200 000 hommes.
Cette bataille épique représente pour les
Vietnamiens le plus grand triomphe de leur
histoire nationale. L'empereur Quang Trung
mourut en 1792, à l'âge de quarante ans.

Durant son règne, il fut un grand réfor-
mateur, encourageant la réforme agraire,
révisant le système des impôts, renforçant
l'armée, développant l'éducation et stimu-
lant la poésie et la littérature vietnamiennes. Les ouvrages communistes aiment voir
en lui le chef d'une révolution paysanne
dont les acquis furent piétinés par la dynastie réactionnaire des Nguyen (1802-1945),
renversée par Ho Chi Minh en 1945.

Le Musée Quang Trung *(entrée 10 000 d)*,
situé à 48 km de Qui Nhon, abrite des statues,
des costumes, des documents et des objets
du XVIIIe siècle (la plupart des explications
sont en anglais). Les tambours de guerre en
peau d'éléphant et les gongs de la minorité
Bahnar, dans la province de Gia Lai, s'avèrent particulièrement remarquables.

Le musée organise également des démonstrations, fort appréciées, de *vo binh*

dinh, art martial traditionnel pratiqué à l'aide d'une baguette de bambou.

Comment s'y rendre. Prenez la RN 19 en direction de Pleiku à l'ouest. L'embranchement pour le musée, à 5 km de la nationale dans le district de Tay Son, est indiqué. Cette région produit un vin à base de riz gluant.

Chutes de Vinh Son
Elle se trouvent à 18 km de la RN 19 qui relie Binh Dinh à Pleiku.

SONG CAU
☎ 057

Le village de Song Cau risque de passe inaperçu si vous ne prenez pas le temps de vous y arrêter. À proximité se déploie une immense baie.

Les visiteurs étrangers qui effectuent le trajet Nha Trang-Hoi An font généralement une halte à Song Cau le temps d'un repas, voire une nuit. Song Cau se situe sur un tronçon de la RN 1 baptisé "les 16 km du bonheur" par les routiers, en raison du grand nombre de prostituées qui proposent leurs services au bord de la route.

Parmi les choses agréables à faire ici, citons le tour de la baie en bateau. Le **Bai Tien Restaurant-Hotel** peut vous proposer une embarcation pour 6 personnes (30 000 d/heure). La région abrite de magnifiques plages préservées, notamment Bai Tro, au sud de Song Cau, accessible par bateau ou bien en voiture par une route pittoresque, qui mène à travers des rizières, des entreprises de pisciculture et de vieux ponts de bois. Le restaurant vous indiquera l'itinéraire à suivre.

Où se loger et se restaurer
Le Bai Tien Restaurant-Hotel (☎ 870207 ; *doubles à 12 $US*) propose des chambres avec eau chaude. Cet hôtel-restaurant privé est bâti sur pilotis et son emplacement sur la baie, au-dessus d'un élevage de poissons, en fait tout le charme.

À environ 100 m au sud, un **restaurant de fruits de mer** mérite également une petite visite.

Comment s'y rendre
Song Cau se trouve à 170 km au nord de Nha Trang et à 43 km au sud de Qui Nhon.

Les bus empruntant la nationale peuven sans doute vous déposer ou vous prendr au passage mais mieux vaut louer un mini bus pour arriver à bon port.

Si vous disposez de votre propre véhicule, em pruntez la toute nouvelle route côtière entre Son Cau et Qui Nhone ; le panorama est splendide, e plusieurs belles plages jalonnent la route.

TUY HOA
☎ 057 • 185 700 habitants

Capitale de la province de Phu Yen, l'in signifiante petite ville côtière de Tuy Hoa se situe entre la plage de Dai Lanh et Qu Nhon. Son existence se justifie seulemen par la présence d'un large fleuve navi gable, que la RN 1 enjambe au sud de la bourgade, non loin de la **tour Nhan Chan** perchée sur la colline.

Son seul intérêt réside dans ses capacité d'hébergement, utiles pour les voyageur souhaitant prendre une nuit de repos aprè un long trajet sur la RN 1.

Où se loger et se restaurer
Huong Sen Hotel (☎ 823775, fax 823460 *chambres avec ventil./clim. 10 /12-15 $US)* Ce vaste établissement proche du centre ville dispose d'un **restaurant**.

Hong Phu Hotel (☎ 824349 ; *chambre avec ventil./clim. 50 000/100 000 d).* C vieil hôtel géré par l'État revient moin cher que le Huong Sen. Il est situé à 500 n au nord de la gare routière.

Comment s'y rendre
Vietnam Airlines effectue deux vols heb domadaires entre Tuy Hoa et HCMV.

Il est également possible de rallier Tuy Hao par bus ou par train local.

PLAGES AU NORD DE NHA TRANG
☎ 058

Quatre belles plages sont disséminées a nord de Nha Trang. Celles de Dai Lanh et de Doc Let sont les plus fréquentées notamment par les vietnamiens. Si vou n'appréciez pas la foule, ne venez pas le week-end.

Beaucoup plus intéressantes, la plage de la Jungle et l'île aux Baleines sont deu des plages les plus isolées et les plus tran quilles du Vietnam – aller jusque là vau vraiment la peine.

Plage de Dai Lanh

Bordée de casuarinas, la sublime plage en arc de cercle de Dai Lanh s'étend, à 83 km au nord de Nha Trang et à 150 km au sud de Qui Nhon (par la RN 1).

À environ 1 km au sud de la plage, une large digue de sable relie le continent à la péninsule montagneuse de Hon Gom, longue de 30 km. Le principal village de Hon Gom, Dam Mon (Port-Dayot à l'époque française), occupe une baie abritée face à l'île Hon Lon.

Au nord de la plage de Dai Lanh se dresse un promontoire (Mui Dai Lanh), autrefois appelé cap Varella.

Si vous passez la nuit sur la plage de Dai Lanh, gardez un œil sur vos affaires ; plusieurs vols nous ont été signalés.

Où se loger et se restaurer. Thuy Ta Restaurant (☎ 842117 ; tentes 15 000 d, chambres avec ventil. 70 000-120 000 d). Cet établissement, situé vers le milieu de la plage, loue des tentes et des bungalows spartiates à toit de chaume, avec sol en brique et ventilateur. Les toilettes sont communes, et les non-résidents paient 3 000 d pour avoir accès à la douche (eau froide).

Comment s'y rendre. La plage de Dai Lanh s'étend au bord de la RN 1. N'importe quel véhicule empruntant cette route entre Nha Trang et Tuy Hoa (ou Qui Nhon) pourra vous y conduire. Le long de la côte, les paysages sont de toute beauté, particulièrement au nord de Dai Lanh.

Des trains locaux vous déposent juste en face de la plage.

Plage de Doc Let

Sur la plage de Doc Let, longue et large, le sable est blanc comme la craie et l'eau peu profonde. Les touristes vietnamiens ont repris possession de cet endroit magnifique, envahi il y a peu par les voyageurs étrangers. Doc Let étant facilement accessible depuis Nha Trang, venir y passer une journée ou une nuit vaut la peine.

Les résidents sont exemptés du droit d'accès à la plage de 3 000 d.

Où se loger. L'accès à la plage se fait par le **Doc Let Beach Resort** (☎ 849663, fax 849506, docletresort@dng.vnn.vn ; bungalows 2/3/4 pers 150 000-280 000/170 000-300 000/

190 000-320 000 d). Les 28 bungalows en dur, proches de la plage, disposent de toilettes et d'un réfrigérateur. Le complexe offre des courts de tennis (30 000 d l'heure), deux restaurants, un bar et les habituelles salles de karaoke et de massage. L'accès Internet revient à 500 d la minute.

Comment s'y rendre. La plage de Doc Let s'étend sur une péninsule au nord de Nha Trang. Aucun transport public ne la dessert. Certains voyageurs réservent une excursion depuis Nha Trang (6 $US) – renseignez-vous auprès de Mr Vu's Tour Adventures –, d'autres louent un véhicule pour s'y rendre par leurs propres moyens. Doc Let se trouve à 30 km au nord de Nha Trang sur la RN 1 ; au nord des chantiers navals de Hyundai, prenez la route à droite (vers l'est) et suivez-la sur 10 km à travers un paysage photogénique de **marais salants**, jusqu'à la plage. Un panneau en anglais indique la bifurcation.

Île aux Baleines

Whale Island Resort (☎/fax 840501, www .whaleislandresort.com ; 35 $US par pers et par jour). Ce paisible et ravissant complexe balnéaire sur l'île aux Baleines (Port Dayot) est géré par des Français. L'électricité est fournie par un générateur, judicieusement installé à l'écart des simples bungalows en bois, éparpillés sur la plage. Les tarifs comprennent l'hébergement, tous les repas et les transferts en bateau.

Sur l'île, la saison de plongée sous-marine s'interrompt mi-octobre pour reprendre vers mi-février. La meilleure période se situe entre avril et septembre. Malgré les dégâts provoqués par la pêche à la dynamite, les efforts faits dans la baie au niveau de l'environnement (notamment la plantation de coraux) ont abouti à une augmentation significative du nombre des espèces marines, passé de 40 à plus de 170.

Pour accéder à l'île aux Baleines, suivez la RN 1 jusqu'à Van Ninh, à 60 km au nord de Nha Trang et à 64 km au sud de Tuy Hoa. De là, la **traversée en bateau** (à Hanoi ☎ 08-8458096, fax 8440205) jusqu'à l'île dure deux heures.

Plage de la Jungle

Jungle Beach Resort (☎ 811350, ☎ 0913-429144, www.lotusvietnam.com ; bungalows 10-25 $US). Ce complexe est installé sur trois hectares d'un terrain enchanteur, où les montagnes envahies par la jungle descendent à la rencontre de la plage immaculée, longue de 550 m.

Ce refuge tranquille, que l'on doit à un couple écologiste franco-canado-vietnamien, se compose de bungalows invisibles les uns par rapport aux autres et éparpillés au milieu d'arbres fruitiers, de jardins d'herbes, de fleurs et de potagers – le tout faisant partie d'une ferme biologique. L'énergie solaire et éolienne fournissent une grande partie de l'électricité, et la nourriture, savoureuse, est garantie sans OGM.

Outre les bungalows, il est possible de louer des tentes igloo ou de dormir à la belle étoile en version luxe (dans un lit à baldaquin recouvert d'une moustiquaire !).

Derrière le complexe, vous pourrez effectuer de superbes randonnées, tandis que la plage réserve la possibilité de faire du kayak en mer, dans des conditions exceptionnelles ou d'escalader les rochers (accessibles en bateau uniquement). Dans les environs, le surf se pratique de décembre à fin mars.

La plage de la Jungle se trouve à peu près à mi-chemin entre celle de Doc Let et Nha Trang, à 59 km de Nha Trang par la route *via* la RN 1, mais à seulement 15 km à vol d'oiseau (ou en bateau). Les conducteurs de moto de Dalat connaissent l'endroit ; si vous prenez un circuit en bus, demandez au chauffeur de vous déposer à la bifurcation vers la plage de la Jungle sur la RN 1.

NHA TRANG
☎ 058 • 315 200 habitants

Capitale de la province de Khanh Hoa, Nha Trang jouit d'un bord de mer magnifique, l'un des plus réputé du Vietnam. Encore épargnée par le béton et les casinos, cette station balnéaire très prisée s'est imposée comme un paradis du soleil et de la fête.

Nha Trang convient parfaitement aux personnes qui aiment s'amuser. Sur la plage, la liste des prestations est longue – massage, déjeuner, bière fraîche, manucure, soins de beauté, etc. Si vous cherchez le calme, optez plutôt pour la plage de Mui Ne (voir plus loin dans ce chapitre), plus au sud ou, au nord de Nha Trang, pour la plage de la Jungle ou l'île aux Baleines.

Les eaux turquoise, presque transparentes, de Nha Trang en font un endroit rêvé pour la pêche et la plongée, excepté en novembre-décembre. Les fortes précipitations font alors monter le niveau des eaux dans les deux rivières qui coulent de part et d'autre de la plage, longue de 6 km. La marée entraîne l'eau douce dans la baie, qui prend alors une couleur marron trouble. Le reste de l'année, l'eau reste d'un bleu limpide.

Les provinces de Khanh Hoa et de Phu Yen comptent une flotte de 10 000 chalutiers et jonques qui sortent sur une mer d'huile environ 250 jours par an. Les eaux environnantes regorgent de fruits de mer et de poissons. Ainsi, ormeaux, homards, crevettes, seiches, maquereaux, coquilles Saint-Jacques et thons y abondent. Les pêcheurs de Nha Trang opèrent surtout la nuit, profitant de la journée pour se reposer et réparer le matériel. La région exporte des produits agricoles, tels que noix de cajou et de coco, café et graines de sésame. La production de sel de table emploie en outre 4 000 personnes. Vous pourrez faire de superbes photos de **marais salants** sur la route qui mène à la plage de Doc Let (voir plus haut dans ce chapitre).

À la différence de HCMV, la saison sèche s'étend ici de juin à octobre. Octobre et novembre sont les mois les plus pluvieux, mais la pluie ne tombe en général que la nuit ou le matin.

Si vous voulez profiter de la plage, allez-y avant 13h ; l'après-midi, les vents marins la rendent peu propice au farniente. Ils s'apaisent vers 20h. En dépit du climat tropical, les soirées à Nha Trang restent plutôt fraîches.

Les croisières en bateau sont le point fort de Nha Trang (voir la rubrique *Îles et excursions en bateau* dans les *Environs de Nha Trang*).

Attention ! On continue à nous faire part de vols commis sur la plage, ainsi que de la prolifération de voleurs qui officient à moto sur Ð Tran Phu, la rue parallèle à la plage.

Renseignements

Argent. La **Vietcombank** *(☎ 822720, 17 Ð Quang Trung ; lun-ven 7h30-11h et 13h30-16h)* change les chèques de voyage et permet de retirer des espèces.

Poste. La **poste principale** *(angle Ð Le Loi et Ð Pasteur ; tlj 6h30-20h)* se situe près de l'extrémité nord de la plage de Nha Trang.

Pour les noctambules, une autre **poste**, située 50 Ð Le Thanh Ton, reste ouverte 24h/24.

E-mail et accès Internet. Se brancher à **La Fregate Internet** (☎ 829011, 4 Ð Pasteur ; tlj 8h-12h et 14h-0h) revient seulement à 100 d la minute.

Thanh's Family Booking Office (2 Ð Hung Vuong), dans le centre-ville, demande à peu près le même tarif.

La plupart des hôtels proposent un accès Internet, tout comme les cafés de voyageurs mentionnés un peu plus loin.

Agences de voyages. L'organisme responsable du tourisme dans la province, **Khanh Hoa Tourist** (☎ 822753, fax 824206, 1 Ð Tran Hung Dao) est situé à côté du Vien Dong Hotel. Il propose divers circuits, mais vous obtiendrez probablement des offres plus intéressantes et moins chères ailleurs.

Les adresses suivantes font partie des quelques cafés de Nha Trang doublés d'une agence de voyages pour petits budgets (qui vendent toutes des circuits bas de gamme).

Hanh Cafe (☎ 814227, hanhcafe@dng.vnn.vn, 26 Ð Tran Hung Dao)

Sinh Cafe (☎ 811981, sinhcafent@dng.vnn.vn, 10 Ð Biet Thu)

TM Brothers Cafe (☎ 814556, fax 815366, hoanhaont@dng.vnn.vn, 22 Ð Tran Hung Dao)

Lotus Tourist (☎ 811350, ☎ 0913-429144, www.lotusvietnam.com, www.aseansailandpaddle.com), installé en dehors du paisible Jungle Beach Resort, au nord de Nha Trang, est spécialiste des activités de plein air – kayak, surf, voile, randonnée et camping.

Wave Killer (☎ 512308, ☎ 0903-572106, oceane@dng.vnn.vn), dans le Louisiane Cafe, est une bonne adresse où louer du matériel pour les sports aquatiques.

Con Se Tre (☎/fax 811163, 1006 Ð Tran Phu) propose d'intéressantes excursions en bateau vers la paisible Hon Tre (l'île aux Bambous). Une excursion d'une journée revient à 5/10 $US avec/sans déjeuner, et les sorties-dîners, très prisées, valent 8 $US. Pour plus d'informations (y compris sur les possibilités de camping sur l'île), passez au bureau de réservation, en face de l'Ana Mandara Resort.

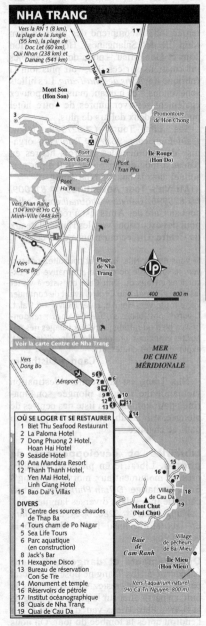

NHA TRANG

Vers la RN 1 (8 km), la plage de la Jungle (55 km), la plage de Doc Let (60 km), Qui Nhon (238 km) et Danang (541 km)

Mont Son (Hon Son)

Promontoire de Hon Chong

Pont Xom Bong

Cai

Pont Tran Phu

Île Rouge (Hon Do)

Pont Ha Ra

Vers Phan Rang (104 km) et Ho Chi Minh-Ville (448 km)

Vers Dong Bo

Plage de Nha Trang

0   400   800 m

Voir la carte Centre de Nha Trang

MER DE CHINE MÉRIDIONALE

Vers Dong Bo

Aéroport

Village de Cau Da

Mont Chut (Nui Chut)

Village de pêcheurs de Bai Mieu

Baie de Cam Ranh

Île Mieu (Hon Mieu)

Vers l'aquarium naturel (Ho Ca Tri Nguyen, 800 m)

OÙ SE LOGER ET SE RESTAURER
1 Biet Thu Seafood Restaurant
2 La Paloma Hotel
7 Dong Phuong 2 Hotel, Hoan Hai Hotel
9 Seaside Hotel
10 Ana Mandara Resort
12 Thanh Thanh Hotel, Yen Mai Hotel, Linh Giang Hotel
15 Bao Dai's Villas

DIVERS
3 Centre des sources chaudes de Thap Ba
4 Tours cham de Po Nagar
5 Sea Life Tours
6 Parc aquatique (en construction)
8 Jack's Bar
11 Hexagone Disco
13 Bureau de réservation Con Se Tre
14 Monument et temple
16 Réservoirs de pétrole
17 Institut océanographique
18 Quais de Nha Trang
19 Quai de Cau Da

LITTORAL DU CENTRE ET DU SUD

Mama Linh's Boat Tours (☎ 826693, fax 816365, 2A Đ Hung Vuong) gère une flottille de bateaux qui cabotent d'île en île. L'excursion d'une journée (départ 8h45, retour 16h30) comprend des arrêts à Hon Mun (île des Salanganes), Hon Mot, Hon Tam et Hon Mieu – pour de plus amples informations sur ces îles, voir plus loin la rubrique *Environs de Nha Trang*. Les billets sont vendus à ce bureau, mais vous pouvez également réserver auprès de votre hôtel pour un ou deux dollars de plus.

Sea Life Tours (☎ 827528, www. sealifetours.com, 96A/4 Đ Tran Phu) organise des promenades de trois heures en bateau à fond de verre (145 000 d par personne) dans la baie de Nha Trang.

Mr Vu's Tour Adventures (☎ 813009, fax 828996, tranvuvn@hotmail.com), adjacent au Café des Amis, est à recommander pour des excursions vers les Hauts Plateaux du Centre. Un lecteur nous a écrit ceci :

Si vous êtes à Nha Trang et souhaitez pousser vers le sud ou le nord, une alternative aux excursions en bus du Sinh Cafe consiste à visiter les Hauts Plateaux du Centre, avant de continuer votre route vers Hoi An, Hué, HCMV ou Dalat. Diverses possibilités s'offrent à vous : randonnées à pied ou rafting jusqu'aux villages des minorités ethniques, promenades à dos d'éléphant, exploration des chutes, etc.

Caprice Olsthoorn

Nha Trang est la première destination vietnamienne pour la plongée sous-marine ; pour connaître la liste des centres de plongée, voir la rubrique *Activités* plus loin dans ce chapitre.

Librairies et développement de photos. Librairie en plein air installée près du monument aux morts, **Mr Lang's Book Exchange** (Đ Tran Phu) offre un bon choix de livres dans diverses langues.

Hung Hara (☎ 828030, 2C Đ Biet Thu), un laboratoire local fiable, développera vos photos.

Désagréments et dangers. Bien que la sécurité à Nha Trang ne pose en général pas de problème, restez sur vos gardes la nuit, en particulier sur la plage et le long de la Đ Tran Phu. Mieux vaut d'ailleurs éviter l'endroit après la tombée du jour. On nous a rapporté de nombreuses histoires de vols,

pour la plupart commis par les prostituées qui investissent les lieux.

Plages

Les cocotiers qui bordent la plage de Nha Trang apportent une ombre bienvenue aux amateurs de farniente et de baignades. Vous pouvez louer un transat à la journée.

La plage de Hon Chong (Bai Tam Hon Chong) se compose en fait d'une série d'étendues de sable, qui commencent au nord du promontoire du même nom. Des familles de pêcheurs vivent au milieu des cocotiers mais leurs détritus font malheureusement de ces plages un lieu peu propice à la baignade ou aux bains de soleil. Juste derrière la plage se dressent des montagnes escarpées. Leurs contreforts les plus bas servent à la culture de bananiers et de manguiers, entre autres fruits.

À environ 300 m au sud de Hon Chong en allant vers Nha Trang, et à quelques dizaines de mètres de la plage, la petite île Hon Do (l'île Rouge) est surmontée d'un temple bouddhique.

Louisiane Cafe

Le vaste Louisiane Cafe (☎ 812948, fax 814722, louisianecafe@hotmail.com), qui donne sur la plage, évoque un club à l'occidentale. Dans un cadre paysagé plaisant, l'élégante décoration méditerranéenne décline les tons de bleu. Pendant la journée, la plage privée est interdite aux vendeurs, un avantage que vous ne tarderez pas à apprécier.

On peut profiter en toute liberté de la piscine et des chaises longues, à condition d'être client du restaurant, de la boulangerie ou du bar.

Sur place, le magasin Wave Killer loue des équipements pour de nombreux sports nautiques (surf, planche à voile, kite surf, catamarans).

Institut Pasteur

L'Institut Pasteur de Nha Trang (☎ 822406, fax 824058, 10 Đ Tran Phu) a été fondé en 1895 par le biologiste français Alexandre Yersin (1863-1943). Les deux autres Institut Pasteur du Vietnam se trouvent à HCMV et à Dalat.

Le docteur Yersin arriva au Vietnam en 1889, après avoir travaillé à Paris avec Louis Pasteur. Il voyagea quelques années dans les Hauts Plateaux du Centre en

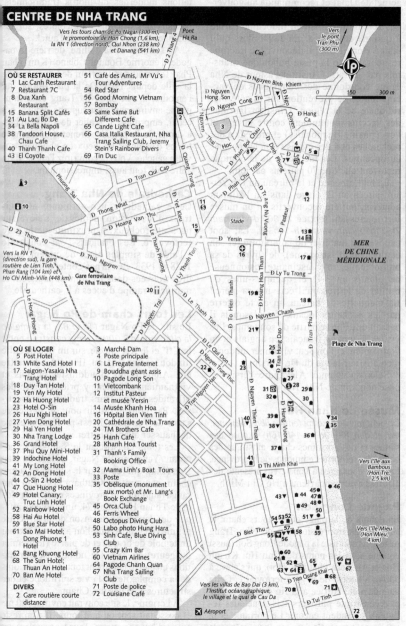

CENTRE DE NHA TRANG

Vers les tours cham de Po Nagar (300 m),
le promontoire de Hon Chong (1,6 km),
la RN 1 (direction nord), Qui Nhon (238 km)
et Danang (541 km)

Vers
le pont
Tran Phu
(300 m)

Cai

OÙ SE RESTAURER
1 Lac Canh Restaurant
7 Restaurant 7C
8 Dua Xanh
    Restaurant
15 Banana Split Cafés
21 Au Lac, Bo De
34 La Bella Napoli
38 Tandoori House,
    Chau Cafe
40 Thanh Thanh Cafe
43 El Coyote

51 Café des Amis, Mr Vu's
    Tour Adventures
54 Red Star
56 Good Morning Vietnam
57 Bombay
63 Same Same But
    Different Cafe
65 Cande Light Cafe
66 Casa Italia Restaurant, Nha
    Trang Sailing Club, Jeremy
    Stein's Rainbow Divers
69 Tin Duc

D 2 Thang 4

Pont
Ha Ra

Đ Nguyen Binh Khiem

Đ Nguyen
Hong Son

Đ Nguyen Cong Tru

Đ Ngo
Quyen

Đ Hang
Ca

0   150   300 m

Đ Nguyen Thai Hoc

Đ Phan Boi Chau

Đ Dinh Phong

Đ Le Loi

Đ Tran Qui Cap

Đ Phuong Sai

Đ Thong Nhat

Đ Hoang Van Thu

Đ Yet Kieu

Đ Phan Chu Trinh

Đ Tr ang Nu Vuong

Đ Pasteur

**MER
DE CHINE
MÉRIDIONALE**

Stade

Đ 23 Thang 10

Vers la RN 1
(direction sud), la gare
routière de Lien Tinh,
Phan Rang (104 km) et
Ho Chi Minh-Ville (448 km)

Đ Thai Nguyen

Gare ferroviaire
de Nha Trang

Đ Le Thanh Phuong

Đ Yersin

Đ Ly Thanh Ton

Đ Hoang Hoa Tham

Đ Ly Tu Trong

Đ To Hien Thanh

Đ Nguyen Chanh

Đ Tran Phu

Plage de Nha Trang

Đ Le Hong Phong

Đ Nguyen Trai

Đ Le Thanh Ton

Đ Le Qui Don

Đ Nguyen Tung Truc

Đ Tran Nguyen Han

Đ Nguyen Thien Thuat

Đ Tran Hung Dao

Đ Hung Vuong

Đ Thi Minh Khai

Đ Biet Thu

Vers les villas de Bao Dai (3 km),
l'institut océanographique,
le village et le quai de Cau Da

Đ Tran Quang Khai

Đ Tui Tinh

Vers l'île aux
Bambous
(Hon Tre,
2,5 km)

Vers l'île Mieu
(Hon Mieu,
4 km)

OÙ SE LOGER
5 Post Hotel
13 White Sand Hotel I
17 Saigon-Yasaka Nha
    Trang Hotel
18 Duy Tan Hotel
19 Yen My Hotel
22 Ha Huong Hotel
23 Hotel O-Sin
26 Huu Nghi Hotel
27 Vien Dong Hotel
29 Hai Yen Hotel
30 Nha Trang Lodge
36 Grand Hotel
37 Phu Quy Mini-Hotel
39 Indochine Hotel
41 My Long Hotel
42 An Dong Hotel
46 O-Sin 2 Hotel
47 Que Huong Hotel
49 Hotel Canary;
    Truc Linh Hotel
52 Rainbow Hotel
58 Hai Au Hotel
59 Blue Star Hotel
61 Sao Mai Hotel;
    Dong Phuong 1
    Hotel
62 Bang Khuong Hotel
68 The Sun Hotel;
    Thuan An Hotel
70 Ban Me Hotel

DIVERS
2 Gare routière courte
    distance

3 Marché Dam
4 Poste principale
6 La Fregate Internet
9 Bouddha géant assis
10 Pagode Long Son
11 Vietcombank
12 Institut Pasteur
    et musée Yersin
14 Musée Khanh Hoa
16 Hôpital Bien Vien Tinh
20 Cathédrale de Nha Trang
24 TM Brothers Cafe
25 Hanh Cafe
28 Khanh Hoa Tourist
31 Thanh's Family
    Booking Office
32 Mama Linh's Boat Tours
33 Poste
35 Obélisque (monument
    aux morts) et Mr. Lang's
    Book Exchange
45 Orca Club
48 Ferris Wheel
48 Octopus Diving Club
50 Labo photo Hung Hara
53 Sinh Cafe, Blue Diving
    Club
55 Crazy Kim Bar
60 Vietnam Airlines
64 Pagode Chanh Quan
67 Nha Trang Sailing
    Club
71 Poste de police
72 Louisiane Café

Aéroport

notant ses observations. Il trouva le site actuel de Dalat et recommanda au gouvernement d'y installer un centre de cure. Le Dr. Yersin introduisit en Indochine l'arbre à quinine et l'hévéa. En 1894, alors qu'il était à Hong Kong, il découvrit le microbe responsable de la peste bubonique, transmis par les rats. L'Institut Pasteur de Nha Trang coordonne des campagnes de vaccination et de prévention sur la côte méridionale de la région. L'institut fabrique des vaccins (notamment contre la rage et l'encéphalite B japonaise) et procède à des recherches et à des essais selon les normes européennes. Les médecins de la clinique reçoivent quelque 70 patients par jour.

La bibliothèque et le bureau du Dr. Yersin, situés au 2e étage dans un bâtiment adjacent, ont été reconvertis en un musée fort intéressant (entrée 26 000 d ; lun-sam 7h-11h15, lun-ven 14h-16h30). Là, sont exposés du matériel de laboratoire (et son équipement d'astronome), des livres de sa bibliothèque, une fascinante visionneuse de photos en 3-D et quelques-unes du millier de lettres qu'il écrivit à sa mère ! La maquette de bateau lui a été offerte par les pêcheurs locaux avec lesquels il passait une bonne partie de son temps. Les visites se font en français, en anglais et en vietnamien, et l'on peut visionner un documentaire sur la vie du Dr. Yersin.

Selon sa volonté, Alexandre Yersin repose non loin de Nha Trang.

Musée de Khan Hoa

Ce petit musée assoupi (entrée libre ; lun, mer, jeu et dim 8h-10h et 14h-16h) expose des statues et des costumes cham, ainsi que des objets des minorités ethniques de la province. La salle consacrée à l'oncle Ho présente des affaires ayant appartenu à Ho Chi Minh.

Pagode Long Son

En dehors de la plage et des tours cham, le site le plus impressionnant de Nha Trang reste sans conteste la pagode Long Son (aussi connue sous les noms de Tinh Hoi Khanh Hoa et An Nam Phat Hoc Hoi), qui s'élève à 500 m à l'ouest de la gare ferroviaire. Cette pagode a été édifiée à la fin du XIXe siècle et reconstruite plusieurs fois. Quelques religieux y résident encore. Le portique et la toiture sont ornés de dragons en mosaïque de verre et de céramique. Le sanctuaire principal est un hall splendide, décoré d'interprétations modernes de motifs traditionnels. Notez les poils féroces qui jaillissent des naseaux des dragons multicolores, sur les colonnes de part et d'autre de l'autel.

Au sommet de la colline, derrière la pagode, l'énorme Bouddha blanc (Kim Than Phat To), assis sur une fleur de lotus, domine la ville depuis 1963. De la plate-forme qui l'entoure, la vue sur Nha Trang et la campagne environnante est superbe. Pour y accéder, empruntez l'escalier de 152 marches, à droite de la pagode. Prenez également le temps d'explorer les lieux en obliquant sur votre gauche. Vous découvrirez l'entrée d'un autre hall, tout aussi impressionnant.

Cathédrale de Nha Trang

Cette cathédrale néo-gothique, aux vitraux d'inspiration médiévale, s'élève sur un socle rocheux, à proximité de la gare ferroviaire. Les Français l'ont construite à l'aide de simples blocs de ciment, entre 1928 et 1933. Les urnes contenant les cendres trouvées dans les tombes tapissent le mur de la rampe d'accès à la cathédrale.

Les tours cham de Po Nagar

Le site de Po Nagar (Thap Ba, la Dame de la cité ; entrée 3 000 d) a été construit entre le VIIe et le XIIe siècle, sur un lieu de culte hindou remontant au IIe siècle de notre ère. Aujourd'hui, bouddhistes chinois et vietnamiens viennent y prier et faire des offrandes, selon leurs traditions respectives. Par considération pour le caractère sacré de l'endroit, il est préférable de se déchausser avant d'entrer.

Les tours constituent le Saint-Siège honorant Yang Ino Po Nagar, déesse du clan Dua (Liu), qui régna sur le sud du royaume cham, couvrant le Kauthara et le Pan Duranga (aujourd'hui provinces de Khanh Hoa et de Thuan Hai). En 774, une violente attaque des Javanais eut raison de la structure primitive en bois, que l'on a remplacée par un temple de brique et de pierre (le premier du genre) en 784. De nombreuses fondations en pierre jalonnent tout le site, témoins de la complexité de la vie spirituelle et des structures sociales des Cham.

À l'origine, le site couvrait environ 500 m^2 et possédait sept ou huit tours. Il n'en reste aujourd'hui que quatre. Tous les temples sont orientés vers l'est, de même que l'ancienne

TOURS CHAM DE PO NAGAR

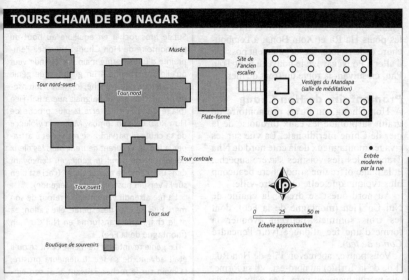

Musée

Site de l'ancien escalier

Tour nord-ouest

Tour nord

Vestiges du Mandapa (salle de méditation)

Plate-forme

Tour centrale

Entrée moderne par la rue

Tour ouest

Tour sud

0   25   50 m
Échelle approximative

Boutique de souvenirs

entrée, qui se trouve à droite en remontant la petite colline. Les fidèles devaient jadis passer par la **salle de méditation** aux multiples piliers (il en reste dix), avant de gravir les marches menant aux tours.

Avec son toit pyramidal en gradins, sa voûte intérieure et son vestibule, la **Tour nord** (Thap Chinh), haute de 28 m, donne un superbe exemple de l'architecture cham. Elle a été édifiée par Pangro, ministre du roi Harivarman Ier, après que les temples eurent été saccagés et incendiés. Les pillards repartirent avec un lingam en métal précieux. En 918, le roi Indravarman III installa un *mukha-linga* en or dans la Tour nord mais il fut volé par les Khmers. Les vols ou les destructions de statues se poursuivirent jusqu'en 965, lorsque le roi Jaya Indravarman Ier remplaça le *mukha-linga* en or par l'actuelle sculpture en pierre d'Uma (*shakti*, ou forme féminine de Shiva), encore visible aujourd'hui.

Au-dessus de l'entrée de la Tour nord, deux musiciens entourent un Shiva dansant à quatre bras, un pied posé sur la tête du taureau Nandin. Les montants en grès de la porte et certaines parties des murs du vestibule sont couverts d'inscriptions. Un gong et un tambour trônent sous le plafond pyramidal de l'antichambre. Dans la grande salle en forme de pyramide (28 mètres de haut), une statue de pierre

noire représente la déesse Uma (sous la forme de Bhagavati) aux dix bras, dont deux dissimulés sous son vêtement, assise sur une sorte d'animal monstrueux.

La **Tour centrale** (Thap Nam) fut en partie reconstruite avec des briques récupérées au XIIe siècle sur le site d'un édifice datant du VIIe siècle. Son architecture ne présente ni la finesse ni le raffinement des autres. Le toit pyramidal est dénué de gradins ou de pilastres. Vous remarquerez les inscriptions sur le mur gauche du vestibule. Les autels étaient autrefois recouverts d'argent. La salle principale abrite un lingam.

La **Tour sud** (Mieu Dong Nam) était autrefois dédiée à Sandhaka (Shiva). On peut y admirer un lingam. La **Tour nord-ouest** (Thap Tay Bac), richement ornée, était consacrée à Ganesh. Le sommet pyramidal du toit a disparu. Il ne reste presque rien de la **Tour ouest**, érigée par le roi Vikrantavarman, pendant la première moitié du IXe siècle.

Près de la Tour nord, un petit **musée** expose d'insignifiants témoignages de l'art cham, commentés uniquement en vietnamien. Un petit temple se dressait autrefois à cet emplacement.

Les tours de Po Nagar sont perchées sur un monticule de granit, à 2 km au nord de Nha Trang, sur la rive gauche de la rivière Cai. Pour y accéder depuis Nha Trang, prenez la Đ Quang Trung (qui devient la Đ 2 Thang 4) en direction du nord et traversez les ponts Ha Ra et Xom Bong, à l'embouchure de la rivière. Il est également possible d'aller à Po Nagar *via* le nouveau pont Tran Phu, en suivant la route du front de mer.

Promontoire de Hon Chong

À Hon Chong, un étroit promontoire de granit surplombe les eaux turquoise de la mer de Chine méridionale. La vue sur les rivages montagneux de la côte nord de Nha Trang et les îles voisines s'avère superbe, et la plage offre une atmosphère beaucoup plus typique que celle du centre-ville.

Au nord-ouest se dresse la chaîne de Nui Co Tien (montagne de la Fée), dont les trois sommets peuvent évoquer la forme d'une fée allongée (voir l'encadré *Conte de fée*).

Vous pouvez apercevoir l'île de Hon Rua (l'île de la Tortue) au nord-est. Vu sa forme, elle mérite bien son nom. Les deux îles de Hon Yen se trouvent plus au large, vers l'est.

Centre des sources chaudes de Thap Ba

Le Thap Ba Hot Spring Center (☎ 514099, fax 514278, saomaitk21@ dng.vnn.vn ; *lun-ven 8h-20h, sam-dim et jours fériés 7h-21h*) est un parc de loisirs en plein air, situé au nord de Nha Trang, non loin des tours cham de Po Nagar. Cette "oasis des faubourgs" propose différentes prestations dans plusieurs bassins (publics et privés). Un service de massage, un jardin aux papillons, une cascade, un restaurant et un café sont à la disposition de la clientèle. Vous pouvez aussi louer des **bungalows**.

Vous paierez 15 000 d pour accéder aux bassins alimentés en eaux riches en minéraux, 25 000 d pour un bain à l'eau de source chaude et 50 000 d pour un bain de boue. Les enfants bénéficient d'une réduction de 50%. On vous prête gratuitement une serviette et un maillot de bain.

Pour y accéder, suivez la Đ 2 Thang 4 vers le nord, depuis le centre-ville. Franchissez les ponts Ha Ra et Xom Bong. Sur votre gauche, vous découvrirez les tours cham de Po Nagar. Du même côté de la route, juste après la pagode, un panneau indique la route sinueuse et accidentée, qui mène aux sources, distantes de 2,5 km.

Conte de fée

Sur le gros rocher en équilibre au bout du promontoire de Hon Chong, cherchez l'empreinte d'une énorme main. La légende veut qu'elle appartienne à un gigantesque génie qui, quelque peu éméché, lorgnait si intensément une fée qui se baignait nue à Bai Tien (plage de la Fée, la terre la plus proche de Hon Rua) qu'il en tomba. Malgré la violence de sa chute, il parvint à se relever et à attraper la fée. Ils vécurent heureux mais les dieux décidèrent de punir le génie, en l'envoyant dans un "camp de rééducation" (ceci est bien sûr la version post-1975 de la légende).

La fée attendit vainement le retour de son mari. Puis un jour, désespérée, elle s'allongea et le chagrin la transforma en Nui Co Tien (montagne de la Fée).

Le génie revint tout de même et vit ce qu'il était advenu de sa fée. Il demeura prostré, la main sur le rocher, laissant ainsi son empreinte, mais il fut également pétrifié. On peut encore le voir aujourd'hui.

Institut océanographique

Fondé en 1923, l'Institut océanographique (*Vien Nghiem Cuu Bien* ; ☎ 590036 ; *entrée 5 000 d ; tlj 7h-12h et 13h-16h30*) occupe une somptueuse bâtisse coloniale, construite par les Français, à 6 km au sud de Nha Trang, dans le district portuaire de Cau Da (aussi appelé Cau Be). Dans son aquarium (*ho ca*), composé de vingt-trois bassins, on peut découvrir une grande variété d'espèces marines, dont des hippocampes. L'institut comporte également une salle où sont présentés différents spécimens, ainsi qu'une bibliothèque.

Le grand hall situé derrière le bâtiment principal présente 60 000 spécimens de la vie marine locale, dont des coraux, ainsi que des oiseaux de mer et des poissons empaillés.

L'Institut ne manque pas d'intérêt mais l'aquarium de l'île Mieu, facilement accessible en bateau, se révèle plus impressionnant (voir *Environs de Nha Trang*, plus loin).

Villas de Bao Dai

Bao Dai, "dernier empereur" du Vietnam (il abdiqua en 1945) venait se reposer ici. De 1954 à 1975, les villas de Bao Dai (Biet Thu Cau Da) ont servi de lieux de villégiature pour les hauts fonctionnaires du gouvernement sud-vietnamien et, même, au président Thieu. Tout a changé après la Réunification, quand les dignitaires communistes, y compris le Premier ministre Pham Van Dong, s'y sont installés. Aujourd'hui, en tout cas, les "touristes capitalistes", fortunés ou non, peuvent y louer une chambre (voir la rubrique *Où se loger*).

Construites sur trois collines au sud de la ville, dans les années 1920, les cinq villas de Bao Dai surplombent la mer de Chine, la baie de Nha Trang (au nord) et le port de Cau Da (au sud). Le mobilier est d'origine et les allées du parc sont bordées d'une luxuriante végétation tropicale.

On demande 2 000 d de droit de d'entrée pour le parc mais si vous vous rendez au **restaurant**, vous ne paierez souvent rien.

Pour rejoindre les villas de Bao Dai depuis Nha Trang, tournez à gauche dans Đ Tran Phu dès que vous avez dépassé les réservoirs de pétrole en ciment blanc (mais avant d'atteindre le village de Cau Da). Les villas se situent à plusieurs centaines de mètres au nord de l'Institut océanographique.

Plongée sous-marine

Haut lieu de la plongée sous-marine au Vietnam, la région de Nha Trang offre une visibilité moyenne de 15 m, mais celle-ci peut atteindre 30 m selon la saison (évitez la période des fortes pluies, de fin octobre à début janvier).

On compte quelque 25 sites de plongée, profonds ou non. Il n'existe pas (encore) d'épaves vers lesquelles plonger mais certains sites atteignent une bonne profondeur et l'on peut explorer plusieurs petites grottes sous-marines. Les eaux abritent une grande variété de coraux, tendres ou durs, et nombre de petits poissons de roche. On rencontre également des requins, notamment un requin à aileron blanc baptisé "Éric". Les requins baleines font parfois une apparition et les pastenagues ne sont pas rares.

Une sortie d'une journée comprenant le transport, deux plongées et le déjeuner varie, en moyenne, de 40 à 60 \$US. La plupart des clubs de plongée programment différents cours, y compris une formule "plongée découverte" qui permet aux débutants de s'initier à ce sport passionnant, sous la houlette d'un moniteur qualifié.

Il est difficile de recommander une agence plutôt qu'une autre. Le mieux est d'en faire le tour avant de vous décider.

Voici quelques adresses :

Blue Diving Club (☎ 825390, fax 816088, bluedivingclub@hotmail.com, www.vietnamdivers.com, Đ Biet Thu) réunit des organisateurs français et britanniques.

Coco Dive Center (☎ 812900, fax 810444, cocodive@dng.vnn.vn, www.cocodivecenter.com, 2E Đ Biet Thu), a été ouvert par Minh Xuan, premier et unique moniteur de brevet PADI du Vietnam, champion de natation et champion local de karaté.

Jeremy Stein's Rainbow Divers (☎ 829946, fax 811223, rainbowdivers@hotmail.com, www.divevietnam.com), installé dans les locaux du Sailing Club, est géré par un Britannique, Jeremy Stein.

Octopus Diving Club (☎ 810629, fax 827436, haison.aaa@dng.vnn.vn, 62 Đ Tran Phu), juste en face de la plage, est tenu par des Français.

Orca Club (☎ 811375, fax 811374, vietravel.diving@dng.vnn.vn, 58 Đ Tran Phu), agence vietnamienne, fait partie d'une société appelée Vietravel.

Où se loger

Aussi prisée par les touristes vietnamiens que par les étrangers, Nha Trang offre le choix entre une centaine d'hôtels. La qualité de certains établissements d'État, installés sur la plage, a beaucoup baissé et mieux vaut les éviter. Pour le même tarif, préférez-leur l'un des nombreux mini-hôtels privés situés à quelques minutes à pied de la plage.

Si vous aimez les endroits tranquilles, voir les rubriques *Île aux Baleines* et *Plage de la Jungle*.

Où se loger – petits budgets

Hotel O-Sin (☎ 825064, fax 824991, osinhotel@hotmail.com, 4 Đ Nguyen Thien Thuat ; lits en dortoir 2 \$US, chambres avec ventil./clim. 6-7/8-9 \$US). L'endroit s'est forgé une fidèle clientèle grâce à ses chambres correctes et bon marché.

O-Sin 2 Hotel (☎ 822902, 15 Đ Hung Vuong). Les tarifs sont similaires.

Sao Mai Hotel (☎ 827412, 99 Đ Nguyen Thien Thuat ; lits en dortoir 3 \$US, chambres avec ventil./clim. 5-7/9-11 \$US). Cette adresse bon marché dispose aussi d'un dortoir.

Plongée responsable

L'impact de la plongée sur le patrimoine sous-marin n'est pas nul. Pour limiter au maximum la pression sur cet écosystème fragile, les visiteurs sous-marins s'en tiendront aux recommandations suivantes :

- Ne jetez pas l'ancre sur les récifs, et faites pression sur les centres de plongée et les organismes officiels pour qu'ils installent des bouées d'amarrage sur chaque site.
- Survolez les fonds et évitez les coups de palmes intempestifs grâce à une bonne maîtrise de votre flottabilité et de votre stabilisation. La faune fixée, notamment les gorgones et les éponges, ainsi que les polypes coralliens, ne résistent pas à ces coups de boutoir dévastateurs.
- Abstenez-vous de tout contact avec des organismes marins vivants. Un simple effleurement suffit à endommager les polypes. Ne touchez pas les coraux.
- Ne vous attardez pas dans les grottes : les bulles qui s'échappent des détendeurs restent prisonnières sous les voûtes, exposant ainsi des organismes au milieu aérien qui se nécrosent.
- Ne remontez rien du fond, pas même un coquillage.
- Emportez tous vos détritus et ramassez ceux que l'on trouve sous l'eau, notamment les sacs plastique, particulièrement dangereux pour la faune. Certaines espèces risquent en effet de les absorber et de s'étouffer.
- Résistez à la tentation de nourrir les poissons. Les aliments étrangers à leur régime habituel peuvent perturber leur métabolisme et conduire à des comportements contre nature.
- Limitez vos interactions avec les animaux. Contentez-vous d'être un observateur bienveillant et responsable.

Bang Khuong Hotel (☎ 813516, 1 Đ Quan Tran ; chambres avec clim. 7-10 $US). Cet agréable nouvel hôtel se cache dans une ruelle tranquille, non loin de la pagode Chanh Quan de la Đ Hung Vuong.

Yen My Hotel (☎ 829064, yemnyhotel@ hotmail.com, 22 Đ Hoang Hoa Tham ; chambres avec ventil./clim. 5-8/8-12 $US). Un endroit agréable tenu par le sympathique Mr. Duan.

Thuan An Hotel (☎ 815577, thuananhotel @dng.vnn.vn, 1A Đ Tran Quang Khai ; chambres avec ventil./clim. 5-7/8-12 $US). Cet hôtel plaisant offre un accès Internet dans le lobby.

The Sun Hotel (☎ 814428, kshoangvan@ dng.vnn.vn, 1 Đ Tran Quang Khai ; chambres avec ventil./clim. 7-9/10-15 $US). Outre un accueil charmant, l'établissement propose TV par satellite et baignoire dans presque toutes les chambres. Cette adresse et la précédente sont à deux pas de la plage.

Blue Star Hotel (☎ 826447, 1B Đ Biet Thu ; chambres avec ventil./clim. 7/10-12 $US). Proche de la plage également, cet hôtel est bien noté par les voyageurs.

My Long Hotel (☎/fax 814451, mylonghotel@yahoo.com, 26A Đ Nguyen Thien Thuat ; chambres avec ventil./clim. 7-10/10-15 $US). Le My Long bénéficie

d'une situation centrale et de chambres propres et chaleureuses.

Hotel Canary (Kim Tuoc ; ☎ 828679, 27C Đ Hung Vuong ; chambres 10-12 $US) et **Truc Linh Hotel** (☎ 815201, internet-bt @yahoo.com, 27B Đ Hung Vuong ; chambres 8-20 $US). Ces deux mini-hôtels de belle taille et flambant neuf sont installés côte à côte. Certaines chambres bénéficient d'un grand balcon.

Dong Phuong 1 Hotel (☎ 828247, fax 825986, 103 Đ Nguyen Thien Thuat ; chambres ancienne aile 4-8 $US, aile moderne 8-20 $US). Plus ancien que le Dong Phuong 2, cet hôtel loue des chambres spacieuses dont les lits ont les matelas les plus épais de Nha Trang. Le mini-hôtel de l'aile moderne, voisine, possède un ascenseur et offre une vue sur la mer depuis les chambres des derniers étages.

An Dong Hotel (☎ 828905, 31 Đ Nguyen Thien Thuat ; chambres avec ventil./clim. 6/ 10 $US). Les chambres sont ici propres et confortables.

Huu Nghi Hotel (☎ 826703, fax 827416, 3 Đ Tran Hung Dao ; simples avec ventil./ clim. 80 000/170 000 đ, doubles 100 000/ 200 000 đ, triples 120 000/220 000 đ). Dans ce paradis pour voyageurs désargentés, les chambres climatisées jouissent d'une TV par satellite.

Ha Huonh Hotel (☎ 512069, hahuongnt @dng.vnn.vn ; 26 Đ Nguyen Trung Truc ; chambres avec ventil./clim. 6/8-15 $US). Une adresse chaleureuse dans une rue tranquille, à cinq minutes de la plage. Les chambres sont bien tenues ; les plus chères disposent de la TV par satellite et d'un balcon.

White Sand Hotel I (☎ 825861, fax 810449, 44 Đ Tran Phu ; chambres 12-14 $US). Dans cet établissement de style motel, installé non loin de la plage, vous dormirez dans des doubles climatisées sans prétention.

Post Hotel (☎ 821250, fax 824205, posthotel@dng.vnn.vn, 2 Đ Le Loi ; chambres avec toilettes communes/privées 8/18-22 $US). Une bonne adresse près de la mer visible depuis les meilleures chambres.

Phu Quy Mini-Hotel (☎ 810609, fax 812954, phuquyhotel@dng.vnn.vn, 54 Đ Hung Vuong ; chambres avec ventil./clim. 10/15-18 $US). Un mini-hôtel apprécié par de nombreux voyageurs.

Grand Hotel (Nha Khach 44 ; ☎ 822445, fax 825395, 44 Đ Tran Phu ; chambres avec ventil./clim. 4/10-20 $US). Immense établissement en bord de mer, ce bâtiment de style colonial français aurait grand besoin d'être restauré. Une aile séparée abrite des chambres ventilées comparables à des cellules.

Dans la partie sud de Đ Tran Phu, une kyrielle de mini-hôtels convenables jalonnent le front de mer. Certaines chambres disposent d'un balcon avec vue sur l'océan. Trois adresses sont particulièrement recommandées : **Thanh Thanh Hotel** (☎ 824657, fax 823031, thanhthanhhotel@dng.vnn.vn, 98A Đ Tran Phu ; chambres avec clim. 7-15 $US), **Seaside Hotel** (☎ 821178, fax 828038, 96B Đ Tran Phu ; chambres 10-20 $US) et **Yen Mai Hotel**.

La Paloma Hotel (carte de Nha Trang ; ☎ 831216, datle@dng.vnn.vn, 1 Đ Hon Chong ; chambres 8-25 $US). Cette petite affaire familiale, installée dans les faubourgs nord de la ville, près du promontoire de Hon Chong, constitue une véritable oasis. Face à l'hôtel, vous découvrirez un agréable café en plein air entouré d'une palmeraie. Le sympathique propriétaire, Mr. Bu, offre à ses clients des transferts gratuits en jeep depuis/vers la gare ferroviaire et l'aéroport, de même qu'entre l'hôtel et le centre-ville. La petite plage voisine ne manque pas de cachet.

Où se loger – catégorie moyenne

Rainbow Hotel (☎ 810501, fax 810030, rainbowhotel@dng.vnn.vn, 8 Đ Bieth Thu ; chambres 15-25 $US). Non loin de la plage, vous ne pourrez manquer ce bâtiment vert pastel qui dispose d'un ascenseur et de la TV par satellite.

Indochine Hotel (☎ 815333, fax 821515, 14 Đ Hung Vuong ; chambres 12-25 $US). Cet hôtel offre un standing comparable au Rainbow.

Linh Giang Hotel (☎ 816454, linhgiang hotel@dng.vnn.vn, 98A Đ Tran Phu ; chambres 15-20 $US). Une bonne adresse juste en face de la plage.

Dong Phuong 2 Hotel (☎ 814580, fax 825986, dongphuongnt@dng.vnn.vn, 96A 6/1 Đ Tran Phu ; chambres avec clim. 15-25 $US). Un hôtel vaste et tranquille, en retrait de la route, où les prix varient en fonction de l'étage et de la taille du balcon.

Hoan Hai Hotel (☎ 821262, fax 813123, hoanhai96tp@dng.vnn.vn, 96 Đ Tran Phu ; chambres 20-30 $US). Voisin du précédent et d'une propreté irréprochable, cet établissement dispose d'un ascenseur, de la TV par satellite et de mini-bars.

Que Huong Hotel (☎ 825047, fax 825344, 60 Đ Tran Phu ; chambres 40-60 $US). Plus avenant à l'extérieur qu'à l'intérieur, cet hôtel possède une piscine et un tennis, ainsi que des chambres climatisées avec TV par satellite.

Duy Tan Hotel (☎ 822671, fax 825034, 24 Đ Tran Phu ; simples/doubles avec clim. à partir de 15/20 $US). Vaste et correct, cet établissement géré par l'État est situé en bordure de mer.

Vien Dong Hotel (☎ 821606, fax 821912, viendonght@dng.vnn.vn, 1 Đ Tran Hung Dao ; simples/doubles/triples à partir de 24/28/32 $US). Ce spacieux hôtel, apprécié depuis longtemps des voyageurs, comporte une piscine, un laboratoire photo et l'on peut y louer des vélos (5 $US la journée). Un panonceau avertit les clients : "Les armes et les objets malodorants doivent être confiés à la réception".

Hai Yen Hotel (☎ 822828, fax 821902, 40 Đ Tran Phu ; chambres 10-52 $US, petit déj inclus). Le Hai Yen, dont le nom signifie "hirondelle de mer", possède une piscine et des balcons avec vue sur la mer. Toutes les chambres comportent clim., eau chaude et TV par satellite.

Ban Me Hotel (☎ 829500, fax 810035, 3/3 Đ Tran Quang Khai ; 1/2/3/4 pers 253 000/275 000/319 000/418 000 d, petit déj inclus). Un bel hôtel imposant, situé à quelques centaines de mètres de la plage. Ici, les chambres disposent toutes de la clim. et de la TV par satellite.

Bao Dai's Villas (☎ 590148, fax 590146, baodai@dng.vnn.vn ; chambres standard/ deluxe 25-50/70-80 $US, petit déj inclus). Plus éloignées du centre-ville, ces villas sont installées sur la côte, non loin de Cau Da, à 6 km au sud de la gare ferroviaire. Les chambres de catégorie supérieure, spacieuses et hautes de plafond, abritent toutes d'immenses sdb et donnent sur la baie. Les tarifs n'en paraissent pas moins légèrement surévalués. L'élite vietnamienne a fait de ces villas son lieu de villégiature privilégié, une habitude qui remonte à l'époque de la présence française. Au pied de l'hôtel, la plage privée compte un bon restaurant. L'autre restaurant domine la baie.

Où se loger – catégorie supérieure

Ana Mandara Resort (☎ 829829, fax 829629, resvana@dng.vnn.vn ; chambres 166-330 $US++). Voici, au sud de la ville, un somptueux complexe de villas aux toitures en bois, éparpillées sur la plage. Elles offrent tout le luxe imaginable et s'avèrent, de loin, l'hébergement le plus huppé de Nha Trang.

Nha Trang Lodge (☎ 810500, fax 828800, nt-lodge@dng.vnn.vn, 42 Đ Tran Phu, chambres 45-150 $US). Avec ses 13 étages, ce lodge de luxe compte parmi les bâtiments les plus hauts et les plus huppés de la ville.

Saigon-Yasaka Nha Trang Hotel (☎ 810500, fax 828800, nt-lodge@dng .vnn.vn, 42 Đ Tran Phu ; chambres 98-198 $US++). Également installé dans une luxueuse tour, cet hôtel clinquant est le fruit d'une joint-venture entre Saigon Tourist et une société japonaise. Les prestations comprennent un club de remise en forme et une piscine.

Au moment où nous mettions sous presse, il était question de l'ouverture prochaine, au nord de la ville, du **Ruaka**, un méga complexe balnéaire cinq étoiles, qui promet d'être le plus luxueux et le plus élégant du Vietnam.

Où se restaurer

Véritable paradis des fruits de mer et de gastronomes, Nha Trang compte une mul titude de restaurants qui occuperont le fans de cuisine pendant plusieurs semai nes. Si vous êtes friand de pain frais, vou vous régalerez car Nha Trang possède s propre façon de préparer la baguette à l française, sous forme de miches très den ses. Les habitants affirment qu'elles rassa sient les pêcheurs pendant leur dur labeur

Front de mer. La Bella Napol (☎ 829621, Đ Tran Phu). Une excellent cuisine italienne à déguster sur une ra vissante terrasse dominant la plage. Le sympathiques propriétaires, Marinell et Gigi, préparent une cuisine familial d'Italie du Sud et de succulentes pizza cuites au feu de bois. Renseignez-vous (l veille) sur les spécialités de poissons e de fruits de mer (le bar cuit en croûte d sel est divin !).

Casa Italia Restaurant (☎ 826528, 72 4 Đ Tran Phu). Un autre authentique restau rant italien, où la pasta s'avère délicieus et les vins excellents. Vous pourrez choisi des fruits de mer de toute fraîcheur à bor d'une jonque vietnamienne, avant qu'on le cuisinent devant vous.

Nha Trang Sailing Club (☎ 826528) Voisin du précédent, ce bar-restaurant trè apprécié sert des plats vietnamiens, euro péens, indiens et japonais.

Good Morning Vietnam (☎ 815071 19B Đ Biet Thu ; plats 20 000-50 000 d) Dans ce lieu tenu par des Italiens, vou pourrez vous régaler de pizzas, de pâtes e de salades, à des prix forts raisonnables Quelques spécialités thaïes et vietnamien nes pimentent le tout. À l'étage, install sur de confortables coussins, vous pourrez vous détendre en vous restaurant ou e regardant un film (tlj à 17h et 20h).

Cafe des Amis (☎ 813009, 2D Đ Biet Thu). Cet endroit est réputé pour son ex cellente cuisine végétarienne. Les murs s parent d'une intéressante collection d'œu vres de peintres vietnamiens. À côté, chez Mr Vu's Tour Adventures, l'on vous ren seignera utilement sur les circuits en Jeep moto vers les Hauts Plateaux du Centre.

Tin Duc (☎ 827030, 16 Đ Tran Quang Khai ; plats environ 25 000 d). Plébiscité pa nombre de voyageurs, le Tin Duc constitue l'adresse idéale pour le petit déjeuner, le déjeuner ou le dîner.

Same Same But Different Cafe (☎ 524079, 4 Đ Tran Quang Khai). Un autre endroit agréable, tenu par des gens sympathiques, où déguster des plats vietnamiens et occidentaux à prix convenables (notamment des spécialités végétariennes et un savoureux muesli au petit déjeuner).

Candle Light Cafe (6 Đ Tran Quang Khai). L'ambiance et les prestations sont comparables à celles du café précédent.

Red Star (☎ 812790, 14 Đ Biet Phu). Un restaurant sans prétention qui propose d'excellents fruits de mer. Goûtez le crabe ou les palourdes au gingembre, à la citronnelle et au piment, ou encore le ragoût de poissons.

El Coyote (☎ 820202, 76 Đ Hung Vuong ; plats 40 000-60 000 d). Un authentique Tex-Mex où se régaler, entre autres spécialités, de *chili con carne* et de *pato con coca* (cuisse de canard à la sauce coca). Le propriétaire a des origines française, vietnamienne, laotienne et cheyenne.

Vous dégusterez au **Bombay** (15 Đ Biet Thu) une bonne cuisine indienne. Le **Tandoori House** (Đ Hung Vuong) est à essayer également. Le **Chau Cafe** est voisin du précédent.

Thanh Thanh Cafe (☎ 824413, 10 Đ Nguyen Thien Thua). Ce café de voyageurs propose des pizzas, des spécialités vietnamiennes et d'autres plats de base.

Quartier du centre. Lac Cahn Restaurant (☎ 828189, 44 Đ Nguyen Binh Khiem). Véritable institution de Nha Trang, ce restaurant remporte un franc succès. Au rez-de-chaussée ou à l'étage, viande de bœuf, calamars, crevettes géantes, langoustes et autres délices sont grillés devant vous, à votre table.

Restaurant 7C (☎ 828243, 7C Đ Le Loi ; plats 20 000-25 000 d). Voici l'adresse où aller si vous avez envie d'une authentique saucisse allemande. Tenu par un expatrié, le restaurant sert d'excellents bratwurst et schnitzel, ainsi que du pain complet fait maison et du requin frais. Les prix restent raisonnables, notamment celui de la Viet Duc à la pression, une bonne bière locale (12 000 d). L'endroit se trouve à quelques minutes à pied de la plage, près de la poste.

Au Lac (28C Đ Hoang Hoa Tham). Installé non loin du croisement avec la Đ Nguyen Chanh, ce minuscule restaurant propose une cuisine végétarienne savoureuse et bon marché.

Bo De (28B Đ Hoang Hoa Tham). Voisin du précédent, et bon également.

Vous pourrez également vous rendre au **marché Dam**, qui présente un bel assortiment d'échoppes dans un pavillon couvert, de forme semi-circulaire. La cuisine végétarienne (*com chay*) y est représentée.

Dua Xanh Restaurant (☎ 823687, 23 Đ Le Loi). Un endroit agréable où l'on peut choisir de nombreux plats de poissons et des fruits de mer, à déguster dans le jardin ou à l'intérieur. Gardez une petite place pour le dessert.

Pour savourer une très bonne crème glacée, essayez l'un des deux remarquables petits **Banana Split Cafés**, à côté du rond-point où se croisent la Đ Quang Trung et la Đ Ly Thanh Ton. Les deux établissements sont rivaux depuis longtemps, à en juger par les tactiques musclées déployées pour attirer le client.

Quartier de Hon Chong. Biet Thu (carte de Nha Trang ; ☎ 828441). Hors des sentiers battus (mais le chercher vaut la peine), ce restaurant est très prisé localement. Vous dégusterez poissons et de fruits de mer tout juste pêchés dans l'aquarium en plein air qui jouxte les tables.

Où sortir

Jack's Bar (☎ 813862, 96A Đ Tran Phu ; plats 10 000-30 000 d ; ouvert tard). Un lieu fort agréable, tenu par un jeune Anglais, où il fait bon venir une fois la nuit tombée. Outre une belle vue sur la baie de Nha Trang depuis le toit-terrasse, il offre deux billards, de la bonne musique, ainsi que de la bière fraîche à prix doux (*happy hour* de 18h à 22h !). On peut s'y restaurer de 8h à 22h, en étant sûr qu'aucun colporteur ne viendra vous solliciter.

Crazy Kim Bar (Kim Dien Bar ; ☎ 816072, 19 Đ Biet Thu ; tlj 10h-1h). Ce pub original a été ouvert par Kimmy, une Canado-vietnamienne, dans le cadre de sa campagne "Ne touchez pas aux enfants !", qui tente de mettre un frein au problème croissant de la pédophilie à Nha Trang. Les bénéfices tirés de la vente de nourriture, d'alcool (essayez les cocktails détonants !) et de tee-shirts servent à financer cette action. Renseignez-vous au bar si vous désirez enseigner l'anglais bénévolement aux enfants des rues.

Nha Trang Sailing Club (☎ 826528, 72 Đ Tran Phu ; ouvert tôt, fermé tard). Bar de plage en plein air très couru, le Sailing Club voit passer la majorité des noctambules. On vient ici pour la musique trépidante, la danse endiablée, les tournées qui coulent à flots, la piscine et l'ambiance. Vous pourrez échapper à cette frénésie en vous installant sur la vaste terrasse qui domine la plage.

La discothèque **Hexagone Disco**, depuis longtemps réputée, se trouve sur la plage, à côté du Ana Mandara Resort.

Vien Dong Hotel (☎ 821606, 1 Đ Tran Hung Dao ; tlj 19h30). Vous viendrez ici pour découvrir des spectacles (gratuits) de danse et de chant des minorités.

Achats

On peut désormais trouver des objets d'art à Nha Trang. Nombre d'artistes peintres ou de photographes exposent leurs œuvres sur les murs des complexes hôteliers, des restaurants ou des cafés.

De nombreuses boutiques proposent des coquillages dans le village de Cau Da, près de l'Institut océanographique.

Bambou Company (☎ 0903-573602, bambou_company@hotmail.com). Cette entreprise montée par un expatrié français fabrique des tee-shirts de belle qualité aux motifs originaux. Ils sont en vente dans les bars et les restaurants locaux, comme La Bella Napoli.

À découvrir également, les tee-shirts peints à la main réalisés par un peintre local sympathique, Kim Quang (☎ 0913-416513), qui travaille tous les soirs sur son fauteuil roulant au Sailing Club.

Comment s'y rendre

Avion. Des vols **Vietnam Airlines** (☎ 826768, fax 825956, 91 Đ Nguyen Thien Thuat) relient Nha Trang à HCMV, Hanoi et Danang.

Bus. Au départ de HCMV, les bus express et réguliers pour Nha Trang partent de la gare routière de Mien Dong. Le trajet dure 11 à 12 heures en express.

La **gare routière de Lien Tinh** (Ben Xe Lien Tinh, ☎ 822192, Đ 23/10), principal terminus des bus de Nha Trang, se situe à 500 m à l'ouest de la gare ferroviaire. La gare routière courte distance (voir le plan) n'accueille que les bus locaux.

Minibus. Les minibus constituent le moyen de transport idéal. Il est aisé d'en affréter un dans la plupart des endroits fréquentés par les étrangers.

Train. Vous pouvez réserver des billets de train dans tous les hôtels et les cafés fréquentés par les touristes. Même s'il faut régler une petite commission, ce service se révèle bien pratique.

La **gare ferroviaire de Nha Trang** (Ga Nha Trang ; ☎ 822113, face 26 Đ Thai Nguyen ; guichets 7h-14h) donne sur la cathédrale.

Les express qui circulent entre Hanoi et HCMV s'arrêtent à Nha Trang. En outre, un train local quotidien relie spécialement Nha Trang à HCMV. Reportez-vous à la section *Train* du chapitre *Comment circuler*.

Voiture et moto. Nha Trang est distante de 205 km de Buon Ma Thuot, 541 km de Danang, 448 km de Ho Chi Minh-Ville, 104 km de Phan Rang, 424 km de Pleiku, 412 km de Quang Ngai et 238 km de Qui Nhon.

Dans l'arrière-pays de Nha Trang, un réseau de routes plus ou moins parallèles relie les deltas vietnamiens et les régions côtières aux Hauts Plateaux du Centre.

Comment circuler

Desserte de l'aéroport. Installé dans le sud de la ville, l'aéroport est si proche de certains hôtels que vous pourrez vous y rendre à pied. Sinon, la course en cyclo vous coûtera 1 $US. Le cyclo constitue un bon moyen de transport pour visiter les environs, mais limitez votre périple aux heures de la journée.

Nha Trang Taxi (☎ 824000) et **Khanh Hoa Taxi** (☎ 810810) disposent de voitures climatisées avec compteur.

Bicyclette. La plupart des grands hôtels louent des bicyclettes pour environ 1 $US la journée.

ENVIRONS DE NHA TRANG
Îles et excursions en bateau

Les 71 îles côtières de la sont réputées pour la limpidité des eaux qui les entourent. Un excellent prétexte pour visiter Nha Trang et faire une promenade en mer.

Long Thanh, photographe

Sur les 500 photographes inscrits à l'Association nationale des photographes, la plupart vivent à Hanoi ou à HCMV et travaillent en couleur. Né à Nha Trang en 1951, Long Thanh fait exception à la règle.

Malgré ses ressources limitées et son handicap géographique, ce père de famille s'est imposé comme le photographe le plus réputé de Nha Trang. Il a commencé ses premiers clichés dans les années 1960. Âgé de 13 ans, il travaillait alors pour un magasin de photos de la ville, où il eut l'occasion de manipuler son premier appareil.

En véritable puriste, Long Thanh ne jure que par le noir et blanc. Ses photos saisissent le cœur et l'âme du Vietnam. Dans l'une de ses œuvres les plus touchantes, *Sous la pluie*, un mystérieux rayon de soleil vient illuminer deux fillettes surprises par une averse. La plus émouvante de ses œuvres pourrait être *La vieille dame et son petit-fils*, où une vieille femme torse nu, la peau ridée comme du cuir, partage un moment de paix avec son petit-fils.

Bien qu'il ait participé à près de 50 expositions collectives à l'étranger et fait une première exposition en solo à Hambourg en 1999, son talent reste relativement méconnu hors du Vietnam. Les touristes qui se rendent à Nha Trang peuvent cependant admirer ses photos sur les murs du très populaire Sailing Club.

Vous pouvez rendre visite à l'artiste dans son atelier (renseignez-vous auprès du Sailing Club). Voyageur invétéré, Long Thanh accompagne volontiers ses nouveaux amis dans des excursions à travers la campagne vietnamienne.

Si passer une nuit au large vous tente, choisissez de préférence l'île aux Baleines ou l'île aux Bambous (Hon Tre).

Afin de préserver l'environnement, demandez au moment de réserver si le capitaine ancre son embarcation à une bouée ou directement au corail. Demandez également poliment au capitaine de s'amarrer à une bouée. Évoquez également la question avec les opérateurs eux-mêmes.

Les excursions en bateau organisés par Mama Linh's (voir *Agences de voyage* dans la rubrique *Nha Trang*) sont des plus "animées" pour caboter d'île en île. Le vin de fruits coule à flot au "bar flottant" improvisé, tandis que le pont se transforme en piste de danse. Ce n'est sans doute pas le meilleur environnement pour une famille avec des enfants (ou pour les buveurs repentis), aussi, est-il bon de rappeler qu'il existe des promenades en bateau plus orthodoxes…

Il est possible de réserver les circuits des îles et d'autres promenades auprès de quasiment tous les hôtels de la ville. Certaines excursions en mer, moins fréquentées et plus luxueuses, explorent un plus grand nombre d'îles. Bien que plus onéreuses, elles représentent le seul moyen de faire un peu de snorkeling (plongée sans bouteille). Les bateaux sont affrétés au quai de Cau Da, à l'extrémité sud de Nha Trang. Si vous

ne faites pas partie d'un groupe organisé, il vaut mieux réserver la veille ou arriver sur le quai tôt le matin : à 10h, tous les bateaux sont partis. Autre solution : vous faire accepter à bord des embarcations des écoles de plongée, la plupart acceptent les non-plongeurs, moyennant un prix assez bas.

Autour de certains villages de pêcheurs qui peuplent les îles, les eaux peu profondes empêchent les bateaux d'accoster. Le cas échéant, vous devrez parcourir plusieurs centaines de mètres sur des flotteurs instables. Conçus pour les Vietnamiens, ces flotteurs posent un problème aux Occidentaux un peu costauds. Néanmoins, vous prendrez un grand plaisir à la découverte de ces lieux et de leurs habitants.

Hon Mieu. Les guides touristiques parlent de Hon Mieu, appelée également île Tri Nguyen, comme d'un "aquarium naturel" (Ho Ca Tri Nguyen). Il s'agit en fait d'un vivier abritant plus de 40 espèces de poissons, crustacés et autres créatures marines, dans trois bassins séparés. Un **café sur pilotis** a été construit sur l'île. Pour louer un canot, renseignez-vous alentour.

Le principal village de Hon Mieu se nomme Tri Nguyen. Bai Soai est une plage de graviers à l'extrémité la plus éloignée de l'île, par rapport à Cau Da. Quelques bungalows (loués 6 \$US) sommaires vous permettent de passer la nuit sur l'île, dans des conditions assez rudimentaires.

La plupart des gens organisent leur excursion en bateau en passant par un hôtel, un café, ou par Khanh Hoa Tourist. Les plus désargentés et les moins pressés empruntent l'un des bacs qui partent régulièrement de la jetée de Cau Da.

Île aux Bambous (Hon Tre). Située à plusieurs kilomètres de l'extrémité sud de la plage de Nha Trang, l'île aux Bambous s'avère, de loin, la plus grande île des environs. La plage de Tru (Bai Tru) est située à sa pointe nord. Des bateaux, disponibles à la location, vous y emmèneront. Nous recommandons les excursions d'une journée et d'une nuit organisées par Con Se Tre (voir *Agences de voyage* dans la section *Nha Trang*).

Hon Mun. Un peu plus au sud, Hon Mun, également appelée l'île d'Ébène, ravira les amateurs de snorkeling. Pour la rejoindre, il vous faudra sans doute louer un bateau.

Hon Tam. Située au sud-ouest de l'île aux Bambous, cette île n'est guère éloignée et la traversée coûte seulement 2 000 d. Cependant, en dehors de sa plage malheureusement souillée, sa visite ne présente aucun intérêt particulier.

Hon Mot. Cet îlot, pris en sandwich entre l'île d'Ébène et Hon Tam, est un fort bon site de snorkeling.

Île aux Singes. L'île aux Singes, Hon Lao en vietnamien, abrite nombre de primates habitués aux visiteurs. Vous n'aurez aucun mal à les approcher pour prendre une photo si vous leur donnez un peu de nourriture. N'oubliez pas cependant que ces animaux sont sauvages : évitez de les caresser, de leur serrer la main ou de les prendre dans vos bras. Certains touristes se sont fait griffer et mordre, en cherchant à sympathiser avec eux d'un peu trop près. Sachez que les morsures de singe sont susceptibles de transmettre la rage.

Hormis le fait qu'ils n'apprécient pas trop les câlins, les singes n'hésiteront pas à vous arracher vos lunettes ou à chiper un stylo de votre poche avant de décamper. Jusqu'ici, aucun touriste ne s'est plaint

qu'on lui ait ouvert son sac d'un coup de lame de rasoir, mais soyez au moins aussi vigilant qu'à HCMV !

L'île aux Singes se situe à 12 km au nord de l'île aux Bambous. Un circuit en bateau d'une journée s'organise facilement depuis Nha Trang. Un autre moyen, plus rapide consiste à louer une moto ou une voiture, pour parcourir les 15 km au nord de Nha Trang, par la RN 1 permettant de rejoindre le bac, près d'une pagode et de l'agréable **Nha Trang Restaurant**. Il vous transportera en 15 minutes jusqu'à l'île pour 50 000 d.

Autres destinations possibles : les sources de Hoa Lan, sur Hon Heo (40 000 d, 45 minutes) et Hon Thi (20 000 d, 20 minutes).

Îles aux Nids d'hirondelle. Le nom "îles des Salanganes" (Hon Yen ou Dao Yen) désigne les deux îles en forme de bosse que l'on aperçoit depuis la plage de Nha Trang. C'est dans ces îles et quelques autres, situées au large de la province de Khanh Hoa, que l'on trouve les plus beaux nids d'hirondelle (*salangane*) du Vietnam. Cuisinés en soupe et utilisés en médecine traditionnelle, ils passent pour être aphrodisiaques. On raconte que l'empereur Minh Mang, qui régna de 1820 à 1840, faisait preuve d'une virilité exceptionnelle grâce à sa consommation de nids de salanganes.

Ces nids, faits de secrétions salivaires qui ont l'apparence de fils de soie, sont semi-ovales et mesurent entre 5 et 8 cm de diamètre. On les récolte deux fois par an. Les plus recherchés sont les rouges. La production annuelle des provinces de Khanh Hoa et de Phu Yen s'élève à une tonne. Actuellement, un kilo peut se vendre 2 000 \$US sur le marché international.

L'une des îles des Salanganes possède une petite plage isolée. Il faut compter 3 à 4 heures en bateau pour parcourir les 17 km qui séparent Nha Trang de ces deux îles.

Citadelle de Dien Khanh

Cette place forte date de la dynastie Trinh, qui régna au XVIIe siècle. Le prince Nguyen Anh (futur empereur Gia Long) l'a fait reconstruire en 1793, à la suite de sa victoire sur les rebelles Tay Son. Il n'en reste aujourd'hui que quelques pans de murs. La citadelle est située à 11 km à l'ouest de Nha Trang, près des villages de Dien Toan et de Dien Khanh.

Chutes de Ba Ho

Composées de trois cascades et de trois bassins, les chutes de Ba Ho (Suoi Ba Ho) s'étendent au cœur d'une forêt, à une vingtaine de kilomètres au nord de Nha Trang, et à quelque 2 km à l'ouest du village de Phu Huu. Quittez la RN 1 juste au nord d'un restaurant baptisé **Quyen**.

Source aux Fées

Cette source (Suoi Tien) enchanteresse semble jaillir de nulle part. La végétation tropicale de son jardin naturel et ses rochers arrondis en font une véritable petite oasis.

Vous pouvez y accéder à moto ou en voiture, en prenant la RN 1 vers le sud. À 17 km de Nha Trang, dès que vous apercevez un panneau sur votre gauche (le côté est de la route), quittez la RN 1 et traversez le village. La route serpente et grimpe à flanc de colline sur 8 km, jusqu'à une vallée. Dès que la piste se gâte, vous êtes arrivé. Vous verrez sans doute d'autres véhicules garés aux alentours, car l'endroit est très populaire dans la région.

PHAN RANG ET THAP CHAM
☎ 068 • 143 700 habitants

Les villes jumelées de Phan Rang et de Thap Cham, renommées pour leur raisin de table, font partie d'une région semi-aride. Le sol sablonneux ne porte qu'une maigre végéta-

La baie de Cam Ranh

La baie de Cam Ranh forme une magnifique rade naturelle, à 56 km au nord de Phan Rang-Thap Cham, dans la province de Khanh Hoa. La base navale d'importance stratégique qu'elle abrite est considérée comme l'un des tout premiers ports en eau profonde d'Asie.

La flotte russe de l'amiral Rodjestvenski en fit son port d'attache en 1905, à la fin de la guerre russo-japonaise, tout comme la flotte japonaise pendant la Seconde Guerre mondiale. À l'époque, la région était encore très réputée pour la chasse au tigre. Au milieu des années 1960, les Américains y installèrent une vaste base comprenant un port, des chantiers de réparation des navires et une piste d'atterrissage. Après la réunification du Vietnam, les Soviétiques en ont fait leur plus grande base navale hors d'URSS. En 1988, Mikhail Gorbatchev proposa d'abandonner l'installation si les Américains faisaient de même en mer de Chine méridionale. La présence soviétique dans le secteur fut réduite de façon notoire en 1990, compte tenu des restrictions budgétaires décidées par le Kremlin.

Cette "guerre froide" s'acheva en 1991, avec l'effondrement de l'Union soviétique et l'abandon des bases américaines aux Philippines, à la demande expresse du gouvernement philippin. Par la suite, les problèmes économiques ont contraint les Russes à réduire considérablement leur présence militaire à l'étranger, à commencer par l'une de leurs principales bases à Cuba du temps de la guerre froide. Bien que le contrat initial concernant la baie de Cam Ranh doive expirer en 2004, les militaires russes ont accepté d'évacuer la base – dernier bastion de la marine russe en Asie – en 2002.

Si les États-Unis et l'ex-URSS ne se disputent plus le terrain, cela ne signifie pas pour autant qu'une base militaire ne soit pas nécessaire dans la baie de Cam Ranh. Les Vietnamiens s'inquiètent de plus en plus des intentions de la Chine, laquelle n'a jamais cessé de construire des installations navales en mer de Chine méridionale. En 1988 et en 1992, les Chinois ont pris possession de plusieurs îles revendiquées par les Vietnamiens. En 1995, la marine chinoise s'est emparée d'autres îles, revendiquées cette fois par les Philippines.

Même si les Vietnamiens ne tardent pas à réclamer les installations de la baie de Cam Ranh pour leur propre usage militaire, la possibilité a récemment été évoquée d'ouvrir la baie au tourisme. Les plages s'avèrent en effet magnifiques dans les environs. Le tourisme ne saurait toutefois se développer aux portes d'une base navale. Entre-temps, les États-Unis ont proposé d'aménager un port ouvert après le départ des Russes, tandis que les Vietnamiens ont exprimé leur intérêt pour la construction d'un aéroport international qui desservirait la station balnéaire de Nha Trang. Seul le temps révélera ce qu'il adviendra de la baie.

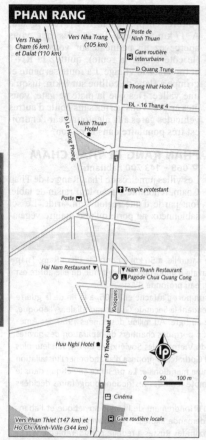

PHAN RANG

Vers Thap Cham (6 km) et Dalat (110 km)

Vers Nha Trang (105 km)

Poste de Ninh Thuan

Gare routière interurbaine

Đ Quang Trung

Thong Nhat Hotel

DL - 16 Thang 4

Đ Le Hong Phong

Ninh Thuan Hotel

Poste

Temple protestant

Hai Nam Restaurant

Nam Thanh Restaurant

Pagode Chua Quang Cong

Kiosques

Huu Nghi Hotel

Đ Thong Nhat

0   50   100 m

Cinéma

Vers Phan Thiet (147 km) et Ho Chi Minh-Ville (344 km)

Gare routière locale

Quang Cong, un temple chinois très coloré du centre-ville, bâti il y a 135 ans.

Orientation

Dès qu'elle traverse Phan Rang, la RN 1 devient la Đ Thong Nhat, principale artère commerciale de la ville. Thap Cham, située à 7 km de Phan Rang, s'étend le long de la RN 20, qui mène à Ninh Son et à Dalat.

Renseignements

Dans le nord de la ville, la **poste principale** propose un accès à Internet, du lundi au vendredi de 7h à 17h (500 d la minute).

Tour cham de Po Ro Me

À une quinzaine de kilomètres au sud de Phan Rang, la tour cham de Po Ro Me (Thap Po Ro Me) se dresse sur une colline rocheuse située 5 km à l'ouest de la RN 1. C'est la plus récente des tours cham du Vietnam. Ces ruines ne manquent pas d'intérêt, mais on a un mal fou à y accéder. La "route" n'est qu'une piste poussiéreuse, dont seules de bonnes chaussures ou une moto peuvent venir à bout. Un lecteur raconte :

Le chemin qu'il faut prendre se situe entre le km 1566 et le km 1567 de la RN 1. Nous avons traversé de charmants hameaux cham. Tout en suivant du regard une tour visible au loin, nous avons emprunté une route qui s'est transformée en chemin, avant de devenir une vague piste encore moins praticable. Même la moto a failli ne pas pouvoir passer. Au bout d'environ 2 km d'ascension de la colline, c'était fini… pas le moindre sentier à l'horizon. Notre pauvre moto n'en pouvait plus de tous ces cactus, de ces rochers et elle a calé une fois de plus. Nous avons fini par escalader la colline à pied (des serpents magnifiques !). C'était magique. Cette impression d'être complètement isolés sur cette petite montagne, avec, seulement, le bruit d'une cloche à vache dans le lointain, et pas âme qui vive à des kilomètres à la ronde (incroyable, après des semaines passées à Ho Chi Minh-Ville !), c'était indescriptible. Il y a de grands escaliers au pied de la tour. Elle était fermée, mais cela valait quand même la peine d'être montés jusque-là. La tour est décorée de superbes statues en pierre et deux statues de Nandin se trouvent juste devant l'entrée. Merci de mentionner au moins son existence, même si nous étions probablement les seuls étrangers à y accéder cette année-là.

Genevieve Mayers

Sur les montants de la porte du *kalan*, lui-même orné de nombreuses peintures,

tion, principalement des cactus bourrés de méchantes épines et des poincianas. Aux alentours de la ville, de nombreuses maisons sont ornées de treilles, comme en Grèce.

Le site le plus connu de la région (et l'un des hauts lieux touristiques du Vietnam) est sans conteste Po Klong Garai et ses tours cham (*Thap Cham*), auxquelles la ville de Thap Cham doit son nom (voir l'encadré *Les tours cham de Po Klong Garai*). D'autres ruines cham parsèment la campagne, à 20 km au nord de Phan Rang.

La province de Ninh Thuan abrite des dizaines de milliers de descendants du peuple cham, dont beaucoup résident dans ces villes jumelles. On compte également trois ou quatre mille descendants chinois dans la région, dont beaucoup viennent se recueillir au **Chua**

Les tours cham de Po Klong Garai

Po Klong Garai (entrée 50 000 d), également nommé Po Klong Girai (girai signifie dragon), constitue la grande curiosité de Phan Rang et de Thap Cham. Les quatre tours en brique, construites à la fin du XIIIe siècle, pendant le règne du roi cham Jaya Simhavarman III, sont des temples hindouistes. Elles reposent sur une plate-forme de brique au sommet de Cho'k Hala, une colline de granit recouverte de superbes cactus.

Au-dessus de l'entrée de la plus grande tour (le kalan ou sanctuaire) trône une sculpture de Shiva (à six bras) dansant. Ce bas-relief, renommé pour sa beauté, est appelé Po Klaun Tri (le Gardien du temple) dans la région. Les remarquables inscriptions en ancienne langue cham sur les montants de la porte témoignent des efforts prodigués pour restaurer le temple, ainsi que des offrandes et des sacrifices d'esclaves destinés à l'honorer.

Le vestibule abrite une statue du taureau blanc Nandin (également nommé bœuf Kapil), symbole de fertilité agricole. Les paysans avaient coutume de déposer des offrandes de légumes frais, d'herbes et de noix d'arec devant le museau de l'animal, afin de s'assurer une bonne récolte.

Sous la tour principale se dresse un mukha-linga, un lingam recouvert d'un visage peint. Une pyramide en bois a été érigée au-dessus du mukha-linga.

De la tour située face à l'entrée du kalan, on admirera l'ingéniosité des maçons cham pour concevoir ces colonnes de bois qui soutiennent le toit léger. La structure qui s'y rattache constituait autrefois l'entrée principale du site.

Sur une colline voisine, un rocher porte une inscription qui date de l'an 1050, commémorant l'édification d'un lingam par un prince cham.

En 1965, les Américains ont bâti un château d'eau en béton sur la colline juste au sud de Cho'k Hala. Il est entouré de blockhaus construits par les Français durant la guerre d'Indochine, afin de protéger les voies de chemin de fer. Au nord de Cho'k Hala, on aperçoit les pistes de la base aérienne de Thanh Son, utilisée depuis 1975 par l'armée de l'air vietnamienne.

Le nouvel an cham (kate) est célébré dans les tours le septième mois du calendrier cham (vers le mois d'octobre). La fête commémore les ancêtres, les héros nationaux cham et les divinités, telles la déesse Po Ino Nagar, vénérée par les Cham pour les travaux agricoles.

La veille de la célébration, une procession encadrée des montagnards de Tay Nguyen, porte l'habit du roi Po Kloong Garai, au son de la musique traditionnelle. La procession dure jusqu'à minuit. Le lendemain matin, les vêtements sont portés à la tour, accompagnés par des musiciens, des chanteurs et des danseurs, suivis par les notables et les anciens de la ville entourés de drapeaux et de bannières. Les. Cette cérémonie haute en couleur se poursuit jusque dans l'après-midi.

Ces célébrations durent ensuite jusqu'à la fin du mois. Les Cham se rendent à des fêtes et rencontrent leurs amis et leur famille. Ils passent également leur temps à prier pour s'attirer la bonne fortune.

Po Klong Garai se trouve à quelques centaines de mètres au nord de la route RN 20, à 6 km de Phan Rang en direction de Dalat. Les tours se situent de l'autre côté des voies de chemin de fer de la gare de Thap Cham. Étant donné que vous passerez devant le site en circulant entre Dalat et Nha Trang ou Mui Ne, profitez-en, si possible, pour le visiter. La plupart des bus qui transportent des voyageurs entre Dalat et la côte s'arrêtent là à condition de demander au chauffeur.

TC

TOURS CHAM DE PO KLONG GARAI

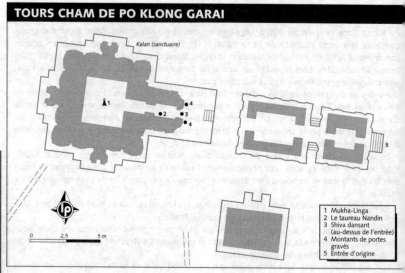

1 Mukha-Linga
2 Le taureau Nandin
3 Shiva dansant (au-dessus de l'entrée)
4 Montants de portes gravés
5 Entrée d'origine

figurent des inscriptions. Vous pouvez également apprécier deux statues en pierre du taureau blanc Nandin, un bas-relief représentant un roi déifié sous la forme de Shiva, et deux statues de reines, l'une d'elles avec une inscription sur la poitrine. Les tours portent le nom du dernier souverain du Champa indépendant, le roi Po Ro Me, qui régna de 1629 à 1651 et mourut dans une prison vietnamienne.

Hameau de Tuan Tu

Dans ce hameau de 1 000 habitants se dresse une mosquée cham sans minaret, fermée aux visiteurs. La communauté musulmane de Tuan Tu est dirigée par des responsables élus (Thay Mun), facilement identifiables à leur costume traditionnel, une longue tunique blanche surmontée d'un turban blanc à pompons rouges. Fidèles aux lois musulmanes imposant la pudeur, les femmes cham se couvrent souvent la tête et portent des jupes longues. Comme d'autres minorités du Vietnam, les Cham subissent des persécutions et sont encore plus pauvres que les ethnies vietnamiennes voisines.

Pour vous rendre au hameau de Tuan Tu, prenez la RN 1 vers le sud depuis Phan Rang ; 250 m après le grand pont, au sud, traversez le petit pont et tournez à gauche (vers le sud-est) sur la piste. Au marché juste après la pagode bouddhique, tournez à droite et suivez la route, en partie bordée de cactus sur 2 km. Deux passerelles blanches la traversent. N'hésitez pas, en chemin, à demander si vous êtes dans la bonne direction. Tuan Tu se trouve à 3 km de la RN 1.

Où se loger

Huu Nghi Hotel (☎ 822606, 354 Đ Thong Nhat ; chambres 10-18 $US). Voici sans conteste l'hôtel le moins cher et le moins plaisant de Phan Rang. Bruyant du fait de sa situation dans le centre-ville, il offre en revanche l'avantage d'être proche de la gare routière. On peut obtenir une chambre avec clim., mais pas d'eau chaude. Dans le hall, un écriteau stipule qu'il ne faut faire entrer ni armes, ni explosifs, ni drogues, ni produits inflammables, ni substances radioactives ni animaux dans l'hôtel.

Ninh Thuan Hotel (☎ 827100, fax 822142, 1 Đ Le Hong Phong ; chambres 22-35 $US). Cet agréable établissement situé au nord de la ville en face d'un petit parc bénéficie de la clim. et de la TV par satellite.

Thong Nhat Hotel (☎ 827201, fax 827343, 99 Đ Thong Nhat ; doubles 22-32 $US). Ce deux étoiles de quatre étages loue des chambres avec clim. baignoire, TV par satellite et mini-bar.

Où se restaurer

L'une des grandes spécialités locales est le gecko (ky nhong), rôti ou grillé, accompagné de mangue verte.

Le centre-ville compte quelques bonnes adresses où déguster de la cuisine vietnamienne, dont le **Hai Nam** et le **Nam Thanh**.

Phan Rang est également la capitale vietnamienne du raisin. Au sud de la ville, le long de la RN 1, les **kiosques** en vendent sous toutes les formes : en grappes fraîches, en jus ou séché.

Comment s'y rendre

Bus. À HCMV, les bus à destination de Phan Rang et Thap Cham partent de la gare routière de Mien Dong.

La **gare routière des bus interurbains de Phan Rang** (Ben Xe Phan Rang, face au 54 Đ Thong Nhat) est installée un peu au nord de la ville.

La **gare routière locale** (face au 426 Đ Thong Nhat) se situe au sud de la ville.

Train. La gare ferroviaire de Thap Cham est à 6 km à l'ouest de la route RN 1, non loin des tours cham de Po Klong Garai.

Voiture et moto. Quelque 344 km séparent Phan Rang de HCMV, 147 km de Phan Thiet, 105 km de Nha Trang et 110 km de Dalat.

Plage de Ninh Chu
☎ 068

À condition de disposer d'un véhicule, vous échapperez à la circulation de la RN 1 en vous rendant à la plage de Ninh Chu (Bai Tam Ninh Chu), distante de 7 km au sud de Phan Rang. Cette étendue de sable jaune sombre s'avère très agréable mais l'eau ne possède pas les magnifiques reflets turquoise de Nha Trang.

À proximité de la plage, on peut passer la nuit au **Ninh Chu Hotel** (☎ 873900 ; chambres 10-20 $US).

CA NA
☎ 068

Au XVIᵉ siècle, les princes cham venaient à Ca Na pêcher et chasser le tigre, l'éléphant et le rhinocéros. De nos jours, la cité doit surtout sa réputation à ses eaux turquoise que bordent de superbes plages de sable blanc, parsemées de gros rochers de granit.

Il manque cependant à ce petit paradis reposant cette touche d'isolement tropical dont bénéficie Mui Ne, plus au sud (il est difficile d'oublier le grondement et les gaz d'échappement des camions circulant sur la RN 1). La plupart des gens continuent vers Mui Ne (sud) ou Nha Trang (nord), bien que l'endroit ne soit pas mal choisi pour y séjourner.

Ici encore, les cactus sont rois. Au bout d'une montée raide mais amusante sur les rochers, se profile une petite pagode à flanc de coteau (voir l'encadré La pêche aux lézards).

Au large, vous apercevrez l'île Rau Cau. Un centre de plongée sous-marine bien équipée est installé à Vinh Hao, quelques kilomètres au sud de Ca Na.

De nombreux Chinois de Cholon viennent visiter le temple de Tra Cang, édifié plus au nord, à mi-chemin entre Ca Na et Phan Rang. La piste qui y mène s'avère un cauchemar de poussière.

La haute saison s'étend ici de décembre à août. Les pluies et un temps plus frais sont fréquents de septembre à novembre (les hôtels diminuent leurs tarifs en basse saison).

Où se loger et se restaurer

Ca Na Hotel (☎/fax 861320 ; chambres 150 000 d, bungalows 180 000 d). Proche de la nationale, ce vieil hôtel en béton loue des chambres souvent bruyantes. Mieux vaut opter pour la tranquillité d'un bungalow.

La pêche aux lézards

Quand on parle de pêche en montagne, on pense truite de rivière ou perche de lac. Dans les collines arides du littoral du Sud et du Centre (notamment autour de Ca Na, de Phan Rang, de Phan Tiet et de Mui Ne), il existe un tout autre genre de pêche : la pêche au lézard.

Ces lézards, appelés than lan nui, appartiennent à la famille des geckos et sont comestibles — certains disent qu'ils ont un goût de poulet. Traditionnellement, on les attrape en fixant un crochet au bout d'une longue canne en bambou et en laissant pendre un appât du haut d'un rocher jusqu'à ce que les petits reptiles audacieux montrent le bout de leur nez.

Dans des restaurants, les lézards sont servis grillés, rôtis ou frits, ou encore en patée (en broyant finement le tout, os compris) dans laquelle on trempe des biscuits salés à base de riz.

Haison Hotel (☎ 861312, fax 861339 ; chambres avec clim. 15 $US). Cet établissement de style motel, en face de la pagode Lac Son, est convenable mais également trop près de la route.

Les **restaurants** de ces deux hôtels offrent une étape très appréciée au déjeuner sur l'axe qui relie HCMV et Nha Trang.

Comment s'y rendre

Ca Na s'étend à 114 km au nord de Phan Thiet et à 32 km au sud de Phan Rang. De nombreux bus longue distance parcourant la RN 1 s'arrêtent à Ca Na, mais aucun train n'y passe.

VINH HAO
☎ 062

Cette ville assez morne, située au bord de la RN 1, entre Phan Thiet et Phan Rang, est connue pour sa célèbre eau minérale vendue partout au Vietnam. Vous aurez certainement l'occasion d'en boire au cours de votre séjour.

Plongée sous-marine

Vietnam Scuba (☎ 853919, fax 853918 ; à HCMV ☎ 08-925 4301, fax 839654, www.vietnamscuba.com). Cet agréable centre de plongée, bien équipé, et dirigé par un Coréen, se trouve sur une plage privée, à 3,5 km au sud de Ca Na. Le complexe balnéaire est facile à repérer le long de la RN 1.

Les plongeurs expérimentés (et les amateurs de *kimchi*) apprécieront les installations ainsi que les sites de plongée, parmi les meilleurs du Vietnam.

Les forfaits de plongée à la journée (130 $US, non-plongeurs 50 $US) comprennent l'hébergement dans d'agréables villas, les transports en bateau, un guide et les repas. Un gilet stabilisateur et un détendeur peuvent se louer en plus (50 $US par jour). Depuis la jetée privée du complexe, les bateaux mettent de 30 à 90 minutes pour rejoindre les sites de plongée, au large.

PHAN THIET
☎ 062 • 168 400 habitants

Phan Thiet est un port qui vit traditionnellement de la pêche et produit un *nuoc mam* très réputé. Aujourd'hui, le tourisme joue un rôle croissant dans l'économoie locale. La population de la ville se compose en grande partie de descendants des Cham,

qui contrôlèrent la région jusqu'en 1692. Pendant la période coloniale, les Français vivaient repliés sur eux-mêmes, sur la rive nord de la rivière Phan Thiet, tandis que Vietnamiens, Cham, Chinois du sud, Malais et Indonésiens occupaient la rive sud.

En dehors du golf, excellent, Phan Thiet n'offre que peu d'attraits, et ses plages n'ont rien de comparable avec celles de Mui Ne, 11 km plus loin.

Orientation

Phan Thiet s'étend sur les deux rives de la rivière du même nom, également appelée Ca Ti et Muong Man. En traversant la ville, la RN 1 devient la Ð Tran Hung Dao, au sud de la rivière, et la Ð Le Hong Phong au nord.

Renseignements

L'Hotel 19-4 (voir *Où se loger*) propose des excursions dans la région, les services de guides, ainsi que la location de voitures.

Plage de Phan Thiet

On y accède en se dirigeant vers l'est depuis le monument de la Victoire, une tour de béton en forme de flèche, ornée, à sa base, de statues en ciment.

Port de pêche

Situé en pleine ville, ce petit port, empli de bateaux, est très photogénique.

Terrain de golf

L'**Ocean Dunes Golf Club** (☎ 823366, fax 821511, odgc@hcm.vnn.vn, 1 Ð Ton Duc Thang), un terrain 18 trous de premier ordre, s'étend près de la plage à côté du Novotel (voir *Où se loger*). Des forfaits attractifs sont proposés au départ de HCMV : 76 à 82 $US par jour en semaine/week-end pour un parcours et une nuit à l'élégant Novotel, petit déjeuner compris. Un minibus effectue la navette entre le golf et HCMV.

Pour toute information, contactez le **bureau des réservations** à HCMV (☎ 08-910 1457, fax 910 1458, www.vietnamgolfresorts.com, Saigon Trade Centre, #710A, 37 Ton Duc Thang).

Où se loger

À moins de privilégier absolument la proximité du golf et d'éviter la plage de Mui Ne, il est préférable de ne pas descendre dans les hôtels de Phan Thiet, hors de prix et bruyants.

Phan Thiet Hotel (☎/fax 815930, 40 Đ Tran Hung Dao ; doubles 230 000-250 000 d). En plein centre-ville, cet hôtel un peu vétuste et mal aéré, en bordure de nationale, n'a rien d'esthétique, mais les chambres sont climatisées et les tarifs comprennent le petit déjeuner.

Hotel 19-4 (☎ 825216, fax 825184, 1 Đ Tu Van Tu ; chambres avec clim. à partir de 190 000 d). Cet énorme établissement vieillot en béton est situé au nord de la ville.

Thanh Cong Hotel (☎ 825016, fax 823905, 49-51 Đ Tran Hung Dao ; chambres avec ventil. et eau froide 70 000 d, avec clim. et eau chaude à partir de 120 000 d). En face du précédent, ce mini-hôtel est plus récent.

Novotel Ocean Dunes Resort (☎ 822393, fax 825682, novpht@hcm.vnn.vn, 1 Đ Ton Tuc Thang ; chambres 110-156 $US++). Pour accéder à ce luxueux hôtel, tournez en direction de la mer (vers l'est) devant le monument de la Victoire. Les installations comprennent un terrain de golf, plusieurs restaurants, une piscine, une plage privée, des courts de tennis et un centre de remise en forme. Des remises considérables sont consenties sur les tarifs de base.

Près du Novotel, deux établissements relativement récents sont dignes d'intérêt : **Doi Duong Hotel** (☎ 822108, fax 825858, doiduonghotel@hcm.vnn.vn, 403 Đ Vo Thi Sau ; chambres 30-55 $US) et **Binh Minh Hotel** (☎ 823344, fax 823354, 405 Đ Vo Thi Sau ; chambres avec ventil./clim. 136 000/220 000 d).

Où se restaurer

Situé à peu près au cœur de Phan Tiet, le sympathique **Hoang Yen Restaurant** (☎ 821614, 51 Đ Tran Hung Dao), très prisé des groupes de touristes en voyage organisé, constitue un excellent choix.

Comment s'y rendre

Bus. À HCMV, les bus à destination de Phan Thiet partent de la gare routière de Mien Dong.

La **gare routière de Phan Thiet** (Ben Xe Binh Thuan ; Đ Tu Van Tu ; 5h30-15h30) se situe un peu à l'écart au nord de la ville, juste après le 217 Đ Le Hong Phong (RN 1).

Train. La gare la plus proche de Phan Thiet est celle de Muong Man, petite bourgade poussiéreuse à 12 km à l'ouest de la ville. L'*Express de la Réunification* qui relie HCMV à Hanoi, y marque un arrêt (voir la rubrique *Train* du chapitre *Comment circuler*).

Voiture et moto. Située sur la RN 1, Phan Thiet se trouve 198 km à l'est de HCMV, à 250 km de Nha Trang et à 247 km de Dalat. Faites attention aux camions transportant de la sauce de poisson !

Comment circuler

Phan Thiet dispose de quelques cyclopousses ; certains stationnent en permanence devant la gare routière.

PLAGE DE MUI NE
☎ 062

La magnifique et paisible plage de Mui Ne s'étend à 22 km de Phan Thiet, sur la route 706, non loin d'un village de pêcheurs, occupant la pointe de la péninsule de Mui Ne. C'est un endroit ravissant, où les palmiers se balancent doucement sous la brise.

Mui Ne est célèbre pour ses immenses **dunes**, qui ont inspiré de nombreux photographes vietnamiens. Certains restent assis pendant des heures sous le soleil brûlant et aveuglant, attendant que le vent sculpte les dunes pour obtenir le cliché parfait.

Autre endroit intéressant, la **source de la Fée** (Suoi Tien), en fait un ruisseau qui s'écoule entre les dunes et les formations rocheuses. C'est l'occasion d'une belle promenade de la mer à la source, de préférence avec un guide local. Vous pouvez faire le chemin pieds nus, sauf si vous vous écartez vers les dunes.

Dans les environs, quelques superbes **lacs** méritent un détour. Une petite **tour cham** (Thap Poshaknu) se dresse à quelque 5 km de Phan Thiet sur la route de Mui Ne. La pagode Ta Ku est située à 25 km de Mui Ne.

Mui Ne reçoit environ moitié moins de précipitations que Phan Tiet, toute proche. Les dunes de sable protègent le microclimat de la station balnéaire et, même durant la saison humide (de juin à septembre), les pluies restent relativement faibles et sporadiques.

Du mois d'août au mois de décembre, les surfeurs peuvent profiter de belles vagues. Les amateurs de windsurf et de mer agitée viendront se mesurer aux vents particulièrement décoiffants entre fin octobre et fin avril.

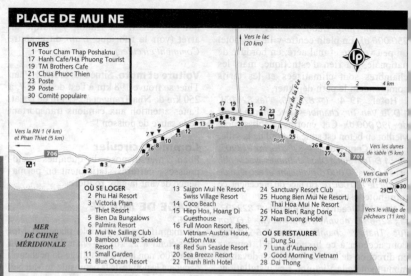

PLAGE DE MUI NE

DIVERS
1 Tour Cham Thap Poshaknu
17 Hanh Cafe/Ha Phuong Tourist
19 TM Brothers Cafe
21 Chua Phuoc Thien
23 Poste
29 Poste
30 Comité populaire

Vers le lac (20 km)

Vers la RN 1 (4 km) et Phan Thiet (5 km)

706

Source de la Fée (Suoi Tien)

Pont

707

Vers les dunes de sable (5 km)

Vers Ganh H/R (1 km)

Vers le village de pêcheurs (11 km)

MER DE CHINE MÉRIDIONALE

OÙ SE LOGER
2 Phu Hai Resort
3 Victoria Phan Thiet Resort
5 Bien Da Bungalows
6 Palmira Resort
8 Mui Ne Sailing Club
10 Bamboo Village Seaside Resort
11 Small Garden
12 Blue Ocean Resort
13 Saigon Mui Ne Resort, Swiss Village Resort
14 Coco Beach
15 Hiep Hoa, Hoang Di Guesthouse
16 Full Moon Resort, Jibes, Vietnam-Austria House, Action Max
18 Red Sun Seaside Resort
20 Sea Breeze Resort
22 Thanh Binh Hotel
24 Sanctuary Resort Club
25 Huong Bien Mui Ne Resort, Thai Hoa Mui Ne Resort
26 Hoa Bien, Rang Dong
27 Nam Duong Hotel

OÙ SE RESTAURER
4 Dung Su
7 Luna d'Autunno
9 Good Morning Vietnam
28 Dai Thong

Orientation

Une route étroite bordée de palmiers longe la mer sur environ 10 km. Les adresses sont signalées par une borne kilométrique indiquant la distance de la route 706 jusqu'à la RN 1, à Phan Thiet.

Renseignements

Hanh Cafe/Ha Phuong Tourist (☎ 847347, km 13), qui accueille principalement des voyageurs à petit budget, propose des moyens de transports bon marché, un fast food et un accès Internet (1 000 d la minute). Un peu plus loin, **TM Brothers Cafe** (☎ 847359, km 13) offre des prestations similaires. Si vous arrivez sans réservation, vous serez probablement dirigé vers l'un de ces lieux.

Où se loger

Le nombre de complexes balnéaires à Mui Ne a considérablement augmenté, mais l'endroit reste épargné par la commercialisation et les problèmes sociaux que connaît Nha Trang. Autre avantage, pratiquement tous les lieux d'hébergement sont situés en bord de mer.

Les voyageurs à petit budget trouveront plusieurs établissements bon marché, dont certains louent des tentes (environ 5 $US, usage des toilettes et douches compris). En catégorie moyenne, d'agréables bungalows sont proposés entre 15 et 45 $US. Dans les complexes plus luxueux, équipés de TV par satellite, téléphone IDD et mini-bars, le petit déjeuner est inclus dans le tarif.

Les dates des saisons hautes ou basses varient d'un complexe hôtelier à l'autre et les prix ont tendance à monter en flèche le week-end.

Où se loger – petits budgets

Rang Dong (☎ 848645, km 19 ; tentes 50 000-60 000 d, doubles/quadruples avec ventil. 7/10 $US, avec clim. 15-18 $US). Dans cet endroit bon marché, le personnel est aimable. Vous disposez d'un restaurant convenable sur place.

Thai Hoa Mui Ne Resort (☎ 847320, xuantrangdt@hcm.fpt.vn, km 18 ; bungalows sans/avec sdb 120 000/150 000 d). Une adresse peu chère et bien tenue où une jolie cour sablonneuse sépare les deux rangées de chambres sommaires, de style bungalows.

Nam Duong Hotel (Indonesia Hotel ; ☎ 848646, namduong@hcm.vnn.vn, km 19 ; maison bambou/chambres privées 5/11 $US). Dans cet autre établissement accueillant, vous aurez le choix entre l'une des 15 chambres sans fenêtres de la maison en bambou tout en longueur et l'une des 11 chambres du bâtiment en dur adjacent.

Canary Resort (ancien Huong Bien Mui Ne Resort ; ☎ 847258, fax 847338, ntd_ hbmn@hcm.vnn.vn, km 18 ; tentes 4 $US, bungalows 7-10 $US, chambres avec ventil./ clim. 15/20 $US). Ce complexe se compose de bungalows au confort très rudimentaire et de chambres sommaires installées dans des bâtiments en béton.

Hoang Di Guesthouse (☎ 847014, than hphuochd@hotmail.com, km 13 ; bungalows avec toilettes communes/privées 12/15 $US, chambres climatisées 20 $US). Vous trouverez ici quatre bungalows très simples face à la mer, un autre avec sdb (eau froide uniquement), ainsi qu'une chambre climatisée dans une case en dur.

Small Garden (Vuon Nho ; ☎ 847012, fax 847377, smallgarden@hcm.vnn.vn, km 11 ; chambres 7-10 $US, bungalows 3/ 6-8 pers 10-20/40 $US). L'établissement est géré par un couple helvético-vietnamien. Les clients peuvent dormir dans une maison commune, dans des bungalows (avec sdb), dans la gloriette en plein air ou sur la plage (tarif par personne).

Hiep Hoa (☎ 847262, hiephoatourism @yahoo.com, km 13,3 ; chambres 10 $US, bungalows avec vue sur mer 12-15 $US). Les prestations s'avèrent correctes pour le prix.

Bien Da (☎ 847282, km 12 ; bungalows 10 $US). L'endroit est surtout connu pour son restaurant en plein air, mais on peut passer la nuit dans des bungalows rudimentaires en bambou, avec ventil. et douche froide. Le tarif est peu élevé, mais la plage n'est pas des plus propres.

Où se loger – catégorie moyenne

Full Moon Resort (Trang Tron ; ☎ 847008, fax 847160, fullmoon@windsurf-vietnam.com, km 13 ; tentes 5 $US, bungalows 20-40 $US, chambres 45 $US). Ce complexe très apprécié est dirigé par Phuong et son mari français et véliplanchiste, Pascal. Les bungalows très simples, certains avec de larges baignoires d'angle, sont décorés de coquillages et de noix de coco. Les chambres de la nouvelle maison à deux étages sont dotées d'immenses baignoires et de canapés pour accueillir des hôtes supplémentaires. Dans les deux cas, les tarifs incluent le petit déjeuner. On peut aussi louer des tentes.

Mui Ne Sailing Club (☎ 847440, www .sailingclubvietnam.com, km 13 ; chambres standard/deluxe 25/35 $US). Les 36 chambres sont spacieuses et le bar en plein air

surplombe la mer. Toutes les chambres possèdent une sdb et la clim. Les plus chères sont dotées d'une baignoire et de la TV par satellite. Le complexe, qui mêle architecture asiatique et européenne, met l'accent sur le bon temps et la musique funky.

Red Sun Seaside Resort (☎ 847387, cafeloumi@hcm.vnn.vn, km 13 ; tentes 5 $US, chambres 20 $US). Cet endroit tranquille offre quantité de coins ombragés. Le petit déjeuner, compris dans le tarif, se compose d'une omelette et de pâtisseries fraîches. Le gérant, un Franco-vietnamien, veille à la qualité du café, dont il est lui-même grand amateur. Au moment de notre passage, un artiste français était installé là en résidence.

Mai Khanh (Paradise Huts ; ☎ 847177, cheznina@vnn.vn ; chambres avec ventil./ clim. 15-20/20 $US, bungalows 25 $US). Voisin du Full Moon, cet établissement loue des chambres très rudimentaires, avec ventil., ainsi que des bungalows et des chambres climatisées.

Vietnam-Austria House (☎ 847047, km 13.5, ngothikimhong@hotmail.com ; chambres 10 $US, bungalows 15-20 $US). Voisine du Mai Khanh, cette pension propose des chambres d'une propreté irréprochable, installées dans une villa moderne ou dans des bungalows en bois. Vous pourrez profiter d'une petite piscine.

Bamboo Village Seaside Resort (☎ 847007, fax 847095, www. vietnamtourism.com/muine, km 11,8 ; bungalows 41-57 $US basse saison, 49-69 $US 21 déc-1er mai). Proche du Bien Da, ce complexe offre de superbes bungalows, une piscine et un bon **restaurant** dans un cadre de verdure soigné.

Palmira Resort (☎ 847004, fax 84007006, www.palmiraresort.com, km 11 ; simples/ doubles à partir de 39/49 $US, petit déj inclus). Les villas climatisées en béton sont disséminées dans le jardin et sur la plage. Toutes les chambres disposent de la TV par satellite. L'ensemble comprend deux **restaurants**, quatre bars, une immense piscine, des courts de tennis, un sauna, une salle de remise en forme, des billards, un baby-foot et une aire de jeux pour les enfants.

Sea Breeze Resort (☎ 847373, fax 847430, seabreeze-lanno@hcm.vnn.vn, km 13,7 ; doubles/bungalows 30/35 $US). Un endroit plaisant où les jardins sont joliment entretenus. Les chambres confortables et les bungalows à structure en A disposent de sols en terre cuite et de la clim. Le seul inconvénient : la plage disparaît l'après-midi au moment de la marée haute.

Thanh Binh Hotel (☎ 847450, km 15 ; chambres climatisées 250 000 d). Cet hôtel vert citron de style motel est à essayer si vous n'avez pas de réservation ailleurs.

Où se loger – catégorie supérieure

Coco Beach (Hai Duong Resort ; ☎ 847111, fax 847115, www.cocobeach.net, km 12,5 ; bungalows/villas 65/130 $US début mai-fin oct, 80/160 $US nov-début mai). Dans ce complexe (le premier créé à Mui Ne) tenu par un couple franco-allemand, les bungalows à toit de chaume et les villas sont agréables. Planche à voile, voile, ski nautique, pêche et plongée figurent au programme des activités.

Victoria Phan Thiet Resort (☎ 847170, fax 847174, km 9, www.victoriahotels-asia.com ; 120-170 $US++, tarifs Internet 80-95 $US++). Les cottages de cet élégant complexe sont meublés à la perfection et ont vue sur la mer. Vous trouverez sur place un agréable **restaurant** en terrasse, deux bars, une piscine, un club de remise en forme, une salle de massage, un sauna et un jacuzzi intérieur-extérieur. Des excursions en Jeep, en side-car ou à moto Minsk peuvent être organisées depuis l'hôtel.

Swiss Village Resort (☎ 847399, fax 847491, swissvil@hcm.vnn.vn, www.phamch.com, km 12 ; chambres standard/sur mer 40/50 $US, bungalows 60 $US, suites 90 $US). Les 70 chambres bien équipées sont aménagées dans le style vietnamien traditionnel. Les installations comportent un tennis, un jacuzzi et une piscine (dont le fond carrelé dessine un drapeau suisse). De la mi-décembre à la mi-juin, les prix augmentent de 10 $US.

Blue Ocean Resort (Bien Xanh ; ☎ 847322, fax 847351, www.blueoceanresort.com, km 12,2 ; bungalows 55 $US). Une autre adresse haut de gamme avec des cottages à toit de chaume, un bar dans la piscine et un **pub irlandais**.

Saigon Mui Ne Resort (☎ 847303, fax 847307, km 12,2 ; bungalows 50 $US, villas 65 $US). Cet établissement un peu clinquant occupe un vaste terrain bien entretenu aménagé dans le style balinais.

Phu Hai Resort (☎ 812799, fax 812797, www.phuhairesort.com, km 8 ; chambres/villas 55/65 $US de mai à mi-nov, 65/75 $US de mi-nov à déb mai). Ce gigantesque complexe hôtelier rassemble 19 villas, 38 chambres, des tennis, un club de remise en forme, une salle de jeux, un salon de beauté, une salle de massage, un sauna, une piscine de 600 m^2 et des jet-skis à louer. Le **Geneva Restaurant** propose des plats vietnamiens et européens ; un mur du Phu Hai Bar reproduit une façade d'Angkor Wat, le célèbre temple cambodgien.

Sanctuary Resort Club (☎ 847232, sanctuaryresort@hotmail.com, km 19 ; chambres 80-160 $US). Antithèse du Phu Hai, ce complexe raffiné et isolé est accessible via une longue allée et ne comprend que deux luxueuses villas et un bungalow, dotés chacun d'une petite piscine privée. L'endroit, bien nommé, donne aux quelques heureux fortunés qui y résident l'impression d'être "loin du monde".

Où se restaurer

En dehors des restaurants d'hôtels, Mui Ne compte quelques établissements intéressants.

Dai Thong (☎ 848968, km 19 ; plats 25 000-35 000 d). Situé à l'extrémité est de la plage, ce restaurant de bord de mer sans prétention est apprécié de la clientèle pour ses poissons et ses fruits de mer bon marché. On y déguste également des "spécialités de gibier" : sanglier, chevreuil, pigeon, lièvre et grenouille.

Dung Su (☎ 847310, km 10). À l'ouest de la plage, ce restaurant sur pilotis surplombe la mer. La clientèle, en grande partie vietnamienne, vient ici pour les fruits de mer vendus au poids, fraîchement pêchés dans les réservoirs installés derrière l'établissement.

Partout où se rassemblent des touristes, les Italiens ne sont pas longs à installer des fourneaux. C'est le cas de **Luna d'Autunno** (☎ 847330, km 12 ; salades/pizzas/pasta à partir de 30 000/50 000/70 000 d ; tlj midi et soir). Dans ce refuge inattendu, vous savourerez une authentique cuisine italienne – antipasto, salades, pâtes fraîches et délicieuses pizzas cuites au feu de bois. **Good Morning Vietnam** (☎ 847342), chaîne italienne réputée qui possède des établissements à Nha Trang, Hoi An et HCMV, s'est installée au Mui Ne Sailing Club.

Où sortir

Les bars de plage comme le **Mui Ne Sailing Club** et **Jibes** restent animés tard le soir et permettent aussi de se restaurer. Si vous avez envie d'une Guinness, allez faire un tour à la **Sheridan's Irish House** du Blue Ocean Resort.

Activités

Paradis pour les amateurs de sports nautiques, **Jibes** (☎ 847405, fax 847160, www.windsurf-vietnam.com, km 13), installé près du Full Moon Resort et dirigé par un Français, loue du matériel de pointe : planche à voiles (demi-heure/heure/demi-journée/journée 5/10/25/40 \$US), planches de surf (5 \$US l'heure) et de kite-surfing (10 \$US l'heure). Des forfaits sont proposés sur le site Web. Jibes travaille en liaison avec **Action Max** (☎ 0913-929137, actionmax@hcm.vnn.vn), une agence spécialisée dans l'écotourisme et les sports d'aventure qui organise des randonnées, du canyoning et des sorties d'escalade dans la région.

Comment s'y rendre

Mui Ne se trouve à 200 km de HCMV (3 heures de route). Nombre des bus "circuit découverte" qui sillonnent la RN 1 passent par Mui Ne (6 \$US depuis HCMV ou Nha Trang). Du mardi au dimanche, un service de navette (aller/aller-retour 9/16 \$US) en minibus Mercedes confortable fonctionne entre le Blue Ocean Resort et le Sheridan's Irish Pub à HCMV.

Le meilleur moyen de rejoindre la plage depuis la RN 1, à Phan Tiet, est de prendre un *xe om* (50 000 d) ou de louer une moto pour quelque 6 \$US par jour (on vous renseignera au Hoang Yen). Un bus local, lent et irrégulier, circule entre la gare routière de Phan Tiet et Mui Ne.

Comment circuler

Mui Ne est assez petite pour qu'on puisse s'y déplacer à pied. Sinon, vous pouvez louer une bicyclette auprès de la plupart des hôtels.

MONT TAKOU

On vient surtout ici pour découvrir et admirer le gigantesque bouddha blanc couché (Tuong Phat Nam), construit en 1972. Long de 49 m, c'est le plus grand bouddha couché du Vietnam. Plus ancienne, la pagode, édifiée en 1861 sous les Nguyen, est devenue un important lieu de pèlerinage pour les bouddhistes, elle accueille nombre de fidèles dans son dortoir. Les étrangers ne peuvent faire de même sans une permission de la police, difficile à obtenir.

Le mont Takou surplombe la RN 1, à 28 km de Phan Thiet, d'où une très belle randonnée mène au bouddha en 2 heures de temps.

LITTORAL DU CENTRE ET DU SUD

Les Hauts Plateaux du Centre

Ces hauts plateaux qui couvrent la partie méridionale de la chaîne montagneuse Truong Son (ou cordillère annamitique), comprennent les provinces de Lam Dong, Dac Lac (Dak Lak), Gia Lai et Kon Tum. De nombreuses minorités (les Montagnards) peuplent cette région réputée pour son climat tempéré, ses paysages de montagne et ses innombrables cours d'eau, lacs et cascades.

Bien qu'ils ne comptent que 4 millions d'habitants, ces plateaux ont toujours revêtu une grande importance stratégique : Buon Ma Thuot, Pleiku et Kon Tum ont été, pendant la guerre du Vietnam, le théâtre de violents combats.

Leur partie occidentale, qui borde la frontière du Cambodge et du Laos, est un vaste plateau fertile dont la terre rouge est d'origine volcanique. Afin de tirer profit de ces terres fertiles et de combler le déficit de population, le gouvernement finance un important programme de recolonisation. Les colons, en grande majorité des fermiers, arrivent de la région surpeuplée du delta du fleuve Rouge, et le programme est dans l'ensemble un succès malgré le déplaisir qu'ont ressenti les Montagnards devant l'arrivée massive de Nord-Vietnamiens.

La région a perdu une grande partie de sa beauté naturelle. La plupart des arbres ont été détruits par l'Agent orange au cours de la guerre ou abattus pour agrandir les surfaces cultivables. Les Montagnards sont les seuls à apporter un peu de couleur locale à cette région du Vietnam, mais ils sont nettement moins pittoresques que les ethnies du Nord.

À l'exception de la province de Lam Dong (où se trouve Dalat), la région est restée interdite aux étrangers jusqu'en 1992. Même les Occidentaux venus pour affaires étaient refoulés vers Ho Chi Minh-Ville (HCMV). Une précaution indispensable pour le gouvernement central, qui n'exerçait qu'un faible contrôle sur ces régions reculées et, en outre, ne pouvait prendre le risque de laisser un étranger découvrir l'un des camps de rééducation (situés pour la plupart dans cette région, dit-on).

La situation a aujourd'hui changé : les étrangers peuvent visiter librement la quasi-totalité de la région.

À ne pas manquer

- La station de Dalat, ancien lieu de villégiature français, où se mêlent forêts de conifères, vallées fertiles, lacs et cascades
- Les villages des minorités bahnar et jarai aux alentours de Buon Ma Thuot, de Pleiku et de Kon Tum
- Les parcs nationaux de Yok Don et de Cat Tien, à l'écart des sentiers battus
- La piste Ho Chi Minh en moto

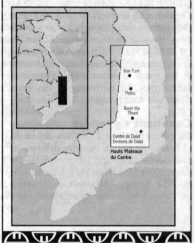

Selon la presse de février 2001, le gouvernement avait interdit aux touristes de visiter les Hauts Plateaux du Centre du fait de soulèvements populaires contre la répartition des terres. En juin de cette année-là, quelque 900 personnes qui avaient fui au Cambodge ont reçu le statut de réfugiés et se sont installées aux États-Unis, au grand dam des autorités vietnamiennes. Au moment où nous rédigeons ce guide, la situation s'est apaisée mais, avant de partir pour les montagnes, renseignez-vous auprès de la population locale pour savoir si les régions que vous avez prévu de visiter sont accessibles.

Pour les amateurs de nature, le parc national de Yok Don, près de Buon Ma Thuot, compte de nombreux villages typiques et beaucoup d'éléphants. Le parc

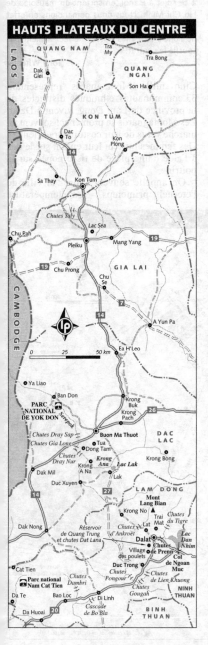

HAUTS PLATEAUX DU CENTRE

national de Cat Tien, recommandé pour observer les oiseaux et faire des randonnées, est également accessible à partir des Hauts Plateaux du Centre (voir le chapitre *Environs de Ho Chi Minh-Ville*).

Comment s'y rendre

Vous atteindrez les Hauts Plateaux du Centre par le sud ou par certains points de passage le long de la côte est. Depuis HCMV et Nha Trang, les bus privés "open-tour" vers Dalat sont fréquents et bon marché ; pour atteindre des villes plus isolées comme Buon Ma Thuot, Pleiku et Kon Tum, en revanche, vous dépendrez sans doute des transports publics si vous ne louez pas un véhicule.

Dans cette région, avoir un bon guide et un bon véhicule peut faire toute la différence, notamment pour visiter les parcs nationaux et les villages de montagne. **Sinhbalo Adventures** *(www.sinhbalo.com)*, à HCMV, et **Mr Vu's Tour Adventures** *(tranvuvn@hotmail.com)*, à Nha Trang, sont deux agences spécialisées dans la région que nous vous recommandons pour organiser vos excursions personnalisées. Vous pouvez également louer les services d'un motard de Dalat (voir l'encadré *Easy Riders* dans la rubrique concernant Dalat).

DALAT

☎ 063 • 130 000 habitants
• altitude : 1 475 m

Joyau des Hauts Plateaux, Dalat occupe une région tempérée parsemée de lacs, de chutes, de vergers et de forêts d'arbres à feuillage persistant. Son climat frais et la nature magnifique qui l'entoure en font une des villes les plus agréables du Vietnam.

On l'appelait autrefois "le Petit Paris" – encore aujourd'hui, il existe une réplique miniature de la tour Eiffel derrière la poste principale. Artistes et avant-gardistes y ont élu domicile ; en outre, c'est ici aussi que beaucoup de Vietnamiens viennent passer leur lune de miel, et même si les grandes "attractions touristiques" ne sont plus aussi nombreuses, Dalat demeure le summum du kitsch vietnamien.

Cultures maraîchères et horticoles, en particulier les magnifiques hortensias, sont vendues dans tout le pays. Cependant, Dalat doit avant tout sa prospérité

HAUTS PLATEAUX DU CENTRE

au tourisme : plus de 800 000 touristes vietnamiens et quelque 80 000 étrangers la visitent chaque année.

À l'époque coloniale, les Français venaient chasser le gros gibier dans cette région, comme en témoigne une brochure des années 1950 : "À deux heures de voiture de la ville, vous trouverez des zones riches en gibier tel que biches, chevreuils, paons, faisans, sangliers, ours bruns, panthères, tigres et éléphants." La chasse fut si bonne que le gros gibier a totalement disparu. Ce "glorieux" passé de Dalat se reflète aujourd'hui encore dans certains "souvenirs" :

La prédilection des habitants de Dalat pour de malheureux animaux empaillés m'a semblé

incroyable. Nous avons été pris d'un fou rire à ce sujet à Hanoi, en sortant du mausolée de Ho Chi Minh. Nous nous demandions en effet ce que les taxidermistes de Dalat auraient fait de l'oncle Ho si les Russes ne leur avaient pas soufflé le contrat.

Tony Wheeler

Cinq mille Montagnards représentant 33 communautés ethniques distinctes de la province de Lam Dong, vivent à Dalat. Les Montagnards se promènent souvent au marché vêtus de leur costume traditionnel. Des femmes portent leur enfant sur le dos à l'aide d'une pièce de tissu nouée sur la poitrine.

On appelle souvent Dalat "la ville de l'éternel printemps". La température

CENTRE DE DALAT

OÙ SE LOGER
1 Mimosa Hotel
2 Dreams Hotel
5 Highland Hotel
7 Peace Hotel
11 Cam Do Hotel
13 Peace Hotel II; Phuong Thanh Hotel
14 A Chau Hotel
16 Phu Hoa Hotel
20 Dai Loi Hotel
28 Lyla Hotel
31 Golf 3 Hotel
32 Empress Hotel
36 Ngoc Lan Hotel
37 Hotel Chau Au Europa

OÙ SE RESTAURER
3 Minh Uyen
4 Hoang Lan
6 Dong A, Nhat Ly
12 Phuong Hoang
17 Cafe Tung
18 Pho Tung
21 Stop and Go Cafe
22 V Cafe
25 Long Hoa
30 Étals de rue
35 Thanh Thy, locations de bateaux

DIVERS
8 Dalat Holidays, Phat Tire Ventures
9 Hardy Dalat
10 Saigon Nite Bar
15 TM Brothers
19 Banque de l'Agriculture
23 Supermarché
24 Marché central (bâtiment Mai)
26 Dalat Travel
27 Banque de l'Agriculture
29 Viet Hung Internet Cafe
33 Dalat Tourist
34 Cinéma Rap 3/4
38 Dalat Travel, Kim Travel

Vers le village Lat et le mont Lang Bian (12 km)

Đ Ly Tu Trong

Đ Hai Ba Trung
Đ Phan Dinh Phung
Đ Nguyen Van Troi
Đ Bui Thi Xuan
Đ Tang Bat Ho
Đ Truong Cong Dinh
Đ Phan Boi Chau
Đ Bui Thi Xuan

0   50   100 m

Place Hoa Binh

Đ 3 Thang 2
Đ Nam Ky Khoi Nghia
Đ Nguyen Chi Thanh
Đ Le Dai Hanh
Đ Nguyen Thi Minh Khai
Đ Nguyen Thai Hoc

Vers les jardins botaniques, l'université de Dalat et la vallée de l'Amour (5 km)

Lac Xuan Huong

Barrage Xuan Huong
Đ Tran Quoc Toan

Vers le Thuy Ta Restaurant (250 m) et le lac des Soupirs (5 km)

Đ Le Dai Hanh

Vers la poste, la cathédrale de Dalat (400 m) et l'Hotel Sofitel Dalat Palace (600 m)

scille en moyenne entre 15 et 24°C. La saison sèche s'étend de décembre à mars et le soleil brille la plupart du temps, même pendant la saison des pluies, qui va d'avril à novembre.

Histoire

Depuis des siècles, la région est habitée par divers groupes de Montagnards. En langue lat, Da Lat signifie "rivière de la tribu Lat".

C'est le Dr Alexandre Yersin (1863-1943), collaborateur de Louis Pasteur et découvreur du bacille de la peste (ou bacille de Yersin), qui lança Dalat, en 1893. La station devint vite très populaire chez les Européens, heureux de trouver un havre de fraîcheur leur permettant de fuir la chaleur accablante des plaines du delta. Au cours de l'histoire coloniale, les étrangers ont représenté jusqu'à 20% de la population de Dalat, une présence marquée par les 2 500 villas disséminées dans la ville.

Durant la guerre du Vietnam, Dalat fit l'objet d'un accord tacite qui lui épargna attaques et bombardements. Les officiers sud-vietnamiens s'entraînaient à l'académie militaire de la ville, tandis que les notables du régime de Saigon se reposaient dans leurs villas et que les dignitaires vietcong en faisaient autant dans les leurs, toutes proches. La ville se rendit aux troupes nord-vietnamiennes, sans coup férir, le 3 avril 1975. Il n'y a donc ni mine ni engin non explosé dans cette zone.

Dalat fut la première ville du Vietnam à retraiter les eaux usées et rendre l'eau potable au robinet. Ce projet a été financé à hauteur de 80% par le gouvernement danois.

Orientation

Les centres d'intérêt de Dalat sont éloignés les uns des autres, et le terrain de la ville et de ses alentours est vallonné. Toutefois, les randonnées dans les environs sont facilitées par les températures agréablement tempérées à cette altitude. Le centre se situe autour du cinéma Rap 3/4 (date de la libération de Dalat en 1975), en haut de la colline en partant de l'immeuble du grand marché.

Au sud de la ville, on ne peut manquer le lac Xuan Huong. La route de 7 km autour du lac constitue une promenade très agréable pour les marcheurs (ou joggers) qui profiteront de la vue sur Dalat et son architecture française. Le parcours passe par les jardins botaniques, le golf et les anciennes villas, grandioses, de Đ Tran Hung Dao. En montant l'escalier vers les jardins du Sofitel Dalat Palace, vous aurez une vue superbe. Poursuivez en direction de la poste pour apercevoir les beaux immeubles anciens ou modernes de Đ Tran Phu.

Pour mieux en profiter, nous vous conseillons d'explorer les forêts, les sites touristiques et la campagne des environs à pied, moto ou bicyclette. Nous vous suggérons les itinéraires suivants :

Easy Riders

Les fameux Easy Riders de Dalat forment un groupe d'une trentaine de guides à moto épris de liberté. La plupart de ces guides indépendants transportent leurs passagers sur des motos russes ou est-allemandes d'époque. Leur popularité atteint le niveau du culte auprès de voyageurs cherchant une alternative excitante au circuit touristique traditionnel du Sinh Café.

Les Easy Riders se proposent de vous emmener en excursion à la journée dans les environs de Dalat. Leurs prix sont très raisonnables (environ 8 \$US la journée en ville et 10 \$US en dehors de l'agglomération). Vous pouvez également leur demander de vous emmener plus loin dans les Hauts Plateaux du Centre (au lac Lak par exemple) ou même jusqu'à la côte. Certains touristes se sont même accrochés à leur chauffeur jusqu'à Hanoi !

Voyager avec les Easy Riders est une bonne façon d'explorer la région. Ces guides sympathiques et cultivés vous ouvriront de nouveaux horizons. Les motards guettent généralement les touristes aux abords des hôtels de Dalat. Ne vous inquiétez pas si vous ne les voyez pas, ils finiront bien par vous aborder. Tous parlent anglais, certains parlent français. La plupart d'entre eux possèdent un livre d'or dans lequel vous pourrez prendre connaissance des commentaires enthousiastes des touristes qui ont eu recours à leurs services.

- Suivez Ð 3 Thang 4 (qui devient ensuite la RN20) pour atteindre la forêt de conifères du col de Prenn et le réservoir de Quang Trung.
- Arrêtez-vous à la résidence du gouverneur général avant la montée de Ð Khe Sanh vers la pagode Thien Vuong.
- En partant de l'université de Dalat, suivez Ð Phu Dong Thien Vuong pour vous rendre à la vallée de l'Amour.
- Après un arrêt à la pagode Lam Ty Ni, visitez le palais d'été de Bao Dai avant d'emprunter Ð Thien My et Ð Huyen Tran Cong Chua pour arriver à l'église Du Sinh.

Reportez-vous à la rubrique *Environs de Dalat* plus loin dans ce chapitre pour connaître les autres sites touristiques en-dehors de l'agglomération.

Renseignements

Agences de voyages. L'agence officielle de la province s'appelle **Dalat Tourist** (☎ 822520, fax 834144, www.dalattourist.com, 2 Nguyen Thai Hoc). Pour réserver une excursion ou louer un véhicule, adressez-vous à son bureau de réservation, **Dalat Travel** (☎ 822125, fax 828330, ttdhhd@hcm.vnn.vn, 7 Ð 3 Thang 2), près du centre-ville.

Dalat Travel/Kim Travel (☎/fax 822479, dltoseco@hcm.vnn.vn, 9 Ð Le Dai Hanh) est également gérée par le gouvernement.

TM Brothers (☎ 828383, dalat_tmbrother@yahoo.com, 9 Ð Tang Bat Ho). Cette agence plus modeste vend des billets de bus "open-tour".

Pour les excursions à moto avec chauffeur, voir l'encadré *Easy Riders*.

Argent. Pour changer vos devises, vos chèques de voyage ou retirer de l'argent par carte Visa, rendez-vous à la **Banque de l'Agriculture** (Ngan Hang Nong Nghiep Vietnam ; ☎ 822535, 6 Ð Nguyen Van Troi et 22 place Khu Hoa Binh ; lun-ven 7h30-11h30 et 13h-16h, sam 7h30-11h30). Ses deux agences sont situées en plein centre-ville.

Poste et communications. La poste principale (14 Ð Tran Phu) fait face au Novotel Dalat. Vous pourrez y téléphoner ou faxer à l'étranger, et vous connecter à Internet.

Pour consulter vos e-mails, allez au **Viet Hung Internet Café** (☎ 835737, dhoaithu@hcm.vnn.vn, 7 Ð Nguyen Chi Thanh) qui facture 150 d la minute.

Lac Xuan Huong

La construction d'un barrage en 1919 a créé ce lac artificiel au cœur de la ville. Il tient son nom d'une poétesse vietnamienne du XVIIᵉ siècle, réputée pour ses attaques virulentes contre l'hypocrisie de la société et les points faibles des grands de ce monde. Un sentier goudronné de 7 km permet d'en faire le tour.

Près du Thanh Thuy Restaurant, on peut louer des pédalos en forme de cygnes géants. Le Club de voile et de pêche de Dalat loue de nombreuses embarcations, allant des kayaks aux petits voiliers pour deux personnes en passant par les barques à moteur. Le club a délimité une zone de pêche avec des filets et introduit de nombreux poissons. Tout l'équipement nécessaire est disponible à la location, le parasols étant gracieusement fournis. Les tarifs dépendent du poids des prises, et le club pratique la règle de la remise à l'eau pour la pêche sportive.

Le Dalat Palace Golf Club couvre 50 hectares au nord du lac, près des jardins botaniques. Du haut de sa colline, le majestueux Hotel Sofitel Dalat Palace domine le lac.

Train à crémaillère

Édifiée à quelque 500 m à l'est du lac, la gare (☎ 834409) mérite la visite. Une vieille locomotive russe à vapeur trône à l'intérieur.

La crémaillère, qui fonctionnait depuis 1928 entre Dalat et Thap Cham, dut être fermée en 1964 du fait des attaques incessantes du Viet-Cong. On l'a partiellement réparée, puis rouverte à des fins touristiques, pour des destinations proches. Le trajet de 8 km (30 minutes) qui mène au village de Trai Mat est agréable.

Les départs s'effectuent à 8h, 9h30, 14h et 15h30 ; l'aller-retour coûte 5 \$US.

Une fois à Trai Mat, la plupart des touristes partent à pied vers la magnifique **pagode Linh Phuoc**. Cette pagode colorée fut bâtie entre 1949 et 1952. Au cours de récents travaux de rénovation, une cloche de 8,5 tonnes a été installée (en 1999) dans la tour de sept étages. Vous devrez retirer vos chaussures pour pénétrer dans le bâtiment principal où un dragon digne d'un parc d'attraction garde l'entrée. À l'intérieur, les visiteurs sont accueillis par un Bouddha de 5 m de haut

...ssis devant la peinture d'un arbre Bodhi et ...ouronné de cinq tubes de néon ! Bouddha ...st flanqué de Pho Hien chevauchant un élé...hant et de Van Thu juché sur un tigre. Au ...ez-de-chaussée, l'escalier de gauche mène ...u balcon du 2e étage, où une vue splendide ...ous attend. Une pièce plus petite abrite une ...utre statue d'un Bouddha à plusieurs têtes ...t bras devant une fresque représentant 108 ...odhisattvas.

Musée de Lam Dong

Ce musée placé en haut d'une colline (☎ 822339, 4 Ð Hung Vuong ; entrée *0 000 d ; mar-sam 7h30-11h30 et 13h30-*6h30) expose des objets en pierre et des ...oteries trouvés lors de fouilles dans un ...ite archéologique Oc-Eo, des vêtements ...raditionnels et des instruments de mu...ique des ethnies locales. Une exposition ...elate la lutte contre les Français et les ...méricains.

Ce musée s'est installé dans une jolie ...naison coloniale, ancienne demeure de ...Nguyen Huu Hao, le père de l'impératrice ...Nam Phuong qui épousa Bao Dai. Nguyen ...Huu Hao, mort en 1939, était l'homme le ...lus riche du district de Go Cong, dans le ...telta du Mékong. Sa tombe se trouve en ...naut d'une colline près de Dalat, 400 m ... l'ouest des chutes de Cam Ly. Faites le ...our de la villa pour découvrir un curieux ...ensemble de symboles de longévité chinois ...ur un côté du bâtiment.

Pension et galerie d'art de Hang Nga

Cette "folle maison", comme disent les ha...itants de Dalat, abrite une pension, un café ...t une galerie d'art (☎ 822070, 3 Ð Huynh *Thuc Khang ; entrée 5 000 d). Directement ...nspirée d'*Alice au pays des merveilles*, son ...rchitecture est difficile à décrire : faite de ...grottes, de toiles d'araignée géantes en fil de ...er, de "troncs d'arbres" en béton, on y voit ...ussi une statue de femme nue (une rareté au ...Vietnam) et une girafe de béton abritant un ...salon de thé... L'ensemble, d'un goût dou...eux, est commercialisé à outrance, mais de ...nombreux visiteurs sont sidérés de découvrir ...ci cette "perle" de la contre-culture.

Originaire de Hanoi, la conceptrice de la ...galerie, Mme Dang Viet Nga a vécu 14 ans ...à Moscou, où elle a obtenu un doctorat ...d'architecture. Elle s'habille dans le plus

pur style hippie des années 1960, brûle de l'encens et cultive un certain mystère. Elle a conçu plusieurs bâtiments aux environs de Dalat, dont le Palais de la culture pour les enfants et l'église Lien Khuong.

Ces innovations architecturales de Hang Nga n'enchantent guère le Comité populaire de Dalat. Ainsi, ce que l'on appelait "la Maison aux cent toits", et qui leur paraissait d'inspiration fort peu socialiste, a disparu dans un "incendie accidentel". À vrai dire, Hang Nga ne risque guère d'avoir de tels ennuis avec les autorités : son père, le président Truong Chinh, succéda en 1981 à Ho Chi Minh et fut le deuxième chef de l'État vietnamien réunifié, jusqu'à sa mort en 1988.

Cela dit, de nombreuses critiques ont récemment été émises et nous avons été froidement reçus lors de notre passage. Si vous tenez à voir ce lieu, contentez-vous de passer devant et de jeter un œil à travers le portail – vous dépenserez plus judicieusement votre argent en allant prendre un café au merveilleux Stop & Go Cafe (voir plus loin la rubrique *Cafés*), une vieille institution agréable à visiter, comme le confirment les milliers de touristes qui y passent.

Quartier français

Ce quartier, situé entre le cinéma Rap 3/4 et la Ð Phan Dinh Phung, semble figé dans le passé. Imaginez qu'on ait évacué en 1934 une ville de province française et remplacé tous ses habitants par des Vietnamiens... C'est à peu près l'effet que produit ce quartier, qui est, malgré tout, un délicieux but de promenade.

Résidence du gouverneur général

L'ancienne résidence du gouverneur général (Dinh Toan Quyen, ou Dinh 2, Ð Tran Hung Dao, ☎ 822092) a été transformée en une sorte d'hôtel sélect, qui prête également son cadre aux réceptions officielles. Cet édifice de 25 pièces, construit en 1933, contient encore la majeure partie de son mobilier d'origine. À l'heure où nous rédigions ce guide, il était fermé au public et il était question de le rénover – demandez une fois sur place où en sont ces projets.

La résidence se trouve à 2 km à l'est du centre : montez la côte partant de l'intersection des Ð Tran Hung Dao et Ð Khoi Nghia Bac Son.

Résidence d'été de Bao Dai

Le palais d'été de l'empereur Bao Dai *(Biet Dien Quoc Truong, ou Dinh 3 ; entrée 5 000 d ; 7h-11h et 13h30-16h)*, qui naquit en 1913 et régna sur le pays de 1926 à 1945, est une villa de 25 pièces qui date de 1933. Son décor est resté tel quel, si ce n'est un portrait de Ho Chi Minh suspendu au-dessus de la cheminée. Le palais abrite une collection très intéressante d'objets liés aux événements des dernières décennies.

La carte du Vietnam gravée sur verre fut offerte à l'empereur en 1942 par de jeunes Vietnamiens étudiants en France. Dans le bureau, son buste grandeur nature trône au-dessus de la bibliothèque. Les bustes plus petits aux tons dorés représentent son père, l'empereur Khai Dinh. Notez le sceau impérial en cuivre massif (à droite) et le sceau militaire (à gauche). Les photographies sur la cheminée représentent, de gauche à droite, Bao Dai, son fils aîné Bao Long (en uniforme) et l'impératrice Nam Phuong, décédée en 1963.

Les appartements privés sont à l'étage. La chambre du prince Bao Long, qui vit à présent en Grande-Bretagne, est une symphonie jaune, couleur royale. Notez l'immense canapé semi-circulaire utilisé par le couple impérial lorsqu'il se retrouvait en famille : les trois filles s'installaient sur les sièges jaunes, les deux fils, sur les roses.

Le palais se niche dans une pinède à 500 m au sud-est de l'Institut Pasteur, lui-même installé Ð Le Hong Phong, à 2 km au sud-ouest du centre-ville. N'oubliez pas de vous déchausser avant d'entrer. Le droit de photographier et de filmer est payant.

Jardins de Dalat

Créés en 1966 à l'initiative du ministère de l'Agriculture du Sud-Vietnam, ces magnifiques jardins *(Vuon Hoa Dalat ; ☎ 822151, 2 Ð Phu Dong Thien Vuong ; entrée 4 000 d ; tlj 7h30-16h)* ont été rénovés en 1985 et grandement raffinés ces dernières années.

Des hortensias et des fuchsias embellissent les lieux, de même que des orchidées *(hoa lan)* cultivées dans des bâtiments ombragés situés à droite de l'entrée. Elles poussent dans des troncs de cocotier ou dans des pots de terre cuite percés de multiples trous d'aération.

Hasfarm, une pépinière locale gérée par des Néerlandais, a également fourni quelques spécimens. Ce lieu bien entretenu rassemble toutes les espèces végétales de Dalat. Les plantes ont encore beaucoup d'espace pour pousser et il se peut que ce jardin, que les visiteurs s'accordent à trouver "merveilleux", soit bientôt considéré comme un jardin botanique.

Quelques singes vivent en cage dans l'enceinte des jardins. Ne manquez pas les stands situés près de l'entrée, qui vendent des *cu ly*, racines de fougère rougeâtres en forme d'animaux dont la médecine traditionnelle utilise les fibres pour stopper les saignements. En vente également, des plantes et des fleurs.

Les jardins se situent face au lac Xuan Huong, sur l'artère qui mène du lac à l'université.

Université de Dalat

Dalat est un haut lieu de l'enseignement pour la raison toute simple que la fraîcheur du climat favorisait l'étude à une époque où l'on ne connaissait pas l'air conditionné.

Université catholique à l'origine, la célèbre université de Dalat *(1 Ð Phu Dong Thien Vuong)* fut fondée en 1957 par l'archevêque de Hué, Mgr Ngo Dinh Thuc, frère aîné du président Diem assassiné en 1963. En 1975 l'université fut réquisitionnée puis fermée pendant deux ans.

Elle accueille actuellement plus de 12 000 étudiants, qui logent dans des dortoirs en ville. Sa bibliothèque contient 10 000 ouvrages, certains en français.

Ce campus de 38 hectares se repère facilement, grâce à sa tour triangulaire au sommet de laquelle une étoile rouge a été plantée sur la croix d'origine. Les visiteurs étrangers y sont en général les bienvenus.

Ancien petit lycée Yersin

L'ancienne école abrite désormais un **centre culturel** provincial *(☎ 822511 1 Ð Hoang Van Thu)* qui dispense notamment des cours d'instruments de musique électriques et acoustiques. Le grand lycée Yersin est quant à lui situé à l'est du lac Xuan Huong.

Vallée de l'Amour

L'empereur Bao Dai l'avait baptisée "vallée de la Paix", mais les étudiants romantiques de l'université de Dalat ont obtenu en 1972 qu'on l'appelle vallée de l'Amour *(Thung*

ung Tinh Yeu ; Ð Phu Dong Thien Vuong ; *ntrée 0,40 $US).*

Aujourd'hui, ce lieu très kitsch prend les allures de foire. Les tour-opérateurs ocaux l'ont d'ailleurs rebaptisé la vallée des boutiques ! Les bus de touristes déver-ent constamment des foules de visiteurs, ussitôt happés par les bateliers mettant à disposition des pédalos, des canots pour 15 personnes ou encore des bateaux à moteur xtrêmement bruyants, et se proposant de es emmener faire le tour du lac.

C'est l'endroit où vous avez de grandes hances d'apercevoir les "Dalat cowboys", les guides vietnamiens qui louent des che-vaux et promènent les touristes autour du ac. Attention ! Les prendre en photo n'est pas gratuit (5 000 d).

Les stands situés à l'arrivée des bus pro-posent rafraîchissements et spécialités lo-cales (tels que confitures et fruits confits).

La vallée de l'Amour se trouve à 5 km au ord du lac Xuan Huong.

Pagodes et églises

Pagode Lam Ty Ni. Cette pagode *(Quan Am Tu ; 2 Ð Thien My)* fut bâtie en 1961. Le superbe portique est l'œuvre de son unique onze, Vien Thuc, qui étudia le français, 'anglais, le khmer et le thaï à l'université le Dalat. Il mit son séjour à Dalat à pro-it pour planter des massifs de fleurs et ménager des jardins de différents styles, dont un jardin japonais avec son pont. Des panneaux indiquent le nom chinois de haque jardin. Des allées ombragées et des tonnelles complètent l'ornementation. Vien Thuc a également fabriqué la plupart des meubles en bois de la pagode.

Outre la pagode et ses jardins, la vérita-ble attraction est M. Thuc et son incroyable collection d'œuvres d'art. Cet artiste "pro-ifique" aurait produit, selon ses propres estimations, plus de 100 000 œuvres d'art, dont des milliers sont accrochées dans la pagode ou à proximité – voire dehors sous a pluie !

Les guides à moto ont surnommé ce tra-vailleur acharné, un peu excentrique, "moine homme d'affaires". Aux yeux de certains, M. Thuc passe pour l'homme le plus riche de Dalat, ce qui n'est pas impossible à en juger par le nombre incroyable de "peintures ins-tantanées" qu'il vend 1 à 2 $US, voire plus, si vous vous laissez convaincre.

Le moine économise actuellement ses dollars en attendant de faire le tour du monde qu'il prépare depuis longtemps. Il souhaite rendre visite à certains voyageurs qui ont acheté ses peintures.

Son statut nourrit déjà les rumeurs et en a fait un mythe. Nous avons récem-ment reçu une lettre nous annonçant son décès prématuré. Il a bien ri en apprenant la nouvelle ! Cet homme intéressant sort de l'ordinaire ; sachez cependant que sa popularité est au zénith et que le flux de visiteurs à la pagode est désormais ininter-rompu, à tel point que M. Thuc est parfois obligé de fermer pour avoir le temps de prendre un repas !

La pagode Lam Ty se situe à 500 m au nord de l'Institut Pasteur. Il est facile de combiner sa visite avec celle du palais d'été de Bao Dai.

Pagode Linh Son. Construite en 1938, cette pagode *(Chua Linh Son ; 120 Ð Nguyen Van Troi)* est un joli bâtiment de couleur ocre mélangeant l'architecture française et chinoise. Elle abrite une cloche géante faite, dit-on, d'un mélange de bronze et d'or, dont le poids décourage les éventuels voleurs. Derrière la pagode s'épanouissent des théiers et des caféiers, laissés aux bons soins de vingt bonzes âgés de 20 à 80 ans, ainsi que d'une demi-douzaine de novices.

La pagode Linh Son se trouve à environ 1 km du centre-ville, à l'angle de Ð Phan Dinh Phung. Le panneau du portail indi-que "Phat Giao Viet-Nam" (Association bouddhiste du Vietnam).

Cathédrale de Dalat. Voisine du No-votel Dalat, cette cathédrale *(Ð Tran Phu)* fut érigée entre 1931 et 1942. La croix au sommet de la flèche se dresse à 47 m de hauteur ; ses vitraux de style médiéval lui donnent un cachet très européen. À sa gau-che, vous repérerez l'ancienne église des années 1920 à sa porte voûtée bleu ciel.

Église évangélique vietnamienne. L'église évangélique de Dalat *(72 Ð Nguyen Van Troi)*, toute rose, est le principal temple protestant de la ville. Elle date de 1940 et fit partie jusqu'en 1975 de l'Alliance des missions chrétiennes.

Depuis la réunification, le régime com-muniste a persécuté davantage encore les protestants que les catholiques, peut-être parce que les pasteurs étaient généralement formés par des missionnaires américains. Ce temple ne fonctionne véritablement que le dimanche, avec étude de la Bible, culte et école du dimanche.

La province de Lam Dong compte une centaine de temples pour quelque 25 000 protestants, originaires pour la plupart d'ethnies vivant dans les collines. La communauté protestante purement vietnamienne ne possède que six temples, dont l'église évangélique de Dalat.

Cette église se dresse à 300 m au nord du Rap 3/4.

Couvent du Domaine de Marie.

Ce vaste couvent (*Nha Tho Domaine ; 6 Đ Ngo Quyen*) fut construit entre 1940 et 1942. Ses bâtiments roses aux toits couverts de tuiles abritaient à l'époque plus de 300 sœurs. La communauté vend les fruits de son verger et fabrique du gingembre confit.

Le couvent avait une bienfaitrice en la personne de l'épouse de l'amiral Jean Decoux, gouverneur général d'Indochine sous Vichy. Décédée dans un accident de voiture en 1944, elle est enterrée au pied du mur de la chapelle.

Les religieuses, qui parlent français, sont ravies de faire visiter les lieux et d'expliquer leur action en faveur des petits orphelins, des sans-abri et des handicapés. Dans une modeste échoppe, elles vendent des objets d'artisanat réalisés par les enfants et par elles-mêmes.

Église Du Sinh.

Des réfugiés catholiques provenant du Nord-Vietnam édifièrent cette église en 1955, à l'initiative d'un prêtre de sang royal originaire de Hué. Son clocher à quatre colonnes est typique du style sino-vietnamien. Sa situation au sommet d'une colline et le superbe panorama en font un joli but de pique-nique.

On y accède après 500 m de marche vers le sud-ouest le long de Đ Huyen Tran Cong Chua, en partant de l'ancien couvent des Oiseaux, où l'on forme aujourd'hui des enseignants.

Pagode Thien Vuong.

Cette pagode (*Chua Tau ou pagode chinoise ; Đ Khe Sanh*) remporte un vif succès auprès des touristes vietnamiens, surtout ceux d'origine chinoise. La congrégation de Chaozhou l'a fait édifier en 1958 au sommet d'une colline boisée de pins. Le bonze fondateur de la pagode, Tho Da, a depuis émigré aux États-Unis. Des stands à l'entrée proposent d'excellents fruits confits et des confitures.

La pagode proprement dite est formée de trois bâtiments jaunes en bois. Dans le premier fut érigée une statue en bois doré de Ho Phap, l'un des protecteurs du Bouddha. De l'autre côté de la vitrine, une autre statue de bois doré représente Pho Hien, assistant du Bouddha A Di Da (Bouddha du Passé). Déchaussez-vous avant de pénétrer dans le troisième bâtiment, où se dressent trois sculptures de 4 m de haut, offertes par un fidèle britannique qui les fit venir de Hong Kong en 1960. Chacune pèse 1 400 kg ; il s'agirait des plus grandes statues de bois de santal du Vietnam. Elles représentent, au centre, le Bouddha Thich Ca (Sakyamuni, Bouddha historique), à droite, Quan The Am Bo Tat (Avalokiteçvara, déesse de la Miséricorde) et, à gauche, Dai The Chi Bo Tat (assistant d'A Di Da).

La pagode Thien Vuong se trouve à environ 5 km au sud-est du centre-ville.

Pagode Minh Nguyet Cu Sy Lam.

Cette pagode bouddhique chinoise apparaît au bout du chemin partant de la pagode Thien Vuong. Elle fut construite en 1962 par la congrégation chinoise de Canton. Son sanctuaire principal, en forme de cercle, repose sur une plate-forme représentant une fleur de lotus.

Vous découvrirez à l'intérieur une statue en ciment peint de Quan The Am Bo Tat. Les motifs de fleurs de lotus se répètent partout, sur les piliers et les montants des fenêtres. Notez, près du sanctuaire principal, l'énorme encensoir rouge en forme de calebasse.

Pagode Su Nu.

Cette pagode, édifiée en 1952 (*Chua Linh Phong ; 72 Đ Hoang Hoa Tham*), est un monastère bouddhiste. Comme l'exige leur office, toutes les bonzesses ont le crâne rasé et portent des tuniques grises ou marron, ne revêtant la tunique safran que pour les prières. Les hommes peuvent visiter la pagode, mais seules les femmes ont le droit d'y résider.

Le couvent est ouvert toute la journée ; évitez toutefois de vous présenter à l'heure du déjeuner, lorsque les bonzesses chantent les prières *a cappella* avant leur repas. Dans l'enceinte, au milieu des plants de théiers, vous pourrez admirer la pierre tombale de la vénérable bonzesse Thich Nu Dieu Huong.

La pagode Su Nu se situe à environ 1 km au sud de Ð Le Thai To.

Sports d'aventure

Les amoureux de la nature en quête d'aventure se renseigneront sur les activités en plein air auprès de **Dalat Holidays** (☎ 829422, fax 821122, angbian@hcm.vnn.vn, 73 Ð Truong Cong Dinh ; tlj 7h30-20h30). Si de nombreuses agences du pays se disent écologiques pour s'attirer des clients, le terme d'écotourisme est ici pris au sérieux. Dalat Holidays emploie des guides compétents et bilingues français/anglais, qui sont tous assermentés par la Croix Rouge.

Parmi les activités proposées figurent du canyoning, de la descente en rappel et des marches vers les villages des minorités dans les montagnes autour de Dalat. La durée des randonnées varie d'une demi-journée à plusieurs jours dans les parcs nationaux. L'agence propose également de l'escalade pour les grimpeurs chevronnés et des circuits en VTT (voir la rubrique suivante). Les tarifs s'échelonnent de 10 à 100 \$US.

Hardy Dalat (☎ 836840, hardydl@hcm.vnn. vn, 133 Ð Phan Dinh Phung) spécialiste des circuits d'aventure.

Action Max (☎ 0913-929137, actionmax @hcm.vnn.vn), installée à HCMV, organise des excursions en groupe à Dalat.

Circuits en VTT

En collaboration avec Dalat Holidays, **Phat Tire Ventures** (☎ 829422, www.phattireventures.com, 73 Ð Truong Cong Dinh) propose des circuits extrêmes en VTT autour de Dalat. Les responsables de l'agence, Kim et Brian, Américains adeptes du VTT, disposent de bons vélos fabriqués à l'étranger et bien entretenus. L'équipement pour les descentes en rappel provient d'Europe et des États-Unis. Vous avez le choix entre de nombreux itinéraires autour de Dalat et vous pouvez même envisager de pédaler avec eux jusqu'à la côte, un parcours de 120 km *en descente* jusqu'aux dunes de Mui Ne.

Golf

Fondé en 1922, le **Dalat Palace Golf Club** (☎ 821201, fax 824325, dpgc@hcm.vnn.vn, Ð Phu Dong Thien Vuong) accueillait dans le temps Bao Dai, le dernier empereur vietnamien. Les touristes peuvent jouer sur le parcours de 18 trous pour la somme de 65 \$US. Le club propose l'option "twilight gold specials" qui met le golf à la portée de toutes les bourses, même les plus modestes : en effet, les tarifs chutent à 35 \$US après 14h30 et à 25 \$US après 15h30, on peut jouer jusqu'à la tombée de la nuit et ces tarifs comprennent le caddie, la location des clubs et des chaussures ainsi que 6 balles usagées.

Le bar du club pratique une *happy hour* entre 16h et 19h – une offre tentante, ne serait-ce que pour le guacamole et les tortilla chips maison.

Pour attirer des clients vers Dalat, des circuits "spécial golf" sont proposés dans certaines agences de HCMV. Les forfaits reviennent à 62 ou 70 \$US en semaine ou le week-end, parcours de golf, nuit au Novotel Dalat et petit déjeuner compris. Pour un supplément d'environ 30 \$US, vous passerez la nuit au Sofitel Dalat Palace.

Adressez-vous au **bureau commercial** du club de golf à HCMV (☎ 08-910 1457, fax 910 1458, dpodgc@hcm.vnn.vn, www. vietnamgolfresorts.com).

Où se loger

En raison de sa popularité auprès des touristes vietnamiens, Dalat possède un excellent parc hôtelier, pour tous les budgets. Peu d'hôtels sont équipés de la climatisation : vu la fraîcheur du climat, ils n'en ont guère besoin !

Où se loger – petits budgets

Phuong Thanh Hotel (☎ 825097, 65 Ð Truong Cong Dinh ; simples 3-4 \$US, doubles 5-6 \$US, chambres de 3 ou 4 lits 10 \$US). Cette jolie maison aux parquets de bois est accueillante. Les chambres les moins chères se situent au sous-sol.

Peace Hotel II (☎ 822982, fax 836153, peace12@hcm.vnn.vn, 67 Ð Truong Cong Dinh ; simples/doubles 5/7 \$US). Située à côté de la précédente adresse, cette belle villa loue des chambres un peu exiguës.

Peace Hotel *(Khach San Hoa Binh ;* ☎ *822787, peace12@hcm.vnn.vn, 64 Ð Truong Cong Dinh).* Cet hôtel, qui a depuis longtemps la faveur des touristes aux budgets serrés, pratique des tarifs similaires.

Cam Do Hotel *(☎ 822482, fax 830273, 81 Ð Phan Dinh Phung ; dortoir 3 $US, simples 5-8 $US, doubles 8-12 $US).* Cette adresse est également très prisée par les voyageurs peu fortunés.

Highland Hotel *(☎ 823738, fax 832275, 90 Ð Phan Dinh Phung ; simples 4 $US, doubles 5-6 $US).* Proche du centre-ville, cet établissement pour petits budgets est un pis-aller.

Phu Hoa Hotel *(☎ 822194, fax 833956, 16 Ð Tang Bat Ho ; simples 4-5 $US, doubles 7-12 $US).* Cet hôtel relativement ancien mais agréable, se situe en plein centre-ville.

Mimosa Hotel *(☎ 822656, fax 832275, 170 Ð Phan Dinh Phung ; simples 6-8 $US, doubles 8-12 $US).* Cette véritable institution pour les petits budgets est un peu excentrée.

Lam Son Hotel *(☎ 822362, fax 833956, 5 Ð Hai Thuong ; chambres 10-15 $US).* Ce vaste hôtel tranquille est installé dans une ancienne maison coloniale, à 10 minutes à pied du centre-ville. Le **Sapa Restaurant**, voisin, propose d'excellentes côtelettes grillées.

Lyla Hotel *(☎ 834540, fax 835940, lylahotel@hcm.vnn.vn, 18A Ð Nguyen Chi Thanh ; chambres 200 000/300 000 d).* Ce bel établissement possède un **restaurant** servant des plats européens et vietnamiens.

A Chau Hotel *(☎ 823974, 13 Ð Tang Bat Ho ; doubles/triples 10/15 $US).* En plein cœur de la ville, ce chalet suisse loue des chambres spacieuses.

Dreams Hotel *(☎ 833748, fax 837108, dreams@hcm.vnn.vn, 151 Ð Phan Dinh Phung ; simples 8 $US, doubles 10-12 $US, petit déj compris).* Cet établissement charmant et bien entretenu n'obtient que des louanges et le rapport qualité/prix est imbattable. Certaines des chambres possèdent un balcon. Vous pourrez vous connecter à Internet et jouer de la musique sur les instruments à disposition dans la réception. L'établissement accepte les cartes de crédit.

Hotel Chau Au Europa *(☎ 822870, fax 824488, europa@hcm.vnn.vn, 76 Ð Nguyen Chi Thanh ; chambres 10-15 $US).* Cet hôtel familial accueillant dispose d'un bon **restaurant**.

Il existe un terrain de camping près du sympathique **Stop & Go Cafe** *(☎ 828458, 2A Ð Ly Tu Trong).* Lors de la rédaction de ce guide, un projet de construction de bungalows était à l'étude.

Où se loger – catégorie moyenne

Ngoc Lan Hotel *(☎ 822136, fax 824032, ctcpdlngoclan@hcm.vnn.vn, 42 Ð Nguyen Chi Thanh ; chambres 15-30 $US).* Cet ancien hôtel, très vaste, surplombe le lac. Comptez au moins 25 $US pour les chambres avec vue. Les prix incluent le petit déjeuner.

Dai Loi Hotel *(Fortune Hotel ; ☎ 837333, fax 837474, 3A Ð Bui Thi Xuan ; chambres 14-25 $US).* Cet hôtel, parmi les plus récents de Dalat, propose des chambres spacieuses et confortables.

Golf 3 Hotel *(☎ 826042, fax 830396, golf3hot@hcm.vnn.vn, www.vietnamgolfhotel .com, 4 Ð Nguyen Thi Minh Khai ; chambres 35-70 $US).* Cet établissement central possède un **café sur le toit** offrant une vue splendide sur Dalat, de même que le meilleur sauna de la ville. Le rapport qualité/prix dépasse largement celui du Golf Hotel 1 et du Golf Hotel 2.

Empress Hotel *(☎ 833888, fax 829399, empress@hcm.vnn.vn, 5 Ð Nguyen Thai Hoc ; chambres 60-80 $US, suites 110-190 $US).* Cet hôtel élégant se situe au bord du lac Xuan Huong et jouit d'une vue sublime. Ses chambres comptent parmi les plus belles de Dalat. Vous pouvez essayer de négocier les tarifs, qui comprennent le petit déjeuner-buffet.

Villa Hotel 28 Tran Hung Dao *(☎ 822764, fax 835639, 28 Ð Tran Hung Dao ; chambres 20 $US, chambres dans l'annexe 15 $US).* Cet hôtel charmant ressemble à une auberge anglaise. Des boiseries décorent les murs des chambres, dont le sol est en brique. La "chambre familiale" possède une cheminée et accueille jusqu'à 6 personnes (5 $US par personne).

Minh Tam Villas *(☎ 822447, fax 824420, 20A Ð Khe Sanh ; doubles 18 $US, villas*

15 $US). À 3 km du centre-ville, au beau milieu des **jardins botaniques** (4 000 d pour les non-résidents), cet établissement offre une jolie vue. La maison appartenait à un architecte français, qui la céda en 1954 à une famille vietnamienne aisée. Elle subit plusieurs rénovations avant d'être "offerte" en 1975 au gouvernement communiste victorieux. Les chambres se situent dans la maison de maître ou dans des bungalows confortables ; ces bâtiments accusent toutefois leur âge.

Où se loger – catégorie supérieure

Hotel Sofitel Dalat Palace (☎ 825444, fax 825666, www.sofitel.com, 12 Đ Tran Phu ; chambres 149-414 $US). Cet hôtel grandiose fut construit entre 1916 et 1922 ; suite à de gigantesques travaux de rénovation, il est devenu l'établissement le plus luxueux de la ville. Du vaste espace public, au rez-de-chaussée, vous pourrez admirer la vue panoramique sur le lac Xuan Huong, et vous installer confortablement dans des fauteuils en rotin pour siroter un thé ou une boisson gazeuse devant les baies vitrées. Les courts de tennis à proximité appartiennent à l'établissement.

Novotel Dalat (☎ 825777, fax 825888, 7 Đ Tran Phu ; chambres 99-189 $US). Autre établissement d'époque, ce vaste hôtel fait face au Sofitel. Il fut construit en 1932 et baptisé Du Parc Hotel. Malgré les nombreux travaux de réfection, il a conservé sa grandeur coloniale d'origine.

Vous pouvez généralement négocier les prix dans ces deux établissements prestigieux. Si vous jouez au golf, regardez les offres spéciales, proposées à des prix très raisonnables (voir en début de chapitre la rubrique *Golf*).

Où se restaurer

Spécialités locales. Dalat fait honneur aux primeurs, qui sont exportés dans tout le Sud. Petits pois, carottes, radis, tomates, concombres, avocats, poivrons verts, laitues, choux chinois, pousses de soja et de bambou, betteraves, haricots verts, pommes de terre, maïs, épinards, ail, courges et ignames, qui poussent tous ici en abondance, sont fraîchement cueillis afin de composer des menus que l'on ne retrouve nulle part ailleurs.

La région de Dalat est, à juste titre, célèbre pour sa confiture de fraises, son cassis

séché et ses prunes confites, ses kakis et ses pêches, qu'on achète aux **étals** qui entourent le marché, juste à l'ouest du lac. Parmi les autres délices de Dalat, citons le sorbet à l'avocat, les pois sucrés (*mut dao*) et les sirops de fraise, de mûre et d'artichaut. Le sirop de fraise s'avère délicieux mélangé à du thé. Outre des vins classiques, la contrée produit également des vins de fraise et de mûre. Goûtez au vin Vang Dalat, produit localement, assez goûteux et peu cher (autour de 45 000 d la bouteille). La racine de l'artichaut sert à faire un thé qui est typique de la région. La plupart de ces douceurs se vendent au **marché central** et dans les **échoppes** établies devant la pagode Thien Vuong.

Le *dau hu*, sorte de crème composée de lait de soja, de sucre et d'une tranche de gingembre, compte également parmi les spécialités de Dalat, tout comme le lait de soja chaud (*sua dau nong*). Des **vendeuses** en proposent, palanche à l'épaule : à un bout de la palanche est suspendu un grand récipient contenant la préparation et, à l'autre, une petite table.

Dès la fin de l'après-midi, l'escalier qui mène à Đ Nguyen Thi Minh Khai se couvre d'**étals de nourriture** proposant, à des prix dérisoires, toutes sortes de plats faits maison ou cuits sur place sur un réchaud à charbon de bois. D'autres vendeurs, propriétaires d'emplacements permanents, pratiquent des prix nettement plus élevés pour des denrées similaires.

Où se restaurer

Restaurants. V Cafe (☎ 837576, 1 Đ Bui Thi Xuan ; plats 15 000-30 000 d, 10h-22h). Pour bien commencer votre circuit gastronomique à Dalat, autant dîner sur une nappe blanche et pour un prix raisonnable. La charmante propriétaire, Vy (secondée par son époux américain), concocte de la cuisine vietnamienne savoureuse ainsi que de bonnes soupes, des salades, des burgers, des tacos et quesadillas servies avec des tortillas maison. La longe de porc rôtie servie avec une purée de pommes de terre en sauce est divine. Goûtez en dessert les délicieuses meringues au citron maison. Cet endroit est tout indiqué pour obtenir des conseils de voyage.

Trong Dong (☎ 821889, 220 Đ Phan Dinh Phung, plats 20 000-45 000 d). Voilà une autre bonne adresse chic pour goûter à de l'excellente cuisine vietnamienne. Parmi les spécialités de la maison figurent de la pâte de crevettes grillées sur de la canne à sucre, du poisson cuit dans un faitout en terre et un émincé de bœuf enveloppé dans des feuilles de lalot. Ce restaurant, légèrement excentré, mérite un détour.

Long Hoa (☎ 822934, 6 Ð 3 Thang 2 ; 10h30-21h30 ; plats 15 000-30 000 đ). Les touristes apprécient depuis longtemps ce restaurant, qui a conservé sa réputation. Les sautés et les fondues sont excellents. Choisissez une table vers le fond, loin du bruit de la rue.

Hoang Lan Restaurant, Dong A Restaurant et **Nhat Ly Restaurant** sont trois établissements voisins sur Ð Phan Dinh Phung, proposant des plats vietnamiens, chinois, occidentaux et végétariens bon marché.

Pour une atmosphère plus typique, la meilleure adresse se trouve juste en face : le restaurant **Minh Uyen** (repas 10 000 đ) sert un copieux *com thap cam*, mélange de riz, poulet, bœuf, porc, œuf et légumes.

Quan Diem Tam (☎ 820104, 217 Ð Phan Dinh Phung ; soupe de nouilles 7 000 đ). Ce vieil établissement chinois propose une délicieuse soupe de nouilles jaunes (*mi hoanh thanh*).

Pho Tung, proche du cinéma Rap 3/4, se double d'une boulangerie appétissante. Comment résister à ces merveilleux gâteaux en vitrine ?

Phuong Hoang (☎ 822773, 81 Ð Phan Dinh Phung). Situé à proximité du Cam Do Hotel, ce nouvel établissement propose de l'excellente cuisine dans un décor sympathique.

Thuy Ta Restaurant (☎ 822288, 1 Ð Yersin). Bâti sur pilotis sur le lac Xuan Huong, ce restaurant offre un vue sublime ; la qualité de sa cuisine et du service mérite moins d'éloges.

Pour les gourmets, rien ne vaut **Le Rabelais**, le restaurant de l'Hotel Sofitel. Pensez à apporter votre carte de crédit ou une brouette de dong ! À l'étage inférieur, **Larry's Bar** sert des plats de pub et les meilleures pizzas de tout Dalat. En face, **Le Café de la Poste** propose des repas légers et des gâteaux dans un cadre décontracté.

Où se restaurer
Cuisine végétarienne. Sur le marché à l'ouest du barrage Xuan Huong, des **étals** proposent de délicieux plats végétariens (*com chay*) qui ont l'aspect et le goût des traditionnelles préparations à la viande.

Où se restaurer
Cafés. Le café et les pâtisseries de Dalat figurent parmi les plus délicieux du pays. Une petite visite aux meilleurs établissements de la ville, et vous serez séduit.

Stop & Go Cafe (☎ 828458, 2A Ð Ly Tu Trong). Le lieu de rendez-vous des avant-gardistes de Dalat mérite le détour. Cette petite oasis bohémienne est gérée par un charmant ex-journaliste. Duy Viet, c'est son nom, parle couramment français et arbore en permanence un sourire et un béret. Ce poète reconnu a aussi la main verte, comme en témoignent les magnifiques bonsaïs et les orchidées dans les jardins de la villa. Jetez un œil sur le recueil de poèmes et les tableaux à vendre, sans oublier les commentaires sur le livre d'or, qui remontent à 1989.

C'est au **Cafe Tung** (6 place Khu Hoa Binh) que le Tout-Saigon intellectuel se retrouvait dans les années 1950. Les habitués affirment que les lieux n'ont pas changé. Comme jadis, le Cafe Tung ne sert que du thé, du café, du chocolat chaud, de la limonade et de l'orangeade. C'est l'endroit idéal pour se détendre et se réchauffer par une soirée fraîche.

Où sortir
Dalat possède plusieurs endroits où boire un verre, et le nombre de *happy hours* par habitant est sans doute le plus élevé de tout le Vietnam !

Saigon Nite Bar (☎ 820007, 11A Ð Hai Ba Trung). Géré par l'excentrique M. Dung et son aimable fille, ce petit établissement animé dispose d'un billard. La *happy hour* dure de 17h à 20h.

Larry's Bar, au sous-sol du Sofitel Dalat Palace, est une petite taverne tranquille aux poutres apparentes et aux murs en pierre. Les tarifs *happy hour* se pratiquent de 17h à 19h et s'appliquent également aux plats servis au bar.

L'animation du **marché**, à l'ouest du barrage du lac Xuan Huong, n'est pas sans intérêt. On peut y flâner en buvant un café et converser avec la population locale ; de nombreux **cafés** jouxtent le cybercafé Viet Hung.

Achats

Vous n'aurez aucun mal à trouver des cadeaux hétéroclites, du panda en peluche entonnant une rengaine à l'alligator tenant une lampe entre les mâchoires.

Vous pouvez également vous procurer du *kim mao cau tich*, racine d'une variété de fougère dont les vertus hémostatiques sont utilisées en médecine traditionnelle. On l'appelle aussi *cu ly*. Cette racine rougeâtre et fibreuse est vendue attachée à des rameaux assemblés en forme d'animaux hirsutes.

Les ethnies des collines de la province de Lam Dong produisent des articles d'artisanat : les Lat fabriquent des nattes de fibres teintes et des paniers à riz qui se roulent une fois vides ; les Koho et les Chill produisent des paniers de bambou tressé, que tous les Montagnards de la région utilisent pour transporter leurs marchandises dans le dos ; les Chill tissent leurs propres vêtements, notamment des châles de coton bleu marine. Les ethnies des collines transportent l'eau dans une calebasse creuse munie d'un bouchon de maïs, parfois entouré d'une feuille pour plus d'étanchéité. Si cet artisanat vous intéresse, renseignez-vous au village au Poulet ou au village Lat.

La place Hoa Binh et l'édifice qui abrite le marché central adjacent fourmillent de boutiques. C'est l'un des meilleurs endroits du pays où dénicher des vêtements à des prix raisonnables.

Comment s'y rendre

Avion. À une courte distance du Sofitel Dalat Palace, **Vietnam Airlines** (☎ 822895, *40 Đ Ho Tung Mao*) propose une liaison quotidienne entre Dalat et HCMV (voir le chapitre *Comment circuler*). L'aéroport Lien Khuong se trouve à 30 km au sud de la ville.

Bus et minibus. Malgré la fréquence des bus publics de/vers Dalat, il revient à peine plus cher de prendre un bus ou minibus privé touristique, nettement plus confortable et pratique. En outre, sachez que la gare routière des bus publics longue distance se situe à 1 km du lac Xuan Huong, alors que la plupart des bus privés vous déposeront ou iront vous chercher à votre hôtel si vous en faites la demande.

Les tarifs sur la ligne HCMV-Dalat et Nha Trang-Dalat ont chuté à environ 5 \$US. La plupart des bus ou minibus privés qui relient Dalat à Nha Trang/Mui Ne s'arrêtent aux impressionnantes tours cham de Po Klong Garai, à Thap Cham, soit à quelques kilomètres du carrefour entre la RN 1 et la RN 20 (voir l'encadré *Les tours cham de Po Klong Garai* dans le chapitre *Le littoral* du Centre et du Sud).

Voiture et moto. En venant de HCMV, il est plus rapide d'emprunter la route intérieure qui passe par Bao Loc et Di Linh que de longer la côte *via* le col de Ngoan Muc. Voici les distances au départ de Dalat :

Danang	746 km
Di Linh	82 km
Nha Trang	205 km
Phan Rang et Thap Cham	101 km
Phan Thiet	247 km
HCMV	308 km

Des routes relient Dalat à Buon Ma Thuot, ainsi qu'à d'autres régions des Hauts Plateaux du Centre.

Comment circuler

Desserte de l'aéroport. La navette de Vietnam Airlines qui relie l'aéroport de Lien Khuong à Dalat coûte 3 \$US par personne et vous dépose devant votre hôtel. En taxi privé, la course vous reviendra à environ 10 \$US, alors qu'une moto-taxi vous coûtera généralement entre 3 et 5 \$US.

Moto. La région de Dalat est bien trop montagneuse pour y faire du vélo, mais la moto est un moyen de transport populaire pour explorer les environs. Pour de courts trajets en ville, prenez un *xe om* ; ils se rassemblent vers le marché central et la course vous coûtera généralement 5 000 d.

Vous pouvez louer une moto pour 6 à 8 \$US par jour, mais nous vous conseillons une mise supplémentaire de 1 à 2 \$US, afin de laisser conduire un chauffeur compétent. De nombreux chauffeurs sont à votre disposition ; recherchez de préférence un Easy Rider (voir l'encadré *Easy Riders*).

Taxi et voiture. Dalat Tourist possède maintenant une flotte de taxis fiables. Un trajet dans Dalat vous sera facturé 2 $US ou moins. Louer une voiture (avec chauffeur) revient à environ 25 $US la journée.

Bicyclette. Le vélo est un excellent moyen de transport pour faire le tour de Dalat. Néanmoins, les collines de la ville, les longues distances et la rareté des panneaux indicateurs rendent l'entreprise fatigante et longue. Si vous en avez l'énergie et que vous n'êtes pas pressé, cela vaut la peine.

Plusieurs hôtels de la ville louent des bicyclettes. Examinez également les circuits proposés par Phat Tire Ventures (voir la rubrique *Sports d'aventure*, plus haut dans ce chapitre).

ENVIRONS DE DALAT
Lac des Soupirs
Les Français avaient agrandi ce lac naturel avec un barrage près duquel se sont établis de petits restaurants. La forêt environnante n'a rien d'exeptionnel.

Le lac des Soupirs *(Ho Than Tho ; entrée 5 000 d)* a une légende. Lorsque Mai Nuong y rencontra Hoang Tung, elle ramassait des champignons et il chassait. Ils tombèrent amoureux et demandèrent à leurs parents la permission de se marier. Hélas, en ces temps (1788), l'empereur Quang Trung procédait à une mobilisation générale face à la menace d'une invasion chinoise et Hoang Tung dut partir se battre sans pouvoir prévenir sa promise. Sans nouvelles de lui et persuadée qu'il ne l'aimait plus, Mai Nuong fit porter chez lui un petit mot lui proposant un ultime rendez-vous. Comme il ne vint pas, elle se jeta désespérée dans les eaux du lac. On y entend encore, les jours de vent, ses soupirs.

Plusieurs petits **restaurants** sont installés sur la colline en montant depuis le barrage. Monter à cheval coûte 80 000 d de l'heure, une promenade d'une heure en voiture à cheval revient à 140 000 d.

Ce lac s'étend à 6 km au nord-est du centre de Dalat ; empruntez Đ Phan Chu Trinh.

Chutes du Tigre
Ces chutes *(Thac Hang Cop ; entrée 4 000 d)* doivent leur nom au tigre féroce qui, selon

---

Les sites au bord de la RN20

La route nationale 20, qui relie HCMV à Dalat, enjambe le **lac Langa** *via* un pont (voir la carte *Environs de Ho Chi Minh-Ville*). Ce réservoir compte de nombreuses **maisons flottantes** sous lesquelles des familles élèvent des poissons. Cet endroit magnifique mérite une photo ; d'ailleurs, la plupart des bus de touristes s'arrêtent brièvement le long de la route dans ce but.

Idéalement située pour couper le trajet en deux, la ville de **Bao Loc** possède plusieurs hôtels. Le thé, les feuilles de mûrier (pour l'élevage des vers à soie) et la soie constituent les principales industries des environs. Vous pourrez goûter gratuitement au **thé** local dans plusieurs échoppes installées au bord de la route.

Près de Dinh Quan, vous apercevrez des **cratères de volcans**. Si les trois volcans sont aujourd'hui éteints, ils n'en demeurent pas moins impressionnants. Leurs cratères datent de l'ère jurassique, il y a quelque 150 millions d'années. Pour mieux les voir, vous devrez marcher un peu ; l'un des cratères se trouve du côté gauche de la route, à 2 km au sud de Dinh Quan, un autre sur la droite, environ 8 km après Dinh Quan en direction de Dalat.

Un peu plus loin se trouvent des **grottes** formées par la lave. En surface, la lave a commencé à se solidifier, alors qu'au-dessous la lave en fusion continuait de couler, formant ces grottes peu communes. Elles ne ressemblent pas aux grottes calcaires (formées par des sources souterraines) : ces dernières présentent de nombreux stalactites et stalagmites, alors que les parois des grottes de lave sont lisses.

Pour accéder à ces grottes, il faut d'abord atteindre la **forêt de teck**, entre les bornes kilométriques 120 et 124. Les enfants des environs vous indiqueront les entrées, mais nous vous déconseillons fortement d'y pénétrer seul. Faites-vous accompagner d'un guide, et informez quelqu'un de responsable de votre sortie. Il est impératif de se munir d'une lampe de poche.

Pour de plus amples informations sur les chutes et autres sites le long de la RN20, voir la section Environs de Dalat.

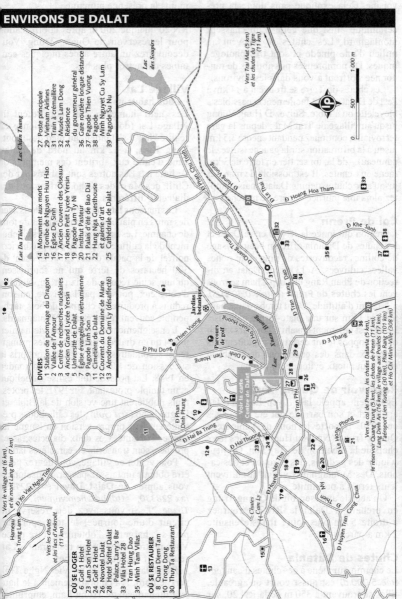

ENVIRONS DE DALAT

DIVERS
1. Station de pompage du Dragon
2. Vallée de l'Amour
3. Centre de recherches nucléaires
4. Ancien Grand Lycée Yersin
5. Université de Dalat
7. Église évangélique vietnamienne
9. Pagode Linh Son
11. Cimetière de Dalat
12. Couvent du Domaine de Marie
13. Aérodrome Cam Ly (désaffecté)

14. Monument aux morts
15. Tombe de Nguyen Huu Hao
16. Église Du Sinh
17. Ancien Couvent des Oiseaux
18. Ancien Petit Lycée Yersin
19. Pagode Lam Ty Ni
20. Institut Pasteur
21. Palais d'été de Bao Dai
22. Hang Nga Guesthouse et galerie d'art
25. Cathédrale de Dalat

27. Poste principale
29. Vietnam Airlines
31. Train à crémaillère
32. Musée Lam Dong
34. Résidence du gouverneur général
36. Gare routière longue distance
37. Pagode Thien Vuong
38. Pagode
39. Minh Nguyet Cu Sy Lam
39. Pagode Su Nu

OÙ SE LOGER
6. Golf 1 Hotel
23. Lam Son Hotel
24. Golf 2 Hotel
26. Novotel Dalat
28. Hotel Sofitel Dalat Palace, Larry's Bar
33. Villa Hotel 28
33. Tran Hung Dao
35. Minh Tam Villas

OÙ SE RESTAURER
8. Quan Diem Tam
10. Trong Dong
30. Thuy Ta Restaurant

HAUTS PLATEAUX DU CENTRE

une légende locale, vivait dans une grotte voisine. Cela explique sans doute la présence de l'immense statue de tigre en céramique ainsi que celle d'un chasseur montagnard. Les chutes se trouvent au milieu d'une pinède et sont très photogéniques. De nombreuses possibilités de randonnée s'offrent à vous dans les environs.

Les chutes du Tigre se trouvent à 14 km à l'est de Dalat et sont facilement accessibles à bicyclette ou à moto. Suivez Ð Hung Vuong jusqu'au village de Trai Mat ; depuis la gare ferroviaire, continuez pendant encore 3,5 km jusqu'à la bifurcation sur la gauche (suivez le panneau) – de là, un sentier en terre de 3 km mène aux chutes. Il est possible de marcher jusqu'aux chutes depuis Dalat, mais comptez alors une journée entière de marche.

Col de Prenn

La région qui longe la RN 20 entre Dalat et les chutes de Datanla offre un beau paysage de collines recouvertes de pins et de riches vallées cultivées. À 13 km de Dalat en direction de Phan Rang et Thap Cham se trouvent les **chutes de Prenn** (entrée 0,50 $US), à 1 124 m d'altitude. L'eau tombe d'une hauteur de 15 m sur une plate-forme rocheuse. Le site est tellement envahi d'horreurs kitsch et d'échoppes (dont certaines exploitent des animaux dans des conditions déplorables) qu'il vaut mieux éviter de s'y arrêter.

Réservoir de Quang Trung

Également appelé lac Tuyen Lam, ce lac artificiel et son barrage ont été aménagés en 1980. Il porte le nom de l'empereur Quang Trung (Nguyen Hue), l'un des trois chefs de la rébellion des Tay Son. On peut y louer des pédalos, des barques et des canots. Des Montagnards vivent et cultivent leurs terres à proximité.

On accède au réservoir de Quang Trung en prenant à Dalat la RN 20. Tournez à droite 5 km plus loin ; il reste ensuite 2 km à parcourir.

Chutes de Datanla

Le chemin qui mène à ces chutes d'eau (entrée 5 000 d) est aussi court qu'agréable. Elles se trouvent à 350 m de la RN 20, sur un sentier qui traverse une pinède avant de descendre dans la forêt tropicale. La faune compte nombre d'écureuils, d'oiseaux et de papillons. La chasse est en effet interdite

dans la région et les animaux redoutent moins la présence humaine.

Pour y accéder depuis Dalat, quittez la RN 20 quelque 200 m après la bifurcation pour le réservoir de Quang Trung. Vous découvrirez un autre accès quelques centaines de mètres plus bas.

Village Lat
· 6 000 habitants

Les neuf hameaux qui constituent le village Lat (dont le nom se prononce en réalité "lak") s'étendent au pied des monts Lang Bian, à 12 km au nord de Dalat. Cinq d'entre eux abritent des membres de l'ethnie lat. Les autres sont habités par des Chill, des Ma et des Koho, parlant tous des dialectes différents.

Les maisons lat sont bâties sur pilotis avec des murs en planches et sont coiffées de toits de chaume. Les habitants vivent très chichement de la culture du riz, du café, du haricot noir et de la patate douce ; ils disposent de 300 hectares de terre qui ne fournissent qu'une seule récolte de riz par an. Nombre d'entre eux, poussés par la misère, en sont réduits à produire du charbon de bois, tâche pénible souvent réservée aux Montagnards.

L'enseignement est assuré en vietnamien plutôt qu'en dialecte dans les écoles primaires et secondaires du village, qui ont pris la succession de l'École franco-koho fondée en 1948. Lat possède une église catholique et un temple protestant. En 1971, les protestants publièrent une version de la Bible en langue koho (Sra Goh) ; les catholiques présentèrent leur propre version en langue lat l'année suivante. Ces deux dialectes, assez proches, sont transcrits en caractères latins.

Pour visiter ce village, vous devrez peut-être obtenir un laissez-passer. Renseignez-vous auprès de **Dalat Travel** (☎ 822125, fax 828330, ttdhhd@hcm.vnn.vn, 7 Ð 3 Thang 2). Si vous avez déjà réservé un circuit d'une journée, le tour-opérateur peut se charger de l'obtenir à votre place. Vous ne trouverez aucun restaurant à Lat, seulement quelques **échoppes**.

De Dalat, prenez Ð Xo Viet Nghe Tinh vers le nord. À l'embranchement à la hauteur du hameau de Trung Lam, empruntez la route de droite (direction nord-ouest). Comptez 40 minutes à bicyclette ou 2 heures à pied pour parcourir les 12 km qui vous séparent de Lat.

Monts Lang Bian

Cette chaîne de cinq monts volcaniques d'une altitude de 2 100 à 2 400 m est aussi appelée Lam Vien. Deux sommets la dominent. À l'est, le mont K'Lang (un prénom de femme), à l'ouest le mont K'Biang (un prénom masculin). Seuls les versants supérieurs des montagnes sont boisés.

Avant la guerre du Vietnam, les contreforts servaient d'habitat à de nombreux buffles, cerfs, sangliers, éléphants, rhinocéros et tigres. Ils ont été décimés par les défoliants.

On peut facilement grimper en 3-4 heures au sommet, d'où la vue est spectaculaire. Le sentier part au nord du village Lat, et vous ne pourrez pas le perdre en raison de sa couleur rougeâtre qui tranche dans la forêt.

Aucun permis n'est nécessaire pour parcourir les monts Lang Bian, mais la présence d'un guide rendra certainement votre excursion plus intéressante. Contactez Dalat Holidays (voir plus haut la rubrique correspondante) pour connaître leurs activités.

Chutes et lacs d'Ankroët

Les deux lacs artificiels d'Ankroët, qui font partie d'un ensemble hydroélectrique, se trouvent à 18 km au nord-ouest de Dalat, dans une région habitée par des Montagnards. Les chutes (Thac Ankroët) sont hautes de 15 m.

Village au Poulet

Ce village est très connu des voyageurs, car il est commodément situé à 17 km de Dalat, sur la route de Nha Trang.

Ses habitants appartiennent à la minorité koho, qui s'est partiellement assimilée à la société vietnamienne – ainsi, la plupart des Koho ne vivent plus dans des maisons sur pilotis et portent des vêtements de style vietnamien. Ils conservent néanmoins un mode de vie qui leur est propre ; vous ne manquerez donc pas de vous arrêter chez eux sur la route de Nha Trang.

Le site tire son nom d'une énorme statue de béton érigée au centre du village, et représentant un poulet. Nous avons longuement interrogé les villageois sur l'origine de ce monument insolite et avons été surpris de constater que la plupart d'entre eux n'en avaient aucune idée ou refusaient

de nous fournir la moindre explication. Ce volatile n'est sans doute pas un symbole religieux. Nous avons fini par recevoir cette explication d'une villageoise :

Ici, quand deux jeunes gens se marient, c'est la famille de la fiancée qui paie la bague et le repas de noces. Elle doit également offrir un cadeau à sa belle-famille. Il y a plusieurs années s'est produite une triste affaire : la famille du fiancé a exigé un cadeau spécial, un poulet à neuf doigts. Personne n'en avait jamais vu, mais le bruit courait qu'il en existait dans la montagne. La jeune fille est donc partie en chercher un. Malheureusement, ses efforts ont été vains et elle est morte dans la forêt. Les villageois ont été bouleversés par l'absurdité de cette tragédie et ils ont fait de cette jeune fille une héroïne. Pendant la guerre, on s'est battu dans la région et, à la libération, le gouvernement a voulu faire un cadeau aux habitants. Ils ont demandé la permission de rendre hommage à la courageuse jeune fille qui était morte par amour. D'où ce poulet de béton !

Un habitant nous a fait un autre récit. Selon lui, après la victoire des communistes, en 1975, les villageois s'enfuirent dans les bois, où ils reprirent leurs traditions de nomades et de cultures sur brûlis afin d'échapper à la collectivisation des terres. Bon nombre d'hommes se consacrèrent au commerce illégal du bois, qui fit des ravages dans les forêts des environs. Le gouvernement leur offrit ensuite plusieurs concessions pour les inciter à revenir s'établir au village. À leur retour, les autorités eurent l'idée d'ériger une sorte de monument, une statue de Ho Chi Minh par exemple ; il fut finalement décidé qu'un poulet de béton serait plus approprié pour vanter les mérites de ces paysans laborieux.

Les habitants du village au Poulet sont extrêmement pauvres. Nous vous suggérons de *ne pas* donner de bonbons ni d'argent aux enfants ; si vous souhaitez venir en aide aux villageois, vous achèterez des boissons ou des aliments dans les deux boutiques du hameau, ou les superbes tissages en vente non loin de la nationale.

CHUTES DE DAMBRI

Ce sont parmi les plus hautes (90 m) et les plus belles chutes d'eau du Vietnam, celles aussi auxquelles on accède le plus aisément (*entrée 10 000 d*). Devant un tel spectacle, on a tout bonnement le souffle coupé. Gardez néanmoins un peu de votre respiration pour gravir le sentier escarpé qui conduit au sommet du site… À moins que vous ne vouliez emprunter le funiculaire (0,40 $US).

En remontant la rivière depuis le sommet des chutes, vous atteindrez l'"île aux Singes", un mini-zoo peuplé de singes et de cervidés.

Proche de Bao Loc, cette région est principalement peuplée par des Montagnards. Avant d'arriver à Bao Loc, tournez à droite et suivez la piste sur 18 km : vous traverserez des plantations de thé et de mûriers et découvrirez bientôt sur votre droite le mont May Bay.

Le **Dambri Restaurant**, qui jouxte le parking, s'avère bon et peu cher.

DI LINH

Cette localité (prononcer zi-ling), aussi appelée Djiring, est perchée à 1 010 m d'altitude. La région produit principalement du thé, cultivé sur de vastes plantations créées par les Français. Le plateau de Di Linh constitue un excellent but d'excursion pour la journée. On y chassait encore le tigre il n'y a pas si longtemps.

Cascade de Bo Bla

La cascade, haute de 32 m, se situe à 7 km à l'ouest de Di Linh, tout près de la RN 20.

Comment s'y rendre

Di Linh se trouve à 226 km au nord-est de HCMV et à 82 km au sud-ouest de Dalat sur la RN 20, qui relie ces deux villes. Une petite route mène à Phan Thiet (96 km).

CHUTES DE PONGOUR

À 55 km de Dalat, sur la route de HCMV, part une petite route qui, 7 km plus loin, vous mènera aux plus importantes chutes d'eau de la région (entrée 5 000 d). Elles forment un demi-cercle spectaculaire pendant la saison des pluies.

CHUTES DE GOUGAH

Ces chutes (entrée 4 000 d), situées à environ 40 km de Dalat en direction de HCMV et à 500 m de la nationale, sont aisément accessibles.

CHUTES DE LIEN KHUONG

À cet endroit, la rivière Dan Nhim fait 100 m de large et un saut de 15 m sur un affleurement de roche volcanique. Le site est visible de la nationale et se trouve à 25 km de Dalat, en direction de HCMV, non loin de l'aéroport Lien Khuong.

À Lien Khuong jaillit non pas une cascade mais plusieurs, toutes à proximité de la route. La promenade qui mène à leur sommet est très agréable. On peut nager au pied des rochers de l'une d'elles. Ces chutes ne font l'objet d'aucune exploitation touristique ; du reste, elles ne sont même pas indiquées de la route.

Per Arenm

LAC DAN NHIM

• altitude : 1 042 m

Le lac Dan Nhim doit son existence à la construction d'un barrage réalisé par les Japonais entre 1962 et 1964, au titre des réparations de guerre. Il couvre une superficie de 9,3 km^2 et sa vaste centrale hydroélectrique fournit de l'énergie à une bonne partie du sud du pays.

Les studios de cinéma de HCMV en ont fait leur lieu de prédilection pour le tournage de scènes romantiques.

La centrale électrique est installée à l'ouest, en bordure de la plaine côtière. L'eau du lac y arrive en force par deux énormes conduites quasi verticales sur 1 km depuis le col de Ngoan Muc.

Cette région passe pour être le paradis des chasseurs et des pêcheurs.

Comment s'y rendre

Dalat se situe à 38 km de ce lac, qui fait partie du district de Don Duong, dans la province de Lam Dong. Sur la route menant de Dalat à Phan Rang et Thap Cham, le barrage se trouve à 1 km sur la gauche. La centrale électrique est au pied du col de Ngoan Muc, près de la ville de Ninh Son.

COL DE NGOAN MUC

Les Français l'appelaient le col de Bellevue (980 m). Situé à environ 5 km du lac Dan Nhim et à 64 km à l'ouest de Phan Rang, il s'ouvre, par temps clair, sur un vaste panorama embrassant toute la plaine côtière jusqu'à la mer de Chine, 55 km plus loin à vol d'oiseau. La nationale dévale la montagne en une série de virages en épingle à cheveux, passant sous deux gigantesques conduites (toujours gardées par des soldats) qui relient le lac à la centrale électrique.

Au sud de la route (à droite face à l'océan), vous pouvez voir les rails du train à crémaillère reliant Thap Cham à Dalat (voir la rubrique *Dalat*).

Au col même, non loin de la route, vous découvrirez une cascade, des forêts de pins et l'ancienne gare de Bellevue.

BUON MA THUOT

☎ 050 • 186 600 habitants • altitude : 451 m

Appelée également Ban Me Thuot, Buon Ma Thuot, la capitale de la province de Dac Lac, est la plus grande ville de la région ouest. Avant la Seconde Guerre mondiale, Buon Ma Thuot était renommée pour la chasse au gros gibier, mais les animaux et la forêt tropicale ont aujourd'hui disparu.

L'industrie du café assure à la ville sa prospérité. On le cultive dans des plantations administrées pour certaines par des Allemands, qui passent pour être aussi exigeants que leurs prédécesseurs français. Si l'on est accompagné d'un bon guide, la visite des plantations de café et de l'usine se révèle intéressante.

La population de la région est composée en majorité de Montagnards. La politique d'intégration du gouvernement a porté ses fruits, puisque ceux-ci parlent presque tous couramment vietnamien.

La saison des pluies s'étend d'avril à octobre, mais les averses sont généralement de courte durée. Plus basse d'altitude que Dalat, Buon Ma Thuot est plus chaude et plus humide, bien que très venteuse.

Le parc national de Yok Don est accessible par Buon Ma Thuot, tout comme le parc de Cat Tien (voir le chapitre *Environs de Ho Chi Minh-Ville*), que beaucoup préfèrent cependant visiter en passant par Dalat.

Renseignements

Argent. L'agence locale de la **Banque de l'Agriculture** (☎ 852930, 37 Ð Phan Boi Chau) change les devises.

E-mail et accès Internet. Vous pourrez consulter vos e-mails à **Nhip Song Net** (☎ 851136, nhipsong@dng.vnn.vn, 35 Ð Hoang Dieu ; 8h-22h) et **Internet Service** (48 Ð Hung Vuong), deux établissements qui facturent 5 000 d l'heure.

Agences de voyages. Dak Lak Tourist (☎ 852108, fax 852865, daklaktour@dng. vnn.vn, 3 Ð Phan Chu Trinh ; tlj 7h30-11h et 13h30-17h), l'agence officielle de la province, se situe à côté du Thang Loi Hotel.

Dam San Tourist (☎ 851234, fax 852309, damsantour@dng.vnn.vn, 212-214 Ð Nguyen Cong Tru) est une agence indépendante dont les bureaux se trouvent dans le fameux Dam San Hotel. Les excursions aux cascades de Gia Long et Dray Nur sont ses spécialités.

Des guides/motards anglophones, tel **Nguyen Van Mui** (☎ 856085 ou 0914-010411), proposent leurs services pour vous emmener visiter les environs, notamment le parc national de Yok Don.

Laissez-passer. Il peut s'avérer nécessaire d'obtenir un permis pour visiter certains villages des minorités des environs de Buon Ma Thuot. Adressez-vous à Dak Lak Tourist pour obtenir ce précieux document.

Monument de la Victoire

Érigé sur la grand-place, ce monument commémore les événements du 10 mars 1975, jour de la "libération" de Buon Ma Thuot par les troupes du Viet-Cong et du Nord-Vietnam. Cette bataille entraîna l'effondrement total du Sud-Vietnam.

Musée de la Province de Dak Lak

Ce musée (Bao Tang Tinh Dak Lak) regroupe en fait deux musées distincts, le Musée ethnographique et le musée de la Révolution, ce dernier n'offrant qu'un intérêt limité pour les touristes.

Trente et un groupes ethniques différents vivraient dans la province de Dak Lak. En visitant le **Musée ethnographique** (☎ 850426, angle de Ð Nguyen Du et Ð Le Duan ; entrée 10 000 d ; 7h30-11h et 13h30-17h), vous approfondirez vos connaissances de ces groupes disparates. Vous verrez les costumes traditionnels des Montagnards, des outils agricoles, des arcs et des flèches, des métiers à tisser et des instruments de musique. Une collection de photographies commentées retrace l'historique (souvent embelli) des contacts entre les Montagnards et la majorité vietnamienne.

Le Musée ethnographique occupe l'ancienne réception de la villa de Bao Dai, un grand bâtiment colonial. Un guide vous accompagnera tout au long de l'exposition moyennant 5 000 d.

Le **musée de la Révolution de Buon Ma Thuot** (☎ 852527, 1 Đ Le Duan ; entrée 10 000 d ; 7h30-11h et 14h-17h) retrace le rôle de la ville pendant la guerre du Vietnam.

Où se loger – petits budgets

Guesthouse 43 (☎ 853921, 43 Đ Ly Thuong Kiet ; chambres avec/sans toilettes privatives 100 000/60 000 d). Les chambres, un peu vieillottes et défraîchies, disposent d'un ventilateur.

Hong Kong Hotel (☎ 852630, 35 Đ Hai Ba Trung ; chambres avec ventil./clim. 8/10 $US). Cet établissement pour petits budgets montre des signes de fatigue.

Parmi les meilleurs hôtels de cette catégorie figurent **Thanh Phat Hotel**

(☎ 854857, fax 813366, ksthanhphat@pmail .vnn.vn, 41 Đ Ly Thuong Kiet ; chambres avec ventil./clim. 80 000/120 000-180 000 d), le **Thanh Binh Hotel** (☎ 853812, fax 811511, 24 Đ Ly Thuong Kiet ; chambres 120 000-150 000 d), entièrement climatisé, et **Huy Hoang Hotel** (☎ 858020, 30 Đ Ly Thuong Kiet ; chambres avec ventil/clim. 50 000/150 000-170 000 d).

Biet Dien Hotel (☎ 852177, 12 Đ Le Duan ; chambres 140 000-160 000 d). Les chambres sur la rue sont assez peu engageantes, mais celles du grand bâtiment pointu en retrait de la route offrent un bien meilleur rapport qualité/prix.

Banme Hotel (☎ 851001 ; chambres avec ventil./clim.. 6-10/15 $US). Ce vaste motel, situé à 3 km au nord du centre-ville, est

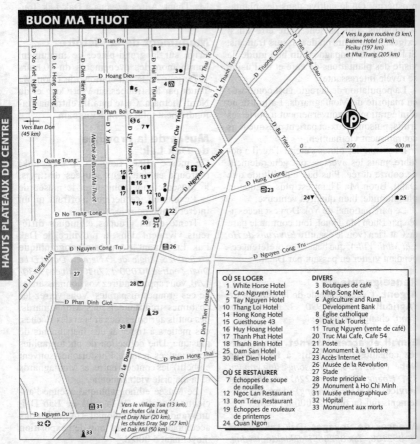

BUON MA THUOT

Vers la gare routière (3 km),
Banme Hotel (3 km),
Pleiku (197 km)
et Nha Trang (205 km)

Vers Ban Don
(45 km)

Vers le village Tua (13 km),
les chutes Gia Long
et Dray Nur (20 km),
les chutes Dray Sap (27 km)
et Dak Mil (50 km)

OÙ SE LOGER
1 White Horse Hotel
2 Cao Nguyen Hotel
5 Tay Nguyen Hotel
10 Thang Loi Hotel
14 Hong Kong Hotel
15 Guesthouse 43
16 Huy Hoang Hotel
17 Thanh Phat Hotel
18 Thanh Binh Hotel
25 Dam San Hotel
30 Biet Dien Hotel

OÙ SE RESTAURER
7 Échoppes de soupe
   de nouilles
12 Ngoc Lan Restaurant
13 Bon Trieu Restaurant
19 Échoppes de rouleaux
   de printemps
24 Quan Ngon

DIVERS
3 Boutiques de café
4 Nhip Song Net
6 Agriculture and Rural
   Development Bank
8 Église catholique
9 Dak Lak Tourist
11 Trung Nguyen (vente de café)
20 Truc Mai Cafe, Cafe 54
21 Poste
22 Monument à la Victoire
23 Accès Internet
26 Musée de la Révolution
27 Stade
28 Poste principale
29 Monument à Ho Chi Minh
31 Musée ethnographique
32 Hôpital
33 Monument aux morts

accessible à pied depuis la gare routière. Du centre, le trajet en *xe om* coûte environ 5 000 d. Les tarifs des chambres climatisées incluent le petit déjeuner.

Où se loger – catégorie moyenne

Dam San Hotel (☎ 851234, fax 852309, *damsantour@dng.vnn.vn, 212-214 Ð Nguyen Cong Tru ; chambres avec clim. 25/30 \$US*). Cette adresse est la meilleure de sa catégorie : cet hôtel tranquille et agréable loue des chambres bien tenues, avec TV par satellite, et dispose d'un **restaurant**. Les chambres à l'arrière du bâtiment donnent sur la piscine, le court de tennis et les plantations de café.

White Horse Hotel (☎ 853963, fax 852121, *50-54 Ð Hai Ba Trung ; chambres 26-36 \$US*). Cet hôtel privé propose des chambres climatisées équipées de TV par satellite. Admirez les bonsaïs et les oiseaux dans le **café** au dernier étage.

Thang Loi Hotel (☎ 857615, fax 857622, *3 Ð Phan Chu Trinh ; chambres 35-45 \$US*). Cet établissement fait partie des vastes hôtels touristiques gérés par l'État. *Thang Loi* signifie "victoire" (le monument à la Victoire est situé en face). Tout le confort moderne a été installé, y compris la TV par satellite.

Tay Nguyen Hotel (☎ 851009, fax 852250, *110 Ð Ly Thuong Kiet ; simples/doubles 20/22 \$US*). Cette autre bonne adresse propose des chambres avec TV par satellite et réfrigérateur. Un grand **restaurant** occupe le rez-de-chaussée.

Cao Nguyen Hotel (☎ 851913, fax 851912, *daklaktour@dng.vnn.vn, 65 Ð Phan Chu Trinh ; doubles/triples 40/45 \$US, petit déj inclus*). Géré par Dak Lak Tourist, cet établissement a ouvert il y a déjà quelques années mais a conservé son apparence luxueuse. Il est surtout réputé pour sa salle de danse, son karaoké et son salon de massage.

Où se restaurer

Quan Ngon (☎ 851909, *72-74 Ð Ba Trieu*). C'est le plus fameux des restaurants de Buon Ma Thuot. Les tables sont installées dans une grande salle, dans une maison en bois sur pilotis, ou bien à l'extérieur dans la jolie cour. La carte présente un vaste choix de plats vietnamiens. Les grandes bouteilles d'alcool de riz maison forment un décor surprenant, car elles contiennent toutes sortes d'animaux : serpents, geckos,

oiseaux et gros reptiles. Un petit chat sauvage est même conservé dans un bocal à poissons rempli d'alcool de riz !

Si le Quan Ngon ne vous attire pas, essayez le **Bon Trieu Restaurant** (*33 Ð Hai Ba Trung*), réputé pour ses délicieux plats de bœuf.

Nous vous conseillons le **Ngoc Lan Restaurant** (*24 Ð Hai Ba Trung*), également prisé par la population locale.

Pour goûter à d'excellents *nem ninh hoa* – du porc grillé enveloppé dans des feuilles de riz – essayez les **échoppes de rouleaux de printemps** (*20-22-26 Ð Ly Thuong Kiet*) près du monument à la Victoire. De sympathiques **échoppes de soupe de nouilles** sont installées sur Ð Hai Ba Trung.

Cafés

Buon Ma Thuot est renommée pour son café, le meilleur du Vietnam. Les Vietnamiens le servent toujours très fort, et les tasses sont si petites qu'il est impossible de rajouter de l'eau ou du lait.

Les cafés mitoyens **Truc Mai** (*54B Ð Trang Long*) et **Cafe 54** (*54 Ð Trang Long*), près du monument à la Victoire, servent du bon café – mais passent de la mauvaise variété vietnamienne à plein tube. Des chaises sont installées face à la rue.

Achats

Si vous voulez rapporter du café, mieux vaut l'acheter dans une épicerie locale, car il sera de meilleure qualité et moins cher qu'à HCMV ou à Hanoi. Le café se vend en grains ou moulu finement partout en ville. Les prix s'échelonnent entre 14 000 et 16 000 d les 500g. Parmi les meilleures adresses pour s'en procurer, citons **Thanh Bao** (☎ 854164, *32 Ð Hoang Dieu*), **Nam Nguyen** (☎ 852248, *26 Ð Hoang Dieu*) et la boutique voisine **An Thuy**.

Trung Nguyen (☎ 855529, *5 Ð Hai Ba Trung*), un supermarché local, pratique des prix plus élevés mais ses produits se sont pas forcément meilleurs.

Comment s'y rendre

Avion. Vietnam Airlines propose des vols entre Buon Ma Thuot et HCMV et Danang (voir la rubrique *Comment circuler*).

Bus. Buon Ma Thuot est desservie par le bus au départ de HCMV, Danang,

Nha Trang, Dalat, Pleiku et Kon Tum. La liaison Buon Ma Thuot–HCMV prend 20 heures.

Voiture et moto. La route entre la côte et la ville de Buon Ma Thuot croise la nationale 1 à la hauteur de Ninh Hoa (à 160 km de Buon Ma Thuot), qui se trouve à 34 km au nord de Nha Trang. La route goudronnée est de bonne qualité, bien qu'un peu raide. Une excellente route nationale couvre les 197 km séparant Buon Ma Thuot de Pleiku.

La superbe route entre Buon Ma Thuot et Dalat (*via* le lac Lak) est par endroits assez mauvaise et se transforme en bourbier dès qu'il pleut. Seules les grosses motos et les 4x4 peuvent alors y circuler.

ENVIRONS DE BUON MA THUOT
Chutes de Dray Sap
Vous découvrirez les chutes de Dray Sap (*entrée 10 000 d*) à 12 km de la ville, en plein cœur d'une forêt tropicale.

Chutes Gia Long et Dray Nur
Ces deux cascades impressionnantes, distantes de 3 km l'une de l'autre sur la rivière Krong Ana, offrent un but de randonnée. Vous pourrez voir près des chutes les ruines d'un rempart construit à l'époque coloniale.

Vous pouvez les visiter en une journée, ou bien camper à proximité. Le prix d'entrée aux chutes Gia Long (*entrée 2 \$US*) vous donne le droit de **camper** (*tente 5 \$US*). Sur place, vous aurez la possibilité de vous **restaurer** frugalement (soupe aux nouilles, riz).

Pour atteindre les cascades, suivez la RN14 vers le sud, depuis Buon Ma Thuot jusqu'à un embranchement situé à 8 km ; prenez à gauche et suivez la route sur 6,5 km pour rejoindre le petit village de Dong Tam, puis tournez à droite au centre du village et continuez pendant encore 10,5 km jusqu'à un chemin en terre. La grille d'entrée se trouve à 300 m sur votre gauche. Une jungle dense s'étendait ici autrefois, mais elle a été largement défrichée et brûlée pour céder la place aux plantations de café que l'on voit aujourd'hui le long de la route.

Renseignez-vous auprès de **Dam San Tourist** à Buon Ma Thuot (*☎ 851234,*

fax 852309, damsantour@dng.vnn.vn, 212-214 Đ Nguyen Cong Tru) pour les excursions vers Gia Long et Dray Nur.

Village Tua
Ce hameau se trouve à 13 km au sud de Buon Ma Thuot. Ses habitants, membres du groupe ethnique rhade (ou ede), vivent de l'élevage et de la culture du cassava (manioc), de la patate douce et du maïs. La vietnamisation y a été particulièrement intense. Le seul avantage, pour Tua, d'avoir perdu son identité culturelle tient à l'accroissement du niveau de vie de ses habitants.

Matrilinéaire, la société rhade est centrée sur l'habitat de la famille de la femme. La famille, au sens large du terme, vit dans une même maison longue, chaque couple et ses enfants en occupant une section. C'est un homme qui dirige la maison, en général le mari de la femme la plus âgée. Celle-ci détient tous les biens du groupe.

Les Rhade sont traditionnellement animistes. Beaucoup se sont convertis au christianisme au cours du XXe siècle.

Parc national de Yok Don
☎ 050
Ce parc national (*Vuon Quoc Gia Yok Don ; ☎ 783049, fax 783056 ou 783022, yokdon@dng.vnn.vn*) forme la plus grande réserve naturelle du Vietnam. Son extension progressive l'amène à couvrir 115 545 ha. Les possibilités de randonnées en forêt sont excellentes. Traversant le parc, la magnifique **rivière Serepok** comprend plusieurs cascades et quelques bons endroits où pêcher.

Yok Don abrite 63 espèces de mammifères, dont 38 sont en voie de disparition en Indochine et 17 dans le monde. Le parc est l'habitat de nombreux éléphants, tigres et léopards ainsi que de 200 espèces d'oiseaux, y compris des paons. Cerfs, singes et serpents comptent parmi les espèces communes. On y a récemment découvert des animaux inconnus tels que le *Canisauvus*, un chien sauvage. Si vous n'avez pas aperçu d'animaux à l'état sauvage, vous pourrez voir quelques spécimens en captivité dans un enclos derrière la Yok Don Guesthouse.

La région est peuplée par 17 groupes ethniques, dont un grand nombre a récemment migré du nord du pays. La plupart des habitants de ce village sont des M'nong, ethnie atrilinéaire : le nom de famille se transmet ar la mère, et les enfants appartiennent à la amille de la mère. Les M'nong passent pour ès agressifs auprès des autres minorités de a région et des Vietnamiens de souche.

Les M'nong sont réputés pour leur avoir-faire dans la capture des éléphants auvages, dont plusieurs douzaines de pécimens domestiqués vivent dans les en-irons (voir l'encadré *Elephant man*). Des ourses traditionnelles sont organisées e temps à autre, et les touristes peuvent arcourir la forêt à dos d'éléphant. Les achydermes transportent 3 personnes, ou lorsqu'il s'agit d'Occidentaux, généra-ement plus lourds. Ces promenades sont rganisées par Dak Lak Tourist à Buon Ma 'huot, mais vous pourrez également vous rganiser une fois sur place. Dans ce cas, omptez 100 000 à 200 000 d l'heure.

Les manifestations touristiques ont énéralement lieu au **village de Ban Don**, ans le district de Ea Sup, à 45 km au nord-uest de Buon Ma Thuot. Situé à 5 km à intérieur du parc, ce village est malheu-eusement envahi par les groupes.

C'est à 50 km au nord de Ban Don, dans e village de Ya Liao, près de la frontière u Cambodge, que se dressent les ruines n très mauvais état de la tour cham de 'ang Prong, érigée au XIIIe siècle. Un aissez-passer et un guide sont nécessaires our visiter cet endroit.

Aucun moyen de transport public ne essert le parc national de Yok Don, mais est facile de s'y rendre en voiture ou en noto. Les guides à moto de Buon Ma Thuot ous emmèneront au parc pour 7 $US l'al-er simple ou 10 $US l'aller-retour. **Nguyen an Mui** (☎ 856085 ou 0914-010411) est n guide qui parle bien anglais.

Comptez 600 000 d par jour pour une romenade de deux jours à dos d'éléphant.

Où se loger. Yok Don Guesthouse ☎ 853110 ; *chambres 100 000 d).* Située à intérieur du parc national, cette pension ue quatre chambres rustiques (eau froide niquement) contenant chacune deux lits.

Camper dans le parc *(tentes 50 000 d)* st une autre possibilité, mais vous devez tre accompagné d'un guide. Les sacs de ouchage ne sont pas fournis.

À Ban Don, contactez **Banmeco Travel gency** ou **Ban Don Tourist** *(☎ 798119)* si vous voulez passer la nuit dans une **maison sur pilotis** *(5 $US par pers)* dans le village d'une minorité. Autre option, réserver un **bungalow** *(12 $US)* sur l'île Aino, acces-sible par une série de ponts suspendus en bambou.

Lac Lak

L'empereur Bao Dai s'était fait construire un petit palais, aujourd'hui en ruine, sur la rive du lac Lak (Ho Lak). Le paysage est magnifique et l'escalade des collines alen-tour vaut bien l'effort. La visite du village m'nong voisin mérite largement le détour.

Le lac se situe à 50 km au sud de Buon Ma Thuot par une route goudronnée relative-ment plate. La portion plus vallonnée jusqu'à Dalat – 154 km par la route 27 – dévoile des panoramas à couper le souffle. Les forêts et la jungle que vous traverserez portent néan-moins des traces de coupes et de défrichage par brûlis. La route n'est pas pavée sur toute sa longueur ; en dehors de la saison sèche, un 4X4 ou une moto s'imposent. Les infrastruc-tures touristiques ne sont pas nombreuses, mais la petite ville de Krong No, à 41 km du lac en direction de Dalat, possède quelques **restaurants com pho**.

Où se loger. Khu Duclich Ho Lak *(☎ 864144 ; chambres avec ventil. 7-10 US ; lits 5 $US).* Ces maisons, qui offrent une vue sereine sur le lac, ont été construites à l'ombre de jacquiers. Le **restaurant flot-tant** à proximité sert une bonne cuisine.

Vous préférerez sans doute vous loger dans une **maison sur pilotis** plus authen-tique *(☎ 886268, fax 886343 ; 5 $US par pers)* dans le joli village de la minorité ede, en bordure du lac. Entouré de riziè-res verdoyantes, le village de Jun *(entrée 1 $US)* se compose de maisons typiques très esthétiques. Vous y trouverez un petit **restaurant** et quelques boutiques vendant de l'artisanat local. À Jun, comptez envi-ron 30 $US pour une promenade de deux heures à dos d'éléphant.

PLEIKU

☎ 059 • 141 700 habitants • altitude : 785 m Grand pôle commercial de la région oc-cidentale des Hauts Plateaux, Pleiku (ou Playcu) n'en est pas moins un "trou perdu" sur le plan touristique. Sa population ne cesse de croître. L'altitude apporte de la

HAUTS PLATEAUX DU CENTRE

fraîcheur et du vent, quoique Pleiku bénéficie d'un climat plus chaud que Dalat.

En février 1965, les soldats vietcong tirèrent des obus sur la base américaine de Pleiku, tuant huit soldats américains. Les États-Unis comptaient alors plus de 23 000 conseillers militaires au Vietnam, censés ne pas combattre. Le raid de Pleiku servit de prétexte au président Johnson pour lancer une campagne de bombardements intensifs sur le Nord-Vietnam et renforcer rapidement la présence américaine.

Au départ des troupes américaines, en 1973, Pleiku est restée la principale base de combat sud-vietnamienne dans la région. Lorsque l'armée sud-vietnamienne dut se retirer devant l'arrivée du Viet-Cong, les populations de Pleiku et de Kon Tum suivirent les militaires dans leur fuite. Le sauve-qui-peut en direction du littoral rassembla plus de 100 000 personnes, dont plusieurs dizaines de milliers disparurent.

Avant leur départ, les soldats détruisirent Pleiku au lance-flammes, afin de ne rien laisser qui puisse servir aux communistes. La ville fut reconstruite en 1980 grâce à l'aide soviétique. Vaste succession d'architectures "socialistes", Pleiku n'a ni couleur ni charme, à la différence de la plupart des villes du Vietnam. Il est à espérer que l'afflux touristique et l'apport de devises contribueront à améliorer l'urbanisme et l'économie de la ville.

La minorité jarai établie dans la région pratique un rituel d'inhumation particulier : on grave dans le bois le portrait du défunt et on lui offre des aliments pendant plusieurs années. Chaque tombe se présente comme un village miniature qui regroupe plusieurs corps dans un même espace. Au bout de sept ans, la tombe est abandonnée.

Renseignements
Agences de voyages. Gia Lai Tourist (☎/fax 824891, 215 Đ Hung Vuong), installée près du Hung Vuong Hotel, propose une grande variété de circuits, notamment des randonnées, des promenades à dos d'éléphant et des programmes spécialement destinés aux anciens combattants.

Laissez-passer. Si vous n'avez nul besoin de permis pour passer la nuit à Pleiku ou circuler sur les axes principaux, vous devrez vraisemblablement, en revanche, en obtenir un pour visiter les villages de la province de Gia Lai. Ce permis n'est pas gratuit, et vous devrez en outre louer une voiture avec chauffeur et les services d'un guide à Pleiku même si vous possédez votre propre véhicule. Cela rebute de nombreux voyageurs qui préfèrent aller plus au nord, à Kon Tum où les autorités s'avèrent plus hospitalières. Dans tous les cas, Gia Lai Tourist vous obtiendra le laissez-passer requis.

Musées
Pleiku possède deux musées, souvent fermés et sans grand intérêt.

Le **musée Ho Chi Minh** (☎ 824276, 1 Phan Dinh Phuong ; entrée libre, lun-ven 8h-11h et 13h-16h30) expose des docu-

---

Elephant man

Tout au long de l'Histoire, les rois de Thaïlande, du Vietnam, du Cambodge et du Laos sont venus dans la région de l'actuel parc national de Yok Don pour y capturer des éléphants. Cette pratique perdure ; personne ne s'y connaît mieux que Yprong Eban. Il a passé la majeure partie de sa vie à parcourir la forêt, capturant plus de 300 éléphants, avant de prendre sa retraite en 1966. Généralement, deux pachydermes domestiqués servent à capturer un éléphant sauvage. Seuls les jeunes de moins de 3 ans sont capturés ; plus âgés, ils se montrent difficiles à apprivoiser, et risquent de s'échapper.

La coutume locale veut que les chasseur s'abstiennent d'avoir des rapports sexuels au moins une semaine avant de partir à la chasse. Contrairement aux braconniers d'Afrique, les chasseurs de Ban Don ne font aucun mal aux éléphants adultes en capturant leurs petits – dans le cas contraire, ils seraient sévèrement punis.

Yprong Eban passe aujourd'hui son temps à discuter avec des touristes curieux, près des bureaux du parc. Toujours vêtu du costume traditionnel m'nong, il aime souffler dans la vieille corne de buffle qu'il utilisait pour avertir les villageois d'une capture. Yprong Eban parle français, vietnamien, laotien, ainsi que plusieurs dialectes.

nents et des photos prouvant les affinités
réciproques entre Oncle Ho et les Montagnards. Une exposition est consacrée
à Nup, héros bahnar décédé en 2001 qui
encadra les populations montagnardes
pendant les guerres d'Indochine et du
Vietnam.

Le **musée Gia Lai** (☎ 824520,
28 Đ Quang Trung ; entrée 10 000 d) expose
des objets ethniques et des photos témoi-
gnant du rôle joué par Pleiku pendant la
guerre du Vietnam.

Lac de la Mer

Ce profond lac de montagne appelé Bien
Ho se trouve à 7 km environ au nord de
Pleiku. On pense qu'il s'est formé dans un
cratère volcanique d'origine préhistorique.
La beauté du site et des alentours méritent
d'y consacrer une journée d'excursion au
départ de Pleiku.

Chutes de Yaly

Ces chutes, qui furent les plus importantes
des hauts plateaux, ont hélas quasiment
disparu dans un programme hydroélectrique qui n'en laisse plus subsister qu'un
mince filet.

Où se loger

Thanh Lich Hotel (☎ 824674, 86 Đ Nguyen
Van Troi ; chambres avec ventil. 7-10 $US,
chambres avec clim. 17 $US). Cet établis-
sement plaît particulièrement aux petits
budgets.

Vinh Hoi Hotel (☎ 824644, fax 871637,
39 Đ Tran Phu ; chambres avec ventil. et
eau froide 7 $US, chambres avec clim. et
eau chaude 22-24 $US). C'est l'une des
meilleures adresses de Pleiku.

Ialy Hotel (☎ 824843, fax 827619,
89 Đ Hung Vuong ; chambres 180 000-
350 000 d). Les grandes chambres lumineuses et climatisées constituent une
option de premier choix.

Movie Star Hotel (Khach San Dien Anh ;
☎ 823855, fax 823700, 6 Đ Vo Thi Sau ;
chambres avec ventil. 10 $US, chambres
avec clim. 18-29 $US). Cet hôtel un peu dé-
fraîchi offre un décor typique des années
70 et trois catégories de chambres climatisées. Tâchez d'éviter celles du 1er étage, où
la TV est mise à fond !

Hung Vuong Hotel (☎ 824270,
fax 827170, 2 Đ Le Loi ; doubles 11-24 $US).
Ce grand hôtel dispose d'une réception chaleureuse et de la TV par satellite. Malheureusement, il se situe à un carrefour bruyant.

Pleiku Hotel (☎ 824628, fax 822151, Đ Le
Loi ; chambres avec ventil. 11 $US, chambres
avec clim. et eau chaude 27-37 $US). Cet
établissement géré par l'État se trouve
dans un bâtiment monolithique du plus
pur style stalinien.

PLEIKU

OÙ SE LOGER
3 Pleiku Hotel
9 Movie Star Hotel
10 Vinh Hoi Hotel
19 Hung Vuong Hotel
21 Thanh Lich Hotel
22 Ialy Hotel

OÙ SE RESTAURER
7 Com Ga Hai Nam
14 Nem Ninh Hoa
15 My Tam 2
20 My Tam

DIVERS
1 Aéroport de Pleiku
2 Musée Ho Chi Minh
4 Théâtre Hoa Lu
5 Hôpital
6 Siège du Comité populaire
8 Marché

11 Musée Gai Lai
12 Cafe Tennis
13 Vietnam Airlines
16 Stade
17 Église
18 Gia Lai Tourist
23 Poste principale

Vers le lac Sea (7 km)
et Kon Tum (46 km)

Đ CM Thang 8

0   250   500 m

Đ Phan Dinh Phuong

Đ Tang Bat Ho

Đ Hai

Ba Trung

Đ Ng T Thuat

Đ Duy Tan

Đ Tran Phu

Đ Le Hong Phong

Đ Quang Trung

Đ Ng Van Troi

Đ Le Loi

Đ Tran Hung Dao

Đ Hung Vuong

Vers la gare routière
(sortie à 2 km)
et Buon Ma Thuot
(199 km)

Où se restaurer

La plupart des établissements que nous vous recommandons facturent leurs menus entre 10 000 et 20 000 d.

My Tam Restaurant, tenu par une famille chinoise, est très prisé de la population locale. Vous y dégusterez sans doute le meilleur poulet frit des environs. L'annexe, **My Tam 2**, est aussi une bonne adresse.

Nem Ninh Hoa prépare des rouleaux de printemps savoureux, alors que **Com Ga Hai Nam** excelle dans les plats de poulet et de riz.

Pour déguster un bon café local, allez au **Cafe Tennis,** situé dans une maison sur pilotis jouxtant un court de tennis et le musée Gia Lai.

Comment s'y rendre

Avion. Le bureau de réservation de **Vietnam Airlines** (*☎ 823058, 825893, 55 Đ Quang Trung)* se trouve à l'angle de Đ Tran Hung Dao.

Des avions relient Pleiku à HCMV et Danang.

Bus. Au départ de HCMV et de la plupart des villes côtières entre Nha Trang et Danang, des liaisons routières ordinaires mènent à Pleiku.

Voiture et moto. La route relie Pleiku à Buon Ma Thuot (197 km), Qui Nhon (166 km) et Kon Tum (49 km). Sur la route de Buon Ma Thuot, vous remarquerez une zone particulièrement aride, sans doute apparue suite à l'épandage d'Agent orange et à une déforestation massive.

Depuis Pleiku, comptez 550 km pour HCMV et 424 km jusqu'à Nha Trang.

KON TUM

☎ 060 • 89 800 habitants • altitude : 525 m
Cette ville montagnarde léthargique est la capitale de la province de Kon Tum, la région la plus septentrionale des hauts plateaux. La région est habitée principalement par des Montagnards, au nombre desquels on compte les communautés bahnar, jarai, rengao et sedang. Vous rencontrerez ici peu de personnes parlant anglais et, les touristes y étant plutôt rares, les prix demandés sont bon marché.

Kon Tum, cependant, est restée largement protégée ; les autorités y restent invisibles. Certes, Dalat offre plus de distractions mais on y trouve aussi beaucoup plus de touristes. Kon Tum se situe sur la fameuse (et peu touristique) piste Ho Chi Minh.

De nombreux villages ethniques se sont établis dans cette région, mais les minori-

Le Fulro

Le Front unifié de lutte des races opprimées (Fulro) fut, des décennies durant, une source d'ennuis permanent pour les différents gouvernements vietnamiens. Ces combattants fort bien organisés recrutaient surtout des Montagnards, qui n'appréciaient guère les Vietnamiens, car, pendant la guerre du Vietnam, le gouvernement sud-vietnamien les opprima fortement et les Américains exploitèrent leur capacité de survie dans la jungle.

Lorsqu'ils prirent le contrôle du pouvoir en 1975, les communistes cherchèrent à se venger du Fulro, au lieu de faire la paix avec lui. L'insurrection se poursuivit pendant plusieurs années. Au milieu des années 1980, le Fulro s'était considérablement affaibli – la plupart de ses membres avaient été capturés, exécutés, s'étaient exilés ou encore avaient abandonné le combat. En 1992, la reddition d'une bande isolée, qui effectuait encore des raids depuis l'extrême nord-est du Cambodge, confirma la chute du Fulro.

Bien que l'insurrection semble totalement éteinte, le gouvernement reste hypersensible sur la question du Fulro. Quand on leur en parle, les guides officiels se bornent à déclarer que le fait de visiter les zones auparavant contrôlées par l'organisation ne présente plus aucun risque. Contrairement aux minorités de l'extrême nord, que le gouvernement laisse en paix, les Montagnards des Hauts Plateaux du Centre sont très surveillés. Dans cette région, Hanoi pratique la politique suivante :

1. établissement de Vietnamiens de pure souche, notamment dans les Zones de nouvelle économie (ZNE)
2. incitation à la sédentarisation et à l'abandon de l'agriculture traditionnelle sur brûlis
3. promotion de la langue et de la culture vietnamiennes (vietnamisation)

tés des hauts plateaux sont beaucoup moins pittoresques que celles du Nord. Pourtant, c'est ici que vous découvrirez les impressionnantes maisons communes appelées *rong* : ce sont de hautes constructions sur pilotis ornées d'un toit de chaume. Si vous avez de la chance, vous pourrez assister à une fête locale animée par des joueurs de gong, pendant laquelle on boit de l'alcool de riz dans une jarre en terre cuite.

Comme partout sur les hauts plateaux, Kon Tum a connu son lot de combats pendant la guerre. Au printemps 1972, la ville et ses environs furent le théâtre d'une des plus grandes batailles ayant opposé les forces du Nord à celles du Sud-Vietnam. Par centaines, les bombardements des B-52 américains dévastèrent la contrée.

Renseignements
Argent. Il est impossible de changer ses chèques de voyage à Kon Tum. L'endroit le plus proche est Pleiku. Sinon, vous pourrez échanger vos dollars pour des dong à la **National Bank** et à la **Investment & Development Bank**.

Agences de voyages. Kon Tum Tourist (☎ 861626, fax 863336, 2 Đ Phan Dinh Phung) est l'organisme officiel de la province. Ses bureaux de réservation sont installés au Dakbla Hotel. Son personnel peut organiser vos randonnées, vos nuits dans les villages et vos promenades en bateau sur le lac Yaly ou sur la rivière Dakbla. M. Huyen, parlant le dialecte bahnar, est le meilleur guide officiel.

Vietnam Airlines (☎ 862282, 129 Đ Ba Trieu) réservera vos billets d'avion.

Villages de Montagnards
Aux abords de Kon Tum sont établis plusieurs villages habités par des Montagnards. En règle générale, les villageois se montrent accueillants envers les visiteurs, pour autant que ceux-ci leur témoignent respect et discrétion.

Certains de ces villages se trouvent dans la périphérie immédiate de Kon Tum. On les rejoint aisément à pied depuis le centre. Deux villages bahnar, appelés Lang Bana, entourent la bourgade : l'un à l'est, l'autre à l'ouest.

Un village, à l'est de Kon Tum, porte même un nom identique à celui de la ville, Lang Kon Tum. Quand la bourgade vietnamienne apparut, elle reprit le nom du village.

À l'heure où nous rédigeons cet ouvrage, la police autorise les touristes à visiter ces villages sans permis.

Maison rong
Une *rong* est la scène des événements locaux importants : assemblées, fêtes, mariages, prières en commun… Si vous pouvez assister à l'un de ces rassemblements, ne le manquez sous aucun prétexte.

Ces maisons au toit de chaume, surélevées par des pilotis, servaient à l'origine à se protéger des éléphants, des tigres et autres animaux sauvages.

Une jolie **église en bois** ancienne se dresse près de la *rong*.

Séminaire et Musée montagnard
Kon Tum abrite un superbe séminaire catholique qui semble tout droit sorti de la campagne française. Les séminaristes accueillent chaleureusement les touristes, et le **Musée montagnard**, installé au 2e étage, vaut la visite.

À côté du portail du séminaire, vous apercevrez une curieuse chapelle dans une grotte.

Orphelinats
À une courte marche du centre-ville se trouvent deux merveilleux orphelinats qui méritent qu'on s'y arrête quelques heures. Le personnel des orphelinats **Vinh Son 1** et **Vinh Son 2** accueille chaleureusement les touristes venus passer un peu de temps auprès de ces enfants adorables, issus de diverses minorités ethniques.

Les dons sont toujours appréciés lorsque vous visitez ces orphelinats, qui manquent cruellement de fonds : vous pouvez leur offrir des aliments en conserve, des vêtements ou des jouets pour les enfants et, évidemment, de l'argent.

Vinh Son 1 se trouve derrière l'église en bois sur Đ Nguyen Hué. En poursuivant le chemin vers l'est, vous tomberez sur le village d'une minorité. Les touristes sont moins nombreux à pousser jusqu'à Vinh Son 2, plus au sud après un petit village bahnar mais, cette institution recueillant encore plus d'enfants (environ 175), elle a encore plus besoin de vos dons.

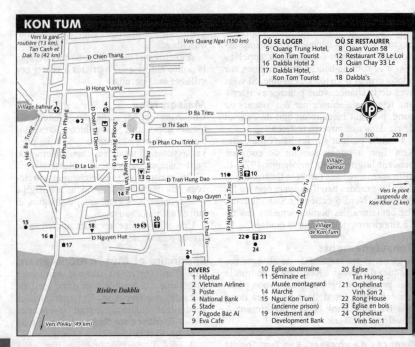

KON TUM

Vers la gare routière (13 km), Tan Canh et Dak To (42 km)

Vers Quang Ngai (150 km)

Đ Chien Thang

Đ Hong Vuong

Village bahnar

Đ Hai Ba Trung

Đ Phan Dinh Phung

Đ Doan Thi Diem

Đ Le Hong Phong

Đ Hoang Van Thu

Đ Le Loi

Đ Tran Phu

Đ Ba Trieu

Đ Thi Sach

Đ Phan Chu Trinh

Đ Ly Tu Trong

Đ Tran Hung Dao

Đ Ngo Quyen

Đ Nguyen Van Troi

Đ Dao Duy Tu

Đ Ly Thoi Tu

Đ Nguyen Hue

Rivière Dakbla

Vers Pleiku (49 km)

Village bahnar

Vers le pont suspendu de Kon Khor (2 km)

Village de Kon Tum

0   100   200 m

OÙ SE LOGER	OÙ SE RESTAURER
5 Quang Trung Hotel, Kon Tum Tourist	8 Quan Vuon 58
16 Dakbla Hotel 2	12 Restaurant 78 Le Loi
17 Dakbla Hotel, Kon Tom Tourist	13 Quan Chay 33 Le Loi
	18 Dakbla's

DIVERS		
1 Hôpital	10 Église souterraine	20 Église Tan Huong
2 Vietnam Airlines	11 Séminaire et Musée montagnard	21 Orphelinat Vinh Son 2
3 Poste	14 Marché	22 Rong House
4 National Bank	15 Nguc Kon Tum (ancienne prison)	23 Église en bois
6 Stade	19 Investment and Development Bank	24 Orphelinat Vinh Son 1
7 Pagode Bac Ai		
9 Eva Cafe		

Nguc Kon Tum

Cette ancienne prison construite à l'ouest de Kon Tum est aujourd'hui un parc tranquille édifié sur les rives de la rivière Dakbla. Y furent prisonniers des membres du Viet-Cong jusqu'en 1975. De tous les établissements pénitentiaires gérés par les Sud-Vietnamiens, celui-ci comptait parmi les plus célèbres ; les soldats vietcong qui survécurent à leur internement devinrent tous des héros à leur libération.

Dak To et la colline Charlie

Cet obscur avant-poste à 42 km au nord de Kon Tum fut le théâtre de combats très importants. En 1972 s'y déroulèrent des affrontements intenses, notamment l'une des dernières grandes batailles de la guerre du Vietnam, juste avant le départ des troupes américaines.

Nombre de vétérans du Vietnam viennent en pèlerinage à Dak To. Cette visite vous intéressera si vous êtes un passionné de cette période.

À quelque 5 km au sud de Dak To se dresse la colline Charlie, place-forte des Sud-Vietnamiens jusqu'à ce que le Viet-Cong cherche à en prendre le contrôle. Le colonel Ngoc Minh, qui tenait la place, décida de maintenir cette position et de se battre jusqu'à la mort, ce qui prolongea le conflit de façon inhabituelle pour une guérilla. Le siège dura un mois et demi avant que l'armée nord-vietnamienne ne parvienne à se rendre maîtresse de la colline ; c'est ainsi que disparurent au champ d'honneur le colonel Minh et les 150 soldats de l'armée du Sud, restés jusqu'au bout à leur poste.

Quasiment oubliée en Occident, cette bataille est encore aujourd'hui très connue au Vietnam. Bien évidemment, la colline a été truffée de mines pendant la guerre et représente toujours un danger.

On a récemment construit à Dak To une **rong** qui mérite votre visite.

Où se loger

Nous regrettons le standing médiocre et les prix élevés des trois hôtels de Kon Tum, tous gérés par Kon Tum Tourist.

Dakbla Hotel (☎ 863333, fax 863336, ktourist@dng.vnn.vn, 2 Đ Phan Dinh Phung, chambres avec clim. 23-30 $US). Au bord de la rivière, cet établissement est le préféré des touristes. Les prix comprennent le petit déjeuner.

Dakbla Hotel 2 (☎ 863335, fax 863336, ktourist@dng.vnn.vn, 163 Ð Nguyen Hué ; chambres avec ventil. 10 $US). En face du précédent, cet hôtel pour petits budgets loue de grandes chambres dont le confort s'arrête au ventilateur.

Quang Trung Hotel (☎ 862249, fax 862122, ktourist@dng.vnn.vn, 168 Ð Ba Trieu ; chambres avec ventil./clim. 19/ 25 $US). Cet établissement vieillot propose des chambres-cellules (à 5 $US) aux baroudeurs endurcis.

Où se restaurer

Dakbla's (☎ 862584, 168 Ð Nguyen Hue) attire les voyageurs par ses bons petits plats proposés à des prix raisonnables. Le chef prépare une cuisine typiquement vietnamienne, ainsi que des plats plus exotiques à base de sanglier ou de grenouilles. Le propriétaire a décoré les lieux d'une impressionnante collection d'objets ethniques, dont certains sont à vendre.

Restaurant 78 Le Loi (78 Ð Le Loi) est souvent bondé d'autochtones venus déguster de la fondue vietnamienne (lau) et boire de la bière. De l'autre côté de la rue se trouve un bon établissement végétarien, **Quan Chay 33 Le loi** (33 Ð Le Loi).

La spécialité du restaurant **Quan Vuon 58** est la viande de chèvre (de). Installé en salle ou à l'extérieur, vous aurez le choix entre une dizaine de variantes, notamment à la vapeur (de hap), grillée (de nuong), sautée (de xao lan), en curry (de cari), en fondue (de lau).

Où sortir

Eva Cafe (☎ 862944, 1 Ð Phan Chu Trinh). C'est une bonne adresse où boire un café ou une bière fraîche le soir. Ce bâtiment de trois étages, unique en son genre, ressemble à une maison traditionnelle. Les murs en bois sont décorés de poèmes vietnamiens et de vitraux.

Comment s'y rendre

Bus. Un service de bus relie Kon Tum à HCMV en passant par la spectaculaire RN 14 (12 heures). D'autres bus desservent Danang, Pleiku et Buon Ma Thuot depuis Kon Tum. Peu pratique, la **gare routière** se trouve à 13 km au nord de Kon Tum. La plupart des bus longue distance passent par le centre-ville. Quoi qu'il en soit, voici le témoignage d'un voyageur :

Une excursion à Kon Tum, dans les Hauts Plateaux, mérite vraiment le détour, ne serait-ce que pour échapper aux classiques itinéraires touristiques du Sinh Cafe, sur la côte. Il faut néanmoins repérer les indications affichées à la gare routière, signifiant clairement que les étrangers ne peuvent pas obtenir de billets. Ce qui veut dire, évidemment, que le prix du billet sera fixé en toute liberté par le chauffeur.

Todd Griffin

Voiture et moto. L'itinéraire le plus rapide pour atteindre Kon Tum depuis la côte passe par la RN 19, entre Qui Nhon et Pleiku. La RN 14 est également en bon état entre Kon Tum et Buon Ma Thuot. Quant à la route reliant Quang Ngai à Kon Tum, elle est particulièrement belle.

D'après la carte, il semble simple de se rendre de Kon Tum à Danang par la RN 14, mais cette portion de la route, quoique magnifique, est encore en piteux état et seuls peuvent y circuler 4x4 ou motos. Avec un moyen de locomotion approprié, vous apprécierez sûrement ce trajet aventureux sur la piste Ho Chi Minh. Vous pourrez faire étape à Phuoc Son (voir la carte Littoral du Centre et du Sud).

Ho Chi Minh-Ville

☎ 08 • 5 500 000 habitants

À votre arrivée dans la plus grande ville du Vietnam, vous serez frappé par l'agitation qui règne et par l'énergie qui s'en dégage. Où que se tourne le regard, l'ordinaire côtoie l'extraordinaire. De bonnes affaires se traitent sur les marchés en plein air, au rythme d'une musique stridente, sortie des haut-parleurs des cafés qui jalonnent les trottoirs. Elle assourdit les passants des rues avoisinantes tandis que, dans l'ambiance feutrée des nouveaux pubs, les touristes conversent devant une bière ou savourent un café-croissant. Longue chevelure au vent et fins escarpins aux pieds, une jeune employée de bureau se faufile en "Honda Dream" au milieu des embouteillages. Bravant la chaleur accablante, un homme d'affaires chinois, ruisselant de sueur et tiraillant sa cravate, discute sur son téléphone cellulaire. Soudain, un mendiant vous agrippe le bras pour vous rappler qu'en dépit des signes extérieurs de richesse, la ville n'a pas surmonté toutes ses difficultés économiques.

La cité, bouillonnante et agitée, baigne dans le vacarme et la pollution. Malgré cette agitation, elle conserve ses traditions séculaires et les beautés de sa culture ancestrale. Dans les pagodes, les moines prient au milieu des vapeurs d'encens. Des artistes réalisent des chefs-d'œuvre sur toile ou bois sculpté. Dans les parcs, des montreurs de marionnettes font la joie des enfants. Au fond des ruelles, où les touristes ne s'aventurent guère, des acupuncteurs placent adroitement leurs aiguilles, des apprentis musiciens s'exercent au violon, une couturière confectionne avec soin un *ao dai*.

À l'heure actuelle, Ho Chi Minh-Ville (HCMV) est moins une agglomération urbaine qu'une petite province qui s'étend sur 2 029 km², de la mer de Chine méridionale aux abords de la frontière cambodgienne. Sur cet espace, 90% de la superficie sont occupés par des champs cultivés, où vivent quelque 25% de la population. Le reste des habitants vivent dans les zones urbaines, qui occupent seulement 10% du territoire.

Officieusement, la ville s'appelle toujours "Saigon". Officiellement pourtant, "Saigon" désigne uniquement le district 1, qui ne constitue qu'une infime partie de

À ne pas manquer

- Se fondre dans l'incroyable enchevêtrement de la circulation de Ho Chi Minh-Ville, juché sur un cyclo-pousse
- Alterner les visites entre musées et jardins
- Lever le nez pour ne rien perdre des superbes pagodes de Cholon
- Expérimenter la belle diversité gastronomique et l'ambiance nocturne de la ville
- Nager et se rafraîchir dans l'un des parcs aquatiques des environs

Agglomération d'Ho Chi Minh-Ville
Centre de Ho Chi Minh-Ville
Cholon
Quartier de Pham Ngu Lao
Quartier de Dong Khoi

l'agglomération. Les gens du Sud préfèrent encore la dénomination "Saigon" mais, si vous avez affaire aux fonctionnaires du gouvernement, mieux vaut dire Ho Chi Minh-Ville.

À l'ouest du centre s'étend le district 5, le vaste quartier chinois de Cholon, qui signifie "grand marché". Pourtant, Cholon a beaucoup perdu de son caractère, en grande partie à cause de la campagne anticapitaliste et antichinoise menée de 1978 à 1979. Nombre de Chinois ont alors fui le pays, emportant avec eux leurs richesses et leur esprit d'entreprise. Actuellement, beaucoup reviennent, munis de passeports étrangers, pour étudier les possibilités d'investissements, et les hôtels de Cholon se peuplent à nouveau d'hommes d'affaires parlant chinois.

Officiellement, le "grand HCMV" regroupe près de 5 millions et demi d'habitants. En réalité, l'agglomération n'abrite pas moins de 7 à 8 millions d'âmes. Cet écart s'explique par le fait que les recensements gouvernementaux ne tiennent compte que des titulaires de permis de résidence en bonne et due forme. Or, environ un tiers de la population réside "illégalement" à HCMV. Parmi ces clandestins, nombreux sont ceux qui vivaient dans la ville avant 1975 et qui, après la réunification, ont été assignés à résidence dans un camp de rééducation rural. Ils sont peu à peu revenus dans leur cité, suivis de leur famille, mais sans pouvoir exercer d'activité ni posséder de biens. Par ailleurs, de plus en plus de paysans viennent chercher fortune à la ville, sans beaucoup d'heureux résultats.

La ville constitue toujours, pourtant, le cœur industriel et commercial du Vietnam. Le tiers de la production manufacturière et 25% du commerce de détail s'y concentrent. Les revenus représentent le triple de la moyenne nationale. HCMV draine la plupart des hommes d'affaires étrangers qui viennent investir et négocier. C'est ici également que les jeunes loups et les bureaucrates, qu'ils soient du Nord ou du Sud, tentent leur chance.

Les gratte-ciel et les magasins flambant neufs, tout comme les hôtels construits en joint-venture, traduisent une croissance explosive. Le prix à payer est l'augmentation de la circulation, de la pollution et autres maux urbains. Cependant, la ville a su garder un certain cachet français, non seulement grâce à ses baguettes et à ses croissants, mais aussi en raison de ses bâtiments de style néoclassique et international, comme dans le district 3. Les Américains ont également laissé leur empreinte, ne serait-ce que par les immeubles fortifiés et les édifices officiels.

HCMV bourdonne de l'énergique ténacité dont font preuve les hommes dans leur volonté de survivre et d'améliorer leur sort. C'est ici que les changements économiques qui balaient le Vietnam (et leurs néfastes conséquences sociales) apparaissent avec le plus d'évidence.

HISTOIRE

Saigon fut prise en 1859 par les Français, qui en firent peu après la capitale de la colonie de Cochinchine. La ville revint au Vietnam en 1949. En 1950, Norman Lewis décrivait Saigon ainsi : "De vocation purement commerciale, elle est dénuée de fantaisie, de ferveur et d'ostentation… C'est une ville française de province, plaisante, fade et sans caractère". Saigon fut la capitale de la République vietnamienne de 1956 à 1975, date à laquelle elle tomba aux mains des forces du Nord-Vietnam.

Cholon prit de l'importance avec l'arrivée des marchands chinois, dès 1778. Près de deux siècles plus tard, après la réunification du Nord et du Sud, des centaines de milliers d'habitants de Cholon ont fui les mesures antichinoises du gouvernement, notamment après 1975. Aujourd'hui encore, malgré tout, la communauté chinoise est la plus importante de tout le pays.

ORIENTATION

HCMV est divisée en 16 districts urbains (*quan*, d'après le mot français "quartier") et 5 districts ruraux (*huyen*). Le district 1 est appelé Saigon et le district 5, quartier chinois de la ville, Cholon.

La majorité des lieux et des sites touristiques présentés dans ce chapitre se trouvent dans le district 1 (sauf mention contraire).

RENSEIGNEMENTS

Si vous souhaitez vous refaire une beauté en arrivant, rendez-vous au **Tony & Guy Beauty Salon** (*carte Centre de HCMV ;* ☎ 925 0664, *tonyguy68@yahoo.com, 89c Cach Mang Thang Tam ; lun-sam 8h30-20h, dim 8h30-17h*). L'établissement est dirigé par Tony, un sympathique styliste d'origine américano-vietnamienne, qui s'est formé à Hollywood et à New York avant de rentrer au pays. Le salon de coiffure offre un service de grande qualité à des tarifs raisonnables : 7/10 $US la formule complète (lavage, massage du crâne, coupe, séchage et brushing) pour homme/femme. On y propose aussi des soins de beauté.

Offices du tourisme

Le **guichet d'information** installé dans le hall des arrivées de l'aéroport Tan Son Nhat est probablement ce que le pays a de mieux à offrir en matière d'informations touristiques officielles. Géré par la **Southern**

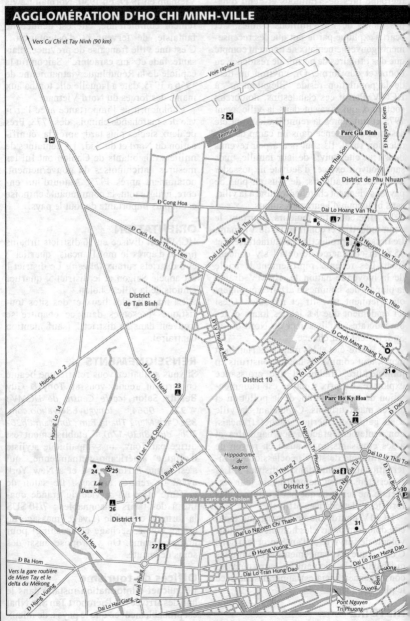

AGGLOMÉRATION D'HO CHI MINH-VILLE

Vers Cu Chi et Tay Ninh (90 km)

Voie rapide

Terminal

2

3

4

Parc Gia Dinh

Đ Nguyen Kiem

Đ Nguyen Thai Son

District de Phu Nhuan

Đ Cong Hoa

Dai Lo Hoang Van Thu

6

7

Đ Le Van Sy

Đ Cach Mang Thang Tam

5

8

9

Đ Nguyen Van Troi

Dai Lo Hoang Van Thu

Đ Tran Quoc Thao

District de Tan Binh

Đ Ly Thuong Kiet

Đ Cach Mang Thang Tam

20

Huong Lo 2

Đ Le Dai Hanh

23

District 10

Đ To Hien Thanh

21

Parc Ho Ky Hoa

Huong Lo 14

Đ Lac Long Quan

22

Đ Dien

Đ Nguyen Tri Phuong

Hippodrome de Saigon

24

25

Đ Binh Thoi

Đ 3 Thang 2

28

District 5

Dai Lo Ly Thai To

Đ Tran Binh Trong

30

Lac Dam Sen

26

Đ Ngo Gia Tu

District 11

Voir la carte de Cholon

31

Đ Tran Hoa

27

Dai Lo Nguyen Chi Thanh

Đ Ba Hom

Đ Minh Phung

Đ Hung Vuong

Đ Hung Vuong

Đ Tran Hung Dao

Dai Lo Tran Hung Dao

Dai Lo Tran Hung Dao

Ben Chuong Duong

Vers la gare routière de Mien Tay et le delta du Mékong

Đ Minh Phung

Dai Lo Hau Giang

Pont Nguyen Tri Phuong

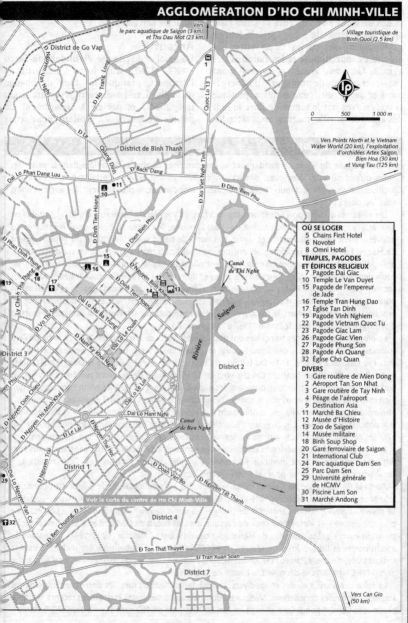

AGGLOMÉRATION D'HO CHI MINH-VILLE

Vers
le parc aquatique de Saigon (3 km)
et Thu Dau Mot (23 km)

Village touristique de
Binh Quoi (2,5 km)

District de Go Vap

D No Trang Long

Quoc Lo 13

0   500   1 000 m

Vers Points North et le Vietnam
Water World (20 km), l'exploitation
d'orchidées Artex Saigon,
Bien Hoa (30 km)
et Vung Tau (125 km)

D Le

Quang Dinh

District de Binh Thanh

Dai Lo Phan Dang Luu

D Bach Dang

D Xo Viet Nghe Tinh

D Dien Bien Phu

D Phan Dinh Phung

D Dinh Tien Hoang

D Dien Bien Phu

Canal
de Thi Nghe

15

16

D Nguyen Binh Khiem

Ly Chinh Tha Thang

18   17

12

19

Dai Lo Ha Ba Trung

D Dinh Tien Hoang

14

13

District 3

D Vo Thi Sau

Saigon

D Nam ky khoi Nghia

Dai Lo Le Duan

Rivière

District 2

D Nguyen Dinh Chieu

D Nguyen Thi Minh Khai

Dai Lo Le Loi

D Le Lai

Dai Lo Ham Nghi

Canal
de Ben Nghe

D Nguyen Tra

D Nguyen Thai Hoc

District 1

29

D Doan Van Bo

D Nguyen Tat Thanh

Dai Lo Nguyen Van Cu

32

D Ben Chuong D

Voir la carte du centre de Ho Chi Minh-Ville

District 4

D Ton That Thuyet

D Tran Xuan Soan

District 7

Vers Can Gio
(50 km)

OÙ SE LOGER
5 Chains First Hotel
6 Novotel
8 Omni Hotel

TEMPLES, PAGODES ET ÉDIFICES RELIGIEUX
7   Pagode Dai Giac
10 Temple Le Van Duyet
15 Pagode de l'empereur de Jade
16 Temple Tran Hung Dao
17 Église Tan Dinh
19 Pagode Vinh Nghiem
22 Pagode Vietnam Quoc Tu
23 Pagode Giac Lam
26 Pagode Giac Vien
27 Pagode Phung Son
28 Pagode An Quang
32 Église Cho Quan

DIVERS
1   Gare routière de Mien Dong
2   Aéroport Tan Son Nhat
3   Gare routière de Tay Ninh
4   Péage de l'aéroport
9   Destination Asia
11 Marché Ba Chieu
12 Musée d'Histoire
13 Zoo de Saigon
14 Musée militaire
18 Binh Soup Shop
20 Gare ferroviaire de Saigon
21 International Club
24 Parc aquatique Dam Sen
25 Parc Dam Sen
29 Université générale de HCMV
30 Piscine Lam Son
31 Marché Andong

HO CHI MINH-VILLE

Airports Services Company (Sasco ; ☎ 848 6711, fax 848 6712, www.saigonairport.com ; tlj 9h 23h), le guichet d'information et des services aux visiteurs se situe juste après les carrousels à bagages. Il fournit gratuitement des cartes de la ville, des brochures touristiques et les horaires des avions. On vous aidera également pour vos réservations de transport, d'hébergement et de circuits (une solution pratique si vous n'avez pas le temps de faire le tour des agences en ville, mais ne vous attendez pas à avoir ce qu'il y a de mieux). Reportez-vous à la rubrique *Agences de voyages* ci-dessous pour des renseignements sur les sociétés privées.

Argent

Le guichet de change **Vietindebank-Sasco** (☎ 844 0740), situé juste à la sortie de l'aéroport, pratique les taux de change officiels. Les horaires d'ouverture étant irréguliers, emportez suffisamment de petites coupures en dollars pour vous

---

La valse des noms

L'histoire agitée du Vietnam pendant les quatre dernières décennies se reflète dans la valse des noms qu'ont dû subir provinces, districts, villes, rues et institutions. Certains endroits ont été baptisés à trois reprises depuis la Seconde Guerre mondiale et, le plus souvent, les anciens noms sont toujours utilisés.

Les villes ont d'abord porté des noms français (le plus souvent de généraux, d'administrateurs ou de martyrs ayant forgé le colonialisme français) ; ensuite, des noms de héros selon les critères du gouvernement sud-vietnamien ; et, enfin, des noms de héros selon les critères du gouvernement de Hanoi. Les temples bouddhiques ont des noms officiels mais également un ou deux autres, plus populaires. Les pagodes chinoises portent plusieurs noms chinois – dont la plupart ont un équivalent vietnamien –, en fonction des titres et du rang des divinités auxquelles elles sont consacrées. Dans les Hauts Plateaux, on utilise simultanément les noms montagnards et vietnamiens pour désigner les mêmes montagnes, villages, etc. Les petites différences de vocabulaire et de prononciation entre le Nord, le Centre et le Sud se répercutent parfois sur l'utilisation de mots et d'orthographes différents (comme "Pleiku" et "Playcu").

La plupart des références françaises ont disparu de la carte du Vietnam en 1954, à la fin de l'ère coloniale. C'est ainsi que le cap Saint-Jacques reçut le nom de Vung Tao ; Tourane devint Danang ; et la rue Catinat à Saigon, Ð Tu Do (Liberté). Cette célèbre artère s'appelle Ð Dong Khoi (Soulèvement) depuis la Réunification. On changea en 1956 les noms de plusieurs provinces et villes du Sud, pour effacer de la mémoire populaire les exploits antifrançais du Viet Minh communiste qui, bien souvent, étaient connus par le nom de l'endroit où ils avaient eu lieu. Les soldats vietcong, infiltrés plus tard dans les villages, continuaient à se référer aux anciens noms lorsqu'ils s'adressaient aux populations locales. Les paysans s'adaptèrent vite à cette situation, utilisant une appellation avec les communistes et une autre avec les représentants du gouvernement sud-vietnamien.

Plus tard, les soldats américains ont donné des surnoms à des lieux vietnamiens aux noms trop difficiles à prononcer ou à mémoriser (comme China Beach, près de Danang). Cela les aida à se familiariser un peu avec un pays très différent du leur.

Après la Réunification, le Comité militaire provisoire de la municipalité de Saigon s'empressa de rebaptiser la métropole Ho Chi Minh-Ville (HCMV), initiative entérinée par Hanoi l'année suivante. Le nouveau gouvernement entreprit de changer les noms de rue "inopportuns" – le processus se poursuit encore – et vietnamisa ceux de presque tous les hôtels de la ville. Les seuls noms français trouvant encore grâce aux yeux de Hanoi sont ceux d'Albert Calmette (1893-1934), inventeur du vaccin contre la tuberculose, de Marie Curie (1867-1934), prix Nobel pour ses recherches sur la radioactivité, de Louis Pasteur (1822-1895), fondateur de l'institut du même nom, et d'Alexandre Yersin (1863-1943), qui découvrit le bacille de la peste.

La valse des noms a eu des effets divers. Les habitants citent les rues, les districts et les provinces sous leurs nouvelles appellations. Mieux vaut donc recourir à des cartes et à des plans récents, d'autant plus que le Comité populaire a changé en l'an 2000 le nom de 152 rues et en a baptisé 25 autres !

ndre en ville, si ce guichet était fermé à
otre arrivée.

La **Vietcombank** *(carte Centre de
CMV ;* ☎ *829 7245, fax 823 0310 ; lun-ven
h-11h30 et 13h30-15h30, sam 7h-11h30,
rmé le dernier jour du mois)* occupe deux
âtiments adjacents à l'intersection de
Ben Chuong et de Đ Pasteur. Dans la
artie est, les guichets sont réservés aux
pérations de change. N'hésitez pas à en-
er pour admirer la décoration intérieure,
ès ornementée. La **Vietcombank** accepte
e nombreuses devises étrangères. Moyen-
ant une commission de 1,5% ou 2%, on
ous changera les chèques de voyage en
ollars US contre des espèces de la même
evise. Une commission de 3% est préle-
ée pour les avances sur les cartes Visa ou
MasterCard.

L'**ANZ** Bank, la Hongkong Bank
HSBC), la Vietcombank et la Sacombank
roposent des DAB fonctionnant 24h/24.
euls les retraits en dong sont possibles,
vec un montant maximum de 2 000 000 d
ar jour. Pour obtenir une avance plus im-
ortante sur votre carte de crédit (en dong
u en dollars), adressez-vous aux guichets
ux heures d'ouverture des banques. Toutes
hangent également les chèques de voyage.

L'**ANZ Bank** *(carte Quartier de Dong
hoi ;* ☎ *829 9319, fax 829 9316, 11 place
Me Linh)* se trouve pratiquement à l'ex-
rémité de Đ L Hai Ba Trung, près de la
ivière Saigon.

La **Hongkong Bank** *(carte Quartier de
ong Khoi ; HSBC ;* ☎ *829 2288, fax 823
530, 235 Đ Dong Khoi)* se situe au rez-
e-chaussée du Metropolitan Building, en
ace de la cathédrale Notre-Dame.

La **Sacombank** *(carte Quar-
er de Pham Ngu Lao ;* ☎ *836 4231,
ww.sacombank.com, 211 Đ Nguyen Thai
oc)* est installée au cœur du quartier
es voyageurs à petit budget, à l'angle
e Đ Pham Ngu Lao.

Fiditourist *(carte Quartier de Pham Ngu
ao ;* ☎ *835 3018, 195 Đ Pham Ngu Lao ;
j 8h-22h)*, une agence de voyages toute
roche, change les devises jusqu'à une
eure tardive.

oste
a **poste principale** *(carte Quartier de
ong Khoi ; Buu Dien Thanh Pho Ho Chi
1inh ;* ☎ *829 6555, 2 Cong Xa Paris ; tlj*

6h-22h) se trouve juste à côté de la cathédrale Notre-Dame. Sa marquise de verre
et sa charpente en fer rappellent le style
français. Érigée entre 1886 et 1891, c'est la
plus grande poste du Vietnam. Rendez-lui
visite pour découvrir son architecture.

Les clients envoient leur courrier et
passent leurs appels téléphoniques sous
le regard bienveillant de Ho Chi Minh.
Le guichet de la poste restante se trouve
à droite de l'entrée. Stylos, enveloppes,
aérogrammes, cartes postales et timbres
de collection sont vendus au comptoir immédiatement à droite de l'entrée, ainsi qu'à
l'extérieur du bâtiment, Đ Nguyen Du.

De nombreux bureaux de poste parsèment la ville (plusieurs figurent sur les
cartes de ce chapitre). Tout comme la poste
principale, ils restent souvent ouverts jusqu'à une heure avancée.

Plusieurs transporteurs privés sont installés près de la poste principale et figurent
sur la carte *Quartier de Dong Khoi.*

Airborne Express (☎ 829 2976, fax 829 2961),
80C Đ Nguyen Du

DHL (☎ 823 1525, fax 845 6841), Metropolitan
Building, 235 Đ Dong Khoi

Federal Express (☎ 829 0995, fax 829 0477),
146 Đ Pasteur

UPS (☎ 824 3597, fax 824 3596, www.ups.com),
80 Đ Nguyen Du

Téléphone
On peut appeler dans le pays ou à l'étranger depuis les bureaux de poste et les
grands hôtels. À la poste, un appel local
coûte 2 000 d. Dans les hôtels, les prix des
communications locales sont variables ;
renseignez-vous avant de téléphoner.

Fax
Vous pouvez recevoir des fax à la **poste
principale** *(fax 84-8-829 8540)* moyennant
2 200 d. Vous pouvez également les faire
porter à votre hôtel pour une somme modique. Votre nom, l'adresse et le numéro
de téléphone de l'hôtel, ainsi que votre
numéro de chambre, devront être indiqués
clairement sur la télécopie.

E-mail et Internet
L'accès à Internet est largement répandu à
HCMV. Le quartier de Pham Ngu Lao con-
centre le plus grand nombre de **cybercafés**.

Vous en trouverez près d'une trentaine le long de Đ Pham Ngu Lao, de Đ De Tham et de Đ Bui Vien. La plupart d'entre eux facturent la minute de 100 à 200 d.

Le quartier de Dong Khoi compte deux cybercafés bien situés : l'**Internet World** (☎ 822 0091, itsnetcafe@yahoo.com, 170 Đ Pasteur ; tlj 8h-minuit), qui facture 400 d la minute, et **VNV Internet** (☎ 822 6874, vnv@hcm.vnn.vn, 24 Đ Le Thanh Ton ; tlj 7h30-22h30), qui demande 150 d/mn.

Agences de voyages

Saigon Tourist est l'agence de voyages officielle et gouvernementale de HCMV. Elle possède, directement ou en joint-venture, plus de 70 hôtels, plusieurs restaurants, une société de location de voitures, des clubs de golf et des "pièges à touristes", comme l village touristique de Binh Quoi.

Les nombreuses autres agences de voya ges de la ville sont presque toutes gérée conjointement par le gouvernement et de entreprises privées. Elles se chargeront d vous procurer voiture, billets d'avion ou d faire proroger votre visa. Toutes se livren à une rude concurrence et, en cherchan bien, vous trouverez souvent des tarifs in férieurs de 50% à ceux de Saigon Tourist

La plupart des guides sont qualifiés, e la qualité des services ne cesse de s'amélio rer. Nombre de guides de la "vieille école" sont des vétérans qui se sont battus au côtés des Américains pendant la guerr du Vietnam. Ils ne se feront pas prier pou vous conter leur histoire dans un anglai

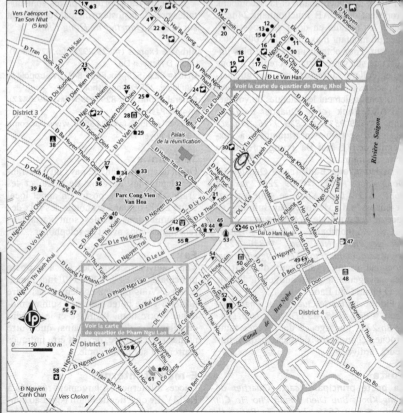

e GI. Les guides les plus jeunes, souvent
és après la guerre, ne vous offriront pas
e même point de vue.

Quel que soit leur âge, la plupart des
uides et des chauffeurs sont mal rémuné-
és : laissez-leur un pourboire si vous êtes
atisfait de leurs services. Certains voya-
eurs qui effectuent un circuit (en minibus
u en bus) à Cu Chi ou dans le delta du
Iékong font une collecte (1 ou 2 \$US par
ersonne) qu'ils remettent au guide ou au
hauffeur à la fin du voyage.

Renseignez-vous auprès de plusieurs
our-opérateurs pour trouver une formule
ui corresponde à vos souhaits et à votre
udget. Ce ne sont pas les circuits bon mar-
hé qui manquent, en particulier dans le
uartier de Pham Ngu Lao, où se concen-
rent les voyageurs à petit budget. Discutez
vec des voyageurs de retour d'excursion
vant d'arrêter votre choix. Vous pouvez
galement organiser votre circuit à la carte,
n louant une voiture, ainsi que les servies d'un chauffeur et d'un guide. Cette so-
ution offre le maximum de flexibilité et le
artage des frais entre plusieurs voyageurs
eut rendre la formule très abordable.

Deux agences méritent d'être citées
lans le quartier de Pham Ngu Lao. Les
oyageurs à petit budget s'adresseront

à **Delta Adventure Tours** (☎ 836 8542,
836 7535, www.deltaadventuretour. com,
187A Đ Pham Ngu Lao), une agence sérieuse
dirigée par Kim et Steven, un couple mixte
revenu des États-Unis il y a plusieurs années. Elle propose surtout des circuits dans
le delta du Mékong, ainsi que des voyages
vers/depuis le Cambodge via le poste frontière de Vinh Xuong, près de Chau Doc.

Pour un circuit personnalisé, essayez
Sinhbalo Adventures (☎ 837 6766, ☎/
fax 836 7682, www.sinhbalo.com, 283/
20 Đ Pham Ngu Lao), l'une des meilleures
agences du pays, créée par le grand gourou
du voyage au Vietnam, Le Van Sinh. Outre
les circuits à vélo, Sinhbalo propose des itinéraires à thème dans le delta du Mékong,
les Hauts Plateaux du Centre et les régions
éloignées : randonnées dans les villages
des ethnies, observation des oiseaux dans
les parcs nationaux ou découverte de la
piste Ho Chi Minh à moto.

Action Max (☎ 0913-929137, action
max@hcm.vnn.vn). Cette agence spécialisée
dans l'écotourisme et les sports d'aventure
est gérée par Didier, un expatrié français.
Elle organise des randonnées, ainsi que des
expéditions centrées sur le canyoning et la
varappe au mont Buu Long, à Dalat, sur la
plage de Mui Ne et à Nha Trang.

Centre de Ho Chi Minh-ville

OÙ SE LOGER
14 Hotel Sofitel Plaza Saigon
29 International Hotel
34 Chancery Saigon Hotel
35 Saigon Star Hotel
43 Tan Hai Long Hotel
55 New World Hotel
59 Metropole Hotel ✔
60 Miss Loi's Guesthouse
61 Guesthouse District

OÙ SE RESTAURER
1 Pho Hoa
4 Tib Restaurant et Spa Tropic
5 L'Etoile
7 Hoa Vien
20 AQ Cafe
23 A'Manoir du Khai
26 ABC Restaurant
31 Nam Giao
37 Tandoor
44 Pho 2000
54 Restaurant végétarien Tin Nghia

TEMPLES ET PAGODES
38 Pagode Xa Loi

42 Temple hindou Mariammam
15 Pagode Phung Son Tu

DIVERS
2 Institut Pasteur
3 Ao Dai Si Hoang
6 Consulat cambodgien
8 Zoo et jardin botanique
9 No 5 Ly Tu Trong
10 Phoenix Voyages
11 Saigon Trade Center
   et Exotissimo
13 Nguyen Freres et Oriental
   Home
15 Librairie Viet My
16 Consulat britannique et
   British Council
17 Saigon Tower, consulat
   néerlandais et Singapore
   Airlines
18 Consulat américain
19 Consulat français
21 Consulat allemand
22 Lao Aviation
24 Consulat chinois et
   consulat néo-zélandais

25 Vidotour
27 Consulat thaïlandais
28 Musée des Souvenirs
   de guerre
30 Consulat laotien
32 Conservatoire de musique
33 Club des ouvriers
36 Vinh Loi Gallery
39 Mémorial de Thich Quang Duc
40 Tony & Guy Beauty Salon
41 Magasin de cycles
45 Marché Ben Thanh
46 Centre d'urgences
47 Ferries sur le fleuve Saigon
   et cargos pour le delta
   du Mékong
48 Musée Ho Chi Minh
49 Vietcombank
50 Musée des Beaux-Arts
   et Blue Space Gallery
52 Marché Dan Sinh
53 Statue de Nguyen Han
56 Co-op Mart
57 Hanoi Mart
58 Bureau de la police
   de l'Immigration

HO CHI MINH-VILLE

Vous trouverez ci-dessous une liste non exhaustive d'agences de voyages, toutes situées dans le quartier de Pham Ngu Lao (sauf mention contraire). Reportez-vous également à la rubrique Circuits organisés du chapitre Comment s'y rendre.

Agences pour petits budgets

Fiditourist (☎ 835 3018, 195 Đ Pham Ngu Lao)

Kim Travel (☎/fax 835 9859, www.kimtravel.com, 270 Đ De Tham)

Linh Cafe (☎ 836 0643, fax 836 7016, linhtravel@hcm.vnn.vn, 291 Đ Pham Ngu Lao)

Mekong Tours (☎ 837 6429, mekongtours@hotmail. com, 272 Đ De Tham)

Sinh Cafe (☎ 836 7338, fax 836 9322, sinhcafe@yahoo.com, 248 D De Tham)

TM Brothers II (☎ 837 8394, nguyenvantuan@yahoo.com, 269 Đ De Tham)

Tometeco/Pro Tour (☎/fax 837 3716, pro_tours@yahoo. com, 40 Đ Bui Vien)

Tropic Tour (☎ 837 0082, vietnam@tropictour.com, 203 Đ Pham Ngu Lao)

Agences de catégories moyenne et supérieure

Ann Tours (☎ 833 2564, fax 832 3866, www.anntours.com, 58 Đ Ton That Tung)

Diethelm Travel (carte Quartier de Dong Khoi ; ☎ 829 4932, fax 829 4747, www.diethelm-travel.com, place 1A Me Linh)

Saigon Tourist (carte Quartier de Dong Khoi ; ☎ 829 8129, fax 822 4987, 49 Đ Le Thanh Ton)

Travel Indochina (carte Quartier de Dong Khoi ; ☎ 845 5080, fax 845 5079, place 1A Me Linh)

Ben Thanh Tourist (carte Quartier de Pham Ngu Lao ; ☎ 886 0365, fax 836 1953 ; www.benthantour.com ; 45 Đ Bui Vien). Spécialisé dans les tarifs aériens domestiques et internationaux. Vous pouvez également vous adresser à :

Saigon Logistics (carte Quartier de Pham Ngu Lao ; ☎ 836 9630, fax 836 9632, 213 Đ Pham Ngu Lao ; lun-sam 8h-17h30). La société gère également le transport des marchandises et peut rapatrier vos achats encombrants.

Librairies

Le meilleur quartier pour se procurer des cartes, des livres ou de la papeterie se trouve du côté nord du ĐL Le Loi, entre le Rex Hotel et la Đ Nam Ky Khoi Nghia, dans le quartier de Dong Khoi. Nombre de petites boutiques privées y ont élu domicile, de même que la librairie **Saigon** (☎ 829 6438, 60-62 ĐL Le Loi), un établissement public quelques pas du Rex Hotel.

La librairie **Viet My** (carte Centre de HCMV ; ☎ 822 9650, 2A ĐL Le Duan, tlj 8h-21h30) propose des livres importés et des magazines en français, anglais et chinois.

Fahasa (carte Quartier de Dong Khoi ☎ 822 4670, 185 Đ Dong Khoi, et ☎ 82 5446, 40 ĐL Nguyen Hue) sont les deux meilleures librairies d'État de la ville. Vous découvrirez au moins un bon dictionnaire, quelques plans et des ouvrages généraux en français et en anglais.

L'accueillante librairie **Tiem Sach** (carte Quartier de Dong Khoi ; 20 Đ Ho Huan Nghiep ; tlj 8h30-22h) dispose de nombreux ouvrages en français et en anglais. La boutique se prolonge par le café Bo Gio.

Đ De Tham, dans le quartier de Pham Ngu Lao, quelques boutiques vendent des livres d'occasion et des CD piratés et vous échangeront vos livres.

Services médicaux

Plusieurs médecins étrangers résident à HCMV et dispensent des soins médicaux et chirurgicaux.

L'**International Medical Center** (carte Quartier de Dong Khoi ; ☎ 827 2366, urgences 24h/24 ☎ 865 4025, fax 827 2365, fac@hcm.vnn.vn, 1 Đ Han Tuyen) est un organisme à but non lucratif qui prétend être le centre de santé occidental le moins cher du pays. Les médecins sont français et parlent aussi l'anglais. Les consultations reviennent à 40 $US (80 $US pour les urgences ou les soins tardifs).

Le **HCMC Family Medical Practic** (carte Quartier de Dong Khoi ; ☎ 82 7848, urgences 24h/24 ☎ 0913-234917, www.doctorkot.com, Diamond Plaza 34 Đ L Le Duan) est dirigé par très respecté Dr Rafi Kot.

SOS International (carte Quartier de Dong Khoi ; ☎ 829 8424 ; urgences 24h/24 ☎ 829 8520, fax 829 8551, 65 Đ Nguyen Du) possède un service réservé aux expatriés (soins médicaux et dentaires).

Le **Centre d'urgences** (carte Centre de HCMV ; ☎ 829 2071, 125 ĐL Le Loi) fonctionne 24h/24. Les médecins parlent français et anglais.

L'**Institut Pasteur** (carte Centre de
HCMV ; ☎ 820 0739, 167 Đ Pasteur) est
bien équipé pour les examens médicaux.
Vous ne pouvez y aller que sur recommandation d'un médecin.

L'**hôpital Cho Ray** (carte Quartier de
Cholon ; Benh Vien Cho Ray ; ☎ 855 4137,
fax 855 7267, 201 ĐL Nguyen Chi Thanh)
dispose de 1 000 lits : c'est l'un des plus
grands établissements de soins du pays. Il
possède un service réservé aux étrangers
au 10ᵉ étage. Environ un tiers des 200 médecins parlent anglais. Les urgences sont
assurées 24h/24.

Dans le quartier de Dong Khoi, des
soins dentaires sont dispensés à la **Dental Clinic Starlight** (☎ 822 2433, urgences
24h/24 ☎ 090-834901, 10C Đ Thai Van
Lung) et à la **Grand Dentistry** (☎ 824 5772,
10 Đ Ngo Duc Ke).

Développement de photos

HCMV compte aujourd'hui de nombreux
laboratoires où faire développer vos photos
en 1 heure. Ils sont faciles à repérer (cherchez une enseigne Fuji ou Kodak) et vous
en trouverez plusieurs de bonne réputation
dans le quartier de Dong Khoi, le long de
ĐL Nguyen Hue, entre le Rex Hotel et la
rivière Saigon, ainsi que dans le quartier
de Pham Ngu Lao.

Visas

Pour obtenir une prorogation de visa, la
majorité des voyageurs se rendront au **bureau de la Police de l'immigration** (carte
Centre de HCMV ; Phong Quan Ly Nguoi
Nuoc Ngoai ; ☎ 839 2221, 254 Đ Nguyen
Trai, 8h-11h et 13h-16h), qui les renverra
probablement vers une société privée. La
plupart des agences de voyages se chargent
de cette formalité.

Désagréments et dangers

HCMV est la ville qui comptabilise le plus
grand nombre de vols au Vietnam – veillez
à ne pas entrer dans les statistiques (consultez la rubrique Désagréments et dangers du
chapitre Renseignements pratiques). Soyez
très vigilant dans le quartier de Dong Khoi,
où opèrent des voleurs à moto.

MUSÉES

HCMV compte plusieurs musées d'exception, dont les meilleurs sont accessibles à

pied. Vous pouvez également louer une
bicyclette ou un cyclo (à la journée/demi-journée) pour faire le tour de la ville.

Musée des Souvenirs de guerre

Auparavant appelé musée des Crimes de
guerre chinois et américains, le nom de ce
musée a changé, afin de ne pas heurter la
sensibilité des touristes. La brochure distribuée à l'entrée ne s'intitule pas moins :
"*Images des crimes perpétrés par les
États-Unis durant leur guerre impérialiste
contre le Vietnam*".

Le musée des Souvenirs de guerre (Bao
Tang Chung Tich Chien Tranh ; ☎ 930 5587,
28 Đ Vo Van Tan ; 10 000 d ; tlj 7h30-11h45
et 13h30-17h15) est devenu l'un des musées préférés des touristes occidentaux à
HCMV. La plupart des atrocités montrées
ici ont été largement diffusées en Occident. Il n'empêche que le détail de ces
exactions, présenté par les victimes elles-mêmes, reste fort impressionnant.

À l'extérieur sont exposés des véhicules
blindés américains, de l'artillerie, des bombes et des armes d'infanterie, sans oublier
la guillotine qu'utilisaient les Français
contre les "fauteurs de trouble" vietminh.
La plupart des photos d'atrocités sont de
source américaine, dont celles du fameux
massacre de My Lai, de sinistre mémoire
(voir l'encadré *Le massacre de My Lai* dans
le chapitre *Le littoral du Centre et du Sud*).
On remarquera l'une des célèbres cages à
tigre où les Sud-Vietnamiens enfermaient
leurs prisonniers vietnamiens, sur l'île
Con Son. D'autres clichés montrent les
malformations chez les nouveau-nés,
provoquées par les herbicides chimiques
largement répandus pendant la guerre par
les Américains. Une salle adjacente est
consacrée à la dénonciation des "crimes
contre-révolutionnaires" commis au Vietnam après 1975. Les saboteurs y sont dépeints comme les alliés des impérialistes,
tant américains que chinois.

Malgré la relative partialité des expositions, peu de musées dans le monde
expriment avec autant de force la brutalité de la guerre. Les partisans du conflit
eux-mêmes ne peuvent rester indifférents
devant les photographies d'enfants brûlés
au napalm et déchiquetés par les bombes
américaines. Les scènes de torture sont
particulièrement éprouvantes. Vous aurez

HO CHI MINH-VILLE

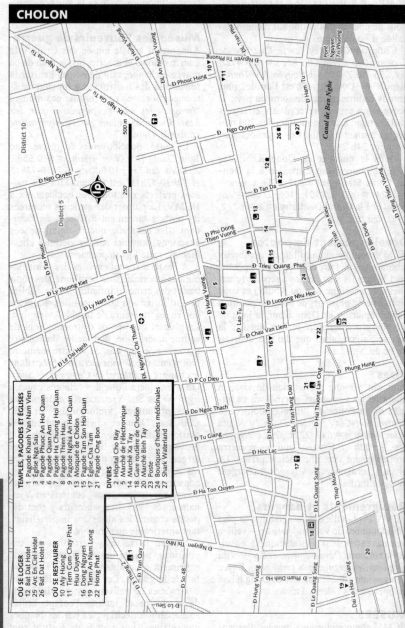

CHOLON

OÙ SE LOGER
12 Bat Dat Hotel
25 Arc En Ciel Hotel
26 Bat Dat Hotel II

OÙ SE RESTAURER
10 My Huong
11 Tiem Com Chay Phat
     Huu Duyen
16 Dong Nguyen
19 Tiem An Nam Long
22 Hong Phat

TEMPLES, PAGODES ET ÉGLISES
1   Pagode Khanh Van Nam Vien
3   Église Nga Sau
4   Pagode Phuoc An Hoi Quan
6   Pagode Quan Am
7   Pagode Ha Chuong Hoi Quan
8   Pagode Thien Hau
9   Pagode Nghia An Hoi Quan
13 Mosquée de Cholon
15 Pagode Tam Son Hoi Quan
17 Église Cha Tam
21 Pagode Ong Bon

DIVERS
2   Hôpital Cho Ray
5   Marché de l'électronique
14 Marché Xa Tay
18 Gare routière de Cholon
20 Marché Binh Tay
23 Poste
24 Boutiques d'herbes médicinales
27 Shark Waterland

également le triste privilège de voir quelques armes expérimentales (et classées, à l'époque, "secret défense") employées pendant la guerre du Vietnam, dont la fléchette, un obus rempli de milliers de minuscules traits acérés.

Le musée des Souvenirs de guerre est aménagé dans l'immeuble qui abritait à l'époque l'US Information Service. Les commentaires sont rédigés en vietnamien, en chinois et en anglais. Fait surprenant, le musée propose également **des spectacles de marionnettes aquatiques** sous une tente installée dans la cour.

Musée de Ho Chi Minh-Ville

Sis dans un superbe bâtiment néoclassique gris construit en 1886, le musée de Ho Chi Minh-Ville (carte Quartier de Dong Khoi ; Bao Tang Thanh Pho Ho Chi Minh ; ☎ 829 9741, 65 Đ Ly Tu Trong ; 1 \$US ; tlj 8h-16h) s'appelait autrefois palais Gia Long (plus récemment, musée de la Révolution).

Ici, les expositions retracent la lutte des communistes pour le contrôle du Vietnam. Les photographies des militants anticolonialistes exécutés par les Français semblent déplacées dans ces salons dorés. Ce contraste permet toutefois de percevoir la formidable puissance et le faste de la France coloniale. Des photos montrent un défilé de pacifistes vietnamiens à Saigon réclamant le départ des troupes américaines, ainsi que le suicide de Thich Quang Duc, le bonze qui s'immola par le feu en 1963, en signe de protestation contre la politique du président Ngo Dinh Diem (voir l'encadré Pagode Thien Mu dans le chapitre Le Centre).

Les notes explicatives sont exclusivement en vietnamien mais certains documents sont en français et en anglais, et la plupart des autres suffisamment explicites pour qui connaît un peu l'histoire du pays (voir la rubrique Histoire du chapitre Présentation du Vietnam).

Parmi les objets exposés, remarquez une longue et étroite pirogue (ghe) dont le double fond servait à cacher des armes. Tout près, un petit diorama présente les tunnels de Cu Chi. La salle attenante est consacrée aux armes utilisées par le Viet-Cong ainsi qu'aux médailles, casques et plaques des Sud-Vietnamiens et des Américains.

Une carte montre la progression des communistes pendant la chute du Sud-Vietnam ; au début de 1975 ; et vous découvrirez des photos de la libération de Saigon.

Les sous-sols du bâtiment abritent un réseau de bunkers en béton et de couloirs fortifiés, reliés au palais de la Réunification et comprenant des zones d'habitation, une cuisine et une grande salle de réunion. C'est dans l'un de ces bunkers que le président Diem et son frère se cachèrent avant de s'enfuir vers l'église Cha Tam, en 1963. Ce réseau n'est actuellement pas ouvert au public, la plupart des tunnels étant inondés. Si vous apportez une lampe-torche, un gardien du musée vous en fera peut-être visiter une partie.

Dans le jardin situé derrière le musée sont exposés un tank soviétique, un hélicoptère américain Huey UH-1 et un canon antiaérien. Du matériel militaire est également disposé dans le jardin donnant sur la Đ Nam Ky Khoi Nghia.

Le musée se trouve à quelques pas à l'est du palais de la Réunification.

Musée d'Histoire

Cet étonnant bâtiment de style franco-chinois, qui abrite le musée d'Histoire (carte Agglomération d'Ho Chi Minh-Ville ; Bao Tang Lich Su ; ☎ 829 8146, Đ Nguyen Binh Khiem ; 10 000 d ; 8h-11h 13h30-16h), a été construit en 1929 par la Société des Études Indochinoises. Visitez-le au moins pour découvrir son architecture.

Ce musée présente une excellente collection d'objets illustrant l'évolution des cultures du Vietnam : de la civilisation Dong Son (âge du bronze) et d'Oc-Eo (royaume de Funan, Ier- VIe siècles), aux Cham, aux Khmers et aux Vietnamiens. De superbes reliques proviennent d'Angkor Vat, au Cambodge.

À l'arrière du bâtiment, le 3e étage abrite une **bibliothèque de documentation** (☎ 829 0268 ; lun-sam), où trouver de nombreux livres sur l'Indochine, datant de la période coloniale française.

Face à l'entrée du musée se dresse le **temple du roi Hung Vuong**, à l'architecture très travaillée. Les souverains Hung sont considérés comme les premiers dirigeants de la nation vietnamienne ; ils auraient régné sur la région du Fleuve rouge avant l'invasion des Chinois.

Le musée se trouve juste après la principale porte d'accès au zoo et aux jardins botaniques, à l'endroit où Đ Nguyen Binh Khiem croise l'extrémité est de Đ L Le Duan.

De l'autre côté de Đ Nguyen Binh Khiem se trouve un petit **musée militaire** (☎ 822 9387, 2 Đ L Le Duan) consacré à la campagne lancée par Ho Chi Minh pour libérer le Sud. Les expositions intérieures offrent peu d'intérêt, mais des engins de guerre américains, chinois et soviétiques

sont présentés à l'extérieur. Vous y verrez notamment un Cessna A-37 de l'Armée de l'air sud-vietnamienne et un Tiger F-5E de fabrication américaine encore prêt à tirer.

Musée des Beaux-Arts

Édifice classique jaune et blanc, de caractère vaguement chinois, ce musée *(carte Centre de HCMV ; Bao Tang My Thuat ; ☎ 822 2577, 97A Đ Pho Duc Chinh ; 10 000 d ; lun-*

QUARTIER DE PHAM NGU LAO

OÙ SE LOGER
4 Duna Hotel
6 Le Le Hotel et Giant Dragon Hotel
14 Peace Hotel, Bin Café et Mekong Tours
17 Southern Hotel
18 Quyen Thanh Hotel
19 Windsor Saigon Hotel
21 Hotel 64 et Hotel 70
23 Hotel 265
24 Le Le 2 Hotel
28 Tan Thanh Thanh Hotel et Tropic Tour
30 Hotel 211 et Mai Phai Hotel
31 Spring House Hotel
32 Hanh Hoa Hotel
34 Liberty 4 Hotel
35 Vien Dong Hotel
39 Giang Son Guesthouse
44 Ha Vy Hotel
45 Dong A-1 Hotel

46 Bich Thuy Guesthouse
47 Coco Loco Guesthouse
50 MC Hotel
51 Guesthouse 127

OÙ SE RESTAURER
10 Lac Thien
11 Bodhi Tree
15 Kim Cafe, Kim Travel et Tm Brothers II
16 Sinh Cafe
22 Good Morning Vietnam et Cafe 333
25 Saigon Cafe
27 Nam Bo
33 Échoppe de nouilles Pho Bo
38 Linh Cafe
43 Café Duy Linh
48 Dinh Y

BARS/OÙ SORTIR
3 Long Phi Bar

5 Backpacker Bar
13 Allez Boo Bar
28 Guns & Roses Bar
37 Sahara Music Cafe

DIVERS
1 Ann Tours
2 Sacombank
7 Temple Chua An Lac
8 Poste
9 Tometeco/Pro Tour
12 Delta Adventure Tours
20 Ben Thanh Tourist
26 Fiditourist et bureau de change
36 Saigon Railways Tourist Services
40 Saigon Logistics
41 Sinhbalo Adventures
42 Poste
49 Institut de massage traditionnel

sam 9h-16h30) abrite l'une des collections les plus intéressantes du pays. Si vous ne souhaitez pas la visiter, pénétrez quand même dans l'immense hall pour admirer ses fenêtres et ses planchers Art nouveau. Le 1er étage présente des œuvres d'art contemporain officiel, souvent kitsch.

Au 2e étage est exposé une partie de l'art "ancien" jugé politiquement correct. Les représentations sont des plus réalistes : héros agitant des drapeaux rouges, enfants armés de fusils, pléthore de tanks et d'armes, Américains dans des situations grotesques et Ho Chi Minh quasiment représenté comme un dieu. Vous constaterez que les artistes qui avaient fait leurs études avant 1975 parvenaient à projeter leur esthétique dans un univers de sujets convenus. Certains dessins, illustrant les émeutes survenues dans les prisons en 1973, et quelques œuvres abstraites, s'avèrent tout à fait remarquables.

Au 3e étage on peut admirer une belle collection d'œuvres anciennes, notamment des sculptures d'Oc-Eo (royaume du Funan). Leur style présente de fortes ressemblances avec ceux de la Grèce et de l'Égypte antiques. C'est là également que sont exposées les plus belles sculptures cham, après celles du musée de Danang. Vous ne manquerez pas les admirables œuvres indiennes, comme les statues de pierre de têtes d'éléphant. Certaines autres pièces trouvent à l'évidence leur origine dans la culture d'Angkor.

Le café aménagé dans le jardin devant le musée semble l'endroit de prédilection de vieux messieurs qui échangent leurs timbres de collection en sirotant un thé glacé.

Musée Ton Duc Thang

Peu visité, ce musée (carte Quartier de Dong Khoi, Bao Tang Ton Duc Thang ; ☎ 829 4651 ; 5 Đ Ton Duc Thang ; 1 $US ; mar-ven 7h30-11h30 et 13h30-17h) est dédié à Ton Duc Thang, qui naquit à Long Xuyen, dans la province d'An Giang, en 1888. Il succéda à Ho Chi Minh à la présidence du Vietnam et mourut dans l'exercice de ses fonctions en 1980, à l'âge de 92 ans. Des photos et des expositions illustrent son rôle dans la révolution vietnamienne – certaines sont consacrées à sa période de détention sur l'île de Con Dao (voir le chapitre Environs de Ho Chi Minh-Ville).

Le musée se trouve sur le quai, à quelques pas au nord de la statue de Tran Hung Dao.

Musée Ho Chi Minh

Ce musée (carte Centre de HCMV ; Khu luu niem Bac Ho ; ☎ 829 1060 ; 1 Đ Nguyen Tat Thanh ; 5 000 d ; tlj 7h30-11h30 et 13h30-17h) est aménagé dans l'ancien bâtiment des douanes, dans le district 4. Traversez le canal Ben Nghe en venant de l'extrémité de ĐL Ham Nghi qui vous donne sur le quai. Érigé en 1863, l'immeuble a conservé son ancien surnom, "la maison du Dragon" (Nha Rong). Les liens entre Ho Chi Minh (1890-1969) et ce lieu paraissent plutôt ténus : il en serait parti en 1911, à l'âge de 21 ans, pour s'embarquer comme chauffeur et coq sur un cargo français. Il entama à un exil de trente ans, notamment en France, en Union soviétique et en Chine.

Le musée possède nombre de ses objets personnels, y compris des vêtements, des sandales, sa précieuse radio Zenith fabriquée aux États-Unis et d'autres souvenirs. Les explications figurent en vietnamien.

PALAIS DE LA RÉUNIFICATION

C'est vers ce bâtiment, alors appelé palais de l'Indépendance ou palais présidentiel, que se dirigèrent les premiers tanks communistes qui entrèrent dans Saigon à l'aube du 30 avril 1975. Ils en écrasèrent les grilles, puis un soldat courut planter un drapeau vietcong sur le balcon du 4e étage. Ce matin-là, le général Minh, promu chef de l'État 43 heures auparavant, attendait les vainqueurs dans un superbe salon du 2e étage, en compagnie de ses ministres. "Je vous attendais pour vous transférer les pouvoirs", dit Minh à l'officier vietcong qui entrait dans la pièce. "Il n'y a aucun pouvoir à passer, répondit l'officier, vous ne pouvez passer ce que vous n'avez pas".

Le palais de la Réunification (carte Centre de HCMV ; Hoi Truong Thong Nhat ; ☎ 829 4117, 106 Đ Nguyen ; 15 000 d ; tlj 7h30-11h et 13h-16h) est l'un des lieux les plus fascinants de HCMV. D'abord pour son architecture moderne spectaculaire, mais aussi pour l'étrangeté qui se dégage de ses vastes halls déserts. Véritable symbole du gouvernement sud-vietnamien, le palais est resté tel qu'il était le 30 avril 1975, jour où la République du Vietnam cessa d'exister, après que des centaines de milliers de Vietnamiens et 58 183 Américains eurent péri en tentant de la sauver. Parmi les nouveautés du musée, citons une statue de Ho Chi Minh et une salle vidéo, où voir un film sur l'histoire du Vietnam (commentaires en plusieurs langues). À la fin de la cassette, levez-vous quand résonne l'hymne national ; il serait impoli de rester assis.

En 1868, la résidence du gouverneur-général de la Cochinchine française fut édifiée sur cet emplacement. Après plusieurs agrandissements, ce bâtiment devint le **palais Norodom**. Au départ des Français, le président du Sud-Vietnam, Ngo Dinh Diem, s'y installa. Cet homme faisait l'objet d'une telle haine que sa pro-

pre force aérienne essaya vainement de l faire disparaître en bombardant le palai en 1962. Diem ordonna alors qu'un nouve édifice soit construit sur l'emplacement d l'ancien, doté cette fois d'un abri antiaérier au sous-sol. Les travaux furent achevés e 1966 mais Diem, assassiné par ses troupe en 1963, ne profita jamais de la maison de ses rêves. Baptisé palais de l'Indépendance, le bâtiment héberga le nouvea président du Sud-Vietnam, Nguyen Va Thieu, jusqu'à sa fuite en 1975.

Typique de l'architecture des années 1960, le palais, dû à Ngo Viet Thu un architecte formé à Paris, respir l'harmonie, et ses spacieuses salles son décorées, avec goût, des plus beaux objet de l'art et de l'artisanat modernes locaux

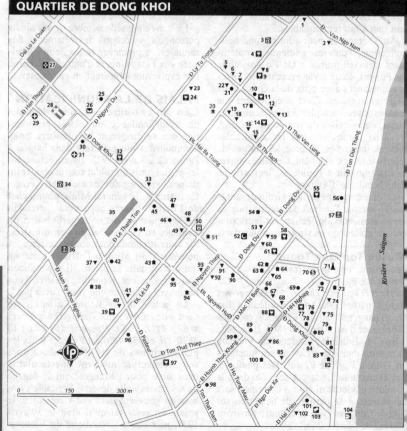

QUARTIER DE DONG KHOI

l émane de ce palais une grandeur digne d'un chef d'État.

La salle du rez-de-chaussée, où trône une table oblongue, servait de salle de conférence. C'est au 1er étage que se trouve la salle de réception (Phu Dau Rong, ou salle de la Tête du Dragon), celle aux chaises rouges, où le président du Sud-Vietnam recevait les délégations étrangères. Il s'installait à son bureau, ses assistants prenaient place dans les fauteuils aux accoudoirs en forme de dragon. Le siège faisant face au bureau était réservé aux ambassadeurs étrangers. La pièce attenante servait de salle de réunion. Quant à la pièce aux chaises et rideaux dorés, elle était réservée au vice-président.

Les appartements privés sont aménagés à l'arrière du bâtiment, où vous découvrirez des maquettes de bateaux, des queues de cheval et des pattes d'éléphant. Le 3e étage comporte une salle de jeu, agrémentée d'un bar, une salle de projection et une terrasse aménagée en héliport. Le 4e étage comprend une salle de bal et un casino.

QUARTIER DE DONG KHOI

OÙ SE LOGER
17 Orchid Hotel
20 Spring Hotel
38 Norfolk Hotel
43 Rex Hotel
47 Asian Hotel
48 Continental Hotel et Malaysia Airlines
51 Caravelle Hotel
54 Bong Sen Annexe
62 Thang Long Hotel
63 Kim Long Hotel
64 Bach Dang Hotel et Dong Do Hotel
73 Renaissance Riverside Hotel
78 Grand Hotel
79 Riverside Hotel
82 Majestic Hotel
90 Bong Sen Hotel et Mondial Hotel
94 Kim Do Hotel
100 Saigon Prince Hotel

OÙ SE RESTAURER
1 Hoi An
2 Mandarine
5 Why Not?
6 Chao Thai
7 Indian Heritage
8 Ashoka
12 Skewers
13 Bibi's
15 Camargue et Vascos Bar
16 Mogambo's Cafe et Thy 4 Two
18 Sawadeee
19 Hakata
22 Le Jardin
23 Bo Tung Xeo
33 Chi Lang Cafe
37 Miss Saigon
40 Kem Bach Dang
41 Kem Bach Dang
49 Givral
53 Tan Nam
59 Cafe Latin, Billabong Restaurant et boutique d'antiquités Indochine House
60 Dong Du Cafe
65 Annie's Pizza
67 Gartenstadt et Cool
68 Paloma Cafe
74 La Fourchette
75 Restaurants 19 & 13
83 Maxim's Dinner Theatre
84 Paris Deli
85 Santa Lucia
86 Nam An
91 Brodard Café
92 Encore Angkor
93 Lemon Grass, Globo Cafe et Augustin
102 Urvashi

OÙ SORTIR
4 Tex-Mex Cantina
9 Sheridan's Irish House
11 Wild Horse Bar
14 Maya
24 Blue Gecko Bar
32 Chu
39 Sam Son
50 Théâtre municipal et Q Bar
55 Apocalypse Now
58 Wild West Saloon
61 Hard Rock Cafe
77 Shark
88 Underground
97 Temple Club et Fanny

DIVERS
3 VNV Internet
10 Dental Clinic Starlight
21 IDECAF
25 UPS, EMS et Airborne Express
26 Poste principale
27 Diamond Department Store, Diamond Superbowl et HCMV Family Medical Practice
28 Cathédrale Notre-Dame
29 International Medical Centre
30 Metropolitan Building, banque HSBC, DHL et consulat canadien
31 SOS International et Thai Airways International
34 Internet World
35 Ancien hôtel de ville (bâtiment du comité populaire)
36 Musée de Ho Chi Minh-Ville
42 Federal Express
44 Vietnam Airlines
45 Saigon Tourist
46 Librairie Fahasa
52 Mosquée du centre de Saigon et cantine indienne
56 Landmark Building, Le Caprice et consulat australien
57 Musée Ton Duc Thang
66 Cathay Pacific Airways
69 Librairie Tiem Sach et Bo Gio Café (glaces)
70 ANZ Bank
71 Place Me Linh et statue de Tran Hung Dao
72 Me Linh Square Point Building, Travel Indochina et Diethelm Travel
76 Grand Dentistry
80 Authentique Interiors
81 Pacific Airlines
87 Rues commerçantes piétonnières
89 Librairie Fahasa
95 Tax Department Store
96 Saigon Centre, Paris Deli et poste
98 Marché de rue Huynh Thuc Khang
99 Tour Sun Wah
101 Tour Harbour View
103 Consulat japonais
104 Jetée de Bach Dang (hydroglisseurs pour Vung Tao et location de bateaux)

HO CHI MINH-VILLE

Vous vous intéresserez sans doute davantage au sous-sol, qui renferme un dédale de tunnels, un centre de télécommunications et une salle d'état-major.

Le palais de la réunification est fermé aux visiteurs lors des réceptions ou des réunions officielles. Des guides parlent français et anglais.

SIÈGE DU COMITÉ POPULAIRE

L'hôtel de ville, cet édifice tarabiscoté qui constitue l'un des principaux points de repère de la ville, est désormais le siège quelque peu incongru du Comité populaire de HCMV. Il fut construit entre 1901 et 1908, après des années de controverse, typiquement française, au sujet de son architecture. L'ancien hôtel de ville, à l'extrémité nord-ouest de ĐL Nguyen Hué, face au fleuve (voir la carte *Quartier de Dong Khoi*), se caractérise par ses jardins, sa façade ornementée et son élégant intérieur, éclairé de lustres en cristal.

Malheureusement, vous devrez vous contenter d'en admirer la façade. Le bâtiment est fermé au public et toute demande de visite est refusée sans ménagements.

ZOO ET JARDINS BOTANIQUES

Le zoo et les jardins botaniques *(carte Centre de HCMV ; Thao Cam Vien, ☎ 829 3901, 2 Đ Nguyen Binh Khiem ; 8 000 d ; tlj 7h-20h)* incite à la flânerie, parmi les immenses arbres tropicaux, les étangs, les pelouses et les massifs de fleurs minutieusement entretenus. Les équipements du zoo, bien mal en point, s'améliorent graduellement.

Les jardins, qui comptaient en leur temps parmi les plus beaux d'Asie, ont été aménagés en 1864, dès le début de la colonisation française. Aujourd'hui, ils servent surtout de décor à une fête foraine.

L'entrée principale du zoo se trouve Đ Nguyen Binh Khiem, à l'extrémité est de la ĐL Le Duan. Tout de suite après l'entrée, vous apercevrez, sur les côtés, deux joyaux architecturaux : l'impressionnant temple du roi **Hung Vuong** et le musée d'Histoire.

ÉDIFICES RELIGIEUX
Agglomération
de Ho Chi Minh-Ville

Pagode Giac Lam. Construite en 1744, cette pagode *(118 Đ Lac Long Quan, 6h-19h)*, où vivent encore une dizaine de bonzes, est l'une des plus anciennes du Grand HCMV. Sa dernière reconstruction remonte à 1900. Son architecture et sa décoration typiquement vietnamiennes – où l'on relève pourtant des éléments taoïstes et confucianistes – ont échappé aux rénovations modernes.

À droite de l'entrée apparaissent les tombeaux de bonzes vénérés. Le Bodhi ou banian *(bo de – le figuier banian représente l'arbre sous lequel Bouddha en méditation atteignit l'Illumination)*, qui s'élève dans le jardin devant la pagode, a été offert par un bonze srilankais. Près de cet arbre, comme dans toutes les pagodes bouddhiques vietnamiennes, une éclatante statue de Quan The Am Bo Tat (Avalokiteshvara, Guanyin en chinois, déesse de la miséricorde) se dresse sur une fleur de lotus, symbole de la pureté.

Des carreaux de céramique bleu et blanc, inhabituels, recouvrent la toiture du bâtiment principal, aussi bien à l'intérieur qu'à l'extérieur. De nombreuses épitaphes et photographies de défunts tapissent les murs du hall. Près du centre du sanctuaire à côté d'un ancien chandelier français, une statue de Chuan De, à 18 bras, est une autre représentation de la déesse de la miséricorde. Remarquez les colonnes de bois sculpté aux inscriptions dorées en caractères *nom*. Les Vietnamiens les utilisaient avant d'adopter l'alphabet aux caractères latins *quôc ngu*. Le mur de gauche montre des portraits de grands bonzes des générations précédentes. Leurs noms et les faits marquants de leur vie sont inscrits sur les plaques verticales rouges en caractères *nom* dorés. Vous devrez vous déchausser avant de passer des carreaux rouges et grossiers à ceux, plus petits, aux tons gris.

Face aux épitaphes des bonzes s'élève le sanctuaire principal, qui compte d'innombrables statues dorées. Vous admirerez, sur l'estrade située au milieu du dernier rang, A Di Da, le Bouddha du passé (Amitabha), entouré de Kasyape, à sa droite, et d'Ananda, à sa gauche. Tous deux sont des disciples du Bouddha Thich Ca (le fameux Bouddha Sakyamuni, dont le véritable nom était Siddhartha Gautama). Devant A Di Da se dresse une statue du Bouddha Thich Ca, flanqué de deux gardiens. La minuscule statuette, placée en avant, le eprésente enfant, vêtu de jaune, conformément à la coutume.

Le personnage rebondi, souriant et ris d'assaut par cinq enfants se nomme Ameda. À sa gauche, Ngoc Hoang, l'emereur de Jade taoïste, domine une foule de créatures surnaturelles. Au premier rang, deux bodhisattvas encadrent une statue du Bouddha Thich Ca. Les autels situés e long des murs du sanctuaire portent divers bodhisattvas, ainsi que les juges des dix régions infernales. Chacun d'eux ient un rouleau ressemblant au manche d'une fourche.

L'objet rouge et or (en forme de sapin de Noël) est un autel en bois orné de 49 lampes et autant de miniatures de bodhisattvas. Les gens viennent y prier pour eurs proches malades ou pour accéder au onheur. Ils offrent un obole du kérosène destiné à faire fonctionner les lampes et attachent à "l'arbre" de petits bouts de papier portant leur nom et ceux de leurs parents malades.

L'encadrement de la grosse cloche de bronze, située dans le coin, ressemble à un panneau d'affichage, où les fidèles ont épinglé des listes de noms de malades et de morts, ou de personnes à la recherche du bonheur. On dit que lorsque la cloche onne, le son porte les prières jusqu'aux paradis célestes et souterrains.

La prière – des chants accompagnés de ambours, de cloches et de gongs – suit un ite désormais rarement pratiqué. Elle a ieu tous les jours à 4h, 11h, 16h et 19h.

La pagode Giac Lam se trouve à quelque 3 km de Cholon, dans le district de Tan Binh. Attention ! La numérotation de Ð Lac Long Quan, très fantaisiste, commence au numéro 1 à plusieurs reprises, puis saute à des numéros à 4 chiffres. En outre, les numéros pairs et impairs se succèdent souvent sur le même trottoir.

Pour y accéder depuis Cholon, suivez ÐL Nguyen Chi Thanh ou ÐL 3 Thang 2 usqu'à Ð Le Dai Hanh, que vous prenez en direction du nord-ouest puis, tournez à droite Ð Lac Long Quan. La pagode se rouve 100 m plus loin.

Pagode Giac Vien. Fondée il y a environ 200 ans par Hai Tinh Giac Vien, cette pagode (Ð Lac Long Quan ; tlj 7h-19h) ressemble, sur le plan architectural, à la pagode Giac Lam. Toutes deux sont empreintes de la même sérénité. Toutefois, Giac Vien se trouve dans un cadre plus rural, tout près du lac Dam Sen, dans le district 11. On dit que l'empereur Gia Long, qui mourut en 1819, était un fidèle de Giac Vien. Dix bonzes vivent sur place.

La pagode se situe dans un quartier assez pauvre de la ville. Pour éviter toute confusion due à la numérotation de la rue, en partant de Cholon, empruntez ÐL Nguyen Chi Thanh ou ÐL 3 Thang 2 jusqu'à Ð Le Dai Hanh. Tournez à gauche (vers le sud-ouest) dans Ð Binh Thoi, puis à droite (vers le nord) dans Ð Lac Long Quan. L'entrée se trouve au n°247.

Après l'entrée, parcourez plusieurs centaines de mètres sur un chemin truffé de nids-de-poule. Tournez à gauche au croisement en "T", puis à droite à la fourche. Avant d'atteindre la pagode proprement dite, vous longerez plusieurs impressionnants tombeaux de bonzes, sur votre droite.

La première salle est tapissée d'épitaphes. Au fond de la deuxième se dresse une statue de Hai Tinh Giac Vien, tenant un chasse-mouches en crin de cheval. Les portraits proches représentent ses disciples et ses successeurs. Une représentation de Chuan De aux 18 bras, flanquée de deux gardiens, fait face à Hai Tinh Giac Vien.

Le sanctuaire principal se trouve de l'autre côté du mur, derrière la statue du fondateur. Le Bouddha du passé, A Di Da, médite au fond de l'estrade. Devant lui se tient le Bouddha Thich Ca, entouré de ses disciples : Ananda à gauche et Kasyape à droite. Le Bouddha Ti Lu est à droite de Kasyape, le Bouddha Nhien Dang, à gauche d'Ananda. Aux pieds du Bouddha Thich Ca, une petite figurine représentant Thich Ca enfant. Encadré de deux gardiens, Ameda, rebondi et rieur, est assis, tandis que des enfants lui grimpent dessus. Au premier plan, deux bodhisattvas assis entourent Thich Ca.

Un magnifique encensoir de cuivre, d'où émergent deux superbes têtes de dragon, fait face à l'estrade. Dai The Chi Bo Tat surmonte l'autel situé à gauche et Quan The Am Bo Tat, celui de droite. Le gardien de la pagode est adossé au mur qui fait face à l'estrade. Tout près, un "arbre de Noël" ressemble à celui de la pagode Giac Lam.

Les juges des 10 régions infernales (tenant des rouleaux) et 18 bodhisattvas longent les murs latéraux.

Mieux vaut visiter la pagode avant la tombée de la nuit, car l'électricité est souvent coupée. Les prières ont lieu tous les jours à 4h, 8h, 14h, 16h et 19h.

Pagode de l'empereur de Jade. Construite en 1909 par la congrégation de Canton (Quang Dong), la pagode de l'empereur de Jade *(Phuoc Hai Tu ou Chua Ngoc Hoang ; 73 Đ Mai Thi Luu)*, superbe exemple de temple chinois, est l'une des pagodes les plus spectaculaires et colorées de HCMV. Elle abonde en statues de divinités fantasmagoriques et de héros délirants. La fumée âcre de l'encens emplit l'atmosphère, masquant les magnifiques panneaux de bois sculptés de caractères chinois dorés. Une mosaïque sophistiquée couvre le toit. Les statues de papier mâché représentent les personnages des traditions bouddhique et taoïste.

À droite après l'entrée principale, saluez Mon Quan, le dieu de la porte, dont la statue occupe une niche de bois finement sculptée. De l'autre côté, dans une niche similaire, le dieu de la terre, Tho Than (Tho Dia), lui fait face. Au centre, un autel supporte de gauche à droite : Phat Mau Chuan De, la mère des cinq Bouddhas des points cardinaux ; Dia Tang Vuong Bo Tat (Ksitigartha), le roi des enfers ; Di Lac (Maitreya), le Bouddha du futur ; Quan The Am Bo Tat, la déesse de la miséricorde ; enfin, un bas-relief représentant le Bouddha Thich Ca (Sakyamuni). Derrière l'autel, une vitrine abrite une statue du Bouddha Duoc Su, également appelé Nhu Lai, qui serait en bois de santal.

De part et d'autre de l'autel, deux statues de 4 m de haut, à l'air féroce, se dressent contre le mur. À droite, le général vainqueur du Dragon vert pose un pied sur sa victime terrassée. À gauche, le général vainqueur du Tigre blanc adopte une position similaire.

L'empereur de Jade taoïste, Ngoc Hoang, drapé d'étoffes luxueuses, domine le sanctuaire principal. Il est flanqué de ses gardiens, les quatre Grands Diamants (Tu Dai Kim Cuong), censés être aussi durs que la pierre du même nom. Au premier plan sont disposées six statues, trois de chaque côté : à gauche, Bac Dau, le dieu taoïste de l'étoile polaire du Nord et de la

Longévité, entouré de ses deux gardiens ; à droite, Nam Tao, le dieu taoïste de l'étoile polaire du Sud et du bonheur, accompagné lui aussi de ses deux gardiens.

Dans la niche à droite de l'empereur de Jade, Phat Mau Chuan De, la déesse aux 18 bras, possède, fixés derrière ses oreilles, deux visages qui regardent de chaque côté. Sur le mur à sa droite, à près de 4 m de hauteur, vous apercevez Dai Minh Vuong Quang, qui se réincarna en Sakyamuni, chevauchant un phénix. Plus bas se trouvent les Tien Nhan, littéralement les "êtres-dieux".

Dans la niche à gauche de l'empereur de Jade est assis Ong Bac De, une réincarnation de l'empereur, sabre à la main. Un de ses pieds repose sur une tortue, l'autre sur un serpent. Sur le mur à gauche, à 4 m du sol, vous voyez Thien Loi, le dieu de la foudre et pourfendeur des malfaisants. Au-dessous, les commandants militaires d'Ong Bac De sont installés sur la première marche et les gardiens de Thien Loi, sur la marche supérieure. Deux piliers sculptés séparent les trois alcôves ; la déesse de la lune surmonte celui de gauche, le dieu du soleil celui de droite.

Un passage situé à gauche de l'autel principal mène à une autre salle. L'espace situé à droite en entrant est dominé par Thanh Hoang, le maître des enfers, son cheval rouge à sa gauche. Six statues s'alignent contre les murs : les deux premières représentent Am Quan, le dieu du yin (à gauche) et Duong Quan, le dieu du yang (à droite), puis viennent les quatre Thuong Thien Phat Ac, les dieux chargés de punir les mauvaises actions et de récompenser les bonnes. Les bas-reliefs de bois ornant les murs représentent les tourments des dix régions de l'enfer. Au-dessus de chaque panneau, l'un des juges des dix régions consulte un livre où sont consignés les faits et les méfaits des défunts.

Sur le mur faisant face à Thanh Hoang, un bas-relief de bois représente Quan Am Thi Kinh, sur une fleur de lotus, tenant son "fils" dans les bras. À sa gauche, Long Nu, un très jeune bouddha, la protège. À sa droite, Thien Tai, le gardien de son esprit, connaissait la vérité depuis le début (voir l'encadré *Quan Am Thi Kinh*). Au-dessus de son épaule gauche, un oiseau porte des grains de prière.

Un panneau, à droite du précédent, représente Dia Tang Vuong Bo Tat, le roi de l'enfer.

Derrière la cloison, une superbe petite salle contient douze statues de porcelaine, disposées sur deux rangées, représentant douze femmes vêtues de couleurs vives et entourées d'enfants. Chacune d'elles symbolise un trait du caractère humain, bon ou mauvais, ainsi que les douze années du calendrier chinois. Kim Hoa Thanh Mau, le chef des femmes, domine la salle.

Retournez dans le premier sanctuaire pour emprunter l'escalier qui vous mènera au 2e étage et à la terrasse.

La pagode de l'empereur de Jade se situe dans le quartier de Da Cao. Pour y parvenir, partez du 20 Đ Dien Bien Phu et parcourez un demi-pâté de maisons vers le nord-ouest.

Pagode Dai Giac. Cette pagode *(112 Đ Nguyen Van Troi)* bouddhique de style vietnamien est caractéristique des pagodes construites dans les années 1960. Dans la cour, sous la tour (rose vif) inachevée de 10 étages, revêtue d'éclats de porcelaine, une grotte artificielle de roche volcanique abrite une statue dorée de la déesse de la miséricorde. Dans le sanctuaire principal, une auréole de néon vert surmonte un bouddha doré de 2,50 m de haut. Au-dessous, dans une châsse de verre, un bouddha couché blanc, plus petit, baigne dans un halo de néon bleu. La pagode se trouve à 1,5 km en direction du centre-ville en venant de l'aéroport.

Pagode Vinh Nghiem. Inaugurée en 1971, cette pagode *(tlj 7h30-11h30 et 14h-18h)* est remarquable pour son vaste sanctuaire et sa tour à huit niveaux, dont chacun abrite une statue de Bouddha. Elle a été bâtie avec l'aide de l'Association de l'amitié nippo-vietnamienne, ce qui explique les éléments japonais de son architecture. Au pied de la tour, ouverte uniquement les jours de fête, une boutique vend des objets bouddhiques rituels. Derrière la pagode, une tour funéraire de trois niveaux contient des urnes funéraires en céramique, soigneusement étiquetées. La pagode se trouve près de la Đ Nguyen Van Troi, dans le district 3.

Temple Le Van Duyet. Dédié au maréchal Le Van Duyet (1763-1831), ce temple abrite également son tombeau et celui de

Quan Am Thi Kingh

Quan Am Thi Kinh fut injustement chassée de son foyer par son mari. Elle se déguisa en bonze et s'en alla vivre dans une pagode, où une jeune femme l'accusa d'être le père de son enfant. Elle accepta cette responsabilité et se retrouva de nouveau à la rue, cette fois avec son "fils". Bien plus tard, se sentant mourir, elle retourna au monastère pour révéler la vérité. L'empereur de Chine, ayant entendu parler de son histoire, la proclama alors Gardienne spirituelle de la Mère et de l'Enfant.

La croyance veut qu'elle puisse donner une descendance mâle à ceux qui la vénèrent. Elle est donc particulièrement révérée par les couples sans enfants.

son épouse. Général et vice-roi originaire du sud, il contribua à étouffer le soulèvement des Tay Son et à réunifier le Vietnam. Quand la dynastie Nguyen prit le pouvoir, en 1802, l'empereur Gia Long l'éleva au grade de maréchal. Sous l'empereur Minh Mang, le successeur de Gia Long, le maréchal tomba en disgrâce et son tombeau fut détruit après un procès posthume pour trahison. L'empereur Thieu Tri, qui succéda à Minh Mang, le fit reconstruire, accomplissant ainsi une prophétie qui annonçait la destruction et la reconstruction. Jusqu'en 1975, Le Van Duyet fut considéré comme un héros national dans le Sud. Les communistes n'ont pas apprécié l'aide qu'il avait apportée au développement de l'influence française.

Le temple a été rénové en 1937 mais, depuis 1975, le gouvernement n'a pas fait grand-chose pour empêcher sa dégradation. Parmi les objets exposés, vous verrez un portrait de Le Van Duyet, quelques effets personnels (dont des verres en cristal de style européen), ainsi que des antiquités. Deux superbes statues de chevaux grandeur nature encadrent l'entrée de la troisième salle, fermée aux visiteurs.

Pendant les fêtes du Têt et le 30e jour du 7e mois lunaire (anniversaire de la mort du maréchal), une grande foule de pèlerins vient se recueillir sur sa tombe. C'est ici que les Vietnamiens avaient coutume de prêter serment s'ils n'avaient pas les moyens d'engager une action en justice.

Les pèlerins achètent des oiseaux en cage et les libèrent pour accroître leur mérite. Les oiseaux sont souvent capturés à nouveau, puis libérés une fois encore.

Pour accéder au temple, suivez Ð Dien Tien Hoang vers le nord depuis le centre-ville, jusqu'à ÐL Phan Dang Luu ; le bâtiment est visible à l'angle sud-est de la rue.

Temple Tran Hung Dao. Ce petit temple *(36 Ð Vo Thi Sau ; lun-ven 6h-11h et 14h-18h)* est dédié à Tran Hung Dao, héros national qui vainquit, en 1287, les quelque 300 000 soldats de l'empereur mongol Kubilai Khan, décidés à envahir le Vietnam. Il se dresse à un pâté de maisons au nord-est des antennes installées entre Ð Dien Bien Phu et Ð Vo Thi Sau.

Un parc public, coincé entre les paraboles de télécommunication et ÐL Hai Ba Trung, a été créé en 1983 sur l'emplacement du **cimetière Massiges**, où étaient enterrés les soldats et les colons français. Les cercueils ont été rapatriés. Autre victime de la réunification : le tombeau du XVIIIe siècle de Mgr Pigneau de Béhaine, missionnaire et diplomate français, évêque d'Adran.

Église Cho Quan. Construite par les Français il y a une centaine d'années, cette église *(133 Ð Tran Binh Trong ; lun-sam 4h-7h et 15h-18h, dim 4h-9h et 13h30-18h)* est l'une des plus grandes de HCMV. C'est aussi la seule où nous ayons remarqué un Christ nimbé de néon. Une vue remarquable vous récompensera de la rude montée jusqu'en haut du beffroi. L'église se dresse entre ÐL Tran Hung Dao et Ð Nguyen Trai. Messes dominicales à 5h, 6h30, 8h30, 16h30 et 18h.

Centre de Ho Chi Minh-Ville

Cathédrale Notre-Dame. Construite entre 1877 et 1883, la cathédrale *(carte Quartier de Dong Khoi ; Ð Han Thuyen)* se trouve au centre du quartier ministériel de HCMV, face à la Ð Dong Khoi. De style néoroman, elle possède deux clochers carrés de 40 m de haut, surmontés de flèches en fer. Sur le parvis se dresse une statue de la Vierge Marie. Si les grilles sont fermées, essayez d'entrer par la porte latérale, en face du palais de la Réunification.

Cette cathédrale ne possède plus de vitraux, car ils ont tous disparu pendant la Seconde Guerre mondiale. Comme de nombreux étrangers viennent prier dans le sanctuaire, les prêtres ont le droit d'entre couper les célébrations en vietnamien d'un bref sermon en français ou en anglais. S vous souhaitez assister à une messe, nou vous conseillons celle du dimanche matin à 9h30.

Pagode Xa Loi. Construite en 1956, cett pagode bouddhique *(89 Ð Ba Huyen Than Quan ; tlj 7h-11h et 14h-17h)* abriterai une relique de Bouddha. En août 1963, un commando aux ordres de Ngo Dinh Nhu frère du président Ngo Dinh Diem, attaqua la pagode, alors centre de l'opposition au gouvernement Diem. Elle fut saccagée e 400 bonzes et bonzesses, dont le patriarche bouddhiste du pays, âgé de 80 ans, furen arrêtés. Ce raid, tout comme d'autres, ren força l'opposition des bouddhistes au ré gime Diem. Ce fut un facteur déterminan dans la décision des États-Unis de souteni un coup d'État contre Diem. La pagode fu également le théâtre de plusieurs immola tions de bonzes, qui protestaient contre le régime et l'agression américaine.

Les femmes entrent dans la pagode Xa Loi par un escalier situé à droite de l'en trée. Les hommes utilisent celui de gauche Les murs du sanctuaire sont ornés de pein tures qui retracent la vie de Bouddha.

La pagode se situe dans le district 3 prè de Ð Dien Bien Phu. Un bonze prêche le dimanche entre 8h et 10h. Les jours de pleine et de nouvelle lune, des prières spé ciales ont lieu de 7h à 9h et de 19h à 20h.

Pagode Phung Son Tu. Construite pa la congrégation du Fujian au milieu des an nées 1940, Phung Son Tu *(338 Ð Cong Tru* est la plus typique des pagodes chinoises de HCMV. Elle est dédiée à Ong Bon, le gardien du bonheur et de la vertu, dont la statue se dresse derrière le grand autel. La déesse bouddhique de la miséricorde, aux bras multiples, se tient à droite, dans le sanctuaire principal. La pagode se trouve à 1 km du centre-ville.

Temple hindou de Mariamman. Peti îlot du sud de l'Inde au cœur de HCMV ce temple hindou *(Chua Ba Mariamman 45 Ð Truong Dinh ; tlj 7h-19h)* est le seu à être encore en activité. Bien que la ville ne compte que 50 à 60 hindouistes (tou amouls), ce temple est considéré comme un lieu sacré par de nombreux Chinois et Vietnamiens. Il est réputé pour ses pouvoirs miraculeux. Construit à la fin du XIXe siècle, il est consacré à la déesse hindoue Mariamman.

Le lion, à gauche de l'entrée, était promené en procession dans la ville chaque automne. Dans le sanctuaire, au centre du temple, préside la déesse flanquée de ses deux gardiens, Maduraiveeran (à gauche) et Pechiamman (à droite). Devant Mariamman se dressent deux *lingam*, entourés d'offrandes : bâtons d'encens, fleurs de jasmin, lys et glaïeuls. Les marches en bois, à gauche en entrant, mènent au toit, où vous découvrirez deux tours colorées et ornées d'innombrables statues de lions, de déesses et de gardiens.

Après la réunification, le gouvernement prit possession du temple, mais la communauté hindoue devrait bientôt le récupérer le temple dans son intégralité.

Vous atteindrez le temple après trois patés de maisons à l'ouest du marché Ben Thanh. Déchaussez-vous avant de poser le pied sur la plate-forme légèrement surélevée.

Mosquée du centre de Saigon. Bâtie

par des musulmans originaires du sud de l'Inde en 1935, sur l'emplacement d'une ancienne mosquée, cet édifice *(carte Quartier de Dong Khoi ; 66 Đ Dong Du)* constitue un havre de paix au cœur du quartier trépidant de Dong Khoi. Cet ensemble blanc et bleu étincelant comprend quatre minarets, qui n'appellent plus à la prière. Devant la mosquée, un bassin sert aux ablutions rituelles. Déchaussez-vous avant d'entrer.

La simplicité du lieu offre un contraste saisissant avec l'exubérance des temples chinois et les alignements de statues des pagodes bouddhiques.

Il ne reste plus qu'une poignée de musulmans indiens à HCMV, la communauté ayant fui le pays en 1975. Hormis le vendredi, peu de fidèles se pressent aux cinq prières quotidiennes.

La ville compte douze autres mosquées, pour une communauté d'environ 5 000 musulmans.

Cholon

Cholon, le district 5, abrite une myriade de temples de style chinois dignes d'intérêt.

Consacrez au moins une demi-journée à la découverte du Chinatown de HCMV. Outre ses temples et ses pagodes, il compte d'excellents restaurants chinois et vietnamiens, ainsi que deux parcs aquatiques où il fait bon se rafraîchir.

Profitez de votre promenade pour flâner entre les étals des **boutiques de plantes médicinales** *(D Hai Thuong Lan Ong)*, entre Đ Luopong Nhu Hoc et Đ Trieu Quang Phuc. Le parfum entêtant des remèdes constitue une expérience olfactive inoubliable. Les rues de Cholon, avec leurs enseignes incroyables et leur brouhaha incessants, n'ont pas fini de vous surprendre.

Pagode An Quang. Cette pagode *(Đ Su

Van Hanh)* devint célèbre pendant la guerre du Vietnam pour être la demeure de Thich Tri Quang, un bonze influent qui organisa des manifestations contre le gouvernement sud-vietnamien en 1963 et 1966. Au lieu de lui en savoir gré à la fin de la guerre, les communistes l'assignèrent à résidence, avant de le jeter au cachot pendant 16 mois. Il semblerait qu'il vive toujours dans la pagode An Quang, à l'angle de Đ Ba Hat, district 10.

Pagode Tam Son Hoi Quan. Cette

pagode *(Chua Ba Chua ; 118 Đ Trieu Quang Phuc)*, construite par la congrégation chinoise du Fujian au XIXe siècle, a conservé la majeure partie de sa riche décoration. Elle est dédiée à Me Sanh, la déesse de la fertilité. Hommes et femmes viennent y prier pour avoir des enfants.

À droite de la cour couverte, le général déifié Quan Cong, avec sa longue barbe noire, est flanqué de ses deux gardiens, le mandarin général Chau Xuong à gauche, tenant une arme, et le mandarin administratif Quan Binh à droite. À côté de Chau Xuong, vous remarquerez le cheval rouge sacré de Quan Cong.

Derrière l'autel principal (face à l'entrée) se tient Thien Hau, la déesse de la mer, qui protège les pêcheurs et les marins. À droite, dans une niche décorée, la déesse de la fertilité, Me Sanh, vêtue de blanc, trône au milieu de ses filles. La niche de gauche abrite Ong Bon. Devant Thien Hau, Quan The Am Bo Tat est protégée par une châsse de verre.

À l'autre extrémité de la cour, une petite salle contient des urnes funéraires, ainsi que des plaques commémoratives de défunts, ornées de leur photo. À côté, dans une petite pièce, une tête de dragon en papier mâché ressemble à celles qu'utilise la congrégation du Fujian pour sa danse du dragon.

La pagode se situe près du 370 ÐL Hung Dao.

Pagode Thien Hau.
Construite par la congrégation de Canton au début du XIXe siècle, la pagode Thien Hau (*Ba Mieu, Pho Mieu ou Chua Ba ; 710 Ð Nguyen Trai ; tlj 6h-17h30*) fut dédiée à Thien Hau (ou Tuc Goi La Ba). C'est l'une des pagodes les plus actives de Cholon. La croyance veut que la déesse de la mer puisse traverser les océans sur un tapis et chevaucher les nuages pour sauver les bateaux en difficulté.

En dépit des gardiens postés de chaque côté de l'entrée, on dit que les vrais protecteurs de cette pagode sont les deux tortues qui y vivent. De superbes frises de céramique soulignent le toit de la cour. Près des fours où brûlent les requêtes des fidèles, deux petites structures de bois contiennent une petite statue de Thien Hau que l'on sort en procession tous les ans, le 23e jour du 3e mois lunaire. Sur l'estrade principale, trois statues de Thien Hau, en file indienne, sont encadrées chacune de deux serviteurs ou gardiens. L'estrade est flanquée, à gauche, du lit de la déesse ; à droite, d'une maquette de bateau et, à l'extrême droite, de la déesse Long Mau, protectrice des mères et des nouveau-nés.

Pagode Nghia An Hoi Quan.
Érigée par la congrégation chinoise de Chaozhou, cette pagode (*678 Ð Nguyen Trai ; 4h-18h*) est réputée pour ses bas-reliefs de bois doré. Un bateau en bois surmonte l'entrée et, à l'intérieur, une énorme statue du cheval rouge de Quan Cong et de son palefrenier se dresse sur la gauche. À droite de l'entrée, sur l'autel richement orné, trône un Ong Bon barbu tenant un bâton. Derrière l'autel, trois vitrines de verre abritent Quan Cong flanqué de ses assistants, Chau Xuong, à gauche, et Quan Binh, à droite. Une niche particulièrement travaillée, à droite de Quan Binh, accueille Thien Hau.

La pagode Nghia An Hoi Quan est située près de la pagode Thien Hau.

Mosquée de Cholon.
Les lignes pures et l'absence de décoration de cette mosquée (*641 Ð Nguyen Trai ; tlj*) offrent un contraste saisissant avec les pagodes bouddhiques, chinoises et vietnamiennes avoisinantes. La cour comporte un bassin pour les ablutions rituelles. Remarquez la niche carrelée (*mihrab*) dans le mur, indiquant la direction de La Mecque. La mosquée a été construite en 1932 par des musulmans tamouls. Depuis 1975, elle est fréquentée par les communautés malaise et indonésienne.

Pagode Quan Am.
Construite en 1816 par la congrégation chinoise du Fujian, la pagode Quan Am (*12 Ð Lao Tu*) est dédiée à Quan The Am Bo Tat, la déesse de la miséricorde.

C'est la pagode la plus fréquentée de Cholon et l'influence chinoise saute aux yeux. Le toit est orné de céramiques représentant des scènes fantastiques tirées de récits chinois traditionnels : navires, maisons, personnages, dragons à l'air féroce… De très anciens panneaux en laque et or décorent les portes d'entrée. Les fresques en léger relief des murs du porche représentent des scènes de la Chine au temps de Quan Cong. Des sculptures sur bois très travaillées soutiennent le toit qui le surplombe.

Derrière l'autel principal, une statue dorée d'A Pho, l'impératrice céleste et mère sacrée, se pare de riches vêtements. Devant elle, une châsse de verre abrite les statues peintes du Bouddha Thich Ca, de Quan The Am Bo Tat et d'Ameda, assis et rieur. À l'extrême gauche, on découvre une statue en or de Dia Tang Vuong Bo Tat (le roi de l'enfer).

On retrouve A Pho sur l'autel carrelé de rose dans la cour située derrière le sanctuaire principal. Quan The Am Bo Tat se dresse tout près, drapée dans des vêtements blancs brodés. À gauche de l'autel on voit son lit richement orné. À droite on découvre Quan Cong, flanqué de ses gardiens. À l'extrême droite, devant un autre autel rose, le juge Bao Cong se reconnaît à son visage noir.

La pagode Quan Am se situe à un pâté de maisons de Ð Chau Van Liem.

Pagode Phuoc An Hoi Quan. Édifiée en 1902 par la congrégation du Fujian, cette pagode *(184 Đ Hung Vuong)* est l'une des plus belles de HCMV. Parmi ses attraits majeurs, signalons particulièrement les nombreuses miniatures de porcelaine, les objets de culte en cuivre finement ciselés, ainsi que les belles sculptures sur bois qui ornent les autels, les murs, les colonnes et les lanternes. Le toit, décoré de scènes en céramique, fourmille de personnages.

À gauche de l'entrée se trouve une statue grandeur nature du cheval sacré de Quan Cong. Avant d'entreprendre un voyage, la coutume veut que l'on vienne lui faire une offrande et caresser sa crinière en faisant tinter la cloche qu'il porte à son cou. L'autel principal, où brûle, dans des récipients de pierre et de cuivre, de l'encens, est dominé par Quan Cong, à qui la pagode est dédiée. Derrière l'autel, à gauche, vous remarquerez Ong Bon et deux serviteurs. L'autel situé à droite porte des représentations de personnages bouddhistes plutôt que taoïstes. Une vitrine contient une statue en plâtre du Bouddha Thich Ca et deux statues de la déesse de la miséricorde, l'une en porcelaine, l'autre en cuivre.

Pagode Ong Bon. La congrégation du Fujian est aussi à l'origine de la construction de cette pagode *(Chua Ong Bon et Nhi Phu Hoi Quan ; 264 ĐL Hai Thuong Lai Ong ; 5h-17h)*, dédiée à Ong Bon, le gardien du bonheur et de la vertu. L'autel en bois est délicatement sculpté et doré. Dans la cour de la pagode à droite, une statue de Quan The Am Bo Tat, abritée dans une châsse de verre, occupe une petite pièce. Elle est dominée par une tête du Bouddha Thich Ca. En face de l'entrée de la pagode, contre au mur, Ong Bon accueille les fidèles qui le prient pour atteindre le bonheur et se libérer des soucis d'argent. Il fait face à un bel autel de bois finement sculpté. Sur les murs, des fresques délavées représentent cinq tigres (à gauche) et deux dragons (à droite). De l'autre côté du mur orné de dragons, un brasier dévore les faux billets de banque, qui symbolisent les richesses que les fidèles envoient à leurs défunts. À la diagonale se tient Quan Cong, flanqué de ses deux gardiens, Chau Xuong (à sa droite) et Quan Binh (à sa gauche).

ĐL Hai Thuong Lai Ong court parallèlement à ĐL Tran Hung Dao.

Pagode Ha Chuong Hoi Quan. Typiquement fujianaise, cette pagode *(802 Đ Nguyen Trai)* est consacrée à Thien Hau, déesse de la mer originaire du Fujian. Les quatre piliers de pierre sculptée, entourés de dragons peints, ont été fabriqués en Chine et acheminés par bateau. De belles fresques encadrent l'autel principal et des bas-reliefs de céramique ornent le toit. Le sanctuaire s'anime tout particulièrement lors de la fête chinoise des Lanternes, le 15e jour du 1er mois lunaire (la première pleine lune de la nouvelle année lunaire).

Église Cha Tam. C'est dans cette église *(25 Đ Hoc Lac)* que se sont réfugiés le président Ngo Dinh Diem et son frère Ngo Dinh Nhu, lors du coup d'État du 2 novembre 1963. Après avoir vainement tenté de rallier les rares officiers fidèles, ils acceptèrent de se rendre sans conditions. Les chefs de la mutinerie envoyèrent un petit véhicule blindé à l'église, afin de conduire les deux hommes en prison. Les soldats les exécutèrent à bout portant avant même d'atteindre Saigon et lardèrent les cadavres de coups de couteau.

L'annonce à la radio de la mort des deux frères plongea la ville dans la joie. Leurs portraits furent mis en pièces et les prisonniers politiques, dont beaucoup avaient été torturés, furent libérés. Les boîtes de nuit que les Ngo, fervents catholiques, avaient fait fermer, rouvrirent. Trois semaines plus tard, le président américain John Kennedy était assassiné. L'administration Kennedy ayant soutenu le coup d'État contre Diem, certains théoriciens de la conspiration ont laissé entendre que la famille Diem avait pu se venger en commanditant cet assassinat.

L'église Cha Tam, un bel édifice jaune pastel et blanc, fut bâtie vers la fin du XIXe siècle. La statue dans le clocher représente Mgr François-Xavier Tam Assou (1855-1934), un vicaire apostolique d'origine chinoise. La congrégation de l'église, très dynamique, compte quelque 3 000 Vietnamiens et 2 000 Chinois.

Des messes sont dites tous les jours. L'église se trouve à l'extrémité ouest de ĐL Tran Hung Dao.

Pagode Khanh Van Nam Vien. Construite entre 1939 et 1942 par les Cantonnais, cette pagode *(46/5 Đ Lo Sieu ; tlj*

6h30-17h30) serait l'unique pagode taoïste du Vietnam. HCMV ne compterait que 4 000 authentiques taoïstes, bien que la plupart des Chinois pratiquent un mélange de taoïsme et de bouddhisme.

À quelques mètres de l'entrée se dresse une statue de Hoang Linh Quan, le gardien en chef de la pagode. Le symbole du yin et du yang figure sur la plate-forme supportant les encensoirs. Derrière l'autel principal s'élèvent quatre statues : Quan Cong (à droite) et Lu Tung Pan (à gauche), divinités taoïstes ; entre les deux, Van Xuong symbolise le confucianisme ; et à l'arrière, se tient Quan The Am Bo Tat, la déesse bouddhique de la miséricorde. Devant ces statues, une vitrine abrite sept dieux et une déesse, tous en porcelaine. Sur les autels, de part et d'autre des quatre statues, apparaissent Hoa De (à gauche), un célèbre médecin sous la dynastie Han, et Huynh Dai Tien (à droite), un disciple de Lao-tseu (Thai Thuong Lao Quan en vietnamien). À l'étage, la grande statue de Lao-tseu (ou Laozi) est auréolée d'un miroir rond entouré d'un éclairage fluorescent.

Deux stèles de pierre à sa gauche expliquent les techniques de l'inspiration et de l'expiration. Un dessin schématique représente les organes du corps humain sous la forme d'un paysage chinois. Le diaphragme, agent de l'inspiration, est situé en bas. Un paysan labourant avec son buffle incarne l'estomac. Quatre symboles du yin et du yang évoquent le rein ; le foie a la forme d'un bosquet et le cœur, celle d'un cercle où se tient un paysan, surmonté d'une constellation. La haute pagode symbolise la gorge et l'arc-en-ciel, la bouche. En haut, les montagnes et le personnage assis représentent respectivement le cerveau et l'imagination.

La pagode gère un foyer qui accueille 30 personnes âgées sans famille, pour la plupart des femmes. Chaque pensionnaire dispose d'un fourneau en brique pour sa cuisine. À côté, les bonzes ont également installé un dispensaire gratuit où l'on soigne par phytothérapie et par acupuncture. Si vous voulez soutenir cette action, vous pouvez faire un don aux bonzes.

Les prières sont dites chaque jour de 8h à 9h. Vous accéderez à la pagode en quittant Đ Nguyen Thi Nho (perpendiculaire à Đ Hung Vuong) au niveau des numéros 269B et 271B.

Pagode Phung Son. Cette pagode bouddhique (carte Agglomération de HCMV ; Phung Son Tu et Chua Go ; 1408 ĐL 3/2 ; 5h-19h) possède une riche statuaire en cuivre martelé, bronze, bois et céramique. Certaines statues sont dorées tandis que d'autres, superbement sculptées, sont peintes. De style vietnamien, la pagode a été construite entre 1802 et 1820 sur l'emplacement de ruines de la période Funan (Ier-VIe siècles). Les fondations d'édifices datant de cette période ont été mises au jour.

Il fut décidé, il y a fort longtemps, de transférer la pagode sur un autre emplacement. Les objets rituels (cloches, tambours, statues) furent alors chargés sur le dos d'un éléphant blanc, mais celui-ci croula sous le poids et son chargement tomba dans une mare. On vit là le signe que la pagode devait demeurer sur le site initial. Les objets sacrés furent tous retrouvés, à l'exception de la cloche. Jusqu'au XIXe siècle, on l'entendait, paraît-il, à chaque changement de lune.

L'estrade centrale, à multiples niveaux, est dominée par la statue dorée du Bouddha A Di Da, assis sous un baldaquin en compagnie de deux mobiles ressemblant à des êtres humains décapités. Il est entouré, à gauche, de Quan The Am Bo Tat et, à droite, de Dai The Chi Bo Tat. À gauche de l'estrade, un autel supporte une statue de Boddhi Dharma, qui apporta le bouddhisme d'Inde jusqu'en Chine. La statue, en céramique chinoise, arbore un visage aux traits indiens.

En allant du sanctuaire principal à la salle comportant un patio, vous découvrez un autel portant quatre statues, dont un Bouddha Thich Ca debout, en bronze et d'origine thaï. Sur la droite, un autre autel supporte une vitrine contenant une statue en bois de santal. Il s'agirait de Long Vuong (roi des dragons), qui amène la pluie. La pagode est entourée de remarquables tombes de bonzes.

La pagode se trouve dans le district 11. Les prières ont lieu trois fois par jour, à 4h, 16h et 18h. Les entrées principales sont en général fermées à clé à cause des vols, mais l'entrée latérale (à gauche en arrivant) reste ouverte aux heures habituelles.

PARCS
Parc Cong Vien Van Hoa
Près de l'ancien Cercle sportif, qui fut le club huppé de la période coloniale fran-

...aise, de gigantesques arbres tropicaux ombragent les allées du parc.

Le club sportif fonctionne toujours et comprend onze courts de tennis, une piscine et un club-house. Un café surplombe la piscine à colonnades et ses bains à la romaine.

Les tarifs de location des courts de tennis sont très raisonnables. L'accès à la piscine se paie à l'heure et l'on peut, au besoin, acheter un maillot de bain sur place. Les antiques vestiaires manquent de verrous, mais pas de charme. Parmi les autres activités, citons un gymnase, une table de ping-pong, des haltères, un tapis de lutte et des cours de danse de salon.

Le matin, l'on voit souvent des Vietnamiens pratiquer le *thai cuc quyen*, une boxe au ralenti. Le parc abrite des répliques miniatures des tours cham les plus célèbres de Nha Trang.

Le parc Cong Vien Van Hoa jouxte le palais de la Réunification et possède deux entrées : face au 115 Ð Nguyen Du et dans Ð Nguyen Thi Minh Khai.

Parc Ho Ky Hoa

Ce parc *(carte Agglomération de HCMV ; tlj 7h-21h30)*, dont le nom signifie "étangs et jardins", se situe dans le district 10, près de ÐL 3 Thang 2, derrière la pagode Quoc Tu. Dans ce parc d'attractions pour enfants, vous pourrez louer des pédalos, des barques et des bateaux à voiles. La pêche est autorisée dans les étangs et l'endroit comprend une petite piscine, ouverte au public en saison, ainsi que des cafés, ouverts à l'année. Le parc est très fréquenté le dimanche.

BINH SOUP SHOP

Ne soyez pas surpris de voir une échoppe de nouilles dans cette rubrique : cet établissement *(carte Agglomération de HCMV ; ☎ 848 3775, 7 Ð Ly Chinh Thang, district 3 ; soupe aux nouilles 15 000 d)* abritait, pendant la guerre, le QG secret de l'armée vietcong de Saigon. C'est ici qu'a été planifiée l'attaque, entre autres, de l'ambassade américaine durant l'offensive du Têt de 1968. Le Binh Soup Shop sert un *pho* délicieux.

VILLAGE TOURISTIQUE DE BINH QUOI

Édifié sur une petite presqu'île sur le fleuve Saigon, ce "village" *(Lang Du Lich Binh Quoi ; ☎ 899 1831, ☎ 899 4103, 1147 Ð Xo Viet Nghe Tinh ; bungalows 8-10 $US)* est un véritable piège à touristes géré par Saigon Tourist. Peu de voyageurs à petit budget le visitent, contrairement aux touristes plus fortunés, qui s'y rendent par bus entiers, et à quelques citadins désireux d'échapper à la ville.

Ce "village" est en fait un parc qui offre moult possibilités : promenades en barque, spectacles de marionnettes aquatiques, restaurant, piscine, courts de tennis, terrain de camping, pension et autres attractions pour enfants. Des représentants des minorités ethniques aiment s'y marier, en musique, selon leurs traditions. Quelques alligators dans un enclos attendent les visiteurs. Il est agréable de s'y promener en bateau ; les plus petites embarcations accueillent 16 passagers, les plus grandes, jusqu'à 100.

À proximité du théâtre de marionnettes aquatiques, vous pouvez vous inscrire aux festivités nocturnes, dîners-croisières et spectacles.

Les **bungalows** sur pilotis sont sans doute les hébergements les plus plaisants. Construits sur le fleuve, ils donnent un aperçu de la vie traditionnelle dans le delta du Mékong, agrémentée cependant de la climatisation et de courts de tennis. Demandez une chambre avec vue sur le fleuve Saigon.

Le village touristique est à 8 km au nord du centre de HCMV, dans le district de Binh Thanh. Vous pouvez vous y rendre en cyclo, en moto ou en taxi. Une autre solution, moins rapide, consiste à louer un bateau sur la jetée de Bach Dang, au bord du Saigon.

CLUBS DE FITNESS ET PISCINES

À l'instar du parc aquatique de Saigon et de ses récents clones (voir plus loin), plusieurs hôtels de luxe possèdent de belles piscines. Elles sont ouvertes aux non résidents, moyennant un droit d'entrée de 5 à 10 $US par jour. Parmi ces hôtels, citons l'Omni, le Metropole, le Palace et le Rex.

Il existe nombre de piscines publiques moins chères et, parmi les plus récentes, certaines s'avèrent en excellent état. L'accès, très bon marché, se paie à l'heure. Mentionnons la piscine **Lam Son** *(carte Agglomération d'HCMV ; ☎ 835 8028, 342 Ð Tran Binh*

Trong, district 5 ; 5 000 d l'heure, 6 000 d après 17h ; tlj 8h-20h), avec son bassin olympique. Vous pouvez également profiter de la piscine du **Workers' Club** (carte Centre de HCMV ; ☎ 930 1819, 55B Đ Nguyen Thi Minh Khai, district 3 ; 10 000 d l'heure).

L'**International Club** (carte Agglomération d'HCMV ; ☎ 865 7695, 285B Đ Cach Mang Thang Tam, district 10 ; 25 000 d ; tlj 9h-24h) dispose d'un bon bassin extérieur, d'un sauna, de hammams, d'une salle de gymnastique et d'un salon de beauté. Pour 120 000 d, vous pourrez utiliser tous les équipements pendant une journée et vous aurez droit à un massage de 50 minutes. Il existe toutefois des centres de massage plus compétents, comme le Spa Tropic (voir la rubrique Massage et spas).

Si vous aimez les arts martiaux, le meilleur endroit pour découvrir (et essayer) le *thai cuc quyen* est le parc Cong Vien Van Hoa, ou encore le quartier de Cholon, qui abrite une forte population d'origine chinoise.

PARCS AQUATIQUES

Un grand nombre de parcs aquatiques ont récemment ouvert à HCMV et dans les environs. C'est le bon endroit pour se rafraîchir et faire une pause entre les visites de pagodes et de musées. Les voyageurs avec des enfants y apprécieront quelques heures de baignade et de jeux lors d'une journée particulièrement chaude (apportez un appareil photo étanche). Vous éviterez la foule en semaine, entre 11h et 14h (la plupart des Vietnamiens préfèrent éviter le soleil de midi) mais, plus difficilement, les coups de soleil.

Le parc aquatique de Saigon (☎ 897 0456, Đ Kha Van Can ; tarif plein/réduit 60 000/35 000 d, billet natation 35 000 d ; lun-ven 9h-17h, sam 9h-20h, dim et jours fériés 8h-20h) est une oasis géante installée dans les faubourgs de la ville. Il comprend de multiples attractions, dont des piscines à toboggans, à vagues et un bassin pour les petits. Le restaurant offre de jolies vues sur le fleuve. Le parc aquatique se trouve dans le district de Thu Duc (près du pont Go Dua). Il est trop éloigné pour les cyclos, mais vous pouvez prendre un taxi (quelque 50 000 d au compteur) ou emprunter la navette qui part toutes les 30 minutes du marché Ben Thanh (5 000 d).

Le Shark Waterland (carte Cholon, ☎ 853 7867, Đ Ham Tu, district 5 ; 20 000-45 000 d ; tlj 8h-21h) est un endroit agréable pour une baignade si vous vous trouvez à Cholon. Il compte plusieurs piscines et toboggans. Le **parc aquatique de Dam Sen** s'avère un peu plus éloigné, tandis que le **Vietnam Water World** se situe à l'extérieur de la ville, dans la banlieue est.

Massage et spas

La meilleure adresse (et la moins chère) de la ville pour les massages est l'**Institut vietnamien de massage traditionnel** (carte Quartier de Pham Ngu Lao ; ☎ 839 6697, 185 Đ Cong Quynh ; tlj 9h-21h). L'institut emploie des masseurs aveugles ayant reçu une solide formation auprès de l'Association de Ho Chi Minh-Ville pour les aveugles. Il vous en coûtera seulement 25 000 d l'heure (10 000 d de plus avec la clim.). Le sauna revient à 20 000 d l'heure. L'institut emploie 18 masseurs et vous n'aurez pas besoin de réserver.

Pour s'offrir un excellent massage "bien comme il faut", rien ne vaut le **Spa Tropic** (carte Centre de HCMV ; ☎ 822 8895, info@spatropic.com, 187B Hai Ba Trung, district 3 ; tlj 10h-20h). Ce centre de beauté propose, dans un cadre plutôt zen, un grand choix de soins du visage à l'aromathérapie (28 $US), de soins du corps (20-35 $US) et de massages thérapeutiques (à partir de 18 $US), qui vont des méthodes suédoises à un massage shiatsu en profondeur. Spa Tropic occupe la même ruelle tranquille que le Tib Restaurant. Téléphonez pour réserver.

La plupart des grands hôtels proposent un service de massage (certains plus sérieux que d'autres).

BOWLING

Le **Diamond Superbowl** (carte Quartier de Dong Khoi ; ☎ 825 7778, 4e étage, Diamond Plaza, 34 Đ L Le Duan ; tlj 10h-1h) offre, en plein centre-ville, 32 pistes ultramodernes des boules fluorescentes et un marquage des points électroniques. Le Superbowl paraît très apprécié des Vietnamiens. Un grand centre de loisirs complète les lieux, avec une salle de billard, une galerie de jeux vidéo et des magasins. Les tarifs du bowling varient en fonction des heures et des jours. Comptez de 100 000 à 200 000 d l'heure pour la piste et 20 000 à 40 000 d

ar partie. La location des chaussures revient à 5 000 d.

GOLF

Le **Vietnam Golf and Country Club** *(Cau
Lac Bo Golf Quoc Te Viet Nam ; ☎ 733 0124,
fax 733 0127, 40-42 Đ Nguyen Trai, Ap Gian
Dan, district 2)* fut le premier terrain du
Vietnam à ouvrir, sous les feux des pro-
jecteurs. Ce club est installé dans le parc
Lam Vien, à 15 km environ à l'est du centre
de HCMV. L'adhésion coûte au minimum
41 000 \$US, mais les visiteurs payants
restent les bienvenus. Le practice revient
à 10 \$US, le parcours complet, à 82 \$US.
Parmi les autres installations, vous trouverez des courts de tennis et une piscine.

Le **Rach Chiec Driving Range** *(☎ 896
0756 ; tlj 6h-22h)* est un excellent endroit
pour améliorer votre swing. Le seau de
50 balles coûte 40 000 d. Vous pouvez
également louer des clubs, des chaussures
et faire appel à un professeur. Le club se
situe au village d'An Phu, à 20 minutes en
voiture du centre de HCMV, en prenant la
RN 1 vers le nord.

Si vous pratiquez le golf avec passion,
vous apprécierez les beaux greens de Phan
Thiet (voir le chapitre Le littoral du Centre
et du Sud) et de Dalat (voir le chapitre Les
Hauts Plateaux du Centre).

Consultez le site www.vietnamgolf
resorts.com pour des renseignements com-
plémentaires sur les terrains de golf et les
séjours de golf à prix raisonnables.

COURS DE CUISINE

Le **Centre de cuisine du Vietnam** propose
un grand choix de cours de cuisine. Les
cours pour débutants durent 5 heures.
Pour plus d'informations, contactez **Expat
Services** *(☎ 823 5872, fax 823 5873,
vietnamcookery@hcm.vnn.vn, 177 Đ Dien
Bien Phu, district 3)*.

COURS DE LANGUES

La plupart des étudiants étrangers s'ins-
crivent à l'**université de Formation des
maîtres** *(Dai Hoc Su Pham ; 835 5100,
riecer@hcm.vnn.vn, 280 An Duong Vuong,
district 5)* de l'université de Ho Chi Minh-
Ville. Les leçons privées coûtent 4 \$US
l'heure et les cours en groupe 2,50 \$US.

Vous pouvez également suivre des
cours à l'**université des Sciences sociales**
et humaines *(Dai Hoc Khoa Hoc Xa Hoi
Va Nhan Van ; ☎ 822 5009, 12 Dinh Tien
Hoang, district 1)*. Les inscriptions se font
pour un trimestre et les cours sont facturés
2,80 \$US l'heure.

OÙ SE LOGER

Chaque catégorie de visiteurs s'est attribuée un secteur de la ville. Les voyageurs
à petit budget se regroupent plutôt dans le
quartier de Pham Ngu Lao, à l'extrémité
ouest du district 1, où est établie la grande
majorité des adresses bon marché. Les touristes à la bourse mieux garnie préfèrent
les hôtels plus cossus de Đ Dong Khoi,
à la lisière est du district 1. Les Français
semblent avoir un faible pour le district 3,
tandis que Cholon attire les Hongkongais
et les Taiwanais.

OÙ SE LOGER –
PETITS BUDGETS

Si vous ne savez pas où loger et que votre
budget reste limité, prenez un taxi jusqu'au quartier de Pham Ngu Lao et faites
vos recherches à pied. Pour ne pas vous
encombrer de vos sacs, qui font de vous
une cible idéale pour les cyclo-pousse et
les rabatteurs, déposez-les dans un café
de voyageurs. La plupart d'entre eux vous
rendront volontiers ce service et seront
ravis de vous montrer les circuits qu'ils
proposent. Vous pouvez également réserver par e-mail ou par fax – l'hôtel enverra
une voiture vous chercher à l'aéroport pour
environ 5 \$US.

Quartier de Pham Ngu Lao

Đ Pham Ngu Lao, Đ De Tham et Đ Bui
Vien forment un paradis pour les voyageurs à petits budgets. Les rues et les
ruelles adjacentes, collectivement appelées
Pham Ngu Lao, regorgent d'hébergements,
de restaurants, de bars, de cafés et d'agences de voyages à petits prix.

Au dernier recensement, on comptait plus
d'une centaine d'adresses dans le quartier
de Pham Ngu Lao. Vous n'aurez donc *aucun*
problème pour trouver une chambre, mais la
trouver à votre goût reste une autre affaire.
Quelques établissements proposent des lits
en dortoirs (3 \$US) et vous aurez le choix
entre une multitude de "mini-hôtels" (de 6 à
10 \$US). Pour 10 à 20 \$US, vous pourrez
séjourner dans des mini-hôtels plus récents

HO CHI MINH-VILLE

(et plus confortables), dont les chambres possèdent un réfrigérateur, une baignoire, le téléphone et la TV par sat.

À 100 m au sud de Đ Pham Ngu Lao, Đ Bui Vien, pensions et mini-hôtels se succèdent sans interruption. L'"allée des mini-hôtels", flanquée de part et d'autre (et prolongée) par Đ Bui Vien et Đ Pham Ngu Lao, concentre plus d'une douzaine d'établissements quasiment identiques. La plupart sont des affaires familiales et les prix s'échelonnent de 6 à 10 $US pour une chambre ventilée, et de 10 à 15 $US pour une chambre plus spacieuse et climatisée (parfois avec balcon).

Bich Thuy Guesthouse (☎ 836 9953, phucgreyhair@hotmail.com, 5 Đ Do Quang Dau ; lits en dortoir 3 $US, chambres avec ventil./clim. à partir de 5/7 $US). Cette pension gérée par le sympathique M. Phuc, ancien chauffeur pour les touristes, s'avère très bon marché. Le petit déjeuner est offert et, pour une somme modique, vous pourrez profiter du salon de coiffure.

Tan Thanh Thanh Hotel (☎ 837 3595, fax 836 7027, tanthanhthanh@hcm.fpt.vn, 205 Đ Pham Ngu Lao ; lits en dortoir à partir de 3 $US, chambres 5-10 $US). Tout premier dans le quartier à installer des dortoirs, cet établissement offre également le petit déjeuner.

Parmi les autres adresses à petit prix du quartier figurent l'**Hotel 265** (☎ 836 7512, fax 836 1883, hotelduy@hotmail. com, 265 Đ De Tham ; lits en dortoir 3 $US, chambres avec clim. à partir de 10/12 $US), la **Vinh Guesthouse** (☎ 836 8585, fax 836 8787, lelehotel@hcm.fpt.vn, 269 Đ De Tham ; chambres avec clim. 10 $US) et le **Peace Hotel** (☎ 837 2025, fax 836 8824, hasanvnn@ hcm.vnn.vn, 272 Đ De Tham ; simples/ doubles avec ventil. 7/8 $US, avec clim. 9/10 $US).

Giang Son Guesthouse (☎ 837 7547, fax 837 7548, giangson_guesthouse @hotmail.com, 283/14 Đ Pham Ngu Lao ; chambres 8-12 $US). Cette nouvelle pension se cache au fond d'une allée, à l'écart du bruit de l'avenue.

Ha Vy Hotel (☎ 836 9123, havy@ saigonnet.vn, 16-18 Đ Do Quang Dau ; chambres avec ventil. 7 $US, avec clim. 10 $US). Ce nouvel et vaste hôtel familial paraît apprécié des voyageurs.

Le quartier de Pham Ngu Lao offre une excellente sélection de mini-hôtels de meilleur standing, affichant des tarifs entre 12 et 25 $US. En voici quelques-uns.

Nous vous recommandons les trois magnifiques hôtels familiaux de Madame Cuc, une personnalité locale chaleureuse qui sait mettre ses hôtes à l'aise. Les chambres s'avèrent impeccables et bien équipées (réfrig., clim., TV par sat et baignoire) et le personnel se révèle très accueillant. Assez semblables, les trois établissements partagent la même adresse électronique et le même numéro de fax : **Hotel 127** (☎ 836 8761, fax 836 0658, madamcuc@hcm vnn.vn, 127 Đ Cong Quynh ; chambres 12 20 $US), **Hotel 64** (64 Đ Bui Vien ; chambres 10-20 $US) et **MC Hotel** (184 Đ Cong Quynh ; chambres 14-20 $US).

Si le trio affiche complet, essayez l'**Hotel 70** (☎ 836 5649, fax 836 9569, 70 Đ Bui Vien), un peu en contrebas de l'Hotel 64. Les prestations et les prix sont similaires.

Duna Hotel (☎ 837 3699, fax 837 6606 dunahotelvn@hcm.vnn.vn, 265 Đ Pham Ngu Lao ; chambres 10-20 $US). Ce mini-hôtel l'un des plus récents de ce quartier, compte un ascenseur et un petit restaurant.

Spring House Hotel (☎ 837 8312 fax 837 8311, hanhhoahotel@hcm.vnn.vn chambres 15-20 $US). Ce bel établissement de construction récente dispose également d'un ascenseur.

Hanh Hoa Hotel (☎ 836 0245 fax 836 1482, hanhhoahotel@hcm.vnn.vn 237 Đ Pham Ngu Lao ; chambres 12-25 $US) Le Hanh Hoa est le grand frère du Spring House Hotel.

Southern Hotel (☎ 837 0922, fax 836 9105, southernhotel@hcm.vnn.vnn, 216 Đ De Tham ; chambres 10-30 $US). Ce hôtel accueillant propose une "chambre spéciale" (30 $US) dotée d'une terrasse privée avec jardin.

Le Le Hotel (☎ 836 8686, fax 836 8787 lelehotel@hcm.fpt.vn, 171 Đ Pham Ngu Lao ; chambres 12-40 $US). Voici une autre adresse disposant d'un ascenseur et de la TV par sat.

Giant Dragon Hotel (☎ 836 1935 fax 836 7279, gd-hotel@hcm.vnn.vn 173 Đ Pham Ngu Lao ; chambres/suites 18/23 $US). Cet hôtel abrite des chambres assez luxueuses, avec la TV par sat.

Mai Phai Hotel (☎ 836 5868, fax 837 1575, maiphaihotel@saigonnet.vn, 209 Đ Pham Ngu Lao ; chambres 10-15 $US). Ce établissement est apprécié des voyageurs et les prix comprennent le petit déjeuner.

Hotel 211 (☎ 836 7353, fax 836 1883, hotelduy@hotmail.com, 211 Đ Pham Ngu Lao ; chambres avec ventil. 7-8 $US, avec clim. 9-12 $US). Voisin du Mai Phai, ce vaste hôtel satisfera les petites bourses. Toutes les chambres comptent une sdb avec eau chaude et le petit déjeuner est inclus.

Coco Loco Guesthouse (☎ 837 2647, 373/2 Pham Ngu Lao ; chambres avec clim. 10 $US). Cette pension plus ancienne se situe dans une minuscule ruelle derrière le marché Thai Binh.

Quyen Thanh Hotel (☎ 836 8570, fax 8369946, quyenthanhhotel@hcm.vnn. vn, 212 Đ De Tham ; chambres avec ventil/ clim. à partir de 8/10 $US). Cet hôtel propose des chambres sommaires et d'autres plus grandes et très bien équipées. Le rez-de-chaussée abrite une excellente boutique de **souvenirs**, où trouver des laques de la région, du vin de serpent et autres cadeaux.

Autres quartiers

À 10 minutes de marche du quartier de Pham Ngu Lao, de jolies pensions bordent la rue tranquille reliant Đ Co Giang à Đ Co Bac.

Miss Loi's Guesthouse (carte Centre de HCMV ; ☎/fax 836 7973, 178/20 Đ Co Giang, missloi@hcm.fpt.vn ; chambres avec ventil. 8-10 $US, avec clim. 12-15 $US). Premier établissement construit dans la rue, cet hôtel est sans doute aussi le meilleur. Zany Miss Loi offre le petit déjeuner et possède son propre salon de beauté. Nombre de voisins se lancent dans l'hôtellerie et le quartier semble destiné à devenir un autre paradis pour voyageurs à petit budget. Pour y parvenir, suivez Đ Co Bac vers le sud-ouest et tournez à gauche après les boutiques de *nuoc mam*.

Tan Hai Long Hotel (Carte Centre de Saigon ; ☎ 08-927 2738, fax 825 6012, 14 Đ Le Lai, tanhailonghotel@hcm.vnn. vn ; chambres 15-30 $US). Ce mini-hôtel tout en hauteur jouit d'une situation centrale, près du marché Ben Thanh. Les balcons des étages supérieurs offrent une belle vue (et beaucoup de bruit).

Bat Dat Hotel II (carte Cholon ; ☎ 855 5902, 41 Đ Ngo Quyen ; chambres à 2 lits avec clim. 150 000 d). Cet établissement est bien moins onéreux que son proche voisin, le Bat Dat Hotel. Le bâtiment, ancien,

ne manque pas de charme. Vous n'aurez aucun mal à repérer sa façade, ornée de moulures bleu franc.

OÙ SE LOGER – CATÉGORIE MOYENNE
Quartier de Pham Ngu Lao

Compte tenu des occasions en or à votre portée pour moins de 20 $US, il n'est pas nécessaire de dépenser plus. En revanche, si vous préférez les hôtels d'affaires plus spacieux, voici quelques bonnes adresses dans ce quartier.

Liberty 4 Hotel (☎ 836 5822, fax 836 5435, 265 Đ Pham Ngu Lao ; chambres 25-60 $US). Cet hôtel propose de belles chambres, qui ne valent pas forcément leur prix. Le restaurant au 9e étage offre de superbes vues.

Vien Dong Hotel (☎ 836 8098, fax 836 8812, viendonghotel@hcm.fpt.vn, 275A Đ Pham Ngu Lao ; simples 25-55 $US, chambres à 2 lits 30-60 $US). Cet autre établissement d'État compte un **restaurant** en terrasse sur son toit, ainsi qu'une boîte de nuit.

Metropole Hotel (carte Centre de HCMV ; ☎ 832 2021, fax 832 2019, 148 ĐL Tran Hung Dao ; chambres 35-70 $US). Ce luxueux hôtel, qui appartient à Saigon Tourist, possède une piscine.

Windsor Saigon Hotel (☎ 836 7848, fax 836 7889, reservations@windsorsaigon hotel.com, 193 ĐL Tran Hung Dao ; simples/ doubles à partir de 90/95 $US). Quelques mètres au sud de Đ Bui Vien, cet établissement offre tout le confort, y compris une limousine Cadillac blanche ! Un agréable **café**, avec jardin, est installé sur le toit et l'excellente **boulangerie-épicerie fine** vend des pâtisseries, du vin, du fromage et des saucisses.

Quartier de Dong Khoi

Si vous préférez loger dans le centre-ville, faites votre choix parmi les nombreux hôtels installés Đ Dong Khoi ou sur les rives de la Saigon. Tous sont bien équipés et proposent notamment la clim. et la TV par sat.

Thang Long Hotel (☎ 822 2595, fax 824 5220, thanglonghotel@hcm.fpt.vn, 48 Đ Mac Thi Buoi ; simples/doubles à partir de 16/20 $US, suites 35/40 $US). Ce mini-hôtel offre une ambiance typiquement chinoise. Tout comme le **Dong Do Hotel**, installé juste en face.

Kim Long Hotel (☎ 822 8558, fax 822 5024, kimlonghotel@hcm.vnn.vn, 58 Đ Mac Thi Buoi; simples/doubles 20/25 $US). Cet agréable mini-hôtel occupe la même rue. Les chambres en façade possèdent de grands balcons.

Bach Dang Hotel (☎ 825 1501, fax 823 0587, 33 Đ Mac Thi Buoi; chambres 39-45 $US). Dans cet établissement aéré et lumineux, certaines chambres profitent d'une vue sur la rivière.

Kim Do Hotel (☎ 822 5914, fax 822 5915, 133 ĐL Nguyen Hué; chambres 40-100 $US). Ce somptueux hôtel appartient également à Saigon Tourist.

Asian Hotel (☎ 829 6979, fax 829 7433, asianhotel@hcn.fpt.vn, 150 Đ Dong Khoi; chambres à partir de 35 $US). Ce bâtiment moderne situé en plein centre-ville est réputé pour son **restaurant**.

Bong Sen Hotel (☎ 829 1516, fax 829 8076, 117-123 Đ Dong Khoi; chambres à 2 lits avec clim. 50-180 $US). Surnommé «le BS» par les voyageurs, cet établissement attire surtout les hommes d'affaires.

Bong Sen Annexe (☎ 823 5818, fax 823 5816, 61-63 ĐL Hai Ba Trung; simples/doubles 40/56 $US, avec vue sur la ville 50/65 $US, suites junior 70/85 $US). Un lieu à recommander, en raison de ses prix, un peu plus raisonnables que ceux pratiqués par le Bong Sen.

Spring Hotel (☎ 829 7362, fax 822 1383, 44-46 Đ Le Thanh Ton; doubles 25-59 $US). Cet hôtel soigné, d'où se dégage une subtile ambiance japonaise, offre le petit déjeuner.

Orchid Hotel (☎ 823 1809, fax 829 2245, 29A Đ Don Dat; simples 25-40 $US, doubles 30-50 $US). Voici une autre bonne adresse, à l'angle de Đ Thai Van Lung, où bénéficier de nombreuses prestations, dont un karaoké et un service de chambre 24h/24.

District 3

Ce quartier (voir carte *Centre* de HCMV) attire un grand nombre de Français, peut-être en raison de son architecture coloniale.

Chancery Saigon Hotel (☎ 930 4088, fax 930 3988, chancery@hcm.vnn.vn, 196 Đ Nguyen Thi Minh Khai; chambres 40-60 $US). Près du Saigon Star, ce palace luxueux et moderne appartient à la chaîne américaine Best Western.

Saigon Star Hotel (☎ 823 0260, fax 823 0255, 204 Đ Nguyen Thi Minh Khai; chambres 45-85 $US++). À côté, ce bel établissement possède la TV par satellite, deux **restaurants**, un **café**, un karaoké et un centre d'affaires. Les tarifs incluent le petit déjeuner.

International Hotel (☎ 930 4009, fax 930 4566, international-ht@hcm. vnn.vn, 19 Đ Vo Van Tan; chambres 30-50 $US++). Cet hôtel offre d'excellentes prestations. Les chambres comptent tous les équipements de cette catégorie (TV par sat, minibar, ligne de téléphone internationale directe et coffre).

District 5 (Cholon)

Bat Dat Hotel (☎ 855 1662, 238-244 ĐL Tran Hung Dao; chambres à 2 lits avec clim. 30-45 $US). Cet établissement est le clinquant voisin du Bat Dat Hotel II.

Caesar Hotel (☎ 835 0677, fax 835 0106, 34-36 ĐL An Duong Vuong; chambres à 2 lits 26-40 $US). Vous n'aurez aucun mal à trouver cet hôtel dans l'animation du marché Andong. Il attire surtout les hommes d'affaires taiwanais.

Arc En Ciel Hotel (☎ 855 4435, fax 855 2424, 52-56 Đ Tan Da; simples/doubles à partir de 20/30 $US). Cet établissement, doublé du Rainbow Disco Karaoke, plaît beaucoup aux groupes touristiques de Hong Kong et de Taiwan. Il se situe à l'angle de ĐL Tran Hung Dao.

Districts de Tan Binh et de Phu Nhuan

Ces quartiers se trouvent au nord de la ville, vers l'aéroport (voir la *carte* Agglomération d'Ho Chi Minh-Ville).

Novotel (☎ 842 1111, fax 842 4363, rsvngpnovotel@hcm.vnn.vn, 309B Đ Nguyen Van Troi; chambres 64-110 $US++). Cet hôtel est sans aucun doute le plus beau à proximité de l'aéroport. Les non-résidents peuvent accéder à la piscine moyennant 8 $US.

Omni Hotel (☎ 844 9222, fax 844 9200, rsvns@omnisaigonhotel.com, 251 Đ Nguyen Van Troi; chambres 63-185 $US++). Cet établissement, le plus luxueux du quartier, offre tout le confort, des coffres-fort au fleuriste et au club de remise en forme.

Chains First Hotel (☎ 844 1199, fax 844 4282, first.hotel@hcm.vnn.vn, 18 Đ Hoang Viet; chambres à partir de 40-60 $US++).

Cet hôtel comprend un café, une boutique de cadeaux, des courts de tennis, un sauna, un salon de massage, trois **restaurants**, une piscine, un centre d'affaires et une navette gratuite depuis/vers l'aéroport. Les tarifs comprennent le petit déjeuner et une corbeille de fruits.

OÙ SE LOGER – CATÉGORIE SUPÉRIEURE

La quasi-totalité des hôtels de luxe de HCMV sont rassemblés dans le district 1 (Saigon), notamment dans le quartier de Dong Khoi. Ne vous laissez pas impressionner par les tarifs : ces établissemnents consentent souvent d'importantes remises. Envoyez un e-mail pour connaître les "promotions" du moment.

Dans certains hôtels de luxe, une double taxe de 10% et de 5% est à ajouter au prix que nous indiquons (++). Reportez-vous à la rubrique *Hébergement* du chapitre *Renseignements pratiques* pour plus de détails sur le sujet.

Continental Hotel (☎ 829 9201, fax 824 1772, continental@hcm.vnn.vn, 132-134 Đ Dong Khoi ; chambres 55-130 $US). Cet hôtel, l'un des plus ancien de HCMV, a servi de cadre au roman de Graham Greene *Un Américain bien tranquille*. Datant de la fin du XIXᵉ siècle, il a été rénové en 1989, aux frais de son propriétaire actuel, Saigon Tourist.

Rex Hotel (☎ 829 6043, fax 829 6536, rexhotel@hcm.vnn.vn, 141 ĐL Nguyen Hué ; chambres à 2 lits et suites 70-550 $US). Cet immense bâtiment est une autre adresse classique et centrale. Son atmosphère un peu kitsch rappelle l'époque où il accueillait les officiers américains. Il compte une grande boutique de cadeaux, un tailleur, un salon de beauté, un service de massage et d'acuponcture, ainsi qu'une petite piscine au 6ᵉ étage. La véranda sur le toit, agrémentée d'une volière et de bonsaïs taillés en forme d'animaux, jouit d'une vue magnifique.

Caravelle Hotel (☎ 823 4999, fax 824 3999, hotel@caravellehotel.vnn.vn, place 19 Lam Son ; chambres 160-980 $US++). Cet hôtel très vaste et élégant occupe un site exceptionnel sur l'ancien terrain du diocèse de Saigon. Il compte parmi les adresses les plus somptueuses de la ville. Les non-résidents peuvent profiter de la piscine, moyennant 10 $US.

Majestic Hotel (☎ 829 5514, fax 822 9744, fomajestic@sgt.vnn.vn, 1 Đ Dong Khoi ; chambres 70-130 $US, suites 150-220 $US). Construit en 1925 au bord de la Saigon, cet établissement mérite pleinement son nom depuis sa rénovation. Un client écrit : "Le Majestic n'a pas son pareil pour la classe et l'atmosphère des jours d'antan".

Grand Hotel (☎ 823 0163, fax 823 5781, grand-hotel@fmail.vnn.vn, 12 Đ Ngo Duc Ke ; chambres 45-220 $US). Situé à l'angle de Đ Dong Khoi, cet hôtel réputé de longue date porte bien son nom. Il a été rénové et comporte des suites spacieuses, hautes de plafond (4,5 m) et dotées de fenêtres à la française. Une piscine intérieure et un salon de massage complètent les installations.

Saigon Prince Hotel (☎ 822 2999, fax 822 588, 63 ĐL Nguyen Hué ; chambres à 2 lits 80-200 $US++). Ici, les chambres s'avèrent d'un luxe éblouissant. Les expatriés affirment que le service de massage est le meilleur de la ville. La formule massage-sauna-jacuzzi à 14 $US (du lundi au vendredi) reste raisonnable.

Norfolk Hotel (☎ 829 5368, fax 829 3415, norfolk@bdvn.vnd.vet, 117 Đ Le Thanh Ton ; simples 85-125 $US++, chambres à 2 lits 100-140 $US++). Cette jointventure australienne très appréciée des hommes d'affaires, loue des chambres avec la TV par sat et un minibar. Le petit déjeuner est inclus.

New World Hotel (☎ 822 8888, fax 835 0446, bcnwhs@hcm.vnn.vn, 76 Đ Le Lai ; chambres à partir de 70 $US, suite présidentielle 850 $US). Cette immense et somptueuse tour proche du quartier de Pham Ngu Lao reçoit surtout des groupes de touristes hongkongais et taiwanais. Toutes les bourses bien garnies sont néanmoins les bienvenues.

Riverside Hotel (☎ 822 4038, fax 825 1417, hotelriversidesg@hcm.vnn.vn, 18 Đ Ton Duc Thang ; doubles 40-120 $US). Très proche de la rivière Saigon, cette bâtisse coloniale rénovée compte aujourd'hui un bar et un bon **restaurant**.

Renaissance Riverside Hotel (☎ 822 0033, fax 823 5666, bc.rrhs@hcm. vnn.vn, 8-15 Đ Ton Duc Thang ; chambres 90-155 $US). Comme l'indique son nom, ce nouveau gratte-ciel clinquant surplombe le fleuve mais il ne faut pas le confondre avec l'établissement précédent. Les non-résidents accèdent à la piscine contre 10 \$US.

Hotel Sofitel Plaza Saigon (☎ 824 1555, fax 824 1666, sofsgn-resa@hcmc. netnam.vn, 17 ĐL Le Duan ; chambres à partir de 150 \$US, suite présidentielle 1 450 \$US). Avec ses 291 chambres, le Sofitel figure parmi les hôtels de luxe les plus élégants de HCMV. En plus de deux excellents **restaurants**, L'Elysee Bar dispose d'une belle terrasse et propose des concerts de jazz. Les non-résidents utiliseront la piscine sur le toit moyennant 12 \$US.

OÙ SE LOGER – LOCATIONS

On estime à 15 000 le nombre d'expatriés qui vivent actuellement à HCMV. De mini-hôtels, disséminés dans toute la ville, se partagent la quasi-totalité du marché du logement à petits prix. Presque tous accordent des remises pour les locations de longue durée : prévoyez de 200 à 300 \$US par mois pour une chambre climatisée convenable. Si votre budget le permet et que vous n'avez pas besoin d'un grand appartement, sachez que même les hôtels de luxe consentent d'importantes réductions pour de longs séjours. L'essentiel consiste à négocier. Les expatriés disposant d'un budget confortable peuvent choisir une villa ou un appartement de luxe. Les petites villas dans le centre-ville se louent entre 250 et 500 \$US par mois. Les appartements avec service coûtent habituellement de 1 000 à 2 000 \$US par mois.

OÙ SE RESTAURER

Cuisine vietnamienne ou occidentale et cartes rédigées en anglais sont très courantes, notamment dans le centre de HCMV. À Cholon, vous vous régalerez plutôt de spécialités chinoises. Si en avez assez des nems, vous ne serez pas déçu. Nombre de restaurants servent en effet une bonne cuisine internationale.

Cuisine vietnamienne

Quartier du centre. Difficile à dénicher, le **Nam Giao** (carte Centre de HCMV ; ☎ 825 0261, 136/15 Le Thanh Ton ; plats 6 000-10 000 d ; tlj 8h-21h). Au fond d'une ruelle jalonnée de magasins de cosmétiques, derrière le marché Ben Thanh, ce restaurant délicieux et bon marché remporte un franc succès auprès des Saigonais. Il faut dire que les spécialités de Hué se révèlent excellentes. Le Nam Giao propose une petite carte avec photos mais, si vous n'arrivez pas à vous décider, commandez un assortiment de deux plats (thap cam) pour 10 000 d.

Bo Tung Xeo (carte Quartier de Dong Khoi ; ☎ 825 1330, 31 Đ Ly Tu Trong). Dans le centre-ville, ce restaurant très apprécié des habitants dispose d'une terrasse. Vous vous régalerez d'un délicieux barbecue vietnamien, incroyablement bon marché. La spécialité de la maison est le bœuf tendre mariné (30 000 d la part, avec une salade), que vous faites griller à table sur des braises. De bons plats de poisson figurent également sur la carte. Le personnel, très sympathique, parle anglais.

Le long de Đ Ngo Duc Ke, près du fleuve dans le district 1, plusieurs excellents restaurants mitonnent une cuisine vietnamienne à prix doux.

Restaurant 19 (carte Quartier de Dong Khoi ; ☎ 829 8882, 19 Đ Ngo Duc Ke). Il propose une savoureuse variante du cake au poisson (cha ca) de Hanoi, ainsi que de bon plats thaïs.

Restaurant 13 (carte Quartier de Dong Khoi ; 13 Đ Ngo Duc Ke). Près du précédent, il attire autant les Vietnamiens que les expatriés.

Thy 4 Two (carte Quartier de Dong Khoi ; ☎ 827 2737, 20 Đ Thi Sach ; déj 70 000 d ; midi et soir). Ce petit bistrot confortable (prononcez à l'anglaise "tea for two") vous régale de plats locaux. Au déjeuner, les menus s'avèrent très intéressants.

Tib Restaurant (carte Quartier de Dong Khoi ; ☎ 829 7242, 187 ĐL Hai Ba Trung, district 3 ; plats 45 000-55 000 d ; tlj 11h-22h). Installé dans une villa sino-française, au fond d'une allée tranquille, le Tib prépare de savoureuses spécialités de Hué, ainsi qu'une délicieuse salade de jaques (fruits du jaquier), agrémentée de sésame grillé.

D'autres restaurants traditionnels et populaires proposent une très bonne cuisine dans le quartier de Dong Khoi. Mentionnons le **Tan Nam Restaurant** (☎ 829 8634, 60-62 Đ Dong Du) et le **Cool** (Kinh Bac ; ☎ 829 1364, 30 Đ Dong Khoi), où les nombreuses plantes créent une atmosphère exotique.

Nam An (☎ 822 0246, entre Đ Nguyen Hué et Đ Dong Khoi ; tlj 7h-23h). Ce restaurant, qui ressemble à un temple bouddhiste, accueille ses clients à l'intérieur ou en terrasse. La carte, riche et variée, affiche des prix corrects.

Quartier de Pham Ngu Lao. Nam Bo (☎ 837 8616, 199A Pham Ngu Lao ; plats 10 000-15 000 d ; 5h-24h). Au cœur du fief des voyageurs à petit budget, cet établissement en plein air est tout à fait exceptionnel. Vous ferez votre choix parmi les nombreuses spécialités vietnamiennes présentées sur une longue rangée de stands soignés.

Lac Thien (☎ 837 1621, 28/25 Đ Bui Vien ; plats 10 000-20 000 d ; 7h-24h). Il a pris modèle sur les trois restaurants de voyageurs de Hué tenus par des malentendants. La cuisine, excellente (en particulier les spécialités de Hué), ne vous fera pas trop bourse délier.

Pho Bo (96 Đ Bui Vien). Cette minuscule boutique concocte de savoureux bols de soupe de nouilles au bœuf.

Cuisine vietnamienne gastronomique

Comparés aux prix pratiqués à l'étranger, les meilleurs restaurants vietnamiens de HCMV représentent une affaire. Pour un repas royal dans un restaurant haut de gamme au décor soigné, vous ne paierez que 10 à 20 $US par personne. Les établissements suivants figurent tous sur la carte Quartier de Dong Khoi.

Lemon Grass (☎ 822 0496, 4 Đ Nguyen Thiep ; tlj 11h-14h et 17h-22h). Voici l'un des meilleurs restaurants vietnamiens du centre-ville, où l'on ne mitonne que des merveilles. Si vous ne savez que commander, choisissez un plat au hasard. Deux musiciens en costume traditionnel accompagneront votre repas.

Mandarine (☎ 822 9783, 11 A Đ Ngo Van Nam). Une excellente table, offrant une belle sélection de plats traditionnels du sud, du centre et du nord du pays. Aux plaisirs du palais s'ajoutent un cadre agréable et des spectacles de musique traditionnelle. Essayez le cha ca à la façon de Hanoi.

Hoi An (☎ 823 1049, 11 Đ Le Thanh Ton). Ce charmant restaurant, agrémenté d'un décor chinois classique, appartient aux propriétaires du Mandarine (plus haut dans la rue adjacente). Vous goûterez des plats du centre du Vietnam et la gastronomie impériale de Hué.

Autres cuisines asiatiques

Quartier du centre. Encore Angkor (carte Quartier de Dong Khoi ; ☎ 822 6278, 5 Đ Nguyen Thiep). Cet élégant petit bistrot, tenu par Daniel Hung, un photographe français né de parents khmer-vietnamien, est probablement le seul du pays spécialisé dans la cuisine cambodgienne khmère. On peut y déguster des plats traditionnels khmer superbement présentés, affichés à des prix très raisonnables.

Chao Thai (carte Quartier de Dong Khoi ; ☎ 824 1457, 16 Đ Thai Van Lung ; menu déj 80 000 d, repas à partir de 50 000 d). Cet établissement compte parmi les meilleurs spécialistes de la cuisine thaïe. Le menu du déjeuner présente un bon rapport qualité/prix. Ne manquez pas les croquettes de crevettes, les saucisses de Chiang Mai et la salade de haricots ailés. Non loin, le Sawadee (Đ Thi Sach) est une autre bonne adresse pour les spécialités thaï.

Hakata (carte Quartier de Dong Khoi ; ☎ 824116, 2 Đ Le Thanh Ton). Ce restaurant prépare la meilleure cuisine japonaise de la ville, dont de savoureux sushis.

Urvashi (carte Quartier de Dong Khoi ; ☎ 821 3102, 27 Đ Hai Trieu ; menu déj 3-4 $US). Grand spécialiste de la cuisine indienne de Saigon, l'Urvashi propose plusieurs styles de cuisine. Au déjeuner, le thali calmera les pires fringales.

Indian Heritage (carte Quartier de Dong Khoi ; ☎ 823 4687, 26A Đ Le Thanh Ton ; buffet déj 5 $US). Ce restaurant central dresse un merveilleux buffet à l'heure du déjeuner.

Ashoka (carte Quartier de Dong Khoi ; ☎ 823 1372, 17A/10 Đ Le Thanh Ton). En face de l'Indian Heritage, cet établissement propose de la cuisine indienne halal et un déjeuner-buffet à des prix modérés.

Tandoor (carte Centre de HCMV ; ☎ 824 4839, 103 Đ Vo Van Tan, district 3). Cette adresse est recommandée pour ses plats du Nord de l'Inde.

Pour une cuisine indienne à des prix défiant toute concurrence, essayez la cantine (66 Đ Dong Du), un lieu de culte plein de charme, installé derrière la mosquée du centre de Saigon. Le curry de poisson (21 000 d) est exquis et tous les repas sont servis avec du riz à volonté. Du thé glacé et des bananes sont offerts par la maison.

HO CHI MINH-VILLE

Cholon. Le district 5 est le quartier incontournable pour la cuisine chinoise. Tous les établissements ci-dessous figurent sur la *carte de* Cholon.

My Huong (☎ 856 3586, 131 Ð Nguyen Tri Phuong). Doté d'une terrasse, ce restaurant très populaire propose un grand choix de plats délicieux, dont une excellente soupe de nouilles au canard.

Tiem An Nam Long (angle ÐL Hau Giang et Ð Pham Dinh Ho ; plats à moins de 2 $US). Installé non loin du marché Binh Tay, cet établissement est réputé pour ses préparations sautées au wok, ainsi que pour sa terrasse. La carte en anglais ne comporte aucun prix, mais aucun des plats ne vous ruinera.

Tiem Com Chay Phat Huu Duyen (☎ 857 7919, 527 Ð Nguyen Trai ; 7h30-22h). Ce minuscule restaurant végétarien très fréquenté se trouve à l'extrémité sud de Ð Phuoc Hung.

Hong Phat (206 Ð Hai Thuong Lai Ong). Cet établissement sert une soupe de nouilles au porc, savoureuse et bon marché.

Dong Nguyen (89-91 Ð Chau Van Liem). Voici le spécialiste du poulet grillé au riz *(com ga)*.

Restaurants français

HCMV offre une incroyable sélection de bons restaurants français, des bistrots décontractés et bon marché aux établissements de luxe servant une cuisine exquise. Sauf mention contraire, les restaurants ci-dessous figurent sur la carte *Quartier de Dong Khoi*.

Bibi's (☎ 829 5783, 8A/8D2 Ð Thai Van Lung). Pour un repas de brasserie classique, dirigez-vous vers cet établissement dont le lumineux décor méditerranéen crée une ambiance fort agréable.

Augustin (☎ 829 2941, 10 Ð Nguyen Thiep ; plats 50 000 d). Apprécié pour sa cuisine de style bistrot, Augustin est souvent considéré comme le meilleur des restaurants français bon marché de HCMV.

La Fourchette (☎ 836 9816, 9 Ð Ngo Duc Ke). Cet autre établissement excellent, en plein centre-ville, mitonne une cuisine authentique, affichée à prix modiques.

Le Jardin (☎ 825 8465, 31 Ð Thai Van Lung ; plats 35 000-55 000 d ; tlj 19h30-22h30). Ce charmant petit bistrot fait partie de l'**Institut des échanges culturels avec la France** (Idecaf ; angle Ð Thai Van Lunget et Ð Le Thanh Ton). La terrasse ombragée du café, dans le jardin en façade, est fréquentée par les expatriés français.

L'Etoile (carte Centre de HCMV ; ☎ 829 7939, 180 ÐL Hai Ba Trung ; menus servis toute la journée 15 000 d). Ce restaurant propose une cuisine française incomparable, quoiqu'un peu onéreuse. Le menu "rapide", servi toute la journée, présente un bon rapport qualité/prix. Le menu type se compose de poulet grillé accompagné d'une sauce au choix (5 parfums), d'une petite salade et de baguette.

Camargue (☎ 824 3148, 16 Ð Cao Ba Quat). Installé dans une superbe villa restaurée et agrémentée d'une terrasse, le Camargue offre un grand choix de préparations gastronomiques et une belle carte des vins. L'établissement, qui abrite également un bar branché, le **Vasco's Bar**, se situe à quelques mètres du théâtre municipal.

Le Caprice (☎ 822 8337, 5B Ð Ton Duc Thang). Si vous préférez le haut de gamme, ce restaurant très élégant occupe le dernier étage du Landmark. La vue vous éblouira tout autant que les prix.

Au Manoir du Khai (☎ 823 8873, 251 Ð Dien Bien Phu). Premier établissement du Vietnam à offrir une cuisine européenne cinq-étoiles, le Manoir a été ouvert par un gourou vietnamien de la mode, M. Khai (créateur de la marque Khai Silk et propriétaire d'autres superbes hôtels et restaurants). Rassurez-vous, le chef est bel et bien français. La somptueuse villa occupe une propriété entourée de hauts murs, dans le district 3.

Autres cuisines européennes

Quartier du centre. Sauf mention contraire, tous les établissements ci-dessous figurent sur la carte *Quartier* de Dong Khoi.

Skewers (☎ 829 2216, 8A/1/D2 Ð Thai Van Lung ; plats 25 000-50 000 d ; lun-sam 11h30-14h et 18-23h30, dim 18h-23h30). Ce spécialiste de la cuisine méditerranéenne propose notamment de la viande grillée à la broche. L'ambiance est agréable et vous pouvez observer les cuisiniers à l'œuvre.

Annie's Pizza (☎ 839 2577, 45 Ð Mac Thi Buoi ; pizzas 40 000-70 000 d). Ce restaurant prépare de délicieuses pizzas au poivron et à la mozzarella. Si vous n'avez pas envie d'aller aussi loin, téléphonez et faites-vous livrer à l'hôtel.

Givral *(☎ 829 2747, 169 Đ Dong Khoi).* Haut lieu de la gastronomie, installé face au Continental Hotel, le Givral offre un beau choix de gâteaux, de glaces et de yaourts maison. La carte propose également des plats français, chinois, vietnamiens et russes.

Brodard Café *(☎ 822 3966, 131 Đ Dong Khoi).* Restauré dans le style parisien, ce café est réputé de longue date pour sa cuisine de brasserie à prix raisonnables. Situé Đ Dong Khoi, il fait face au Caravelle Hotel, à l'angle de Đ Nguyen Thiep.

Why Not? *(☎ 822 6138, 24 Đ Thai Van Lung).* Ce restaurant dirigé par un Français propose une bonne cuisine européenne ; la salle s'agrémente de jeux de fléchettes.

Santa Lucia *(☎ 822 6562, 14 ĐL Nguyen Hué).* C'est ici que vous dégusterez les meilleures spécialités italiennes de HCMV.

Gartenstadt *(☎ 822 3623, 34 Đ Dong Khoi).* Dans le même quartier, ce spécialiste de la gastronomie allemande remporte un grand succès auprès des expatriés, à l'heure du déjeuner.

Mogambo's Cafe *(☎ 825 1311, 20 Đ Thi Sach).* À la fois restaurant, pub et hôtel, le Mogambo est apprécié pour son décor polynésien et ses savoureux hamburgers.

Globo Cafe *(☎ 822 8855, 6 Đ Nguyen Thiep).* Bar-restaurant parmi les plus branchés de Dong Khoi, le Globo cuisine de bons plats français et italiens, dont de succulentes pizzas.

Cafe Latin *(☎ 822 6363, 25 Đ Dong Du).* Premier bar à tapas vietnamien, cet établissement possède une cave exceptionnelle et prépare du pain frais tous les jours. Adjacent, le **Billabong Restaurant** est réputé pour sa cuisine australienne et internationale.

Paloma Cafe *(☎ 829 5813, 26 Đ Dong Khoi).* Ce lieu élégant met en scène tables en bois, nappes blanches, argenterie et climatisation efficace (glaciale !). Les jeunes Vietnamiens branchés en sont fous !

Hoa Vien *(carte Centre de HCMV ; ☎ 825 8605, 30 Đ Mac Dinh Chi).* C'est l'unique restaurant tchèque de HCMV.

ABC Restaurant *(carte Centre de HCMV ; ☎ 823 0388, 172H Đ Nguyen Dinh*

Chieu, district 3 ; plats 25 000-50 000 đ ; jusqu'à 3h). Cet endroit très à la mode, doté d'une terrasse, s'avère incontournable si l'on souhaite faire un festin bon marché tard dans la nuit. La carte décline tous les plats, de la soupe de nouilles aux fruits de mer, en passant par les steaks.

Maxim's Dinner Theatre *(☎ 829 6676, 15 Đ Dong Khoi ; 11h-23h).* Cette institution saigonaise proche du Majestic Hotel propose, comme son nom l'indique, des **spectacles musicaux**. La carte est sino-française. La limace de mer et les palmes de canard n'ont déçu quelques voyageurs, mais la crème caramel et le soufflé à la vanille restent exceptionnels. Le restaurant ouvre pour le déjeuner mais il reste généralement désert jusqu'au dîner. Réservez le week-end.

Quartier de Pham Ngu Lao. Đ Pham Ngu Lao et Đ De Tham rassemblent la plupart des adresses à petits prix de HCMV. Ces rues attirent plus d'Occidentaux que de Vietnamiens, qui ont parfois du mal à déchiffrer les cartes (muesli à la banane ne se traduit pas aisément en vietnamien).

Good Morning Vietnam *(☎ 837 1894, 197 Đ De Tham ; pâtes 30 000-50 000 đ, pizzas 35 000-80 000 đ ; 8h-22h).* Ne vous y trompez pas, cet établissement est le meilleur spécialiste de la cuisine italienne du quartier. Les plats du nord de l'Italie sont authentiques (les pâtes sont assaisonnées de parmesan fraîchement râpé), et la crème glacée maison, divine.

Kim Cafe *(☎ 836 8122, cafekim@ hcm.vnn.vn, 266 Đ De Tham).* Repaire de voyageurs à petit budget, cet endroit est idéal pour rencontrer du monde.

Sinh Cafe *(☎ 836 7338, fax 836 9322, sinhcafevietnam@hcm.vnn.vn, 246-248 Đ De Tham).* Tout proche, ce café est assez similaire.

Saigon Cafe *(195 Đ Pham Ngu Lao).* Cet établissement à l'angle de Đ De Tham mérite une mention spéciale et, comme le **Cafe 333**, dans la même rue, il attire nombre d'expatriés.

Linh Cafe *(291 Đ Pham Ngu Lao).* Cet autre café de voyageurs, tenu par des hôtes fort sympathiques, permet par ailleurs de réserver un circuit touristique.

Café Duy Linh *(Đ Pham Ngu Lao).* Non loin de là, ce charmant café prépare des sandwiches et des petits plats savoureux. C'est l'un des rares établissements du quartier à offrir un semblant de décoration.

Fruits de mer

Miss Saigon (carte Quartier de Dong Khoi ; ☎ 823 8174, 86 Đ Le Thanh Ton ; plats 35 000-50 000 d ; 10h30-23h). Tout proche du Rex Hotel, ce restaurant sert de bons fruits de mer et des plats vietnamiens. Vous profiterez de la salle climatisée à moins d'opter pour la terrasse "avec vue" (un vieux char d'un côté et, de l'autre, des courts de tennis où viennent se défouler les nouveaux riches de Saigon).

Cuisine végétarienne

Les 1er et 15e jours du mois lunaire, les **échoppes de nourriture** de la ville, notamment celles des marchés, servent des variantes végétariennes des plats traditionnel vietnamiens. Bien que tout soit mis en œuvre pour accélérer le service, il vous faudra faire preuve de patience : mitonner un plat prend du temps, mais l'attente est largement récompensée.

La plus grande concentration de restaurants végétariens se trouve dans le quartier de Pham Ngu Lao et aux alentours.

Bodhi Tree (☎ 837 1910, 174/6 Đ Pham Ngu Lao). Ce restaurant se situe dans une étroite ruelle, à deux rues à l'est de Đ De Thanh. La nourriture s'avère excellente et très bon marché. Un voisin, malin, a ouvert un établissement qui porte exactement le même nom.

Tin Nghia (☎ 821 2538, 9 ĐL Tran Hung Dao ; plats 7 000-10 000 d ; 7h-20h30). Les propriétaires bouddhistes de ce restaurant sans prétention, situé à 200 m du marché Ben Thanh, proposent un assortiment de délicieuses spécialités vietnamiennes à base de tofu, de champignons et de légumes, le tout à prix doux.

Dinh Y (☎ 836 7715, 171B Đ Cong Quynh ; plats 5 000-10 000 d). En face du marché Thai Binh, ce restaurant tenu par une famille caodaïste sert des plats végétariens savoureux et très bon marché (carte en anglais).

Cafés et glaciers

Tous les établissements cités ci-dessous se situent dans le quartier de Dong Khoi.

Dong Du Cafe (☎ 823 2414, 31 Đ Dong Du). Dans cet élégant café du centre-ville,

on peut savourer de succulents cafés et des glaces maison.

Paris Deli (☎ 829 7533, 31 Đ Dong Khoi ou ☎ 821 6127, Centre de Saigon, 65 ĐL Le Loi). Pâtisseries et pain frais ont fait la réputation de ces établissements. On peut déguster sur place, emporter ou se faire livrer.

Chi Lang Cafe (angle Đ Dong Khoi et Đ Le Thanh Ton). Ce café est une institution du quartier de Dong Khoi. Vous choisirez de vous installer dans la salle ou sur la terrasse environnée de verdure.

Kem Bach Dang (☎ 829 2707, 26 et 28 ĐL Le Loi). C'est ici que vous trouverez les meilleures crèmes glacées (kem) du Vietnam. Les deux boutiques, situées de part et d'autre de la Đ Pasteur, pratiquent des tarifs très raisonnables. La spécialité de la maison est une glace servie dans une petite noix de coco, garnie de fruits confits (kem trai dua).

Fanny (☎ 821 1633, 29/31 Đ Ton That Thiep ; boule de glace 6 000-15 000 d ; 8h-23h). Cet excellent glacier franco-vietnamien offre un vaste choix de parfums exotiques. Il occupe la même villa française que le célèbre Temple Club, à l'est de Đ Pasteur.

Cuisine de rue

Des échoppes en plein air préparent à toute heure de la soupe de nouilles. Un grand bol de délicieuses nouilles au bœuf vous reviendra entre 7 000 et 15 000 d. Repérez les enseignes indiquant "pho".

Pho 2000 (carte Centre de HCMV ; ☎ 822 2788, 1-3 Đ Phan Chu Trinh ; pho 14 000 d ; tlj 6h-2h). Cette échoppe proche du marché Ben Thanh est l'endroit où aller pour déguster votre premier bol de pho, surtout si vous êtes un admirateur de Bill Clinton (l'ancien Président américain s'est restauré ici).

Pho Hoa (carte Centre de HCMV ; ☎ 829 7943, 260C Đ Pasteur ; soupe 15 000 d ; 5h-24h). Voici un autre établissement réputé auprès des étrangers, installé dans le district 3.

Les marchés abritent toujours des échoppes d'alimentation, généralement installées au rez-de-chaussée ou au sous-sol. Vous en trouverez de nombreuses aux marchés Thai Binh, Ben Thanh et Andong.

C'est au marché Ben Thanh que j'ai dégusté la meilleure soupe aux nouilles. Les échoppes étaient propres, les produits frais, et la soupe, délicieuse. C'est toujours amusant de manger lans ces endroits, où l'on devient vite le centre le l'attention.

John Lumley-Holmes

Des vendeurs de rue proposent des sandwiches à la française, version vietnamienne : un morceau de baguette tartiné l'une sorte de pâté, recouvert de concombre, le tout assaisonné de sauce au soja (de 5 000 d à 15 000 d, selon la garniture). Les sandwiches au fromage reviennent un peu plus chers. Une baguette coûte généralement de 500 d à 2 000 d.

Faire son marché

On peut facilement improviser un repas simple à base de fruits, de légumes, de pain, de croissants, de fromage et autres délices vendus sur les marchés ou les étals de rue. Évitez les barres chocolatées non réfrigérées, qui semblent dater du départ des Américains en 1975.

Vous n'aurez que l'embarras du choix pour acheter nourriture et boissons : supermarchés, centres commerciaux et boutiques de produits d'importation abondent. Deux supermarchés sont installés à proximité de Pham Ngu Lao : le **Hanoi Mart** et le **Co-op Mart**, Ð Cong Quynh (voir la *carte Centre* de HCMV).

Chez Guido (☎ 840 4448 et 898 3747, fax 803 5101 ; plats 30 000-50 000 d ; 9h30-23h). Ce service de livraison à domicile extrêmement populaire fera votre bonheur si vous n'avez pas envie de sortir pour prendre un repas. Il propose une carte bien fournie de pizzas, pâtes et hamburgers, ainsi qu'un grand choix de spécialités vietnamiennes. Vous pouvez vous faire faxer la carte à l'hôtel.

OÙ SORTIR

Célèbre pour sa vie nocturne pendant la guerre, Saigon a subi une sorte de couvre-feu idéologique à sa libération, en 1975. Ces derniers temps, les pubs et les boîtes de nuit ont fait leur réapparition. Cependant, des campagnes officielles, supposées lutter contre la drogue, la prostitution et le bruit, calment périodiquement toute velléité de débordement noctambule.

Pubs et bars

Quartier central. L'essentiel de la vie nocturne se déroule dans le quartier cen-

---

La fièvre du dimanche soir

Le quartier de Dong Khoi est le lieu où l'on converge en fin de journée, le dimanche et les jours fériés (et parfois le samedi). Une foule de jeunes (di troi), roulent lentement dans les rues à bicyclette ou à moto, autant pour voir que pour être vus. Ð Dong Khoi, la foule s'avère si compacte que l'on peut à peine la traverser. Le chaos le plus total règne à chaque carrefour, où se croisent en tous sens une multitude de deux-roues.

Près du théâtre municipal, les jeunes gens habillés à la dernière mode s'arrêtent pour observer l'interminable procession des badauds. Les conversations animées et les regards en biais électrisent l'ambiance. La ville est dans la rue et c'est un spectacle à ne pas manquer.

---

tral de Dong Khoi. En 2001, les autorités locales ont imposé aux bars et aux clubs de fermer à minuit, dans le cadre de la lutte contre les "fléaux sociaux". L'application de ces mesures est plus ou moins sévère selon les périodes. Dans tous les cas, les pubs du quartier de Pham Ngu Lao restent ouverts jusqu'à l'aube.

AQ Cafe (carte Centre de HCMV ; ☎ 829 8344, 39 Ð Mac Dinh Chi ; 7h-24h). Installé dans une maison en bois centenaire en face du Hoa Vien, ce café aux lumières tamisées possède une terrasse donnant sur un vaste jardin. Vous pourrez y écouter du jazz cool devant un café (8 000 d) ou une bière (15 000 d).

N°5 Ly Tu Trong (carte Centre de HCMV ; ☎ 825 6300, 5 D Ly Tu Trong). Installé dans une ancienne villa coloniale restaurée, ce lieu tenu par Heinz, un expatrié suisse, tire son nom de son adresse. Le décor élégant et raffiné, la bonne musique, la cuisine savoureuse, le billard et un accueil sympathique contribuent à créer une ambiance agréable.

Underground (carte Quartier de Dong Khoi ; ☎ 829 9079, 69 Ð Dong Khoi ; tlj 10h-24h). Tout autant apprécié des expatriés que des voyageurs, cet établissement occupe le sous-sol du Lucky Plaza. Ce vaste espace, très british, propose une *happy hour* et d'excellentes pizzas.

Sheridan's Irish House (carte Quartier de Dong Khoi ; ☎ 823 0972, 17/13 Ð Le Thanh Ton ; tlj 11h-tard). Ce pub irlandais traditionnel semble venir tout droit des petites rues de Dublin.

Hard Rock Cafe (carte Quartier de Dong Khoi ; 24 Đ Mac Thi Buoi). Cette imitation du célèbre café est implantée ici depuis fort longtemps. Le véritable Hard Rock voulait s'installer à HCMV il y a quelques années, mais il semble avoir été impressionné par son concurrent. Vous ne croiserez aucune vedette ici, mais c'est l'endroit où acheter le classique T-shirt de l'enseigne.

Chu (carte Quartier de Dong Khoi ; ☎ 822 3907, 158 Đ Dong Kho). Près de la cathédrale Notre-Dame, ce bar est probablement le seul au monde à annoncer "vin, nouilles et cigares". Et il ne ment pas : le vin est bon, vous pourrez déguster une version inédite de la soupe de nouilles vietnamienne (le pho bo à l'aloyau), tout en savourant un cigare cubain conservé au frais. Des groupes se produisent dans le bar à partir de 21h, du lundi au samedi.

Blue Gecko Bar (carte Quartier de Dong Khoi ; ☎ 824 3483, 31 Đ Ly Tu Trong ; 17h-tard le soir). Lieu de rendez-vous favori des Australiens, le Blue Gecko sert la bière la plus fraîche de la ville. La musique, australienne elle aussi, s'avère agréable. Les clients peuvent jouer au billard ou regarder les chaînes sportives sur l'une des nombreuses TV.

Le Wild West Saloon (☎ 829 5127, 33 ĐL Hai Ba Trung) et le **Wild Horse Bar** (Đ Thai Van Lung), tous deux situés dans le quartier de Dong Khoi, accueillent les nostalgiques des westerns. Dans le même style, le **Tex-Mex Cantina** (carte Quartier de Dong Khoi ; ☎ 829 5950, 24 Đ Le Thanh Ton), réputé pour son billard, sert une cuisine mexicaine mâtinée texane.

Q Bar (carte Quartier de Dong Khoi ; ☎ 823 3479, 7 place Lam Son ; boissons de 20 000 d à 50 000 d ; 18h-24h). Ce bar qui diffuse de la musique branchée attire la jeunesse tendance et anticonformiste de HCMV. Le décor est à la fois chic, décontracté et minimaliste. L'établissement se situe près du théâtre municipal, en face du Caravelle Hotel.

Temple Club (carte Quartier de Dong Khoi ; ☎ 829 9244, 29 Đ Ton That Thiep ; boissons 25 000-70 000 d, plats 40 000-70 000 d). Ce club aux murs de brique est une autre adresse huppée, dotée d'un restaurant à l'avant et d'un salon confortable à l'arrière. Si vous aimez son ameublement chinois,

rien ne vous empêche d'acquérir l'un de ses meubles, car ils sont tous à vendre.

Saigon Saigon. Ce luxueux bar situé dans le Caravelle Hotel offre les meilleures vues du centre-ville.

Quartier de Pham Ngu Lao. Outre les traditionnels repaires de voyageurs, toujours très animés, Pham Ngu Lao compte d'autres bonnes adresses qui s'éveillent au crépuscule.

Allez Boo Bar (☎ 837 2505, 187 Đ Pham Ngu Lao ; bière à partir de 12 000 d, plats à partir de 20 000 d ; 19h-tard). Les voyageurs à petit budget se retrouvent sous la lumière tamisée de ce bar au décor de bambou, à l'angle de Đ De Tham. La musique ne s'arrête jamais.

Sahara Music Cafe (☎ 837 8084, 277 Đ Pham Ngu Lao ; 9h-tard). Ce bar-billard qui n'a rien d'un restaurant sert cependant de bons plats internationaux (soupes, salades, hamburgers et sandwiches). C'est certainement l'un des endroits les plus élégants des environs.

Long Phi Bar (☎ 836 9319, 163 Đ Pham Ngu Lao ; 11h-6h). Le Long Phi compte parmi les plus anciens pubs du quartier. **Le Bar Rolling Stones** (177 Đ Pham Ngu Lao), le **Backpacker Bar** (169 Đ Pham Ngu Lao), surnommé le Lost in Saigon («perdu dans Saigon»), et le **Guns & Roses Bar** (207 Đ Pham Ngu Lao) sont de véritables répliques du Long Phi Bar. Ils sont appréciés pour leurs tables de billard, leur fermeture très tardive (certains ne ferment jamais) et leur ambiance festive.

Discothèques

Les établissements ci-dessous figurent sur la carte Quartier de Dong Khoi.

Si la plupart des discothèques vietnamiennes disparaissent aussi vite qu'elles sont apparues, l'**Apocalypse Now** (☎ 82-1463, 2C Đ Thi Sach) reste l'exception qui confirme la règle. L'endroit tient en effet depuis fort longtemps le haut du pavé de la fête. La musique résonne à plein volume dans un chahut apocalyptique.

Shark (☎ 825 7783, 5-15 Đ Ho Huan Nghiep ; 4 $US). Agréablement située en bordure de la rivière, cette discothèque abrite l'une des meilleures pistes de danse du centre-ville. Le droit d'entrée comprend une boisson.

Maya (☎ 829 5180, 6 Đ Cao Ba Quat ; plats à partir de 25 000 d ; 17h-tard). Bienvenue dans ce lieu élégant, royaume de la musique latine. On peut même y prendre des cours de salsa, et déguster une bonne cuisine sud-américaine et des tapas.

Sam Son (☎ 829 1219, 28A ĐL Le Loi). Cette discothèque vietnamienne quelconque ouvre cinq soirs par semaine, après avoir longtemps réuni les homosexuels de la ville les mardi et vendredi.

Cinémas

Les cinémas (rap) sont nombreux dans le centre-ville mais rares restent les films diffusés dans une autre langue que le vietnamien. Le **Diamond Cinema** (163 Đ Dong Khoi), dans l'immeuble du Diamond Plaza, fait néanmoins exception à la règle.

Le **centre culturel français Idecaf** (☎ 822 4577, 31 Đ Thai Van Lung) propose, le mardi à 20h, un film dans la langue de Molière. Le centre loue également des films et des cassettes en français pour moins de 1 \$US.

Marionnettes aquatiques

Cet art apparu dans le Nord a été récemment introduit au Sud, en raison du vif succès qu'il remporte auprès des touristes. À HCMV, vous pourrez découvrir les marionnettes aquatiques au **musée des Souvenirs de guerre** (☎ 829 0325, 28 Đ Vo Van Tan) et au **musée d'Histoire** (☎ 829 8146). Les horaires sont variables, mais les spectacles commencent dès qu'un groupe de 5 personnes au minimum se présente.

Théâtre municipal

Le **théâtre municipal** (Nha Hat Thanh Pho ; ☎ 829 1249, 829 1584 ; Đ Dong Khoi), entre les hôtels Continental et Caravelle, change son programme toutes les semaines, passant de la gymnastique sportive à un concert de musique classique ou au théâtre traditionnel vietnamien. Les spectacles ont lieu à 20h. Renseignez-vous au théâtre ou à l'accueil de votre hôtel.

Si aucun spectacle n'est programmé pendant votre séjour, rendez-vous au **Q Bar**, en tournant à l'angle du bâtiment, pour boire un verre dans une ambiance branchée.

Conservatoire de musique

Ce **conservatoire** (Nhac Vien Thanh Pho Ho Chi Minh ; ☎ 824 3774, 112 Đ Nguyen Du ; spectacles à 19h30, lun-ven, mars-mai et oct-déc), près du palais de la Réunification, donne des concerts, de musique vietnamienne traditionnelle ou de musique classique occidentale.

Il est fréquenté par des élèves âgés de 7 à 16 ans et assure à la fois l'enseignement scolaire et les cours de musique. Les professeurs ont appris leur art en Europe ou aux États-Unis. L'enseignement est gratuit, mais la plupart des élèves sont issus de familles aisées, car seuls les plus favorisés peuvent acheter les instruments.

Hippodrome de Saigon

À la libération du Sud-Vietnam, en 1975, le gouvernement de Hanoi se dépêcha d'interdire les distractions capitalistes décadentes, comme les paris. Les champs de courses, concentrés dans la région de Saigon, furent fermés. Cependant, d'impérieux besoins financiers ont eu raison de l'idéologie.

L'hippodrome (Cau Lac Bo The Thao Phu To ; ☎ 855 1205, 2 Đ Le Dai Hanh, district 11 ; sam-dim 12h30-16h30) a rouvert ses portes en 1990. Les courses, comme la loterie nationale, rapportent gros à l'État, sans que personne ne sache bien où va tout cet argent. On parle aussi de dopage des chevaux. Les jockeys, censés avoir plus de 14 ans, semblent souvent en avoir à peine 10.

Si la plupart des turfistes sont vietnamiens, aucune loi n'interdit aux étrangers de parier leurs dong. Le pari minimum légal est de 2 000 d et les parieurs fous n'auront d'autre limite que celles de leurs rêves. Même les moins nantis devront s'acquitter d'un droit d'entrée de 1 000 d.

Les projets visant à instaurer des paris parallèles ne se sont toujours pas concrétisés. Cependant, les paris illégaux (on peut même parier en or !) concurrencent le monopole de l'État.

ACHATS
Artisanat

Au cours des dernières années, le marché des souvenirs a véritablement explosé, grâce au secteur privé. On peut trouver des objets indispensables, tels une tortue en laque avec une horloge sur le ventre ou un bouddha de céramique qui siffle l'hymne national. Vous dénicherez certainement une petite merveille qui vous séduira.

Vous serez surpris de voir ce que des mains agiles peuvent fabriquer avec des canettes de boissons : cyclos, hélicoptères, avions, etc.… Il suffit de demander !

Le quartier de Dong Khoi est réputé pour ses boutiques d'artisanat, mais il paraît difficile de négocier les prix. Le quartier de Pham Ngu Lao est également très intéressant.

Nguyen Freres (☎ 822 9654, 2A ĐL Le Duan ; 9h-19h). Ce magasin d'antiquités tentaculaire, installé en face du Sofitel Plaza Saigon, est spécialisé dans le mobilier et la soie.

Oriental Home (☎ 910 0194, www. madeinvietnamcollection.com, 2A ĐL Le Duan ; 9h-19h30). Dans le même bâtiment, cette boutique propose des meubles, des statues, des céramiques, des lampes et des lanternes, ainsi que des sculptures sur pierre.

Indochine House (29 Đ Dong Du). Au cœur du centre-ville, cette adresse est intéressante pour ses antiquités et ses meubles de style.

Authentique Interiors (Đ Dong Khoi). Cette boutique de meubles propose un bon choix de production locale.

Galeries d'art

HCMV abonde en galeries d'art. La **Blue Space Gallery** (☎ 821 3695, 1A Đ Le Thi Hong Gam ; tlj 9h-18h), à l'intérieur du musée des Beaux-Arts, et la **Vinh Loi Gallery** (☎ 930 5006, fax 930 3154, 41 Đ Ba Huyen Thanh Quan, district 3 ; tlj 9h-18h) sont deux très bonnes adresses (voir la *carte Centre* de HCMV).

Sceaux

Aucune administration, communiste ou autre, ne pourrait se passer de ses cachets et sceaux officiels, qui sont la raison d'être d'une kyrielle de bureaucrates. Ces sceaux sont fabriqués dans nombre d'échoppes qui bordent la rue située au nord du New World Hotel (face à DL Ham Nghi, et juste à l'ouest du marché Ben Thanh). À Cholon, vous trouverez des boutiques identiques Đ Hai Thuong Lai Ong.

La plupart des Vietnamiens possèdent leur propre sceau, gravé à leur nom (une vieille tradition empruntée aux Chinois). Vous pouvez vous en faire fabriquer un, mais demandez à un habitant de traduire votre nom en vietnamien. À Cholon,

votre sceau sera réalisé en idéogrammes chinois.

Vêtements

Vous trouverez des tee-shirts bon marché ĐL Nguyen Hué, dans le centre, et Đ De Tham, dans le quartier de Pham Ngu Lao. Un tee-shirt imprimé vous reviendra à 2 \$US, un tee-shirt brodé, entre 3 et 5 \$US.

De nombreux tailleurs sont installés dans le district 1 et à Cholon. Plusieurs grands hôtels disposent de leur propre atelier.

Les *ao dai*, ces longues tuniques de soie fendues sur les côtés et portées sur un pantalon (voir l'encadré Camau sauve l'ao dai dans le chapitre Le delta du Mékong), sont confectionnés dans les boutiques du marché Ben Thanh et de ses environs, ainsi que dans le quartier des hôtels Rex et Continental. Des *ao dai* pour hommes, un peu plus larges et accompagnés d'un couvre-chef en soie, sont également disponibles.

Ao Dai Si Hoang (☎ 829 9156, sihoang@hcm.vnn.vn, 36 Ly Tu Trong et ☎ 822 5271, 260 Đ Pasteur, district 3) possède deux belles boutiques (un peu onéreuses) qui confectionnent des *ao dai* de qualité.

Café

Le café vietnamien est tout à la fois excellent et très bon marché. Encore faut-il savoir où l'acheter. Le meilleur provient de Buon Ma Thuot, où l'on grille les grains dans du beurre. Bien entendu, le prix varie selon la qualité et la saison, mais ne change pas selon qu'on l'achète en grains ou moulu.

Les principaux marchés de la ville offrent le meilleur choix et les prix les plus intéressants. Au marché de Ben Thanh, nous avons repéré une qualité de café supérieure, ainsi que les filtres individuels utilisées par les Vietnamiens. Si vous achetez une cafetière, préférez l'acier à l'aluminium, même si cela coûte plus cher, car l'utilisation reste plus commode. Vous pourrez également vous procurer un moulin à café.

Timbres et pièces de monnaie

À droite, juste après l'entrée de la **poste principale** (2 Cong Xa Paris), vous découvrirez un comptoir où acheter de la papeterie ainsi que des timbres de collection. À l'extérieur, à droite de l'entrée, quelques stands proposent des timbres de collection, des pièces et des billets étrangers. Vous trouverez même des reliques datant de l'ancien régime sud-vietnamien. Les prix sont variables, 30 000 d pour une série de timbres récents. Les timbres plus rares et plus anciens valent évidemment beaucoup plus cher.

Des **librairies** et des **magasins d'antiquités** de Đ Dong Khoi vendent, à prix excessif, des pièces et des billets de la période coloniale, ainsi que des séries de timbres vietnamiens.

Marchés

Un marché de rue borde Đ Huynh Thuc Khang et Đ Ton That Dam, dans le quartier de Dong Khoi. Faute de nom officiel, on l'appelle généralement le **marché de Đ Huynh Thuc Khang**.

Sur les étals figurent matériel électronique le plus varié, vêtements, produits d'entretien, objets en laque, préservatifs, cassettes piratées, bouteilles de whisky de contrebande, couteaux suisses fabriqués en Chine et posters de personnalités diverses, de Ho Chi Minh à Mickey !

Marché Ben Thanh. Parmi les nombreux marchés couverts de HCMV, le Ben Thanh *(Cho Ben Thanh, angle ĐL Le Loi, ĐL Ham Nghi, ĐL Tran Hung Dao et Đ Le Lai)*, incroyablement vaste (il déborde sur les rues avoisinantes), vend de tout, des chapeaux coniques en paille de riz aux fameux *ao dai*. C'est aussi le marché le plus vivant et le plus coloré de la ville. Vous y découvrirez tout ce que l'on peut consommer : légumes, fruits, viande, épices, biscuits, confiserie, tabac, vêtements, chapeaux, quincaillerie, articles ménagers, etc.

Appelé les Halles centrales par les Français, le marché Ben Thanh fut construit en 1914. La coupole centrale mesure 28 m de diamètre. Son entrée principale, surmontée d'un beffroi et d'une horloge, est devenue l'emblème de HCMV.

Face au beffroi, se dresse une statue équestre de Tran Nguyen Hai, qui fut le premier Vietnamien à utiliser des pigeons voyageurs. À sa base, un petit buste blanc représente Quach Thi Trang, une femme bouddhiste tuée lors des manifestations antigouvernementales de 1963.

Dans les environs, des étals de rue proposent des repas à prix doux. Deux restau-

rants installés dans le coin sont également intéressants : le **Pho 2000** pour ses soupes de nouilles, et le **Nam Giao** pour ses spécialités de Hué (voir plus haut la rubrique Où se restaurer). Le marché Ben Thanh se situe à 700 m au sud-ouest du Rex Hotel.

Vieux Marché. En dépit de son nom, ce n'est pas un marché d'antiquités, ni un marché où trouver du matériel électronique (allez plutôt au marché Dan Sinh). On y vend des produits importés (plus ou moins légalement) : nourriture, vins, mousse à raser, shampooing, etc. Évitez d'employer son nom vietnamien, Cho Cu, car il signifie pénis quand on le prononce mal, ce qui fera mourir de rire votre chauffeur de cyclo. Indiquez-lui plutôt la direction. Le Vieux Marché s'étend au nord de ĐL Ham Nghi, entre Đ Ton That Dam et Đ Ho Tung Mau.

Marché Dan Sinh. Il est aussi appelé marché des surplus militaires et c'est là que vous pourrez vous procurer une élégante paire de bottes de combat ou des plaques d'identité rouillées. C'est aussi le meilleur endroit pour les produits électroniques et autres matériels importés.

Le marché Dan Sinh *(carte Centre de HCMV ; 104 Đ Yersin)* est installé à côté de la pagode Phung Son Tu. La première partie du marché est réservée aux vendeurs de voitures et de motos mais, derrière la pagode, vous découvrirez des surplus militaires plus ou moins authentiques.

Marché Binh Tay. Principal marché de Cholon, le Binh Tay *(Cho Binh Tay ; ĐL Hau Giang)* est un chef-d'œuvre d'architecture chinoise avec, au centre, une belle tour de l'horloge. Les commerçants pratiquent essentiellement la vente en gros. Le marché se trouve à près de 1 km au sud-ouest de Đ Chau Van Liem, mais il figure dans le district 6 sur la carte Cholon, à un pâté de maisons de Chinatown.

Marché Andong. Cet autre marché couvert de Cholon *(carte Agglomération d'HCMV)* est proche de l'intersection de ĐL Tran Phu et de ĐL An Duong Vuong. Ses 4 étages regorgent d'étals. Au 1er, on trouve des vêtements et des chaussures, provenant aussi bien de Hong Kong que de Paris, ainsi que les gracieux *ao dai* vietnamiens. Le sous-sol abrite une multitude d'échoppes où se restaurer délicieusement à prix doux.

COMMENT S'Y RENDRE
Avion
Vous trouverez ici une liste des compagnies aériennes asiatiques représentées à HCMV ; toutes se situent dans le district 1. Pour repérer les autres compagnies internationales, consultez les listes publiées dans les magazines *Guide* ou *Time Out*.

Cathay Pacific Airways (☎ 822 3203, fax 825 8276), 58 Đ Dong Khoi

Japan Airlines (☎ 821 9099, fax 821 9097), 115 Đ Nguyen Hué

Korean Air (☎ 824 2878, fax 824 2877), 34 Đ Le Duan

Lao Aviation (☎ 822 6990, fax 822 6990), 181 Đ Hai Ba Trung

Malaysia Airlines (☎ 824 2885, fax 824 2884), 132-134 Đ Dong Khoi

Pacific Airlines (☎ 823 1285, fax 822 8130), 2 Đ Dong Khoi

Singapore Airlines (☎ 823 1588, fax 823 1554), Saigon Tower, 29 ĐL Le Duan

Thai Airways International (☎ 829 2809, fax 822 3465), 65 Đ Nguyen Du

Vietnam Airlines (☎ 829 2118, fax 823 0273), 116 ĐL Nguyen Hué

L'**aéroport Tan Son Nhat** était l'un des trois plus fréquentés au monde à la fin des années 1960. Les pistes sont toujours entourées de structures militaires : des murs de protection couverts de lichen et résistant aux tirs de mortier, et des hangars.

Il est essentiel de reconfirmer les réservations sur les vols internationaux. Pour de plus amples informations, consultez le chapitre *Comment s'y rendre*.

La quasi-totalité des vols intérieurs est assurée par Vietnam Airlines. Pacific Airlines relie également HCMV à Hanoi et Danang. Pour plus d'informations, consultez le chapitre *Comment circuler*.

Bus
HCMV compte plusieurs gares routières longue distance. **La gare routière de Cholon** est la plus pratique pour prendre un bus à destination de Mytho ou d'une autre ville du delta du Mékong. Elle se situe Đ Le Quang Sung, une rue au nord du vaste marché de Binh Tay.

Moins bien située que celle de Cholon, l'immense **gare routière de Mien Tay** (*Ben Xe Mien Tay* ; ☎ 825 5955) regroupe néanmoins davantage de lignes à destination du Sud. Elle se trouve à quelque 10 km à l'ouest de HCMV, à An Lac, dans le district de Binh Chanh (Huyen Binh Chanh). De cette gare, des bus et des minibus desservent la plupart des villes du delta du Mékong.

Les bus ralliant le Nord partent de la **gare routière de Mien Dong** (*Ben Xe Mien Dong* ; ☎ 829 4056), dans le district de Binh Thanh, à 5 km environ du centre-ville, sur la RN 13 (Quoc Lo 13), dans le prolongement de Đ Xo Viet Nghe Tinh. La gare se trouve à moins de 2 km au nord de l'intersection de Đ Xo Viet Nghe Tinh et de Đ Dien Bien Phu.

De là, des bus rallient Buon Ma Thuot (15 heures), Danang (26 heures), Haiphong (53 heures), Hanoi (49 heures), Hué (29 heures), Nam Dinh (47 heures), Nha Trang (11 heures), Pleiku (22 heures), Quang Ngai (24 heures), Qui Nhon (17 heures), Tuy Hoa (12 heures) et Vinh (42 heures). La plupart des bus partent chaque jour entre 5h et 5h30.

Les bus à destination de Tay Ninh, de Cu Chi et des autres villes au Nord-Est de HCMV partent de la **gare routière de Tay Ninh** (*Ben Xe Tay Ninh* ; ☎ 849 5935), dans le district de Tan Binh, à l'ouest du centre. Pour vous y rendre, suivez Đ Cach Mang Thang Tam jusqu'au bout, puis Đ Le Dai Hanh sur environ 1 km.

Train
La **gare ferroviaire de Saigon** (*Ga Sai Gon* ; ☎ 823 0105, 1 Đ Nguyen Thong ; billetterie tlj 7h15-11h et 13h-15h) se trouve dans le district 3. Les trains desservent les villes côtières au nord de HCMV.

Vous pouvez acheter vos billets de train auprès de **Saigon Railways Tourist Services** (☎ 08-836 7640, fax 836 9031, 275C Đ Pham Ngu Lao), ainsi que dans la plupart des agences de voyages.

Pour toute information sur l'*Express de la Réunification*, reportez-vous au chapitre *Comment circuler*.

Voiture
La plupart des cafés et des hôtels touristiques peuvent vous procurer une voiture de location. Les agences du quartier de Pham

Ngu Lao s'efforcent de pratiquer les tarifs les plus bas.

Bateau

Des hydroglisseurs desservent régulièrement Vung Tao (1 heure 15, 10/5 \$US tarif plein/réduit) de la jetée de **Bach Dang**, Ð Ton Duc Thang. Si vous désirez plus de renseignements, contactez **Vina Express** (☎ 821 5609), sur la jetée.

À Vung Tau, les hydroglisseurs s'amarrent sur la **jetée de Cau Da**, en face du Hai Au Hotel. **Vina Express** (☎ 856530) possède un bureau sur cette jetée.

Les ferries à destination du delta du Mékong partent du **quai** (☎ 829 7892) situé à l'extrémité de ÐL Ham Nghi. Chaque jour, un bateau dessert les provinces d'An Giang et de Vinh Long, ainsi que les villes de Ben Tre (8 heures), Camau (30 heures, un départ tous les quatre jours), Mytho (6 heures, départ à 11h) et Tan Chau. Les billets sont vendus à bord et le bateau propose parfois un service de restauration très simple. Sachez que ces vieux rafiots sont totalement dépourvus d'équipements de sécurité, et même de gilets de sauvetage.

Circuits organisés

Curieusement, peu de circuits se consacrent à la visite de HCMV, mais n'importe quel agent de voyages local vous en organisera un sur mesure. Explorer la ville en cyclo pendant une demi-journée ou une journée peut se révéler plaisant, à condition de clairement fixer le prix avant le départ (la plupart des conducteurs demandent quelque 1 \$US l'heure).

Quantité d'excursions s'intéressent aux sites des alentours, comme les tunnels de Cu Chi, Tay Ninh et le delta du Mékong. Certaines durent une journée, d'autres deux jours. Les cafés et les agences du quartier de Pham Ngu Lao proposent les tarifs les plus raisonnables (voir *Agences de voyages* plus haut dans ce chapitre).

COMMENT CIRCULER
Desserte de l'aéroport

L'aéroport Tan Son Nhat se trouve à 7 km du centre de HCMV. Meilleure solution, la course en taxi équipé d'un compteur revient à 60 000 d (4 \$US) jusqu'au centre-ville. Une nuée de chauffeurs vous accueillera avec enthousiasme à la sortie

du terminal ; la plupart sont honnêtes, mais assurez-vous que le chauffeur accepte de mettre le compteur en marche et le fait une fois que vous êtes monté dans la voiture. Le prix total de la course jusqu'au centre-ville ne devrait pas dépasser 60 000 d.

Les chauffeurs de taxi vous recommanderont sans doute un "bon hôtel pas cher", où ils touchent une commission. Si vous ne savez pas où loger, ce peut être une bonne solution. Les problèmes commencent quand vous donnez l'adresse d'un hôtel qui ne verse pas de commission ; le chauffeur pourra alors prétendre que l'hôtel a fermé, a brûlé, est sale et dangereux, etc.

Si vous voyagez seul et sans trop de bagages, vous pouvez choisir une moto-taxi. Les conducteurs attendent près du parking de l'aéroport et demandent habituellement 3 \$US jusqu'au centre-ville. En sens inverse, vous devrez parcourir à pied la courte distance qui sépare l'entrée de l'aéroport du terminal. Les voitures particulières peuvent entrer dans l'aéroport, mais doivent déposer les passagers devant le terminal des vols intérieurs, situé à une minute à pied du terminal international.

Vous pouvez appeler un taxi pour rejoindre l'aéroport (voir plus loin la rubrique *Taxi*). Plusieurs cafés de Pham Ngu Lao disposent de navettes pour l'aéroport et proposent des formulaires de réservation de taxi collectif (2 \$US par personne).

Bus

Peu d'étrangers prennent les bus urbains, moins esthétiques mais bien plus sûrs que les cyclos. Depuis que le Comité populaire de HCMV a décidé de supprimer les cyclos, des crédits ont été alloués aux transports publics, jusque-là largement négligés.

Actuellement, les lignes de bus restent peu nombreuses mais elles devraient bientôt se multiplier. Il n'existe aucun plan correct du réseau et les arrêts sont rarement signalés. Mieux vaut donc emprunter les lignes principales.

Les bus **Saigon-Cholon** partent de la **place Me Linh**, au centre de Saigon (près de la Saigon), et suivent ÐL Tran Hung Dao jusqu'au marché Binh Tay, dans Cholon. Au retour, ils empruntent le même itinéraire. Sur cette ligne, les bus, climatisés, passent des cassettes vidéo et le chauffeur possède un bel uniforme ! Le ticket (3 000 d) s'achète dans le bus auprès de la receveuse.

Les bus Mien Dong-Mien Tay partent de la **gare routière de Mien Dong** (au nord-est de HCMV), traversent Cholon, puis rejoignent la **gare routière de Mien Tay**, à l'extrême ouest de la ville (5 000 d).

Voiture et moto

Les agences de voyages, les hôtels et les cafés proposent tous des voitures de location. La majorité des véhicules, relativement récents, sont de marques japonaises ou coréennes – de la mini-compact au minibus. De temps à autre, on tombe sur une antiquité des années 1950 ou 1960. Il y a quelques années, les "paquebots" américains, avec ailerons et pare-chocs chromés, servaient traditionnellement de "taxis de mariage". Aujourd'hui, les Toyota blanches les ont remplacés mais vous pourrez louer une "belle américaine" pour explorer HCMV et ses environs. Outre ces dernières, vous verrez parfois des Renault, des Citroën, des Lada, des Moskvich et des Volga.

Les plus téméraires opteront pour une moto, le moyen le plus rapide et le plus pratique pour circuler en ville, à condition de rester prudent. Les quartiers touristiques, comme celui de Pham Ngu Lao, comptent de nombreux loueurs de motos. Renseignez-vous dans les cafés.

Comptez de 5 à 8 $US par jour pour une 50 cc. Vérifiez qu'elle est en état de marche avant de signer et, de grâce, portez un casque.

Le Saigon Scooter Centre (☎ 0903-845819, fax 511 3491, www.saigonscooter centre.com, 174 Ð Bui Thi Xuan , district de Tan Binh) loue les traditionnels scooters Vespa et Lambretta, ainsi que des motos d'autres marques. Toutes sont bien entretenues. Comptez un minimum de 10 $US par jour, mais des réductions sont consenties pour les locations de longue durée. Moyennant un supplément, vous pourrez profiter d'un service "aller-simple" qui vous permettra de laisser le véhicule à n'importe quel endroit du Vietnam.

Taxi

Des taxis équipés de compteur maraudent dans les rues mais il est souvent plus facile d'en appeler un par téléphone. À HCMV, plusieurs compagnies disposent de taxis à compteur et pratiquent des tarifs identiques. Comptez de 8 000 d à 12 000 d pour la prise en charge et le premier kilomètre. La plupart des courses dans le centre reviennent à moins de 25 000 d.

Voici une liste des principales compagnies de taxi de HCMV.

Ben Thanh Taxi	☎ 842 2422
Mai Linh Taxi	☎ 822 6666
Red Taxi	☎ 844 6677
Saigon Taxi	☎ 842 4242
Vina Taxi	☎ 811 1111

Moto-taxi

Un moyen rapide (quoiqu'un peu dangereux) de se déplacer en ville consiste à monter à l'arrière d'un *xe om* (parfois appelé *Honda om*). Vous pouvez essayer d'en arrêter un dans la rue ou demander à un Vietnamien de vous en trouver un. Les conducteurs de *xe om* stationnent généralement à l'angle des rues. Les tarifs équivalent à ceux des cyclos.

Cyclo-pousse

Vous pouver héler un cyclo à peu près partout, car ils sillonnent les artères principales à toute heure du jour et de la nuit. À HCMV, la plupart des conducteurs sont d'anciens soldats de l'armée sud-vietnamienne et connaissent quelques mots d'anglais, voire le parlent couramment. Tous ont une histoire de guerre, de "rééducation", de persécution et de pauvreté à raconter.

Afin de juguler les problèmes de circulation croissants, 51 rues sont actuellement interdites aux cyclos. Les conducteurs doivent donc faire des détours pour les éviter et ne pas encourir les amendes que les policiers n'hésitent pas à leur infliger. Ne vous étonnez donc pas si votre cyclo-pousse ne vous dépose pas à l'adresse indiquée, mais dans la rue la plus proche. Faites preuve de compréhension face à cet inconvénient, dont les conducteurs ne sont pas responsables. Les autorités auraient sans aucun doute mieux fait de laisser carte blanche aux cyclos dans le centre-ville et d'obliger les voitures polluantes à emprunter des itinéraires détournés.

Une petite course dans le centre revient à 5 000 d environ et ne doit en aucun cas dépasser 10 000 d. Comptez quelque 20 000 d du district 1 au centre de Cholon. Gonfler les prix pour les touristes étant la norme, négociez le tarif au départ et munissez-vous de monnaie. Louer un cyclo, moyennant 1 \$US l'heure, constitue une bonne option pour une longue promenade. Dans le quartier de Pham Ngu Lao, la plupart des cyclopousse proposent un circuit type.

Profitez de ce moyen de transport, que la municipalité souhaite éradiquer.

Xe Lam

Petits véhicules à trois roues, les *xe lam* (appelés aussi Lambretta) relient les différents arrêts de bus. De l'arrêt des *xe lam* situé à l'angle nord-ouest de Ð Pham Ngu Lao et de Ð Nguyen Thai Hoc, vous pouvez prendre un véhicule jusqu'à la gare routière de Mien Tay, qui dessert le delta du Mékong.

Bicyclette

La bicyclette s'avère idéale pour visiter la ville paisiblement. Vous pourrez en louer une facilement, notamment auprès des hôtels, des cafés et des agences de voyages.

Les meilleurs magasins pour acheter un vélo correct (c'est-à-dire importé) se situent près du New World Hotel, Ð Le Thanh Ton, à quelques minutes de marche du quartier de Pham Ngu Lao (voir la carte *Centre de Ho Chi Minh-Ville*).

Le **Tax Department Store** *(carte Quartier de Dong Khoi ; angle ÐL Nguyen Hue et ÐL Le Loi)*, au rez-de-chaussée, vend des vélos vietnamiens mal assemblés mais bon marché, ainsi que des pièces détachées.

Pour une réparation immédiate, repérez un casque militaire à l'envers et une pompe à vélo, posés au bord du trottoir.

Les parkings à vélos consistent généralement en une portion de trottoir délimitée par une corde. Pour quelque

1 000 d, vous pouvez y laisser votre engin en toute sécurité (le vol constitue un réel problème). L'employé inscrit un numéro à la craie sur la selle ou l'agrafe au guidon et vous remet un reçu (ne le perdez pas !). Si votre vélo disparaît, le parking est censé le remplacer.

Bateau

Pour admirer la ville depuis le fleuve Saigon, vous pouvez facilement louer un bateau à moteur de 5 m de long. On vous abordera pour vous en proposer un : demandez que l'on amène l'embarcation pour l'examiner (cela se fait facilement).

Le prix moyen de la location s'élève de 5 \$US l'heure, pour un petit bateau, à 10/15 \$US, pour une embarcation plus grande et plus rapide. Parmi les destinations intéressantes figurent Cholon (par le canal Ben Nghe) et le zoo (par le canal Thi Nghe). Malheureusement, les égouts se déversent dans ces deux superbes canaux et les autorités projettent de déplacer les riverains, de combler les canaux et d'enterrer les canalisations.

Pour une promenade plus longue sur la Saigon, mieux vaut louer un bateau rapide auprès de Saigon Tourist (20 \$US l'heure). Essayez de trouver d'autres passagers pour partager les coûts. Si naviguer sur la Saigon est plaisant, cela ne saurait concurrencer la splendeur des canaux du delta du Mékong (voir le chapitre *Le delta du Mékong*).

La location à l'heure entraîne quelques abus : certains pilotes traînent, conscients que le compteur tourne. Mieux vaut s'entendre sur la durée de la promenade avant le départ.

Les ferries qui traversent la Saigon partent du **quai** situé à l'extrémité de ÐL Ham Nghi. Ils appareillent toutes les 30 minutes (entre 4h30 et 22h30).

Environs de Ho Chi Minh-Ville

TUNNELS DE CU CHI
☎ 08

La ville de Cu Chi, où vivent quelque 200 000 personnes, est aujourd'hui un district du "Grand Ho Chi Minh-Ville" (HCMV). Pendant la guerre du Vietnam, elle comptait environ 80 000 habitants. À première vue, il reste peu de traces des combats et des bombardements qui ont fait rage à Cu Chi pendant les hostilités. Elles sont plus visibles sous terre.

Le réseau des tunnels de Cu Chi est devenu légendaire dans les années 1960, en permettant au Viet-Cong de contrôler une grande partie de la campagne, à seulement une quarantaine de kilomètres de HCMV. À son apogée, le réseau s'étendait de la capitale sud-vietnamienne jusqu'à la frontière cambodgienne. Le district de Cu Chi comprenait à lui seul plus de 250 km de galeries souterraines qui, par endroits, se superposaient sur plusieurs niveaux. Ce labyrinthe comportait de nombreuses sorties secrètes, des zones d'habitation, des entrepôts, des fabriques d'armes, des hôpitaux de campagne, des centres de commandement et des cuisines.

Les tunnels permettaient aux enclaves contrôlées par le Viet-Cong de communiquer entre elles, lorsqu'elles étaient isolées dans des zones américaines et sud-vietnamiennes. Grâce à eux, la guérilla pouvait mener une attaque-surprise – même dans le périmètre de la base américaine de Dong Du – et s'évaporer sans laisser de traces. Les tentatives de destruction de ce réseau se révélant aussi meurtrières qu'inefficaces, les Américains décidèrent de frapper fort et transformèrent les 420 km² de Cu Chi en ce qui fut appelé par la suite "la région la plus bombardée, gazée, défoliée et dévastée de tous les temps par la guerre".

Cu Chi est devenu un lieu de pèlerinage pour les écoliers vietnamiens et les cadres du parti. Certaines sections de ce remarquable réseau de tunnels, élargies et restaurées, sont ouvertes au public. D'autres, laissées en l'état, sont rarement visitées en raison de leur difficulté d'accès.

De nombreux cimetières militaires jalonnent les environs de Cu Chi.

À ne pas manquer

- Visiter les tunnels, creusés par les vietcong, à Cu Chi
- Suivre un office au grand temple caodaïste de Tay Ninh
- Marcher dans le parc national de Cat Tien, paradis des ornithologues.
- Découvrir les îles Con Dao, où l'histoire du pénitencier a rendez-vous avec la nature

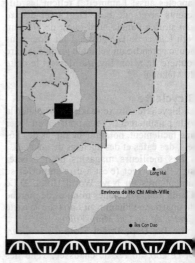

Environs de Ho Chi Minh-Ville

Histoire

Il fallut plus de 25 ans pour construire les tunnels de Cu Chi. Commencés à la fin des années 1940, ils furent la réponse improvisée d'une armée de paysans sous-équipés à des ennemis disposant de techniques modernes, d'hélicoptères, d'artillerie, de bombardiers et d'armes chimiques.

C'est pendant la guerre d'Indochine que le Viet-Minh creusa les premières galeries dans la terre dure et rouge de Cu Chi, idéale pour ce genre d'installations. Il s'agissait surtout, à l'époque, d'établir une communication entre les villages et d'éviter les patrouilles françaises.

Lorsque la résistance du Front national de libération vietcong (FLN) s'intensifia vers 1960, les anciens tunnels vietminh fu-

458

rent réparés et prolongés. En quelques années, ces réseaux prirent une importance stratégique énorme et permirent au Viet-Cong de contrôler la plus grande partie du district de Cu Chi, ainsi que les régions avoisinantes. Cu Chi servait également de base aux agents secrets et aux équipes de sabotage de Saigon. De là furent planifiées et lancées les attaques-surprise effectuées dans la capitale sud-vietnamienne au cours de l'offensive du Têt, en 1968.

Au début de l'année 1963, le gouvernement Diem mit en œuvre le programme des "hameaux stratégiques", consistant en campements fortifiés, entourés de piques de bambou, pour reloger les populations fuyant les zones passées aux mains des communistes. Le premier hameau vit le jour dans le district de Ben Cat, tout près de Cu Chi. Ce programme fut appliqué avec une telle incompétence, que la population rurale tourna le dos au régime. Le Viet-Cong s'employa, pour sa part, à infiltrer les hameaux, grâce aux tunnels. À la fin de 1963, il contrôlait déjà le premier.

La série de défaites enregistrée par les Sud-Vietnamiens dans la région permit,

à la fin de 1965, la mainmise totale du Viet-Cong sur Cu Chi. Au début de cette année-là, la guérilla avait même organisé un défilé militaire dans les rues de la ville. La puissance du Viet-Cong dans la région fut l'une des raisons qui incitèrent l'administration Johnson à engager les troupes américaines dans le combat.

Pour parer à la menace du contrôle vietcong sur une zone aussi proche de la capitale sud-vietnamienne, les Américains commencèrent par installer une vaste base dans le district de Cu Chi. Sans le savoir, ils la construisirent juste au-dessus d'un réseau de galeries. La 25e division mit des mois à comprendre pourquoi ses soldats se faisaient abattre la nuit sous leurs tentes.

Les forces américaines et australiennes tentèrent de "pacifier" la région de Cu Chi, qui fut surnommée le Triangle de fer. Elles lancèrent de vastes opérations de terrain impliquant des milliers de soldats, sans parvenir à localiser les tunnels. Pour priver le Viet-Cong d'abris et d'approvisionnements, elles déversèrent des défoliants sur les rizières, rasèrent une énorme

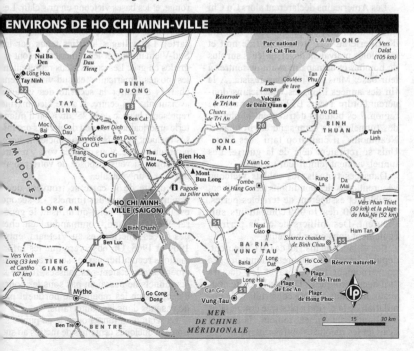

ENVIRONS DE HO CHI MINH-VILLE

superficie de jungle, évacuèrent et laminèrent des villages. Quelques mois plus tard, elles arrosèrent d'essence et de napalm la végétation asséchée. Cependant, la chaleur intense et l'humidité de l'air tropical déclenchèrent des pluies qui éteignirent les feux, et le Viet-Cong survécut dans ses abris souterrains.

Incapable de gagner cette bataille avec des armes chimiques, l'armée américaine envoya des hommes à l'assaut des tunnels. Cette armée de "taupes" subit de lourdes pertes au cours des nombreux affrontements souterrains.

Les Américains firent alors venir des chiens bergers-allemands, spécialement dressés pour débusquer les trappes et les rebelles. Pour les dérouter, les soldats vietcong répandirent du poivre sur le sol. Ils commencèrent à se laver avec du savon américain et revêtirent les uniformes de leurs prisonniers, pour tromper l'odorat des chiens, qui n'avaient d'ailleurs pas appris à reconnaître les objets piégés. Les pertes canines atteignirent de telles proportions que leurs maîtres finirent par refuser de les envoyer dans les tunnels.

Les Américains déclarèrent alors Cu Chi "zone de tir à volonté" : les GI's pouvaient faire feu sur tout ce qui bougeait. Des tirs d'artillerie au jugé avaient lieu de nuit et les pilotes pouvaient déverser leur surplus de bombes et de napalm avant de rentrer à leur base. Mais le Viet-Cong résista. À la fin des années 1960, les Américains donnèrent l'ordre à leurs B52 d'en finir avec la région. Les bombes détruisirent la plupart des tunnels et la campagne environnante. Néanmoins, il était trop tard : les États-Unis se retiraient déjà de la guerre. Les tunnels avaient rempli leur mission.

Dans ces tunnels, les soldats vietcong vécurent dans des conditions extrêmement pénibles et essuyèrent de terribles pertes. Seuls 6 000 des 16 000 combattants survécurent. Des milliers de civils périrent également dans cette horreur.

Les villages du district de Cu Chi eurent, depuis, droit à de nombreux honneurs. Le gouvernement les décora et les déclara "villages héroïques". Depuis 1975, de nouveaux hameaux ont été construits et la population de la région a plus que doublé. Les défoliants contaminent toujours la terre et l'eau, et les récoltes s'en ressentent.

Les tunnels

Au fil des années, le Viet-Cong, tirant la leçon de ses erreurs, développa des techniques simples et efficaces pour rendre ses tunnels quasi indécelables et indestructibles. Il camoufla les trappes de sortie en bois sous de la terre et des feuillages et en piégea certaines. Il trouva même le moyen de bâtir des issues secrètes sous l'eau des rivières. Les repas étaient préparés sur des cuisinières "Dien Bien Phu", qui dégageaient leur fumée très loin du lieu de cuisson, grâce à un système de conduits. Les trappes empêchaient les gaz lacrymogènes, la fumée et l'eau de se propager dans les tunnels. Certaines sections étaient équipées d'éclairage électrique.

Aujourd'hui, deux de ces tunnels sont ouverts au public, l'un à Ben Dinh et l'autre à Ben Duoc.

Ben Dinh. La petite zone rénovée des tunnels (*entrée 65 000 d*), ouverte aux visiteurs se trouve près du village de Ben Dinh, à 50 km de HCMV. Dans l'une des salles du centre d'accueil, une carte illustre l'étendue du réseau (au nord-ouest de l'agglomération d'HCMV). Les tunnels sont indiqués en rouge, et les bases vietcong en gris clair. Les lignes bleu clair symbolisent les rivières ou les fleuves (la rivière Saigon en haut de la carte). Les villages fortifiés tenus par les Sud-Vietnamiens et les Américains sont signalés en gris. Les points bleus représentent les postes américains et sud-vietnamiens chargés d'assurer la sécurité des villages avoisinants. Au centre, la zone bleu marine représente la base de la 25e division d'infanterie américaine. Très peu de circuits organisés incluent la visite de cette ancienne base, pourtant proche. Vous pourrez vous y rendre facilement si vous disposez de votre propre guide et d'un véhicule.

À droite de la carte se trouvent deux schémas en coupe des tunnels. Le second est une copie de celui qu'utilisait le général Westmoreland, commandant en chef des forces américaines au Vietnam, entre 1964 et 1968. On observera que les informations recueillies par les services secrets américains n'étaient pas fausses, même si les tunnels ne passaient pas sous les cours d'eau, et que les rebelles ne portaient pas de casques dans les souterrains.

La section du tunnel ouverte au public se trouve à quelques centaines de mètres au sud

...u centre d'accueil. Elle serpente sur 50 m à travers diverses salles. Les tunnels, non éclairés, mesurent environ 1,20 m de haut sur 0,80 m de large. Un tank M41 détruit et un cratère de bombe avoisinent la sortie, dans une forêt d'eucalyptus récemment plantée.

Ben Duoc. Il ne s'agit pas de tunnels authentiques mais d'une reconstitution précise *(entrée 65 000 d)* pour les touristes. L'accent est plutôt mis sur le côté "ludique" et les visiteurs imaginent facilement à quoi pouvait ressembler la guérilla. L'endroit accueille beaucoup plus de Vietnamiens que de touristes étrangers.

Musée de la Guerre de Cu Chi

Ce musée ne se trouve pas sur le site même, mais près de la nationale, dans le centre-ville de Cu Chi. Plutôt décevant, le musée de la Guerre de Cu Chi *(Nha Truyen Thong Huyen Cu Chi ; entrée 1 $US)* reçoit peu de visiteurs (la plupart des excursions au départ de HCMV ne s'y arrêtent pas).

Dans ce petit musée, la majeure partie des commentaires sont en vietnamien. Une série de photos atroces montre des civils morts ou gravement blessés après avoir été bombardés ou brûlés au napalm par les Américains. Une peinture murale met en scène des soldats américains, fusil au poing, subissant l'assaut de paysans uniquement armés de bâtons. Près des photos, un panneau indiquait autrefois en vietnamien : "La conquête et les crimes des Américains" ; depuis 1995, on peut lire : "La conquête et les crimes de l'ennemi" – sans doute dans la perspective d'accueillir des touristes américains.

Un des murs du musée porte une longue liste de noms des combattants vietcong morts dans la zone de Cu Chi. Dans une salle voisine figurent des photos récentes de fermes et d'usines prospères, assurément pour témoigner des bénéfices des réformes économiques. On trouve également une étonnante collection de poteries et de laques, dépourvue de toute explication. Dans le hall, près de l'entrée, se dresse une statue de Ho Chi Minh, levant le bras droit comme pour dire bonjour.

Comment s'y rendre

Cu Chi est un district assez étendu, dont une partie se situe à 30 km seulement du centre de HCMV. Le musée de la Guerre de Cu Chi est le site le plus proche de la ville ; par la nationale, les tunnels de Ben Dinh se trouvent à 50 km de HCMV, et ceux de Ben Duoc à 70 km. Un raccourci permet de réduire le trajet de plusieurs kilomètres, mais attendez-vous à une piste défoncée.

Circuits organisés. Ces circuits constituent une solution pratique et peu coûteuse pour visiter les tunnels. La plupart des cafés de Đ Pham Ngu Lao, à HCMV, proposent des excursions d'une journée, associant la visite des tunnels de Cu Chi à celle du grand temple caodaïste (voir *L'Œil divin caodaïste*, dans la section *Tay Ninh*), pour quelque 4 $US.

Bus. Les bus à destination de Tay Ninh s'arrêtent à la ville de Cu Chi, mais vous devrez louer une moto pour parcourir les 15 km menant aux tunnels ; ce trajet n'est pas desservi par les transports publics (voir la rubrique *Comment s'y rendre* de la section *Tay Ninh*, pour plus de détails).

Taxi. Louer un taxi de HCMV à Cu Chi reste abordable, surtout si vous partagez la course à plusieurs. Pour plus de détails sur la location de voiture ou de taxi à HCMV, voir la rubrique *Comment circuler* du chapitre *Ho Chi Minh-Ville*.

On peut aisément combiner la visite des tunnels de Cu Chi avec celle du grand temple caodaïste de Tay Ninh. Un taxi vous coûtera quelque 40 $US pour cette excursion d'une journée.

TAY NINH
☎ 066 • 41 300 habitants

La ville de Tay Ninh, capitale de la province du même nom, est avant tout le siège de la plus fascinante des religions vietnamiennes, le caodaïsme. Le grand temple caodaïste est l'un des édifices les plus saisissants d'Asie. Construit entre 1933 et 1955, ce chef-d'œuvre baroque tient à la fois d'une église française, du musée Grévin, d'une pagode chinoise et des jardins du Baume du Tigre de Hong Kong.

La province de Tay Ninh, au nord-ouest de HCMV, longe la frontière cambodgienne sur trois de ses côtés, le quatrième étant la Saigon. Son point culminant, le Nui Ba Den (mont de la Dame noire), surplombe la plaine. Le Vam Co, qui prend sa source au Cambodge, traverse l'ouest de la province.

La puissance politique et militaire des caodaïstes provoqua de longs combats acharnés dans cette région durant la guerre d'Indochine. La province de Tay Ninh devint ensuite une étape primordiale de la piste Ho Chi Minh durant la guerre du Vietnam. Le Viet-Cong parvint à s'emparer de la ville de Tay Ninh en 1969, et la conserva plusieurs jours.

À la fin des années 1970, lorsque la tension régnait entre le Cambodge et le Vietnam, les Khmers rouges lancèrent plusieurs raids sur la province et commirent des atrocités. Plusieurs cimetières des environs de Tay Ninh en témoignent.

Renseignements

Tay Ninh Tourist (☎ 822376, fax 822470, tanitour@hcm.vnn.vn, 210 Đ 30/4) a élu domicile au Hoa Binh Hotel.

Le caodaïsme

Le caodaïsme (Dai Dao Tam Ky Pho Do) est né de la volonté de créer une religion idéale par le syncrétisme des philosophies religieuses séculaires de l'Orient et de l'Occident. Il a pour cela emprunté à chacune des religions connues au Vietnam au début de ce siècle : bouddhisme, confucianisme, taoïsme, spiritisme vietnamien, christianisme et islam. Le terme "Cao Dai" (littéralement "haute tour" ou "palais suprême") est un euphémisme qui désigne Dieu. La hiérarchie de ce mouvement se fonde en partie sur celle de l'Église catholique, sans que la prêtrise soit une profession.

Histoire. Le caodaïsme fut fondé par Ngo Minh Chieu (également connu sous le nom de Ngo Van Chieu, et né en 1878), un fonctionnaire mystique qui dirigea le district de l'île Phu Quoc. Très érudit en matière de religions orientales et occidentales, il se passionna pour le spiritisme et avait, dit-on, un grand talent pour communiquer avec les esprits. Il commença vers 1919 à recevoir des révélations de Cao Dai, sur lesquelles il fonda sa doctrine.

Le caodaïsme devint une religion officielle en 1926. Un an plus tard, il comptait déjà 26 000 adeptes, dont beaucoup de fonctionnaires vietnamiens de l'administration coloniale. Au milieu des années 1950, un Sud-Vietnamien sur huit était caodaïste et le mouvement avait acquis une renommée internationale pour son originalité. Les caodaïstes firent de la province de Tay Ninh un État féodal quasi indépendant, où ils continuèrent à exercer L'auteur britannique Graham Greene envisagea même un temps de s'y convertir.

Les caodaïstes jouèrent un rôle politique et militaire important dans le Sud, de 1926 à 1956, levant une armée privée de 25 000 hommes, avec la bénédiction des Japonais d'abord, des Français ensuite Finalement, ces troupes rejoignirent les rangs de l'armée sud-vietnamienne. Pendant la guerre d'Indochine, les usines de munitions des caodaïstes étaient spécialisées dans la fabrication de tubes de mortier à partir de pots d'échappement.

Les caodaïstes refusèrent de soutenir le Viet-Cong durant la guerre du Vietnam tout en étant à peine tolérés par le gouvernement de Saigon. Ils s'attendaient donc au pire après la Réunification. Le régime confisqua effectivement leurs terres et fit exécuter quatre de leurs membres en 1979 Leur disgrâce prit fin en 1985, quand le communistes leur rendirent l'Œil divin (ou grand temple, siège du mouvement), ainsi que 400 autres temples.

Si l'influence des caodaïstes reste prépondérante dans la province de Tay Ninh et le delta du Mékong, on trouve des temples dans tout le sud et le centre du pays. La religion compte actuellement trois millions d'adeptes, la plupart concentrés dans la région du delta du Mékong. Les Vietnamiens qui ont fui à l'étranger après l'arrivée au pouvoir des communistes ont propagé le caodaïsme dans les pays occidentaux, bien que leur communauté y soit plus restreinte.

Philosophie. La doctrine caodaïste s'inspire en grande partie du bouddhisme mahayana, tout en intégrant des éléments taoïstes et confucianistes (la "triple religion" du Vietnam). L'éthique caodaïste se fonde sur l'idéal bouddhique de l'homme bon, tout en incorporant les sanctions et les tabous vietnamiens traditionnels.

Le but suprême de tout disciple caodaïste est d'échapper au cycle des réincarnations. Il doit pour cela s'abstenir de tuer, de mentir, de voler, de vivre dans le luxe et de s'adonner aux plaisirs de la chair.

Les caodaïstes croient en un seul dieu, à existence de l'âme et à la communication avec le monde des esprits. Ils sont végétariens, pratiquent le spiritisme, le culte des morts et des ancêtres, ainsi que la méditation. Ils exercent un prosélytisme actif. Leurs prêtres font vœu de célibat.

Suivant le principe chinois de dualité du yin et du yang, il existe deux grandes divinités : une féminine, la déesse Mère, et une masculine, Dieu (une dualité qui complique quelque peu la croyance en "un seul dieu"). Les caodaïstes divergent sur un point : laquelle de ces deux divinités a créé le monde ?

L'histoire, pour eux, se divise en trois grandes périodes de révélation divine. Au cours de la première, la vérité de Dieu fut révélée à l'humanité par Lao-tseu (Laozi) et des personnages associés au bouddhisme, au confucianisme et au taoïsme. Les agents humains de la révélation sont intervenus pendant la deuxième période. Il s'agit de Bouddha (Sakyamuni), Mahomet, Confucius, Jésus et Moïse. Les caodaïstes croient que leurs messages ont été corrompus par la fragilité humaine des messagers et de leurs disciples. Ils croient également que ces révélations ne s'appliquaient qu'à une période spécifique et à la population originaire de la région où vivaient les messagers.

Le caodaïsme se considère comme le fruit d'une "troisième alliance entre Dieu et l'Homme". Ce principe est la troisième et dernière révélation. Les disciples estiment que le caodaïsme échappe aux échecs des deux premières périodes, car il est fondé sur une vérité divine communiquée par les esprits, messagers du salut et enseignants de la doctrine. La liste des esprits entrés en contact avec les caodaïstes comprend des personnages hors du commun (responsables caodaïstes décédés, patriotes, héros, philosophes, poètes, dirigeants politiques, guerriers), mais aussi des gens ordinaires. Quelques illustres Occidentaux en font partie : Jeanne d'Arc, René Descartes, Victor Hugo, Lénine, Louis Pasteur et William Shakespeare. En raison de ses fréquentes conversations avec les médiums caodaïstes de la mission de Phnom Penh, Victor Hugo a été promu, à titre posthume, chef spirituel des missions étrangères.

Les communications avec les esprits se déroulent en vietnamien, chinois, français ou anglais. La façon de recevoir les messages témoigne de l'influence du spiritisme occidental et extrême-oriental sur les rites caodaïstes. Parfois, un médium tient un stylo ou un pinceau de calligraphie chinois. Dans les années 1920, on utilisait un bâton de bois de 66 cm de long appelé *corbeille à bec*. Le médium en tenait une extrémité, tandis que l'autre, munie d'un crayon, inscrivait les messages des esprits. Les caodaïstes ont également recours à ce que l'on appelle la *pneumatographie* – une feuille blanche est glissée dans une enveloppe cachetée puis suspendue au-dessus de l'autel. Lorsqu'on la décroche, elle contient un message.

Une grande partie des textes sacrés du caodaïsme sont des transcriptions de messages communiqués aux dirigeants du mouvement, lors de séances de spiritisme qui se sont déroulées entre 1925 et 1929. De 1927 à 1975, seules les séances officielles ayant eu lieu à Tay Ninh étaient reconnues par la hiérarchie. Cela n'empêche pas des groupes dissidents de procéder à des séances au cours desquelles arrivent des messages contredisant la doctrine officielle.

Les caodaïstes pensent que le végétarisme est un service rendu à l'humanité, car il évite de nuire à des êtres vivants au cours de leur évolution spirituelle. C'est aussi une forme d'autopurification. Tous ne l'appliquent cependant pas avec la même rigueur. Si les plus laxistes ne boudent la viande que six jours par mois, les prêtres suivent cette règle sans faille.

Le clergé accueille des hommes et des femmes, mais ces dernières ne peuvent accéder aux niveaux supérieurs de la hiérarchie. Lorsque des prêtres des deux sexes et de même rang officient dans la même région, les hommes prédominent. Les femmes sont vêtues de blanc et portent le titre de *huong* (qui veut dire "parfum"), les hommes sont appelés *thanh* ("pur"). Les temples sont agencés de manière à ce que les disciples hommes et femmes entrent par des portes différentes et s'installent respectivement à droite et à gauche de l'autel.

Les temples caodaïstes célèbrent quatre offices par jour (à 6h, 12h, 18h et 24h). Le rite, durant lequel les dignitaires portent une tenue d'apparat et une coiffe, comporte des offrandes d'encens, de thé, d'alcool, de fruits et de fleurs. L'autel est toujours surmonté de l'"œil divin", devenu le symbole officiel de la religion, après que Ngo Minh Chieu en eut la vision sur l'île Phu Quoc.

L'Œil divin caodaïste

L'Œil divin caodaïste, qui fut construit en 1926, se trouve à 4 km à l'est de Tay Ninh, dans le village de Long Hoa.

Le complexe comprend le grand temple caodaïste (Thanh That Cao Dai), des bureaux administratifs, les logements pour les employés et les fidèles, ainsi qu'un dispensaire de médecine traditionnelle par les plantes, où l'on vient se faire soigner de tout le Sud. Après la Réunification, le gouvernement "emprunta" une partie du complexe pour son propre usage.

Les prières ont lieu quatre fois par jour dans le grand temple, mais peuvent être suspendues durant la fête du Têt. Ne manquez pas d'assister à une prière (celle de 12h est la préférée des groupes en provenance de HCMV), mais prenez soin de ne pas perturber les fidèles. Quelques centaines de prêtres, vêtus de blanc, participent aux prières en semaine ; ils se comptent par milliers les jours de fête. Le clergé ne voit pas d'objection à ce que vous preniez des photos des objets de culte mais vous ne pouvez pas photographier les personnes sans leur permission – rarement accordée. Toutefois, vous pourrez photographier les séances de prière depuis le balcon, une concession évidente en raison de l'afflux de touristes.

Faites particulièrement attention à votre tenue vestimentaire. Vous ne pourrez pas entrer vêtu d'un short ou d'un débardeur. Vous devrez vous déchausser en entrant.

L'œil divin orne le fronton de l'entrée. Les femmes entrent par une porte située au pied de la tour à gauche, puis font le tour de la pièce à l'extérieur des colonnades. Les hommes entrent par la droite et circulent en sens inverse. La zone située au centre du sanctuaire (entre les piliers) est réservée aux prêtres.

Une fresque dans le hall d'entrée présente les trois signataires de la "troisième alliance entre Dieu et l'Homme" : le révolutionnaire et homme d'État chinois Sun Yat-sen (1866-1925) tient un encrier de pierre, tandis que le poète vietnamien Nguyen Binh Khiem (1492-1587) et Victor Hugo (1802-1885) écrivent respectivement "Dieu et Humanité" et "Amour et Justice" en chinois e en français. Victor Hugo utilise une plume Nguyen Binh Khiem, un pinceau. Des panneaux en français, en anglais et en alleman donnent chacun une version un peu diffé rente des principes du caodaïsme.

Le grand temple est construit sur neu niveaux pour symboliser les neuf marche menant au paradis. Au fond du sanctuair huit colonnes de plâtre, ornées de dragon multicolores, soutiennent le dôme repré sentant, tout comme le reste du plafond le paradis. Sous le dôme, une énorm sphère bleue parsemée d'étoiles port l'"œil divin".

Le plus grand des sept sièges placé devant ce globe est réservé au pape cao daïste (son siège est vacant depuis 1933) Les trois suivants sont ceux des responsa bles des livres contenant les préceptes d la religion. Les trois derniers sont destiné aux responsables des trois branches d caodaïsme, représentées par les couleur jaune, bleu et rouge.

Notez, de part et d'autre de la zone si tuée entre les colonnes, les deux chaire ressemblant aux *minbars* des mosquées.

En haut, près de l'autel, l'on discerne peine les portraits des 6 personnages clé du caodaïsme : Sakyamuni (Siddharth Gautama, le fondateur du bouddhisme) Ly Thai Bach (Li Taibai, une fée de la my thologie chinoise), Khuong Tu Nha (Jian Taigong, un saint chinois), Laozi (Lao Tseu, fondateur du taoïsme), Quan Con (Guangong, dieu chinois de la Guerre) e Quan Am (Guanyin, déesse chinoise de l miséricorde).

Marché Long Hoa

Ce vaste marché *(tlj 5h-18h)*, situé à quel ques kilomètres au sud du grand templ caodaïste, comporte des étals d'alimenta tion, de vêtements et de produits de base Avant la Réunification, les caodaïste avaient le droit de prélever des taxes auprè des commerçants.

Où se loger et se restaurer

Hoa Binh Hotel *(☎ 821315, fax 822345 210 Đ 30 Thang 4 ; chambres avec clim 220 000-310 000 đ)*. Installé à 5 km d grand temple caodaïste, ce bâtiment e béton, caractéristique de l'architectur soviétique, est le principal point de chute des visiteurs, quoi que la plupart se limitent à une excursion à la journée. Le petit déjeuner est inclus.

Anh Dao Hotel (☎ *827306, Ð 30 Thang 4 ; chambres lits jumeaux/ doubles 170 000/250 000 d)*. À 500 m du Hoa Binh Hotel, cet hôtel vieillot et sans caractère, propose cependant un petit déjeuner copieux, inclus dans les tarifs.

Les deux hôtels possèdent une salle de **restaurant** mais, juste à côté du Hoa Binh Hotel, le **Thanh Thuy** (☎ *827606, Ð 30 Thang 40 ; plats 25 000-45 000 d)* mitonne une cuisine vietnamienne plus savoureuse et meilleur marché. Les prix, non indiqués sur le menu, restent raisonnables, pour des portions généreuses.

Si vous vous rendez à Tay Ninh par vos propres moyens, l'un des meilleurs restaurants le long de la RN 22 s'appelle **Kieu** (☎ *850357, 9/32 RN 22)*. Situé à 5 km du temple caodaïste en direction de HCMV, ce restaurant sert une bonne cuisine bon marché. Les fours en brique offrent une distraction intéressante après le repas.

Comment s'y rendre

Bus. Les bus reliant HCMV à Tay Ninh partent de la **gare routière de Tay Ninh** (Ben Xe Tay Ninh), dans le district de Tan Binh, et de la **gare routière de Mien Tay**, à An Lac.

Tay Ninh se trouve à 96 km de HCMV, sur la RN 22 (Quoc Lo 22). La route traverse **Trang Bang**, là où fut prise, durant une attaque américaine au napalm, la (tristement) célèbre photo d'une petite fille nue grièvement brûlée, courant et criant. Plusieurs **temples caodaïstes** bordent la RN 22, dont un sévèrement endommagé par le Viet-Cong lors de sa construction, en 1975.

Taxi. La façon la plus simple de se rendre à Tay Ninh consiste à emprunter un taxi. Vous pouvez en profiter pour faire une excursion d'une journée et visiter Cu Chi (quelque 40 \$US l'aller retour).

NUI BA DEN
☎ 066

Le mont Nui Ba Den (*mont de la Dame noire ; adultes/enfants 6 000/2 000 d)* se situe à 15 km au nord-ouest de Tay Ninh.

Il culmine à 850 m dans un paysage de rizières, de champs de maïs et de manioc et de plantations d'hévéas. Pendant des siècles, le Nui Ba Den fut un sanctuaire pour les peuples de la région, Khmers, Cham, Vietnamiens et Chinois, comme en témoignent plusieurs **temples creusés dans la roche**. Le sommet du Nui Ba Den bénéficie d'un climat nettement plus frais que le reste de la province, qui ne s'élève qu'à quelques dizaines de mètres au-dessus du niveau de la mer.

Le Viet Minh puis le Viet-Cong se servirent de ce mont comme base d'entraînement et le Nui Ba Den fut le théâtre de durs combats pendant les guerres d'Indochine et du Vietnam. L'armée américaine installa une base de tir et une station relais à son sommet, avant qu'il ne soit – ironie de l'histoire – lourdement bombardé et défoliée par l'aviation américaine.

Le mont de la Dame noire tire son nom de la légende de Huong, une jeune femme qui avait épousé l'homme qu'elle aimait, malgré les avances d'un riche mandarin. Son mari parti au service militaire, elle alla se recueillir devant une statue miraculeuse de Bouddha, au sommet de la montagne. Un jour, Huong fut kidnappée mais, préférant la mort au déshonneur, elle se jeta du haut d'une falaise. Son fantôme apparut à un bonze qui vivait dans la montagne et raconta son histoire.

La promenade aller-retour du pied de la montagne au temple principal se fait en 1 heure 30. Si certains passages sont assez pentus, la balade reste facile et vous croiserez de nombreuses vieilles femmes qui montent prier. Autour du temple sont installés quelques stands où trouver rafraîchissements et nourriture.

Si l'exercice ne vous fait pas peur, vous pouvez aller jusqu'au sommet et en redescendre en 6 heures environ. Le moyen le plus rapide (et le moins fatiguant) de monter et de descendre est d'emprunter le **télésiège** (*tarif plein/réduit aller simple 25 000/10 000 d, aller-retour 45 000/ 20 000 d)*.

Au pied de la montagne, vous découvrirez des plans d'eau et des jardins superbement entretenus. Comme dans nombre de site sacrés en Asie, vous verrez des attractions de fête foraine mélangeant le spirituel et le kitsch, tels des pédalos, des poubelles en céramique en forme de castor, ainsi qu'un petit train (billet 1 000 d) pour épargner de la marche aux plus fatigués.

Très peu d'étrangers viennent ici mais les Vietnamiens apprécient beaucoup l'endroit. Une foule dense se presse le dimanche, les jours fériés et lors des fêtes, mieux vaut donc programmer votre visite à un autre moment.

Où se loger et se restaurer

Nha Nghi Thuy Dong (☎ 624204 ; bungalows 120 000 d). À 500 m à l'intérieur du parc depuis le portail d'entrée, en bordure du lac, sont disséminés des bungalows sombres. Chacun dispose de toilettes à la turque, mais les douches se trouvent à l'extérieur.

L'alternative la plus économique pour passer la nuit, consiste à camper. À proximité des bungalows, vous pourrez dormir sous une **tente double** (50 000 d), montée sur une **plateforme** équipée de nattes, d'un ventilateur et d'attaches pour hamac, ou bien opter pour une **tente indépendante** (70 000 d). Pour utiliser les toilettes et les douches froides communes, il vous en coûtera 500 d. Vous pourrez vous doucher gratuitement à la pagode Trung, toute proche, où les moines vous concocteront un repas traditionnel végétarien si vous les prévenez un jour à l'avance (le repas est gratuit, mais une participation est recommandée).

Le **Thuy Dong Restaurant**, rattaché au complexe des bungalows, jouit d'une jolie vue sur le lac. Des **échoppes** permettent de se restaurer et des kiosques vendent des boissons fraîches et des souvenirs. Sur le parking, à l'entrée principale, des **échoppes** proposent des fruits secs produits localement, ainsi que des bonbons à base de noix de coco et de sucre de canne.

Comment s'y rendre

Aucun transport public ne dessert Nui Ba Den. Si vous ne possédez pas votre propre véhicule, le plus simple est de prendre un *xe om* depuis Tay Ninh, moyennant quelque 50 000 d.

PAGODE AU PILIER UNIQUE

Le nom officiel de ce bel édifice est Nam Thien Nhat Tru, mais tout le monde l'appelle la pagode au Pilier unique de Thu Duc (*Chua Mot Cot Thu Duc ; ☎ 08-896 0780, 1/91 Ð Nguyen Du*).

Sans en être sa réplique, elle est bâtie sur le modèle de la pagode au Pilier unique de Hanoi. Cette dernière, édifiée au IXe siècle, fut détruite par les Français, puis reconstruite par les Vietnamiens en 1954. La pagode au Pilier unique de Thu Duc date, elle, de 1958.

Lors de la partition du Vietnam, en 1954, les moines bouddhistes et les prêtres catholiques s'enfuirent vers le Sud, afin d'éviter les persécutions et de continuer à pratiquer leur religion. Parmi eux se trouvait Thich Tri Dung, un moine de Hanoi. Peu après son arrivée à Saigon, il demanda au gouvernement du Sud-Vietnam l'autorisation de construire une réplique de la pagode au Pilier unique. Le président Ngo Dinh Diem, catholique peu tolérant envers le clergé bouddhiste, lui opposa son veto. Cela n'empêcha pas Thich et ses partisans de rassembler les fonds et de construire la pagode, outrepassant ainsi les ordres du président. Le gouvernement ordonna aux moines de détruire le temple sous peine d'emprisonnement, mais ces derniers refusèrent d'obtempérer. Devant une telle résistance, le conflit s'enlisa. Les tentatives de harcèlement et d'intimidation du président, dans ce pays à 90% bouddhiste, contribuèrent finalement à son assassinat par ses propres soldats, en 1963.

Pendant la guerre, la pagode au Pilier unique de Thu Duc possédait une plaque de grande valeur, censée peser 612 kg. À la libération, le gouvernement s'en est emparé et l'a mise en "lieu sûr", à Hanoi. Toutefois, aucun des moines encore en vie aujourd'hui ne sait où elle se trouve.

La pagode est située dans le district de Thu Duc, à quelque 15 km au nord-est du centre de HCMV. Peu d'excursions proposent sa visite, et il faut louer une voiture ou une moto pour s'y rendre.

CAN GIO
☎ 08

La seule plage de la municipalité de HCMV se situe à Can Gio, une île presque plate frangée de palmiers à l'embouchure de la Saigon. L'île a été créée par l'engorgement du limon en aval, ce qui donne à la plage exposée à des vents violents, un aspect boueux peu esthétique. Aussi, les visiteurs ne se précipitent-ils pas à Can Gio et la plage ne possède aucune infrastructure.

Cependant, l'île offre une beauté sauvage, et l'on peut y déguster de bons fruits de mer. Quant à sa pénurie en eau potable, elle lui évite la surpopulation, contrairement au reste de HCMV.

Les terres ne se situent qu'à 2 m au-dessus du niveau de la mer et une grande forêt de mangrove couvre l'île. Si la boue saumâtre empêche toute forme d'agriculture, l'aquaculture a pu s'y développer, particulièrement l'élevage des crevettes. La plage regorge de clams et autres coquillages que les insulaires viennent ramasser. Vous verrez également quelques salines : l'eau de mer est déviée vers des bassins peu profonds et s'évapore jusqu'à ce qu'une fine couche de sel soit recueillie. Can Gio possède un petit port de pêche, mais le manque de profondeur empêche les gros navires d'y jeter l'ancre.

De 1945 à 1954, Can Gio passa sous le contrôle du général Bay Vien, qui avait également la mainmise sur un casino de Cholon. Le président Ngo Dinh Diem persuada ce personnage, tout à la fois seigneur de guerre et gangster, de rejoindre les forces sud-vietnamiennes. Peu de temps après, Bay Vien fut assassiné par un inconnu.

Parc de mangrove de Can Gio

Ce parc (*Lam Vien Can Gio* ; ☎ 874 3069, fax 874 3068 ; *entrée 7 000 d*) s'étend sur 70 000 ha de mangrove formés par les sédiments du Dong Nai et du Long Tau. Il abrite le **musée de Can Gio**, où l'on peut admirer des expositions sur la faune et la flore locales, ainsi que sur l'histoire de la guerre dans la région. Des centaines de singes vivent près du musée et les touristes adorent les nourrir. Faites *très* attention à vos affaires, car ils sont passés maîtres dans l'art de chiper sacs, stylos et lunettes de soleil, montrant une habileté supérieure à celle des voleurs à l'arraché de HCMV !

Temple caodaïste

Bien que son temple soit plus petit que le grand temple caodaïste de Tay Ninh, Can Gio s'enorgueillit d'en posséder un. Situé près du marché, vous ne pourrez le manquer.

Marché de Can Gio

Les odeurs puissantes de ce grand marché témoignent de l'importance des produits de la mer qui, avec le sel, constituent les spécialités locales. Les légumes, le riz et les fruits sont importés par bateau de HCMV.

Monument aux morts et cimetière militaire

Tout près de l'élevage de crevettes et à 2 km du marché de Can Gio, vous remarquerez un grand cimetière militaire et un monument aux morts (Nghia Trang Liet Si Rung Sac). Comme dans tous les sites de ce genre, l'éloge de la bravoure et du patriotisme ne s'adresse qu'aux vainqueurs. Les cimetières militaires contenant les restes de soldats sud-vietnamiens ont été rasés à la libération, ce qui cause encore beaucoup d'amertume.

Plage

La partie méridionale de l'île fait face à la mer, sur près de 10 km. La plage se révèle en grande partie inaccessible, car clôturée pour l'élevage des crevettes et le ramassage des clams. On peut toutefois y accéder, à 4 km à l'ouest du marché de Can Gio, par une mauvaise route jalonnée de poteaux télégraphiques qui débouche de la route de HCMV et conduit à la mer. Sur la plage, des stands vendent de la nourriture et des boissons.

Le sol étant aussi dur que du béton, on peut y rouler à moto. Mieux vaut s'en abstenir, afin de ne pas détruire l'environnement local. Si, au premier coup d'œil, la plage semble déserte, elle grouille de vie sous le sable, comme le suggèrent les trous d'aération. Vous entendrez le craquement des minuscules coquillages en vous promenant. Les eaux sont peu profondes et vous avez pied loin du bord mais prenez garde aux vives, aux poissons-pierre et aux oursins qui se vengeront douloureusement si vous leur marchez dessus !

Par beau temps, les collines de la péninsule de Vung Tau se profilent à l'horizon.

Où se loger et se restaurer

La plupart des touristes visitent Can Gio dans la journée et ils ont raison : les hôtels n'ont rien de très engageant. En outre, ils affichent souvent complet et il vaut mieux téléphoner pour réserver.

Guesthouse 30/4 (☎ 874 3022 ; *chambres avec ventil./clim. 150 000/250 000 d*). Cette pension offre un confort rustique a le mérité de se trouver à proximité de la plage.

Filao Restaurant (☎ 874 3164). Proche de la Guesthouse 30/4, voilà une bonne adresse pour goûter aux fruits de mer locaux. Il en va de même pour le **restaurant** (☎ 874 3150) qui jouxte la pension.

Des échoppes se sont installées autour du marché, près du port. Quelques **buvettes** parsemées le long de la plage vendent du Coca-Cola, des en-cas et des nouilles instantanées. C'est toujours mieux que rien. Apportez de la nourriture et une bouteille d'eau au cas où les stands seraient fermés.

Comment s'y rendre

Can Gio se situe à une soixantaine de kilomètres au sud-est du centre de HCMV. Le trajet en voiture ou à moto, moyens de transport les plus rapides, dure environ 2 heures.

Il existe une **ligne de ferry** (moto/voiture 2 000/10 000 d). L'embarcadère se trouve à Binh Khanh (Cat Lai), une ancienne base navale américaine à 15 km de HCMV.

La route est pavée de HCMV à Can Gio. Après le premier bac, la circulation se raréfie et de luxuriantes mangroves bordent la route.

MONT BUU LONG

Nombre de brochures touristiques décrivent le mont Buu Long (entrée 5 000 d) comme la "baie d'Along du Sud", ce qui laisse imaginer un site d'une beauté exceptionnelle. D'accord, l'endroit ne vaut pas baie d'Along, mais il mérite une visite d'une journée, ne serait-ce que pour s'échapper de la foule de HCMV. Depuis que des parcs aquatiques ont ouvert à l'intérieur et aux alentours de la ville, les visiteurs sont ici moins nombreux et le mont Buu Long a retrouvé sa sérénité.

Le sommet se dresse à 60 m du parking d'où partent plusieurs sentiers de randonnée. Une pagode marque le sommet depuis lequel vous aurez une vue plongeante sur **Long An** (lac du Dragon). Vous pourrez profiter du paysage, observer les oiseaux et regarder les fermes le long de la rivière Dong Nai.

Quelques **buvettes** proposent des boissons fraîches et des nouilles, mais nous vous recommandons le petit **restaurant végétarien** du sommet.

Le meilleur moyen de se rendre au mont Buu Long, à 32 km du centre de HCMV,

reste la voiture ou la moto. Le pied de la montagne se trouve à 2 km de la route nationale, après le pont marquant la fin de l'agglomération de HCMV et le début de la province de Dong Nai.

Action Max (☎ 0913-929137, actionmax @hcm.vnn.vn), une agence de HCMV, propose d'agréables circuits d'aventure au mont Buu Long.

LONG AN

Une poignée de pavillons et de boutiques de souvenirs agrémentent les rives du Long An (lac du Dragon ; entrée 5 000 d). Pour y accéder, il faut descendre le mont Buu Long et franchir une grille, non sans avoir acquitté le droit d'entrée. Moyennant un petit supplément, vous pourrez pagayer dans les eaux vertes et gluantes, à la poursuite du fameux dragon censé se cacher au fond du lac ! Bien que nous n'ayons pu le repérer, cette partie de canotage nous a permis d'échapper aux vendeurs de billets de loterie et de cartes postales.

CHUTES DE TRI AN

Cette cascade de 8 m de haut et 30 m de large sur la Song Be (rivière Be) s'avère particulièrement impressionnante à la fin de l'automne, lorsque le courant est au maximum de sa puissance. Situées dans la province de Song Be, les chutes de Tri An se trouvent à 36 km de Bien Hoa et à 68 km de HCMV (via Thu Dau Mot).

En amont des chutes, vous découvrirez le grand lac artificiel de Tri An (Ho Tri An), formé par le barrage du même nom et alimenté depuis les hautes plaines des environs de Dalat. Terminé au début des années 1980 avec l'aide des Soviétiques, ce barrage et sa centrale hydroélectrique alimentent en électricité la majeure partie de HCMV.

VUNG TAU
☎ 064 • 161 300 habitants

Vung Tau, que les Français appelaient cap Saint-Jacques (il fut d'abord baptisé ainsi par les marins portugais, du nom de leur saint patron), est une station balnéaire très développée au bord de la mer de Chine méridionale, à 128 km au sud-est de HCMV.

Si ces plages ne sont pas les plus belles du pays, elles sont facilement accessibles de HCMV. D'où cet engouement pour le cap Saint-Jacques que les Saigonnais ont hérité des Français, qui s'y firent bâtir des villas dès la fin du XIXe siècle. Les lieux sont pollués par les forages en mer et les égouts de HCMV qui se déversent dans la rivière. Les amateurs de plage qui cherchent à s'échapper de la ville auront mieux fait de parcourir le trajet de deux heures vers Long Hai ou, mieux encore, de rallier la superbe plage de Mui Ne, à trois heures de route (voir le chapitre *Le littoral du Centre et du Sud*).

On peut se promener à bicyclette dans les environs, escalader les deux "sommets" de la péninsule de Vung Tau, ou encore visiter les **sites religieux**, dont plusieurs pagodes et l'imposante statue du Christ bénissant la mer de Chine méridionale. La vue panoramique depuis le phare (*hai dang*) construit en 1910 au sommet de la Petite Montagne s'avère spectaculaire, surtout au coucher du soleil.

Vung Tau a longtemps disputé à HCMV le monopole des "circuits organisés du sexe" – les salons de massage sont légion. L'épidémie du sida a cependant mené à une certaine prise de conscience et cette activité lucrative bat de l'aile.

Le vol est également augmenté dans la région. Prenez garde aux gamins qui jouent les pickpockets en herbe et pourraient vous arracher votre sac. Des motards pratiquent aussi le vol à l'arraché, comme à HCMV.

La meilleure raison de visiter Vung Tau aujourd'hui consiste peut-être à s'offrir une croisière en ferry ou un voyage en hélicoptère à destination des îles Con Dao (voir la rubrique suivante), l'un des endroits les mieux préservés du Vietnam.

Pendant le week-end ou les vacances, la centaine d'hôtels de Vung Tau se remplit rapidement mais, vous devriez toujours trouver un endroit où loger.

Comment s'y rendre

Le meilleur moyen d'atteindre Vung Tau est par l'hydroglisseur (adultes/enfants 10/5 \$US, 1h15 environ) qui part régulièrement de la **jetée de Bach Dang** à HCMV. À Vung Tao, vous le prendrez à la **jetée de Cau Da**, en face du Hai Au Hotel. La société **Vina Express** (☎ 856530) dispose d'un bureau de vente à Vung Tao, situé non loin de la jetée.

Les minibus les plus pratiques à destination de Vung Tau partent du Saigon Hotel, sur ÐDong Du à la hauteur de la mosquée de Saigon.

Pour circuler à Vung Tau, louez une bicyclette ou une moto. De nombreux taxis avec compteur sillonnent également la péninsule.

ÎLES CON DAO
☎ 064 • 1 650 habitants

Ce remarquable archipel comprend 15 îles et îlots, éparpillés à 180 km (97 milles marins) au sud de Vung Tau, dans la mer de Chine méridionale.

D'une superficie de 20 km^2, la verdoyante Con Son est la plus grande de ces îles. Ses nombreuses petites criques, ses plages et les récifs de corail qui la bordent en font un petit paradis. On l'appelle également Iles Poulo Condore (Pulau Kun-dur), nom malais européanisé qui signifie "île aux Courges". L'archipel produit du bois de teck et de pin, des fruits (noix de cajou, raisin, noix de coco et mangues) et l'on y vend également des perles, des tortues de mer, des homards et du corail.

Occupée à plusieurs reprises par les Khmers, les Malais et les Vietnamiens, Con Son a très tôt servi de base aux Européens venus commercer dans la région.

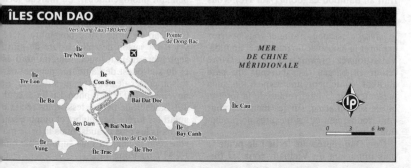

ÎLES CON DAO

Vers Vung Tau (180 km)

Pointe de Dong Bac

MER DE CHINE MÉRIDIONALE

Île Tre Nho

Île Con Son

Île Tre Lon

Île Ba

Bai Dat Doc

Île Cau

Ben Dam

Bai Nhat

Pointe de Cap Ma

Île Bay Canh

Île Vung

Île Trac

Île Tho

0   3   6 km

Les premiers Européens recensés ont débarqué d'un navire portugais en 1560. La Compagnie des Indes y tint un comptoir fortifié de 1702 à 1705, année où les Britanniques furent massacrés par des soldats de Macassar qu'ils avaient enrôlés dans l'île indonésienne de Sulawesi.

Con Son possède sa propre histoire politique et culturelle. De nombreux héros révolutionnaires vietnamiens, qui ont donné leur nom aux rues, furent incarcérés sur l'île. Les Français firent de Con Son un bagne de triste réputation, en raison des mauvais traitements et des tortures que subissaient les prisonniers politiques. Le gouvernement sud-vietnamien prit la relève en 1954, profitant de l'isolement de l'île pour y détenir ses opposants (dont des étudiants) dans des conditions effroyables. Pendant la guerre du Vietnam, c'est ici que les forces américaines ont rejoint l'armée du Sud-Vietnam.

Con Dao offre aux voyageurs intrépides une page d'histoire aussi riche que tragique, mais les amoureux de la nature et les adeptes de la bronzette ne seront pas déçus non plus. Le **parc national de Con Dao** s'étend sur près de 80% des terres de l'archipel et ce ne sont pas les sentiers de randonnée ni les plages désertes qui manquent.

Les bureaux du parc sont une mine d'informations et les employés vous indiqueront les randonnées possibles (certains sentiers sont signalisés en anglais et en vietnamien). De mars à novembre, une jolie promenade de deux heures part de la piste de l'aéroport (l'accès est interdit le matin à cause du ballet des hélicoptères). Le sentier passe par une forêt dense et une mangrove, puis traverse un ruisseau pour finir au **Bamboo Lagoon** (Dam Tre). Vous aurez besoin des services d'un guide pour ne pas vous perdre mais, une fois arrivé, le paysage est magnifique et vous pourrez explorer la baie avec un masque et un tuba. Vous pouvez organiser à l'avance votre retour en bateau. Les bureaux du parc abritent également une exposition bien présentée sur la biodiversité de la forêt et la vie sous-marine, sur les menaces pour l'environnement et les mesures de protection locales.

Con Dao représente le lieu de ponte le plus important du Vietnam pour les **tortues marines**. Depuis 1995, le Worldwide Fund for Nature (WWF) collabore avec les rangers du parc pour mettre en place un système de surveillance à long terme. Pendant la saison de ponte (mars à septembre), six postes de gardes sont installés pour sauver les nids menacés et transporter les œufs vers des couveuses.

Parmi les espèces marines rencontrées à Con Dao se trouve le **dugong**, un mammifère marin rare et peu souvent observé de la famille des lamantins. On les rencontre aussi bien au nord du Japon que dans les eaux subtropicales de l'Australie. Leur nombre décroît constamment, et des efforts ont été entrepris pour protéger ces adorables créatures. Parmi les dangers guettant ces siréniens figurent la création de routes côtières qui détruisent les jardins d'algues peu profonds dont ils se nourrissent.

Con Dao est l'un des rares lieux au Vietnam où vous ne verrez aucune construction de plus de deux étages et où les touristes sont peu sollicités. Il est même inutile de marchander dans les marchés locaux ! Le tourisme de masse évite heureusement cet endroit à cause de son inaccessibilité et du budget relativement élevé qu'il faut prévoir.

Vous ne croiserez que peu de touristes étrangers mais, les infrastructures et l'accès s'améliorant, cela devrait vite changer. Ceux qui font l'effort de s'y rendre aujourd'hui ne le regretteront sans doute jamais.

La bourgade de Con Son est une petite cité balnéaire tranquille qui constituerait un décor parfait pour un film historique. Les trois hôtels de la ville se trouvent tous sur Đ Ton Duc Thang, parmi une rangée de villas coloniales d'un étage (pour la plupart à l'abandon et en mauvais état mais cependant photogéniques). Le **marché** local s'anime surtout entre 7 et 8h du matin.

La meilleure époque pour visiter Con Dao se situe entre novembre et février. La saison des pluies dure de juin à septembre mais les moussons du nord-est et du sud-ouest de l'automne peuvent parfois apporter des bourrasques de vent. En novembre 1997, le typhon Linda a coulé 300 bateaux de pêche, lessivé les récifs et aplati les forêts. Septembre et octobre sont les mois les plus chauds, mais la brise marine rend la chaleur plus supportable qu'à HCMV ou Vung Tau.

À voir et à faire

Les principaux centres d'intérêt sur l'île Con Son sont le musée, le pénitencier, les cellules et le cimetière. Si vous commencez par le musée, le billet économique à 5 000 d vous permet de suivre la visite guidée des quatre sites.

Le **musée de la Révolution** *(lun-sam 7h-11h et 13h30-17h)*, installé à côté du Saigon Con Dao Hotel, propose une exposition sur la résistance vietnamienne contre les Français, l'opposition communiste contre la République du Vietnam et sur la façon dont les prisonniers étaient traités. La "nature" est également représentée avec quelques horribles animaux empaillés. Le spécimen le plus bizarre est un singe assis les jambes croisées, fumant une cigarette.

La **prison de Phu Hai**, à une courte marche du musée, est la plus importante des 11 prisons de l'île. Bâtie en 1862, elle regroupe plusieurs énormes centres de détention. L'un d'eux semble hanté par des mannequins enchaînés et émaciés aussi vrais que nature. Les cellules individuelles, avec rien d'autre que les fers qui enchaînaient les chevilles des prisonniers, donnent également le frisson. Le décret en vietnamien que l'on peut lire sur les murs signifie "ne pas tuer les puces" : les prisonniers n'avaient pas le droit de salir les murs.

Les fameuses **cages à tigre** ont été construites par les Français dans les années 1940. Quelque 2 000 prisonniers politiques ont été enfermés dans ces cellules minuscules. Cent vingt cellules possèdent des barreaux en guise de toit pour que les gardes puissent surveiller les prisonniers comme les fauves dans un zoo et 60 autres, dites solariums, n'avaient pas de toiture du tout.

Au cours des quatre décennies de guerre, 20 000 personnes ont trouvé la mort à Con Son et 1 994 tombes ont été inventoriées au **cimetière de Hang Duong**. Malheureusement, seules 700 portent le nom des victimes. La plus célèbre héroïne du Vietnam, Vo Thi Sau (1933-1952), fut la première femme exécutée (par les armes) sur Con Son, le 23 janvier 1952. Aujourd'hui, des pèlerins viennent brûler de l'encens sur sa tombe et déposer des miroirs et des peignes (objets symbolisant la jeunesse). Au loin, derrière le cimetière, se dresse un énorme **monument** représentant trois bâtons d'encens géants.

La **prison de Phu Binh** ne fait pas partie du circuit habituel, mais peut également se visiter. Bâtie en 1971 par les Américains, elle possède 384 cellules. Elle était connue sous le nom de Camp 7 jusqu'en 1973, date à laquelle elle ferma pour maltraitance et torture des prisonniers. Elle prit son nom actuel à la suite des Accords de Paris en 1973.

Plages et îles

Con Son dispose de plusieurs belles plages qui méritent d'être dénichées. Renseignez-vous dans les hôtels pour louer un masque et un tuba (quelque 50 000 d par jour).

Bai Dat Doc est une belle plage bordée de champs d'algues. Il est donc possible d'y apercevoir un dugong.

Bai Nho est une plage tranquille et isolée mais il faut escalader (ou contourner) des rochers pour y accéder.

Petite mais superbe, la plage de **Bai Nhat** apparaît uniquement à marée basse.

Celle de **Bai An Hai** paraît belle mais de nombreux bateaux de pêche jettent l'ancre devant la plage. Les puces de sable sont un peu envahissantes.

Bai Loi Voi est une jolie plage. L'eau peu profonde favorise malheureusement les dépôts de détritus et de coquillages.

Les meilleures plages se trouvent sur les îlets, comme la magnifique plage de sable blanc de **Tre Lon**.

Si vous ne devez visiter qu'une seule île, allez de préférence à **Bay Canh**. Vous y découvrirez des plages magnifiques, une forêt d'arbres séculaires, des mangroves, de beaux récifs coralliens (à explorer à marée basse avec un masque et un tuba), ainsi que des tortues marines (pendant la saison de ponte). Une agréable promenade de 2 heures vous mènera au **phare**, construit par les Français et qui fonctionne toujours.

Où se loger

ATC *(☎ 830666, fax 830111, atccd@vol.vnn. vn, 16B Đ Ton Duc Thang ; simples/doubles dans villa 18/20 $US, chambres dans maison sur pilotis 25 $US)*. Cette pension familiale est installée dans une superbe maison coloniale de 1929. La décoration consiste en de jolis meubles en rotin et le jardin est magnifiquement entretenu. Outre la villa, la pension compte deux accueillantes maisons montagnardes sur pilotis provenant directement de Hoa Binh au nord du pays. Les tarifs incluent le petit déjeuner. Nous vous recommandons d'y prendre un déjeuner ou un dîner.

Saigon Con Dao Hotel (☎ 830366, fax 830567, 18 Đ Ton Duc Thang ; simples/ doubles 20/25-30 $US). Géré par Saigon Tourist, cet hôtel se situe à quelques mètres de ATC dans l'environnement de plusieurs villas de l'époque coloniale. Renseignez-vous auprès de Saigon Tourist à HCMV : cette agence située sur Đ Le Thanh Ton propose généralement des forfaits raisonnables pour des excursions sur cette île.

Phi Yen Hotel (☎ 830168, fax 830428 ; simples/doubles avec clim. 180 000/ 222 000 d). Ce mini-hôtel au confort rudimentaire loue des chambres dont les plus chères possèdent une vue sur la mer.

Comment s'y rendre
Hélicoptère. Le seul moyen d'arriver sur l'île Con Son par les airs est à bord d'un hélicoptère russe de 18 ou 24 places affrété par Vietnam Airlines (75 $US l'aller simple). Obtenir un billet n'a rien d'évident, sachant que les officiels sont prioritaires. Les vols dans les deux sens s'effectuent le mardi et le samedi uniquement. Dans la mesure du possible, nous vous conseillons de réserver longtemps à l'avance. Un projet de rénovation de l'aérodrome est à l'étude. L'agrandissement de la piste permettra aux avions d'atterrir. Jusqu'à présent, seuls les hélicoptères peuvent s'y poser.

Bateau. Pour effectuer les 180 km qui séparent Vung Tau des îles Con Dao, comptez 12 heures de traversée dans un bateau de la marine vietnamienne. Les civils peuvent embarquer s'ils sont en nombre suffisant. Renseignez-vous à l'**Oil Service Company & Tourism** (☎ 852012, fax 852834, 2 ĐL Le Loi, Vung Tau).

Comment circuler
Desserte de l'aéroport. Le petit aérodrome de Con Son se trouve à quelque 15 km du centre-ville. Mieux vaut réserver votre hôtel à l'avance et demander que l'on vienne vous chercher à l'aéroport. Autrement, prenez une moto-taxi ou un taxi collectif.

Bicyclette. Plusieurs des principaux centres d'intérêt de Con Son, tel le musée de la Révolution et la prison de Phu Hai, sont accessibles à pied. Pour atteindre les sites éloignés, le vélo s'impose. Si vous ne pouvez pas transporter le vôtre (recommandé), tous les hôtels en louent pour 2 $US la journée. Vous pourrez rouler sur les belles routes du littoral (comme celle qui part de la ville vers la plage de Bai Nhat et Ben Dam), qui montent et descendent en douceur, et vous croiserez peu d'engins motorisés.

Bateau. Pour explorer les îlets, louez un bateau aux bureaux du parc national. Une embarcation prévue pour 12 passagers coûte quelque 1 000 000 d la journée. Des tarifs élevés, mais à vous de trouver d'autres touristes avec qui la partager. Avec le temps, d'autres options moins onéreuses devraient bientôt être proposées.

LONG HAI
☎ 064

Le tourisme de masse a transformé Vung Tau en une sorte de foire et beaucoup de visiteurs rêvent d'une station balnéaire plus calme à quelques heures de route de HCMV. Long Hai, à 30 km au nord-est de Vung Tau, offre cette tranquillité à tous ceux qui peuvent se permettre de loger dans les hôtels de catégorie moyenne ou supérieure.

Certains cafés de routards de HCMV organisent des excursions mais l'on peut facilement s'y rendre par ses propres moyens. Si votre budget reste limité, mieux vaut vous contenter d'aller à la plage de Mui Ne, à trois heures de route de HCMV (voir le chapitre *Le littoral du Centre et du Sud*).

Les bateaux de pêche viennent mouiller dans la partie occidentale de la plage, dont la propreté laisse à désirer. Avec son sable blanc et ses palmiers, la partie orientale se révèle tout à fait agréable. La plus belle partie de la plage municipale se trouve en face de la Military Guesthouse et l'on peut louer des chaises longues pour 10 000 d.

Après la fête du Têt (approximativement du 10e au 12e jour du 2e mois lunaire), Long Hai accueille chaque année un grand **pèlerinage de pêcheurs**, qui viennent par centaines, certains de très loin, pour se recueillir au temple Mo Co.

Outre les plages, plusieurs sites dignes d'intérêt émaillent la région. À Minh Dam, à 5 km de Long Hai, vous découvrirez de

LONG HAI

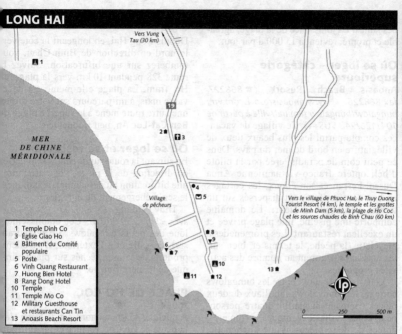

Vers Vung Tau (30 km)

MER
DE CHINE
MÉRIDIONALE

Village de pêcheurs

Vers le village de Phuoc Hai, le Thuy Duong Tourist Resort (4 km), le temple et les grottes de Minh Dam (5 km), la plage de Ho Coc et les sources chaudes de Binh Chau (60 km)

1 Temple Dinh Co
3 Église Giao Ho
4 Bâtiment du Comité populaire
5 Poste
6 Vinh Quang Restaurant
7 Huong Bien Hotel
8 Rang Dong Hotel
10 Temple
11 Temple Mo Co
12 Military Guesthouse et restaurants Can Tin
13 Anoasis Beach Resort

0   250   500 m

grottes utilisées pendant la guerre d'Indochine et la guerre du Vietnam. Non loin, un temple dressé au sommet d'une montagne surplombe un magnifique panorama de la côte.

À 20 km de là, à Dia Dao, des **tunnels**, semblables à ceux de Cu Chi, mais moins étendus, datent de la guerre du Vietnam.

La paisible **pagode Chua Phap Hoa** se cache dans une forêt peuplée de singes. Et de beaux sentiers permettent de faire de courtes randonnées.

Si vous faites route au nord de Long Hai pour rejoindre la RN 1, un bel itinéraire moins fréquenté passe *via* les **sources chaudes** de Binh Chau, à 60 km de Long Hai. De nombreuses plages jalonnent également la Route 55, qui longe la côte.

Où se loger – petits budgets

Dong Nai Guesthouse (☎ 868421 ; *chambres avec ventil./clim.* 100 000/150 000 d). Cette accueillante pension comporte un court de tennis et une piscine.

Huong Bien Hotel (☎ 868430 ; *chambres avec ventil./clim.* 120 000/150 000 d). Cet hôtel dispose de cinq bungalows de plage

cachés parmi les palmiers et les pins. Chacun comprend deux chambres, avec eau froide.

Military Guesthouse (*Nha Nghi Quan Doi ;* ☎ 868316 ; *chambres avec ventil./clim.* 80 000/120 000-160 000 d). Gérée par la Marine nationale, ce qui explique sans doute son emplacement de choix sur le front de mer, cette pension dispose de chambres avec ventil. dans le bâtiment principal, ainsi que de 2 bungalows de plage, mieux situés.

Rang Dong Hotel (☎ 868356 ; *chambres avec clim.* 180 000 d). Cet établissement se distingue surtout par son karaoké, qui fonctionne à plein régime de 6h à 24h. Le bruit, insupportable en lui-même, est encore amplifié par l'acoustique de ce grand bâtiment en béton de style soviétique.

Où se loger – catégorie moyenne

Thuy Duong Tourist Resort (☎ 886215, fax 886180 ; *bungalows de plage* 15-20 $US, *chambres* 30-80 $US). Ce vaste complexe, situé dans le village de Phuoc Hai, à quelque 4 km de Long Hai, s'étend de part et d'autre de la route et dispose de 8 types de chambres, dont des bungalows, des cottages et des suites. La jouissance de la plage, agréable et propre, revient à 15 000 d par jour.

Où se loger – catégorie supérieure

Anoasis Beach Resort (☎ 868227, fax 868228, www.anoasisresort.com.vn ; bungalow/bungalow familial/villa à partir de 104/126/248 $US++). Ce village de vacances compte parmi les plus beaux lieux de villégiature en bord de mer du pays. Dans ce petit coin de paradis, créé par la pilote d'hélicoptère franco-vietnamienne Anoa Dussol-Perran et son époux, les cottages en bois tout confort sont dispersés sur un terrain verdoyant et fleuri. Le domaine comporte une piscine, une plage privée et un excellent **restaurant**. Les promenades à bicyclette, la pêche, le tennis et, bien sûr, les massages, figurent au nombre des activités proposées.

Vous aurez le choix entre les bungalows cottage, les bungalows familiaux de deux pièces (pouvant accueillir quatre personnes), et les "villas océaniques" princières, dotées de deux pièces, d'une kitchenette, d'une terrasse et d'un jacuzzi. Les tarifs, qui incluent un petit déjeuner continental, augmentent le week-end. Des rabais sont consentis pour les séjours de deux nuits minimum. Les non-résidents peuvent profiter de la plage privée et de la piscine (10 $US/5 $US adultes/enfants).

Où se restaurer

Trois bons restaurants baptisés **Can Tin 1, 2 et 3** se regroupent en bord de mer, non loin de la Military Guesthouse.

En face du Palace Hotel, le **Thuy Lan**, bien tenu, se révèle également une bonne adresse, tout comme le **Vinh Quang**, près du Huong Bien Hotel.

Comment s'y rendre

Long Hai se trouve à 124 km et à deux heures de voiture de HCMV. Quelques bus (30 000 d, 3 heures) desservent ce parcours. Le trajet Vung Tau-Long Hai pose plus de problèmes ; vous devrez probablement louer une moto et conduire vous même.

Comment circuler

Des moto-taxis stationnent autour des sites touristiques.

PLAGE DE LOC AN
☎ 064

Depuis Long Hai, en longeant la côte ver le nord en direction de Binh Chau, vou tomberez sur une bifurcation. Suivez la route 328 pendant 10 km vers la **plage d** Ho Tram. La plage elle-même est déce vante mais, à mi-parcours sur votre droite une autre route mène à la superbe **plage d Ben Cat-Loc An**, peu fréquentée.

Où se loger et se restaurer

En suivant la route sur quelques kilomètre en direction de la plage, vous atteindre une bifurcation où des panneaux indiquen le seul hébergement de la région.

Thuy Hoang (☎ 874223 ; bungalow avec clim. 250 000 d). Cet établissemen loue des petits bungalows. Le **restauran** sert, en salle et à l'extérieur, d'excellent produits de la mer pêchés sur place, ains que de la bière fraîche.

PLAGE DE HO COC
☎ 064

À quelque 45 km au nord-est de Long Ha la plage de Ho Coc, reculée et magnifique reste encore peu développée, bien que le locaux s'y pressent le week-end.

Autour de la plage s'étend une forê tropicale de 11 000 ha, qui fut déclaré réserve naturelle en 1975. La plupart de grands mammifères ont été exterminé ou déplacés ailleurs pour des raisons d sécurité (la plupart des éléphants ont ét envoyés en Thaïlande dans le cadre d'u programme gouvernemental), mais l'o peut encore observer de nombreuses es pèces d'oiseaux et de singes. Des guide vous accompagneront sur les sentiers d randonnée, moyennant 50 000 d par jou Renseignez-vous auprès du **Hang Duon Ho Coc** (☎ 878145, fax 873878).

Où se loger et se restaurer

Vous aurez le choix entre seulement deu hôtels, installés sur la plage.

Khu Du Lich Bien Ho Coc (☎ 878175 fax 871130 ; bungalows 120 000 d). Ce établissement compte cinq petits bunga lows en bois, dont la salle de bain adjacent n'offre que de l'eau froide.

Hang Duong Ho Coc (☎ 878145 fax 873878 ; chambres 120 000-150 000 d Ici, à 50 m du Khu Du Lich Bien, vou

ourrez louer de confortables bungalows
n bois à 100 m de la plage. Les chambres
isposent d'un ventilateur et d'une salle de
ain (eau froide uniquement). Sur la plage,
n grand bungalow comprend une cham-
re pour cinq personnes et une chambre
imple à l'étage.

Comment s'y rendre

Aucun transport public ne dessert la plage
e Ho Coc. Quelques cafés de voyageurs de
ICMV y organisent des excursions d'une
ournée. Vous pouvez également vous y ren-
re pour une agréable (mais très longue)
romenade. Les 10 km de piste jusqu'à Ho
'oc traversent la réserve naturelle.

SOURCES CHAUDES
DE BINH CHAU
☎ 064

es sources chaudes de Binh Chau (Suoi
hoang Nong Binh Chau ; ☎/fax 871130, en-
rée 15 000 d) se trouvent à quelque 140 km
e HCMV et à 60 km au nord-est de Long
Iai. Le commerce de bazar reste heureuse-
nent absent de cet agréable centre thermal.

Les bains chauds en plein air constituent
on principal atout. Vous pouvez louer un
assin privé, entouré d'une plate-forme de
ois couverte et doté d'un vestiaire. L'eau,
ont la température varie de 37°C à 40°C,
ontient des sels minéraux censés fortifier
es os, les muscles et la peau, améliorer la
irculation sanguine et combattre les trou-
les mentaux !

Les tarifs varient selon la taille des
assins : de 60 000 d le bassin de 3 m²
our 2 personnes, à 100 000 d celui de
m² pour 5 personnes, et 160 000 d le
assin de 10 m² pour 10 personnes. Pour
aire trempette dans une grande piscine
ommune, vous débourserez 6 000 d, ou
000 d pour un enfant.

Après la baignade, les touristes font
olontiers le tour du complexe thermal
ans une charrette tirée par des bœufs. On
percevait autrefois des animaux sauva-
es, dont des tigres et des éléphants, mais
genre humain semble avoir aujourd'hui
otalement investi les lieux. En 1994, six
léphants ont été capturés près des sour-
es. Après les avoir gardé quelques mois,
a direction en a fait don au zoo de HCMV
sans doute n'avait-elle pas réalisé combien
oûtait la nourriture de ces six mastodon-

Le litige des îles Spratly et Paracel

Les îles Paracel (Quan Dao Hoang Sa), à 300 km à l'est de Danang, et les îles Spratly (Quan Dao Truong Sa), à 475 km au sud-est de Nha Trang, seront très probablement une source de futurs conflits entre les différentes nations entourant la mer de Chine méridionale.

En 1951, la République populaire de Chine envahit plusieurs îles de l'archipel des Paracel, qui n'avaient été qu'épisodiquement occupées jusque-là. Dans les années 1960, les Sud-Vietnamiens prirent à leur tour possession de quelques îles, mais les forces chinoises les en chassèrent en 1964, ce qui entraîna les protestations de Saigon (Ho Chi Minh-Ville) et de Hanoi.

L'archipel des Spratly, constitué de centaines d'îlots, est géographiquement plus proche de Bornéo que du Vietnam. Tous les pays environnants en revendiquent la propriété, notamment les Philippines, la Malaisie, l'Indonésie, la Chine, Taiwan et le Vietnam. En 1988, il fut l'enjeu d'un conflit qui opposa le Vietnam à la Chine, au cours duquel le Vietnam perdit deux bateaux et 70 marins. En 1992, des patrouilleurs de la marine chinoise ouvrirent le feu à plusieurs reprises sur des cargos vietnamiens quittant Hong Kong. Cet affrontement manqua de peu de briser toute relation commerciale entre le Vietnam et Hong Kong. Pour toute explication, la Chine prétendit qu'elle voulait lutter contre la contrebande.

Ces deux archipels ont peu de valeur intrinsèque, si ce n'est que le pays propriétaire du territoire peut inclure de vastes zones de la mer de Chine méridionale (censées abriter de grandes réserves de pétrole) dans ses eaux territoriales. La Chine provoqua un regain de tension en 1992, en occupant l'un des îlots revendiqués par les Vietnamiens et en signant un contrat d'exploration pétrolière avec une compagnie américaine (Crestone Corporation). En 1996, le Vietnam signa, à son tour, un contrat similaire avec une société américaine concurrente, la Conoco. Toujours en 1996, la marine philippine détruisit une petite base radar chinoise, installée sur le récif Mischief, dans les îles Spratly.

Le problème de la souveraineté des ces îles n'a toujours pas été réglé.

tes !). Aujourd'hui, les seuls animaux que vous rencontrerez sont des lions, des guépards et des panthères en céramique qui ornent les marécages des alentours.

Un chemin de bois rejoint les sources. Évitez de vous en écarter, car le sol est si meuble que l'on peut facilement tomber dans un bassin souterrain d'eau bouillonnante ! La source la plus chaude atteint 82°C et l'on peut y cuire un œuf en 10 à 15 minutes. Les gens du coin aiment à en faire l'expérience et vous découvrirez deux petites sources près desquelles sont disposés des paniers en bambou à cet effet. Un œuf cru coûte 2 000 d.

Malgré ce que l'on pourra vous dire, nous vous déconseillons de boire l'eau. Lors de notre passage, la direction envisageait d'importer un système de filtrage européen pour pouvoir distribuer l'eau minérale en bouteille dans tout le pays.

Le complexe comprend un **hôtel**, un **restaurant**, ainsi qu'un service de massage et d'acupuncture.

Où se loger

Hotel Cumi (☎ 871131 ; *chambres avec clim. 300 000-450 000 d*). Les tarifs s'avèrent ici un peu élevés mais le petit déjeuner est inclus.

Comment s'y rendre

Le complexe thermal se trouve à 6 km au nord du village de Binh Chau. Le route reliant la Rte 55 à Binh Chau est désormais excellente.

Les transports publics ne le desservent pas. Il faut donc louer une moto ou une voiture. Si vous optez pour la seconde solution, essayez de partager le véhicule à plusieurs.

La route asphaltée qui continue vers le nord, de l'embranchement de Binh Chau en direction de Ham Tan, devient après 2 km une route de terre bien entretenue.

HAM TAN

Ham Tan est une agréable plage retirée, à 30 km au nord-est des sources de Binh Chau. Mieux vaut savoir que la bourgade ne voit passer que de très rares visiteurs. La RN 1 se trouve à 30 km au nord de Ham Tan.

PARC NATIONAL DE CAT TIEN

☎ 061 – 700 m d'altitude
À cheval sur les provinces de Lam Dong, de Dong Nai et de Binh Phuoc, le parc national de Cat Tien (☎/fax 791228 ; *entrée*

20 000 d) se situe à 150 km de HCMV et 40 km de Buon Ma Thuot. La région de Cat Tien fut, au IIe siècle, le centre spirituel d royaume du Funan. D'anciennes reliques Oc-Eo furent découvertes dans le parc.

Les défoliants ont fait des ravages considérables à Cat Tien pendant la guerre d Vietnam, mais les arbres séculaires on résisté et la végétation basse a repoussé La faune a également réintégré le parc En 2002, le parc national de Cat Tien été classé réserve de biosphère mondial par l'Unesco.

Les 73 878 ha du parc abritent 77 espèce de mammifères, 133 espèces de poisson d'eau douce, 40 espèces de reptiles, 14 es pèces d'amphibiens ainsi que de nombreu insectes, dont 457 sortes de papillons Nombre de ces espèces sont menacées mais aucune autant que le rhinocéros d Java. Considéré comme l'un des plus rare mammifères au monde, ce rhinocéros vi uniquement dans le parc de Cat Tien (qu compterait 7 ou 8 spécimens), ainsi qu dans quelques autres régions d'Asie du Sud Est. On pense que des léopards vivent dan ce parc, qui abrite également une sorte de commune de buffle sauvage appelé gaur.

La jungle de Cat Tien sert de refug à une incroyable **diversité d'oiseau** (326 espèces) que les ornithologues d monde entier viennent admirer. Parmi le espèces rares, citons la perdrix à gorg orangée, le paon spicifère et le faisa prélat. La population des singes s'avère en revanche, en pleine croissance. Le sangsues sont une autre espèce courante e nettement moins sympathique, mieux vau donc venir bien équipé, surtout pendant l saison des pluies.

Le parc compte également des éléphant dont la présence a posé des problèmes. A début des années 1990, un troupeaux d 10 bêtes affamées est tombé dans le cra tère laissé par une bombe qui a explos à l'extérieur de la limite du parc. Pris d pitié, des villageois ont creusé une ramp pour les sortir du trou. Hélas, 28 personne ont, depuis, été tuées par des éléphants. E théorie, le problème aurait pu être "résolu par l'abattage des pachydermes, mais l gouvernement vietnamien n'a pas voul s'attirer les foudres des organisations éco logistes internationales. Quoi qu'il en soi aucune de ces organisations n'a financé déplacement de ces animaux, dont certains ont été confiés à des zoos. À long terme, ce genre de conflits devrait sans doute se reproduire car les batailles territoriales s'intensifient entre la faune sauvage et la population humaine en pleine croissance.

Cat Tien compte également nombre d'espèces d'arbres à feuillage persistant ou semi-caduc, ainsi que des forêts de bambous. Au total, quelque 1 800 espèces de plantes ont été répertoriées dans le parc.

On peut explorer le parc national à pied, en VTT, en jeep ou, même, en bateau sur la rivière Dong Nai. Les sentiers de randonnées sont bien entretenus. On peut louer une jeep (120 000 d) pour une excursion plus courte, ou visiter le **marécage aux crocodiles** (Bau Sau, 160 000 d). Pour l'atteindre, il faut parcourir 9 km en voiture depuis les bureaux du parc, avant d'effectuer une marche de 4 km. Comptez 3 heures de marche aller-retour. Les petits groupes (quatre personnes ou moins) peuvent passer la nuit dans une cabane de gardes pour observer les animaux qui viennent s'abreuver au marécage.

Les services d'un guide coûtent 50 000 d/100 000 d la demi-journée/journée, 160 000 d lorsque l'on passe la nuit dans la jungle.

Où se loger et se restaurer

Des **bungalows** *(☎ 791228 ; triples avec ventil./clim. 80 000/100 000 d)* sont ins-

tallés près des bureaux du parc. Un petit **restaurant** se situe à proximité.

Comment s'y rendre

L'accès le plus facile pour se rendre au parc se fait depuis la RN 20 qui relie Dalat à HCMV. Pour l'atteindre, vous devez suivre une route étroite qui bifurque à l'ouest de la RN 20 au carrefour de Talai (Nga Ban Talai), à 125 km au nord de HCMV et à 175 km au sud de Dalat. Elle est indiquée par un panneau signalant le parc. Après 24 km, vous arriverez à l'entrée du parc. Une fois sur place, vous pourrez prendre les dispositions nécessaires avec les gardes.

Vous pouvez également y aller par bateau en traversant le lac Langa et finir le chemin à pied. Deux agences d'écotourisme réputées de Dalat, **Dalat Holidays** *(☎ 829422, fax 821122, langbian @hcm.vnn.vn)* et **Phat Tire Ventures** *(☎ 829422, www.phattireventures.com)* sont de bonnes adresses pour se renseigner et connaître les autres moyens d'accès depuis les Hauts Plateaux du Centre (dont la possibilité de se rendre au parc en VTT depuis Dalat).

Si vous voulez organiser une excursion personnalisée au parc national de Cat Tien, renseignez-vous auprès de l'agence **Sinhbalo Adventures** *(☎ 08-837 6766, ☎/fax 836 7682, www.sinhbalo.com, 283/20 Đ Pham Ngu Lao)* à HCMV.

Le delta du Mékong

Le delta du Mékong ne pourrait être plus plat, sa végétation plus luxuriante. Formé par les limons du fleuve, il ne cesse, par un processus permanent de sédimentation, de gagner du terrain sur la mer, à raison de 79 m par an. Le fleuve est si large que la marée se produit deux fois par jour. Pendant la saison sèche, on ne peut naviguer sur les canaux à marée basse.

Réputé pour sa fertilité, le sol du delta du Mékong constitue le "grenier à riz" du Vietnam. Presque la moitié des terres de la région sont cultivées ; elles produisent suffisamment de riz pour nourrir tout le pays, ainsi qu'un surplus assez considérable destiné à l'exportation.

En 1975, la collectivisation imposée des terres fit s'effondrer la production agricole pour plusieurs années. Ho Chi Minh-Ville (HCMV) connaissait la disette, alors que les fermiers du delta subvenaient à leurs besoins. Les Saigonnais partaient acheter du riz au marché noir dans le delta. Pour éviter "tout profit excessif", le gouvernement installa alors des postes de contrôle, chargés de confisquer tout transport de riz supérieur à 10 kg. Tout cela prit fin en 1986 et le Vietnam est depuis lors devenu le deuxième exportateur mondial de riz après la Thaïlande (voir plus loin l'encadré *La production de riz au Vietnam*).

Les terres de la région du delta produisent en outre des fruits, des noix de coco et de la canne à sucre ; la pêche est également une ressource significative. La région du delta, essentiellement rurale, est l'une des plus peuplées du Vietnam, et quasiment chaque hectare est soumis à une agriculture intensive – les seules exceptions étant les mangroves presque inhabitées autour de la province de Camau, où la terre est moins fertile.

Le Mékong est l'un des plus grands fleuves du monde, et son delta l'un des plus vastes. Il prend sa source au Tibet, traverse la Chine sur 4 500 km, marque un moment la frontière entre le Myanmar (Birmanie) et le Laos, qu'il arrose sur une bonne longueur et sépare de la Thaïlande, puis coule au Cambodge et au Vietnam avant de se jeter dans la mer de Chine méridionale. À Phnom Penh, au Cambodge, il se sépare en deux bras : le Hau Giang (fleuve inférieur ou Bassac), qui arrose, au Viet-

À ne pas manquer

- Naviguer sur les innombrables canaux encadrant l'embouchure du Mékong
- Visiter les marchés flottants
- Converser sur le bouddhisme avec les moines des pagodes khmères
- Séjourner "chez l'habitant" dans les vergers des environs de Vinh Long
- Explorer les environs de Chau Doc lors de la remontée du Mékong vers le Cambodge
- Se détendre sur les plages de sable blanc de l'île Phu Quoc

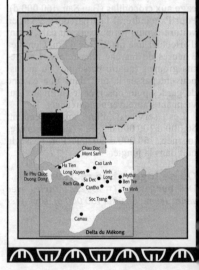

Delta du Mékong

nam, Chau Doc, Long Xuyen et Cantho avant de rejoindre la mer, et le Tien Giang (fleuve supérieur), qui se divise lui-même en plusieurs bras à Vinh Long et se jette dans la mer en cinq endroits différents. Les nombreux bras qui composent le fleuve expliquent son nom vietnamien, Song Cuu Long, la rivière des Neuf Dragons.

Les eaux du Mékong commencent à monter fin mai et le fleuve atteint sa crue en septembre. Son débit varie de 1 900 à 38 000 m³/seconde selon la saison. L'affluent qu'il reçoit à Phnom Penh puise son eau dans le lac Tonlé Sap, au Cambodge. Quand le fleuve est en crue, cet affluent inverse son courant pour se déverser dans le lac, limitant ainsi les inondations dans le delta.

Malheureusement, la déforestation du Cambodge perturbe cet équilibre délicat, entraînant davantage d'inondations dans la portion vietnamienne du bassin du Mékong.

Ces dernières années, les crues ont provoqué la mort de plusieurs centaines d'habitants et contraint des dizaines de milliers d'autres à quitter leur logis. Dans certains endroits, ils doivent attendre, souvent plusieurs mois, que les eaux se soient complètement retirées avant de pouvoir y revenir. Les dommages causés par les inondations coûtent chaque année plusieurs centaines de millions de dollars au gouvernement et ont, localement, des conséquences catastrophiques sur la riziculture et la production de café.

La vie dans une plaine inondée n'est pas sans présenter certains défis techniques. Les habitants du delta construisent leurs maisons sur des pilotis de bambou pour se protéger de la montée des eaux. Pendant les inondations, de nombreuses routes sont submergées ou deviennent de véritables bourbiers. Il a fallu en surélever certaines, mais cela coûte cher. La solution traditionnelle consiste à creuser des canaux qui, par centaines, doivent être constamment dragués pour préserver leur navigabilité.

La propreté des canaux pose également problème, car les riverains ont pour habitude de jeter directement leurs détritus et leurs eaux usées dans les cours d'eau qui passent devant chez eux. Cela n'est pas sans consé-

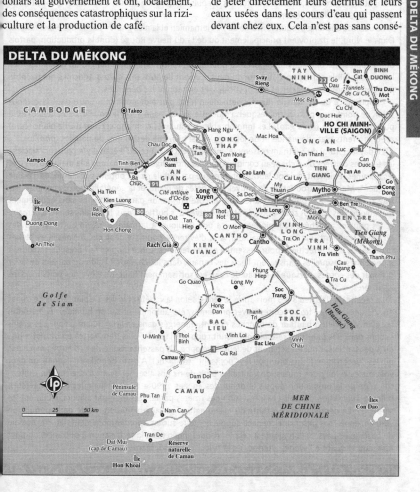

DELTA DU MÉKONG

La production de riz au Vietnam

En langue indienne ancienne, riz se dit *dhanya*, ce qui signifie "soutien de la race humaine". Cela décrit assez bien l'importance du riz pour les Vietnamiens.

Selon une légende vietnamienne, il fut un temps où le riz n'avait pas besoin d'être récolté. On le sollicitait par des prières et il était envoyé du ciel dans chaque foyer sous la forme d'une grosse balle. Un jour, un homme demanda à sa femme de balayer le sol en prévision de l'arrivée du riz, mais elle balayait encore lorsque l'énorme balle surgit. Elle la toucha sans le faire exprès, la brisant en mille morceaux. Depuis ce jour, les Vietnamiens doivent travailler dur et cultiver le riz à la main.

Le riz est le principal produit agricole du pays – il occupe 70% de la population active. La politique de réformes économiques, ou *doi moi* ("rénovation"), mise en place en 1986 a considérablement intensifié sa production. Autrefois culture vivrière, la riziculture est devenue une culture de rapport pour le Vietnam, jusqu'alors importateur de riz. Dès 1989, le pays est devenu exportateur. En 1997, 3,5 millions de tonnes ont été exportées (le Nord a ainsi enregistré les premiers excédents de son histoire : 270 000 tonnes pour l'exportation). En 1999, le montant de l'exportation a atteint le montant record de 4,5 millions de tonnes. Depuis, la moyenne annuelle des exportations tourne autour de 3,5 millions de tonnes.

Le delta du Mékong produit la moitié du riz vietnamien et la plus grande partie des exportations. Dans le Nord, le riz provient principalement du delta du fleuve Rouge (dont la production, parfois insuffisante, est complétée par des approvisionnements du Sud). Sur les Hauts Plateaux, la culture du riz représente une activité importante pour les minorités ethniques, malgré un rendement relativement faible par rapport au reste du pays. Ce sont de puissants cartels agricoles qui fixent le prix des graines, des engrais et des pesticides, et en retirent les bénéfices.

L'importance du riz dans le régime vietnamien n'est plus à démontrer. Il entre dans la composition de nombreux plats parmi lesquels l'omelette au riz (*banh xeo*), la bouillie de riz (*chao*) et le puissant vin de riz (*ruou gao*). Les innombrables restaurants com pho servent du riz blanc (*com*) avec différents plats de viande et de légumes, aussi bien que des soupes de nouilles (*pho*).

Le paysage rural du Vietnam ressemble encore beaucoup à ce qu'il était il y a plusieurs siècles : les femmes coiffées d'un chapeau conique (*non bai tho*) irriguent les champs à la main, tandis que les hommes repiquent le riz ou labourent. Presque partout, le riz est obtenu par culture en "plaine irriguée". Malgré l'introduction de nouvelles variétés de plants et la généralisation des engrais, les travaux agricoles à proprement parler sont encore en grande partie accomplis sans équipement mécanique : les champs sont labourés et hersés avec des buffles d'eau, les grains semés à la main, et les pousses arrachées et repiquées une à une (toujours à la main) dans un autre champ dès qu'elles atteignent une certaine hauteur, afin d'éviter le pourrissement des racines. Ces tâches minutieuses sont effectuées pour l'essentiel par les femmes. L'irrigation se fait presque toujours à 2 personnes, lesquelles transvasent l'eau des canaux dans les champs à l'aide de paniers en osier tirés par des cordes. Lorsque le niveau de l'eau est suffisamment haut, on élève des poissons dans les rizières.

La récolte du riz a lieu 3 à 6 mois après le semis, selon la variété et le lieu de plantation. Le climat du Vietnam permet trois récoltes (hiver-printemps, été-automne et saison humide). À maturité, les plants arrivent à hauteur de hanches et sont immergés dans environ 30 cm d'eau. Les grains – logés dans des panicules retombants – sont coupés à la main, puis transportés en brouette jusqu'à des batteuses qui les séparent de leur enveloppe. Ils passent ensuite dans d'autres machines qui les "décortiquent" (riz brun) ou les "polissent" (riz blanc). À cette période de l'année, on peut voir, étalés le long des routes, de véritables tapis de riz mis à sécher avant d'être moulu. L'intensification de la production depuis le début des années 1990 a produit quelques effets néfastes, telles la salinisation des sols et l'infestation des rizières par les rats (qui, par ailleurs, éloignent les serpents). La dégradation constante du milieu naturel et l'augmentation rapide de la population vietnamienne font peser une menace supplémentaire sur les approvisionnements en riz, céréale de base de ce pays. Si l'on ajoute à cela les risques inhérents à la fertilisation à outrance, on peut être inquiet quant à l'avenir, à terme, de la riziculture au Vietnam.

uences désagréables : dans les régions les plus peuplées du delta, l'accumulation des déchets est de plus en plus visible. On ne peut qu'espérer que des mesures gouvernementales strictes seront prises pour mettre un frein à cette pollution. Dans la partie méridionale du delta vivent des crocodiles, notamment près du Hau Giang.

Faisant partie du royaume khmer jusqu'au XVIIIe siècle, le delta fut la dernière région annexée par le Vietnam actuel. Les Cambodgiens n'oublient pas pour autant ce passé et l'appellent encore le Bas-Cambodge. C'est d'ailleurs la revendication de ce territoire qui poussa les Khmers rouges à lancer des raids nocturnes sur les villages vietnamiens et à massacrer leurs habitants. On connaît la suite : le Vietnam envahit le Cambodge en 1979 et évinça les Khmers rouges du pouvoir. Si la plupart des habitants du delta sont d'origine vietnamienne, de nombreux Chinois, des Khmers et quelques Cham vivent aussi dans la région.

La **navigation** est la grande activité du delta, et la meilleure façon de le visiter est de louer un bateau pour se promener sur les canaux. Malheureusement, plusieurs gouvernements provinciaux du delta, comme ceux de Mytho et de Vinh Long, interdisent aux sociétés privées de louer des bateaux aux étrangers. Tous les gouvernements provinciaux, toutefois, ne sont pas aussi stricts, et il reste plusieurs régions – Cantho et Ben Tre, par exemple – où vous pourrez louer un bateau et vous promener à votre guise.

Si vous voulez visiter l'un des étonnants **marchés flottants**, sachez qu'il est impossible de le faire en une journée depuis HCMV : en effet, c'est au petit matin que l'animation est à son comble et les étals ont bien souvent disparu à midi. Vous devrez donc passer au moins une nuit dans le delta, à Cantho par exemple, qui compte plusieurs marchés flottants dans ses environs.

Comment s'y rendre

La plupart des voyageurs découvrent le delta du Mékong dans le cadre d'un circuit organisé ; cette tendance s'affirme avec un grand choix d'excursions bon marché qu'il est possible de réserver un peu partout. Ces circuits conviennent particulièrement aux visiteurs disposant d'un temps limité pour découvrir le Vietnam et sont effectivement très tentants, car ils permettent en principe de gagner beaucoup de temps et d'argent. Toutefois, les voyageurs qui décident de se débrouiller seuls pourront sortir des sentiers battus et découvrir de nombreux endroits peu fréquentés.

Les déplacements en bus publics sont bon marché, mais parfois effrayants et cahoteux. Les minibus express, à peine plus chers, sont en revanche plus rapides et plus confortables. Le meilleur moyen de découvrir le delta reste la voiture privée, la bicyclette ou la moto de location. Sillonner la région avec un deux-roues est amusant, surtout lorsqu'on s'égare dans le dédale de routes ! Les irréductibles peuvent essayer de trouver un cargo à HCMV pour une progression lente mais fascinante dans le delta.

Quelle que soit votre destination, vous devrez emprunter les ferries (sauf pour Mytho). Selon la réglementation, seuls les conducteurs peuvent embarquer à bord de leur véhicule ; les autres passagers doivent quant à eux monter et descendre à pied, ce qui implique parfois de patienter sous un soleil brûlant. L'achèvement, en mai 2000, du pont suspendu My Thuan (construit par les Australiens), permet de rejoindre le Mékong depuis HCMV en économisant un trajet en ferry et 1 heure de voyage.

Depuis l'ouverture de la frontière avec le Cambodge sur le Mékong, à Vinh Xuong (près de Chau Doc), les voyageurs préfèrent cet itinéraire au poste-frontière terrestre de Moc Bai. N'oubliez pas cependant d'obtenir votre visa d'entrée pour le Vietnam ou le Cambodge *avant* de rejoindre la frontière.

Circuits organisés. Les agences de voyages de HCMV proposent de nombreux circuits bon marché en minibus ; c'est dans le quartier de Pham Ngu Lao que vous trouverez les offres les plus compétitives. Prenez le temps de comparer les propositions, car les moins chères ne sont pas toujours les meilleures : en général, la qualité se paie.

MYTHO

☎ 074 • 169 300 habitants

Paisible capitale de la province de Tien Giang, Mytho est la ville du delta la plus proche de HCMV. C'est une étape obligatoire pour les touristes en circuit organisé venus admirer le fleuve. Il faut toutefois continuer jusqu'à Cantho pour découvrir les marchés flottants (voir la rubrique *Environs de Cantho* plus loin dans ce chapitre).

Sa proximité avec la prospère HCMV pourrait laisser croire que Mytho a profité des réformes économiques. Bien au contraire, c'est l'une des villes les plus pauvres du delta, bien que son gouvernement local soit censé être le plus riche et qu'elle dispose des forces de police les plus strictes.

Mytho fut fondée vers 1680 par des réfugiés chinois ayant fui Taiwan pour des raisons politiques. Les Chinois sont presque tous partis, le gouvernement ayant saisi leurs biens dans les années 1970. L'économie locale (du moins ce qu'il en reste) repose désormais sur le tourisme, la pêche, la culture du riz, des noix de coco, des bananes, des mangues, des longanes et des agrumes.

Orientation

Mytho s'étend sur la rive gauche du bras nord du Mékong. La gare routière (Ben Xe Khach Tien Giang) se trouve à quelques kilomètres à l'ouest de la ville. De cette gare, vous entrerez dans la ville par Ð Ap Bac, qui mène à Ð Nguyen Trai, orientée est-ouest. Ð 30 Thang 4, également orthographiée Ð 30/4 (jour de la libération de Saigon), est parallèle au Mékong.

Renseignements

Tien Giang Tourist (*Cong Ty Du Lich Tien Giang ;* ☎ *872154, fax 873578, www.mekotours.com ; tlj 7h-17h*) est l'office du tourisme officiel de la province de Tien Giang. Vous pouvez réserver vos croisières sur le Mékong à l'**office du tourisme** (☎ *873184, 8 Ð 30 Thang 4*), au bord du fleuve, ou dans un petit **bureau annexe** (☎ *875189, 25 Ð Nam Ky Khoi Nghia*), en remontant la rue.

Promenades en bateau

Elles sont le point fort de la visite de Mytho. Les petites embarcations en bois peuvent (à la rigueur) naviguer sur le Mékong, mais le but de la promenade est le plus souvent la découverte, par le dédale de petits canaux, de jolis villages ruraux. Vous pourrez choisir parmi différentes destinations : une fabrique de bonbons à la noix de coco, une ferme d'apiculteur (goûtez le vin à la banane !) ou un jardin d'orchidées.

Actuellement, le Comité populaire de Mytho exerce un quasi-monopole de fait sur cette activité, rendant les tarifs prohibitifs si l'on ne fait pas partie d'un group important. Si vous essayez de louer u bateau à vous tout seul, il vous en coûter au moins 25 \$US pour une promenade d 2 à 3 heures ; dans le cadre d'un circu organisé depuis HCMV, en revanche cela peut vous revenir à seulement 7 \$U par personne, aller-retour en bus HCMV Mytho compris. Lorsque vous compare différents prix, prenez en compte la duré de l'excursion (de 1 à 4 heures, sans comp ter le trajet en bus). Si vous additionne tous les coûts, il semble pratiquemen impossible de payer moins cher par se propres moyens – ce qui n'empêche pa de nombreux voyageurs de préférer tout d même cette solution.

Plusieurs sociétés privées de Mytho défiant les autorités, proposent des pro menades dans les environs. Elles prati quent effectivement des tarifs inférieur aux tarifs "officiels" (généralement au alentours de 50 000 d l'heure), mais il fau savoir qu'elles enfreignent la loi et qu votre embarcation peut être arraisonné par la police fluviale, qui vous infliger une amende – ou, plus vraisemblablemen à votre batelier. Si vous voulez malgré tou tenter votre chance, vous trouverez ce "indépendants" à proximité du Cuu Lon Restaurant ou, ce qui ne manque pas de se devant les portes de la Tien Giang Touris dans Ð 30/4 – mais il y a de fortes chance qu'ils vous trouvent les premiers.

Îles des alentours

Reportez-vous à la rubrique *Environs d Mytho* pour en savoir plus sur les excur sions dans les îles du Dragon, de la Tortu et de la Licorne (les circuits dans l'île d Phénix sont détaillés dans la rubrique *En virons de Ben Tre*).

Église

Cette solide église jaune pastel (*32 Ð Hun Vuong*), à l'angle de Ð Nguyen Trai, fu construite il y a un siècle. À l'intérieu des *ex-voto* en pierre rendent grâce Notre-Dame de Fatima.

Temple caodai

Si vous n'avez pas vu voir celui de Ta Ninh, allez jeter un coup d'œil à celui d Mytho (*Ð Ly Thuong Kiet*), plus petit ma

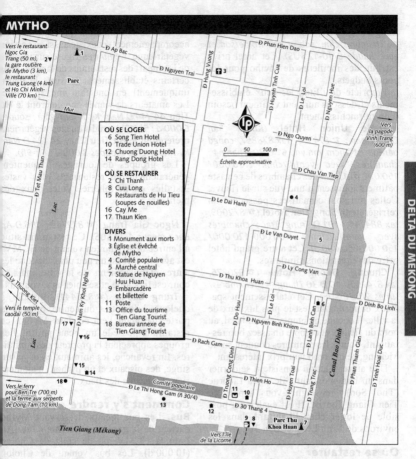

MYTHO

Vers le restaurant
Ngoc Gia
Trang (50 m),
la gare routière
de Mytho (3 km),
le restaurant
Trung Luong (4 km)
et Ho Chi Minh-
Ville (70 km)

Đ Ap Bac

Parc

Mur

Đ Tet Mau Than

Lac

Đ Ly Thuong Kiet

Vers le temple
caodai (50 m)

Lac

Vers le ferry
pour Ben Tre (700 m)
et la ferme aux serpents
de Dong Tam (10 km)

Đ Nguyen Trai

Đ Hung Vuong

Đ Phan Hien Dao

Đ Huynh Tinh Cua

Đ Le Loi

Đ Nguyen Hue

Đ Ngo Quyen

Đ Chau Van Tiep

Đ Le Dai Hanh

Đ Le Van Duyet

Đ Ly Cong Van

Đ Thu Khoa Huan

Đ Le Loi

Đ Nguyen Binh Khiem

Đ Do Huu

Đ Rach Gam

Đ Nam Ky Khoi Nghia

Đ Truong Cong Dinh

Đ Thien Ho

Đ Le Thi Hong Gam (n 30/4)

Comité populaire

Đ Huyen Toai

Đ 30 Thang 4

Đ Lanh Binh Can

Đ Trung Trac

Đ Dinh Bo Linh

Canal Bao Dinh

Đ Phan Thanh Gian

Đ Trinh Hoai Duc

Parc Thu
Khoa Huan

Tien Giang (Mékong)

Vers l'île
de la Licorne

Vers
la pagode
Vinh Trang
(600 m)

Échelle approximative
0   50   100 m

OÙ SE LOGER
6 Song Tien Hotel
10 Trade Union Hotel
12 Chuong Duong Hotel
14 Rang Dong Hotel

OÙ SE RESTAURER
2 Chi Thanh
8 Cuu Long
15 Restaurants de Hu Tieu
   (soupes de nouilles)
16 Cay Me
17 Thaun Kien

DIVERS
1 Monument aux morts
3 Église et évêché
   de Mytho
4 Comité populaire
5 Marché central
7 Statue de Nguyen
   Huu Huan
9 Embarcadère
   et billetterie
11 Poste
13 Office du tourisme
   Tien Giang Tourist
18 Bureau annexe de
   Tien Giang Tourist

DELTA DU MÉKONG

intéressant. Il se situe entre Đ Dong Da et Đ Tran Hung Đao.

Marché central

Entre Đ Trung Trac et Đ Nguyen Hue, ce marché est fermé à la circulation. On y vend à peu près de tout, des denrées alimentaires jusqu'au tabac en vrac en passant par les hélices de bateau. Pour rendre cette zone praticable, les autorités locales ont construit au bord du fleuve un horrible bâtiment en béton de 3 étages dans l'intention d'y installer les commerçants. Les amateurs ont cependant été peu nombreux en raison du montant élevé des loyers et des taxes, et les deux derniers étages du bâtiment restent vides.

Quartier chinois

Il gravite autour de Đ Phan Thanh Gian, sur la rive est du canal Bao Dinh. Si de nombreux habitants d'origine chinoise résident ici, aucune signalétique particulière n'est visible.

Pagode Vinh Trang

Ce magnifique sanctuaire (60A Đ Nguyen Trung Truc) est fort bien entretenu. Les bonzes y accueillent des enfants orphelins, handicapés ou démunis.

La pagode est située à environ 1 km du centre-ville. Pour y aller, empruntez le pont est pour traverser le fleuve (Đ Nguyen Trai), puis parcourez 400 m avant de prendre à gauche et de continuer sur 200 m jusqu'à l'entrée du sanctuaire, située sur la droite du bâtiment.

DELTA DU MÉKONG

Où se loger

Rang Dong Hotel (☎ 874400, 25 Đ 30 Thang 4 ; chambres clim, sdb et eau froide/sdb et eau chaude 8/10-12 $US). Cet hôtel privé est l'un des meilleurs de Mytho pour les petits budgets.

Propriété de l'État, les deux établissements ci-dessous auraient vraiment besoin d'un rafraîchissement.

Trade Union Hotel (Khach San Cong Doan ; ☎ 874324, fax 878857, congdoantourist@hcm.vnn.vn, 61 Đ 30 Thang 4 ; chambres avec ventil./clim. 100 000/150 000 d). Certaines chambres de ce vaste bâtiment jouissent d'une vue sur le fleuve. Celles qui sont climatisées possèdent un réfrigérateur. **Song Tien Hotel** (☎ 872009, fax 884745, 101 Đ Trung Trac ; chambres avec ventil./clim. 100 000-120 000/150 000-250 000 d). Cet autre grand hôtel offre des prestations similaires.

Chuong Duong Hotel (☎ 870875, fax 874250, 10 Đ 30 Thang 4 ; chambres/suites 20/30 $US). Cet établissement spacieux et accueillant est le plus luxueux de la ville. Il occupe un emplacement idéal, au bord du fleuve, et compte un assez bon **restaurant**. Toutes les chambres donnent sur le Mékong, ce qui rend leur prix intéressant.

Une autre solution consiste à séjourner dans un bungalow sur l'île de la Licorne (Thoi Son) ; renseignez-vous auprès de Tien Giang Tourist. Il est également possible de **loger chez l'habitant** dans les environs de Vinh Long et Ben Tre.

Où se restaurer

Chi Thanh (☎ 873756, 279 Đ Tet Mau Than ; soupes 10 000 d, plats 15 000-30 000 d ; tlj 10h-22h). Ce restaurant soigné sert une cuisine vietnamienne délicieuse et peu onéreuse.

Thuan Kien (47 Đ Nam Ky Khoi Nghia ; plats 10 000-20 000 d ; 5h-21h) et **Cay Me** (60 Đ Nam Ky Khoi Nghia ; plats 10 000-15 000 d ; 7h-21h) sont deux autres bonnes adresses, quoique moins bien tenues.

Cuu Long (☎ 870779, Đ 30 Thang 4 ; plats 20 000-30 000 d ; 7h-21h). Ce restaurant profite d'une situation avantageuse, directement sur les rives du Mékong, mais la cuisine et le décor laissent à désirer.

La spécialité de Mytho est une substantielle soupe aux vermicelles appelée hu tieu My Tho, comprenant fruits de mer frais et séchés, porc, poulet et herbes. Elle est servie avec ou sans bouillon (présenté alors en accompagnement) et existe aussi en version végétarienne. Le hu tieu figure sur la carte de la plupart des restaurants de la ville, mais certains établissements (ouverts le matin uniquement) en ont fait une spécialité. Les amateurs de viande apprécieront le **Hu Tieu 44** (44 Đ Nam Ky Khoi Nghia ; soupes 6 000 d ; 5h-12h), tandis que les végétariens préféreront le **Hu Tieu Chay 24** (24 Đ Nam Ky Khoi Nghia ; soupes 3 000 d ; 6h-9h).

Les groupes de touristes fréquentent généralement des restaurants plus vastes installés en périphérie. Voici deux des meilleurs :

Ngoc Gia Trang (☎ 872742 ; 196 Đ Ap Bac ; menus 4-12 $US). Ce restaurant situé à l'entrée de Mytho (en venant de HCMV) est agréable. Il est un peu plus cher que les autres établissements de la ville, mais sa cour est très jolie et ses menus savoureux.

Trung Luong (☎ 855441). Installé à quelques kilomètres du centre, près de la porte marquant l'entrée dans Mytho, ce restaurant possède un beau jardin. Les groupes apprécient la propreté des sanitaires. En revanche, les animaux en cage (un singe, des oiseaux et un python) n'ajoutent rien au charme des lieux.

Comment s'y rendre

Bus. Les bus locaux desservant Mytho partent de la **gare routière Mien Tay** (An Lac), à HCMV, ou de celle de Cholon (10 000 d). Les bus venant de Cholon présentent l'avantage de déposer leurs passagers en plein centre-ville.

La **gare routière de Mytho** (Ben Xe Khach Tien Giang ; 4h-17h) se situe à quelques kilomètres à l'ouest de la ville. Suivez Đ Ap Bac vers l'ouest, puis la RN 1 (Quoc Lo 1).

Les bus pour HCMV (2 heures) partent dès qu'ils sont pleins, depuis l'aube jusque vers 17h. Chaque jour, des bus se rendent vers la plupart des localités du delta.

Voiture et moto. Le trajet depuis HCMV par la RN 1, en voiture ou moto, prend environ 2 heures.

Par la route, Mytho se trouve à 16 km de Ben Tre, 104 km de Cantho, 70 km de HCMV et 66 km de Vinh Long.

Bateau. Le car-ferry desservant la province de Ben Tre part de la **gare routière Ben Pha Rach Mieu**, située à environ 1 km à l'ouest du centre-ville, près du 2/10A Ð Le Thi Hong Gam (prolongement vers l'ouest de Ð 30/4). Il existe au moins un départ/une arrivée toutes les heures de 4h à 22h. Des minibus font la navette entre le débarcadère et la gare routière.

Comment circuler
Bicyclette. Les vélos se louent auprès de Tien Giang Tourist.

ENVIRONS DE MYTHO
Île du Dragon
Il est fort agréable de se promener dans les célèbres plantations de longaniers de l'île du Dragon (Con Tan Long). Les côtes luxuriantes fourmillent de bateaux de pêche ; Con Tan Long compte des constructeurs de bateaux parmi ses habitants. Vous trouverez un petit **restaurant** sur l'île, qui se trouve à 5 minutes en bateau du quai situé à l'extrémité de Ð Le Loi.

Autres îles
L'île de la Tortue (Con Qui) et l'île de la Licorne (Thoi Son) sont très proches. Pour les visiter, il revient moins cher d'organiser une excursion d'une journée au départ de HCMV.

Ferme aux serpents Dong Tam
Cet élevage *(15 000 d)* se situe à environ 10 km de Mytho, sur la route de Vinh Long. Pythons et cobras sont, en grande majorité, destinés à l'alimentation, à la maroquinerie ou à la production de produits antivenimeux. Très agressifs et capables de cracher leur venin assez loin, les cobras royaux sont surtout des hôtes à sensation, destinés à satisfaire la curiosité des clients. Ne vous approchez pas trop des cages. Les autres cobras séjournent dans une fosse et n'attaquent que si on les provoque. Dociles, les pythons sortent aisément de leurs cages et se prêtent au jeu. Cependant, n'oubliez pas que les plus gros peuvent étrangler un humain !

Dong Tam présente aussi des tortues et des poissons mutants, dont les difformités génétiques résultent certainement de la pulvérisation, intense dans les zones

---

Les "ponts de singe", bientôt un souvenir

L'un des spectacles les plus fascinants du delta du Mékong est celui des surprenants "ponts de singe" *(cau khi)* : simples passerelles construites en rondins de 30 à 80 cm de large et dotées d'une rampe en bambou, ces ponts se balancent de 2 à 10 m au-dessus des canaux, reliant les minuscule villages de la région aux grandes routes.

À première vue, ce sont des échafaudages de fortune. Pourtant, les habitants les traversent à vélo, chargés de lourds fardeaux à chaque bout de leur palanche. Une chute, et c'est la blessure assurée – mais ils les franchissent avec une aisance étonnante et le sourire aux lèvres !

En 1998, le gouvernement a lancé un programme visant à remplacer progressivement les ponts de singe de la région par des passerelles plus solides, faites de planches de bois de 1 m de large. En 2000, ce plan a été modifié : il a été décidé qu'ils seraient *tous* démolis et remplacés par des ouvrages modernes en béton, plus durables. Cela constituera, certes, une manne pour l'infrastructure locale dans tout le delta du Mékong et permettra aux habitants de franchir plus facilement et plus sûrement les canaux, mais le paysage traditionnel en pâtira. Si les jours de ces ponts pittoresques sont comptés, vous avez néanmoins encore le temps d'en apercevoir car il y en a plusieurs milliers à démanteler.

---

boisées de cette région, d'Agent orange pendant la guerre du Vietnam.

Parmi les autres créatures en captivité, vous découvrirez des tortues de mer, un daim, des singes, des ours, des crocodiles, des hiboux, des canaris et d'autres oiseaux. Les explications et les noms des animaux ne sont indiqués qu'en vietnamien.

L'armée vietnamienne gère cette ferme aux serpents et encourage vivement le tourisme, source de revenus.

Cet élevage était auparavant dirigé de façon très efficace par Tu Duoc, un colonel vietcong à la retraite. Depuis sa mort, en 1990, l'endroit s'est considérablement dégradé : les cages sont sales, les animaux, négligés et le personnel manque d'enthousiasme.

DELTA DU MÉKONG

Le **restaurant** de la ferme propose du cobra au menu, et la boutique vend du sérum antivenin.

Vous devrez vous rendre à la ferme par vos propres moyens. En venant de HCMV, continuez sur 3 km après avoir dépassé l'embranchement vers Mytho et prenez à gauche au carrefour de Dong Tam, indiqué par un panneau. Parcourez 4 km sur une piste en terre avant de tourner à droite en direction de la ferme, située à 1 km. Depuis Mytho, suivez Đ Le Thi Hong Gam et longez le fleuve vers l'ouest pendant environ 7 km. Juste après la poste de Binh Duc, tournez à droite et suivez la piste en terre sur 3 km.

BEN TRE
☎ 075 • 111 800 habitants

Constituée de plusieurs grandes îles dans l'embouchure du Mékong, la pittoresque province de Ben Tre s'étend immédiatement au sud de Mytho. À l'écart des principales grandes routes, c'est une région peu visitée. Sa sympathique capitale, également appelée Ben Tre, abrite quelques édifices anciens près des rives du majestueux Mékong.

Ben Tre est un bon point de départ pour une promenade en bateau. À la différence de Mytho, Vinh Long et Cantho, son Comité populaire n'a, jusqu'à présent, pas cherché à monopoliser cette activité. Les tarifs sont donc restés bas.

Ben Tre est aussi réputée pour ses bonbons à la noix de coco (*keo dua*). Consultez l'encadré *Une maison loin de chez soi*, plus loin.

Ben Tre Tourist (☎ 829618, fax 822440, 65 Đ Dong Khoi) possède un deuxième bureau à côté du Dong Khoi Hotel.

Ben Tre compte deux **cybercafés**, un premier dans Đ Hung Vuong et un second dans Đ Tran Quoc Tuan.

Pagode Vien Minh

Érigée au cœur de la ville, celle-ci abrite le siège de l'Association bouddhique de la province. Plus que centenaire au dire des bonzes de la région, cette pagode a une histoire incertaine. Jadis en bois, elle a fait place aujourd'hui à un édifice de brique et de béton.

Un aspect intéressant de la pagode réside dans la grande statue de Quan The Am Bo Tat (déesse de la Miséricorde) qui se dresse dans l'avant-cour. On doit la calligraphie chinoise qui orne l'édifice à un ancien bonze. Seuls quelques fidèles savent encore en déchiffrer le sens ; les moines, eux, l'ignorent.

Lac Truc Giang

Cette petite étendue d'eau face au Dong Khoi Hotel est agréable pour canoter. Néanmoins, l'exiguïté du parc environnant ne favorise pas la flânerie.

Où se loger

Phuong Hoang Hotel (☎ 821385, 28 Ha Ba Trung ; chambres 120 000-140 000 d) Ce mini-hôtel propose 10 chambres d'un bon rapport qualité/prix.

Trade Union Hotel (☎ 825082, 50 Đ Ha Ba Trung ; chambres avec clim. 130 000 150 000 d). Cet hôtel est en moins bon état mais c'est l'un des moins chers de la ville.

Hung Vuong Hotel (☎ 822408 166 Đ Hung Vuong ; chambres avec clim ancienne/nouvelle aile 10/15-37 $US). Cet établissement récemment rénové présente bien et abrite un grand **restaurant**. Les chambres de l'ancienne aile n'ont que l'eau froide.

Ben Tre Hotel (☎ 822223, 8/2 Đ Tran Quoc Tuan ; chambres avec clim. 13 23 $US). Cet hôtel est l'un des meilleurs de Ben Tre et toutes ses chambres sont équipées de l'eau chaude. Un cybercafé est installé à côté.

Dong Khoi Hotel (☎ 822240, 16 Đ Ha Ba Trung ; doubles avec clim. 20-35 $US) Le Dong Khoi offre l'hébergement le plus luxueux de la ville et aussi le meilleur restaurant, animé par des musiciens le samedi soir. Jetez un coup d'œil au magasin de souvenirs qui propose de magnifiques cadeaux (cuillères, baguettes, cendriers en cocotier).

Où se restaurer

Nam Son (☎ 822888, 40 Đ Phan Ngoc Tong ; plats 15 000-30 000 d). Ce restaurant est très apprécié des habitants de Ben Tre, qui viennent volontiers déguster du poulet grillé ou une bière à la pression.

Dang et **Thuy San**, à l'entrée de Ben Tre dans Đ 30 Thang 4, proposent de bonnes spécialités vietnamiennes, ainsi que du poisson de rivière et des fruits de mer fraîchement pêchés.

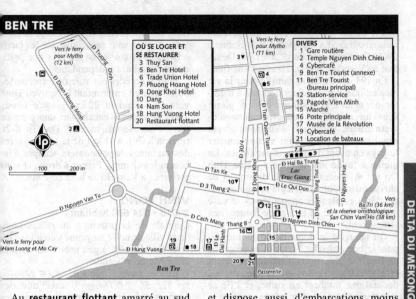

BEN TRE

OÙ SE LOGER ET SE RESTAURER
3 Thuy San
5 Ben Tre Hotel
6 Trade Union Hotel
7 Phuong Hoang Hotel
8 Dong Khoi Hotel
10 Dang
14 Nam Son
18 Hung Vuong Hotel
20 Restaurant flottant

DIVERS
1 Gare routière
2 Temple Nguyen Dinh Chieu
4 Cybercafé
9 Ben Tre Tourist (annexe)
11 Ben Tre Tourist (bureau principal)
12 Station-service
13 Pagode Vien Minh
16 Marché
16 Poste principale
17 Musée de la Révolution
19 Cybercafé
21 Location de bateaux

Au **restaurant flottant** amarré au sud de la ville, près du marché, le décor et la nourriture n'ont rien d'extraordinaire, mais l'emplacement est incomparable.

Si votre budget est limité, les **étals** du marché permettent de se restaurer pour trois fois rien.

Comment s'y rendre

Il faut traverser le Mékong en ferry pour rejoindre cette province insulaire. Aussi lente que soit la traversée Mytho-Ben Tre (comptez 45 minutes de trajet dans un sens comme dans l'autre), c'est encore la plus rapide de toutes. Plus au sud, d'autres ferries desservent Ben Tre, mais ils sont terriblement lents et peu fiables. Les motocyclistes gagneront du temps sur les automobilistes, car ils peuvent emprunter des petits bateaux, nombreux et beaucoup plus rapides.

Les bus publics s'arrêtent à la **gare routière** de Ð Doan Hoang Minh, à l'est du centre-ville. Des minibus privés font aussi tous les jours la navette entre Ben Tre et HCMV. Ils ne suivent pas d'horaire précis, il faut vous renseigner sur place. Essayez près du marché, ou encore à la station-service de Ð Dong Khoi (point de départ de certaines camionnettes).

Comment circuler

Ben Tre Tourist loue un hors-bord 35 \$US l'heure (8 personnes peuvent y embarquer)

et dispose aussi d'embarcations moins rapides et de plus grande capacité. Une autre option consiste à négocier avec un particulier sur l'**embarcadère public**, près du marché. Vous pouvez vous baser sur un tarif d'environ 25 000 d l'heure, avec un minimum de 2 heures de promenade sur les canaux. Renseignez-vous auprès des pilotes qui se tiennent près de la passerelle.

ENVIRONS DE BEN TRE
Île du Phénix

Jusqu'à son emprisonnement par les communistes (pour ses activités antigouvernementales) et la dispersion de ses adeptes, l'homme que l'on a appelé le "moine aux noix de coco" (Ong Dao Dua) dirigeait une petite communauté sur l'île du Phénix (Con Phung), à quelques kilomètres de Mytho. Du temps de sa splendeur, l'île était dominée par un incroyable sanctuaire en plein air *(entrée 10 000 d)*. Les colonnes aux dragons sculptés et la tour aux multiples étages surmontée d'un énorme globe de métal devaient ruisseler de couleurs. Aujourd'hui, cet ensemble sans vie est quelque peu branlant. Le kitsch de l'endroit vous fera certainement sourire, particulièrement la reproduction de la fusée Apollo trônant au beau milieu des statues bouddhiques !

Né en 1909 dans la province actuelle de Ben Tre et mort en 1990, Nguyen Thanh

DELTA DU MÉKONG

Nam, le moine aux noix de coco, disait s'être nourri exclusivement de ces fruits pendant trois ans. Il étudia la physique et la chimie à Lyon, Caen et Rouen de 1928 à 1935. De retour au Vietnam, il se maria et eut une fille.

En 1945, il quitta sa famille pour la vie monastique et passa alors trois ans à méditer jour et nuit, assis sur une dalle de pierre sous un mât. Les gouvernements sud-vietnamiens successifs l'emprisonnèrent régulièrement parce qu'il voulait unifier le pays en usant de moyens pacifiques. Le moine a fondé une religion appelée Tinh Do Cu Si, mélange de bouddhisme et de christianisme, utilisant leurs symboles respectifs. Les plaques apposées sur le vase de porcelaine géant (3,5 m de hauteur) en témoignent.

On aperçoit le domaine du moine depuis le bac qui relie Mytho à la province de Ben Tre. Les droits d'entrée pourraient être affectés à l'entretien du site, car les décorations tombent en ruine, et l'île se transforme en piège à touristes, comme le raconte un voyageur :

L'île tombe en décrépitude. Méfiez-vous de ce vieil homme rusé qui prétend être un ancien moine : il vous entraîne à toute allure à travers les quelques sites et vous demande ensuite de lui offrir une bière, au stand, à un prix exorbitant.

Sue Grossey

La police de Mytho ne vous autorisera pas à louer un bateau privé et vous devrez débourser au moins 25 $US pour monter à bord d'une embarcation gouvernementale et rejoindre Mytho. Vous pouvez toutefois louer un bateau dans la province de Ben Tre, de l'autre côté du fleuve.

Temple Nguyen Dinh Chieu
Ce temple plein de charme a été édifié en l'honneur d'un lettré de la région, Nguyen Dinh Chieu. Il se situe dans le district de Ba Tri, à 36 km de Ben Tre (30 minutes en voiture).

Réserve ornithologique
Les habitants de la région sont particulièrement fiers de **San Chim Vam Ho** (☎ 858669 ; 10 000 d), une réserve située à 38 km de Ben Tre où viennent nicher les cigognes. Ben Tre Tourist affrète des vedettes, qui effectuent le trajet aller-retour

en 2 heures environ, et des bateaux moins rapides qui prennent environ 5 heures. Vous pouvez vous renseigner sur les tarifs à l'agence et voir aussi les prix que pratiquent les pilotes indépendants.

Pour y accéder par voie de terre, sortez de la ville en empruntant Ð Nguyen Dinh vers l'est pendant 20 km jusqu'à Giong Tram. Tournez à gauche sur une piste en terre sinueuse qui mène à Trai Tu K-20 (prison K-20), à 11 km de là ; vous verrez des centaines de prisonniers occupés à labourer les champs. Prenez à droite et vous arriverez à Vam Ho au bout de 7 km.

VINH LONG
☎ 070 • 124 600 habitants
Capitale de la province du même nom, cette ville de taille moyenne s'étend sur les rives du Mékong, à peu près à mi-chemin entre Mytho et Cantho.

Cuu Long Tourist (☎ 823616 fax 823357, 1 Ð Thang 5) est l'une des agences de voyages gouvernementales les plus efficaces du delta. Il existe également un petit **bureau de réservations** au bord du fleuve, près du restaurant Phuong Thuy ; il loue des vélos (2 $US par jour) et des motos (8 $US).

Cuu Long Tourist propose différentes excursions en bateau, d'une durée de 3 à 5 heures, ou même sur 2 jours, sur diverses destinations – les canaux, les vergers, une briqueterie, un atelier de fabrication de chapeaux coniques ou le marché flottant de Cai Be. L'agence peut aussi organiser votre séjour dans une famille de récoltants de fruits (voir l'encadré *Une maison loin de chez soi*).

Comme presque toujours dans la région du delta, si vous voyagez en indépendant, vous devrez vous arranger avec d'autres voyageurs pour obtenir un prix raisonnable pour ces excursions.

Pour un accès Internet, adressez-vous à La Huy (37 Ð Trung Nu), qui prend 100 d la minute.

Îles du Mékong
Si Vinh Long en elle-même ne présente pas grand intérêt, les îles du Mékong, à proximité, méritent le détour. On y pratique une agriculture intensive, avec une préférence pour les fruits tropicaux, lesquels alimentent les marchés de HCMV.

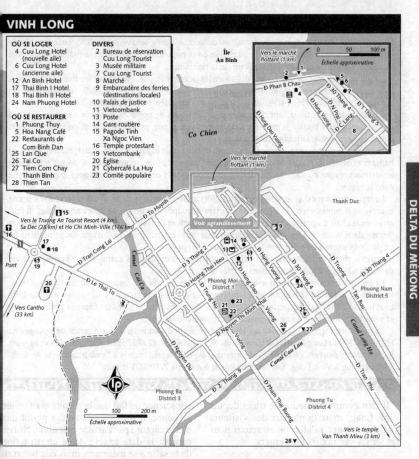

VINH LONG

OÙ SE LOGER
4 Cuu Long Hotel (nouvelle aile)
6 Cuu Long Hotel (ancienne aile)
12 An Binh Hotel
17 Thai Binh I Hotel
18 Thai Binh II Hotel
24 Nam Phuong Hotel

OÙ SE RESTAURER
1 Phuong Thuy
5 Hoa Nang Café
22 Restaurants de Com Binh Dan
25 Lan Que
26 Tai Co
27 Tiem Com Chay Thanh Binh
28 Thien Tan

DIVERS
2 Bureau de réservation Cuu Long Tourist
3 Musée militaire
7 Cuu Long Tourist
8 Marché
9 Embarcadère des ferries (destinations locales)
10 Palais de justice
11 Vietcombank
13 Poste
14 Gare routière
15 Pagode Tinh Xa Ngoc Vien
16 Temple protestant
19 Vietcombank
20 Église
21 Cybercafé La Huy
23 Comité populaire

DELTA DU MÉKONG

Pour visiter ces îles, vous devrez louer un bateau auprès de Cuu Long Tourist. Un petit bateau revient à environ 25 $US par personne pour un circuit de 3 heures. Il faut au moins 3 personnes pour obtenir un prix intéressant, mais vous pouvez cependant essayer de négocier les tarifs. Les excursions sont commentées par un guide vietnamien parlant français ou anglais.

Pour court-circuiter le monopole d'État, empruntez le ferry public (3 000 d) vers l'une des îles, puis promenez-vous à pied une fois sur place. Toutefois, ce n'est pas aussi intéressant qu'une excursion en bateau, car vous ne parcourez pas les étroits canaux.

Les îles les plus visitées sont Binh Hoa Phuoc et An Binh, mais il en existe bien

d'autres. Dans cette région où l'eau est omniprésente, les maisons sont en général construites sur pilotis.

Marché flottant de Cai Be
Ce marché fluvial animé *(5h-17h)* mérite d'être mis au programme d'une promenade en bateau depuis Vinh Long. Mieux vaut s'y rendre tôt le matin. Les grossistes, spécialisés dans un ou plusieurs fruits ou légumes, amarrent leurs gros bateaux et accrochent des échantillons de leurs marchandises à de longues perches en bois. Les acheteurs vont de l'un à l'autre dans de petites embarcations.

L'originalité par rapport à d'autres marchés flottants est l'immense cathédrale qui se dresse au bord du fleuve.

Une maison loin de chez soi

Vivre quelque temps au sein d'une famille du delta du Mékong se révèle une expérience inoubliable et un moyen unique de connaître le quotidien de la population locale, dont la majeure partie tire sa subsistance de la culture des fruits ou de la riziculture.

La plupart des maisons ouvertes aux touristes occidentaux se situent sur les rives du Mékong. Enlevez vos chaussures en pénétrant dans le foyer de votre famille d'accueil. Beaucoup de ces familles préfèrent que les visiteuses ne portent pas de vêtements trop courts.

Certaines femmes travaillent dans de petites fabriques de bonbons à la noix de coco : toute la journée, elles font bouillir la pâte dans de grands chaudrons, puis la roulent et coupent de petits cubes qu'elles emballent dans du papier.

Les maisons sont assez rudimentaires. La chambre est un espace ouvert et plat, où sont disposés hamacs et lits en bois, au-dessus desquels sont suspendus des moustiquaires. Avant même que les derniers rayons du soleil ne disparaissent, commence la chasse aux moustiques, très nombreux dans la région.

Le repas typique est composé de poisson, fort apprécié dans le delta. Il est servi entier sur une couche de légumes verts, et décoré de carottes découpées en forme de fleurs aquatiques. Il faut arracher la chair du poisson avec des baguettes en bois et l'envelopper d'une crêpe de riz, que l'on trempe dans la sauce. Le plat est accompagné de nems croustillants, suivi d'une soupe et de riz (le riz du delta est réputé pour être le plus parfumé du pays).

Après le dîner, certaines familles échangent chansons et histoires autour d'une bouteille de vin de riz, tandis que d'autres regardent la télévision.

La journée commence dès que les premiers rayons du soleil caressent l'eau du fleuve. Dès le lever, toute la famille se baigne. Vous vous sentirez peut-être encore plus sale après avoir barboté tout habillé dans l'eau boueuse du delta ! Vous ferez vos adieux après un copieux petit déjeuner et repartirez pour Vinh Long en passant par le marché flottant.

La meilleure façon d'organiser un tel séjour consiste à s'adresser à une agence de voyages de HCMV ou à **Cuu Long Tourist**, à Vinh Long (☎ 823616, fax 823357 ; Đ 1 Thang 5). Les voyageurs indépendants peuvent généralement s'arranger avec des agents privés à l'embarcadère de An Binh, à leur arrivée à Vinh Long. Les tarifs tournent autour de 7/10 \$US la nuit.

Il faut compter 1 heure de trajet depuis Vinh Long, mais la plupart des visiteurs font des détours à l'aller ou au retour pour visiter les canaux ou les vergers.

Musée militaire

Proche du Cuu Long Hotel, ce musée militaire (*Bao Tang Quan Su ; sam-dim 8h-10h et 19h-21h*) n'a rien de spectaculaire comparé à ceux de HCMV et de Hanoi.

Temple Van Thanh Mieu

Ce temple (*temple Phan Thanh Gian ; Đ Tran Phu*), bâti au bord de l'eau, est très surprenant. Tout d'abord, il est confucéen (une rareté dans le Sud) et semble tout droit sorti de Chine ; en outre, tandis que l'arrière-salle est consacrée à Confucius, dont le portrait trône au-dessus de l'autel, la salle en façade fut en revanche édifiée en l'honneur du héros local, Phan Thanh Gian. Cet homme mena, en 1930, un soulèvement contre les Français. Ayant pris

conscience du fait que la révolte était vouée à l'échec, il préféra se suicider plutôt que d'être capturé par l'armée coloniale. Nul ne connaît la date exacte de la construction de la salle à sa mémoire, mais elle pourrait être postérieure à 1975.

Le temple Van Thanh Mieu se situe à plusieurs kilomètres au sud-est du centre-ville. Dans cette même rue s'élève la pagode Quoc Cong.

Où se loger

Cuu Long Hotel (*☎ 823656, fax 823357, 501 Đ 1 Thang 5 ; chambres ancienne aile avec ventil./clim. 20/30 \$US, nouvelle aile 35-45 \$US*). Cet hôtel se compose de deux bâtiments au bord de l'eau ; l'adresse indiquée est celle de l'ancienne aile. Toutes les chambres climatisées possèdent la TV par satellite et le petit déjeuner est inclus.

An Binh Hotel (*☎ 823190, 3 Đ Hoang Thai Hieu ; chambres avec clim. 130 000-160 000 d*). Ce plaisant établissement reçoit moins de clients car il est à l'écart du fleuve. Il met à disposition des courts de tennis et un salon de massage.

Le Nam Phuong Hotel est bien situé, à proximité du fleuve et du marché.

Les hôtels Thai Binh I et **Thai Binh II**, à la périphérie de Vinh Long, sont deux adresses bon marché *(chambres avec ventil./clim. 7/10 $US)*.

Truong An Tourist Resort *(☎ 823161 ; chambres 25 $US)*. Cet établissement à mi-chemin de Vinh Long et du pont My Thuan constitue une bonne option si sa situation excentrée ne vous gêne pas. Situées dans des maisonnettes, ses chambres sont facturées 25 $US. Vous jouirez en outre d'un cadre agréable, le long du fleuve et au cœur d'un parc verdoyant.

Cuu Long Tourist peut vous réserver une nuitée dans une **ferme sur une île** (voir l'encadré *Une maison loin de chez soi*). Vous pouvez choisir entre une maison en brique, une habitation de style colonial, un bungalow au milieu d'un grand jardin de bonsaïs ou encore (peut-être la formule la plus intéressante) une maison traditionnelle sur pilotis au-dessus du fleuve. Toutes ces habitations sont très calmes mais assez isolées. Pour vous rendre en ville, vous devrez obligatoirement prendre un bateau. Le tarif pour une nuit s'élève à environ 34 $US par personne, ce qui inclut le trajet en bateau, le guide, les repas et un arrêt au marché flottant de Cai Be.

Où se restaurer

Thien Tan *(☎ 824001, 56/1 Đ Pham Thai Buong ; plats 40 000-50 000 d ; 8h-22h)*. Ce spécialiste des grillades est considéré comme le meilleur restaurant de la ville. Essayez le poisson cuisiné dans du bambou *(ca loc nuong tre)* et le poulet cuit dans l'argile *(ga nuong dat set)*. Les plus courageux pourront se laisser tenter par le rat des rizières grillé *(chuot quay)*.

Tiem Com Chay Thanh Binh *(☎ 825530, 487 Đ 2 Thang 9 ; plats 4 000-6 000 d ; 6h-20h)*. Ce restaurant propose des plats végétariens savoureux à des prix imbattables.

Phuong Thuy. Installé au bord du fleuve, ce bon restaurant est surtout apprécié pour son remarquable panorama.

Hoa Nang Café. Proche du Phuong Thuy, cet établissement offre lui aussi de belles vues et concocte des plats corrects.

Lan Que *(☎ 823262, Đ 2 Thang 9)*. Une adresse populaire qui prépare une cuisine authentique, notamment de délicieuses préparations à base de tortue et de grenouilles.

Tai Co, plus bas dans la même rue, prépare de la cuisine chinoise et une excellente fondue *(lau)*.

Plusieurs **bons restaurants de com binh dan** (plats à base de riz) jalonnent Đ Nguyen Thi Minh Khai.

Allez faire un tour au **marché de Vinh Long**, où vous dégusterez des fruits délicieux (bananes, mangues et papayes).

Comment s'y rendre

Bus. Les bus reliant HCMV à Vinh Long (3 heures) partent de la **gare routière de Cholon**, dans le district n° 5, et de la **gare routière de Mien Tay**, à An Lac. On peut aussi gagner Vinh Long en bus depuis Mytho, Tra Vinh, Cantho, Chau Doc, entre autres villes du delta.

Voiture et moto. Vinh Long se trouve sur la RN 1, à 66 km de Mytho, 33 km de Cantho et 136 km de HCMV.

Bateau. Il peut exister une possibilité de rejoindre Chau Doc (près de la frontière cambodgienne) en cargo au départ de Vinh Long, mais vous aurez sans doute besoin de l'aide d'un Vietnamien pour en décider.

TRA VINH
☎ 074 • 70 000 habitants

Entre deux bras du Mékong, le Tien et le Hau, Tra Vinh paraît quelque peu isolée sur la péninsule. Cette visite ne peut pas être combinée à une autre, car il n'existe pas de car-ferry. Toutefois, de petits bateaux peuvent convoyer des motos. Les touristes occidentaux sont rares, bien que l'endroit mérite vraiment le détour.

La province de Tra Vinh regroupe environ 300 000 Khmers de souche. À première vue, ce serait une "minorité invisible", car ils parlent tous le vietnamien et, en apparence, rien ne les distingue, tant sur le plan vestimentaire que dans leur mode de vie. En approfondissant un peu le sujet, vous apprendrez que la culture khmère est bel et bien vivante dans cette région du Vietnam. On ne dénombre pas moins de 140 pago-

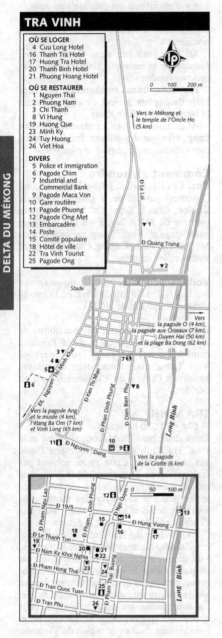

TRA VINH

OÙ SE LOGER
4 Cuu Long Hotel
16 Thanh Tra Hotel
17 Huong Tra Hotel
20 Thanh Binh Hotel
21 Phuong Hoang Hotel

OÙ SE RESTAURER
1 Nguyen Thai
2 Phuong Nam
3 Chi Thanh
8 Vi Hung
19 Huong Que
23 Minh Ky
24 Tuy Huong
26 Viet Hoa

DIVERS
5 Police et immigration
6 Pagode Chim
7 Industrial and Commercial Bank
9 Pagode Maca Von
10 Gare routière
11 Pagode Phuong
12 Pagode Ong Met
13 Embarcadère
14 Poste
15 Comité populaire
18 Hôtel de ville
22 Tra Vinh Tourist
25 Pagode Ong

des khmères dans la seule province de Tra Vinh, contre 50 édifices vietnamiens et 5 chinois. Elles abritent des écoles où l'on enseigne la langue khmère, que la plupart des habitants de Tra Vinh lisent et écrivent aussi bien que le vietnamien.

La minorité khmère du Vietnam ne compte pratiquement que des fidèles du bouddhisme theravada. Si vous avez visité des monastères au Cambodge, vous aurez remarqué que les moines khmers ne pratiquent pas l'agriculture et se nourrissent uniquement des dons offerts par la population. À Tra Vinh, les guides vietnamiens ne manqueront pas de vous dire avec fierté que les bonzes récoltant le riz symbolisent la libération du pays. En effet, le gouvernement vietnamien considérait les moines comme des "parasites". Les Khmers n'ont pas forcément la même vision des choses, et continuent à financer les bonzes en cachette.

Entre 15 et 20 ans, la plupart des adolescents suivent la vie monastique pendant quelques mois ou quelques années, selon leur choix. Les bonzes khmers mangent de la viande, mais tuer les animaux leur est interdit.

Une petite communauté chinoise assez active est implantée à Tra Vinh, l'une des rares à subsister dans le delta du Mékong.

Renseignements

Tra Vinh Tourist (☎ 862559, fax 866768, 64-6 Đ Le Loi) détient le monopole. De nombreuses excursions sont proposées dans le secteur, les plus intéressantes se faisant par bateau.

La **banque de Commerce et de l'Industrie** (15A Đ Dien Bien Phu) change les devises et accorde des avances sur les cartes Visa.

Pagode Ong

Cette pagode (Chua Ong et Chua Tau ; angle de Đ Pham Thai Buong et Đ Tran Quoc Tuan) est un édifice très décoré et haut en couleurs. C'est un lieu de culte d'autant plus actif que les pagodes 100% chinoises sont rares dans la région. Sur l'autel, le dieu au visage rouge représente le général Quan Cong (en chinois Guangong, Guandi ou Guanyu), censé protéger de la guerre.

Fondée en 1556 par la Congrégation chinoise du Fujian, la pagode a été reconstruite plusieurs fois. Les touristes de Taiwan et de Hong Kong ont financé sa restauration.

Pagode Ong Met

Cet édifice religieux khmer, au cœur de la ville, est le plus visité. Fort aimables, les moines de la pagode Ong Met (Chua Ong Met) seront ravis de vous guider.

Pagode Chim

À 1 km de la route de Vinh Long, au sud-ouest de Tra Vinh, se dresse la pagode Chim (Chua Chim), beaucoup moins visitée. Elle aurait plus de cinq siècles d'existence, si on en croit ses sympathiques bonzes. Sa structure actuelle trahit néanmoins un passé plus récent. Malheureusement, tous les documents historiques du monastère semblent avoir été détruits. Pour l'heure, une vingtaine de moines y résident.

Étang Ba Om et pagode Ang

L'Ao Ba Om ("lac carré") est un site spirituel pour les Khmers et un lieu de pique-nique pour les Vietnamiens. Entouré de grands arbres, ce bassin ne manque pas de charme.

Non loin de là se dresse la pagode Ang (Chua An en vietnamien, Angkor Rek Borei en khmer), belle et vénérable construction de style khmer. Un intéressant **musée du Peuple de la minorité khmère** (Bao Tang Van Hoa Dan Tac ; entrée libre), consacré à la culture khmère, se dresse sur la rive opposée du lac. Il compte toutefois peu de commentaires en anglais et ses horaires d'ouverture sont irréguliers.

L'Ao Ba Om se trouve à 7 km au sud-ouest de Tra Vinh, sur la route de Vinh Long.

Temple de l'Oncle Ho

En construisant le temple de l'Oncle Ho (Den Tho Bac), en hommage à Ho Chi Minh, les responsables du Comité populaire désiraient probablement accentuer la vocation touristique de Tra Vinh. L'opération est réussie : bien qu'aucun moine n'ait élu domicile dans cet édifice, les "fidèles" ne cessent d'affluer. Les plus hautes personnalités du Parti s'y rendent régulièrement en limousine.

Le temple de l'Oncle Ho est situé dans la commune de Long Duc, à 5 km au nord de la ville de Tra Vinh.

Excursions en bateau

L'étroite rivière de Long Binh décrit des méandres sur plus de 10 km au sud de Tra Vinh. Elle atteint alors un déversoir, lequel évite que l'eau de mer, à marée haute, ne s'infiltre dans la rivière et détruise les récoltes.

À l'est de Tra Vinh, un embarcadère sur le fleuve sert de point de départ pour les bateaux qui descendent la rivière jusqu'au déversoir en aval. Comptez 1 heure 30 de trajet en vedette, davantage à bord d'un bateau plus lent. Tra Vinh Tourist peut se charger des réservations.

L'agence propose une excursion vers l'île aux Huîtres (Con Ngao), une étendue de vase côtière qui abrite une petite communauté d'ostréiculteurs. Il vous en coûtera 100 $US par bateau, quel que soit le nombre de participants – vous devriez pouvoir négocier un tarif moins élevé auprès des pilotes à l'embarcadère.

Où se loger

Huong Tra Hotel (☎ 853182, 67 Đ Ly Thuong Kiet ; chambres avec ventil. et toilettes communes 40 000 d, avec clim. et sdb 70 000-80 000 d). Cet hôtel est le moins soigné de Tra Vinh. À ces prix-là, ne vous attendez pas à un miracle.

Thanh Binh Hotel (☎ 858906, 1 Đ Le Thanh Ton ; chambres avec ventil./clim. 4/8 $US). Un peu meilleur, cet établissement n'offre toutefois aucun raffinement.

Phuong Hoang Hotel (☎ 852270, 1 Đ Le Thanh Ton ; simples/doubles avec ventil. 3-5/7-12 $US). Toutes les chambres de cette adresse correcte possèdent une sdb.

Thanh Tra Hotel (☎ 853621, fax 853769, 1 Đ Pham Thai Buong ; chambres 8-27 $US). Cet hôtel accueille la plupart des groupes.

Cuu Long Hotel (☎ 862615, 999 Đ Nguyen Thi Minh Khai). Cet établissement était en réfection lors de notre passage.

Où se restaurer

Nguyen Thai (☎ 852145, 88 Đ Le Loi). Ce restaurant offre un grand choix de bonnes spécialités et de savoureux fruits de mer.

Phuong Nam (☎ 853511, Đ Chau Van Tiep). Les grillades et les plats mijotés sont ici excellents.

Vi Hung (Đ Dien Bien Phu). Cette adresse très bon marché propose des plats simples à base de riz.

Viet Hoa (☎ 836046, 80 Đ Tran Phu). Ce restaurant tenu par une sympathique famille chinoise est l'un des meilleurs de la ville.

Tuy Huong (8 Đ Dien Bien Phu) sert de bonnes spécialités vietnamiennes, de même que **Chi Thanh** *(105 Đ Nguyen Thi Minh Khai)*, **Huong Que** *(16 Đ Nam Ky Khoi Nghia)* et **Minh Ky** *(9 Đ Nam Ky Khoi Nghia)*, tout proche.

Comment s'y rendre

Tra Vinh se trouve à 65 km de Vinh Long et 205 km de HCMV. Vinh Long ou Can-tho sont les points de départ logiques pour un trajet en bus vers Tra Vinh.

ENVIRONS DE TRA VINH
Chua Co

Ce monastère khmer abrite une réserve ornithologique. Au crépuscule, plusieurs espèces de cigognes et d'ibis se rassemblent en grand nombre pour y passer la nuit. Prenez garde aux nids. Chua Cuo se trouve à 43 km de Tra Vinh. Rendez-vous d'abord à Tra Cu, située à 36 km de Tra Vinh, puis suivez sur 7 km un chemin sablonneux qui mène au monastère.

Luu Cu

Il reste encore quelques ruines à Luu Cu, au sud de Tra Vinh, près des berges du Hau Giang. Les fouilles archéologiques ont mis au jour des fondations en brique, rappelant celles des temples cham. Ce site protégé attire un grand nombre de touristes français. Il se situe à 10 km de Tra Cu, elle-même à 36 km de Tra Vinh.

Plage de Ba Dong

Cette plage de sable ocre est plutôt agréable comparée aux autres "plages" du delta du Mékong. Son principal attrait réside dans sa tranquillité (rares sont les visiteurs). **Tra Vinh Tourist** *(☎ 862559)* a récemment construit un **restaurant** et des **bungalows** sans prétention, où l'on peut dormir pour environ 5 \$US.

Pour y accéder depuis Tra Vinh, faites 50 km sur la route pavée qui mène à Duyen Hai, puis suivez une piste en terre accidentée sur 12 km.

SA DEC
☎ 067 • 101 800 habitants

Célèbre depuis le tournage de *L'Amant*, d'après le roman de Marguerite Duras, Sa Dec est l'ancienne capitale de la province de Dong Thap. Du marché en plein air, vous apercevrez de l'autre côté du fleuve deux des villas françaises qui apparaissent dans le film.

Sa Dec est réputée pour ses nombreuse pépinières de fleurs et de bonsaïs. Le fleurs sont cueillies presque tous les jour et acheminées vers HCMV. Ces pépinière attirent beaucoup de touristes vietnamien notamment pendant les fêtes du Têt.

Les groupes qui font un circuit éclair dan le delta du Mékong s'arrêtent souvent déjeu ner à Sa Dec avant de visiter les pépinières.

Vous trouverez un **accès Internet** à côt de la poste.

Pagode Huong Tu

La pagode Huong Tu (Chua Co Huon Tu) appartient au style chinois classique Trônant sur son piédestal, la statue d Quan The Am Bo Tat illumine le parc d sa blancheur immaculée. Ne confondez pa cette pagode avec celle de Buu Quang, ad jacente, dont le cachet est bien moindre.

Pépinières

Ouvertes toute l'année, les pépinière *(vuon hoa)* sont quasiment dépouillées d toutes leurs fleurs avant la fête du Têt. Le photos sont autorisées. Ne cueillez que c vous souhaitez acheter.

Les pépinières sont la propriété de plu sieurs jardiniers et chacun cultive sa spé cialité. Le jardin le plus célèbre, la roserai Tu Ton (Vuon Hong Tu Ton), soigne plus d 500 variétés de roses, d'une cinquantaine d couleurs et de nuances différentes.

Statue de l'Oncle Ho

Sa Dec possède sa statue de l'Oncle H (Tuong Bac Ho en vietnamien), dont l père vécut ici. Elle se dresse à quelque kilomètres à l'est de la ville, sur la rout menant aux pépinières.

Où se loger

Peu d'étrangers passent la nuit à Sa Dec, plu attirés par les villes voisines de Cao Lanh Long Xuyen et Vinh Long. Si Sa Dec n'a rie d'extraordinaire, elle n'en reste pas moins u endroit agréable où passer la soirée.

Nguyen Phong Guesthouse *(☎ 86651 A10 Đ Tran Hung Dao ; chambres ave ventil./clim. 80 000/100 000 d)*. Cette pen sion très sommaire offre l'hébergement l moins cher de la ville.

Sa Dec Hotel *(☎ 861430 ; chambres ave ventil./clim. 8/15-18 \$US)*. Le Sa Dec longtemps été le principal établissemen

SA DEC

0   125   250 m

Vers la roseraie Tu Ton et les pépinières (2 km)

Sa Dec Hotel

Terrain de jeux

Đ Nguyen Truong To

Đ Nguyen Du
École

Đ Do Chien

Đ Tran Phu

Đ Tran Hung Dao

Đ Le Loi

Vers statue l'Oncle (1,5 km)

Pagode Huong Tu

Pagode Buu Quang

Thuy Restaurant

Cay Sung Restaurant

Đ Ho Xuan Huong

Pagode Thein Hau

Temple Tong Phuoc Hoa

Đ Ngo Thoi Nhiem

Đ Hoang Dieu

Đ Phan Chu Trinh

Đ Nguyen Hue

Rivière Sa Dec

Canal

Đ Phan Boi Choi

Temple Kien An Cung

Restaurants de nouilles

Ly Thuong Kiet

Đ Hung Vuong

Marché en plein air

Temple protestant Tin Lanh

Vers ng Xuyen (48 km) Chau Doc (102 km)

Marché

Accès Internet

Poste

Nguyen Phong Guesthouse

Đ Quoc Lo

ong Hong Hotel

Vers Vinh Long (28 km) et Cantho (61 km)

Comment s'y rendre

Sa Dec se trouve dans la province de Dong Thap, à mi-chemin entre Vinh Long et Long Xuyen. On y accède par bus, minibus, ou en voiture.

CAO LANH

☎ 067 • 139 100 habitants

Cette ville nouvelle a surgi de la jungle et des marécages du delta du Mékong. Érigée en capitale de la province de Dong Thap, elle semble promise à un certain avenir. Les principales attractions de cette région sont les promenades en bateau vers les réserves ornithologiques et la forêt de Rung Tram.

Renseignements

Dong Thap Tourist (☎ 852136, fax 855637, 2 Đ Doc Binh Kieu) fournit une aide précieuse. C'est le meilleur endroit pour se renseigner sur les promenades en bateau dans les environs. Son **annexe** (☎ 821054) organise des promenades en bateau depuis un embarcadère dans le village de My Hiep.

Le Xuan Mai Hotel propose un **accès Internet** ouvert à tous.

Monument aux morts

Situé en retrait de la RN 30, à l'extrémité est de la ville, ce monument (Dai Liet Si ; entrée libre) constitue le point de repère le plus frappant de Cao Lanh. La construction de ce chef-d'œuvre de la sculpture de style socialiste dura sept ans, de 1977 à 1984. Il a la forme d'une vaste palourde ornée d'une grande étoile vietnamienne côtoyant la faucille et le marteau. En façade, plusieurs statues en béton de paysans et de soldats victorieux brandissent des armes et lèvent le poing. Le parc abrite les sépultures de plus de 3 000 soldats vietcong morts au combat.

Mausolée de Nguyen Sinh Sac

Ici repose Nguyen Sinh Sac (1862-1929), le père de Ho Chi Minh. Son mausolée (Lang Cu Nguyen Sinh Sac) occupe un hectare.

Bien que de nombreuses plaques (en vietnamien) et brochures touristiques vantent les mérites révolutionnaires de Nguyen Sinh Sac, il est douteux qu'il ait été impliqué dans la lutte anticolonialiste contre les Français.

ur touristes. Toutes les chambres possèdent une baignoire.

Bong Hong Hotel (☎ 861301, 80 Đ Quoc ...). Lors de notre passage, ce nouvel hôtel tait pratiquement achevé. D'aspect élégant, il devrait pratiquer des prix allant de ... 0 à 30 $US.

Où se restaurer

...huy (☎ 861644, 439 Đ Hung Vuong). Ce ...etit restaurant mérite une visite : un bon ...pas s'accompagne ici des grimaces des ...oissons du grand aquarium.

Cay Sung (☎ 861749, 437 Đ Hung Vuong). ...et établissement, voisin du précédent, ...répare une cuisine convenable. Quelques ...choppes de nouilles, correctes, sont instal-...es plus au sud dans Đ Hung Vuong.

DELTA DU MÉKONG

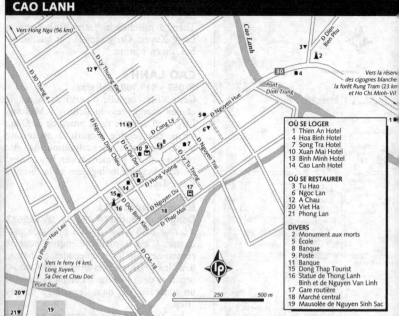

CAO LANH

Vers Hong Ngu (56 km)

Cao Lanh

Đ Dien Bien Phu

Vers la réserve
des cigognes blanche
la forêt Rung Tram (23 k
et Ho Chi Minh-Vil

Pont
Dinh Trung

Đ Ly Thuong Kiet

Đ 30 Thang 4

Đ Nguyen Dinh Chieu

Đ Le Qui Don

Đ Nguyen Hue

Đ Cong Ly

Đ Ly Tu Trong

Đ Nguyen Trai

Đ Hung Vuong

Đ Nguyen Du

Đ Doc Binh Kieu

Đ Thap Moi

Đ Pham Huu Lau

Vers le ferry (4 km),
Long Xuyen,
Sa Dec et Chau Doc
Pont Duc

Đ CM-18

OÙ SE LOGER
1 Thien An Hotel
4 Hoa Binh Hotel
7 Song Tra Hotel
10 Xuan Mai Hotel
13 Binh Minh Hotel
14 Cao Lanh Hotel

OÙ SE RESTAURER
3 Tu Hao
6 Ngoc Lan
12 A Chau
20 Viet Ha
21 Phong Lan

DIVERS
2 Monument aux morts
5 École
8 Banque
9 Poste
11 Banque
15 Dong Thap Tourist
16 Statue de Thong Lanh
Binh et de Nguyen Van Linh
17 Gare routière
18 Marché central
19 Mausolée de Nguyen Sinh Sac

0　250　500 m

Où se loger

Cao Lanh Hotel (☎ 851061, 72 Đ Nguyen Hue ; chambres avec ventil, sdb et eau froide 50 000 d, avec clim, sdb et eau chaude 90 000 d). Cet établissement, beaucoup plus vieux et délabré que ses concurrents, aurait grand besoin d'un coup de neuf.

Binh Minh Hotel (☎ 853423, 147 Đ Hung Vuong ; chambres avec ventil./clim. 3/ 8 $US). Nous vous recommandons cet hôtel, l'un des moins chers de la ville, tenu par un sympathique instituteur.

Thien An Hotel (☎ 853041 ; chambres avec clim. 10-12 $US). À 500 m du monument aux morts, vous trouverez cette nouvelle adresse offrant un rapport qualité/prix correct. Quelques chambres donnent sur le Mékong et toutes possèdent une sdb avec eau chaude.

Xuan Mai Hotel (☎ 852852, fax 853058, 2 Đ Le Qui Don ; doubles avec clim. 16-20 $US). Cet hôtel, situé derrière la poste, vient d'être rénové : toutes les chambres disposent dorénavant de la clim., de l'eau chaude et d'une baignoire. Un accès Internet est également disponible.

Hoa Binh Hotel (☎ 851469, fax 851218 chambres avec clim. 18-25 $US). Situé l'est de Cao Lanh, sur la RN 30, en face d monument aux morts, cet établissement e le plus luxueux de la ville. Les chambre possèdent la TV par satellite. Essayez d'e réserver une dans l'agréable villa érigée l'arrière, près du **bar en plein air.**

Song Tra Hotel (☎ 852504, fax 85262. 178 Đ Nguyen Hue ; chambres 14-20 $US Cet hôtel offre également la TV par sa tellite.

Où se restaurer

Cao Lanh est réputée pour ses rats de r zière (chuot dong) et vous pourrez y goûte quelques "délices" locaux.

A Chau (☎ 852202, 105B Đ Ly Thuor Kiet ; plats 15 000-40 000 d ; 8h-21h). C restaurant est spécialisé dans les crêpe sautées (banh xeo) que l'on roule avar de les tremper dans une sauce de poisso: La fondue de chèvre (lau de) est elle aus délicieuse.

Tu Hao (☎ 852589, Đ Dien Bien Phu plats 25 000-45 000 d ; 10h-21h). Ce pet restaurant, l'un des meilleurs de la vill sert toutes sortes de grillades, notamment des rats de rizière et leurs prédateurs, les serpents. La spécialité de la maison reste toutefois le rouleau de printemps frais *(cuon banh trang)*.

Ngoc Lan *(208 Ð Nguyen Hue)*. Ne manquez pas cette adresse si vous êtes en quête de couleur locale. Nous vous recommandons l'émincé de grenouille, ou mieux, les "entrailles crues".

Viet Ha *(☎ 851639)*. Ce restaurant situé sur la route qui mène aux ferries, juste au sud du pont Duc, prépare de bons plats.

Phong Lan *(Jardin des orchidées)*. Non loin du Viet Ha, cet établissement propose des plats savoureux mais un peu plus chers.

Vous pouvez à la rigueur essayer les restaurants du **Song Tra Hotel** et du **Hoa Binh Hotel**, qui préparent tous deux une cuisine correcte.

Comment s'y rendre
Si l'on ne part pas directement de HCMV, le plus commode consiste à prendre un bus au départ de Mytho, de Cantho ou de Vinh Long. Le trajet entre Cao Lanh et Long Xuyen est magnifique, mais les bus ne sont pas fréquents ; vous devrez sûrement louer un véhicule.

Comment circuler
Pour visiter les sites de Cao Lanh, le mieux est de louer un bateau. Bien que l'on puisse négocier directement avec le propriétaire d'un bateau, il est plus pratique de s'adresser à **Dong Thap Tourist**, qui pratique des prix raisonnables pour un grand choix d'excursions.

Un circuit d'une demi-journée, tous transports inclus, coûtera 2 \$US par personne sur la base d'un groupe de 15 passagers et 5 \$US par personne pour un groupe de 5. Vous pouvez essayer de constituer un groupe en faisant le tour des hôtels de la ville.

ENVIRONS DE CAO LANH
Réserve des cigognes blanches
Au nord-est de Cao Lanh, cette réserve ornithologique de 2 hectares (Vuon Co Thap Muoi) accueille d'innombrables cigognes blanches. Juchée sur le dos d'un buffle d'eau, la cigogne blanche symbolise véritablement le Mékong.

Comme la loi en interdit la chasse, les cigognes ont pris l'habitude de la compagnie humaine. Vous les repérerez facilement lorsqu'elles se nourrissent dans les mangroves et les forêts de bambous du secteur. Elles vivent en couples et ne migrent plus aux changements de saison. Leur alimentation se compose de crabes d'eau douce et autres friandises, qu'elles pêchent dans les canaux.

Aucune route ne conduit à la réserve. On s'y rend en bateau. La vedette de Dong Thap Tourist met 50 minutes et se loue 25 \$US l'heure. À bord d'un bateau moins rapide, l'aller-retour prend 3 heures et revient à 4 \$US par personne pour un groupe de 20 passagers. À la saison sèche, vous devez programmer votre excursion en fonction des deux marées quotidiennes, les canaux étant impraticables à marée basse.

La visite de la forêt de Rung Tram est une étape habituelle sur ce circuit.

Forêt de Rung Tram
Au sud-est de Cao Lanh, près du village de My Long, s'étendent les 46 hectares de la forêt de Rung Tram. Ce vaste marécage, abrité sous un épais manteau de grands arbres et de plantes grimpantes, constitue l'une des dernières forêts naturelles du delta du Mékong. Si ce lieu n'était pas si chargé d'histoire, il aurait sans doute été transformé en rizière. Pendant la guerre du Vietnam, les soldats vietcong y avaient installé une base appelée Xeo Quit. À 2 km à peine d'une base militaire américaine, une dizaine de généraux vietcong dirigeaient les opérations. Les Américains ne se sont jamais doutés que l'ennemi se trouvait à deux pas. Régulièrement arrosée de bombes, cette forêt les intriguait, mais les forces vietcong demeuraient à l'abri de leurs bunkers. Même les épouses des généraux ignoraient l'emplacement exact de la base.

Au départ des troupes américaines, en 1973, les forces vietcong, gagnées par l'audace, installèrent leur base en surface et réussirent à contrer les attaques sud-vietnamiennes. À court de vivres et de munitions, les troupes du Sud ne purent déloger les soldats vietcong, qui défièrent ouvertement le régime de HCMV.

On accède à cette forêt par bateau, de préférence, et la plupart des touristes en profitent pour visiter la réserve des cigognes blanches. En vedette, le trajet de Cao Lanh à la forêt de Rung Tram ne prend que quelques minutes, mais il faut compter environ 30 minutes (en fonction de la marée) avec un bateau plus lent. Si vous voyagez en voiture ou à moto, il est désormais possible d'y accéder par la route.

Prenez garde aux énormes fourmis rouges qui peuplent la région : elles sont lestes et redoutables !

Réserve naturelle de Tram Chim
Située au nord de Cao Lanh, à Tam Nong (province de Dong Thap), la réserve naturelle nationale de Tram Chim (Tram Chim Tam Nong) abrite de nombreuses grues (*Grus antigone sharpii*). On a identifié plus de 220 espèces d'oiseaux dans cette réserve, notamment les rares **hérons** à tête rouge, dont la taille peut dépasser 1,50 m et qui nichent de décembre à juin. De juillet à novembre, ils émigrent au Cambodge. L'aube est bien sûr le meilleur moment pour les observer, encore que vous puissiez les entrevoir lorsqu'ils regagnent leur nid. Dans la journée, ils se consacrent à la recherche de nourriture.

Voir ces oiseaux demande quelques efforts ! Il vous faudra être debout dès 4h30 du matin et cheminer le long d'une route de terre, dans l'obscurité. Il semble plus raisonnable de passer la nuit dans l'auberge gouvernementale de Tam Nong, qui se trouve beaucoup plus près des habitats des oiseaux.

Tam Nong est une ville somnolente à 45 km de Cao Lanh. Prévoyez 1 heure 30 de trajet en voiture, ou 1 heure si la route est remise en état. Par voie d'eau, le trajet prend une heure en vedette (25 $US par personne). Dong Thap Tourist organise des traversées sur des bateaux plus lents (4 heures) pour 20 passagers (4 $US par personne). Pour atteindre le secteur où nichent les hérons, comptez une heure supplémentaire à bord d'une petite embarcation (15 $US l'heure), plus le temps que vous passerez à observer ces oiseaux à la jumelle (pensez à en emporter), puis le retour.

Située juste avant le pont menant au centre-ville, l'**auberge gouvernementale de Tam Nong** (chambre avec ventil. 10 $US) était en très mauvais état lors de notre visite.

Les boutiques ferment tôt à Tam Nong : si vous voulez dîner, prenez vos dispositions avant 17h.

Le **Phuong Chi** (☎ 827230, 537 Thi Tran Tram Chim) est un bon restaurant près du marché dans le centre. Sur réservation, et moyennant un supplément, on pourra vous servir plus tard dans la soirée.

Après le coucher du soleil, les moustiques sont légion : n'oubliez pas de vous protéger.

CANTHO
☎ 071 • 330 100 habitants

Capitale de la province du même nom et première agglomération de la région, Cantho est le centre politique, économique et culturel du delta du Mékong, ainsi que le nœud des moyens de transport. L'industrie locale repose essentiellement sur les moulins à riz.

Une véritable toile de canaux et de rivières relie cette ville accueillante et trépidante aux autres agglomérations du delta. Ces canaux, de même que les "marchés flottants" hauts en couleurs qui entourent la localité, sont l'atout touristique majeur de Cantho, et les voyageurs peuvent y faire des excursions à des prix très abordables.

Renseignements
Argent. La **Vietcombank** (*Ngan Hang Ngoai Thuong Viet Nam ;* ☎ 820445, 7 ĐL Hoa Binh) et l'**Indovina Bank** (angle Đ 30 Thang 4 et Chau Van Liem) changent les devises.

Agences de voyages. **Cantho Tourist** (☎ 821852, fax 822719, 18-20 Đ Hai Ba Trung) est l'organisme touristique officiel de la province. Ses employés avenants parlent français, anglais et japonais. C'est de plus l'un des rares "offices du tourisme" au Vietnam qui puisse fournir un plan de ville !

Vietnam Airlines (☎ 824088) y dispose d'un comptoir de réservation.

En cas d'urgence. Contactez l'**hôpital** local (angle Đ Chau Van Liem et ĐL Hoa Binh) pour toute urgence médicale.

Pagode Munirangsyaram
La décoration de cette **pagode** (36 ĐL Hoa Binh) est tout à fait typique des pagodes

bouddhiques hinayana de style khmer : les multiples bodhisattvas et esprits taoïstes, si courants dans les pagodes vietnamiennes mahayana, n'y figurent pas. Le sanctuaire situé à l'étage abrite une statue (1,50 m de haut) de Siddhartha Gautama, le Bouddha historique, assis sereinement sous un arbre bodhi.

Cette pagode, édifiée en 1946, est fréquentée par les quelque 2 000 Khmers de Cantho. Les bonzes khmers officient tous les jours.

Pagode de la congrégation cantonaise

En remplacement d'un édifice érigé il y a soixante-dix ans sur un site différent, cette petite pagode chinoise *(Quan Cong Hoi Quan ; Ð Hai Ba Trung)* fut construite grâce aux fonds envoyés par des Chinois émigrés. Cantho abritait auparavant une importante communauté chinoise, mais la plupart de ses membres ont fui les persécutions antichinoises de 1978-1979.

Elle occupe un endroit splendide, face à la rivière Cantho.

Marché central

Il longe Ð Hai Ba Trung. De nombreux grossistes et cultivateurs des environs s'y rendent en bateau pour vendre ou acheter. Le marché aux fruits, particulièrement intéressant, reste ouvert très tard dans la soirée.

Musée Ho Chi Minh

C'est le seul musée du delta du Mékong consacré à Ho Chi Minh. Ce choix reste un mystère, dans la mesure où Ho Chi Minh n'a jamais vécu ici. Proche de la poste principale, ce grand musée *(☎ 814764, 6 Ð L Hoa Binh ; entrée libre ; mar-sam 8h-11h et 14h-16h30)* donne sur une cour close.

Musée de Cantho

Vous n'aurez aucun mal à repérer cet immense musée *(☎ 813890, 6 Ð Phan Dinh Phung)*, face à la poste principale.

Promenades en bateau

Naviguer à travers les canaux et aller visiter un marché flottant est sans aucun doute la chose la plus intéressante à faire à Cantho. Comptez environ 3 $US l'heure pour la location d'un petit bateau à rames

de 2 ou 3 places, que l'on vous proposera le long des quais, près du marché. Si vous réservez auprès de Cantho Tourist, les prix sont difficilement négociables. La plupart de ces bateaux sont pilotés par des femmes. Munissez-vous de votre appareil photo et faites attention aux aspersions des bateaux à moteur !

Un plus gros bateau motorisé vous permettra d'aller plus loin et notamment de naviguer sur le Mékong. Renseignez-vous sur les tarifs auprès de Cantho Tourist puis allez faire un tour à l'embarcadère situé à côté du Ninh Kieu Hotel pour vous renseigner directement. Un circuit de 3 heures sur les canaux, avec visite du marché flottant de Cai Rang, vous coûtera environ 120 000 d pour un petit bateau (jusqu'à 4 passagers) ou 150 000 d pour un grand (de 5 à 12 personnes). Le prix d'une croisière de 5 heures au marché flottant de Phong Dien (1 à 10 personnes) revient à environ 200 000 d. N'oubliez pas de marchander.

Pour plus de détails sur les marchés flottants de la région, reportez-vous à la rubrique *Environs de Cantho*.

Où se loger

Cantho offre les meilleures possibilités d'hébergement du delta du Mékong.

Où se loger – petits budgets

Hien Guesthouse *(☎ 812718, hien_gh@ yahoo.com, 118/10 Ð Phan Dinh Phung ; simples/doubles avec ventil. 4/5 $US, doubles avec clim. 8 $US)*. Cette pension familiale et accueillante est une véritable aubaine pour les voyageurs à petit budget. Elle se niche dans une petite allée tranquille, à quelques minutes à pied du centre ; son propriétaire, un instituteur chaleureux, est une mine d'informations sur les déplacements dans la région. Vous pourrez y louer une bonne moto pour environ 5 $US par jour. Rudimentaires mais propres, les chambres sont équipées d'un matelas posé à même le sol ; les nouvelles chambres (en construction lors de notre passage) seront en revanche pourvues de vrais lits.

Huy Hoang Hotel *(☎ 825833, 35 Ð Ngo Duc Ke ; chambres avec ventil./clim. 80 000/130 000 d)*. Cet hôtel est également très prisé des voyageurs aux moyens modestes.

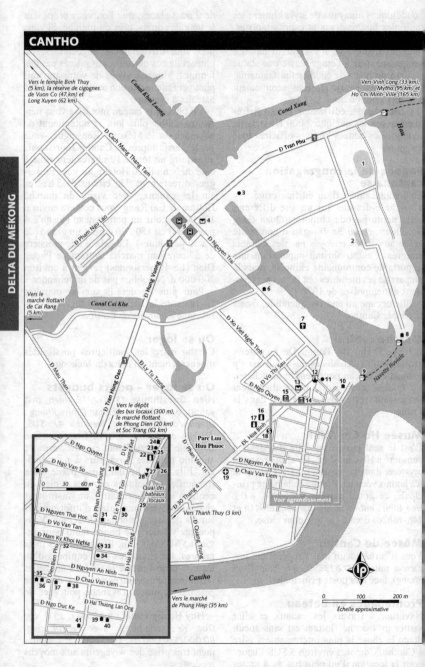

CANTHO

Vers le temple Binh Thuy
(5 km), la réserve de cigognes
de Vuon Co (47 km) et
Long Xuyen (62 km)

Canal Khai Luong

Canal Xang

Vers Vinh Long (33 km),
Mytho (95 km) et
Ho Chi Minh-Ville (165 km)

Hau

Đ Cach Mang Thang Tam

Đ Tran Phu

Đ Pham Ngu Lao

Đ Nguyen Trai

Đ Hung Vuong

Canal Cai Khe

Vers le
marché flottant
de Cai Rang
(5 km)

Đ Xo Viet Nghe Tinh

Đ Mau Than

Đ Ly Tu Trong

Đ Tran Hung Dao

Vers le dépôt
des bus locaux (300 m),
le marché flottant
de Phong Dien (20 km) et
Soc Trang (62 km)

Đ Vo Thi Sau

Đ Ngo Quyen

Đ Phan Van Tri

DL Hoa Binh

Parc Luu
Huu Phuoc

Đ Nguyen An Ninh

Đ Chau Van Liem

Đ 30 Thang 4

Đ 30 Thang 4

Vers Thanh Thuy (3 km)

Đ Quang Trung

Cantho

Vers le marché
de Phung Hiep (35 km)

Navette fluviale

Voir agrandissement

0   100   200 m

Échelle approximative

Đ Ngo Quyen

Đ Ngo Van So

Đ Ly
Thuong Kiet

Đ Phan Dinh Phung

Đ Le Thanh Ton

Đ Nguyen Thai Hoc

Đ Vo Van Tan

Đ Nam Ky Khoi Nghia

Đ Dien Bien Phu

Đ Nguyen An Ninh

Đ Chau Van Liem

Đ Ngo Duc Ke

Đ Hai Thuong Lan Ong

Đ Hai Ba Trung

Quai des
bateaux
locaux

0   30   60 m

CANTHO

DELTA DU MÉKONG

Hotel-Restaurant 31 (☎ 825287, 1 Đ Ngo Duc Ke ; chambres à 2 lits avec ventil. 70 000 d, doubles avec clim. 20 000 d). Cet établissement proche du Huy Hoang est lui aussi très populaire. Nous vous recommandons son **restaurant**, notamment pour ses plats au bœuf.

Phan Trung Hotel (☎ 824477, 9 Đ Le Thanh Ton ; chambres avec ventil. sans sdb 90 000 d, chambres avec clim. 110 000-150 000 d). Le Phan Trung est une autre option en matière de petits prix.

Phong Nha Hotel (☎ 821615, 75 Đ Chau Van Liem ; chambres avec ventil./clim. 90 000/150 000 d). Cet établissement bon marché, qui jouxte un laboratoire de développement photo, est très bruyant du fait des nombreuses motos circulant dans sa rue.

Ngan Ha Hotel (☎ 821024, fax 823396, 39-41 Đ Ngo Quyen ; chambres 10-14 $US). Cet hôtel privé est bien situé mais bruyant. Toutes les chambres sont équipées de la clim. et d'une sdb avec eau chaude. Le petit déjeuner est inclus.

Où se loger – catégorie moyenne

Doan 30 Cantho Hotel (☎ 823623, 80A Đ Nguyen Trai ; chambres avec ventil./clim. 10/18 $US, chambres de luxe 20-30 $US). Propriété de l'armée, cet hôtel, situé au nord de la ville, compte quelques chambres avec balcon et vue sur le fleuve. Un **café** en terrasse est installé sur la berge

et l'embarcadère privé est pratique pour les trajets en bateau. Le prix comprend un petit déjeuner simple.

Asia Hotel (Khach San Chau A ; ☎ 812800, fax 812779, asiahotel@hcm.vnn. vn, 91 Đ Chau Van Liem ; chambres 20-35 $US). Ce beau bâtiment est doté de grands balcons. Ses tarifs incluent le petit déjeuner. À côté, le **Cantho Hotel offre des prestations similaires**.

Tay Do Hotel (☎ 827009, fax 827008, 61 Đ Chau Van Liem ; chambres avec clim. 27-35 $US). Cet établissement récemment restauré propose la TV par satellite. Les chambres sur l'arrière sont plus calmes et moins chères.

Quoc Te Hotel (☎ 822079, fax 821039, ksquocte-ct@hcm.vnn.vn, 12 Đ Hai Ba Trung ; chambres 22-46 $US). Cet hôtel commence à montrer des signes d'essouf-flement, mais présente l'avantage de son emplacement au bord de l'eau. Les suites, onéreuses, offrent une très belle vue sur le Mékong, mais les chambres moins coûteu-ses sont assez lugubres et ne valent pas le prix demandé.

Saigon-Cantho Hotel (☎ 825831, fax 823288, 55 Đ Phan Dinh Phung ; simples/doubles 30-40/39-49 $US). Ce trois-étoi-les propose un **restaurant**, un service de massage, un sauna et un karaoké. Le petit déjeuner est compris.

Hoa Binh Hotel (☎ 820059, fax 810217, hoabinhct@hcm.vnn.vn, 5 ĐL Hoa Binh ;

chambres 18-31 $US, suites 52 $US). Rénové en 1999, cet hôtel affiche désormais trois étoiles. Les chambres disposent de la clim., d'une ligne de téléphone internationale et de la TV par satellite.

Où se loger – catégorie supérieure

Victoria Cantho Hotel (☎ 810111, fax 829259, www.victoriahotels-asia.com ; chambres 110-190 $US, réservations Internet 80-140 $US). Nec plus ultra en matière d'hébergement, ce charmant établissement situé sur les berges du fleuve propose des chambres donnant sur le jardin ou sur le Mékong, ainsi que 8 suites spacieuses. Les tarifs comprennent les taxes et le service. L'hôtel abrite deux bons **restaurants**, un bar en plein air, des courts de tennis et une piscine (accessible aux non-résidents moyennant 5 $US la journée). Un bateau effectue gratuitement la navette depuis l'autre rive. L'établissement organise des croisières (chères) le reliant aux hôtels de Chau Doc en 2 heures 30 (55 $US par personne ; possibilité d'escales).

Golf Hotel Cantho (☎ 812210, fax 812282, www.vietnamgolfhotel.com, 2 Đ Hai Ba Trung ; chambres 60-70 $US, suites 130-180 $US). Cette énorme tour clinquante vient d'ouvrir ses portes près de la jetée de Ninh Kieu. Les chambres, aménagées avec goût, sont de véritables merveilles. Les balcons des étages supérieurs offrent des vues époustouflantes. L'hôtel possède une piscine, un club de remise en forme et un salon de beauté. Les taxes et le service sont inclus dans les tarifs.

Où se restaurer

Plusieurs cafés-restaurants jalonnent le fleuve. On y déguste des spécialités du Mékong (poissons, grenouilles et tortues), mais aussi les plats classiques du voyageur.

Nam Bo (☎ 823908, 50 Đ Hai Ba Trung ; plats 25 000-50 000 d ; 9h-23h). Ce restaurant sert une excellente cuisine européenne et vietnamienne, dans le cadre charmant d'une ancienne villa française restaurée avec soin. La terrasse du deuxième étage offre une vue imprenable sur le marché aux fruits. Nous vous recommandons les pizzas.

Vous croiserez d'autres petits restaurants populaires au bord du fleuve, de l'autre côté de l'immense statue argentée de l'Oncle Ho.

Très fréquentés, le **Mekong** (☎ 82164(38 Đ Hai Ba Trung ; plats 15 000-25 000d 6h-2h) et le **Phuong Nam** (☎ 81207. 48 Đ Hai Ba Trung ; plats 25 000 d ; 9h 23h) préparent tous deux de bons met vietnamiens.

Thien Hoa (☎ 821942, 26 Đ Hai Ba Trung plats 15 000-25 000 d ; 9h-23h). La spécialit de la maison est le délicieux rouleau d printemps de Hué (dac biet cha gio re).

Restaurant Alley (Đ Nam Ky Khoi Nghia Cet endroit est idéal pour échapper à l'ag tation touristique des berges du Mékon Une douzaine de **restaurants** sont disse minés dans une autre ruelle entre Đ Die Bien Phu et Đ Phan Dinh Phung.

Thanh Thuy (☎ 840207, 149 Đ 30 Than 4 ; plats 20 000-40 000 d ; 10h-22h). C restaurant spécialisé dans la viande de chè vre est tenu par un ancien chef toulousair Christian. Goûtez au curry de chèvre o si vous vous sentez l'esprit aventureux, la fondue de scrotum de chèvre. Le Than Thuy propose aussi de bons plats plus clas siques. Il se trouve à quelques kilomètre de la ville, après l'université. Un pannea l'indique sur la gauche de la route, just après le croisement avec Đ Tran Hoang N On y accède facilement à vélo ou en xe lc (voir la rubrique Comment circuler) pou environ 5 000 d.

Comment s'y rendre

Avion. À l'heure où nous rédigions ce guide Vietnam Airlines avait, une fois de plus, inte rompu ses vols entre HCMV et Cantho.

Bus. Les bus desservant Cantho depui HCMV partent de la gare routière de Mie Tay, à An Lac (5 heures). Les minibus ex press font le même trajet et mettent à pe près le même temps.

La **gare routière principale** de Canth se trouve à 1 km au nord environ, à l'an gle de Đ Nguyen Trai et de Đ Tran Phu Il existe une autre **dépôt de bus locaux** 300 m au sud de l'intersection de Đ 30/4 de Đ Mau Than, pratique si l'on souhait rejoindre Soc Trang ou le marché flottan de Phung Hiep.

Voiture et moto. En voiture ou à motc comptez environ 4 heures pour le trajet entr

DELTA DU MÉKONG

Vous pourriez être l'heureux gagnant

Les Asiatiques adorent le jeu et les Vietnamiens ne font pas exception à la règle. La folie du loto a envahi le pays, notamment le Sud (les tribus montagnardes des provinces du Nord sont restées relativement préservées), où les billets se vendent dans plus de 40 provinces. La loterie est bien sûr légale, mais les autorités sanctionnent les fréquentes contrefaçons et les erreurs d'impression, ce qui confère une autre dimension au jeu.

On trouve trois principaux types de billets, vendus 2 000 d. Les plus populaires, fabriqués sur du papier à billets de banque, sont ornés de voitures de sport rouges, de fleurs ou encore de superbes mannequins vietnamiens, dans le style des années 1970. Les billets à résultat instantané, enveloppés dans du papier, sont moins appréciés. On les présente directement au vendeur qui vérifie s'ils correspondent aux numéros gagnants. Enfin, décorés d'animaux africains exotiques, les billets à gratter remportent beaucoup de succès dans les régions du Centre.

Tous ces tickets sont vendus dans la rue par des enfants qui prennent une commission de 10% sur chaque vente (soit moins de 0,01 $US). Les numéros gagnants du jour sont communiqués chaque après-midi et consultables chez les vendeurs (ce qui oblige plus ou moins à en acheter un nouveau) ou dans les journaux locaux le lendemain. Le montant de la somme gagnée est déterminé par le nombre de bons numéros sur le billet acheté et ne dépasse pas 50 millions de dongs (soit 350 $US). Le gagnant dispose d'un mois pour se faire connaître.

Cantho-HCMV par la RN 1. Vous devrez emprunter un ferry à Binh Minh (à Cantho même), qui fonctionne entre 4h et 2h.

Pour vous y rendre depuis ĐL Hoa Binh à Cantho, prenez Đ Nguyen Trai jusqu'à la gare routière principale, puis tournez à droite dans Đ Tran Phu.

Comment circuler

Xe loi. Propres au delta du Mékong, ces véhicules de fortune consistent en une petite remorque à deux roues fixée à l'arrière d'une moto, sorte de cyclo-pousse motorisé. Le prix de la course en ville s'élève en moyenne à 3 000 d par personne (un *xe loi* peut transporter deux passagers et parfois davantage), un peu plus si vous vous rendez dans des zones excentrées. C'est naturellement le moyen de transport le plus utilisé.

ENVIRONS DE CANTHO

Les **marchés flottants** sont probablement le principal atout touristique du delta. À la différence de ceux que vous avez peut-être vus en Thaïlande, où de petites embarcations en bois se faufilent dans d'étroits canaux, la plupart des marchés flottants de cette région sont installés à des endroits où le fleuve est large. Ils débutent pour la plupart tôt le matin, pour éviter la chaleur du milieu de journée ; essayez de vous y rendre entre 6h et 8h. Il faut compter en outre avec les marées, car les plus gros

bateaux doivent souvent attendre que l'eau soit suffisamment haute pour leur permettre de passer. Certains petits marchés flottants des zones rurales sont en voie de disparition, en raison de l'amélioration de l'état des routes et d'un accès plus facile aux transports en commun ou privés. Mais les plus importants, proches des zones urbaines, sont encore très actifs.

Les zones rurales de la province de Cantho sont réputées pour leurs plantations de durians, de mangoustaniers et d'orangers. On peut facilement y accéder à bicyclette ou en bateau.

Marché flottant de Cai Rang

Ce marché flottant, le plus grand du delta du Mékong, se situe à 6 km de Cantho, en direction de Soc Trang. Le pont s'avère bien pratique pour prendre des photos. Même si certains vendeurs restent jusqu'à midi, le marché est surtout intéressant jusqu'à 9h.

On peut voir le marché depuis la route, mais mieux vaut malgré tout y aller en bateau. Comptez 1 heure depuis le marché de Cantho. Une autre solution consiste à prendre la route jusqu'à l'embarcadère de Cau Dau Sau (près du pont Dau Sau) ; de là, on y arrive en 10 minutes.

Marché flottant de Phong Dien

C'est probablement le plus intéressant du delta, car on y voit moins de bateaux à moteur et davantage de bateaux à rames. Moins fréquenté que celui de Cai Rang, notamment par les touristes, il est surtout animé entre 6h et 8h. On s'y rend le plus souvent par la route. Il est théoriquement possible d'y faire une rapide promenade en bateau, en visitant les petits canaux à l'aller et le marché flottant de Cai Rang au retour. Comptez 5 heures, en tout, depuis Cantho.

Marché de Phung Hiep

Il y a peu de temps encore, cette petite ville était surtout connue pour son marché aux serpents. En avril 1998, une nouvelle loi a interdit la capture et la vente des serpents, car la diminution de leur nombre dans les rizières avait fait proliférer les rats. Les vendeurs de serpents travaillent donc désormais de façon clandestine.

Les cages qui, jusqu'alors, étaient remplies de cobras et de pythons sont aujourd'hui vides, et Phung Hiep est redevenu un marché "normal" (quoique non dénué d'intérêt). Il y a un petit marché flottant sous le pont, et l'on peut à cet endroit louer un bateau pour faire une promenade le long du fleuve.

Phung Hiep se trouve sur la RN 1, à 35 km de Cantho en direction de Soc Trang.

Jardin des cigognes

Cette réserve (Vuon Co ; 2 000 d) occupe 1,3 ha entre Cantho et Long Xuyen. De nombreux groupes en voyage organisé y font halte pour admirer les milliers de cigognes depuis une haute plate-forme d'observation en bois. Les meilleurs moments se situent entre 5h et 6h du matin et de 16h à 18h

Vuon Co se trouve dans le district de Thot Not, environ 15 km au sud-est de Long Xuyen. Si vous venez de Cantho, guettez un petit pont en arrivant dans le hameau de Thoi An ; vous verrez ensuite, sur le côté ouest de la route, un panneau portant les mots "Ap Von Hoa". La réserve n'est qu'à quelques kilomètres de la nationale. Il suffit de 30 minutes à pied pour l'atteindre, à moins de louer une moto-taxi (environ 5 000 d).

SOC TRANG
☎ 079 • 110 800 habitants

Capitale de la province du même nom et peuplée à 28% de Khmers, Soc Trang en elle-même n'a pas grand intérêt hormis les temples khmers, très impressionnants, de

la région. Par ailleurs s'y déroule chaque année (généralement en décembre) une fête haute en couleurs, qui mérite vraiment le détour si vous vous trouvez à proximité.

Soc Trang Tourist (☎ 821498, ☎ 822015 fax 821993, 131 Đ Nguyen Chi Thanh, jouxte le Phong Lan 2 Hotel. Son personnel est accueillant mais ne parle que très peu l'anglais et n'a pas forcément l'habitude des voyageurs indépendants.

Pagode Kh'leng

En regardant la surprenante Chua Kh'leng, on se croirait au Cambodge. En 1533, l'édifice d'origine fut construit en bambou, pour être remplacé en 1905 par une structure de béton. Sept fêtes religieuses rassemblent chaque année les gens de provinces alentour. Même en dehors de ces événements, les Khmers viennent y déposer leurs offrandes et prier.

Dix bonzes résident encore dans la pagode. Elle héberge également plus de 150 futurs moines, venus de toute la région du delta pour étudier à l'école d'enseignement bouddhiste de Soc Trang, en face. Vous serez accueillis à bras ouverts par les bonzes, tant pour visiter la pagode que pour discuter bouddhisme.

Musée khmer

Face à la pagode Kh'leng, ce musée traite de l'histoire et de la culture de la minorité khmère au Vietnam. C'est aussi un centre culturel où se déroulent des spectacles de danse et de musique traditionnelles. Renseignez-vous sur place, car il n'existe pas de véritable calendrier des représentations. En s'y prenant à l'avance, un spectacle peut être organisé pour un groupe.

Officiellement, le musée ferme le week-end, mais il arrive de trouver aussi porte close en semaine.

Pagode d'Argile

Buu Son Tu (Đ Mau Than 68 ; entrée libre), ou "temple de la Montagne précieuse", fut construit il y a plus de deux siècles par une famille chinoise, les Ngo. Aujourd'hui, on l'appelle Chua Dat Set, ce qui signifie "pagode d'Argile".

En dépit de sa façade modeste, cette pagode est très différente des autres. En effet, presque tout ce qu'elle contient est

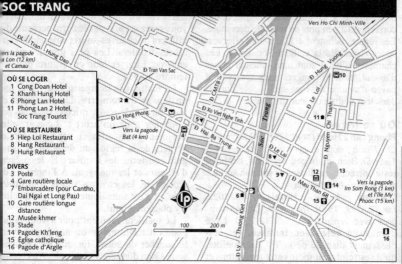

SOC TRANG

Vers Ho Chi Minh-Ville

Vers la pagode
a Lon (12 km)
et Camau

OÙ SE LOGER
1 Cong Doan Hotel
2 Khanh Hung Hotel
6 Phong Lan Hotel
11 Phong Lan 2 Hotel,
   Soc Trang Tourist

OÙ SE RESTAURER
5 Hiep Loi Restaurant
8 Hang Restaurant
9 Hung Restaurant

DIVERS
3 Poste
4 Gare routière locale
7 Embarcadère (pour Cantho,
   Dai Ngai et Long Pau)
10 Gare routière longue
   distance
12 Musée khmer
13 Stade
14 Pagode Kh'leng
15 Église catholique
16 Pagode d'Argile

Vers la pagode
Im Som Rong (1 km)
et l'Île My
Phuoc (15 km)

DELTA DU MÉKONG

n argile et fut sculpté par un moine-arti-
an de génie, Ngo Kim Tong. De l'âge de
0 ans jusqu'à sa mort, à 62 ans, Ngo Kim
'ong consacra sa vie à la décoration de la
agode et réalisa ainsi les centaines de sta-
ues et de sculptures qui ornent encore le
emple aujourd'hui.

Dès l'entrée, le visiteur est accueilli par
'une de ses plus imposantes créations : un
léphant à 6 défenses (qui serait apparu en
êve à la mère de Bouddha). L'autel central,
ui nécessita à lui seul plus de cinq tonnes
'argile, compte plus de 1 000 bouddhas
ssis sur des pétales de lotus. On peut
galement admirer une tour chinoise de
3 étages, haute de plus de 4 m et creusée
e 208 niches contenant chacune un mini-
ouddha, et décorée de 156 dragons.

Deux énormes cierges brûlent sans
iscontinuer depuis la mort de l'artiste, en
970. Si vous voulez vous faire une idée de
eur taille à l'origine (200 kg et 2,60 m de
aut), deux autres attendent d'être allumés
orsque s'éteindront ceux-ci (qui sont cen-
és brûler jusqu'en 2005).

Si le décor est indéniablement très kitsch
nos préférés sont les lions avec des am-
oules rouges à la place des yeux), cette
agode n'est pas un parc d'attractions pour
ouristes mais un lieu de culte très actif,
otalement différent des autres pagodes
hmères et vietnamiennes de Soc Trang.

Le bonze responsable de la pagode, Ngo
Kim Giang, est le frère cadet de l'artiste.
C'est un vieux monsieur adorable, qui
parle parfaitement le français et se fera un
plaisir de vous présenter la pagode.

La pagode est proche, à pied, du centre-
ville. Faut-il le préciser, les objets en argile
sont très fragiles : il est recommandé de ne
pas manipuler.

Pagode Im Som Rong
Des jardins impeccables entourent cette
grande et belle pagode khmère, édifiée en
1961. Une plaque sur le sol (datée de 1996)
rend hommage à celui qui en a financé la
construction. De nombreux moines y résident ; ils sont pour la plupart très accueillants
et seront heureux de bavarder avec vous.

La pagode se trouve à un peu plus de
1 km à l'est de Soc Trang, sur la route de
l'île My Phuoc. Une fois devant la porte
principale, un chemin de terre long de
300 m vous sépare de la pagode.

Fête d'Oc Bom Boc
Cette appellation est typiquement khmère.
Une fois l'an, la rivière de Soc Trang accueille des régates, qui attirent des spectateurs des quatre coins du Vietnam, et
même du Cambodge. Le gagnant remporte
plus de 1 000 $US ; inutile de préciser que
la compétition est âpre.

Les courses se déroulent selon le calendrier lunaire, le 15e jour de la 10e lune, ce qui correspond à peu près au mois de décembre. Les régates débutent à 12h, mais l'effervescence règne dès la veille à Soc Trang. Les chambres d'hôtel sont bien entendu prises d'assaut, et les étrangers sans réservation payée d'avance devront sans doute dormir dans leur voiture ou leur minibus.

Où se loger

Phong Lan 2 Hotel (☎ 821757, 133 Đ Nguyen Chi Thanh ; doubles avec ventil./clim. 8/10-16 $US). Bien qu'un peu défraîchi, cet hôtel reste correct et se distingue par son service de massage et de sauna.

Khanh Hung Hotel (☎ 821027, fax 820099, 15 ĐL Tran Hung Dao ; chambres avec ventil./clim. 5/9-12 $US). Doté d'un vaste **café avec terrasse**, cet établissement dispose de la TV par satellite, qu'il restreint néanmoins aux feuilletons et films indiens.

Cong Doan Hotel (☎ 825614, 4 Đ Tran Van Sac). Presque en face du Khanh Hung, cet hôtel (propriété de l'État) était en réfection lors de notre passage.

Phong Lan Hotel (☎ 821619, 124 Đ Dong Khoi ; chambres avec ventil./clim. 16/21-23 $US). Proche du fleuve, cet établissement pratique des prix assez élevés pour Soc Trang. Si vous êtes en groupe, il peut vous organiser un spectacle de musique et de danse traditionnelles khmères.

Où se restaurer

La plupart des restaurants de Soc Trang ne possèdent ni de carte en langue étrangère, ni affichage des prix : voilà le bon endroit où mettre à l'épreuve vos rudiments de vietnamien.

L'un des meilleurs restaurants de la ville, **Hung** (☎ 822268, 74-76 Đ Mau Than 68) ouvre depuis le petit déjeuner jusque tard le soir, sans jamais désemplir.

Hang (☎ 822416, 2 Đ Le Lai) et **Hiep Loi** (☎ 821301, 11 Đ CMT8 ; 5h30-22h30) sont deux autres adresses réputées où vous pourrez déguster une bonne cuisine.

ENVIRONS DE SOC TRANG
Pagode aux Chauves-Souris

La pagode aux chauves-Souris (Chua Doi) est l'un des sites les plus originaux du delta du Mékong et l'une des étapes favorites des touristes locaux et étrangers. À peine passée la voûte d'entrée de ce vaste monastère, vous serez surpris par les cris perçants de milliers de chauves-souris suspendues au arbres fruitiers. Les plus grandes pèsent environ 1 kg, et leur envergure peut atteindre 1,50 m.

Le matin, ces mangeuses de fruits for un tapage du tonnerre. L'air s'emplit de leur forte odeur, et mieux vaut ne pa séjourner sous un arbre… Le soir, elle déploient leurs ailes et vont envahir le vergers de la région du delta, sous le re gard consterné des fermiers. Ils les pièger d'ailleurs et les mangent. À l'intérieur d monastère, les chauves-souris sont proté gées, et c'est sans doute pour cela qu'elle s'y plaisent autant.

Le meilleur moment pour visiter la pa gode est tôt le matin ou une heure avar le coucher du soleil, lorsque les chauves souris s'en donnent à cœur joie. Au crépus cule, on peut les voir s'envoler des arbre par centaines pour aller chasser.

Les bonzes sont chaleureux et ne récla ment pas d'argent, mais rien n'interdit de leu laisser une petite obole. Le temple ne mar que pas de charme, avec ses bouddhas doré et ses fresques offertes par des Vietnamien d'outre-mer. Dans une des salles, se dresse l statue grandeur nature du moine fondateu du temple. On peut voir aussi un très bea bateau khmer peint, du style de ceux que l'o utilise lors de la fête d'Oc Bom Boc.

Derrière la pagode, une tombe étrange décorée d'une peinture figurant un cochor rend hommage à un porc mort en juille 1996 qui avait la particularité d'avoir cin ongles de pied (au lieu des quatre habi tuels). Les moines élèvent comme animau de compagnie deux de ses congénères pré sentant la même anomalie.

Un **restaurant** fait face à la pagode ; il n sert pas de viande de chauve-souris.

À environ 4 km à l'ouest de Soc Trang, l pagode est accessible à pied en un peu moir de 1 heure, ou bien à moto-taxi. Enviro 3 km après la sortie de la ville en directio de la pagode, à la fourche, il faut prendre droite et poursuivre son chemin sur 1 km.

Pagode Xa Lon (Sa Lon)

À 12 km de Soc Trang, sur la RN 1 e direction de Camau, s'élève ce magnifiqu temple khmer fondé il y a deux siècles e entièrement rebâti en 1923. Trop petite, la pagode fut ensuite agrandie par étapes de 1969 à 1985, au rythme des dons des fidèles. Ses remarquables murs extérieurs sont entièrement recouverts de superbes tuiles en céramique.

Comme dans les autres pagodes, la vie des bonzes est austère : petit déjeuner à 5h du matin, aumône jusqu'à 11h, prière, déjeuner à 12h, étude l'après-midi (pas de repas le soir).

Actuellement, 25 bonzes environ résident dans la pagode, qui abrite une école où l'on étudie le bouddhisme et le sanskrit. Comme l'expliquent les moines, tous les textes religieux anciens sont rédigés dans cette langue.

Île My Phuoc

Le Hau Giang, bras méridional du Mékong, n'est qu'à 15 km à l'est de Soc Trang. Là vous prendrez un bateau qui vous conduira rapidement à l'île My Phuoc. L'endroit est isolé, mais convient particulièrement à la culture des fruits. Les agences touristiques d'État aiment faire visiter les vergers aux étrangers. Vous pouvez le faire tout seul, mais vous aurez besoin d'une moto pour atteindre les rives.

BAC LIEU
☎ 0781 • 129 300 habitants

Bac Lieu, capitale de la province du même nom, est distante de 280 km de HCMV. Sur les 800 000 habitants de la province, environ 8% sont d'origine chinoise ou cambodgienne.

Quelques anciens bâtiments, autrefois élégants mais aujourd'hui décrépits, témoignent de l'ancienne présence coloniale française, telle l'imposante **maison Fop** (qui sert aujourd'hui de centre sportif).

L'agriculture locale souffre beaucoup des infiltrations d'eau salée, et Bac Lieu ne respire pas l'aisance. En revanche, la province est connue pour ses plantations de longaniers. En outre, les paysans les plus dynamiques améliorent leur ordinaire grâce à la pêche, l'ostréiculture et les marais salants.

Pour les Vietnamiens, Bac Lieu a surtout le mérite d'abriter la tombe de Cao Van Lau (1892-1976), célèbre compositeur de *Da Co Hoai Long* ("la chanson nocturne du mari disparu"). La plupart des touristes étrangers viennent à Bac Lieu non pour voir sa tombe, mais pour visiter l'étonnante réserve ornithologique. Cependant, si cela vous intéresse, suivez Đ Cao Van Lau sur 1 km en direction de la réserve, puis prenez à droite une piste en terre qui conduit à sa sépulture, 150 m plus loin.

L'**office du tourisme Bac Lieu** (☎ 822623, fax 823655), à côté du Bac Lieu Hotel, est assez peu actif.

Où se loger et se restaurer
Les hôtels sont presque tous situés près du rond-point d'où partent les routes de Soc Trang et Camau.

Bac Lieu Guest House (☎ 823815, 8 Đ Ly Tu Trong ; doubles avec ventil./clim. et toilettes 4/6-7 $US). Cette pension propose un hébergement très bon marché.

Bac Lieu Hotel (☎ 822437, fax 823655, 4-6 Đ Hoang Van Thu ; chambres avec clim. 15-25 $US) est plus raffiné.

Hoang Cung Hotel (☎ 823362, 1B/5 Đ Tran Phu ; chambres avec ventil. 100 000 d, avec clim. 150 000-250 000 d). À environ 1 km du rond-point, en direction de Soc Trang, cet établissement dispose de chambres bien tenues.

Le Bac Lieu Hotel compte un bon **restaurant**, mais tentez plutôt votre chance dans l'un des **restaurants de fruits de mer** que compte la localité.

ENVIRONS DE BAC LIEU
Réserve ornithologique de Bac Lieu
À 5 km de la ville, la réserve ornithologique de Bac Lieu (Vuon Chim Bac Lieu ; ☎ 835991 ; 10 000 d) abrite une bonne cinquantaine d'oiseaux, notamment une importante colonie de gracieux hérons blancs. Ce site, parmi les plus intéressants de la région du delta, attire nombre de touristes vietnamiens. En revanche, l'isolement de Bac Lieu en fait un lieu peu fréquenté des étrangers.

Le nombre des oiseaux varie selon l'époque de l'année. Très nombreux à la saison des pluies (approximativement de mai à octobre), ils restent jusqu'en janvier pour nicher, puis s'envolent quasiment tous pour de plus vertes contrées, jusqu'à la saison des pluies suivante. Les inondations rendent cette période peu favorable au tourisme. Il est plus judicieux de choisir le mois de décembre.

Le trajet de 5 km est particulièrement mauvais. La visite s'effectue à travers une jungle très dense. Emportez suffisamment de produit anti-moustiques car les insectes y font rage. Le terrain est boueux par endroits ; chaussez-vous en conséquence. Pensez également à emporter de l'eau, des jumelles, des pellicules et un appareil photo muni, si possible, d'un téléobjectif puissant.

Vous paierez le droit d'entrée en arrivant à la réserve. Choisissez une visite guidée, pour éviter de vous perdre. Les guides n'étant pas censés recevoir de l'argent, versez-leur discrètement un pourboire (2 $US suffiront). La plupart d'entre eux ne parlent que le vietnamien. Vous pouvez également organiser votre transport et réserver un guide (8 $US) à l'office du tourisme de Bac Lieu.

Pagode khmère Xiem Can
Sur la route de la réserve ornithologique, à 7 km de Bac Lieu, la pagode khmère Xiem Ca n'a rien d'extraordinaire ; celles de Tra Vinh ou de Soc Trang présentent plus d'intérêt.

Plage de Bac Lieu
Cette même route conduit à la plage de Bac lieu (Bai Bien Bac Lieu), distante de 10 km. Ne vous attendez pas à une étendue de sable blanc, spectacle exceptionnel dans le delta du Mékong. Le littoral boueux, découvert par la marée, est le domaine des coquillages et d'animalcules visqueux. Ceux qui adorent barboter dans les flaques d'eau à marée basse seront ravis, et les habitants vous montreront peut-être où ramasser des huîtres.

Pagode Moi Hoa Binh
À 13 km au sud de Bac Lieu, sur la RN 1, cette pagode khmère (Chua Moi Hoa Binh, ou Se Rey Vongsa) se situe sur la gauche en direction de Camau ; vous ne pourrez pas rater son énorme tour. Elle présente une architecture unique en son genre. Sa construction ne remonte qu'à 1952 et la tour, qui abrite les ossements des défunts, fut ajoutée en 1990. Vous serez sans doute impressionné par la vaste salle de réunion située devant la tour.

La plupart des jeunes khmers font leurs études dans les monastères de Soc Trang.

Hormis le petit contingent de bonzes, son école accueille peu d'élèves.

CAMAU
☎ 0780 • 173 300 habitants

Bâtie sur les rives marécageuses de la rivière Ganh Hao, Camau est la capitale de la province du même nom, qui occupe la pointe sud du delta du Mékong. Cette région n'est cultivée que depuis la fin du XVIIᵉ siècle.

Camau s'étend au cœur du plus grand marais du Vietnam. Qui dit marais dit moustiques, et ceux de Camau ont la taille d'un oiseau-mouche ; il faudrait presque un fusil pour en venir à bout. Ces insectes sortent par légions à la tombée de la nuit et l'on peut voir des touristes dîner sous une moustiquaire !

On dénombre beaucoup de Khmers de souche parmi les habitants de Camau. Cependant, cette région détient la plus faible densité de population (1,7 million d'habitants) du Vietnam, en raison de son sol marécageux.

Ces dernières années, Camau a connu un développement rapide, mais la ville elle-même est plutôt morne. Nous vous recommandons la diplomatie avec la police locale. Le principal intérêt réside dans les forêts et les marais environnants, que l'on peut explorer en bateau. C'est, dit-on, un paradis pour les ornithologues et les botanistes. En outre, les tarifs prohibitifs des hôtels, l'éloignement de HCMV et la voracité des moustiques, semblent décourager les touristes, peu nombreux dans la région.

Renseignements
Agences de voyages. Camau Tourist (Cong Ty Du Lich Minh Hai, ☎ 831828, 1 Đ Ly Bon) peut organiser d'intéressantes promenades en bateau de 2 jours/2 nuits vers Nam Can, Dat Mui (cap Camau), les îles Da Bac et la forêt d'U-Minh.

Vous pouvez également, entre autres, y changer de l'argent, louer un bateau et faire proroger votre visa.

Argent. Proche de la poste, Incombank change les devises et honore les cartes de crédit pour vous délivrer des devises.

Zoo
Officiellement appelé "Parc forestier du 1ᵉʳ mai", le zoo de Camau abrite des animaux

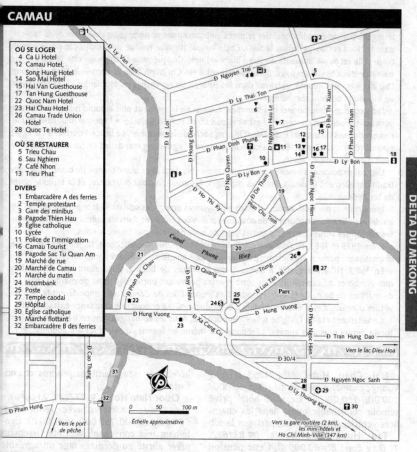

CAMAU

OÙ SE LOGER
4 Ca Li Hotel
12 Camau Hotel,
   Song Hung Hotel
14 Sao Mai Hotel
15 Hai Van Guesthouse
22 Tan Hung Guesthouse
22 Quoc Nam Hotel
23 Hai Chau Hotel
26 Camau Trade Union
   Hotel
28 Quoc Te Hotel

OÙ SE RESTAURER
5 Trieu Chau
6 Sau Nghiem
7 Café Nhon
13 Trieu Phat

DIVERS
1 Embarcadère A des ferries
2 Temple protestant
3 Gare des minibus
8 Pagode Thien Hau
9 Église catholique
10 Lycée
11 Police de l'immigration
16 Camau Tourist
18 Pagode Sac Tu Quan Am
19 Marché de rue
20 Marché de Camau
21 Marché du matin
24 Incombank
27 Temple caodai
29 Hôpital
30 Église catholique
31 Marché flottant
32 Embarcadère B des ferries

Échelle approximative
0   50   100 m

Vers le port de pêche

Vers le lac Dieu Hoa

Vers la gare routière (2 km), les mini-hôtels et Ho Chi Minh-Ville (347 km)

DELTA DU MÉKONG *(side tab)*

---

misérables et mal nourris. Son "jardin botanique" ressemble tout au plus à un terrain vague, envahi de mauvaises herbes et de **cafés** bruyants. Autant passer votre chemin !

Marché de Camau

Sur ce marché en gros, les animaux à vendre, y compris des tombereaux de poissons et de tortues, sont nettoyés, empaquetés, congelés et transportés par camion jusqu'à HCMV. Même si vous êtes végétarien, flâner sur ce marché ne manque pas d'intérêt. Toutefois, il y a fort à parier que les défenseurs des droits des animaux ne l'apprécieront guère.

Le **marché flottant** est également intéressant.

Temple caodai

Moins grand que celui de Tay Ninh, le temple caodai de Camau *(Đ Phan Ngoc Hien)* n'en est pas moins un lieu agréable, habité par des moines accueillants. Construit en 1966, il semble encore assez actif.

Où se loger

À prestations égales, les hôtels de Camau sont souvent plus chers qu'ailleurs dans le delta.

Hai Van Guesthouse *(Nha Nghi Thanh Son ;* ☎ *832897, 18 Đ Phan Dinh Phung ; chambres avec ventil. et sdb commune 40 000 d)*. Cette pension est une bonne adresse pour les voyageurs à budget serré qui ne s'offusquent pas d'un peu de poussière.

Camau sauve l'*ao dai*

L'élégant costume traditionnel des femmes vietnamiennes se nomme *ao dai* (prononcez "ao-zai" dans le Nord et "ao-yai" dans le Sud). Cette longue tunique fendue sur les côtés se porte près du corps. Elle recouvre un pantalon large blanc ou noir. Conçue pour la chaleur, cette tenue est plus courante dans le sud du pays, particulièrement à Ho Chi Minh-Ville et dans le delta du Mékong. L'*ao dai* n'est pas adapté au travail dans les rizières. En revanche, les étudiantes et les employées de bureau le portent régulièrement.

Jadis costume traditionnel des hommes, ceux-ci ne le revêtent plus aujourd'hui qu'en de rares occasions (opéras et concerts) ; il est alors plus court et moins ajusté. À l'époque impériale, broderies et couleurs du brocart indiquaient le rang social de la personne. Le brocart doré et les dragons étaient réservés à l'empereur ; la couleur pourpre désignait les mandarins de haut rang ; le bleu, ceux d'un rang moins élevé.

L'*ao dai* se porte également pour les enterrements ; il est alors blanc ou noir (le blanc représente traditionnellement le deuil). Pour les mariages, les couleurs sont éclatantes, et la tunique ornée de broderies.

Immortalisés par Hollywood, les célèbres "pyjamas noirs" des soldats vietcong n'étaient pas des *ao dai* mais une forme courante de costume rural. Vous croiserez dans les campagnes de nombreuses personnes vêtues de ces "pyjamas", qui ne sont d'ailleurs pas toujours noirs.

Entre 1975 et 1985, l'*ao dai*, considéré comme "non politiquement correct", tomba en disgrâce, disparaissant partout au Vietnam pour laisser place aux tenues militaires amples.

En 1989, HCMV accueillit à nouveau des concours de beauté, auparavant interdits en tant que symboles du capitalisme. Les concurrentes pouvaient porter des jeans de marque mais pas de maillots de bain. Ce furent cependant les jeunes filles de Camau qui remportèrent la victoire, vêtues d'*ao dai*. Cet événement relança la production, qui connut une croissance extraordinaire.

Ce vêtement était à l'origine totalement opaque, mais les *ao dai* gagnant en transparence font fureur depuis quelques années, à tel point que même les femmes du Nord les ont adoptés.

Hai Chau Hotel (☎ 831255, Ð Hung Vuong ; *chambres avec ventil./clim. 50 000/ 100 000-150 000 d*). Ce mini-hôtel privé semble convenable mais, dans les chambres ventilées, vous devrez partager la *sdb*

Tan Hung Guesthouse (☎ 831622, 11 Ð Ly Bon ; *lits 60 000 d*). Cette pension bon marché loue à petit prix des chambres assez sordides avec ventil. et *sdb* commune.

Sao Mai Hotel (☎ 831035, 834913, 38-40 Ð Phan Ngoc Hien ; *chambres avec ventil./clim.   40 000-60 000/70 000- 140 000 d*). La façade de cet hôtel est plus pimpante que son intérieur, mais ses tarifs sont intéressants.

Camau Trade Union Hotel (☎ 833245, 9 Ð Luu Tan Tai ; *chambres avec ventil./clim. 60 000/135 000d*). Situé quasiment en face du temple caodai, cet établissement un peu défraîchi pratique des prix raisonnables.

Quoc Te Hotel (☎ 826745, fax 834470, 179 Ð Phan Ngoc Hien ; *chambres avec ventil./clim.   70 000/100 000-300 000 d*). Nous vous recommandons ce nouvel hôtel pour ses chambres propres et confortables.

Quoc Nam Hotel (☎ 827281, 23 Ð Pham Boi Chau ; *chambres avec ventil./clim. 80 000-120 000/150 000-180 000 d*). Également très convenable, cet établissement privé abrite au dernier étage un agréable **café** offrant une très belle vue.

Ca Li Hotel (☎ 829405, 121 Ð Nguyen Trai ; *chambres avec clim. 180 000-250 000 d*). Ce nouveau et charmant mini-hôtel est bien situé, non loin de la gare des minibus.

Camau Hotel (☎ 831165, fax 835075, 20 Ð Phan Ngoc Hien ; *chambres avec clim. 120 000-220 000 d*). Cet hôtel propose de meilleures prestations que le Sao Mai et les tarifs incluent le petit déjeuner. Il en va de même pour le **Song Hung Hotel** (☎ 822822, fax 822824, 28 Ð Phan Ngoc Hien ; *chambres avec clim. 140 000-220 000 d*).

Où se restaurer

Camau se spécialise dans les crevettes, qui sont élevées dans des bassins et les mangroves.

Plusieurs restaurants corrects servent des fruits de mer, notamment **Trieu Chau** (243 Đ Ly Thai Ton), le tout récent **Sau Nghiem** (☎ 832913; 42 Đ Ly Thai Ton) et **Trieu Phat**, entre le Camau Hotel et le Sao Mai Hotel.

Les petits **restaurants de rue** installés dans Đ Ly Bon, à l'entrée du marché, servent une nourriture correcte à petits prix. Le sympathique **restaurant en plein air** du Camau Trade Union Hotel est correct, et son cadre est plus agréable que celui du marché.

Cafe Nhon (Đ Nguyen Huu Le). Cet établissement est agréable pour savourer un café en observant l'animation de la rue.

Comment s'y rendre

Bus. Les bus de HCMV à Camau partent de la **gare routière Mien Tay**, à An Lac. Le trajet dure 11 heures en bus ordinaire, 8 heures en express. De 5h à 10h30, plusieurs services express desservent chaque jour HCMV.

La **gare routière de Camau** se situe à 2,5 km du centre, sur la RN 1 en direction de HCMV.

Les minibus express constituent une solution plus rapide et plus confortable pour rentrer à HCMV. Ils partent de la **gare des minibus** (121 Đ Nguyen Trai) et coûtent 60 000 d.

Voiture et moto. À l'extrémité sud de la RN 1, Camau est le point le plus méridional du Vietnam accessible par la route. Les téméraires qui s'aventurent au-delà auront tôt fait de s'embourber dans les mangroves.

Camau se trouve à 178 km de Cantho (3 heures) et à 347 km de HCMV (8 heures).

Bateau. Des cargos assurent la liaison Camau-HCMV tous les 4 jours environ. La traversée dure 30 heures et n'est guère confortable.

On préférera la liaison maritime Camau-Rach Gia, au nord (le bateau dépose les passagers à Rach Soi, à une dizaine de kilomètres de Rach Gia). Les départs ont lieu tous les jours de **l'embarcadère B des ferries** vers 5h15 (20 000 d, 10 heures). Vous pouvez embarquer un vélo/une moto moyennant 10 000/15 000 d supplémentaires et louer un hamac pour 5 000 d. Cet embarcadère est aussi celui des vedettes pour Ngoc Hien, au sud.

Également fréquentée, la liaison pour la forêt d'U-Minh part de **l'embarcadère A des ferries**. Il vous faudra négocier sur place. Il peut être judicieux de demander aux hôtels d'organiser éventuellement un circuit de groupe.

Comment circuler

De nombreux bateaux-taxis sont amarrés le long du canal, derrière le marché de Camau. Pour de plus longs trajets, recourez aux grandes embarcations qui partent d'un ensemble de jetées que vous voyez tout de suite en sortant du marché. Vous pouvez vous joindre aux passagers qui descendent la rivière, ou louer le bateau entier pour environ 50 000 d l'heure.

ENVIRONS DE CAMAU
Forêt d'U-Minh

La ville de Camau longe la forêt d'U-Minh, vaste mangrove de 1 000 km^2 s'étalant dans les provinces de Camau et de Kien Giang. C'est la plus grande mangrove du monde après le bassin amazonien. Les habitants de la région utilisent certaines essences de la forêt pour obtenir du bois de construction, du charbon de bois, du chaume et du tanin. Ils recueillent également le miel et la cire des abeilles butinant les fleurs de palétuvier. La région foisonne littéralement de gibier d'eau.

Pendant la guerre du Vietnam, ce fut la cachette préférée des soldats vietcong, qui prenaient fréquemment en embuscade les bateaux de patrouille américains et posaient régulièrement des mines dans les canaux. Les Américains ont répliqué en pulvérisant des défoliants, et la forêt en a cruellement souffert. Les premiers efforts de reboisement n'ont pas abouti, le sol contenant trop de produits toxiques. Les fortes chutes de pluie ont toutefois entraîné la dioxine vers la mer (où elle a sans aucun doute empoisonné les poissons) et les arbres ont fini par repousser. Beaucoup d'eucalyptus ont été replantés, car ils se sont montrés relativement résistants à la dioxine.

Malheureusement, les mangroves ont continué à être déboisées, cette fois pour l'installation des élevages de crevettes et la production de charbon et de copeaux de bois. Le gouvernement est intervenu pour tenter de limiter ces activités, mais le conflit entre la nature et l'homme se poursuit. Nul doute que cela va empirer, vu le rapide accroissement de la population vietnamienne.

La région est connue pour ses oiseaux, mais ceux-ci ont également été victimes des mauvais traitements infligés à l'environnement. Toutefois, les ornithologues prennent plaisir à visiter les environs de Camau en bateau ; sachez cependant que les oiseaux y sont nettement moins nombreux que les nuages de moustiques.

Camau Tourist propose des circuits d'une journée dans la forêt. Comptez 135 $US par bateau (10 passagers au maximum), mais vous devriez pouvoir négocier, ou trouver moins cher en vous adressant directement à des particuliers à l'embarcadère.

Réserve ornithologique

À 45 km au sud-est de Camau se trouve la réserve ornithologique (Vuon Chim), qui abrite surtout des cigognes – encore que vous puissiez y apercevoir de plus petits volatiles nichant dans les grands arbres. N'oubliez pas cependant que les oiseaux fuient plutôt les humains et qu'ils quittent leur nid tôt le matin en quête de nourriture. Vos chances d'effectuer un "safari photo" restent assez minces !

Camau Tourist organise une excursion d'une journée en bateau jusqu'à la réserve. Comptez 120 $US (de 1 à 10 participants).

NAM CAN
☎ 0780

Si l'on omet son minuscule port de pêche (Tran De) et une île côtière (Hon Khoai), Nam Can est la localité la plus méridionale du Vietnam. Peu de touristes viennent jusqu'ici. Cette communauté isolée survit grâce à l'élevage des crevettes.

À la pointe méridionale du delta se trouve la **réserve naturelle de Camau**, parfois appelée réserve ornithologique de Ngoc Hien. C'est l'une des régions les plus sauvages et les plus protégées du delta du Mékong, uniquement accessible par bateau. L'élevage de crevettes y est interdit.

Au sud de la réserve, vous découvrirez le minuscule village de pêcheurs de Tran De, qu'un ferry public relie à Nam Can. Si vous souhaitez à tout prix atteindre la pointe mé-

ridionale du Vietnam, il vous faudra prendre un bateau de Tran De à l'île Hon Khoai.

Dat Mui (cap Camau), à l'extrême sud-ouest du Vietnam, est un autre endroit isolé à visiter en bateau. Toutefois, peu de gens pensent que cela en vaut la peine.

Où se loger

Nam Can Hotel (☎ 877039 ; chambres avec clim. 16 $US). Cet hôtel offre le seul hébergement convenable de Nam Can. Vous n'aurez d'autre choix, à moins de camper.

Comment s'y rendre

La plupart des cartes du Vietnam indiquent une route reliant Camau à Nam Can. Il s'agit en réalité d'une piste boueuse et la plupart du temps inondée, encore que certains s'y soient risqués à moto. La meilleure façon de gagner Nam Can est d'emprunter une vedette à Camau (4 heures).

Comptez environ 4 heures de traversée, puis 4 heures supplémentaires jusqu'à Tran De.

ÎLE HON KHOAI

Située à 25 km de l'extrême-sud du Vietnam, cette île est véritablement le lieu le plus méridional. Contrairement au delta, désespérément plat et à l'agriculture intensive, l'île Hon Khoai est rocheuse, vallonnée et couverte d'arbres. Malheureusement, il s'agit d'une base militaire et un permis de visite est requis.

Pour l'obtenir, adressez-vous à la police de Camau, qui risque fort de vous refuser le laissez-passer et de vous suggérer de vous adresser à Camau Tourist. Cette agence s'occupera bien entendu des formalités moyennant finances.

Le seul endroit où vous pourrez loger sur l'île n'est autre que la **pension militaire**.

Comment s'y rendre

Pour rejoindre l'île depuis Camau, vous devrez d'abord vous rendre à Nam Can, d'où vous changerez de bateau pour Tran De. De là, vous prendrez un bateau de pêche jusqu'à Hon Khoai.

LONG XUYEN
☎ 076 • 238 100 habitants

Capitale de la province d'An Giang, Long Xuyen fut un bastion de la secte Hoa Hao, fondée en 1939, qui préconise la sobriété

u culte et s'insurge contre les temples
u tout autre intermédiaire entre les êtres
umains et l'Être suprême. Jusqu'en 1956,
es Hoa Hao eurent une armée qui joua un
rand rôle dans la région.

Long Xuyen s'enorgueillit d'être la
ville natale de l'ancien président Ton Duc
Thang. Un musée rend hommage à Bac
Ton (Oncle Ton), ainsi qu'une grande sta-
ue à son effigie.

Aujourd'hui, Long Xuyen est relativement prospère, et la région alentour se
développe grâce à l'agriculture, au trai-
ement du poisson et aux noix de cajou.
Il existe quelques sites à visiter alentour,
mais les touristes s'y arrêtent d'abord pour
changer leurs chèques de voyage (faites-le
ci car cela n'est pas possible à Chau Doc),
y passer la nuit ou le temps d'un repas. Le
marché, sur les berges du fleuve, est très
animé ; on peut y louer un bateau pour
environ 50 000 d l'heure.

Renseignements

An Giang Tourist (☎ 841036, fax 847785,
angiangtour@ham.vnn.vn, 17 Đ Nguyen Van
Cung ; tlj 7h-11h et 13h-17h) est installé à

côté du Long Xuyen Hotel. Les employés
parlent un peu anglais et sont assez cour-
tois mais, hormis vous vendre un circuit,
ils ne vous seront pas d'une grande utilité.

Vietnam Airlines (☎ 320320 ; lun-sam
7h-21h, dim 7h-15h) tient un comptoir de
réservation dans le Cuu Long Hotel.

Église catholique de Long Xuyen

Cette église, l'une des plus grandes du
delta, est une imposante bâtisse moderne dotée d'un clocher haut de 50 m.
Construite entre 1966 et 1973, elle peut
accueillir un millier de fidèles.

Musée de An Giang

Ce petit musée somnolent (Bao Tang An
Giang ; ☎ 841251, 77 Đ Thoai Ngoc Hau ; entrée libre ; mar et jeu 7h30-10h30, sam et dim
7h30-10h30 et 14h-16h30) est un fier représentant de la province de An Giang. Il expose
des photographies et des effets personnels de
l'ancien président Ton Duc Thang ainsi que
quelques objets de la cité d'Oc-Eo, proche de
Rach Gia (voir ci-dessous la rubrique Environs de Rach Gia), ainsi que des panneaux

DELTA DU MÉKONG

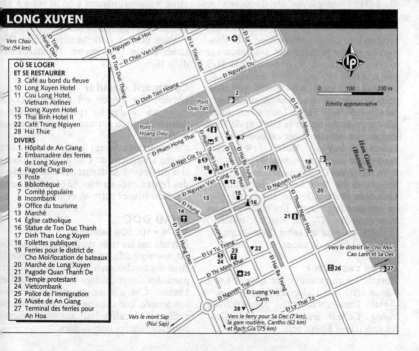

LONG XUYEN

Vers Chau
Doc (54 km)

OÙ SE LOGER ET SE RESTAURER
3 Café au bord du fleuve
10 Long Xuyen Hotel
11 Cuu Long Hotel, Vietnam Airlines
12 Dong Xuyen Hotel
15 Thai Binh Hotel II
22 Café Trung Nguyen
28 Hai Thue

DIVERS
1 Hôpital de An Giang
2 Embarcadère des ferries de Long Xuyen
4 Pagode Ong Bon
6 Poste
6 Bibliothèque
7 Comité populaire
8 Incombank
9 Office du tourisme
13 Marché
14 Église catholique
16 Statue de Ton Duc Thanh
17 Dinh Than Long Xuyen
18 Toilettes publiques
19 Ferries pour le district de Cho Moi/location de bateaux
20 Marché de Long Xuyen
21 Pagode Quan Thanh De
23 Temple protestant
24 Vietcombank
25 Police de l'immigration
26 Musée de An Giang
27 Terminal des ferries pour An Hoa

Đ Nguyen Thai Hoc
Đ Chau Van Liem
Đ Ton Duc Thang
Đ Le Trieu Kiet
Đ Nguyen Du
Đ Le Loi
Đ Dinh Tien Hoang
Đ Thai Nhien
Đ Le Hong Phong
Đ Pham Hong Thai
Đ Ngo Gia Tu
Đ Doan Van Phan
Đ Hai Ba Trung
Đ Nguyen Van Cung
Đ Nguyen Hue
Đ Hung
Đ Thoai Ngoc Hau
Đ Tran Hung Dao
Đ Ly Tu Trong
Đ Thi Minh Khai
Đ Nguyen Trai
Đ Luong Van Canh
Đ Ly Thai To
Đ Hai Ba Trung

Pont Duy Tan
Pont Hoang Dieu

Hau Giang (Bassac)

Échelle approximative
0   100   200 m

Vers le mont Sap (Nui Sap)

Vers le ferry pour Sa Dec (7 km),
la gare routière, Cantho (62 km)
et Rach Gia (75 km)

Vers le district de Cho Moi,
Cao Lanh et Sa Dec

explicatifs sur l'histoire de la région des années 1930 à nos jours.

Temple protestant
C'est dans cette petite structure moderne (4 Đ Hung Vuong) qu'a lieu le culte dominical (10h-12h).

District de Cho Moi
Sur l'autre rive du fleuve, face à Long Xuyen, sont cultivés bananiers, durians, goyaviers, jacquiers, longaniers, manguiers, mangoustaniers et pruniers.

Les femmes ici ont la réputation d'être les plus belles du delta.

Pour accéder au district de Cho Moi, prenez le bateau à l'embarcadère des ferries, au bas de Đ Nguyen Hue.

Où se loger
Thai Binh Hotel II (☎ 847078, 4-8 Đ Nguyen Hue A ; chambres avec ventil, sdb et eau froide 70 000 đ, avec eau chaude 120 000-220 000 đ). Ce vieil hôtel privé affiche des prix raisonnables. Son personnel est accueillant.

Long Xuyen Hotel (☎ 841927, fax 842483, longxuyenhotel@hcm.vnn.vn, 19 Đ Nguyen Van Cung ; chambres avec ventil./clim. 7/9-16 $US). Cet établissement ne loue que des chambres avec sdb. Vous pouvez même prendre une assurance sur la vie, facultative, moyennant 0,11 $US par jour !

Cuu Long Hotel (☎ 841365, fax 843176, 15 Đ Nguyen Van Cung ; chambres sans/avec fenêtre 12/14-19 $US). Toutes les chambres sont ici dotées de la clim. et de l'eau chaude. Le petit déjeuner est compris.

Dong Xuyen Hotel (☎ 942260, fax 942268, longxuyenhotel@hcm.vnn.vn, Đ 9A Luong Van Cu ; doubles/suites 300 000/450 000 đ). Cet établissement récent situé en plein centre-ville offre l'hébergement le plus élégant de Long Xuyen. Les chambres sont bien équipées (TV par satellite, minibar) et l'hôtel propose un salon de massage, un sauna, des bains de vapeur et un jacuzzi.

Où se restaurer
Hormis les restaurants des hôtels, Long Xuyen offre peu d'adresses convenables.

Hai Thue (☎ 842432, 328/4 Đ Hung Vuong). Ce restaurant propose d'excellentes spécialités à petit prix.

Pour déguster un bon café, adressez-vous au **Trung Nguyen** (Đ Pham Thang Long) et pour un cadre branché, aux **cafés** installés Đ Pham Hong Thai, au bord du fleuve.

Comment s'y rendre
Bus. Les bus reliant Long Xuyen à HCMV partent de la **gare routière de Mien Tay**, à An Lac.

La **gare routière de Long Xuyen** (Ben Xe Long Xuyen ; ☎ 852125, face au 96/3B Đ Tran Hung Dao) se situe à la lisière sud de la ville. De là, des bus desservent Camau, Cantho, Chau Doc, Ha Tien, HCMV et Rach Gia.

Voiture et moto. Long Xuyen se trouve à 62 km de Cantho, à 126 km de Mytho et à 189 km de HCMV.

Bateau. Pour accéder au **ferry de Long Xuyen** depuis Đ Pham Hong Thai, traversez le pont Duy Tan, puis tournez à droite. Des ferries de passagers desservent Cho Vam, Dong Tien, Hong Ngu, Kien Luong, Lai Vung, Rach Gia, Sa Dec et Tan Chau. Les bateaux pour Rach Gia (15 000 đ, environ 9 heures) partent à 6h30 et/ou à 8h. Ceux pour Sa Dec (10 000 đ) quittent le quai à 12h et mettent 4 heures.

Vous pouvez également rejoindre Cao Lanh et Sa Dec depuis l'embarcadère d'An Hoa.

Comment circuler
Le meilleur moyen est d'emprunter un cyclo, un xe dap loi (petite remorque à deux roues tirée par une bicyclette) ou un xe loi.

Des ferries assurent la traversée de Long Xuyen au district de Cho Moi (sur l'autre rive du fleuve), au départ de **l'embarcadère des ferries**, près du marché (départs toutes les demi-heures entre 4h et 18h30).

CHAU DOC
☎ 076 • 100 000 habitants
Perchée sur les rives du Bassac, Chau Doc est une agréable petite ville proche de la frontière cambodgienne. Elle compte d'importantes communautés chinoise, cham et khmère. Chacune de ces ethnies possède son temple, que vous ne manquerez pas de visiter. La localité était autrefois célèbre pour ses courses de pirogues.

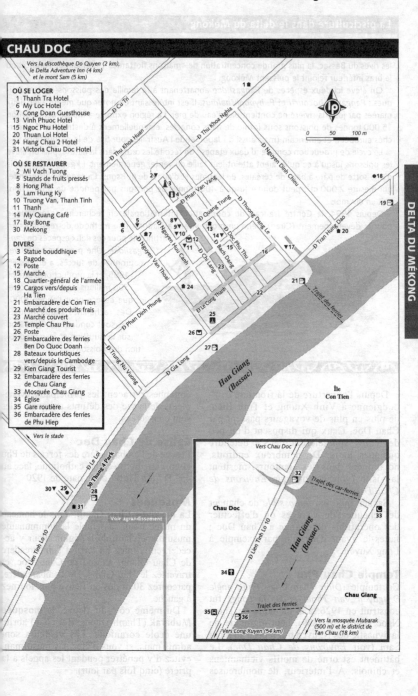

CHAU DOC

Vers la discothèque Do Quyen (2 km),
le Delta Adventure Inn (4 km)
et le mont Sam (5 km)

OÙ SE LOGER
1 Thanh Tra Hotel
6 My Loc Hotel
7 Cong Doan Guesthouse
13 Vinh Phuoc Hotel
15 Ngoc Phu Hotel
20 Thuan Loi Hotel
24 Hang Chau 2 Hotel
31 Victoria Chau Doc Hotel

OÙ SE RESTAURER
2 Mi Vach Tuong
Stands de fruits pressés
8 Hong Phat
9 Lam Hung Ky
10 Truong Van, Thanh Tinh
11 Thanh
14 My Quang Café
17 Bay Bong
30 Mekong

DIVERS
3 Statue bouddhique
4 Pagode
12 Poste
15 Marché
18 Quartier-général de l'armée
19 Cargos vers/depuis
Ha Tien
21 Embarcadère de Con Tien
22 Marché des produits frais
23 Marché couvert
25 Temple Chau Phu
26 Poste
27 Embarcadère des ferries
Ben Do Quoc Doanh
28 Bateaux touristiques
vers/depuis le Cambodge
29 Kien Giang Tourist
32 Embarcadère des ferries
de Chau Giang
33 Mosquée Chau Giang
34 Église
35 Gare routière
36 Embarcadère des ferries
de Phu Hiep

Vers le stade

D Cu Tri
D Thu Khoa Huan
D Thu Khoa Nghia
D Nguyen Dinh Chieu
D Phan Van Vang
D Quang Trung
D Thuong Dang Le
D Nguyen Huu Canh
D Nguyen Van Thoai
D Doc Phu Thu
D Bach Dang
D Chi Lang
D Tran Hung Dao
D Le Cong Thanh
D Phan Dinh Phung
D Gia Long
D Trung Nu Vuong
D Le Loi
30 Thang 4 Park
D Lien Tinh Lo 10

Voir agrandissement

Hau Giang
(Bassac)

Île
Con Tien

Vers Chau Doc
Chau Doc
Trajet des car-ferries
Chau Giang
Trajet des ferries
Vers la mosquée Mubarak
(500 m) et le district de
Tan Chau (18 km)
Vers Long Xuyen (54 km)
Trajet des ferries

D Lien Tinh Lo 10

DELTA DU MÉKONG

0   50   100 m

La pisciculture dans le delta du Mékong

Largement pratiquée dans la province d'An Giang, proche de la frontière cambodgienne, la pisciculture représente environ 15% de la production de poissons au Vietnam. Chau Doc réunit, sur les rives du Bassac, la plus grande concentration de "maisons flottantes", non loin de l'endroit où le bras inférieur rejoint le puissant Mékong.

On élève ici deux espèces de *Pangasiidae* appartenant à la famille des poissons-chats asiatiques : *Pangasius bocourti* et *P. hypophthalmus*. Il est intéressant de noter que même avec deux marées par jour, la rivière ne contient pas d'eau de mer. La région exporte annuellement environ 15 000 tonnes de poissons sous forme de filets congelés, essentiellement à destination des marchés européen et américain (mais aussi du Japon et de l'Australie pour 5% de la production).

Le cycle de production comprend deux étapes : on récolte les œufs dans la nature, puis on élève les poissons jusqu'à ce qu'ils aient atteint leur taille de vente, généralement 1 kg. Ils sont nourris d'une sorte de pâte à base de céréales, de légumes et d'abats de poissons. La cage la plus grande, qui mesure 2 000 m³, peut donner jusqu'à 400 tonnes de poissons par période de production, soit en dix mois.

Depuis 1994, le Centre français de coopération internationale en recherche agronomique pour le développement (Cirad) mène un projet visant à élaborer une méthode de reproduction

artificielle pour ces deux espèces de *Pangasiidae*. Une première tentative, couronnée de succès, a eu lieu en 1995, et la production a atteint 700 millions de larves de chaque espèce pour l'année 2000. Des recherches supplémentaires sont conduites à Chau Doc sur la nutrition et la reproduction des poissons.

Depuis l'ouverture de la frontière cambodgienne à Vinh Xuong et Tinh Bien, de plus en plus de voyageurs passent par Chau Doc. Ceux qui disposent d'un peu de temps apprécieront de s'y détendre quelques jours. De nombreux endroits, notamment dans ses alentours, méritent la visite (voir la rubrique *Environs de Chau Doc*).

Sachez qu'il est *impossible* de changer des chèques de voyages ou d'effectuer des opérations de change à Chau Doc ; faites-le avant d'arriver, par exemple à Long Xuyen.

Temple Chau Phu

Ce temple (*Dinh Than Chau Phu* ; angle *Đ Nguyen Van Thoai* et *Đ Gia Long*) fut construit en 1926, à la mémoire de Thoai Ngoc Hau (1761-1829), haut dignitaire de la dynastie des Nguyen qui repose au mont Sam (voir *Environs de Chau Doc*). Le bâtiment est orné de motifs vietnamiens et chinois. À l'intérieur, de nombreuses

épitaphes retracent les principaux événements de la vie des défunts auxquels elles sont consacrées.

Église de Chau Doc

Proche de l'embarcadère des ferries de Phu Hiep, cette petite église catholique, face au 459 Đ Lien Tinh Lo 10, date de 1920.

Mosquées

La **mosquée Chau Giang**, dans le hameau du même nom, rassemble la communauté musulmane cham de la région. Pour y accéder, empruntez un ferry à l'embarcadère de Chau Giang, au sud de Chau Doc, et traversez le Hau Giang. De l'embarcadère, parcourez 30 m dos au fleuve puis tournez à gauche.

Du même côté du fleuve, la **mosquée Mubarak** (Thanh Duong Hoi Giao) abrite une école coranique. Les visiteurs sont admis mais, si vous n'êtes pas musulman, évitez d'y pénétrer pendant les appels à la prière (cinq fois par jour).

La région de Chau Doc compte d'autres petites mosquées accessibles par bateau ; vous aurez sans doute besoin des services d'un guide pour les découvrir toutes.

Maisons flottantes

Très courantes dans la région de Chau Doc, ces maisons flottent sur des bidons vides et jouent le rôle de logis et de gagne-pain. Les habitants installent sous chaque maison de grandes nasses dans lesquelles ils élèvent des poissons ; ceux-ci restent dans leur milieu naturel et se nourrissent des restes de cuisine. La pêche à portée de la main, voilà le bonheur ! Vous pourrez mieux voir ces maisons flottantes en louant un bateau mais restez discret. Pour en savoir plus sur ce mode d'élevage, voir l'encadré *La pisciculture dans le delta du Mékong*.

Où se loger – petits budgets et catégorie moyenne

Cong Doan Guesthouse (☎ 866477 ; doubles 40 000 d). Cette pension très bon marché est mal entretenue, bruyante et n'offre ni clim. ni toilettes privées.

My Loc Hotel (☎ 866455, 51B Đ Nguyen Van Thoai ; doubles avec ventil./clim. 50 000/100 000-200 000 d). Cet hôtel populaire prend de l'âge, et ses chambres ventilées n'ont que l'eau froide.

Vinh Phuoc Hotel (☎ 866242, 12-14 Đ Quang Trung ; simples avec ventil./clim. 6/8 $US, doubles avec clim. 10 $US). Ce mini-hôtel charmant se situe en plein centre.

Thuan Loi Hotel (☎ 866134, ☎ 865380, 18 Đ Tran Hung Dao ; doubles avec ventil./clim. 6/10-12 $US). Cet établissement agréable occupe un emplacement de choix au bord de l'eau. La terrasse du 3e étage est l'endroit idéal pour observer l'animation sur le fleuve.

Le Ngoc Phu Hotel (☎ 866484, 17 Đ Doc Phu Thu ; chambres avec ventil. 100 000 d, doubles/triples avec clim. 150 000/250 000 d) est vaste et plaisant. Le **Hang Chau 2 Hotel** (Đ Nguyen Van Thoai ; chambres avec clim. 120 000-300 000 d) offre des prestations similaires.

Thanh Tra Hotel (☎ 866788, 77 Đ Thu Khoa Nghia ; chambres lits jumeaux avec ventil., sdb et eau froide 70 000 d, avec clim. 120 000 d). Cet hôtel tranquille et accueillant est souvent occupé par des groupes.

Delta Adventure Inn (Nha Khach Long Chau ; ☎ 861249, deltaadventureinn@hotmail.com ; lits avec ventil. 2 $US, chambres avec clim. 8-15 $US). Ce petit paradis pour voyageurs, confortablement installé dans le cadre charmant des rizières, à environ 4 km de Chau Doc (voir la *carte Mont Sam*), est notre adresse préférée. Il propose des lits à petit prix dans une hutte rustique au toit de chaume, ainsi que de belles chambres avec clim. dans d'agréables cottages en duplex. Vous aurez une belle vue sur le mont Sam depuis les fossés qui bordent la propriété. Le soir, le **café-restaurant** situé au centre du domaine se drape d'une moustiquaire géante. Des breaks conduisent les clients en ville entre 6h et 22h.

Où se loger – catégorie supérieure

Victoria Chau Doc Hotel (☎ 865010, fax 865020, www.victoriahotels-asia.com, 32 Đ Le Loi ; chambres 90-180 $US++, réservations Internet 70-115 $US++). Érigé en bordure de fleuve, cet établissement est de loin le plus luxueux de Chau Doc. Le **Bassac Restaurant** (voir la rubrique *Où se restaurer*) est excellent, et le salon de massage du dernier étage offre une vue imprenable sur le fleuve. Même si vous n'y séjournez pas, vous avez accès à la piscine et au centre de remise en forme moyennant 5 $US ; une séance de sauna et un massage vous coûteront 8 $US. L'hôtel organise des croisières onéreuses entre le Victoria Cantho et les hébergements de Chau Doc (55 $US par personne, 2 heures 30 ; possibilités d'escales). Les bateaux du Victoria relient également Chau Doc à Phnom Penh, au Cambodge (85 $US par personne).

Où se restaurer

Chau Doc compte quelques restaurants vraiment exceptionnels.

Bay Bong (☎ 867271, 22 Đ Thuong Dang Le). Cette excellente adresse est spécialisée dans les fondues, les soupes et les poissons. Essayez le fondue de poisson cuit dans un pot en terre (*ca kho to*) ou la soupe aigre-douce (*canh chua*).

Autre adresse à recommander, le **Mekong** fait face au Victoria Chau Doc Hotel. Occupant la terrasse d'une ancienne villa française de style classique, il est parfait pour le déjeuner comme pour le dîner.

Lam Hung Ky (*71 Ð Chi Lang*). Ce restaurant sert de bons plats chinois et vietnamiens, tout comme son voisin le **Hong Phat** (*79 Ð Chi Lang*).

Non loin de là, vous pouvez aussi essayer **Thanh** (*42 Ð Quang Trung*), **Truong Van** (*15 Ð Quang Trung*) ou **Thanh Tinh** (*13 Ð Quang Trung*), un établissement végétarien dont le nom signifie "calmer le corps".

My Quang Cafe (*25 Ð Doc Phu Thu*). Cette petite adresse populaire est réputée pour son service accueillant.

Pour déguster les meilleurs cocktails de fruits (*sinh to*) de la ville, rien ne vaut les **stands** installés à l'angle de Ð Phan Van Vang et Ð Nguyen Van Thoai.

Mi Vach Tuong (*Ð Thu Khoa Nghia*). Situé à côté du terrain de basket, ce restaurant ravira les amateurs de nouilles au petit déjeuner.

Pour une excellente cuisine à petits prix, allez découvrir le **marché couvert de Chau Doc**, le long de Ð Bach Dang.

Le **Bassic Restaurant** du Victoria Chau Doc Hotel est incontournable pour un repas raffiné. Le **Bamboo Bar** de l'hôtel, près de la piscine, prépare par ailleurs de bons en-cas : hamburgers, sandwiches, ailes de poulet épicées, pizzas.

Où sortir

Chau Doc est une ville assez calme où l'on se couche tôt.

Le **Lobby Bar** du Victoria Chau Doc Hotel est agréable pour boire un verre ou pour entreprendre une partie de billard.

Do Quyen (☎ *865565, 7 Ð Truong Dua ; sam 20h30-23h*). Cette bonne discothèque se trouve à environ 2 km de Chau Doc en direction du mont Sam. Au moment où nous rédigions ce guide, elle n'ouvrait que le samedi soir. Renseignez-vous pour les autres jours de la semaine.

Comment s'y rendre

Bus. À HCMV, les bus à destination de Chau Doc partent de la gare routière de Mien Tay, à An Lac. Le trajet en express dure en principe 6 heures.

La **gare routière de Chau Doc** (Ben Xe Chau Doc) se trouve au sud-ouest de la ville en direction de Long Xuyen. Sont également desservies les localités de Camau, Cantho, Ha Tien, Long Xuyen, Mytho, HCMV, Soc Trang et Tra Vinh.

Voiture et moto. Chau Doc se situe à 117 km environ de Cantho, à 181 km de Mytho et à 245 km de HCMV.

Les 100 km de route entre Chau Doc et Ha Tien sont en assez bon état. Au fur et à mesure qu'on se rapproche de Ha Tien, le paysage se transforme en mangrove infertile et quasiment inhabitée. C'est un endroit d'autant moins rassurant que le Cambodge n'est qu'à quelques kilomètres. Il n'est pas recommandé de s'y promener de nuit. Le trajet prend 3 heures ; en chemin, vous pouvez visiter Ba Chuc et Tup Duc en chemin. Si vous ne souhaitez pas conduire, un *xe om* vous coûtera environ 5 \$US.

Bateau. Des bateaux de croisière font quotidiennement la navette (*via* le Mékong) entre Chau Doc et Phnom Penh (Cambodge) – une manière fascinante d'entrer dans cette partie du Vietnam ou d'en repartir. Les départs ont lieu vers 8h dans les deux sens et le voyage prend la quasi-totalité de la journée. La plupart des pensions et des hôtels peuvent réserver les billets (10-15 \$US l'aller). Pensez à obtenir votre visa pour le Vietnam ou le Cambodge avant la croisière ; il n'est pas délivré à la frontière mais on peut en général l'obtenir en quelques jours à Phnom Penh ou à HCMV. Le Victoria Hotel propose la même traversée sur un bateau plus luxueux (et plus cher).

Des cargos sans grand confort relient quotidiennement Chau Doc à Ha Tien, un intéressant trajet de 95 km sur le canal Vinh Te (5 \$US). Situé à cheval sur la frontière cambodgienne, ce canal tire son nom de la femme de son constructeur, Thoai Ngoc Hau. Les bateaux partent à 4h et mettent 13 heures pour parvenir à destination.

D'autres cargos naviguent vers/depuis Vinh Long.

Comment circuler

Vous pouvez emprunter un xe loi pour circuler en ville moyennant quelques milliers de dong. Pour gagner le district de Chau Giang (en traversant le Hau Giang), le car-ferries partent de **l'embarcadère de Chau Giang** (*Ben Pha Chau Giang, face au 419 Ð Le Loi*). Des bateaux plus petits t plus fréquents partent quant à eux de 'embarcadère de Phu Hiep (Ben Pha FB 'hu Hiep), un peu plus au sud.

Les car-ferries pour l'île de Con Tien partent de l'embarcadère de Con Tien (Ben 'ha Con Tien), à l'extrémité de Đ Thuong Dang Le. Vous pouvez prendre un bateau pour Chau Giang et Tan Chau à l'embarca-dère Ben Do Quoc Doanh (Đ Gia Long), en face de la poste.

Des bateaux privés (où l'on rame de-bout) peuvent être loués dans l'un ou 'autre de ces lieux pour 10 000 d l'heure. Ils sont très pratiques pour aller voir les maisons flottantes et visiter les villages et mosquées cham des environs.

Le prix de tous les ferries publics 500 d) double la nuit. Il faut prendre un billet supplémentaire pour les vélos ou les motos (1000 d).

ENVIRONS DE CHAU DOC
☎ 076

District de Tan Chau
Le travail traditionnel de la soie assure la renommée de ce district. Par ailleurs, le marché de Tan Chau est largement fourni en produits thaïlandais et cambodgiens à bons prix.

Pour vous rendre du district de Chau Doc à celui de Tan Chau, prenez un ferry à l'embarcadère de Phu Hiep, puis un xe om (environ 10 000 d) pour parcourir les 18 km restants.

Mont Sam
À 6 km au sud-ouest de Chau Doc, que l'on quitte par Đ Bao Ho Thoai, au pied du mont Sam (Nui Sam), apparaissent nombre de pagodes et de temples, certains bâtis dans des grottes. L'influence chinoise est évidente. Des Chinois de HCMV et des touristes de Hong Kong et de Taiwan y viennent en pèlerinage.

L'ascension du mont Sam débouche sur un époustouflant panorama. Par beau temps, vous apercevrez le Cambodge. Un avant-poste militaire (toujours en service) occupe le sommet, héritage de l'époque où les Khmers rouges franchissaient la frontière et venaient massacrer les civils vietnamiens. Les soldats vietnamiens sont maintenant habitués aux touristes ; cepen-dant, demandez-leur la permission de les photographier, moyennant quelques ciga-

rettes, et ne faites rien qui puisse offenser leur statut militaire.

La descente se révèle plus facile que la montée, que vous pouvez effectuer à moto. La route qui mène au sommet est tracée sur le flanc est de la montagne ; la descente à pied par le flanc nord jusqu'au temple prin-cipal se fait donc tranquillement.

Pagode Tay An. Fondée en 1847 par un bonze de la pagode de Giac Lam, à HCMV, et reconstruite en 1958, cette pagode (Chua Tay An) est célèbre pour la délicatesse de ses centaines de statuettes, pour la plupart en bois. Son architecture reflète en partie une influence hindoue ou islamique. Le portique est de style vietna-mien traditionnel. Au-dessus du toit à deux niveaux, les statues représentent des lions et deux dragons se disputant des perles, des chrysanthèmes, des abricotiers et des fleurs de lotus.

Plus loin, vous verrez une statue de Quan Am Thi Kinh, gardienne de la mère et de l'enfant (voir l'encadré *Quan Am Thi Kinh* dans *Ho Chi Minh-Ville*).

Devant la pagode, sont représentés un éléphant noir à deux défenses et un élé-phant blanc à six défenses. De nombreuses tombes de bonzes entourent l'édifice. À l'intérieur, on remarque des statues de

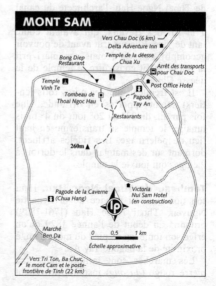

MONT SAM

Vers Chau Doc (6 km)
Delta Adventure Inn ■

Bong Diep Restaurant

Temple de la déesse Chua Xu

Arrêt des transports pour Chau Doc

Temple ■ Vinh Te

Tombeau de Thoai Ngoc Hau

Post Office Hotel

Pagode Tay An

Restaurants

260m ▲

Pagode de la Caverne (Chua Hang)

Victoria Nui Sam Hotel (en construction)

Marché Ben Da

0   0,5   1 km
Échelle approximative

Vers Tri Ton, Ba Chuc,
le mont Cam et le poste-
frontière de Tinh (22 km)

Bouddha ornées de petites lampes disco assez kitsch.

Temple de la déesse Chua Xu.

Fondé dans les années 1820, ce temple fait face au mont Sam, près de la pagode Tay An. Le bâtiment d'origine était en bambou et en feuillage. La dernière reconstruction remonte à 1972.

Selon la légende, une statue de la déesse Chua Xu s'élevait au sommet du mont Sam quand, au début du XIXe siècle, les troupes du Siam envahirent la région. Trouvant la statue à leur goût, les soldats décidèrent de l'emporter. Comme elle s'alourdissait, ils durent l'abandonner au bord du chemin.

Des villageois la trouvèrent et décidèrent de la rapporter au village pour lui construire un temple. Hélas ! Il était impossible de la déplacer. Apparut alors une jeune fille possédée par un esprit, qui déclara être la déesse Chua Xu. Elle leur dit que seules quarante vierges étaient autorisées à descendre la statue de la montagne ; ce qui fut fait. Une fois dans la plaine, la statue devint plus pesante, et les vierges la posèrent. Les paysans en conclurent que la déesse souhaitait un temple à cet emplacement et se mirent tout de suite à l'ouvrage.

Une autre légende raconte que l'épouse de Thoai Ngoc Hau, l'architecte du canal de Vinh Te, avait juré d'ériger un temple à la fin des travaux, qui avaient coûté tant de vies. Elle mourut avant de pouvoir accomplir son vœu, mais son mari prit la relève et fit construire le temple de la déesse Chua Xu.

Il est fréquent que des porcs rôtis (entiers) soient apportés en offrande. Une fois par an, du 23e au 26e jour du 4e mois lunaire, le temple se transforme en haut lieu de pèlerinage. Les fidèles affluent, dormant sur des matelas dans le dortoir à 2 étages qui jouxte le temple.

Tombeau de Thoai Ngoc Hau.

Haut fonctionnaire au service de la dynastie Nguyen, Thoai Ngoc Hau (1761-1829) ordonna au début de l'année 1829 qu'on érige son tombeau au pied du mont Sam, à proximité de la pagode Tay An.

Les marches sont taillées dans une pierre rouge (da ong) insolite, provenant du sud-est du pays. La tombe de Thoai Ngoc Hau est entourée de celles de ses deux épouses, Chau Thi Te et Truong Thi Miet. Tout près, plusieurs dizaines de tombes abritent les restes des fonctionnaires ayant servi sous ses ordres.

Pagode de la Caverne.

Cette pagode (Chua Hang, aussi appelée Phuoc Dien Tu) se niche à flanc de coteau sur le versant ouest du mont Sam. Sa partie inférieure accueille les habitations des bonzes ainsi que deux tombeaux hexagonaux où reposent la fondatrice de la pagode, Le Thi Tho, une couturière, et un ancien chef bonze nommé Thich Hue Thien.

La partie supérieure est divisée en deux : le sanctuaire principal, contenant des statues d'A Di Da (Bouddha du passé et du Bouddha Thich Ca (Sakyamuni, le Bouddha historique), ainsi que la caverne. Derrière le sanctuaire, au fond de la caverne, vous remarquerez l'autel dédié à Quan The Am Bo Tat, déesse de la Miséricorde.

Le Thi Tho quitta la pagode Tay An voici une cinquantaine d'années pour se consacrer à la méditation. La légende veut qu'à son arrivée, elle trouva deux énormes serpents, l'un blanc, l'autre vert foncé. Le Thi Tho les convertit aussitôt, et les serpents menèrent alors une vie pieuse. Ils disparurent lorsqu'elle mourut.

Où se loger et se restaurer

Pour plus de détails sur l'excellente **Delta Adventure Inn** (entre Chau Doc et le mont Sam), voir la rubrique *Où se loger* de *Chau Doc*.

Post Office Hotel (*Nui Sam Hotel* ☎ 861666, fax 861600 ; *doubles/quadruple avec clim. 20/25 $US*). Cet hôtel convenable, qui se dresse face à la pagode Tay An, partage un bâtiment avec la poste – vous pourrez donc satisfaire vos envies philatéliques à la réception. Les chambres sont bien tenues et les tarifs incluent le petit déjeuner.

Le **Victoria Nui Sam Hotel**, en construction lors de notre passage, présente de jolies maisonnettes en pierre, coiffées d'un toit de tuiles rouges. Situé sur la route menant au mont Sam, il occupe un escarpement offrant une vue panoramique sur les plaines cambodgiennes.

BA CHUC

Tout proche de la frontière cambodgienne, le site de Ba Chuc a reçu l'appellation de "Pagode aux ossements", en souvenir des horreurs perpétrées par les Khmers rouges. Entre 1975 et 1978, ceux-ci traversèrent régulièrement la frontière pour massacrer des civils. Et que dire du million de Cambodgiens qu'ils ont exterminés ?

Entre le 12 et le 30 avril 1978, les Khmers rouges massacrèrent 3 157 civils à Ba Chuc, dont beaucoup furent torturés à mort ; seuls deux survécurent. Ces atrocités ont certainement figuré parmi les raisons qui motivèrent l'invasion du Cambodge par les Vietnamiens fin 1978.

Ba Chuc compte deux autres pagodes importantes : Chua Tam Buu et Chua Phi Lai. Le sanctuaire "aux ossements" comprend une tombe commune qui abrite les crânes et les ossements de plus de 1 100 victimes.

L'endroit n'est pas sans évoquer le camp d'extermination cambodgien de Choeung Ek, où sont exposés plusieurs milliers de crânes de victimes des Khmers rouges. À proximité de la pagode, le temple montre des photos atroces prises peu après le massacre.

Pour arriver à Ba Chuc, suivez la route de terre qui relie Chau Doc à Ha Tien ; prenez ensuite la RN 3T sur 4 km.

COLLINE DE TUC DUP

• altitude : 216 m

Appréciée pour son réseau de grottes toutes reliées entre elles, la colline de Tuc Dup servit de base stratégique pour les opérations de la guerre du Vietnam. En khmer, *t*uc dup signifie "l'eau coule la nuit", et certains habitants surnomment même le site "colline aux deux millions de dollars". Tuc Dup se trouve à 35 km de Chau Doc et à 64 km de Long Xuyen.

RACH GIA

☎ 077 • 172 400 habitants

Cette dynamique cité portuaire du golfe de Siam est le chef-lieu de la province de Kien Giang. La ville compte de nombreux Chinois et Khmers.

La pêche et l'agriculture ont procuré à Rach Gia une certaine prospérité. La facilité d'accès à la mer et la proximité du Cambodge et de la Thaïlande favorisent la contrebande. Autrefois, la région de Rach Gia était célèbre pour sa production de grandes plumes destinées à la confection des éventails de cérémonie à la Cour impériale.

Rach Gia sert de ville-étape aux voyageurs qui viennent y prendre le ferry pour l'île Phu Quoc.

Renseignements

Agences de voyages. L'organisme touristique de la province est **Kien Giang Tourist** *(Cong Ty Du Lich Kien Giang ;* ☎ *862081, fax 862111, 12 Đ Ly Tu Trong).*

Argent. Rach Gia est la dernière ville où l'on peut changer de l'argent avant Ha Tien ou l'île Phu Quoc. La **Vietcombank** *(*☎ *863427)* est située à l'extrémité ouest de Đ Nguyen Trai.

Pagodes et temples

Temple Nguyen Trung Truc. Cet édifice *(18 Đ Nguyen Cong Tru)* honore la mémoire de Nguyen Trung Truc, leader de la résistance vietnamienne dans les années 1860. L'un de ses nombreux exploits consista à diriger le groupe de patriotes qui incendia le bateau de guerre, *L'Espérance*. Ce n'est que huit ans plus tard, en recourant à un stratagème, que les Français l'attrapèrent : ils prirent sa mère et d'autres civils en otage et menacèrent de les fusiller si Nguyen Trung Truc ne se rendait pas. Le résistant se constitua prisonnier et fut exécuté le 27 octobre 1868 sur la place du marché.

À l'origine, ce temple très simple était surmonté d'un toit de chaume. Il a été agrandi au fil des années et plusieurs fois reconstruit. La dernière reconstruction a duré de 1964 à 1970. Un portrait du héros trône sur l'autel, au centre de la pièce principale.

Pagode Phat Lon. Cette vaste pagode bouddhique hinayana, dont le nom signifie Grand Bouddha, fut fondée il y a environ deux siècles par la communauté cambodgienne. La trentaine de bonzes qui y résident sont tous d'origine khmère, mais les Vietnamiens la fréquentent aussi.

À l'intérieur du sanctuaire *(vihara)*, les statues de Bouddha Thich Ca portent des chapeaux pointus de styles cambodgien et thaï. Huit petits autels bordent le grand

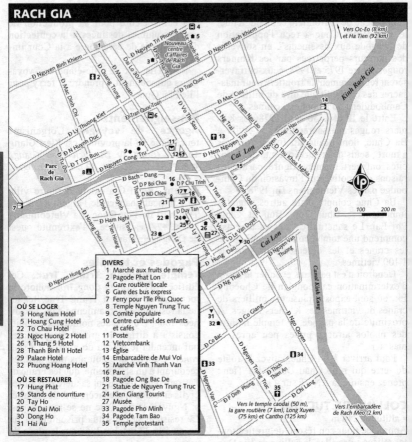

RACH GIA

Vers Oc-Eo (8 km) et Ha Tien (92 km)

Kinh Rach Gia

Cai Lon

Cai Lon

Parc de Rach Gia

Canal Kinh Xang

0   100   200 m

DELTA DU MÉKONG

DIVERS
1 Marché aux fruits de mer
2 Pagode Phat Lon
4 Gare routière locale
6 Gare des bus express
7 Ferry pour l'île Phu Quoc
8 Temple Nguyen Trung Truc
9 Comité populaire
10 Centre culturel des enfants et cafés
11 Poste
12 Vietcombank
13 Église
14 Embarcadère de Mui Voi
15 Marché Vinh Thanh Van
16 Parc
18 Pagode Ong Bac De
21 Statue de Nguyen Trung Truc
24 Kien Giang Tourist
27 Musée
33 Pagode Pho Minh
34 Pagode Tam Bao
35 Temple protestant

OÙ SE LOGER
3 Hong Nam Hotel
5 Hoang Cung Hotel
22 To Chau Hotel
23 Ngoc Huong 2 Hotel
26 1 Thang 5 Hotel
28 Thanh Binh II Hotel
29 Palace Hotel
32 Phuong Hoang Hotel

OÙ SE RESTAURER
17 Hung Phat
19 Stands de nourriture
20 Tay Ho
25 Ao Dai Moi
30 Dong Ho
31 Hai Au

Vers le temple caodai (50 m), la gare routière (7 km), Long Xuyen (75 km) et Cantho (125 km)

Vers l'embarcadère de Rach Meo (2 km)

vestibule. Les deux tours situées près de l'entrée servent à la crémation des corps des bonzes. De nombreuses tombes de bonzes entourent la pagode.

Les prières ont lieu tous les jours de 4h à 6h et de 17h à 19h. La pagode est ouverte de 4h à 17h pendant les septième, huitième et neuvième mois lunaires (l'été), mais les visiteurs y sont accueillis toute l'année.

Pagode Ong Bac De. Cette pagode *(14 Đ Nguyen Du)* fut érigée par la communauté chinoise de Rach Gia voici environ un siècle. Une statue d'Ong Bac De, réincarnation de l'empereur de Jade, trône sur l'autel central. À gauche, se dresse Ong Bon, gardien du bonheur et de la vertu, et à droite, Quan Cong.

Pagode Pho Minh. Seules quelques bonzesses réside dans cette petite pagode *(angle Đ Co Bac et Đ Nguyen Van Cu ; 6h-22h)* construite en 1967. Vous y verrez un grand Bouddha Thich Ca (Sakyamuni) de style thaï, offert par une organisation bouddhiste thaïlandaise. Un peu plus loin se trouve un Bouddha Thich Ca de style vietnamien. Les bonzesses habitent derrière le hall principal.

La pagode accueille les visiteurs ; les prières sont dites tous les jours de 3h30 à 4h30 et de 18h30 à 19h30.

Pagode Tam Bao. La pagode Tam Bao *(angle Đ Thich Thien An Đ Ngo Quyen ; 6h-20h)* fut fondée au début du XIXe siècle. Sa dernière reconstruction remonte à 1913.

Le jardin surprend, avec ses arbres taillés en forme de dragons, de biches et autres animaux.

Les prières ont lieu tous les jours de 4h30 à 5h30 et de 17h30 à 18h30.

Temple caodaï. Ce petit temple *(189 Đ Nguyen Trung Truc)* date de 1969.

Lieux de culte chrétiens
L'église de Rach Gia *(Nha Tho Chanh Toa Rach Gia)*, date de 1918. Toute de briques rouges, elle fait face au canal menant au marché Vinh Thanh Van.

Le temple protestant *(133 Đ Nguyen Trung Truc)* fut construit en 1972 (culte le dimanche à 10h).

Musée de Rach Gia
Ce musée *(☎ 863727, 27 Đ Nguyen Van Troi ; entrée libre ; lun-ven 7h-11h ou sur rendez-vous)*, tout juste rénové, renferme une intéressante collection d'objets et de poteries d'Oc-Eo.

Marché Vinh Thanh Van
Le principal marché de Rach Gia s'étend à l'est de Đ Tran Phu, le long de Đ Nguyen Thoai Hau, Đ Trinh Hoai Duc et Đ Thu Khoa Nghia.

Où se loger
Thanh Binh II Hotel *(☎ 861921, 119 Đ Nguyen Hung Son ; chambres avec ventil./clim. 45 000/120 000 d)*. Cet hôtel est correct mais sans charme. Chaque chambre possède une sdb et une douche froide, mais les toilettes sont communes.

1 Thang 5 Hotel *(☎ 862103, 38 Đ Nguyen Hung Son ; doubles avec clim. 120 000-150 000 d)*. Cet établissement porte le nom du 1er mai, fête internationale du Travail. Bon marché, il aurait néanmoins besoin d'être rénové.

Ngoc Huong 2 Hotel *(☎ 863499, 150 Đ Nguyen Hung Son ; chambres avec ventil./clim. 50 000/150 000 d)* est neuf et propre.

To Chau Hotel *(☎ 863718, 16 Đ Le Loi ; chambres avec eau chaude à partir de 140 000 d)*. Toutes les chambres sont ici dotées d'une sdb et de la clim., et l'établissement possède un garage.

Palace Hotel *(☎ 863049, 243 Đ Tran Phu ; chambres avec ventil. 7 $US, avec clim, sdb et eau chaude 18-23 $US)*. Cette bonne adresse commence à prendre de l'âge. Étonnamment, les chambres du dernier étage, moins chères, disposent de balcons.

Phuong Hoang Hotel *(☎ 866525, 6 Đ Nguyen Trung Truc ; chambres 160 000-250 000 d)*. Cet établissement fait partie des quelques mini-hôtels privés ayant fait leur apparition en ville. Toutes les chambres offrent la clim., l'eau chaude, la TV et un réfrigérateur.

Même standing au **Hong Nam Hotel** *(☎ 873090, Đ Ly Thai To)* et au **Hoang Cung Hotel** *(☎ 872655, Đ Le Thanh Ton)*, tous deux proches du nouveau centre d'affaires de Rach Gia.

Où se restaurer
Rach Gia est réputée pour ses fruits de mer, ses seiches et ses filets de poisson séchés *(ca thieu)*, ainsi que le nuoc mam et le poivre noir.

Hung Phat *(☎ 86759, 97 Đ Nguyen Du ; repas 25 000 d ; 9h-22h)*. Ce restaurant prépare d'excellentes soupes à l'aigre-douce et un savoureux riz sauté végétarien.

Tay Ho *(16 Đ Nguyen Du ; repas 15 000 d)*. Une autre bonne adresse pour les amateurs de cuisine chinoise et vietnamienne, moins chère que le Hung Phat.

Dong Ho *(124 Đ Tran Phu)*. Géré par la même famille, cet établissement propose des plats vietnamiens, chinois et occidentaux. Il était en rénovation lors de notre passage, mais ne devrait pas vous décevoir à sa réouverture.

Ao Dai Moi *(☎ 866295, 26 Đ Ly Tu Trong ; 7h30-21h)*. Ce restaurant, dont le nom signifie *"ao dai neuf"*, appartient à un tailleur. Le matin, on y sert de très bons *pho* et soupes won ton.

Hai Au *(angle Đ Nguyen Trung Truc et Đ Nguyen Van Cu)*, près de la rivière Cai Lon, propose lui aussi une bonne nourriture locale.

Vous trouverez de bons petits plats pour une somme modique sur les **étals** situés le long de Đ Hung Vuong, entre Đ Bach Dang et Đ Le Hong Phong.

Comment s'y rendre
Avion. Vietnam Airlines assure un vol deux fois par semaine entre HCMV et Rach Gia. Ce même vol continue vers l'île Phu Quoc (voir plus loin la rubrique correspondante).

DELTA DU MÉKONG

Bus. Les bus reliant HCMV à Rach Gia partent de la gare routière Mien Tay, à An Lac. La durée du trajet en bus express est de 6 à 7 heures. Des bus de nuit quittent Rach Gia pour HCMV entre 19h et 23h.

La **gare routière principale de Rach Gia** (*Ben Xe Rach Soi ; 78 Đ Nguyen Trung Truc*) se dresse 7 km plus au sud (en direction de Long Xuyen et de Cantho). Il existe des liaisons pour Cantho, Dong Thap, Ha Tien, Long Xuyen et HCMV.

Plus proche de la ville, dans ĐL 30/4, la **gare des minibus** (*Ben Xe Ha Tien ; Đ Tran Quoc Tuan*) dessert quotidiennement les villes de Long Xuyen, Sa Dec et HCMV.

Un troisième terminus, à destination de Hon Chong et de Ha Tien, jouxte le centre des congrès de Rach Gia.

Voiture et moto. Rach Gia est à 92 km de Ha Tien, à 125 km de Cantho et à 248 km de HCMV.

Bateau. Les ferries à destination de l'île Phu Quoc quittent le quai situé au **parc de Rach Gia**, à l'extrémité ouest de Đ Nguyen Cong Tru (voir la rubrique *Île Phu Quoc*).

L'embarcadère de Mui Voi (*mui* signifie "nez" et *voi* "éléphant" – ce qui évoque la forme de l'île) se trouve à l'extrémité nord-est de Đ Nguyen Thoai Hau. Des cargos en partent tous les jours à 8h en direction de Long Xuyen (15 000 d, 9 heures).

Camau est desservie au départ de l'**embarcadère de Rach Meo** (☎ 811306, 747 Đ Ngo Quyen), situé environ 2 km plus au sud. Le départ a lieu à 5h du matin.

ENVIRONS DE RACH GIA
Cité antique d'Oc-Eo

Entre le Ier et le VIe siècle, Oc-Eo était une grande ville vouée au commerce. La région faisait alors partie de l'empire hindouisé du Funan, de même que le sud du Vietnam, une grande partie du sud du Cambodge et la péninsule malaise. Le peu que nous savons de cet empire, qui connut son apogée au cours du Ve siècle, provient de sources chinoises contemporaines et des fouilles archéologiques effectuées à Oc-Eo. Celles-ci ont montré que la ville entretenait d'étroits contacts avec la Thaïlande, la Malaisie, l'Indonésie, la Perse et l'Empire romain.

Oc-Eo avait développé un système très élaboré de canaux, utilisé à la fois pour l'irrigation et les transports. Les voyageurs chinois de l'époque écrivaient ainsi qu'ils avaient traversé le Funan à la voile pour se rendre en Malaisie. La plupart des maisons étaient construites sur pilotis et les rares fragments que l'on a pu retrouver révèlent le grand raffinement de cette civilisation. Des objets récupérés sur le site sont exposés au musée d'Histoire et au musée des Beaux-Arts de HCMV, au musée d'Histoire de Hanoi, ainsi qu'au musée d'An Giang de Long Xuyen.

Les vestiges d'Oc-Eo ne sont guère éloignés de Rach Gia. Le site le plus proche est Cau Chau, une colline située à 11 km à l'intérieur des terres, près du village de Vong The, et littéralement couverte de fragments de poterie et de coquillages. On peut y accéder en jeep, à vélo ou à moto depuis le village de Hue Duc, distant de 8 km. Parcourez 3 km en direction de Ha Tien, puis empruntez le ferry local et continuez pendant 5 km.

Mieux vaut visiter Oc-Eo pendant la saison sèche. Vous aurez peut-être besoin d'un laissez-passer ; pour plus de détails, contactez Kien Giang Tourist. Renseignez-vous également au Hong Nam Hotel ; demandez M. Duong Quang, un professeur d'anglais qui pourra vous guider jusqu'au site.

HA TIEN
☎ 077 • 90 100 habitants

Ha Tien donne sur le golfe de Siam, à 8 km de la frontière cambodgienne. La région est réputée pour ses plages de sable blanc et ses villages de pêcheurs, mais aussi pour ses fruits de mer et son poivre noir. La beauté des roches calcaires en forme de tours rend le paysage absolument unique, sans comparaison avec le reste du delta. Les rochers sont creusés d'un véritable réseau de grottes, dont certaines abritent des temples. Les plantations de poivriers se déploient sur des collines peu pentues. Par beau temps, l'île Phu Quoc est visible depuis la côte.

Ha Tien fit partie du Cambodge jusqu'en 1708, date à laquelle le gouverneur khmer Mac Cuu (un immigrant chinois) fit appel aux Vietnamiens pour contrer les attaques répétées des Thaïs, alors appelés Siamois. C'est grâce à la protection des seigneurs Nguyen qu'il conserva le pouvoir. Son fils Mac Thien Tu lui succéda. Au cours du XVIIIe siècle, les Siamois effectuèrent plusieurs raids meurtriers sur la région.

Rach Gia et la pointe méridionale du delta du Mékong tombèrent officiellement sous la coupe des Nguyen en 1798.

Sous le régime khmer rouge, les soldats se livrèrent à des incursions particulièrement violentes sur cette portion du territoire vietnamien, massacrant des milliers de civils. Tous les habitants de Ha Tien et des environs, soit des dizaines de milliers de personnes, durent s'enfuir. Depuis cette période, les zones situées au nord de Ha Tien (le long de la frontière cambodgienne) sont semées de mines et de pièges actifs qu'il faudra enlever.

Même si Ha Tien a été déclarée officiellement "zone économique frontalière", les touristes n'ont toujours pas l'autorisation de passer la frontière à cet endroit. Il faut encore patienter un peu… Renseignez-vous auprès des agences de voyages et consultez les magazines locaux publiés en anglais.

Pagodes et tombes

Tombes de la famille de Mac Cuu. Ces sépultures (Lang Mac Cuu) occupent un promontoire proche de la ville, Nui Lang ou la colline aux tombes. Des dizaines de membres de la famille Mac Cuu tiennent compagnie à cet ancien seigneur de la région. Dans la plus pure tradition chinoise, leurs tombeaux sont richement ornés de dragons, de phénix, de lions et de gardiens. Le plus important de ces tombeaux, celui où figurent Thanh Long (Dragon vert) et Bach Ho (Tigre blanc), renferme Mac Cuu lui-même. L'empereur Gia Long en ordonna la construction

DELTA DU MÉKONG

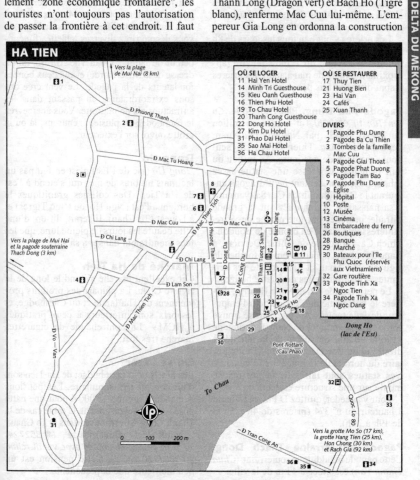

HA TIEN

Vers la plage de Mui Nai (8 km)

Đ Phuong Thanh
Đ Mac Tu Hoang
Đ Mac Cuu
Đ Chi Lang
Đ Chi Lang
Đ Lam Son
Đ Mac Thien Tich
Đ Vo – Van
Đ Tran Cong An
Đ Thuong Thanh
Đ Dong Da
Đ Mac Cong Du
Đ Tham Tuong Sanh
Đ Bach Dang
Đ To Chau
Đ Dong Ho

Vers la plage de Mui Nai et la pagode souterraine Thach Dong (3 km)

Dong Ho (lac de l'Est)

Pont flottant (Cau Phao)

To Chau

Vers la grotte Mo So (17 km), la grotte Hang Tien (25 km), Hon Chong (30 km) et Rach Gia (92 km)

Quoc Lo 80

0 100 200 m

OÙ SE LOGER
11 Hai Yen Hotel
14 Minh Tri Guesthouse
15 Kieu Oanh Guesthouse
16 Thien Phu Hotel
19 To Chau Hotel
20 Thanh Cong Guesthouse
27 Kim Du Hotel
31 Phao Dai Hotel
35 Sao Mai Hotel
36 Ha Chau Hotel

OÙ SE RESTAURER
17 Thuy Tien
21 Huong Bien
23 Hai Van
24 Cafés
25 Xuan Thanh

DIVERS
1 Pagode Phu Dung
2 Pagode Ba Cu Thien
3 Tombes de la famille Mac Cuu
4 Pagode Giai Thoat
5 Pagode Phat Duong
6 Pagode Tam Bao
7 Pagode Phu Dung
8 Église
9 Hôpital
10 Poste
12 Musée
13 Cinéma
18 Embarcadère du ferry
26 Boutiques
28 Banque
29 Marché
30 Bateaux pour l'île Phu Quoc (réservés aux Vietnamiens)
32 Gare routière
33 Pagode Tinh Xa Ngoc Tien
34 Pagode Tinh Xa Ngoc Dang

DELTA DU MÉKONG

en 1809. La tombe de sa première épouse est entourée de dragons et de phénix. Au pied de la corniche s'élève un monument funéraire à la gloire de la dynastie Mac.

Pagode Tam Bao. Cette pagode *(Sac Tu Tam Bao Tu ; 328 Đ Phuong Thang ; tlj 7h-21h)* doit au gouverneur Mac Cuu sa fondation en 1730. Plusieurs bonzesses y résident actuellement. À l'entrée, une statue de Quan The Am Bo Tat, déesse de la Miséricorde, se dresse sur une fleur de lotus au milieu d'une fontaine. Le sanctuaire abrite une magnifique statue en bronze peint d'A Di Da, Bouddha du passé. Des tombes d'anciens bonzes entourent la pagode et tout près s'élèvent les vestiges de l'enceinte urbaine construite au début du XVIIIe siècle.

Les prières y ont lieu tous les jours de 8h à 9h et de 14h à 15h. Du 15e jour du 4e mois lunaire au 15e jour du 7e mois lunaire (approximativement de mai à août), les prières y sont dites six fois par jour.

Pagode Phu Dung. Phu Dung *(Phu Cu Am Tu ; tlj 6h-22h)* fut fondée au milieu du XVIIIe siècle par Nguyen Thi Xuan, l'épouse de Mac Thien Tich. Un seul bonze y réside de nos jours. Au milieu du hall principal se dresse une statue assez inhabituelle représentant neuf dragons entourant le Bouddha Thich Ca (Sakyamuni) à sa naissance. Remarquez sur la grande estrade, protégée par une cloche de verre, l'intéressante statue en bronze de Bouddha Thich Ca, rapportée de Chine. Derrière, à flanc de coteau, apparaissent les tombes de Nguyen Thi Xuan et de l'une de ses servantes, ainsi que celles de quatre bonzes.

Le petit temple (Dien Ngoc Hoang), derrière le hall principal, est dédié à l'empereur de Jade taoïste. À l'intérieur se trouve Ngoc Hoang, entouré de Nam Tao, dieu de l'Étoile polaire du sud et de la félicité (à droite) et de Bac Dao, dieu de l'Étoile polaire du nord et de la longévité (à gauche). Ces statues sont faites de papier mâché moulé sur une structure en bambou.

Pour y accéder, quittez Đ Phuong Thanh à hauteur du n° 374 (prières de 4h à 5h et de 19h à 20h).

Pagode souterraine Thach Dong. Cette pagode bouddhique souterraine *(Chua Thanh Van)* est située à 4 km de la ville.

Attention !

Ha Tien est une ville sûre, de jour comme de nuit ; en revanche, les zones rurales situées au nord-ouest, le long de la frontière cambodgienne, et notamment la plage de Mui Nai, peuvent se révéler dangereuses dès la nuit tombée. Il est arrivé que des bandits khmers franchissent la frontière pour commettre des vols et prendre des otages pour ensuite les rançonner.

À gauche de l'entrée, la stèle de la Haine (Bia Cam Thu) commémore le souvenir des 130 victimes des massacres perpétués par les Khmers rouges le 14 mars 1978.

À travers les différentes salles de la grotte, vous découvrirez diverses tablettes funéraires et des autels dédiés à Ngoc Hoang (l'empereur de Jade), à Quan The Am Bo Tat (la déesse de la Miséricorde) et aux deux bonzes fondateurs de la pagode. Le vent crée des sons extraordinaires en passant dans les anfractuosités de la grotte. Vous apercevrez le Cambodge en plusieurs endroits, là où la grotte ouvre sur l'extérieur.

Dong Ho

Dong Ho (lac de l'Est) n'est en fait pas un lac mais un bras de mer qui s'étend à l'est de Ha Tien. Des collines granitiques le bordent à l'est (Ngu Ho, ou Cinq Tigres) et à l'ouest (To Chan). Il serait, dit-on, d'une telle beauté les jours de pleine lune, que les fées viendraient danser à sa surface.

Marché de Ha Tien

Cet excellent marché s'étend le long de la rivière Chau. La plupart des produits proviennent de Thaïlande et du Cambodge, et les prix sont inférieurs à ceux pratiqués à HCMV. La contrebande de cigarettes marche très fort.

Où se loger

Les hôtels pour petit budget de Ha Tien sont d'un confort très sommaire. Les pensions demandent environ 12 000 d pour une natte posée sur un sol en ciment. C'est le cas de la **Thanh Cong Guesthouse**, dans Đ To Chau.

Minh Tri Guesthouse *(☎ 852724, 22 Đ To Chau ; chambres avec ventil./clim. 70 000/120 000 d)*. Cette pension est un peu meilleure que la précédente.

Kieu Oanh Guesthouse (☎ 852748, 20 Đ To Chau ; chambres avec ventil./clim. 80 000/120 000 d). Situé à côté du Minh Tri, cette adresse offre des prestations similaires.

Thien Phu Hotel (☎ 851144, 684 Đ Chi Lang ; chambres avec ventil. 5 $US, chambres 6 pers 14 $US). Un peu plus haut de gamme, cet hôtel est impeccable. Sa chambre de trois lits peut accueillir jusqu'à 6 personnes.

Kim Du Hotel (☎ 851929, fax 852119, 14 Đ Phuong Thanh ; chambres avec clim. 140 000-230 000 d). Agréable, ce nouvel établissement possède un bon **restaurant**. Les prix incluent le petit déjeuner.

Hai Yen Hotel (☎ 851580, 15 Đ To Chau ; petites/grandes chambres avec clim. 200 000/250 000 d). Les chambres de cet hôtel privé offrent toutes l'eau chaude et un réfrigérateur.

To Chau Hotel (☎ 852148, Đ To Chau ; chambres avec ventil./clim. 5/8-10 $US). Propriété de l'État, cet établissement paraît convenable.

Dong Ho Hotel (☎ 852141). Plus près de la rivière, voici une autre adresse correcte dans la même gamme de prix. Les chambres possèdent la clim., la TV et un réfrigérateur.

Sao Mai Hotel (☎ 852740, Đ Tran Cong An ; chambres avec ventil. 80 000 d, simples/doubles avec clim. 120 000/150 000 d). Ce bel établissement sympathique se dresse au sud du pont flottant.

Ha Chau Hotel (☎ 852553, chambres avec ventil. 80 000 d, avec clim. 8-10 $US). Voisin du Sao Mai, cet hôtel présente un confort similaire.

Phao Dai Hotel (☎ 851849 ; chambres avec ventil./clim. 80 000/120 000-140 000 d). Cet établissement jouit d'un cadre tranquille à la lisière sud-ouest de la ville.

Où se restaurer

La spécialité de Ha Tien est une variété de noix de coco sans lait, qui ne pousse qu'au Cambodge et dans cette région du Vietnam. Tous les restaurants de la région vous serviront sa délicieuse chair dans un verre avec de la glace et du sucre. Les Cambodgiens ont longtemps prétendu que tout endroit où poussait ce fruit était territoire cambodgien, ce qui servit de prétexte aux raids des Khmers rouges dans cette partie du Vietnam.

Hai Van (☎ 850344, 4 Đ Ben Tran Hau ; plats 25 000-40 000 d). Ce nouveau restaurant sert des plats vietnamiens, chinois et occidentaux.

Xuan Thanh (angle Đ Ben Tran Hau et Đ Tham Tuong Sanh). Cet établissement accueillant est l'une des meilleures adresses de Ha Tien. Installé face au marché, dans le cadre le plus propre de la ville, il sert une cuisine savoureuse.

Huong Bien (Đ To Chau) est un autre excellent choix.

Thuy Tien (Đ Dong Ho). Ce restaurant propose une cuisine convenable, mais se distingue surtout par son emplacement de toute beauté, au bord du lac.

Comment s'y rendre

Bus. À HCMV, les bus à destination de Ha Tien partent de la gare routière Mien Tay, à An Lac. Le trajet dure de 9 à 10 heures.

La **gare routière de Ha Tien** (Ben Xe Ha Tien) se trouve de l'autre côté du pont flottant par rapport au centre-ville. Il existe des liaisons pour la province d'An Giang, Cantho (départs à 5h50 et 9h10), la province de Vinh Long, HCMV (à 2h) et Rach Gia (5 heures, 5 fois par jour).

Voiture et moto. Ha Tien se situe à 92 km de Rach Gia, 95 km de Chau Doc, 206 km de Cantho et 338 km de HCMV.

Bateau. L'embarcadère des ferries se trouve non loin du To Chau Hotel, près du pont flottant. De là, des ferries quotidiens rallient Chau Doc en 3 heures (départ à 6h). Vous pouvez venir en bateau depuis HCMV en changeant à Chau Doc, mais le trajet n'en finit pas et les bateaux n'ont rien de luxueux.

ENVIRONS DE HA TIEN

Il existe de nombreuses îles au large de la côte entre Rach Gia et la frontière cambodgienne. Certains habitants vivent de la récolte des précieux *salanganes* (le principal ingrédient de la fameuse soupe chinoise aux nids d'hirondelles), qu'ils trouvent sur les falaises rocheuses de ces îles.

Plages

Les plages de cette région du Vietnam bordent le golfe de Siam. L'eau, ici incroyablement chaude et calme, est parfaite pour les nageurs et les plongeurs, mais sans espoir pour les surfeurs.

Située 8 km à l'ouest de Ha Tien et dominée par un phare, **Mui Nai** a la forme d'un cerf qui brame, d'où son nom de péninsule de la Tête du Cerf. Elle est bordée de sable fin des deux côtés. Des routes rejoignent Mui Nai depuis Ha Tien et depuis la pagode souterraine de Thach Dong.

Quelques kilomètres à l'ouest de Ha Tien, non loin d'un village de pêcheurs, la plage de No (Bai No) est ourlée de cocotiers. Celle de Bai Bang consiste en une longue bande de sable noir ombragée d'arbres nommés *bang*.

Grotte Mo So

Cette grotte se cache à 17 km de Ha Tien en direction de Rach Gia et à quelque 3 km de la route. Ses trois salles sont reliées par un véritable labyrinthe souterrain. Malheureusement, l'usine de ciment locale a extrait une grande partie du calcaire et causé des dégâts irréparables. On peut y accéder à pied pendant la saison sèche et en canot à la saison des pluies. Il est conseillé aux visiteurs de se munir d'une lampe-torche et d'être accompagnés d'un guide.

Grotte Hang Tien

Cette grotte historique servit en 1784 de cachette à Nguyen Anh, le futur empereur Gia Long, alors qu'il était poursuivi par les rebelles Tay Son. Ses soldats y découvrirent une cachette de pièces en zinc, d'où le nom donné à la grotte qui signifie "grotte aux Pièces". Située à 25 km de Ha Tien en direction de Rach Gia, elle est également accessible par bateau.

Île Hon Giang

À environ 15 km de Ha Tien, cette île possède une superbe plage isolée, où de petits bateaux vous conduiront.

HON CHONG
☎ 077

Également appelée Binh An, cette petite station balnéaire isolée offre le plus beau littoral du delta. C'est une bourgade paisible qui mérite qu'on vienne y décompresser quelques jours.

Les principaux sites à y découvrir sont la grotte Chua Hang, la plage Duong et l'île Nghe. Nous sommes loin des 3 000 îles et grottes de la baie d'Along (voir le chapitre *Le Nord-Est*), mais les formations rocheuses sont très photogéniques. Si l'on excepte trois hideuses et énormes cimenteries crachant leur fumée sur la route de Ha Tien,

le trajet par la côte permet d'admirer de beaux paysages.

Grotte Chua Hang

Construit à flanc de colline, le temple bouddhique Hai Son Tu (temple de la Mer et de la Montagne) commande l'entrée de la grotte. Les visiteurs prient et brûlent des bâtons d'encens avant de passer derrière l'autel pour pénétrer dans la grotte, où se dresse une statue en plâtre de Quan The Am Bo Tat (la déesse de la Miséricorde). De grosses stalactites creuses tintent comme des cloches si on les frappe légèrement.

Plage Duong

Au nord de la grotte Chua Hang, la Bai Duong doit son nom aux pins à longues aiguilles (*duong*) qui la bordent. Si la partie sud est très fréquentée des touristes vietnamiens (et de leur karaoké), les 3 km de plage sont beaux et paisibles.

Ne vous attendez pas à un sable fin et immaculé : les eaux alentour charrient de lourds sédiments et, depuis peu, de la poussière de ciment, tandis que le sol a tendance à se tasser. Toutefois, l'eau est relativement claire ; c'est d'ailleurs la seule plage au sud de HCMV, hormis celles de l'île Phu Quoc, qui vous invite vraiment à la baignade. En outre, les couchers de soleil y sont extraordinaires.

De l'extrémité sud de la plage, très animée à proximité de la grotte Chua Hang, vous apercevrez l'île du Père et du Fils (Hon Phu Tu) à quelques centaines de mètres au large ; par sa forme, on dit qu'elle évoque l'étreinte d'un père et de son fils. Cette colonne de pierre est juchée sur un "socle" érodé par les vagues, presque entièrement découvert à marée basse. Pour aller la voir de plus près, vous pourrez louer un bateau à rames sur la rive.

Île Nghe

La plus belle île de la région accueille un pèlerinage bouddhique très couru. Près de la grande statue de Quan The Am Bo Tat (la déesse de la Miséricorde) qui regarde la mer, vous découvrirez un **temple troglodytique** (Chua Hang). Le lieu s'appelle Doc Lau Chuong.

Vous n'aurez guère de difficulté à dénicher un bateau pour aller sur l'île. La solution la plus économique est de le louer à plusieurs.

enseignez-vous à la Hon Trem Guesthouse ; ne excursion d'une journée qui vous fait vister 3 îles, à bord d'un bateau pouvant connir 15 passagers, revient à environ 60 $US. a traversée dure 1 à 2 heures.

On peut aussi louer une vedette au **Doi anh Restaurant**, au bord de l'eau, à 4,5 km e la grotte Chua Hang sur la route de Ha ien. Le propriétaire demande 50/100 $US our une demi-journée/journée de cabotage. on bateau a une capacité de 20 personnes.

À l'heure où nous rédigeons ce guide, s étrangers ne sont pas autorisés à séjourer dans l'île.

ù se loger

ttention ! Les hôtels sont pris d'assaut rs des pèlerinages bouddhiques, depuis la uinzaine précédant la fête du Têt jusqu'au ois suivant, ainsi qu'en mars et avril.

Green House Guesthouse *(☎ 854369 ; hambres avec clim. 16-20 $US).* Cette penon familiale perchée sur un tertre dominant plage de Duong est le premier établisseent que vous apercevrez en arrivant à Hon hong. Les chambres sont belles et propres ; ous pouvez y commander des repas.

Phuong Thao Hotel *(☎ 854357 ; chambres vec ventil./clim. 80 000/130 000 d).* Cet hôtel tué 200 m après la Green House Guesthouse ropose des chambres de style bungalow.

Hon Trem Guesthouse *(☎/fax 854331 ; hambres avec clim. à partir de 130 000 d).* roche du virage, environ 1 km avant la rrière de la plage, cette pension d'État ue des chambres dans un grand bunga- w ou dans le bâtiment principal. Son ersonnel prépare des repas sur demande. e nouveaux bungalows étaient en consuction sur la colline lors de notre visite.

Huong Bien Guesthouse *(lits en dortoir US, doubles avec ventil. 4 $US).* Cette ension souffre du bruit dû à la proximité e la grotte de Chua Hang.

Binh An Hotel *(☎ 854332, fax 854533 ; hambres avec ventil. 4 $US, avec clim. 40 000-160 000 d).* Cet établissement gréable se dresse à 1 km en direction de grotte de Chua Hang, sur la même route ue le Phuong Thao Hotel. Il est érigé sur ne propriété spacieuse et calme ; jardins t bâtiments sont entourés d'une enceinte. outes les chambres possèdent une sdb elles de l'ancienne aile, ventilées mais ordides, sont bon marché ; celles de la

nouvelle aile offrent la clim. et sont nettement plus belles.

My Lan Hotel *(☎ 759044, fax 759040 ; chambres avec ventil./clim. 110 000/ 180 000-210 000 d).* Cette adresse recommandée est la propriété de Vietnamiens installés à Milan (d'où son nom). Ses chambres sont ordinaires mais propres.

Hai Son Tourist Resort *(☎ 759226).* Cet établissement en construction, voisin du My Lan Hotel, promet d'être très agréable. Le tarif des chambres avec ventil. ou clim. devrait osciller entre 120 000 et 170 000 d.

Où se restaurer

Mis à part les plats préparés dans votre hôtel, les **stands de nourriture** situés près de l'entrée de la grotte Chua Hang vendent des poulets vivants. Vous choisissez l'un des volatiles et le payez quelques dollars, avant de le voir tuer et rôtir sous vos yeux.

Au Hong Ngoc, à côté de l'entrée de la grotte, ne manquez pas les délicieuses noix de coco de Ha Tien.

Comment s'y rendre

La grotte de Chua Hong et la plage Duong se trouvent à 32 km de Ha Tien, en direction de Rach Gia. L'embranchement de la route d'accès se situe sur la nationale, à Ba Hon, petite bourgade à l'ouest de la cimenterie de Kien Luong. Les bus peuvent vous déposer à Ba Hon, où vous louerez une moto.

Un bus direct (15 000 d, 4 heures de trajet) relie Rach Gia à Hon Chong. Il part à 10h de la **gare routière Ben Xe Ha Tien** *(Đ 30 Thang 4).* Au retour, le bus quitte Hon Chong (il stationne devant la Huong Bien Guesthouse) à 4h à destination de Rach Gia.

ÎLE PHU QUOC
☎ 077 • 52 700 habitants
Montagneuse et verdoyante, l'île Phu Quoc se niche au creux du golfe de Siam. Située à 45 km à l'ouest de Ha Tien et à 15 km au sud du littoral cambodgien, elle fait partie de la province de Kien Giang. Sa forme évoque celle d'une larme de 48 km de long. Sa superficie atteint 1 320 km². Elle abrite certaines des plus fabuleuses plages du Vietnam et ses eaux bleuvert fourmillent d'une fantastique faune sous-marine. Malheureusement, il n'existe – pour l'instant – aucune école de plongée sur l'île.

Au grand dam des Vietnamiens, qui ont construit une base militaire couvrant

ÎLE PHU QUOC

Hon Ban

CAMBODGE

▲ 319 m

Plage de
Bai Thom

▲ 365 m

▲ 683 m

Hon Doi
Moi (île
de la Tortue)

Plage
Bai Dai

Cua Can

▲ 539 m

Plage
Bai Cua Can

Bai Bung

Plage
Ong Lang

▲ 333 m

Phu Quoc
Resort

● Khu Tuong

Ong Thay ●

Aéroport

Van
Nguyen
Hotel

Duong Dong

Sources
Suoi Da Ban

Saigon-Phu Quoc Resort
Kim Hoa Resort
Tropicana Resort
Kim Linh Hotel

Sources
Suoi Tranh

▲ 365 m

▲ 410 m

Ham Ninh ●

Golfe
de Siam

Hôtel-restaurant
Ngan Tham
Restaurant Vuon Tao

Long Beach

▲ 242 m

● Plage Bai Dam

Hameau de Cau Sau
Plage Bai Sao
Prison aux Noix de coco
Plage Bai Khem

An Thoi

Vers Rach Gia
et Ha Tier

Hon
Dua

Hon Dua

Hon Dam

Hon Roi

Îles
An Thoi

Hon Thom

Hon
Vong

Chan Qui

Hon Vang

Hon May Rut

Hon Xuong

Hon Mong Tay

0   5   10 km

⊞ Base militaire

a plus grande partie du nord de l'île, le Cambodge revendique Phu Quoc, qu'il nomme Ko Tral.

Le missionnaire français Pigneau de Béhaine utilisa Phu Quoc comme base d'opérations pendant les années 1760 et 1780 pour soutenir le prince Nguyen Anh, futur empereur Gia Long, alors poursuivi par les rebelles Tay Son.

Pendant la guerre du Vietnam, peu de combats se déroulèrent à Phu Quoc, qui servit principalement de prison aux soldats vietcong capturés par les Américains.

L'île ne fait pas réellement partie du delta du Mékong. La culture la plus lucrative est celle du poivre noir, mais les habitants vivent traditionnellement des produits de la mer ; son excellente production de *nuoc mam* est également réputée.

Phu Quoc est encore fameuse pour ses chiens de chasse. Grâce à leur aide, les habitants de l'île ont réussi à mettre en déroute la plus grande partie de la faune de l'île. À ce qu'on dit, ces chiens sont capables de sentir l'odeur de leur maître à plus de 1 km de distance.

Les formidables atouts touristiques de Phu Quoc restent encore inexploités. Les problèmes de transport, ainsi que l'occupation, par des bases militaires, de quelques-unes de ses plus belles plages, ont contribué à tenir les visiteurs à l'écart. L'île, néanmoins, attire davantage l'attention depuis qu'elle a été classée parc national en 2001. Le **parc national de Phu Quoc** couvre 31 422 ha, soit près de 70% de la superficie de l'île.

La saison des pluies à Phu Quoc dure de juillet à novembre. Les touristes affluent vers le milieu de l'hiver, lorsque le temps est clément et que la mer est calme ; c'est alors la canicule. Emportez lunettes de soleil et crème solaire, car mieux vaut aller à la plage ou se reposer à l'ombre que s'aventurer à l'intérieur de l'île (à moins de prévoir au moins 2 litres d'eau pour éviter la déshydratation).

Renseignements

Agences de voyages. L'organisme touristique local, **Phu Quoc Tourist** (☎ 846318, fax 847125), possède un bureau peu actif dans le centre de Duong Dong. Son personnel vend de coûteuses excursions en minibus et en bateau ; pour le reste, votre hôtel fera très bien l'affaire.

La plupart des voyageurs parcourent l'île avec une moto de location. Plusieurs guides à moto parlent anglais, notamment le célèbre **Tony** (☎ 077-846144), qui a été élevé dans une famille de militaires américains. Il est facile à trouver (ou plutôt il vous trouvera facilement), mais vous pouvez aussi lui envoyer un fax si vous voulez mettre un projet sur pied.

Argent. L'île n'offre aucune possibilité pour changer des chèques de voyage, et le taux de change d'espèces de la banque de l'Agriculture est très défavorable. En d'autres termes, veillez à changer votre argent avant d'arriver sur l'île. En revanche, vous pouvez bien entendu payer presque tout en dollars américains.

Duong Dong

Situé sur la côte du centre-ouest, Duong Dong, le principal port de pêche, abrite la majorité des hôtels ainsi que l'aéroport.

La ville ne recèle guère de sites touristiques, hormis peut-être le marché. Vous pourrez photographier la petite flotte de pêche depuis le pont voisin ; malheureusement, le port est assez sale.

Selon les brochures, le **château Cau** (Dinh Cau), composé d'un phare et d'un temple, constitue l'attraction touristique majeure. Construit en 1937 en l'honneur de Thien Hau, déesse de la Mer et protectrice des pêcheurs, il vaut le coup d'œil mais n'est pas spectaculaire. Il offre une belle vue sur l'entrée du port.

Fabrique de nuoc mam

Si vous voulez sortir des sentiers battus, sachez que de nombreux voyageurs ont apprécié leur visite de la distillerie Nuoc Mam Hung Thanh, la plus importante usine de *nuoc mam* de l'île. En apercevant les énormes cuves en bois, vous penserez peut-être avoir droit à une dégustation de vin, mais vous changerez d'avis en humant l'odeur pestilentielle qui s'en dégage (toutefois, on s'y habitue très vite).

La plus grande partie du nuoc mam produit ici fournit la consommation intérieure, mais il en part aussi une quantité étonnante à l'exportation, vers les cuisines des Vietnamiens de France, du Japon, des États-Unis et du Canada.

La fabrique est proche à pied du marché de Duong Dong. La visite est gratuite, mais

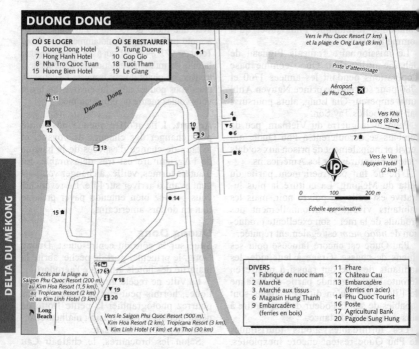

DUONG DONG

OÙ SE LOGER
4　Duong Dong Hotel
7　Hong Hanh Hotel
8　Nha Tro Quoc Tuan
15　Huong Bien Hotel

OÙ SE RESTAURER
5　Trung Duong
10　Gop Gio
18　Tuoi Tham
19　Le Giang

Vers le Phu Quoc Resort (7 km)
et la plage de Ong Lang (8 km)

Piste d'atterrissage

Aéroport de Phu Quoc

Vers Khu Tuong (8 km)

Duong Dong

Vers le Van Nguyen Hotel (4 km)

0　100　200 m

Échelle approximative

Accès par la plage au
Saigon Phu Quoc Resort (200 m),
au Kim Hoa Resort (1,5 km),
au Tropicana Resort (2 km)
et au Kim Linh Hotel (3 km)

Long Beach

Vers le Saigon Phu Quoc Resort (500 m),
Kim Hoa Resort (2 km), Tropicana Resort (3 km),
Kim Linh Hotel (4 km) et An Thoi (30 km)

DIVERS
1　Fabrique de nuoc mam
2　Marché
3　Marché aux tissus
6　Magasin Hung Thanh
9　Embarcadère
　　(ferries en bois)
11　Phare
12　Château Cau
13　Embarcadère
　　(ferries en acier)
14　Phu Quoc Tourist
16　Poste
17　Agricultural Bank
20　Pagode Sung Hung

vous avez intérêt à prendre un guide, sauf si vous parlez vietnamien. Si vous souhaitez vraiment en rapporter une bouteille à la maison en souvenir, essayez la boutique Hung Thanh, près du pont.

An Thoi

Principal port commercial de l'île, An Thoi se situe à la pointe sud ; son marché mérite amplement la visite. De là, partent les bateaux à destination de Ha Tien ou de Rach Gia, et pour des excursions d'une journée dans les îles An Thoi.

Plages

Bai Dai et Bai Thom. Bai Dai, au nord-ouest, et Bai Thom, au nord-est, sont très isolées ; il faut bien 1 heure de moto sur de très mauvaises routes pour les atteindre. À l'heure où nous rédigions cet ouvrage, toutefois, Bai Thom était fermée au public.

Toutes deux situées dans des zones militaires, elles ne sont habituellement ouvertes aux civils que le dimanche. Vous devrez déposer votre passeport à la réception militaire de la base. Cela peut poser problème, car la plupart des hôtels exigent

également que vous leur laissiez votre passeport pendant la durée de votre séjour. Quoi qu'il en soit, n'essayez surtout pas de vous faufiler sur les plages : renseignez-vous sur le règlement et respectez-le.

Bai Cua Can. Cette plage est la plus accessible du nord-ouest. Elle ne se trouve qu'à 11 km de Duong Dong, mais le trajet à moto, sur une route poussiéreuse, est assez long.

Long Beach. Cette plage (Bai Truong) s'étend à perte de vue sur la côte ouest, de Duong Dong jusqu'aux abords de An Thoi (20 km). Dans sa partie sud, on l'appelle baie de Tau Ru (Khoe Tau Ru). La mer est cristalline et la plage bordée de cocotiers.

On peut facilement y accéder à pied, en se dirigeant vers le sud à partir du château Cau ; en revanche, la portion isolée, à l'extrémité sud de l'île, est accessible seulement à moto ou à vélo. La plage environnant le Kim Linh Hotel est particulièrement fréquentée. Quelques huttes de bambou vendent des boissons, mais il est plus prudent d'emporter de l'eau si vous envisagez une longue promenade sur la plage.

Bai Khem. Magnifique plage de sable blanc, Bai Khem (Bai Kem, "la plage crème") semble saupoudrée de craie, mais elle manque cruellement d'ombre.

Nichée dans une crique du côté sud-est de l'île, loin de toute civilisation, c'est une zone militaire où les civils sont autorisés à pénétrer. Il faut bifurquer à l'embranchement où un panneau indique en anglais "Restricted Area/No Trespassing" (défense d'entrer). La plage est à 28 km de Duong Dong et à 2 km de An Thoi, ce qui implique de s'y rendre à vélo ou à moto. Attachez bien votre deux-roues, car vous ne pourrez le surveiller de la plage – on recense toutefois peu de larcins dans cet endroit isolé.

Bai Sao et Bai Dam. Ces deux plages se trouvent au sud-est de l'île, au nord de Bai Khem.

Suoi Da Ban

Comparée au delta du Mékong, l'île Phu Quoc est très peu arrosée. Toutefois, les collines abritent quelques sources, la plus accessible étant Suoi Da Ban (littéralement, "le ruisseau à l'apparence de pierre"). Cette source d'eau vive tombe et cascade dans un décor de grands rochers de granit. Certaines criques sont assez profondes pour se baigner. N'oubliez surtout pas l'anti-moustiques !

Suoi Da Ban se situe au centre de l'île, vers le sud. L'entrée est gratuite, mais le parking à motos vous coûtera 4 000 d.

Réserves forestières

Le sol pauvre et sec de Phu Quoc a toujours découragé les agriculteurs, mais a été salvateur pour son environnement. Les arbres occupent 90% de la surface de l'île ; aujourd'hui officiellement protégés, ils constituent la dernière grande forêt du Sud du Vietnam.

La partie la plus dense de la forêt se situe dans la moitié nord de l'île et a été classée réserve forestière (Khu Rung Nguyen Sinh). Vous devrez emprunter une moto ou un VTT pour vous y rendre. Il y a quelques routes de terre, mais pas vraiment de sentiers de promenade.

Îles An Thoi

Au sud de Phu Quoc, ces quinze îles et îlots peuvent se visiter en bateau charter. Outre des paysages superbes, vous découvrirez des lieux idéaux pour la pêche, la natation et la plongée de surface. Hon Thom (l'île des Ananas), la plus grande de l'archipel, mesure 3 km de long. Hon Dua (l'île des Noix de coco), Hon Roi (l'île de la Lampe), Hon Vang (l'île de l'Écho), Hon May Rut (l'île du Nuage froid), Hon Dam (l'île de l'Ombre), Chan Qui (la Tortue jaune) et Hon Mong Tay (l'île du Petit Pistolet) font également partie de cet ensemble.

La plupart des bateaux partent d'An Thoi, sur l'île Phu Quoc, mais les hôtels de Duong Dong peuvent organiser des excursions. Le Tropicana Resort loue un grand bateau qui peut effectuer la traversée directement depuis la plage de Bai Truong. Le Kim Linh Hotel loue également deux bateaux à la journée ; le premier peut accueillir 8 à 10 personnes (35 \$US) et le second 15 à 20 personnes (65 \$US). La location des bateaux est saisonnière ; en principe, les bateaux ne naviguent pas pendant la saison des pluies.

Prison aux Noix de coco

En sa qualité d'île isolée et de zone économiquement marginale, Phu Quoc servit de prison à l'administration française puis aux Américains ; ainsi, elle abrita environ 40 000 prisonniers vietcong.

La prison aux Noix de coco (Nha Lao Cay Dua) fut le principal pénitencier de l'île, près de An Thoi. Bien qu'elle soit considérée comme site historique et qu'il soit envisagé d'y ouvrir un musée, l'île abrite toujours des prisonniers. Vous ne serez donc pas surpris d'apprendre qu'elle est fort peu visitée.

Où se loger

Les tarifs des hôtels et résidences de Phu Quoc peuvent chuter considérablement lorsque les touristes sont moins nombreux. À vous de négocier.

Long Beach. Près de la plage, les édifices en béton du **Kim Linh Hotel** (☎ 846611, fax 846144, quochoapq@ yahoo.com ; chambres avec ventil. 100 000-120 000 d), vétustes et bon marché, restent le lieu de séjour favori des voyageurs à petit budget. Il affiche souvent complet ; pour pallier cet inconvénient, la direction loue des tentes sur la plage ou autorise l'installation de hamacs dans le restaurant, après la fermeture.

Tropicana Resort (☎ 847127, vn@yahoo.com ; chambres 15-30 $US). À quelques centaines de mètres au nord, cet établissement de meilleure apparence loue des chambres en bungalows, ainsi que des planches à voile et des bateaux. Les cartes de crédit sont acceptées ; les tarifs incluent le petit déjeuner et le transport depuis l'aéroport. On peut contempler le coucher du soleil depuis la véranda du **restaurant**. Le personnel parle français et anglais.

Kim Hoa Resort (☎ 847039, fax 848261 ; chambres 10 $US, bungalows 15-20 $US). À quelques minutes à pied du Tropicana se dresse ce charmant hôtel, proche de la plage, qui propose lui aussi un agréable **restaurant avec terrasse**. Signalons que le propriétaire possède également une fabrique de *nuoc mam*, qu'il fait volontiers visiter aux personnes intéressées.

Saigon-Phu Quoc Resort (☎ 846510, fax 847163, www.sgphuquocresort.com.vn ; chambres 34-97 $US++, villa familiale 234 $US++). Cette élégante adresse comporte des villas de 4 pièces pour les moins chères et 2 pièces pour les plus coûteuses. Les chambres sont belles, et le point de vue sur la plage est magnifique. Le complexe comporte aussi une piscine et un vaste restaurant.

Plage Ong Lang. À 7 km au nord de Duong Dong, près du hameau d'Ong Lang, cette plage est plus rocheuse et moins belle que celle de Bai Truong, mais bien plus tranquille.

Le ravissant **Phu Quoc Resort** (Khach San Thang Loi ; ☎ 0918-073494, fax 846144 ; chambres 10-20 $US) compte 10 bungalows en bois disposés dans un vaste jardin à l'ombre de palmiers, de manguiers et d'anacardiers. Le personnel est aimable et le restaurant très agréable. Vous paierez entre 10 et 18 $US, selon la taille de la chambre. Ce complexe hôtelier est également appelé Ong Lang (d'après le nom de la plage).

Duong Dong. Si la plupart des voyageurs préfèrent loger près de la plage, il existe aussi plusieurs adresses en ville.

Duong Dong Hotel (☎ 846106 ; chambres avec ventil. 50 000 d). Proche du marché de Duong Dong, cet hôtel propose des chambres sombres et exiguës, mais son personnel est sympathique.

Nha Tro Quoc Tuan (☎ 847552 ; chambres avec ventil. et toilettes 70 000 d). Cet établissement offre un standing légèrement supérieur à son voisin.

Hong Hanh Hotel (☎ 847187 ; doubles avec ventil./clim. 100 000/180 000 d). Situé face à l'aéroport, ce mini-hôtel sommaire propose des chambres bien tenues.

Huong Bien Hotel (☎ 846113, fax 847065 ; chambres avec ventil./clim. 120 000/160 000-290 000 d). Ce grand établissement d'État, à la lisière ouest de Duong Dong, occupe la portion la moins agréable de Long Beach. Son nom signifie "mer odorante", mais les seules effluves qui y parviennent sont celles des eaux usées que déverse le port de pêche tout proche.

An Thoi. Rares sont les touristes qui séjournent à An Thoi, qui est pourtant une halte intéressante si l'on débarque tard du ferry ou embarque tôt le matin.

La Thanh Dat Guesthouse (Nha Khach Phuong Tham ; ☎ 844022 ; chambres avec ventil. 50 000-80 000 d) constitue l'unique hébergement de la ville.

Où se restaurer

Le restaurant **Gop Gio**, sans prétention, installé près de l'embarcadère du ferry de Duong Dong, sert les fruits de mer les plus frais (et les moins chers) de la ville. Le **Trung Duong** est une autre adresse à retenir.

Tuoi Tham et **Le Giang** sont deux restaurants situés sur la route allant de Duong Dong à Long Beach.

Les voyageurs en quête d'un cadre romantique et d'une cuisine de qualité ne manqueront pas les restaurants en terrasse du **Tropicana Resort** et du **Kim Hoa Resort**, sur le front de mer.

C'est une ambiance plus typique et plus animée qui vous attend aux **restaurants de la plage**, près du Kim Linh Hotel.

Tout autour du marché de Duong Dong, de nombreux **stands** proposent de nombreux plats bon marché.

Comment s'y rendre

Avion. Vietnam Airlines assure 4 vols par semaine entre HCMV et Duong Dong, la principale ville de l'île. Certains font escale à Rach Gia, sur le continent.

Souvent, les voyageurs traversent le delta du Mékong par la route, prennent à Rach Gia un ferry pour l'île (ou un vol à 430 000 d) et, une fois bronzés et reposés, rentrent à HCMV (1 heure d'avion, 670 000 d).

Bateau. Pour des renseignements sur les croisières de luxe reliant Phu Quoc à Bangkok (Thaïlande), contactez **Star Cruises** (www.starcruises. com).

Tous les bateaux arrivent et partent de An Thoi, à la pointe sud de l'île.

Chaque matin, des **ferries** (☎ 863242) font la navette entre Rach Gia et Phu Quoc (140 km). Les départs, prévus à 9h, peuvent être retardés en fonction des marées et du nombre de passagers. Dans tous les cas, mieux vaut arriver tôt pour être sûr d'embarquer et trouver un endroit convenable où s'asseoir et s'allonger. Sur les petits bateaux, évitez la plate-forme située au-dessus du moteur : elle a l'air confortable, mais c'est une véritable fournaise. Faites des provisions de boissons et d'en-cas en ville ou sur les quais.

Aucun des bateaux de la flotte (3 antiquités en acier et 5 embarcations en bois) n'est très confortable. Il sont souvent surchargés, tant en passagers (qui suspendent des hamacs dans tous les recoins possibles) qu'en marchandises (dont de bruyants coqs de combat ou autres animaux exotiques).

Bien que nous n'ayons entendu parler d'aucun incident, n'hésitez pas à envisager un transport aérien. À marée basse, le ferry ne peut accoster à Rach Gia. Passagers et marchandises sont alors transférés dans une petite navette.

Le trajet coûte 66 000 d et dure environ 8 heures. La plupart des touristes descendent à An Thoi, d'où ils prennent une moto jusqu'à Duong Dong. Si vous n'êtes pas pressé, vous pouvez, moyennant 15 000 d supplémentaires (acquittés lors de l'achat du billet), rester à bord jusqu'à Duong Dong, ce qui prend encore 1 heure 30 (plus environ 1 heure d'attente pour le déchargement des marchandises à An Thoi), mais vous aurez droit à une petite croisière au clair de lune le long de la côte.

Il existe des liaisons irrégulières entre Ham Tinh (sur la côte est de Phu Quoc) et Ha Tien, sur le continent, mais ces traversées sont dangereuses et ne valent pas le risque encouru.

Comment circuler
Depuis/vers l'aéroport. L'aéroport de Phu Quoc se trouve pratiquement dans le centre de Duong Dong. Vous pouvez facilement parcourir à pied les quelques centaines de mètres de distance qui vous en séparent, si vos bagages ne sont pas trop lourds. Pour vous rendre dans l'un des hôtels de Bai Truong, vous n'aurez qu'à longer la plage depuis le Huong Bien Hotel.

Les conducteurs de moto-taxi qui stationnent à l'aéroport vous demanderont environ 1 $US pour vous conduire dans la plupart des hôtels, mais ils ont tendance à essayer de vous amener là où ils pourront toucher une commission. Si vous savez où aller, précisez-leur que vous avez déjà réservé.

Bus. Le service est quasi inexistant entre An Thoi et Duong Dong (un bus toutes les 1 ou 2 heures). À l'arrivée du ferry, un bus relie An Thoi à Duong Dong (10 000 d).

Moto. Ne cherchez pas les moto-taxis, ce sont elles qui vous trouvent ! Un marchandage poli s'impose. À l'intérieur de la ville, comptez 5 000 d la course ; autrement, le tarif se situe autour de 10 000 d pour 5 km. Le trajet Duong Dong-An Thoi ne devrait pas excéder 30 000 d.

Une moto se loue 10 $US par jour ; rajoutez 5 $US pour les services d'un chauffeur. Cette formule est parfaite pour visiter l'île, et votre hôtel peut se charger de la location.

Les routes de l'île ne sont pas goudronnées et vous serez sans doute couvert de poussière en fin de journée.

Bicyclette. Bravo si vous survivez à une journée de bicyclette sous le soleil tropical et sur les mauvaises routes ! Dans la plupart des hôtels, vous pourrez en louer une pour environ 1 $US par jour.

Langues

LES LANGUES DU VIETNAM

Le vietnamien, la langue officielle, est parlé dans l'ensemble du pays. On remarque néanmoins des différences dialectales entre le Nord, le Centre et le Sud. Les diverses minorités ethniques, notamment dans les Hauts Plateaux du Centre et dans l'extrême nord du pays, pratiquent des dizaines d'autres langues. Dans certains endroits du delta du Mékong, les habitants utilisent le khmer, la langue cambodgienne. À proximité des frontières, vous pourrez également entendre parler le laotien et certains dialectes chinois.

La connaissance qu'ont les Vietnamiens des langues étrangères reflète les relations – plus ou moins cordiales – entretenues par leur pays avec les puissances étrangères au cours du siècle dernier.

La plupart des personnes de l'ancienne génération parlent encore le français, tandis que les quadragénaires connaissent davantage le russe et d'autres langues de l'Europe de l'Est. Nombre d'entre eux ont séjourné en Russie, en Bulgarie ou en ex-Allemagne de l'Est pendant la Guerre froide (du moins jusqu'à la détente, à la fin des années 1980). Aujourd'hui, les jeunes Vietnamiens ont très largement adopté la langue anglaise. Un grand nombre de jeunes gens étudient également le japonais, le français et d'autres langues occidentales.

Entre 1980 et 1987, toute personne surprise en train d'étudier une langue occidentale risquait l'arrestation. Ceci faisait partie des mesures répressives à l'encontre des candidats à l'exil. Les choses ont changé, et les Vietnamiens étudient maintenant les langues étrangères avec passion. Si le chinois (cantonais et mandarin) reste la deuxième langue la plus couramment parlée, elle est talonnée par le français et l'anglais. C'est en partie une question de génération. Les personnes âgées de plus de 50 ans (ceux qui ont grandi pendant la période coloniale) se débrouillent mieux en français que les quadragénaires du Sud, qui traitaient en anglais avec les Américains.

De nombreux Vietnamiens – particulièrement les anciens soldats et officiers sud-vietnamiens – ont appris l'anglais en côtoyant des Américains pendant la guerre du Vietnam. Presque tous ont passé, après

Alexandre de Rhodes

L'un des missionnaires les plus illustres fut le brillant jésuite français Alexandre de Rhodes (1591-1660), qui pouvait prêcher en vietnamien six mois après son arrivée dans le pays en 1627. On lui doit surtout l'élaboration du *quoc ngu*, l'alphabet phonétique romanisé encore utilisé de nos jours. En remplaçant les caractères chinois par le quoc ngu, le père de Rhodes facilita la diffusion de l'Évangile.

Au cours de sa longue carrière, le missionnaire fit la navette entre Hanoi, Macao, Rome et Paris, recherchant un soutien et un financement pour ses activités non sans se heurter à l'opposition coloniale portugaise ainsi qu'à l'inflexible bureaucratie du Vatican. En 1645, il fut condamné à mort pour avoir pénétré illégalement au Vietnam dans le but de convertir les habitants, mais il ne fut qu'expulsé. Deux des prêtres qui l'accompagnaient furent décapités.

Son travail valut à Alexandre de Rhodes le respect des Vietnamiens (en particulier ceux du Sud), qui lui donnèrent le nom de *cha caả* (père). Une statue lui rend hommage dans le centre de Ho Chi Minh-Ville.

la réunification, une période allant de quelques mois à une quinzaine d'années dans des camps de rééducation.

Le chinois parlé (à la fois cantonais et mandarin) revient en force après des années de répression, d'autant plus qu'il faut bien accueillir tous les riches touristes et investisseurs de Taiwan et de Hong Kong. En outre, le commerce frontalier avec la Chine populaire a aussi augmenté rapidement. Ceux qui connaissent le chinois sont plus à même d'en tirer profit.

L'enseignement du russe s'est beaucoup développé au Vietnam après la réunification. Avec l'effondrement de l'URSS, en 1991, l'étude de cette langue a brutalement perdu sa raison d'être. La plupart des Vietnamiens qui avaient dû l'apprendre l'ont pratiquement oubliée.

VIETNAMIEN
L'écriture vietnamienne

Jusqu'au XIIIe siècle environ, la langue vietnamienne a utilisé les caractères chinois ordinaires (*chu nho*). Puis les Vietnamiens ont inventé leur propre système d'écriture (*chu nom* ou *nom*) en réunissant des caractères chinois ou en les utilisant uniquement pour leur importance phonétique. Les deux systèmes d'écriture ont en fait cohabité jusqu'au XXe siècle. On recourait au chu nho pour les affaires officielles et l'enseignement, mais la littérature populaire s'écrivait en chu nom.

Au XVIIe siècle fut créé le *quoc ngu*, qui est une graphie romanisée du vietnamien. Largement utilisée depuis la Première Guerre mondiale, cette notation nouvelle, sans idéogrammes, fut inventée par le brillant jésuite français Alexandre de Rhodes (voir l'encadré qui lui est consacré page précédente). La romanisation de l'alphabet a également contribué à affaiblir le pouvoir des mandarins, pouvoir fondé sur un savoir traditionnel écrit en scriptes chu nho et chu nom, que le peuple ne savait pas déchiffrer.

Les Vietnamiens traitent chaque syllabe comme un mot à part entière. Ainsi, "Saigon" se dit "Sai Gon" et "Vietnam" s'écrit "Viet Nam". C'est un peu surprenant pour des étrangers. Cela peut faire croire, à tort, que le vietnamien est une langue monosyllabique dont chaque syllabe représente un mot complet. C'est effectivement le cas de l'écriture chinoise, où chaque syllabe est représentée par un caractère spécifique, lui-même considéré comme un mot doté d'une signification précise. En réalité, le vietnamien, comme le français, est une langue polysyllabique. Reste que

l'écrivant de manière monosyllabique, les Vietnamiens persistent à croire que leur langue l'est aussi...

PRONONCIATION

La plupart des lettres de l'alphabet quoc ngu se prononcent comme les lettres de l'alphabet français. Les dictionnaires respectent l'ordre alphabétique, en y ajoutant les voyelles modifiées traitées comme des lettres à part entière. Les consonnes de l'alphabet vietnamien romanisé sont souvent prononcées comme en français, à quelques exceptions près. Cependant "*f*", "*j*", "*w*" et "*z*" n'existent pas.

c comme "k"
đ barré : comme un d français
d non barré : comme un "z" dans le Nord, comme un "y" dans le Sud
gi- comme un "z" dans le Nord, comme un "y" dans le Sud
kh- comme un "k" suivi d'une sorte de "y", à la fois guttural et aspiré
ng- comme en français
nh- comme "gne" ou comme le "ñ" espagnol
ph- comme un "f"
r comme un "z" dans le Nord, comme un "y" roulé dans le Sud
s comme un "s" dans le Nord, comme "ch" dans le Sud
tr- comme "tch" dans le Nord, comme "tr" (roulé) dans le Sud
th- comme un "t" très aspiré
x comme un "s"
-ch comme un "k" esquissé
-ng comme "-ng", mais très fermé
-nh comme "ngn"

Tons

Le plus ardu, pour les Occidentaux découvrant le vietnamien, est d'apprendre à différencier les tons. Il en existe six en vietnamien parlé. Ceci veut dire que chaque syllabe peut se prononcer de six manières différentes et posséder six sens différents. Par exemple, le mot *ma* peut vouloir dire, selon le ton : fantôme, mais, mère, plant de riz, tombe, ou encore cheval. Dans le vietnamien écrit, les six tons de la langue parlée sont représentés par cinq signes diacritiques (le premier ton n'est pas représenté), à ne pas confondre avec les quatre autres signes diacritiques destinés à marquer certaines consonnes et voyelles, comme le **đ** barré.

Les exemples suivants illustrent les 6 représentations diacritiques des tons :

Nom du ton	Exemple	
dấu ngang	ma	"fantôme"
dấu sắc	má	"mère"
dấu huyền	mà	"qui"
dấu nặng	mạ	"plant de riz"
dấu hỏi	mả	"tombe"
dấu ngã	mã	"cheval"

La représentation visuelle de ces tons donnerait à peu près ceci :

Tons vietnamiens

Ngang Sắc Huyền Nặng Hỏi Ngã

Grammaire

La grammaire vietnamienne est assez simple mais elle présente une grande variété de structures possibles de phrases. Les nombres et les genres des substantifs sont généralement non explicites, de même que les temps et les modes des verbes. On a alors recours à des "*mots-outils*" (comme *của* qui signifie "appartient à") et des classificateurs pour spécifier la relation d'un mot avec son voisin. Les verbes deviennent des noms avec le préfixe *su*.

Les questions se posent à la forme négative, comme dans "*n'est-ce pas ?*". Quand les Vietnamiens demandent : "*C'est d'accord ?*", ils disent : "*C'est d'accord, n'est-ce pas ?*" La réponse négative est : "*Non, ce n'est pas d'accord*", qui est la double négation de : "*Oui, c'est d'accord*". En revanche, la réponse affirmative consiste à dire : "*Oui, ce n'est pas d'accord*". La conséquence de tout ceci est la suivante : les questions posées à la forme négative peuvent vraiment porter à confusion.

Noms propres

Les noms vietnamiens se déclinent dans l'ordre suivant : le nom de famille, le deuxième prénom et le prénom usuel. Si Jean-Baptiste Camille Corot (le peintre) avait été vietnamien, il se serait appelé Corot Camille Jean-Baptiste. On l'aurait appelé dans les conversations M. Jean-Baptiste. Les Vietnamiens s'appellent en effet par leur prénom, mais omettre monsieur, madame ou mademoiselle est signe d'arrogance ou d'une grande intimité.

En vietnamien, monsieur se dit *Ông* si l'homme est de la génération de vos grands-parents, *Bác* s'il a l'âge de vos parents, *Chú* s'il est plus jeune que vos parents et *Anh* s'il s'agit d'un adolescent ou encore d'un jeune homme d'une vingtaine d'années. Madame se dit *Bá* si la dame est de l'âge de vos grands-parents, *Bác* si elle a l'âge de vos parents ou un peu moins. Mademoiselle se dit *Chị* ou *Em*. Si c'est une toute jeune fille, utilisez plutôt *Cô*. Aux bonzes, on dit *Thầy*, aux bonzesses *Bà*, aux prêtres catholiques *Cha* et aux religieuses catholiques *Cô*.

Environ 300 noms de famille s'utilisent au Vietnam, mais près de la moitié des Vietnamiens s'appellent Nguyen ! Les femmes, en se mariant, adoptent généralement le nom de leur mari, mais pas toujours. Le nom du milieu peut être purement décoratif, ou indiquer le sexe de la personne qui le porte, ou même être utilisé par tous les hommes de la famille.

Un prénom se choisit avec beaucoup de soin pour qu'il forme un ensemble harmonieux avec le nom de famille et le second prénom, ainsi qu'avec les noms des autres membres de la famille. Voici quelques mots et expressions utiles. Pour une liste plus complète, reportez-vous au guide de conversation en anglais/vietnamien édité par Lonely Planet.

Quelques variations existent entre la région nord (N) et la région sud (S) du pays.

Pronoms

je	*tôi*
vous ou tu	*ông*
(à un homme âgé)	
vous ou tu	*bà*
(à une femme âgée)	
vous ou tu	*anh*
(à un homme de son âge)	
vous ou tu	*chị*
(à une femme de son âge)	
il	*cậu ấy/anh ấy* (N)
	cậu đó/anh đó (S)

elle	*chị ấy/cô ấy* (N)
	chị đó/anh đó (S)
nous	*chúng tôi*
ils ou elles	*họ*

Salutations et politesses

Bonjour	*Xin chào*
Comment allez-vous ?	*Có khỏe không ?*
Bien, merci	*Khỏe, cám ơn*
Bonne nuit	*Chúc ngủ ngon*
Pardon	*Xin lỗi*
(formule de politesse avant une question, par exemple)	
Merci	*Cảm ơn*
Merci beaucoup	*Cám ơn rất nhiều*
Comment vous appelez-vous ?	*Tên là gì ?*
Je m'appelle...	*Tên tôi là ...*

Mots et phrases utiles

Oui	*Vâng* (N)
	Dạ (S)
Non	*Không*
changer de l'argent	*đổi tiền*
venir	*đến*
donner	*cho*
vite	*nhanh* (N)
	mau (S)
doucement	*chậm*
homme	*nam*
femme	*nữ*
comprendre	*hiểu*
Je ne comprends pas	*Tôi không hiểu*
J'ai besoin de...	*Tôi cần...*
J'aime...	*Tôi thích ...*
Je n'aime pas...	*Tôi không thích ...*
Je veux...	*Tôi muốn ...*
Je ne veux pas...	*Tôi không muốn ...*

Comment circuler

À quelle heure part le premier bus ?
Chuyến xe buýt sớm nhất chạy lúc mấy giờ ?
À quelle heure part le dernier bus ?
Chuyến xe buýt cuối cùng sẽ chạy lúc mấy giờ ?
Combien de kilomètres y a-t-il jusqu'à...?
Cách xa bao nhiêu ki-lô-mét ...?
Combien de temps dure le voyage ?
Chuyến đi sẽ mất bao lâu?

Je veux aller à...
Tôi muốn đi...
À quelle heure arrive-t-il ?
Mấy giờ đến?

Aller	*Đi*
Louer une voiture	*thuê xe hơi* (N)
	muốn xe hơi (S)
bus	*xe buýt*
gare routière	*bến xe*
cyclo-pousse	*xe xích lô*
carte	*bản đồ*
gare ferroviaire	*ga xe lửa*
couchette	*giường ngủ*
horaire	*thời biểu*
train	*xe lửa*

Dans la ville

bureau	*văn phòng*
poste	*bưu điện*
restaurant	*nhà hàng*
téléphone	*điện thoại*
boulevard	*đại lộ*
pont	*cầu*
route nationale	*xa lộ*
île	*đảo*
montagne	*núi*
route nationale 1 (RN1)	*Quốc Lộ 1*
rivière	*sông*
place (dans une ville)	*công viên*
rue	*phố* (N)
	đường (S)
nord	*bắc*
sud	*nam*
est	*đông*
ouest	*tây*

Hébergement

| hôtel | *khách sạn* |
| pension | *nhà khách* |

Où y a-t-il un hôtel pas cher ?
Ở đâu có khách sạn (rẻ tiền) ?
Combien coûte la chambre ?
Giá một phòng là bao nhiêu ?
Je voudrais une chambre pas trop chère
Tôi thích một phòng loại rẻ
Je voudrais partir à ... *Tôi phải đi lúc*
...heure (demain matin) *giờ (sáng mai)*

climatisation	*máy lạnh*
salle de bains	*phòng tắm*
couverture	*mền*
ventilateur	*quạt máy*
eau chaude	*nước nóng*
blanchisserie	*giặt ủi*
moustiquaire	*màng*
réception	*tiếp tân*

chambre	*phòng*
clé de la chambre	*chìa khóa phòng*
chambre luxueuse	*phòng loại 1*
chambre correcte	*phòng loại 2*
drap	*ra trải giường*
toilettes	*nhà vệ sinh*
papier toilettes	*giấy vệ sinh*
serviette de toilette	*khăn tắm*

Achats

Je veux acheter...
  Tôi muốn mua ...
Combien cela coûte-t-il ?
  Cái này giá bao nhiêu?
Je désire payer en dong
  Tôi muốn trả bằng tiền Việt Nam

acheter	*mua*
vendre	*bán*
bon marché	*rẻ tiền*
cher	*đắt tiền* (N)
	mắc tiền (S)
très cher	*rất đắt* (N)
	mắc qua (S)
marché	*chợ*

spirale d'insecticide	
hương đốt chống muỗi (N)	
nhang chống muỗi (S)	
produits antimoustiques	
thuốc chống muỗi	
serviettes hygiéniques	
băng vệ sinh	

Temps, dates et nombres

soir	*chiều*
maintenant	*bây giờ*
aujourd'hui	*hôm nay*
demain	*ngày mai*
lundi	*Thứ hai*
mardi	*Thứ ba*
mercredi	*Thứ tư*
jeudi	*Thứ năm*
vendredi	*Thứ saú*
samedi	*Thứ bảy*
dimanche	*Chủ nhật*

1	*một*	
2	*hai*	
3	*ba*	
4	*bốn*	
5	*năm*	
6	*sáu*	

Urgences

A l'aide !	*Củu tôi với!*
Je suis malade	*Tôi bị đau*
SVP, appelez un docteur	*Làm ơn gọi bác sĩ*
SVP, emmenez-moi à l'hôpital	*Làm ơn đưa tôi bệnh viện*
Au voleur !	*Cướp, cấp !*
Au pickpocket !	*Móc túi !*
Police	*công an*
Bureau d'immigration	*phòng quản lý người nước ngoài*

7	*bảy*
8	*tám*
9	*chín*
10	*mười*
11	*mười một*
19	*mười chín*
20	*hai mười*
21	*hai mười mốt*
22	*hai mười hai*
30	*ba mười*
90	*chín mười*
100	*một trăm*
200	*hai trăm*
900	*chín trăm*
1 000	*một nghìn/một ngàn* (N/S)
10 000	*mười nghìn/mười ngàn* (N/S)

un million	*một triệu*
deux millions	*hai triệu*
premier	*thứ nhất*
deuxième	*thứ hai*

Santé

dentiste	*nha sĩ*
médecin	*bác sĩ*
hôpital	*bệnh viện*
pharmacie	*nhà thuốc tây*
mal de dos	*đau lưng*
diarrhée	*tiêu chảy* (N)
	ẵa chảy (S)
étourdissement	*chóng mặt*
fièvre	*cảm/cúm*
mal de tête	*nhức đầu*
paludisme	*sốt rét*
mal de ventre	*đau bụng*
rage de dents	*nhức răng*
vomissements	*ói/mửa*

ALIMENTATION

Petit déjeuner	*ăn sáng*
Déjeuner	*bữa trưa*
Dîner	*bữa tối*

Petit déjeuner

crêpe	*bánh xèo ngọt*
crêpe à la banane	*bánh chuối*
crêpe à l'ananas	*bánh dứa* (N)
	bánh khóm (S)
crêpe à la papaye	*bánh đu đủ*
crêpe à l'orange	*bánh cam*
crêpe nature	*bánh không nhân*
yaourt	*sữa chua* (N)
	da-ua (S)
pain avec...	*bánh mì ...*
beurre	*bơ*
fromage	*phomát* (N)
	phomai (S)
confiture	*mứt*
œufs à la coques	*trùng luộc*
œufs brouillés	*trùng bác* (N)
	trùng chững (S)
œufs au plat	*trứng ốp la*
omelette	*trứng rán* (N)
	trứng chiên (S)
sandwich	*săn huýt*

Déjeuner et dîner
Nouilles et soupes

nouilles et nouilles de riz	
mì, hủ tíu	
nouilles sautées au poulet	
mì xào gà/hủ tíu xào gà	
nouilles sautées au bœuf	
mì xào bò/hủ tíu xào bò	
soupe de nouilles au bœuf	
mì bò/phở bò (N)	
hủ tíu bò (S)	
soupe de nouilles au poulet	
mì gà/phở gà (N)	
hủ tíu gà (S)	
soupe de nouilles aux légumes	
mì rau/mì chay	
soupe de nouilles au canard	
et aux pousses de bambou	
bún măng	
soupe	*súp*
soupe au poulet	*súp gà*
soupe à l'anguille	*súp lươn*
soupe mixte	*súp thập cẩm*
soupe au maïs	*súp ngô* (N)
	súp bắp (S)
soupe de légumes	*súp rau*

Pommes de terre

pommes de terre	*khoai tây*
pommes de terre frites	
khoai rán (N)	
khoai chiên (S)	
pommes de terre sautées à la tomate	
khoai xào cà chua	
pommes de terre sautées au beurre	
khoai chiên bơ	
plats en friture	
các món xào	
fritures variées	
mì xào thập cẩm	

Poulet

poulet	*gà*
poulet rôti	
gà quay/gà rô-ti	
salade au poulet	
gà xeù phay	
poulet sauté/sauce au champignon	
gà sốt nấm	
beignets de poulet	
gà tẩm bột rán/chiên	
poulet sauté/sauce au citron	
gà rán/chiên sốt chanh	
poulet au curry	
gà cà-ri	

Porc

porc	*lợn/heo*
brochettes de porc	
chả lợn xiên nướng (N)	
chả heo nướng (S)	
porc frit aigre-doux	
lợn xào chua ngọt (N)	
heo xào chua ngọt (S)	
porc rôti	
thịt lợn quay (N)	
heo quay (S)	
porc grillé	
thịt lợn nướng xả/heo nướng xả	

Bœuf

bœuf	*thịt bò*
bifteck	*bít tết*
brochettes de bœuf	
bò xiên nướng	
bœuf épicé	
bò xào sả ớt	

bœuf sauté à l'ananas
bò xào dứa (N)
khóm (S)
bœuf sauté à l'ail
bò xào tỏi
bœuf sauté au gingembre
bò nướng gừng
bœuf saignant au vinaigre
bò nhúng giấm

Fondues

fondue (soupe amère
et très chaude) *lẩu*
fondue de bœuf *lẩu bò*
fondue d'anguille *lẩu lươn*
fondue de poisson *lẩu cá*
fondue mixte *lẩu thập cẩm*

Rouleaux

rouleau de printemps
nem (N)
chả giò (S)
rouleau de printemps à la viande
nem thịt (N)
chả giò (S)
rouleau de printemps aux légumes
nem rau (N)
chả giò chay (S)
petit pâté de couenne de porc marinée
nem chua

Pigeon

pigeon *chim bồ câu*
pigeon rôti *bồ câu quay*

pigeon sauté/sauce aux champignons
bồ câu xào nấm sốt

Poisson

poisson
cá
poisson grillé au sucre de canne
chả cá bao mía
poisson sauté à la sauce tomate
cá rán/chiên sốt cà
poisson sauté aigre-doux
cá sốt chua ngọt
poisson sauté au citron
cá rán/chiên chanh
poisson sauté aux champignons
cá xào hành nấm rơm
poisson au gingembre cuit à la vapeur
cá hấp gừng
poisson bouilli
cá luộc

poisson grillé
cá nướng
poisson à la bière à la vapeur
cá hấp bia

Crevettes

crevettes
tôm
crevettes grillées à l'aigre-doux
tôm xào chua ngọt
crevettes grillées aux champignons
ôm xào nấm
crevettes grillées au sucre de canne
tôm bao mía (N)
chạo tôm (S)
beignets de crevettes
tôm tẩm bột/tôm hóa tiễn
crevettes à la bière cuites à la vapeur
tôm hấp bia

Crabe

crabe
cua
crabe salé sauté
cua rang muối
crabe à la viande hachée
cua nhồi thịt
crabe à la bière cuit à la vapeur
cua hấp bia

Calmar

calmar
mực
calmar sauté
mực chiên
calmar sauté aux champignons
mực xào nấm
calmar sauté à l'ananas
mực xào dứa (N)
mực xào khóm (S)
calmar à la sauce aigre-douce
mực xào chua ngọt

Anguille

anguille
lươn
anguille sautée
à la viande hachée
lươn cuốn thịt rán (N)
lươn cuốn thịt chiên (S)
anguille mijotée
lươn om (N)
lươn um (S)
anguille frite aux champignons
lươn xào nấm

Escargots

escargots
ốc

escargots épicés
ốc xào sả ớt

escargots sautés à l'ananas
ốc xào dứa (N)
ốc xào khóm (S)

escargots sautés au tofu
et à la banane
*ốc xào đậu phụ (đậu hủ)
chuối xanh*

Végétarien

plat végétarien
các món chay

je suis végétarien
Tôi là người ăn lạt (N)
Tôi là người ăn chay (S)

nouilles sautées aux légumes
mì/hủ tíu xào rau

soupe de nouilles aux légumes
mì/hủ tíu nấu rau

légumes
rau

légumes sautés
rau xào

légumes bouillis
rau luộc

légumes amers
dưa góp (N)
dưa chua (S)

germes de soja sautés
giá xào

soupe de légumes
(grand bol)
canh rau

Tofu

tofu
đậu phụ/đậu hủ

tofu sauté à la viande hachée
thịt nhồi đậu phụ/đậu hủ

tofu sauté à la sauce tomate
đậu phụ/đậu hủ sốt cà

tofu sauté aux légumes
đậu phụ/đậu hủ xào

Riz

riz
cơm

riz à la vapeur
cơm trắng

riz sauté
cơm rang thập cẩm (N)
cơm chiên (S)

bouillie de riz
cháo

Spécialités

spécialités et
plats exotiques
đặc sản

homard
con tôm hùm

grenouille
con ếch

huître
con sò

chauve-souris
con dơi

cobra
rắn hổ

gecko (lézard)
*con tắc kè/kỳ nhông/
kỳ đà*

chèvre
con dê

pangolin
con trúc/tê tê

porc-épic
con nhím

python
con trăn

faon
con nai tơ

tortue
con rùa

venaison
thịt nai

sanglier
con heo rừng

Fruits

fruit
trái cây

abricot
trái lê

ananas
trái khóm/trái dứa

anone
trái măng cầu

avocat
trái bơ

banane
trái chuối

carambole
trái khế

cerise de Chine
trái sê-ri

clémentine
trái quết

citron
trái chanh

durian
trái sầu riêng

corossol
trái thanh long

fraise
trái dâu

goyave
trái ổi

jaque
trái mít

jujube
(datte chinoise)
trái táo ta

kaki
trái hồng xiêm

litchi
trái vải

longane
trái nhãn

mandarine
trái quết

mangoustan
trái măng cụt

noix de coco
trái dừa

orange
trái cam

papaye
trái đu đủ

pêche
trái đào

pomme
trái táo (N)
trái bơm (S)

prune
trái mận/trái mơ

pamplemousse
trái bưởi

ramboutan
trái chôm chôm

pastèque
trái dưa hấu

pomme d'eau
trái roi đường (N)
trái mận (S)

raisin
trái nho

salade de fruits	*sa lát hoa quả* (N)
	trái cây các loại (S)
cocktail de fruits	*cóc-tai hoa quả*

Condiments

poivre	*tiêu xay*
sel	*muối*
sucre	*đờờng*
glace	*đá*
piments	*ớt trái*
piments rouges	*ớt*
sauce au soja	*xì dầu* (N)
	nước tờờng (S)
sauce au poisson	*nước mắm*

BOISSONS

café	*cà phê*
café noir chaud	*cà phê đen nóng*
café au lait chaud	*nâu nóng* (N)
	cà phê sữa nóng (S)
café noir glacé	*cà phê đá*
café au lait glacé	*nâu đá* (N)
	cà phê sữa đá (S)
thé	*chè* (N)
	trà (S)
thé nature chaud	*chè đen nóng* (N)
	trà nóng (S)
thé au lait chaud	*chè đen sữa* (N)
	trà pha sữa (S)
thé au miel	*chè mật ong* (N)
	trà pha mật (S)
chocolat au lait	*cacao sữa*
chocolat chaud	*cacao nóng*
chocolat glacé	*cacao đá*
lait chaud	*sữa nóng*
lait glacé	*sữa đá*
jus de fruit	*nước quả/nước*
	trái cây
jus de citron chaud	*chanh nóng*
jus de citron glacé	*chanh đá*
jus d'orange chaud	*cam nóng*
jus d'orange glacé	*cam đá*
pur jus d'orange	*cam vắt*
nectar de fruit	*sinh tố/trái cây xay*
nectar de banane	*nước chuối xay*
milk-shake à la banane	
nước chuối sữa xay	
cocktail orange-banane	
nước cam/chuối xay	
milk-shake à la papaye	
nước đu đủ xay	

milk-shake à l'ananas	
nước dứa (N)	
khóm xay (S)	
cocktail de fruits	
sinh tố tổng hợp/nước thập cẩm xay	
milk-shake à la mangue	
nước xoài xay	
eau minérale	
nước khoáng (N)	
nước suối (S)	
eau minérale citronnée	
khoáng chanh (N)	
suối chanh (S)	
eau de source	*nước suối chai*
(grande/petite)	*(lớn/nhỏ)*
bière	*bia*
sodas en boîte	*thức uống đóng hộp*
jus d'orange en boîte	*cam hộp*
limonade	*soda chanh*
limonade sucrée	*soda chanh đờờng*

LANGUES DES HAUTS PLATEAUX

Il est difficile de répertorier avec précision les différentes tribus de montagnards. Les ethnologues effectuent généralement une classification linguistique, et distinguent trois groupes principaux (eux-mêmes divisés en vastes et complexes sous-groupes) : la famille austro-asiatique comprend les groupes linguistiques Viet-Muong, Mon-Khmer, Thay-Thaï et Meo-Dzao ; la famille austronésienne parle les langues malayo-polynésiennes ; enfin, la famille sino-tibétaine est constituée des groupes linguistiques chinois et tibéto-birmans. Pour chaque langue parlée il existe en outre une multitude de dialectes annexes.

Les mots et les phrases suivants vous seront probablement utiles pour communiquer avec les trois groupes ethniques des hauts plateaux. Si vous avez l'intention de séjourner un certain temps chez les Montagnards, nous ne saurions trop vous recommander de vous procurer le guide de conversation Lonely Planet en anglais *Hill Tribes of South-East Asia phrasebook*.

Pour plus d'informations sur les tribus des Hauts Plateaux et leurs lieux d'habitation, reportez vous à la section *Les minorités ethni-*

ques au Vietnam du chapitre *Le Nord-Ouest*,
ainsi qu'à la rubrique *Population et ethnies*
du chapitre *Présentation du Vietnam*.

Thay

Également connus sous le nom de Ngan,
Pa Di, Phen, Thu Lao et Tho, les Thay font
partie du groupe linguistique Thay-Thaï

Bonjour	*Pá prama*
Au revoir	*Pá paynó*
Oui	*Mi*
Non	*Boomi*
Merci	*Đay fon*
Comment vous appelez-vous ?	*Ten múng le xăng ma ?*
D'où venez-vous ?	*Mu'ng du' te là ma ?*
Combien cela coûte-t-il ?	*Ău ni ki lai tiên ?*

Hmong

Les Hmong sont également appelés Meo,
Mieu, Mong Do (Hmong blanc), Mong
Du (Hmong noir), Mong Lenh (Hmong
fleur) et Mong Si (Hmong rouge). Ils appartiennent au groupe linguistique Hmong
Dao, mais leur langue parlée ressemble au
mandarin.

Bonjour	*Ti nấu/Caó cu*
Au revoir	*Caó mun'g chè*
Oui	*Có mua*
Non	*Chúi muá*
Merci	*Ô chờ*
Comment vous appelez-vous ?	*Caó be hua chan'g ?*
D'où venez-vous ?	*Caó nhao từ tuá ?*
Combien cela coûte-t-il ?	*Pổ chổ chá ?*

Dao

Répondant également aux noms de Coc
Mun, Coc Ngang, Dai Ban, Diu Mien,
Dong, Kim Mien, Lan Ten, Lu Gang, Tieu
Ban, Trai et Xa, cette tribu appartient au
groupe linguistique Mong Dao.

Bonjour	*Puang tọi*
Au revoir	*Puang tọi*
Oui	*Mái*
Non	*Mái mái*
Merci	*Tớ dun*
Comment vous appelez-vous ?	*Mang nhi búa chiên nay?*
D'où venez-vous ?	*May hải đo ?*
Combien cela coûte-t-il ?	*Pchià nhăng ?*

Glossaire

A Di Da – bouddha du Passé
Agent orange – défoliant cancérigène et mutagène utilisé massivement pendant la *guerre du Vietnam*
am et duong – équivalents vietnamiens du yin et du yang
Amérasiens – enfants nés de l'union de soldats américains et de femmes asiatiques pendant la *guerre du Vietnam*
Annam – ancien nom chinois du Vietnam signifiant "Sud pacifié"
Annamites – terme utilisé par les Français pour désigner les Vietnamiens
ANV – armée nord-vietnamienne
ao dai – costume traditionnel
apsara – vierge céleste
arhat – personne ayant atteint le nirvana
ARVN – armée de la république du Vietnam (ancienne armée du Sud-Vietnam)

ba mu – douze "sages-femmes", enseignant chacune au nouveau-né une des aptitudes nécessaires à sa première année : sourire, téter, s'allonger sur le ventre, etc.
ban – village
bang – congrégation (dans la communauté chinoise)
banh khoai – omelette aux germes de soja
banh sua – gâteau au lait
bar om – ou "karaoké om", bars associés à l'industrie du sexe
Ba Tay – une Occidentale
bat trang – tuiles
bau – concombre chinois
bia hoi – bière à la pression
bia tuoi – bière fraîche
binh dinh vo – art martial traditionnel pratiqué avec un bâton en bambou
bo de – arbre Bodhi (ou banian sacré)
bonze – moine bouddhiste vietnamien
Bouddha Di Lac – bouddha du Futur
buu dien – bureau de poste

cai luong – théâtre moderne
can – cycle de 10 ans
can dan – cafard
caodaïsme – secte religieuse vietnamienne
cao lau – nouilles mélangées à des germes de soja et des légumes verts, et accompagnées de lamelles de porc et de crêpes de riz émiettées
ca phe bot – café instantané

ca phe phin – café vietnamien fraîchement passé
ca phe sua da – café au lait
ca phe tan – café instantané
cay son – arbre dont on tire la résine pour la fabrication de la laque
cha ca – croquette de poisson
Cham – habitants du *royaume de Champa* et leurs descendants
cham chu – acupuncture
Champa – royaume hindou remontant à la fin du IIe siècle
Charlie – surnom donné par les soldats américains aux soldats vietcong
choi ga – combat de coqs
chon – café vietnamien le plus renommé
chu nho – idéogrammes chinois
chu nom – (ou *nom*) anciens idéogrammes vietnamiens
Chuan De – déesse bouddhiste de la Miséricorde (en chinois : Guanyin)
Cochinchine – région sud du Vietnam à l'époque coloniale française
Co Den – voir *Drapeaux noirs*
com chay – nourriture végétarienne
com ga – poulet rôti accompagné de riz
com pho – soupe de nouilles de riz ; panneau figurant dans la vitrine de nombreux restaurants
com thap cam – riz sauté accompagné de divers ingrédients (poulet, bœuf, porc, œufs et légumes)
cong – gong
corbeille à bec – crosse en bois comportant une craie servant à noter les messages des esprits
cow-boys – voleurs en moto
crémaillère – train
cu ly – racines de fougère utilisées pour ses vertus hémostatiques

dan bau – luth à une corde qui produit une étonnante gamme de tonalités
danh de – jeu des chiffres, illégal
dan tranh – cithare à seize cordes
dau – huile
dau hu – dessert de Dalat à base de lait de soja, de sucre et d'une lamelle de gingembre
de cari – curry de chèvre
de hap – chèvre cuisinée à la vapeur
de lau – fondue de chèvre

de nuong – chèvre grillée

de xao lan – chèvre sautée

dikpalaka – dieux des points cardinaux

dinh – maison communale

DMZ – zone démilitarisée. No man's land qui séparait autrefois le Nord-Vietnam du Sud-Vietnam

doi moi – restructuration ou réforme économique

dong – grottes naturelles

dong chi – camarade

Drapeaux noirs – *Co Den* ; armée semi-autonome de Chinois, de Vietnamiens et de Montagnards

écocide – terme désignant les effets dévastateurs des herbicides utilisés pendant la *guerre du Vietnam*

fengshui – voir *phong thuy*

fléaux sociaux – campagne visant à combattre les idées "polluantes" de la société vietnamienne occidentalisée

FNL – Front national de libération, nom officiel du Viet-Cong

fléchette – arme expérimentale utilisée par l'armée américaine, pièce d'artillerie renfermant des milliers de traits acérés

fu – amulette

Funan – voir *Oc-Eo*

garuda – mot sanskrit désignant des êtres célestes semblables aux griffons et se nourrissant de *naga*

ghe – pirogue

giay phep di lai – laisser-passer

goi ca – filets de poisson cru marinés dans une sauce spéciale et enrobés d'épices en poudre

gom – céramique

GRP – Gouvernement révolutionnaire provisoire, institué par le Viet-Cong dans le Sud de 1969 à 1976

guerre américaine – nom donné par les Vietnamiens à ce que la plupart des autres nations appellent la "guerre du Vietnam"

hai dang – phare

hai lua – terme signifiant littéralement "riz de deuxième choix", utilisé dans un sens péjoratif dans le delta du Mékong pour désigner les gens de la campagne. Voir aussi *nha que*.

han viet – littérature sino-vietnamienne

hat boi – théâtre classique du Sud

hat cheo – théâtre populaire

hat tuong – théâtre classique du Nord

ho ca – aquarium

ho khau – permis de résidence requis pour tous les aspects de la vie courante (école, emploi, enregistrement d'un véhicule et propriété d'un terrain, d'une habitation ou d'un commerce)

Hoa – ethnie chinoise, la plus importante des minorités vietnamiennes

hoi – période de 60 ans

hoi quan – salles de rassemblement des congrégations chinoises

ho khau – sorte de permis de résidence requis pour s'inscrire dans une école, chercher un emploi, accéder à la propriété privée…

Honda Dream – modèle de scooter le plus vendu au Vietnam

Honda om – moto-taxi ; aussi appelé *xe om*

huong – parfum

huyen – district rural

Indochine – nom qu'utilisaient les Français pour désigner leurs colonies asiatiques et qui englobait le Vietnam, le Cambodge et le Laos

kala-makara – divinité prenant la forme d'un monstre marin

kalan – sanctuaire

ken doi – instrument de musique composé de deux flûtes de bambou à sept trous

khach san – hôtel

khmer – personne d'origine cambodgienne

kich noi – théâtre récitatif

kim mao cau tich – fougère utilisée pour arrêter les saignements en médecine chinoise traditionnelle ; également appelée *cu ly*

kinh – langue vietnamienne

Khong Tu – Confucius

Kuomintang – ou KMT, Parti nationaliste. Le KMT prit le pouvoir en Chine en 1925 et le garda jusqu'en 1949, année de sa défaite face aux communistes

ky – cycle de 12 ans (pour les calendriers)

ky nhong – gecko grillé ou cuit au four, servi avec de la mangue verte fraîche

lang – famille de noblesse héréditaire qui dirige les terres communes et perçoit les récoltes et les taxes des habitants

lau – fondue

lang tam – tombes

li xi – argent de la chance

Libération – prise du Sud par le Nord en 1975. Les étrangers préfèrent le terme de "réunification"

Lien Xo – littéralement "Union soviétique". Mot utilisé pour attirer l'attention d'un étranger

Ligue de la jeunesse révolutionnaire – premier groupe marxiste du Vietnam, prédécesseur du Parti communiste. Fondée par Ho Chi Minh en 1925 à Canton

lingam – phallus stylisé, symbole de la divinité hindoue Shiva

MAAG – groupe de conseil et d'aide militaires (Military Assistance Advisory Group), créé pour entraîner les troupes auxquelles on confiait des armes américaines

mandapa – salle de méditation

manushi-bouddha – bouddha qui apparaissait sous une forme humaine

mat cua – "œil bienveillant" chargé de protéger la maisonnée

mi hoanh thanh – soupe de nouilles jaunes aux won ton

mi quang – soupe de nouilles jaunes agrémentée de crudités

MIA – porté disparu (missing in action)

minbar – chaire en forme d'escalier, d'où l'imam dirige la prière dans les mosquées

mirhab – niche dans le mur d'une mosquée indiquant la direction de La Mecque

moi – terme péjoratif signifiant "sauvage", utilisé envers les membres des minorités ethniques montagnardes

Montagnards – habitants des montagnes ; le terme désigne aujourd'hui les minorités ethniques peuplant les régions reculées du Vietnam

muong – grand village composé de *quel*

naga – terme sanskrit désignant un serpent mythique aux pouvoirs divins souvent représenté la tête dressée au-dessus du Bouddha qu'il protège pendant sa méditation

nam phai – pour hommes

napalm – essence solidifiée larguée sous forme de bombes, aux effets dévastateurs

nem lui – brochettes grillées que l'on roule dans une crêpe de riz avec de la laitue et du concombre avant de les tremper dans une sauce aux cacahuètes

nem ninh hoa – porc grillé enveloppé dans une crêpe de riz sèche

nep moi – alcool blanc, à base de riz gluant, semblable à la vodka

nha hang – restaurant

nha khach – hôtel ou pension

nha nghi – pension

nha que – terme signifiant littéralement "campagne", utilisé dans un sens péjoratif (surtout dans le Nord) pour désigner les gens de la campagne. Voir aussi *hai lua*

nha rong – maison sur pilotis utilisée par les Montagnards comme maison commune

nha tro – dortoir

nom – voir *chu nom*

nui – montagne

nu phai – pour les femmes

nuoc dua – lait de coco

nuoc mam – sauce de poisson macéré assaisonnant les plats vietnamiens

nuoc suoi – eau minérale

Oc-Eo – (ou Funan) royaume hindouisé du sud du Vietnam des Ier-VIe siècle

ODP – programme de départ organisé (Orderly Departure Program), exécuté sous la houlette de l'*UNHCR* et destiné à organiser l'installation en Occident des réfugiés politiques vietnamiens

OSS – prédécesseur de la CIA

Ong Tay – un Occidental

pagode – à l'origine, tour octogonale bouddhique. Terme utilisé au Vietnam pour désigner un temple

pato con coca – cuisse de canard en sauce

pho bo – soupe de nouilles au bœuf

phong thuy – littéralement, eau du vent ; terme désignant la géomancie et également connu sous son appellation chinoise, *fengshui*

piastre – monnaie utilisée sous l'Indochine française

piste Ho Chi Minh – réseau de voies emprunté par l'*ANV* et le Viet-Cong pour approvisionner leurs combattants au Sud

pneumatographie – rituel caodaïste au cours duquel un morceau de papier blanc est placé dans une enveloppe cachetée accrochée au-dessus d'un autel. Lorsque celle-ci est décrochée, un message est inscrit à l'intérieur.

POW – prisonnier de guerre (prisoner of war)

programme de hameaux stratégiques – tentative infructueuse de l'armée américaine et du gouvernement sud-vietnamien visant à regrouper de force les paysans des

ones "chaudes" dans des villages forti-
iés, afin de mieux isoler le Viet-Cong
rogramme Phœnix – plan controversé de la
CIA visant à éliminer les cadres du Viet-Cong
ar assassinat, capture ou retournement
TSD – stress post-traumatique (post-trau-
natic stress disorder)

uan – district urbain
uan lai – mandarins
uel – hameau de maisons sur pilotis
uoc am – littérature vietnamienne mo-
erne
uoc ngu – transcription phonétique du
ietnamien en alphabet latin, actuellement
n usage

ap – cinéma
RDV – République démocratique du Vietnam (ancien Nord-Vietnam)
oi can – marionnettes
oi nuoc – marionnettes aquatiques
ong – maison commune
RSV – République socialiste du Vietnam
nom officiel actuel)
uou – vin
uou de – vins de riz
uou manh – liqueurs
uou ran – vin de serpent
RVN – République du Vietnam (ancien
ud-Vietnam)

alangane – petites hirondelles dont les
ids sont très recherchés dans la gastrono-
nie vietnamienne
ao – flûte en bois
ao la – animal ressemblant à une antilope
hakti – manifestation féminine de Shiva
inh to – jus de fruits
oda chanh – eau gazeuse (dans le Sud) mé-
angée à la glace, du citron et du sucre
ong – cours d'eau
on then – couleur noire
ua dau nanh – lait de soja chaud (spécia-
té de Dalat)
ung – bois de figuier

am Giao – religion triple mêlant le con-
ucianisme, le taoïsme et le bouddhisme,
uxquels s'ajoutèrent avec le temps les
royances populaires chinoises et l'ani-
nisme vietnamien

Tao – la Voie, essence constituant toutes
les choses
Têt – Nouvel An lunaire vietnamien
thai cuc quyen – taichi (vietnamien)
thanh long – corossol ou "fruit du dragon"
Thich Ca – bouddha historique (çakyamuni)
thung chai – embarcation circulaire en
jonc rendue imperméable par du goudron
thuoc bac – médecine chinoise
tiet canh – sang de chèvre (ou de canard)
caillé préparé avec des cacahuètes et des
légumes
toc hanh – bus express
Tonkin – nom donné au nord du Vietnam
pendant la période coloniale française. Il
existe un golfe du même nom
to rung – xylophone en bambou
tra da – thé glacé
trong com – tambourin
truyen khau – tradition orale
tu sat – dominos

UNHCR – Haut-Commissariat des Nations
unies pour les réfugiés (United Nations
High Commission for Refugees)

Vietcong – terme (à l'origine péjoratif)
pour désigner les communistes du Sud-
Vietnam
Viet Kieu – Vietnamiens expatriés
Viet Minh – Ligue pour l'indépendance
du Vietnam. Mouvement nationaliste qui
a combattu les Japonais, puis les Français,
avant de devenir communiste
VNQDD – Viet Nam Quoc Dan Dang ;
parti nationaliste populaire

xang – essence
xe dap loi – voiture tirée par une bicyclette
xe Honda loi – voiture tirée par une moto
xe lam – mini-camionnette à trois roues
servant au transport des passagers et des
marchandises sur de courtes distances
(semblable au *bajaj* indonésien)
xe loi – voiture tirée par une moto (delta
du Mékong)
xe om – moto-taxi, aussi appelée *Honda om*
xich lo – cyclo ; terme dérivé du français
cyclo-pousse
xo so – loterie d'État

yang – génie

Remerciements

Marie Aimée, Jean-Joachim Anken, Monique Balestier, Pierre Bernard, Béatrice Barral, Jean-Paul Blaise, Eléonore Bollart-Gay, Claudine Boucher, Christiane Boudier, Michel Baudri, Virginie Bonnet, Mr. Bonnet, Michel Boudon, Danielle Boulogne, Olivier Brennet, Claude Chastang, Yves Chantepie, Bernard Contat, A.Cordier, Daniel Cordonnier, Bernard Coric, Thierry Courtine, Véronique David, Stéphane Debecker, Marie Dechoux, Nathalie Delrue, Guy Dequeker, Alain Derivier, Anne Devars, Daniel Erspamer, Remy Farssi, Claudine Fievet-Laforet, Robert Flammini, Olivier Folliot, Frédéric Fourt, Marie Pierre Galian, Valérie Gasnier, Gérard Gastel, Jean Pierre, Pascal Geoffroy, Gigoux, Wolfgang Glebe, Gérard Grapton, Magalie Gonzalez, Cécile Guerin, Jérôme Guery, Nicolas Jacquot, Katia Herault, Elisabeth Hillairet, Florence Iknayan, Alexandre Katz, Elisabeth Larger, Robert Larocque, Jérôme Laurent, François Luciotto, Catherine Mauduit, Marie Menu, Anne-Sophie Mauffré, Pascal Mallen, Christophe Moret, G. Muller, Tamara Muller, Jean-Baptiste Nicolas, Duyen Ngyenphoung, Martine Payant, Jean Pérés, Estelle Pfalzgraf, , Gaston Rabier, Matthieu Remond, Alain Remy, Jérôme Pertuiset, Marianne Pin, Mathias Panhard, Philippe Prégaldien, Jean-Paul Preumont, H. Boyer Resses, Synda Roche, Serge Rubio, Judith Sarfati, Isabelle Second, Yann Schneylin, Noëlle Schonenberger, Jacqueline C. Smiths, Eric Strullu, Stéphane Tella, Jean Pierre Thibauet, Ho Thi-Kim-Ngan, Jean - Christophe Tilquin, Herve Vilches, Thibaud Voita, Hélène Wadox, Laure Ziegler.

Index

Texte

Les références des cartes
sont indiquées en **gras**

552

Encadrés

LÉGENDE DES CARTES

ROUTES

Villes | **Régionales**

.... Autoroute
.... Auto. payante
.... Nationale
.... Départementale
.... Cantonale
.... Non goudronnée

.... Rue piétonne
.... Escalier
.... Tunnel
.... Randonnée
.... Promenade
.... Sentier

TRANSPORTS

.... Gare
.... Station de métro

.... Trajet bus
.... Trajet ferry

LIMITES ET FRONTIÈRES

.... Internationale
.... Province

.... Département
.... Non certifiée

HYDROGRAPHIES

.... Bande côtière
.... Rivière ou ruisseau
.... Lac

.... Lac intermittent
.... Lac salé
.... Canal

.... Source, rapide
.... Chute
.... Marais

TOPOGRAPHIE

.... Marché
.... Édifice
.... Campus

.... Cimetière
.... Terrain de sport
.... Parc, jardin

.... Terrain de golf
.... Parc
.... Place

.... Sable
.... Forêt
.... Mangrove

SYMBOLES

◎ CAPITALE NATIONALE
◉ Capitale régionale
● Grande ville

● Ville Moyenne
○ Petite ville
○ Village, lieu-dit

.... Aérodrome
.... Aéroport
.... Site archéologique, ruines
.... Banque
.... Café
.... Champs de bataille
.... Location de vélo
.... Poste frontière
.... Zoo
.... Gare routière
.... Téléphérique, funiculaire
.... Terrain de camping
.... Château
.... Cathédrale
.... Grotte

.... Église
.... Cinéma
.... Site de plongée
.... Ambassade, consulat
.... Passerelle
.... Fontaine
.... Station-service
.... Hôpital
.... Information touristique
.... Cybercafé
.... Phare
.... Point de vue
.... Accessibilité
.... Monument
.... Montagne

.... Où se loger
.... Où se restaurer
.... Centre d'intérêt
.... Musée
.... Observatoire
.... Parc
.... Parking
.... Col
.... Aire de pique-nique
.... Poste de police
.... Piscine
.... Bureau de poste
.... Bar, pub
.... Caravaning
.... Golf
.... Source
.... Parc national
.... Ornithologie

.... Canoë, kayak
.... Ancrage, mouillage
.... Plage
.... Temple
.... Belle demeure
.... Surf
.... Synagogue
.... Temple Tao
.... Mosquée
.... Pagode
.... Borne de taxi
.... Téléphone
.... Théâtre
.... Toilette publique
.... Tombeau
.... Chemin de randonnée
.... Terminus de tram
.... Transports

Note : tous les symboles ne sont pas utilisés dans cet ouvrage

---

BUREAUX LONELY PLANET

Australie
Locked Bag 1, Footscray, Victoria 3011
☎ (03) 8379 8000 ; Fax (03) 8379 8111
e-mail : talk2us@lonelyplanet.com.au

États-Unis
150 Linden Street, Oakland, CA 94607
☎ (510) 893 8555 ; Fax (510) 893 85 72
N° Vert : 800 275-8555
e-mail : info@lonelyplanet.com

Royaume-Uni et Irlande
72 – 82 Rosebery Avenue, Clerkenwell,
London, EC1R 4RW
☎ (020) 7428 4800 ; Fax (020) 7428 4828
e-mail : go@lonelyplanet.co.uk

France
1, rue du Dahomey,
75011 Paris
☎ 01 55 25 33 00 ; Fax 01 55 25 33 01
e-mail : bip@lonelyplanet.fr

World Wide Web : http://www.lonelyplanet.fr et http://www.lonelyplanet.com
Lonely Planet Images : www.lonelyplanetimages.com